# INTRODUCTION À LA
# MICRO
# ÉCONOMIE
# MODERNE

2e édition

# INTRODUCTION À LA MICROÉCONOMIE MODERNE

2e édition

Michael Parkin

Robin Bade

Marc Van Audenrode

**ERPI**

ÉDITIONS DU RENOUVEAU PÉDAGOGIQUE INC.

5757, RUE CYPIHOT
SAINT-LAURENT (QUÉBEC)
H4S 1R3

TÉLÉPHONE : (514) 334-2690
TÉLÉCOPIEUR : (514) 334-4720
COURRIEL : erpidlm@erpi.com

Supervision éditoriale :
**Jacqueline Leroux**

Révision linguistique :
**Sylvie Dupont**

Correction d'épreuves :
**Sylvie Chapleau**

Traduction :
**Nicole André**

Couverture :

Sources des illustrations :
**Voir p. 554**

Édition électronique :
**Typo Litho composition inc.**

**MICHAEL PARKIN** *a fait ses études à l'Université de Leicester, en Angleterre. Il est maintenant rattaché au département de science économique de l'Université Western Ontario. Le professeur Parkin a également occupé divers postes dans les Universités de Sheffield, de Leicester, d'Essex et de Manchester. Il a écrit de nombreux articles en macroéconomie, notamment sur le monétarisme et l'économie internationale.*

**ROBIN BADE** *enseigne à l'Université Western Ontario. Elle est diplômée en mathématiques et en science économique de l'Université du Queensland et a obtenu son doctorat à l'Australian National University. Elle a occupé divers postes à l'école de commerce de l'Université d'Édimbourg et aux départements de science économique des Universités du Manitoba et de Toronto. Ses recherches ont porté principalement sur les flux de capitaux.*

**MARC VAN AUDENRODE** *est professeur au département d'économique de l'Université Laval. Il est diplômé de l'Université de Californie à Los Angeles et a obtenu un doctorat de l'Université de Californie à Berkeley. Ses recherches portent sur l'impact des institutions sur le marché du travail, l'assurance-emploi et les mécanismes de création d'emplois ainsi que sur le rôle de l'information dans les transactions économiques.*

Dans cet ouvrage, le générique masculin est utilisé sans aucune discrimination et uniquement pour alléger le texte.

Cet ouvrage est une version française de la 3e édition de *MICROECONOMICS – Canada in the global environment* de Michael Parkin et Robin Bade, publiée et vendue à travers le monde avec l'autorisation d'Addison-Wesley Publishers Limited.

Dépôt légal : 4e trimestre 1999
Bibliothèque nationale du Québec
Bibliothèque nationale du Canada

*Imprimé au Canada*

ISBN 2-7613-1087-X

4567890 II 0987654
20106 ABCD       UM-9

# Présentation

Changer la vision du monde des étudiants — tel est le but que nous poursuivons inlassablement dans notre enseignement et celui qui nous a animés tandis que nous préparions cette nouvelle édition. Rien n'est plus gratifiant pour un professeur que la joie de l'étudiant qui commence à entrevoir les formidables leçons du raisonnement économique. Leçons ardues, il faut bien l'avouer. Jour après jour, notre travail en classe nous rappelle combien il est difficile d'atteindre cette nouvelle compréhension du monde que donne l'économique et nous empêche d'oublier combien d'efforts il nous a fallu jadis pour parvenir à maîtriser cette discipline. Dans cette édition, nous avons donc décidé de tabler sur l'expérience de nos propres étudiants et sur les réactions des nombreux utilisateurs — professeurs et étudiants — de la précédente édition. ◆ Toujours en évolution, les éléments de base du cursus économique ont pris un tournant majeur ces dernières années, tant en microéconomie qu'en macroéconomie. Le cursus actuel reflète les enjeux de notre époque : ralentissement de la croissance de la productivité, révolution de l'information, émergence d'économies de marché en Europe de l'Est et en Asie, mondialisation de l'investissement et du commerce. Les professeurs de microéconomie sentent maintenant le besoin d'insister sur des notions fondamentales comme le choix, le coût d'opportunité et la substitution, ainsi que sur la capacité du marché de permettre aux gens de se spécialiser et de réaliser des gains à l'échange. Cet ouvrage vous permettra de mettre l'accent sur les acquis fondamentaux de l'économique et — une nouveauté — d'enseigner la théorie de la croissance économique à long terme avec les outils familiers de l'offre et de la demande.

# Les objectifs de la nouvelle édition

LE REMANIEMENT QUI A MENÉ À CETTE ÉDITION d'*Introduction à la microéconomie moderne* poursuivait trois objectifs :

- axer la démarche pédagogique sur les notions fondamentales de l'économique ;
- expliquer les enjeux et les problèmes économiques actuels ;
- créer un outil d'enseignement et d'apprentissage souple et polyvalent.

## Une démarche axée sur les principes fondamentaux

Cette édition remaniée s'articule autour des principes fondamentaux du choix et du coût d'opportunité, de l'analyse marginale, de la substitution et des incitatifs, et de la force du mécanisme de la concurrence. Nous expliquons à fond les outils de l'offre et de la demande et nous les utilisons tout au long de l'ouvrage. Nous faisons aussi état d'idées nouvelles comme l'avantage comparatif dynamique, la théorie des jeux et ses applications, et les théories modernes de l'information et des choix publics, mais nous les décrivons et les expliquons en revenant toujours aux principes fondamentaux et aux outils familiers de l'économique.

## Une explication des enjeux et des problèmes économiques actuels

Nous ne nous contentons pas de parler de ces principes et de ces outils, nous nous en servons pour aider les étudiants à comprendre les grandes questions de l'heure. Ainsi, nous traitons, parfois en profondeur, de l'environnement, des écarts de revenu grandissants, des déficits budgétaires et de l'anti-protectionnisme.

## Un outil souple et polyvalent

Si tout professeur d'économique a une conception très précise de ce qu'il faut enseigner et de la façon de le faire, cette conception est loin d'être la même pour tous. Ce trait qui rend notre discipline si captivante fait de la rédaction d'un manuel d'économique une véritable gageure, car l'outil doit être assez polyvalent pour se prêter à diverses utilisations et convenir à des professeurs de divers horizons. Nous avons tenté de relever cette gageure.

Nous tenions également à ce que ce manuel s'adresse aussi bien aux étudiants qui se destinent à l'économique qu'à ceux qui s'orientent vers l'administration ou vers une autre discipline.

Loin d'être un carcan, l'agencement des chapitres se modifie aisément et de plusieurs façons ; à titre indicatif, nous en signalons quelques-unes dans le « Tableau d'enseignement à la carte » de la page X.

**Niveau et point de vue**  On aurait tort, en constatant que nous traitons de sujets brûlants, de se dire « Hum… ouvrage de haut niveau » ou « Attention : opinion biaisée ».

Cela dit, ce manuel défend un point de vue. Nous voyons l'économique comme une science sérieuse, vivante et en constante évolution, une science qui, pour établir un corpus théorique capable d'expliquer le monde économique, construit, teste et rejette des modèles économiques. Dans certains domaines, cette science a accompli sa tâche : l'affaire est réglée, alors nous exposons ce qui est connu. Dans d'autres, il lui reste du chemin à faire : il y a encore controverse, alors nous exposons les points de vue divergents. Cette approche positive de l'économique nous semble particulièrement enrichissante, à plus forte raison pour des étudiants qui s'apprêtent à entrer dans un monde où les idéologies ont perdu toute pertinence et où les anciennes balises du paysage économique se déplacent ou disparaissent.

En souvenir de nos premiers démêlés avec l'économique et parce que nous savons qu'ils sont nombreux à trouver cette discipline aride, nous avons placé les étudiants au premier plan de notre démarche. C'est d'abord à eux que nous pensions en écrivant ce manuel ; nous nous sommes efforcés de leur rendre la matière aussi accessible que possible en adoptant une langue claire et un style détendu.

Chaque chapitre s'ouvre sur un énoncé des objectifs d'apprentissage, suivi d'un court texte qui situe le sujet dans l'univers des étudiants pour capter leur attention, et de quelques lignes qui en annoncent les grands titres.

Une fois dans le chapitre, loin de réduire l'économique à une série de recettes à mémoriser, nous encourageons l'étudiant à prendre le temps de bien assimiler chaque concept. Pour l'aider à suivre et à garder son intérêt, nous avons veillé à ce que toute notion abstraite s'incarne et s'anime dans un exemple concret. Et, dès que nous avons fini d'expliquer un principe, nous nous empressons de l'appliquer à un enjeu ou à un problème du monde réel, espérant ainsi insuffler au néophyte une certaine dose d'enthousiasme et d'assurance.

# Les nouveautés de la nouvelle édition

LA STRUCTURE DE CETTE NOUVELLE ÉDITION s'inspire largement de celle de la précédente, mais elle reflète aussi les objectifs du remaniement : axer la matière sur les principes fondamentaux, expliquer des questions de l'heure, alléger et simplifier.

Le chapitre 1 a été substantiellement modifié; il s'articule maintenant autour de deux grands titres: «Les économistes: comment ils raisonnent» et «Les économistes: ce qu'ils font». Nous avons enrichi le chapitre 3 d'exemples inspirés de la vie courante pour illustrer les principes fondamentaux de la rareté, du choix, du coût d'opportunité, de l'avantage comparatif et des gains à l'échange.

Nous avons étayé et raffiné le chapitre 4, qui traite des principes fondamentaux de l'offre et de la demande. Le chapitre 5 s'est accru d'un nouvel exemple du lien entre l'élasticité et le revenu total, ainsi que de nouvelles comparaisons internationales d'élasticité.

Le chapitre 9 décrit les relations principal-agent et explique comment elles engendrent divers types d'organisation de l'entreprise. Le chapitre 10 simplifie l'explication des courbes de coût moyen à long terme, et de la relation entre la pente des courbes de produit et les courbes de coûts. Le chapitre 11 aborde plus directement le modèle de la concurrence parfaite; nous y expliquons plus clairement les concepts de concurrence et d'efficience. Au chapitre 12, nous avons revu et amélioré l'explication de la discrimination par les prix et, au chapitre 13, nous avons ramené à l'essentiel notre exposé sur la théorie des jeux et l'oligopole.

Toujours pour axer la matière sur les principes fondamentaux, nous avons réorganisé et augmenté les chapitres qui traitent des marchés et de l'État. Le chapitre 18 passe en revue toutes les questions relatives à l'État, aux choix publics et aux biens publics, intégrant une matière qui se répartissait sur deux chapitres — 19 et 20 — dans l'édition précédente. Le chapitre 20 traite de la politique de concurrence et correspond au chapitre 21 de l'ancienne édition, mais nous y avons ajouté de nouveaux exemples et de nouveaux cas — notamment l'affaire Entreprises Bell Canada et l'affaire des libraires Smith et Coles. Le chapitre 21, un tout nouveau chapitre sur les effets externes, traite en détail de l'économique de l'environnement et du savoir.

Finalement, le chapitre 22 s'intéresse à la macroéconomie. Il décrit ses origines et sa résurgence dans le contexte de la Grande Dépression, ses objets d'étude — actuels et passés, au Canada et dans le reste du monde — et les défis politiques qu'elle devra relever dans les années qui viennent.

## Des caractéristiques propres à l'apprentissage

COMME LA PRÉCÉDENTE, CETTE ÉDITION DU manuel *Introduction à la microéconomie moderne* présente de nombreuses caractéristiques propres à l'apprentissage.

## Une approche visuelle novatrice

Si la précédente édition de cet ouvrage a connu un tel succès, elle le doit en bonne partie à une approche visuelle si novatrice qu'elle est devenue un modèle du genre. L'analyse graphique est sans doute l'outil le plus important dans l'enseignement et l'apprentissage de l'économique; malheureusement, elle donne souvent du fil à retordre aux étudiants. Il fallait donc apporter un soin particulier à la présentation des graphiques: nous les voulions non seulement attrayants, mais capables de représenter sans ambiguïté les principes économiques qu'ils illustrent. Depuis la parution de ce manuel, ses figures et ses graphiques n'ont jamais cessé de nous valoir les éloges des utilisateurs, ce qui confirme bien que nous avions raison d'y accorder une telle importance. Nous avons donc conservé leur style limpide qui dégage si bien les données et les tendances, avec une amélioration cependant: les graphiques qui illustrent les processus de l'économie distinguent maintenant les divers agents économiques.

Notre objectif a toujours été de montrer où se situe l'activité économique. À cette fin, nous avons établi un code visuel rigoureux pour la notation et l'emploi de la couleur. Ainsi:

■ la couleur rouge indique les points d'équilibre, les déplacements des courbes et les éléments les plus importants;

■ les flèches de couleur indiquent la direction d'un déplacement dans ce qui est habituellement une représentation statique;

■ plusieurs figures regroupent les graphiques et les tableaux de données qui ont servi à tracer les courbes;

■ l'utilisation d'un code de couleur cohérent met en évidence divers éléments du contenu des graphiques, et permet de s'y référer clairement dans le texte et les légendes;

■ de petits encadrés teintés dans les graphiques attirent l'attention sur des informations clés;

■ le recours à l'informatique permet d'atteindre une précision maximale dans chaque graphique.

Autre mérite de la conception visuelle: elle facilite l'étude et la révision de la matière:

■ les figures et les tableaux clés listés à la fin de chaque chapitre sont facilement repérables grâce à une petite icône rose ◇;

■ complètes en elles-mêmes, les légendes des tableaux et des graphiques en résument les points essentiels; l'étudiant peut les parcourir pour réviser un chapitre ou pour en avoir un aperçu, et y revenir ponctuellement pour se rafraîchir la mémoire sur un point précis.

## Des entretiens avec d'éminents économistes

Dans l'édition précédente, nos entretiens avec d'éminents économistes ont connu un vif succès. Nous maintenons la tradition en vous offrant ici cinq autres entretiens avec des économistes qui ont contribué notablement à l'avancement de la théorie et de la pratique économique. Chacun de nos entretiens sert d'introduction à l'une des cinq parties de l'ouvrage et porte sur des sujets qu'on y traite. Les étudiants pourront les lire avant d'entamer l'étude des chapitres d'une partie et les relire par la suite pour en apprécier la teneur.

En conclusion du premier de ces entretiens, Douglass North, lauréat du prix Nobel de science économique, incite les étudiants à questionner les économistes sur leurs champs de spécialisation, leur contribution à l'économique et leurs perspectives. « [...] vous devez continuellement tenter d'en tirer tout ce que vous pouvez. » Nous avons mis ce conseil en pratique : l'ensemble des entretiens constitue une sorte de symposium informel sur les grands sujets économiques de l'heure.

## Des exercices d'analyse critique : la rubrique « Entre les lignes »

Conçue pour donner aux étudiants l'occasion de s'exercer à l'analyse critique et pour les habituer à appliquer les grands principes économiques aux événements quotidiens comme à leur couverture médiatique, notre rubrique « Entre les lignes » est également très appréciée. Vous y trouverez des articles parus dans *The Economist*, *The Globe and Mail*, *The Financial Post* et d'autres grands journaux canadiens ; tous couvrent des sujets de nature à intéresser les étudiants. Un certain nombre de ces rubriques, intitulées « Pleins feux sur les politiques », portent sur des débats politiques très actuels : la lenteur de la croissance économique, l'emploi et le chômage, l'inflation, la politique de la Banque du Canada et la politique commerciale internationale. Sous le titre « Si vous deviez voter », une série de questions ouvertes invitent l'étudiant à faire une évaluation critique des politiques actuelles et à participer au processus politique en mettant ses idées par écrit, pour éventuellement les faire parvenir aux députés. L'icône ✦ permet de repérer dans la table des matières les rubriques « Entre les lignes » consacrées aux politiques économiques.

## Des jalons historiques : la rubrique « L'évolution de nos connaissances »

La rubrique « L'évolution de nos connaissances » trace l'histoire des idées maîtresses en économique. L'étudiant pourra ainsi constater leur universalité, mais aussi leur pérennité : les prodigieuses idées d'Adam Smith sur la division du travail s'appliquent aussi bien à la création d'une puce électronique qu'à la fabrication d'épingles dans une manufacture du XVIIIe siècle.

## Les repères pédagogiques

Pour que le manuel soutienne et complète le plus efficacement possible les apprentissages faits en classe, nous avons prévu dans chaque chapitre plusieurs repères pédagogiques :

**Les objectifs** Une liste des objectifs du chapitre permet à l'étudiant de se fixer des buts avant d'en entreprendre l'étude.

**Le texte d'introduction** Truffé de devinettes, de métaphores et de paradoxes, le texte d'introduction cherche à piquer la curiosité en soulevant des questions qui trouveront une réponse dans le chapitre.

**Les capsules « À retenir »** Chaque section du chapitre se termine sur une capsule qui en résume l'essentiel en quelques lignes.

**Les mots clés** Les caractères gras mettent en relief les termes clés du vocabulaire économique, qui sont ensuite listés à la fin du chapitre avec un renvoi à la page de référence, puis repris et définis dans un glossaire à la fin du manuel (p. 537), avec leur équivalent en anglais.

**Les figures et tableaux clés** L'icône ✦ attire l'attention sur les figures et tableaux clés, dont la liste apparaît aussi à la fin du chapitre, avec un renvoi à la page de référence.

**Les rubriques de fin de chapitre** En fin de chapitre, on trouve un résumé de la matière par sections, la liste des mots clés et celle des figures et tableaux clés avec les pages de référence, des « Questions de révision » et plusieurs « Problèmes », souvent accompagnés de graphiques. Les questions de la rubrique « Analyse critique » — une nouveauté de cette édition — portent sur le sujet de la rubrique « Entre les lignes » ou sur d'autres sujets d'actualité. Nous avons beaucoup travaillé pour mettre au point des questions de révision, des sujets d'analyse critique et des problèmes qui favorisent l'assimilation efficace de la matière.

Les questions d'analyse critique et problèmes précédés de l'icône ▨ renvoient les étudiants à des sites Web comme ceux de Statistique Canada, de Finances Canada, de la Banque du Canada ou du Fraser Institute. Nous espérons leur donner ainsi l'habitude d'utiliser les ressources d'Internet pour se tenir à jour.

## La polyvalence

Un trimestre, c'est bien peu pour atteindre tous les objectifs d'un cours d'initiation à la microéconomie, et le manque de temps oblige souvent les professeurs à faire des choix. Pour tenir compte de la contrainte de temps et faciliter ces choix, nous avons rendu optionnelle une bonne partie du contenu de l'ouvrage; le «Tableau d'enseignement à la carte» de la page X départage les chapitres qui portent sur des notions fondamentales, et distingue ceux qui traitent de leur application et ceux qui sont facultatifs. Puisqu'il existe plusieurs approches des principes de la microéconomie, nous vous proposons un manuel assez polyvalent pour s'adapter à divers styles d'enseignement et à différentes façons d'organiser la matière.

## Le matériel complémentaire

Afin qu'étudiants et professeurs tirent un maximum de profit du manuel, nous leur proposons deux outils complémentaires.

**Le *Guide de l'étudiant***   Chaque chapitre de ce guide correspond à un chapitre du manuel et comprend les rubriques suivantes:

- *Concepts clés*   Une ou deux pages qui résument la matière, les concepts et les définitions clés du chapitre;
- *Rappels*   Des suggestions pour éviter les erreurs les plus communes et bien assimiler les concepts les plus importants;
- *Autoévaluation*   Un test qui permet à l'étudiant de s'exercer aux examens en lui proposant divers types de questions (vrai ou faux, questions à choix multiple) et de problèmes (problèmes à court développement, analyse graphique et critique, problèmes axés sur les politiques économiques), avec les réponses et de brèves explications.

Le *Guide de l'étudiant* comprend aussi quatre sections consacrées à la révision des quatre parties du livre, comportant chacune un problème et un examen de mi-étape. Le problème, axé sur la politique économique, permet à l'étudiant de vérifier s'il a bien assimilé les concepts d'une partie, s'il maîtrise leur articulation logique et s'il peut appliquer ces connaissances à la résolution d'un problème du monde réel. Quant à l'examen, ses questions imitent celles d'un véritable examen de mi-étape; l'étudiant peut ainsi s'y préparer en vérifiant s'il maîtrise bien toute la matière. Les réponses figurent dans le *Guide*.

Plusieurs éléments du *Guide* — les vrai ou faux, les questions à choix multiple, les problèmes à court développement et les problèmes des sections «Révision» — visent à rompre l'étudiant à l'analyse critique. D'autres éléments cherchent plutôt à lui faciliter l'apprentissage de l'économique — les «Concepts clés», les «Rappels», les réponses détaillées aux questions à choix multiple ainsi que les sections «Révision» et l'examen de mi-étape.

**Le CD-ROM**   Pour faciliter l'enseignement en classe, tous les graphiques importants du manuel sont proposés au professeur sur support informatique.

## Quelques mots à l'étudiant

NOUS AVONS ÉCRIT CE MANUEL POUR VOUS AIDER À réussir votre cours d'économique, à y prendre plaisir et à acquérir une meilleure compréhension du monde économique réel.

Voici maintenant quelques recommandations sur ce que vous pouvez faire de votre côté pour atteindre ces mêmes objectifs.

- Consacrez au moins quatre heures par semaine à l'économique en plus de vos cours en classe. Travaillez assidûment semaine après semaine. Ne comptez pas sur un sprint final pour réussir; cela ne fonctionnera pas.
- Lisez votre manuel *avant* chaque cours et prenez des notes détaillées.
- Ne ratez aucun cours. Dès qu'un cours est terminé, complétez vos notes en y intégrant les points sur lesquels votre professeur a insisté.
- Répondez à *toutes* les questions de révision et travaillez au moins la moitié des problèmes qui se trouvent à la fin des chapitres du manuel.
- Travaillez *toute* la matière proposée dans le *Guide de l'étudiant.*

D'après notre expérience (et nous avons enseigné à plusieurs milliers d'étudiants), si vous suivez ces recommandations, non seulement vous réussirez votre cours, mais vous y prendrez plaisir et vous pourriez même devenir un mordu de l'économique.

## La majeure en économique

Si l'économique vous intéresse et que vous voulez continuer à l'étudier, vous aurez à décider si vous voulez faire un baccalauréat en économique ou dans une discipline connexe comme l'administration des affaires. Ces dernières années, de plus en plus d'étudiants optent pour des études en administration des affaires. Nous respectons évidemment leur choix, mais nous croyons que la majeure en économique présente plusieurs avantages, même pour l'étudiant ou l'étudiante qui vise une carrière dans les affaires.

## Tableau d'enseignement à la carte

| Notions fondamentales | Politique économique | Facultatif |
|---|---|---|
| **1.** Qu'est ce que la science économique ? | | **2.** Les graphiques — construction et utilisation<br><br>Un chapitre destiné aux étudiants qui redoutent les graphiques. |
| **3.** La production, la croissance et l'échange | | |
| **4.** L'offre et la demande | | |
| **5.** L'élasticité | **6.** Les marchés en action<br><br>Un chapitre exceptionnel qui examine en profondeur les applications de la demande et de l'offre. | |
| **7.** L'utilité et la demande<br><br>Certains professeurs voudront traiter cette matière avant le chapitre 4 ; d'autres préféreront la sauter carrément. | | **8.** Contraintes budgétaires, préférences et choix de consommation<br><br>Une explication facilement transmissible des courbes d'indifférence. Tout à fait facultatif. |
| **9.** L'organisation de la production<br><br>On peut sauter ce chapitre. | | |
| **10.** La production et les coûts | | |
| **11.** La concurrence | | |
| **12.** Le monopole | | |
| **13.** La concurrence monopolistique et l'oligopole | | |
| **14.** La détermination du prix et l'allocation des facteurs de production<br><br>Un survol des marchés des facteurs ; les chapitres 15 et 16, facultatifs, traitent le sujet plus en profondeur. | | **15.** Le marché du travail<br>**16.** Les marchés financiers et les marchés des ressources naturelles<br>**17.** L'incertitude et l'information |
| | **18.** Les lacunes du marché et les choix publics<br><br>Une introduction générale au rôle de l'État dans l'économie et à la théorie économique des choix publics et des biens publics. | |
| | **19.** L'inégalité et la redistribution | |
| | **20.** La politique de concurrence | |
| | **21.** Les effets externes, l'environnement et le savoir | |
| **22.** Le commerce international | | |

Premièrement, l'économique vous donnera la meilleure préparation qui soit à la formulation et à la résolution de problèmes. La pensée économique vous apprend à aborder un problème, à déterminer les facteurs les plus pertinents pour le résoudre, et à utiliser les outils et les techniques qui génèrent les meilleurs résultats possible.

Deuxièmement, des études en économique vous donneront l'occasion d'améliorer votre potentiel de conceptualisation. Les gens capables d'imaginer l'inédit et de transformer une idée en produit sont la ressource la plus précieuse qui soit, et leurs efforts sont généralement bien récompensés. L'économique ne donne pas une liste d'idées nouvelles — à quoi bon, puisque l'essence des nouvelles idées est justement leur nouveauté —, mais plutôt une façon de les envisager et de les exploiter en se détachant du passé. L'économique libère l'esprit pour aborder les nouvelles idées avec un œil neuf.

Troisièmement, un diplôme en économique ouvre des portes. Dans le monde actuel, et à plus forte raison dans le monde de demain, un baccalauréat ne suffit pas à vous assurer une carrière vraiment satisfaisante. En moyenne, le rendement d'un diplôme d'études supérieures est largement suffisant pour compenser l'investissement qu'il exige. En fait, pour la plupart d'entre nous, ce sera le meilleur investissement de notre vie ! Mais quelle discipline choisir ? Le grand avantage d'un baccalauréat en économique est de nous préparer à tout un éventail de professions : comptabilité, finance, banque, administration, affaires, droit, journalisme, urbanisme et même médecine. La pensée économique sert dans tous les domaines de la vie.

### L'économique et les mathématiques

L'économique est une discipline mathématique. Ni vos cours d'initiation à l'économique, ni l'étude de ce manuel ne sont très exigeants sur ce plan, mais attention : dès la seconde année d'études, il devient impossible de réussir en économie en évitant les mathématiques. De toute façon, une culture de base en mathématiques est essentielle de nos jours. Alors, si vous en avez la capacité et l'envie, suivez quelques cours de mathématiques parallèlement à vos cours d'initiation à l'économique.

### Faut-il absolument un ordinateur ?

Oui, vous avez besoin d'un micro-ordinateur. Au moment d'obtenir votre diplôme, vous devrez à tout le moins maîtriser l'utilisation d'un traitement de texte, d'un tableur et des outils de base d'Internet. Posséder un ordinateur n'est pas essentiel pour vous initier aux principes fondamentaux de l'économique, mais cela vous aidera beaucoup, notamment en vous donnant accès à un grand éventail de ressources informatisées. Alors, si vous en avez les moyens, n'hésitez plus à vous en procurer un.

**Robin Bade et Michael Parkin, University of Western Ontario**

**Marc Van Audenrode, Université Laval**

## Remerciements

MÊME LIMITÉE AU TRAVAIL DE TRADUCTION ET d'adaptation, la préparation d'un manuel comme celui-ci suppose la coopération de nombreuses personnes qui m'ont soutenu dans cette longue entreprise. Je les remercie tous et toutes, et je leur exprime ma gratitude. Parmi les personnes avec qui j'ai travaillé directement, je tiens à remercier plus spécialement :

- toute l'équipe des Éditions du Renouveau Pédagogique, qui m'a impressionné par son sérieux et son professionnalisme, et tout particulièrement Sylvie Dupont, la réviseure linguistique, qui a largement contribué à la qualité du texte et de la présentation ; Jean-Pierre Albert, le directeur du secteur collégial et universitaire, et Jacqueline Leroux, l'éditrice en chef : pendant des mois, leur souci constant de qualité et de perfection a été pour moi un aiguillon (ils m'ont aussi beaucoup appris sur cette notion si méconnue dans le monde universitaire : l'échéance) ;

- les auteurs de l'édition anglaise, Michael Parkin et Robin Bade, qui ont fait preuve d'une grande disponibilité et m'ont appuyé tout au long de ce travail ;

- mes collègues de l'Université Laval, qui m'ont aidé à maintes reprises à « créer » — il fallait souvent inventer de toutes pièces — l'adaptation française de nouvelles notions et de nouveaux concepts ;

- finalement, ma famille qui, ces derniers mois, m'a rarement vu sans un chapitre à la main…

**Marc Van Audenrode**

# Sommaire

**Table des matières**

---

**Chapitre 3**

## La production, la croissance et l'échange   41

---

**Chapitre 4**

## L'offre et la demande   65

---

**Chapitre 5**

## L'élasticité   96

## Chapitre 6

# Les marchés en action **117**

# 2e partie | Les marchés de biens et services

## Chapitre 7

# L'utilité et la demande **146**

## Chapitre 8

# Contraintes budgétaires, préférences et choix de consommation **166**

## Chapitre 9

### L'organisation de la production   186

## Chapitre 10

### La production et les coûts   208

## Chapitre 11

### La concurrence   231

# 4ᵉ partie    Les marchés et le gouvernement

## Introduction

Douglass North, professeur de science économique et d'histoire économique à la Washington University de St. Louis, est né à Cambridge au Massachusetts en 1920. Il a fait ses études à Berkeley, où il a obtenu son doctorat en 1952. Le professeur North a été l'un des premiers à étudier des institutions économiques comme les formes de gouvernement, l'État de droit et le droit à la propriété privée, et à se pencher sur leur rôle dans le développement économique et la croissance soutenue du revenu. Ses vues lui ont permis d'expliquer la transformation de ces sociétés agri-

**ENTRETIEN AVEC Douglass North**

coles à faible revenu qu'étaient les États-Unis et l'Europe occidentale il y a 200 ans en sociétés complexes à revenu élevé. En 1993, le professeur North recevait le prix Nobel de science économique. Robin Bade et Michael Parkin se sont entretenus avec lui de ses travaux et de leur pertinence dans le monde d'aujourd'hui et de demain.

**Professeur North, qu'est-ce qui vous a attiré vers la science économique ?**

J'ai grandi pendant la crise économique des années 1930. Quand je suis entré au collège, en 1938, j'étais déjà un jeune homme très engagé, et je suis devenu marxiste parce qu'un marxiste avait des réponses, ou du moins disait en avoir, aux grandes questions économiques de l'heure. Nous croyions alors que, en remplaçant l'économie de marché par l'économie planifiée du socialisme, nous pourrions enrayer la Crise et bien d'autres fléaux économiques.

À Berkeley, j'ai voulu suivre des cours qui me permettraient de comprendre pourquoi certains pays sont riches et d'autres, pauvres. L'histoire économique m'est apparue comme la discipline la plus instructive à cet égard.

J'ai terminé mes études collégiales et je me préparais à faire mon droit pour devenir avocat lorsque la Deuxième Guerre mondiale a éclaté. J'ai servi durant quatre ans dans la marine marchande. Il n'y a pas grand-chose à faire quand on navigue en pleine mer à 20 kilomètres à l'heure… alors j'ai passé ces années à lire des quantités de livres. En bon marxiste, je voulais sauver le monde, et je me disais que le meilleur moyen d'y parvenir était de comprendre pourquoi certains systèmes économiques fonctionnent bien et d'autres, mal. Un but utopique… que je poursuis toujours !

**Comment avez-vous renoncé au marxisme de vos débuts ? Avez-vous eu une révélation soudaine ou est-ce venu graduellement ?**

Ma conversion a été un très long processus. J'ai obtenu mon premier emploi d'enseignant en 1950 à la University of

Washington de Seattle. Pendant trois ans, j'ai joué aux échecs tous les jours avec mon collègue Donald Gordon. Donald était un bon économiste et, à force de discuter d'économie avec lui devant l'échiquier, je me suis peu à peu détaché du marxisme pour devenir un économiste orthodoxe.

**Quels sont les principes économiques clés qui guident votre travail — les principes et les perspectives que l'économiste apporte à l'étude des processus historiques à long terme?**

Il y en a deux. Le premier concerne l'importance des frais de transaction — les frais que l'on engage pour commercer avec des partenaires.

La science économique cherche à comprendre comment les sociétés font face au problème de la rareté — au fait que les gens désirent toujours plus que ce que leur permettent leurs ressources limitées. Traditionnellement, les économistes se sont concentrés sur la manière dont les ressources sont réparties à un moment particulier de l'histoire — par exemple, sur ce qui détermine aujourd'hui la répartition des dépenses entre les écoles et les hôpitaux, les ordinateurs et les automobiles… L'histoire économique, elle, s'intéresse à la manière dont les sociétés évoluent avec le temps; elle cherche à découvrir pourquoi certaines sociétés deviennent prospères tandis que d'autres restent pauvres. J'ai acquis la conviction que le raisonnement économique qui sous-tend les principes économiques est celui qui permet le mieux de comprendre comment les sociétés évoluent au fil du temps. Et cette conviction m'a entraîné très loin…

Revenons à l'époque où j'étudiais l'économique; les théories économiques étaient alors fondées sur le *postulat* que, dans des marchés efficients, les individus peuvent se spécialiser et échanger leurs produits. Mais ces théories ne tenaient pas compte des frais de transaction — c'est-à-dire des frais que les gens encourent pour commercer entre eux, et des frais que les gouvernements et les entreprises engagent pour faire fonctionner les marchés.

Aussi, je me suis d'abord questionné sur la manière dont se font les échanges, compte tenu des frais de transaction considérables qu'ils impliquent.

**Et le deuxième principe?**

Le deuxième principe veut que les frais de transaction soient intimement liés à la manière dont les êtres humains ont structuré l'ordre économique — donc à leurs institutions. Ce fait m'a poussé à réfléchir sur une deuxième question: la manière dont les institutions évoluent avec le temps pour améliorer l'efficience des marchés.

**Lorsqu'un économiste parle d'institutions économiques, qu'entend-il exactement par là? Que sont ces institutions?**

Les institutions sont des règles sociales qui structurent les interactions humaines — des règles très officielles comme les constitutions et les lois, et des règles courantes comme les statuts et les règlements. Mais il y a plus; il y a aussi toutes ces règles tacites qui régissent les interactions quotidiennes des gens, et qui sont en quelque sorte des règles de conduite.

Les institutions sont le squelette sur lequel se greffent toutes les interactions humaines — politiques, sociales et économiques. Par conséquent, le fait de comprendre comment elles fonctionnent, de savoir pourquoi elles sont efficientes dans certaines conditions et non dans d'autres, est vraiment la clé de la richesse des nations. La législation antitrust, la législation sur les brevets et la législation sur les faillites sont des exemples d'institutions économiques.

**Les institutions qui ont été instaurées aux États-Unis ont permis le développement économique et la prospérité, alors que celles qui ont été mises en place en ex-Union soviétique — et qui, dans une certaine mesure, prévalent toujours en Russie et dans d'autres pays d'Europe de l'Est — ont entraîné la stagnation et la pauvreté.**

**Les économistes peuvent-ils expliquer cette évolution radicalement différente?**

Cette question est au cœur même de ce que devrait être l'histoire économique, et de ce qu'elle est en partie. Comment l'économie d'un pays comme les États-Unis est-elle arrivée là où elle est aujourd'hui? Pourquoi des pays comme l'ex-Union soviétique ont-ils évolué différemment? Le but de mes recherches, y compris de mes travaux sur l'histoire économique des États-Unis, consiste en grande partie à découvrir le processus de différenciation du changement institutionnel.

Au départ, les États-Unis ont reçu en héritage de la Grande-Bretagne les institutions qui, dès la fin du XVIIIe siècle, avaient fait de ce pays la première nation du monde. Ils s'en sont inspirés, en les modifiant et en les raffinant, ce qui a eu pour résultat deux siècles et demi de croissance économique. Une grande partie du reste du monde, et en particulier la Russie, a évolué avec des institutions beaucoup moins efficientes.

Au fil du temps, les gouvernements successifs de la Grande-Bretagne et des États-Unis ont instauré un ensemble de règles qui laissent aux individus énormément de liberté et de latitude pour conclure

*[…] pour avoir des marchés efficients, un pays doit mettre en place une réglementation qui incite les gens à se montrer productifs et créatifs, à produire des biens de meilleure qualité à moindre coût.*

des contrats et des ententes. Ces règles ont généré une efficience économique inégalée et une croissance économique soutenue, deux facteurs qui sont le fondement même des économies prospères.

Les pays du tiers-monde et de l'Europe de l'Est ont choisi des voies économiques différentes. L'institution du communisme, par exemple, n'a pas donné lieu à une croissance économique soutenue.

Le but de la recherche sur le développement économique et sur l'histoire économique est justement de comprendre les raisons exactes de cette différence dans le processus d'évolution de pays comme les États-Unis, la Grande-Bretagne et la Russie.

### L'Europe de l'Est peut-elle tirer des leçons de l'histoire économique des États-Unis et de l'Europe de l'Ouest?

Il est très difficile d'amener les pays à changer. Les pays doivent établir des marchés efficients. La croissance économique d'un pays repose sur la croissance de sa productivité. Pour obtenir cette croissance, il est toujours essentiel d'investir dans un certain nombre de domaines, entre autres le capital humain, le capital physique, le savoir technologique, la recherche et le développement.

Ce qui est propre à chaque pays, c'est la façon dont il passera d'un type d'économie à un autre. D'abord et avant tout, il faut accepter le fait que le niveau de changement possible à un moment donné est toujours déterminé par les perceptions, les connaissances et les idées des gens — ainsi que par les institutions en place — *à ce moment précis*.

La croissance économique d'un pays est intimement liée à ses institutions. Les gens ne pourront se spécialiser, s'épanouir et créer des entreprises rentables que s'ils bénéficient d'un cadre législatif garantissant leur droit de propriété et d'un système judiciaire capable de le faire respecter. Finalement, et c'est ce qui est le plus difficile à obtenir, une certaine stabilité politique est indispensable pour que les institutions qui contribuent

au développement économique et à la croissance du revenu puissent se perpétuer.

### Comment expliquez-vous le succès de la Chine et l'échec de la Russie sur le plan économique?

La Chine était dirigée par des autocrates, et ces derniers, délibérément ou non, ont laissé une certaine latitude aux provinces. Cela a donné lieu à une collaboration très lucrative entre des fonctionnaires locaux du Parti communiste et des entrepreneurs qui obtenaient leurs capitaux, et parfois leur formation, des gouvernements de Hong Kong et de Taiwan, et qui pouvaient se livrer à leurs activités commerciales en toute liberté. Il s'agit là d'une situation unique, qui risque peu de se produire en ex-Union soviétique.

Je crois que les plus grandes leçons d'économie nous viennent de l'Asie, de pays très prospères comme la Corée du Sud, Taiwan, etc. Ces pays sont intéressants parce qu'ils nous montrent qu'une intervention gouvernementale bien dosée peut parfois accélérer le processus de création de marchés efficients. La leçon est claire: pour avoir des marchés efficients, un pays doit mettre en place une réglementation qui incite les gens à se montrer productifs et créatifs, à produire des biens de meilleure qualité à moindre coût. Cela ne va pas de soi. Pour que les gens en viennent à cela, il faut que les règles du marché leur fournissent des incitatifs. L'Asie

nous a montré que l'État peut parfois accélérer de manière concrète l'évolution de marchés efficients.

### Pouvez-vous évoquer quelques moments clés où le gouvernement des États-Unis a joué un rôle crucial dans l'évolution de l'État de droit, du droit de propriété et de l'économie de marché?

Les États-Unis ont hérité de la Grande-Bretagne de règles économiques et politiques qui fournissaient les bases d'un exercice efficace du droit de propriété et du transfert des terres, l'avoir le plus important à l'époque coloniale. Les États-Unis ont créé non seulement un marché économique efficient, mais aussi des marchés politiques efficaces. Onze ans après avoir acquis leur indépendance de la Grande-Bretagne, les États-Unis se sont dotés d'une constitution pour favoriser l'expansion commerciale et le développement économique du pays. Cette constitution établissait un ensemble de règles économiques très efficaces pour diriger le pays. Le sénat et la chambre des représentants ont été créés notamment pour percevoir les impôts, réglementer le commerce avec d'autres pays, réguler la valeur de la monnaie et légiférer sur les faillites.

### Comment caractériseriez-vous les changements que subit actuellement l'économie tant sur le plan national que mondial?

Les révolutions économiques sont liées à l'évolution des connaissances,

> *[...] les plus grandes leçons d'économie nous viennent de l'Asie, de pays très prospères comme la Corée du Sud, Taiwan, etc.*

une évolution qui a radicalement transformé toute l'organisation socio-économique des sociétés. L'émergence et l'évolution de l'agriculture ont entraîné la première révolution économique, qui s'est probablement produite au 8e millénaire avant J.-C. L'agriculture a alors complètement modifié le rythme de l'évolution économique comme le rythme de tous les autres types d'évolution humaine. Les gens se sont installés dans des villages et dans des villes, ce qui a entraîné la croissance des échanges et, en fait, jeté les bases mêmes de la civilisation. L'agriculture a considérablement accru la productivité et le potentiel de progrès de l'humanité.

L'autre transformation économique vraiment fondamentale de l'histoire humaine a été l'application de la science à la technologie. Je crois qu'aucune autre époque de l'histoire humaine n'a connu des transformations aussi radicales que celles auxquelles nous assistons aujourd'hui. Je trouve cela extraordinaire. Nous vivons dans un monde fascinant, surtout pour un économiste historien. J'ai soutenu qu'au XIXe siècle il s'était produit quelque chose que j'ai appelé la deuxième révolution économique : ce mariage systématique entre la science et la technologie qui a entraîné le développement de la physique, de la chimie, de la génétique et de la biologie. Cette révolution a complètement transformé la manière dont s'effectue toute l'activité économique moderne, ainsi que la manière dont les êtres humains vivent et interagissent.

Les répercussions individuelles et sociales de cette révolution sont considérables. À cause d'elle, nous vivons entassés dans d'énormes villes où la criminalité prend souvent des

*Je pense que l'essentiel est de mener une vie créative, stimulante et passionnante. [...] Découvrez ce qui vous passionne et consacrez-y votre vie.*

proportions alarmantes, et notre bien-être économique dépend de millions de personnes que nous ne connaissons pas. Si bien des gens ont bénéficié des progrès technologiques et jouissent d'un niveau de vie inimaginable, de nombreux autres ont été laissés pour compte, exclus de la prospérité engendrée par la seconde révolution économique. Donc, parallèlement à cette prospérité, nous avons créé tout un ensemble de problèmes sociaux, politiques et économiques que nous ne savons pas comment résoudre. Et ces problèmes risquent de nous submerger en cours de route.

**Quels conseils donneriez-vous à un étudiant qui souhaite devenir économiste ? Comment devrait-il aborder son travail ? Que devrait-il étudier ?** Toutes les choses auxquelles vous vous consacrez devraient vous passionner, vous stimuler et vous donner envie de les approfondir. À l'université, cela veut dire que vous devez casser les pieds à vos professeurs ; vous devez continuellement tenter d'en tirer tout ce que vous pouvez. Il me semble que la plupart des étudiants ne tirent pas tout ce qu'ils pourraient de leurs études. En classe comme à l'extérieur, vous devez poser des questions et chercher les réponses à ces questions. Je crois que c'est extrêmement important.

Je pense que l'essentiel est de mener une vie créative, stimulante et passionnante. Chacun peut y arriver à sa manière, selon ses intérêts, ses préoccupations et ses talents. Découvrez ce qui vous passionne et consacrez-y votre vie.

## Chapitre 1

# Qu'est-ce que la science économique ?

**Objectifs
du chapitre**

- Cerner les types de questions auxquelles la science économique tente de répondre

- Expliquer pourquoi toutes les questions économiques découlent du phénomène de la rareté

- Comprendre pourquoi le phénomène de la rareté oblige les gens à faire des choix et leur impose des coûts

- Expliquer comment les économistes abordent les questions économiques et décrire leur travail

- Définir les fonctions d'une économie et en décrire les composantes

Il y a 20 ans, à peu près personne ne pouvait choisir un film et le regarder tranquillement à la maison. Or, ce luxe qui était hier l'apanage des plus riches est aujourd'hui à la portée de millions de Canadiens. Pourquoi? Parce que les progrès technologiques de la vidéo et des communications ont fait baisser les prix du cinéma à domicile. Les technologies qui transforment nos foyers révolutionnent aussi nos fermes, nos mines, nos

# Questions économiques

usines et nos lignes de montage. Des caméras vidéo guident des robots qui récoltent des fruits, extraient du charbon, fabriquent de l'acier et assemblent des automobiles. Résultat: des millions d'emplois ont disparu et des millions d'autres ont

été créés. Ces faits soulèvent la première des sept questions fondamentales auxquelles l'économique tente de répondre:

**Comment le progrès technologique influe-t-il sur les habitudes de consommation et sur les emplois au Canada et dans le reste du monde?**

Les vedettes de cinéma, les chanteurs populaires, les présentateurs de nouvelles télévisées, les vedettes sportives, les avocats, les médecins et les dirigeants de grandes entreprises gagnent de gros revenus. Les pompistes, les caissières des supermarchés et les travailleuses en garderie ne gagnent que quelques dollars l'heure. En moyenne, les hommes gagnent plus que les femmes. Ces faits soulèvent une deuxième question économique fondamentale:

**Qu'est-ce qui détermine le revenu des travailleurs? Pourquoi les femmes sont-elles moins payées que les hommes, même quand elles occupent selon toute apparence des emplois semblables?**

Au fil des ans, le champ d'intervention de l'État s'est élargi. Au temps de la Confédération canadienne, la principale tâche du gouvernement était d'assurer l'ordre public. Aujourd'hui, les gouvernements fédéral et provinciaux s'occupent autant de santé, de sécurité sociale, d'éducation et de paiements de péréquation que de défense nationale. Ils réglementent également la production alimentaire et pharmaceutique, l'énergie nucléaire et l'agriculture. Ce n'est pas tout. Avec le temps, nous avons pris conscience de la fragilité de notre environnement. Nous croyons que les chlorofluorocarbones (CFC), ces produits chimiques qui se retrouvent dans d'innombrables produits (des liquides de refroidissement des réfrigérateurs et climatiseurs aux téléphones en plastique en passant par les solvants de dégraissage pour les circuits électroniques), endommagent la couche d'ozone qui protège l'atmosphère. De plus, les combustibles fossiles — mazout et pétrole — dégagent dans cette atmosphère du dioxyde de carbone et d'autres gaz qui empêchent les rayonnements infrarouges de s'échapper, entraînant, semble-t-il, ce qu'on appelle «l'effet de serre». Ces faits soulèvent une troisième question économique fondamentale:

**Quel est le rôle de l'État dans la vie économique? Peut-il nous aider à protéger notre environnement et à produire des biens et des services aussi efficacement que le secteur privé?**

Depuis la fin des années 1970, la Chine opère une spectaculaire transformation économique. Les revenus y ont augmenté de plus de 10 % par année — doublant tous les sept ans; dans des villes comme Shanghai, ils ont augmenté de plus de 20 % certaines années. Et cela n'arrive pas qu'en Chine! On a également constaté cette croissance rapide des revenus à Hong Kong, en Inde, en Indonésie, en Malaisie, à Singapour, en Corée du Sud, à Taiwan et en Thaïlande, bien qu'elle se soit ralentie ces dernières années. Dans les pays riches — au Canada et aux États-Unis, au Japon, en Europe occidentale, en Australie et en Nouvelle-Zélande —, les revenus continuent de croître, mais le rythme de l'expansion est plus lent que dans les années 1960. Contraste saisissant avec ces miracles de croissance, les revenus russes ont diminué d'un alarmant 12 % en 1993. Les revenus ont également diminué en République tchèque et en Hongrie. Ces faits soulèvent une quatrième question économique fondamentale :

**Comment expliquer que les revenus augmentent à un rythme incroyablement rapide dans certains pays et à un rythme plus lent dans d'autres, tandis que, dans d'autres encore, ils diminuent ?**

Au plus creux de la crise du début des années 1930, près du cinquième de la population active du monde industrialisé était au chômage. Ce fut là une période de difficultés particulièrement extrêmes, mais un taux de chômage élevé n'est pas un phénomène inhabituel. Ces dernières années, le Canada, le Royaume-Uni, la France et l'Italie affichaient un taux de chômage de l'ordre de 10 % ou plus. Au Canada, lorsque le taux de chômage moyen est de 9 % — comme c'était le cas au début de 1998 —, le taux de chômage chez les jeunes (de 15 à 24 ans) s'élève à près de 16,5 %, et grimpe à 27 % chez les jeunes de Terre-Neuve. Ces faits soulèvent une cinquième question économique fondamentale :

**Qu'est-ce qui provoque le chômage ? Pourquoi certains pays et certains groupes sont-ils plus gravement touchés que d'autres ? Pourquoi y a-t-il si peu d'emplois intéressants pour les jeunes Canadiens, et encore moins pour les jeunes des provinces atlantiques ?**

En 1993, au Brésil, le coût de la vie a augmenté de 2 500 %. Cela signifiait que sur la plage de Copacabana un ananas qui coûtait 15 cruzeiros le 1er janvier en coûtait 390 à la fin de l'année. Toujours en 1993, en Russie, les prix ont augmenté de près de 1 000 %. Par contre, cette année-là au Canada, les prix n'ont augmenté que de 2 %, alors qu'à la fin des années 1970 ils augmentaient de plus de 10 % par année. Ces faits soulèvent une sixième question économique fondamentale :

**Pourquoi les prix augmentent-ils ? Pourquoi augmentent-ils parfois très rapidement dans certains pays tandis qu'ils restent stables dans d'autres ?**

Dans les années 1960, presque tous les véhicules automobiles qui sillonnaient les routes nord-américaines étaient des Ford, des Chevrolet et des Chrysler ; en 1996, plus du cinquième des véhicules était importé. Et ce phénomène n'a rien d'exceptionnel. Nous importons aujourd'hui la plupart de nos téléviseurs, de nos vêtements et de nos ordinateurs.

L'État impose des taxes (appelées tarifs douaniers) sur les importations et limite la quantité de certaines marchandises qui peuvent être importées. Il conclut également avec d'autres États des ententes comme l'Accord de libre-échange nord-américain (ALENA) négocié entre le Canada, les États-Unis et le Mexique. Ces faits soulèvent une septième question économique fondamentale :

**Quels sont les facteurs qui déterminent le volume des échanges commerciaux entre les pays, et en quoi les accords de commerce international influent-ils sur l'emploi et la prospérité au Canada et dans d'autres pays ?**

Ces sept questions nous donnent une idée de ce qu'est la science économique. Toutefois, elles ne nous disent pas ce qu'elle *est* vraiment. Elles ne nous disent pas comment reconnaître une question *économique* ni comment la distinguer d'une question non économique. Elles ne nous disent pas non plus comment les économistes abordent les questions économiques ni comment ils cherchent à y répondre.

Au fait, comment les économistes reconnaissent-ils les questions *économiques ?* Comment les envisagent-ils ?

# Les économistes : comment ils raisonnent

LES ÉCONOMISTES, EN TANT QU'INDIVIDUS, SONT des gens comme les autres. Ils ont leurs objectifs personnels, leurs projets personnels et leurs opinions personnelles sur toutes sortes de sujets, économiques ou non. Vous vous êtes peut-être dit que les sept questions économiques dont nous venons de parler étaient de nature très politique. Vous avez raison. Elles exercent une énorme influence sur la qualité de la vie humaine et suscitent de vifs débats.

En tant que professionnels, les économistes s'efforcent de faire abstraction de leurs émotions et d'aborder leur travail avec le détachement, la rigueur et l'objectivité des scientifiques. La première étape de ce processus consiste à déterminer le problème fondamental dont découlent toutes les questions économiques. Ce problème fondamental — LE problème économique — est que nos ressources sont limitées tandis que nos besoins et nos désirs sont illimités.

## La rareté

Lorsque les ressources disponibles pour satisfaire nos besoins et nos désirs sont insuffisantes, nous faisons face au phénomène de la **rareté**. La rareté est omniprésente. Tout le monde désire être en bonne santé, vivre longtemps, jouir du confort matériel, se sentir en sécurité, se délasser le corps et l'esprit, acquérir des connaissances. Mais personne ne réussit jamais à combler tous ces besoins et ces désirs ; il subsiste toujours quelque insatisfaction. Bien que de nombreux Canadiens aient tout le confort matériel qu'ils désirent, beaucoup d'autres en sont privés. Personne n'est complètement satisfait de son état de santé et de son espérance de vie. Personne ne se sent tout à fait en sécurité, même en cette période d'après-guerre froide, et personne ne dispose d'assez de temps pour voyager, faire du sport, prendre des vacances, aller au cinéma et au spectacle, lire et s'adonner à d'autres loisirs à sa guise.

La rareté n'est pas la *pauvreté*. Elle n'épargne pas le riche. L'enfant qui veut acheter un soda à 75 ¢ et une friandise à 50 ¢, et qui n'a qu'un dollar en poche, doit faire face au phénomène de la rareté. L'étudiante riche partagée entre le désir d'aller à une fête un samedi soir et celui de profiter de cette soirée pour rattraper son retard dans ses travaux scolaires doit, elle aussi, faire face à la rareté. Même les perroquets n'y échappent pas...

*Non seulement je veux un biscuit, mais nous voulons tous un biscuit !*

Dessin de Modell ; ©1985, The New Yorker Magazine Inc.

## Les choix et le coût d'opportunité

Le problème de la rareté impose des choix. Devant l'impossibilité d'obtenir tout ce que nous désirons, il faut choisir parmi les possibilités qui s'offrent. Les concepts de rareté et de choix définissent l'économique. L'**économique** est en effet l'étude de l'influence de la rareté sur les choix des personnes ou des organisations. C'est d'ailleurs pourquoi on appelle parfois l'économique la *science des choix* — c'est la science qui explique les choix que font les gens et qui prédit comment ces choix changeront selon les circonstances. Si nous décidons de consacrer une partie de nos ressources à quelque chose, inévitablement, il nous en reste moins pour d'autres choses. Quoi que nous ayons choisi, nous aurions pu choisir autre chose à la place. « Rien n'est jamais gratuit », « On ne peut avoir à la fois le beurre et l'argent du beurre. » Ces dictons populaires expriment de manière éloquente l'idée centrale de l'économique : tout choix a un coût.

Les économistes appellent **coût d'opportunité** le coût de tout choix imposé par la rareté. Le coût d'opportunité d'une décision représente la valeur de la meilleure possibilité que l'on écarte par cette décision. Autrement dit, la valeur de l'option *la plus avantageuse* qui n'a pas été choisie — de l'occasion la plus intéressante à laquelle on a renoncé — est le coût de cette décision.

Attention ! Le coût d'opportunité d'un choix n'est pas *toutes* les possibilités auxquelles on renonce, mais seulement *la meilleure*. Prenons un exemple pour clarifier cette notion importante. Votre cours d'économie a lieu le lundi matin à 8 h 30. Si vous n'y allez pas, vous avez le choix entre deux possibilités : dormir une heure de plus ou consacrer une heure au jogging. Comme il vous serait impossible de passer cette heure à la fois à dormir et à faire du jogging, le coût d'opportunité du cours ne peut être à la fois la perte des bienfaits d'une heure de sommeil *et* d'une heure de jogging. Si vous n'envisagez que ces deux seules possibilités et que vous séchez votre cours, vous devrez choisir l'une des deux. Pour le mordu du jogging, le coût d'opportunité du cours correspond à une heure d'exercice et, pour le grand dormeur, à une heure de sommeil.

**Le coût monétaire par rapport au coût réel**   Nous exprimons souvent le coût en termes monétaires, mais ce n'est que par commodité ; l'unité monétaire n'est pas la mesure réelle du coût d'opportunité. La réalité, c'est que les 40 $ dépensés pour un livre ne pourront plus servir à acheter quatre disques compacts à 10 $ chacun. Si les quatre disques compacts sont la meilleure possibilité à laquelle on a renoncé, le coût d'opportunité d'un livre est de quatre disques compacts.

Il est indispensable de regarder ce qui se cache derrière les coûts monétaires lorsque le prix des objets change. Par exemple, un livre qui coûte aujourd'hui 40 $ n'en coûtait que 25 $ en 1987, mais on ne peut pour autant en conclure que le coût d'opportunité du livre a augmenté. Pour calculer le changement du coût d'opportunité d'un livre, il faut connaître le coût monétaire aujourd'hui et en 1987 de la meilleure possibilité à laquelle on a renoncé. Si un disque compact coûtait 25 $ en 1987, le coût d'opportunité d'un livre a bel et bien augmenté — passant de un disque en 1987 à quatre disques aujourd'hui. Pourquoi ? Parce que le prix des livres a augmenté et que celui des disques a diminué.

L'important à retenir, c'est qu'exprimer les coûts d'opportunité en unités monétaires ne pose pas de problème à condition, premièrement, de ne pas oublier qu'il ne s'agit là que d'une unité de mesure commode et, deuxièmement, de ne pas comparer les coûts d'opportunité en unités monétaires de différentes époques si la valeur de la monnaie a changé.

**Le coût du temps**   Le coût d'opportunité d'un bien ou d'un service inclut la valeur du temps consacré à obtenir ce bien ou ce service. S'il vous faut une heure pour aller chez le dentiste, vous devrez ajouter la valeur de cette heure au montant que vous payez au dentiste. On peut convertir le temps en un coût monétaire à l'aide du taux salarial horaire d'une personne. Si vous vous absentez du travail pendant une heure pour aller chez le dentiste, le coût d'opportunité de cette visite (exprimé en unités monétaires) comprend les honoraires versés au dentiste ainsi que le salaire que vous avez perdu en vous absentant du travail. Là encore, il importe de ne pas oublier que le coût d'opportunité n'est pas l'argent lui-même, mais les biens et les services que vous auriez achetés avec cet argent.

**Le coût externe**   Les coûts d'opportunité que vous supportez ne découlent pas tous de vos propres décisions. Les décisions d'autres personnes vous imposent parfois des coûts d'opportunité. Par exemple, au restaurant, si quelqu'un fume à la table voisine, vous supportez un coût. De même, vos propres choix peuvent imposer un coût d'opportunité à autrui. Par exemple, lorsque vous conduisez votre voiture, une partie de son coût d'opportunité, supportée par les autres, est la quantité accrue de dioxyde de carbone dans l'atmosphère provenant du combustible brûlé.

## L'analyse marginale

L'analyse marginale est un concept fondamental en économique. Elle repose sur l'idée que les individus font des choix en y allant par petits pas — en bougeant *à la marge,* en quelque sorte. Ainsi, ils décident de faire un peu plus ou un peu moins d'une activité. Avant de prendre une telle décision, ils comparent son coût avec les avantages qu'ils peuvent en retirer. Ainsi, pour décider quand vous arrêterez de lire ce livre, vous comparerez ce qu'il vous en coûte de continuer à le lire cinq minutes de plus avec les avantages que vous en attendez ou en espérez. Lorsque vous en arriverez au point où le coût de cinq minutes de lecture supplémentaires excède l'avantage attendu, vous vous arrêterez.

On appelle **coût marginal** le coût que présente un léger accroissement d'une activité. Ainsi, supposons que votre ordinateur ait une mémoire de deux mégaoctets et que vous songiez à l'amener à trois mégaoctets. Le coût marginal de l'augmentation de la mémoire de votre ordinateur est le coût du mégaoctet de mémoire supplémentaire que vous voulez installer.

On appelle **avantage marginal** l'avantage découlant d'un léger accroissement d'une activité. Ainsi, l'avantage marginal est l'avantage que vous retirerez du mégaoctet de mémoire supplémentaire dans votre ordinateur, et non l'avantage que vous retirerez des trois mégaoctets dont vous disposerez si vous ajoutez un mégaoctet de mémoire. Comme vous jouissez déjà de l'avantage procuré par les deux mégaoctets existants, ils ne comptent pas dans la décision que vous êtes en train de prendre.

Pour prendre votre décision quant à la mémoire de votre ordinateur, vous comparez le coût marginal d'un mégaoctet à son avantage marginal. Si cet avantage est supérieur au coût marginal, vous vous procurez la mémoire supplémentaire. Si le coût marginal dépasse l'avantage marginal, vous vous en tenez à ce que vous avez.

Lorsque l'avantage marginal d'une option est supérieur à son coût marginal, le fait de choisir cette option contribue plus à l'avantage total qu'au coût total. Lorsque le coût marginal d'une option est supérieur à son avantage marginal, le fait de *ne pas* choisir l'action contribue plus à l'avantage total qu'au coût total. Évaluer les coûts marginaux et les avantages marginaux nous permet de tirer le meilleur parti possible de nos ressources limitées.

## La substitution et les incitatifs

Lorsque les coûts d'opportunité changent, les gens reconsidèrent leurs choix. Un autre principe fondamental en économique est celui de la **substitution** : quand le coût d'opportunité d'une activité augmente, on remplace cette activité par une autre. Toute activité a un *substitut.* Le ski est un substitut du patin ; le surf est un substitut de la plongée libre ; l'achat d'un Pepsi-Cola est un substitut à l'achat d'un Coca-Cola ; un cours de danse est un substitut à un cours d'économie. Un substitut peut être semblable à l'original — Pepsi-Cola et Coca-Cola — ou différent — cours de danse et cours d'économie.

Si le coût d'opportunité du Coca-Cola augmente, certaines personnes remplaceront le Coca-Cola par un Pepsi-Cola ; si le coût d'opportunité lié à un cours d'économie augmente (considérablement), certaines personnes remplaceront leur cours d'économie par un cours de danse. Plus les substituts sont semblables, plus le taux de substitution est important lorsque le coût d'opportunité change.

Le remplacement d'activités coûteuses par des activités moins coûteuses répond à des incitatifs. Un **incitatif** est un encouragement à poser (choisir) une action particulière. Cet incitatif peut être une récompense (la carotte) ou une punition (le bâton). Des changements dans les coûts d'opportunité — coûts marginaux — et dans les avantages marginaux sont des incitatifs qui poussent les gens à modifier leur façon d'agir. Par exemple, les compagnies de téléphone incitent leurs clients à faire des appels le soir et les fins de semaine en leur offrant une réduction du prix à ces moments-là. Les stations de ski réduisent leurs prix durant la saison estivale pour inciter les gens à fréquenter leurs installations toute l'année. Les compagnies d'électricité font payer un prix plus élevé aux usagers industriels en périodes de pointe.

Quand un événement inhabituel perturbe le cours normal des choses, l'économiste se demande toujours : « Comment les coûts d'opportunité vont-ils évoluer et quelles substitutions cette modification des incitatifs va-t-elle entraîner ? » Par exemple, un gel détruit la récolte d'oranges de la Floride et entraîne une augmentation vertigineuse du prix du jus d'orange. Cette hausse de prix, étant donné que le prix des autres denrées n'a pas bougé, augmente le coût d'opportunité du jus d'orange, et incite les gens à en boire moins ou à le remplacer par d'autres jus de fruits. Autre exemple : une récolte exceptionnelle de brocolis au Canada fait dégringoler le prix du brocoli. Cette baisse de prix, alors que le prix des autres denrées n'a pas bougé, réduit le coût d'opportunité du brocoli et incite les gens à choisir le brocoli comme substitut au chou-fleur et à d'autres légumes.

## La concurrence — effets immédiats et effets ultérieurs

Le phénomène de la rareté entraîne la *concurrence*. Nous essayons tous d'obtenir autant de biens et de services que possible en nous faisant mutuellement concurrence. Cette concurrence prend diverses formes. Ainsi, les producteurs entrent en concurrence pour se tailler une part du marché et réaliser les meilleurs profits possible. Les travailleurs se font concurrence pour trouver de l'emploi et obtenir le salaire le plus élevé possible (pour une somme d'efforts donnée) ; les acheteurs se font concurrence pour profiter des meilleurs soldes et les étudiants se font concurrence pour obtenir des billets de concert, des places de stationnement et des inscriptions aux cours les plus populaires.

Les effets d'une perturbation économique se font habituellement sentir avec le temps. Les effets immédiats correspondent aux substitutions effectuées par les gens en réaction à des incitatifs. Mais ces effets entraînent à leur tour des effets ultérieurs qui se répercutent sur l'ensemble de l'économie et qui sont, dans certains cas, très différents des effets initiaux ou effets immédiats. Songez, par exemple, aux effets d'un gel en Floride. Les effets immédiats sont une augmentation du prix du jus d'orange et le remplacement du jus d'orange par d'autres jus de fruits (du jus de pomme, par exemple). Les effets ultérieurs sont les conséquences de la concurrence accrue pour obtenir des pommes dont la quantité est limitée. Les buveurs de jus entrent alors en concurrence avec les mangeurs de pommes pour obtenir les pommes disponibles, et le prix des pommes augmente. Cette hausse du prix des pommes incite les gens à se tourner vers des substituts, le jus de canneberge par exemple. À mesure que les effets ultérieurs se font sentir, une longue chaîne de substitutions et de changements de prix se met en place. Et tout cela a été déclenché par un simple gel en Floride…

Les économistes essaient de prédire les effets ultérieurs en tenant compte de toutes les substitutions importantes que risque d'engendrer la concurrence entre les gens pour obtenir les ressources. Essayer de prédire le nombre de places de stationnement libres un jour de semaine au centre-ville de Montréal ou de New York illustre bien l'importance des effets de la concurrence, ainsi que la différence entre les effets initiaux et les effets ultérieurs. Lorsqu'un acheteur satisfait rentre chez lui et libère une place de stationnement, l'effet immédiat est une place vacante. Mais cet effet initial est de courte durée, car la concurrence pour les places de stationnement entraîne l'occupation presque instantanée des places libres. Aussi, compte tenu de la concurrence et des effets ultérieurs, on peut prédire que l'on trouve rarement un endroit pour stationner au centre-ville de Montréal ou de New York un jour de semaine !

*« Et maintenant voici le dernier bulletin sur la circulation : une place de stationnement est en train de se libérer rue Sainte-Catherine, entre Drummond et de la Montagne. Oh ! Oh ! Attention : ne quittez pas notre antenne. On me remet à l'instant un autre bulletin. Cette place vient d'être prise. »*

Dessin de H. Martin ; ©1987, The New Yorker Magazine Inc.

Le raisonnement économique repose sur cinq principes fondamentaux.

- Tous les problèmes économiques découlent de la rareté. La rareté impose des choix aux gens et les oblige à évaluer le coût d'opportunité des options qui s'offrent à eux.
- Le coût d'opportunité d'un choix représente la valeur de la *meilleure* des possibilités auxquelles on renonce ; il ne constitue pas le coût monétaire du choix. Il inclut par ailleurs le coût du temps et le coût externe.
- On prend les décisions en comparant l'avantage marginal au coût marginal.
- L'augmentation du coût d'opportunité d'un choix est un incitatif à le remplacer par un substitut.
- La concurrence a des répercussions sur la chaîne des substitutions ; les effets ultérieurs surpassent les effets immédiats.

Vous venez de voir à quels types de questions les économistes tentent de répondre. Vous vous êtes familiarisé avec le raisonnement des économistes et avec les cinq principes fondamentaux qui guident leur pensée. Passons maintenant des idées aux actions : que font les économistes ?

# Les économistes : ce qu'ils font

LES ÉCONOMISTES TRAVAILLENT SUR UN LARGE éventail de problèmes et de questions ; ce que nous avons vu jusqu'ici n'en est qu'un petit échantillon. Nous pouvons diviser les questions économiques en deux grandes catégories : les questions microéconomiques et les questions macroéconomiques.

## La microéconomie et la macroéconomie

La **microéconomie** est l'étude des décisions des gens et des entreprises ainsi que de l'interaction de ces décisions dans les marchés. La microéconomie cherche à expliquer les prix et les quantités d'un bien ou d'un service. Elle étudie également les effets des réglementations gouvernementales et des taxes sur les prix et quantités de biens et de services individuels. Par exemple, la microéconomie étudie les forces qui déterminent le prix des automobiles ainsi que la quantité d'automobiles produites et vendues. Elle étudie également les effets des réglementations gouvernementales et des taxes sur le marché des automobiles.

La **macroéconomie** est l'étude de l'économie nationale et de l'économie mondiale ainsi que de la croissance et des fluctuations des agrégats économiques. La macroéconomie cherche à expliquer les prix *moyens,* l'emploi *global,* le revenu *global* et la production *globale.* La macroéconomie étudie également les effets des politiques gouvernementales — impôts, dépenses et déficit — sur l'emploi et le revenu global. Par exemple, la macroéconomie étudie les forces qui déterminent le coût moyen de la vie au Canada, la valeur totale de la production nationale et les effets du budget fédéral sur ces variables.

Bien que la microéconomie et la macroéconomie aient leur champ d'étude propre, elles partagent un ensemble d'outils et d'idées. Certains problèmes ont à la fois une dimension microéconomique et macroéconomique. L'invention des jeux vidéo et la croissance du marché des produits multimédias en est un bon exemple. La microéconomie cherche à expliquer les prix et les quantités de jeux produits et vendus tandis que la macroéconomie étudie les effets de ces facteurs sur le montant total des dépenses et sur le nombre total des emplois dans l'ensemble de l'économie.

En plus de travailler sur des questions très diverses, les économistes abordent leur travail de différentes manières. Ces approches peuvent être groupées en deux grandes catégories :

- la science économique,
- la politique économique.

La science économique tente de *comprendre* le monde économique, et la politique économique cherche à l'améliorer. On peut aussi exprimer la distinction en ces termes : la science fait des *prédictions* et la politique fait des *recommandations.* La politique économique et la science économique se recoupent de nombreuses manières ; la politique économique ne peut pas aller très loin sans la science économique — comment pourrait-on améliorer quelque chose que l'on ne comprend pas… Examinons d'un peu plus près ces deux approches de l'économie.

## La science économique

Comme les spécialistes des autres sciences humaines (science politique, psychologie ou sociologie), l'économiste a pour principale tâche de découvrir comment fonctionne le monde économique. Pour atteindre ce but, l'économiste (comme tous les autres scientifiques) doit distinguer deux types d'énoncés :

- les énoncés relatifs à ce qui *est,*
- les énoncés relatifs à ce qui *devrait* être.

Les énoncés relatifs à ce qui *est* sont des énoncés *positifs.* Ils traduisent ce que l'on croit être la manière dont fonctionne le monde. Un énoncé positif peut être vrai ou faux ; on peut le vérifier en le confrontant aux faits. Les énoncés relatifs à ce qui *devrait être* sont des énoncés *normatifs;* ils reposent sur des valeurs et sont invérifiables.

Pour mieux saisir la distinction entre les énoncés positifs et les énoncés normatifs, prenons l'exemple de la controverse entourant le réchauffement de la planète. Selon certains scientifiques, des siècles de chauffage au charbon et au mazout ont causé une augmentation du taux de dioxyde de carbone dans l'atmosphère et entraîné ainsi l'augmentation de la température planétaire, ce qui finira par avoir des conséquences désastreuses pour la vie terrestre. «Notre planète se réchauffe à cause d'une accumulation croissante de dioxyde de carbone dans l'atmosphère» est un énoncé positif. On peut le vérifier (en principe et si l'on dispose de données suffisantes). Par contre, «Nous devrions réduire notre consommation de combustibles carbonés comme le charbon et le mazout» est un énoncé normatif. On peut être d'accord ou non avec cet énoncé, mais on ne peut le vérifier. Il est fondé sur des valeurs.

Autre exemple de cette distinction, d'ordre économique celui-là. «L'universalité des soins de santé permet de réduire le nombre d'absences au travail pour cause de maladie» est un énoncé positif. Par contre, «Tous les Canadiens devraient avoir un accès égal aux soins de santé» est un énoncé normatif.

La science économique s'est donné pour tâche — et ce n'est pas une mince tâche — de découvrir et de cataloguer des énoncés positifs qui rendent compte des phénomènes observés et nous permettent de comprendre le fonctionnement du monde économique. Cela se fait en trois étapes:

- l'observation et la mesure,
- la construction de modèles,
- la vérification des modèles.

**L'observation et la mesure**    Les économistes répertorient la quantité et l'emplacement des ressources (naturelles et humaines), le niveau des salaires et le nombre d'heures travaillées, les prix et les quantités des divers biens et services produits, les taux d'intérêt et les sommes empruntées ou prêtées, les impôts et les dépenses publiques ainsi que la quantité de biens et services vendus et achetés aux pays étrangers. Cette liste donne une idée de la diversité des facteurs que peuvent observer et mesurer les économistes.

**La construction de modèles**    Pour comprendre le monde économique, la seconde étape consiste à construire un modèle. Un **modèle économique** est une représentation schématique du monde économique qui ne comprend que les éléments nécessaires au but recherché. Ce qu'un modèle englobe et ce dont il fait abstraction découlent d'*hypothèses* sur ce qui est essentiel et ce qui ne l'est pas.

Nous pouvons voir comment le fait d'exclure un élément est utile — voire essentiel — à notre compréhension en pensant, par exemple, au modèle que nous utilisons chaque fois que nous avons besoin d'un livre à la bibliothèque. Ce modèle est le catalogue de la bibliothèque et le plan de l'étage; il nous indique l'emplacement des livres. Le catalogue ne précise pas la couleur du livre cherché, et le plan de l'étage ne montre pas où sont cachés les fils électriques, car ces renseignements n'ont aucun rapport avec ce que nous cherchons.

Un modèle économique nous montre comment un certain nombre de variables sont déterminées par un certain nombre d'autres variables. Par exemple, un modèle des effets économiques de la récente et spectaculaire découverte de nickel à Terre-Neuve peut révéler les effets de cette découverte sur le nombre d'emplois, sur le nombre de maisons et d'appartements, sur les loyers, et sur les prix et les revenus dans cette région. Un tel modèle peut également prédire les effets de la découverte de nickel sur les futurs revenus du gouvernement de Terre-Neuve.

**La vérification des modèles**    Les prédictions d'un modèle peuvent correspondre ou non à la réalité. On peut les vérifier en les confrontant aux faits. Une **théorie économique** est une généralisation qui résume ce que nous croyons comprendre sur les choix économiques des gens ainsi que sur la performance des industries et des économies. La théorie établit une relation entre un modèle économique et l'économie réelle.

On élabore une théorie en suivant un processus de construction et de vérification de modèles. Ainsi, vous avez une théorie qui prédit que, en suivant le plan d'étage de la bibliothèque (le modèle), vous arriverez aux rayons du deuxième étage (la réalité). Vous pouvez vérifier votre théorie en suivant le plan de l'étage. Supposons qu'il n'indique pas que seul l'ascenseur nord donne accès aux rayons du deuxième étage. Vous prenez l'ascenseur sud et vous débouchez sur une impasse. Vous venez de mettre votre théorie à l'épreuve; vous savez maintenant qu'elle ne correspond pas à la réalité et qu'il faut la rejeter. Mais vous pouvez élaborer une autre théorie fondée sur un modèle qui, lui, tient compte de l'hypothèse essentielle qu'un mur de briques sépare l'ascenseur sud des rayonnages du second étage.

La figure 1.1 illustre le processus d'élaboration des théories économiques à partir de la construction et de la vérification de modèles. D'abord, on construit un modèle fondé sur des hypothèses. À partir des implications de ce modèle, on formule des prédictions sur des événements réels. Ces prédictions et leur vérification donnent la base d'une théorie. Si les faits contredisent les prédictions, il faut soit rejeter cette théorie au profit d'une meilleure, soit revenir au stade de la construction du modèle pour tenter de l'améliorer en modifiant ses hypothèses.

Bien que la figure 1.1 dégage la structure logique de la recherche de nouvelles connaissances, elle n'en décrit pas les véritables processus. Dans la réalité, la découverte scientifique est une activité humaine faite de tâtonnements, de fausses pistes, d'éclairs de génie et, de temps à

**FIGURE 1.1**

## L'élaboration des théories économiques

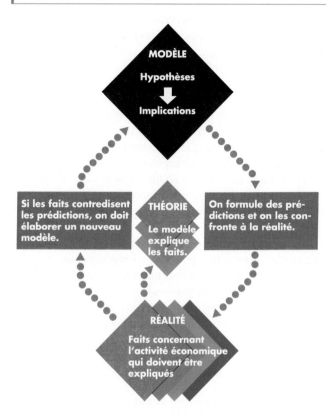

Les économistes élaborent des théories économiques en construisant et en vérifiant les modèles économiques. Un modèle économique est fondé 1) sur des *hypothèses* quant à ce qui est essentiel et à ce qui ne l'est pas, et 2) sur les implications logiques de ces hypothèses. Les implications d'un modèle permettent de formuler des prédictions sur des faits réels du monde économique. Les économistes vérifient ces prédictions en les confrontant aux faits. Si les faits contredisent les prédictions, on revient à la construction du modèle et on modifie les hypothèses. Si les faits corroborent les prédictions, on considère la théorie comme satisfaisante.

autre, d'idées révolutionnaires. De plus, certains modèles sont rejetés même lorsqu'ils correspondent à la réalité, tandis que d'autres continuent d'être utilisés bien qu'ils ne soient pas très adéquats. Comme le disait le grand physicien Albert Einstein,

> La conception d'une théorie n'a rien de commun avec la démolition d'une vieille grange à la place de laquelle on érigerait un gratte-ciel. C'est plutôt, après l'ascension d'une montagne, la découverte d'horizons plus vastes, la création de nouveaux liens entre notre point de départ et le monde qui l'entoure. Mais notre point

de départ est toujours là : il nous apparaît plus petit, perdu dans la perspective plus vaste qui s'offre à nous après les obstacles surmontés pendant notre ascension[1].

La science économique est une science jeune, à qui il reste beaucoup à faire pour atteindre son but : comprendre et expliquer l'activité économique. L'économique est née en 1776 avec la publication des *Recherches sur la nature et les causes de la richesse des nations* d'Adam Smith (voir « L'évolution de nos connaissances », p. 63-64 ).

Depuis, la science économique a pu découvrir un nombre considérable de généralisations utiles. Cependant, dans de nombreux secteurs, elle continue de tourner en rond : modification des hypothèses, nouvelles déductions logiques sur leurs implications, nouvelles prédictions contredites une fois de plus par les faits. La plupart des praticiens espèrent que, grâce à l'accumulation progressive d'énoncés positifs confirmés par les faits, cette méthode permettra un jour de trouver des réponses utiles aux grandes questions économiques.

Cela dit, les progrès de l'économique restent lents et les économistes doivent procéder avec prudence. Penchons-nous maintenant sur certains des obstacles qui entravent les progrès de la science économique.

**Dégager la cause de l'effet**   En économie, il est difficile d'isoler les forces en jeu, et de déterminer ce qui est une cause et ce qui est un effet. L'outil logique qui permet à tous les scientifiques de départager la cause et l'effet est le ***ceteris paribus***. *Ceteris paribus* est une expression latine qui signifie « toutes autres choses étant égales », autrement dit « tous les autres facteurs étant maintenus constants ». Toutes les théories qui permettent de comprendre le monde sont fondées sur ce principe. En modifiant un seul facteur pendant que tous les autres facteurs restent constants, on isole les effets particuliers de celui-ci, qui peuvent alors être étudiés sous le meilleur éclairage possible.

Les modèles économiques (comme ceux de toutes les autres sciences) permettent d'isoler les effets d'un seul facteur à la fois sur le monde imaginaire du modèle. L'un des avantages du recours à un modèle est qu'il permet d'imaginer ce qui se produirait si un seul facteur changeait. Cependant, lorsqu'il s'agit de vérifier un modèle économique, le *ceteris paribus* peut devenir problématique.

Dans les sciences de laboratoire comme la chimie et la physique, les chercheurs font des expériences en maintenant constants tous les facteurs pertinents sauf celui qui est à l'étude. Dans les sciences non expérimentales comme l'économie (et l'astronomie), les chercheurs observent habituellement les résultats de l'action *simultanée* de plusieurs facteurs — qui sont parfois très nombreux. Il est donc difficile de dégager les effets de chacun

---

[1] Oliver Sacks attribue à Einstein cette citation dans une lettre adressée à *The Listener* (vol. 88, n° 2279, 30 novembre 1972, p. 756).

des facteurs afin de les confronter aux prédictions d'un modèle. Pour contourner ce problème, les économistes recourent à trois approches complémentaires.

La première consiste à rechercher des paires d'événements où les autres facteurs sont comparables (semblables). Les économistes étudieront, par exemple, les effets de l'assurance-emploi sur le taux de chômage en comparant deux pays comme le Canada et les États-Unis, des économies où les gens sont assez semblables.

La deuxième consiste en une technique statistique mise au point par les économistes, l'*économétrie,* qui permet de départager les facteurs qui influent simultanément sur le comportement économique.

La troisième approche est relativement nouvelle et fort intéressante : les économistes commencent à concevoir et à entreprendre des expérimentations en laboratoire. Ils placent des sujets réels (habituellement des étudiants) en situation de prise de décision et modifient leurs incitatifs pour tenter d'isoler l'effet particulier du facteur manipulé.

Les économistes veillent constamment à éviter les *erreurs* de raisonnement qui aboutissent à une conclusion erronée. Pourtant, deux de ces erreurs sont communes, et l'on doit faire preuve d'une grande vigilance pour les éviter :

■ l'erreur de composition,

■ l'erreur du *post hoc ergo propter hoc.*

**L'erreur de composition**   L'erreur de composition ou, comme disent certains, le sophisme de composition, consiste à prétendre (à tort) que ce qui est vrai pour une partie d'un tout l'est également pour le tout, et vice-versa. Par exemple, pour une entreprise de pêche (partie d'un tout), il est vrai que l'utilisation de plus grands filets et de plus grands bateaux permet de pêcher davantage de poissons. Mais on commettrait l'erreur de composition en affirmant que, si toutes les entreprises de pêche (le tout) utilisaient de plus grands filets et de plus grands bateaux, tout le monde pêcherait davantage de poissons. En réalité, cela entraînerait une surpêche et, en fin de compte, tout le monde prendrait moins de poissons.

L'erreur de composition est plus fréquente en macroéconomie, car l'interaction des parties résulte en un tout qui peut différer de l'intention des parties. Par exemple, une entreprise met des travailleurs à pied ; elle parvient ainsi à réduire ses coûts et à augmenter ses profits. Mais, si toutes les entreprises prenaient la même mesure, les revenus des gens baisseraient, et leurs dépenses également. Notre entreprise vendrait moins et ses profits n'augmenteraient pas.

**L'erreur du *post hoc ergo propter hoc***   L'expression latine *post hoc ergo propter hoc* signifie « après cela, donc à cause de cela ». On l'utilise pour désigner l'erreur de raisonnement qui consiste à prendre pour cause ce qui n'est qu'un antécédent. Par exemple, vous voyez un éclair et, quelques secondes plus tard, vous entendez le tonnerre ; si vous en concluez que l'éclair est la cause du tonnerre, vous commettez l'erreur du *post hoc ergo propter hoc.* En fait, l'éclair et le tonnerre sont évidemment des effets *simultanés* de la perturbation électrique atmosphérique qui les a causés.

Nous l'avons dit, en économie, il est extrêmement difficile de séparer la cause de l'effet. Et souvent, la simple observation de la séquence des événements n'est pas très utile. Par exemple, le marché boursier connaît un boom et, quelques mois plus tard, c'est l'essor économique — les emplois et les revenus augmentent. Le boom du marché boursier a-t-il provoqué l'expansion économique? C'est probable, mais il peut y avoir une autre explication. Par exemple, il se peut que plusieurs entreprises aient commencé à planifier une augmentation de leur production parce qu'une nouvelle technologie permettant de réduire les coûts est devenue disponible ; quand cette nouvelle s'est répandue, le marché boursier a réagi *en prévision* d'une expansion économique. Pour dégager la cause de l'effet, les économistes ont recours à des modèles, à des données et, lorsqu'ils le peuvent, à l'expérimentation.

Nous venons de voir comment les économistes essaient de comprendre le monde par la science économique. Voyons maintenant comment ils tentent de contribuer à l'amélioration de l'efficacité économique.

## La politique économique

La politique économique est la discipline qui essaie de concevoir des actions gouvernementales et des institutions capables d'améliorer la performance économique. Les économistes jouent deux rôles dans la formulation d'une politique économique.

Premièrement, ils essaient de prédire les conséquences de plusieurs politiques envisageables. Ainsi, des économistes qui travaillent à la réforme des soins de santé tenteront de prédire le coût, les avantages et l'efficacité de diverses manières de financer et d'organiser l'industrie des soins de santé ; des économistes qui travaillent sur les questions environnementales essaieront de prédire les répercussions de modifications apportées aux normes relatives à l'émission de polluants par les automobiles sur le coût et la qualité de l'air urbain ; des macroéconomistes chercheront à prédire les effets de divers taux d'intérêt sur le marché boursier et sur l'emploi.

Deuxièmement, les économistes évaluent les diverses politiques envisageables et les classent de la meilleure à la pire. Pour ce faire, ils doivent préciser les *objectifs* visés par la politique économique à mettre en place. Si ces objectifs sont clairs et précis, ils pourront les analyser avec autant d'objectivité et de rigueur qu'ils en mettraient à élaborer une théorie économique. Au fil des ans, en réagissant aux sociétés dont ils font partie et en interprétant les sentiments exprimés dans l'arène politique, les économistes ont établi des critères qui leur permettent d'évaluer les résultats d'une politique économique, tant sur le plan social que politique.

Une politique économique doit viser quatre objectifs:

■ l'efficience,
■ l'équité,
■ la croissance,
■ la stabilité.

**L'efficience** Lorsque l'objectif d'**efficience économique** a été atteint, les coûts de production sont aussi bas que possible et les consommateurs sont entièrement satisfaits de la combinaison de biens et services produite. L'efficience économique repose sur trois conditions distinctes: l'efficience dans la production, l'efficience dans la consommation et l'efficience dans les échanges.

Il y a efficience dans la production lorsque chaque entreprise produit au coût le plus bas possible, tant pour ce qui est des coûts supportés par l'entreprise que des coûts supportés par d'autres — des coûts *externes*. Il y a efficience dans la consommation lorsque tous les gens achètent les biens et les services qui leur procurent le plus grand bien-être possible, selon leurs propres critères. Il y a efficience dans les échanges lorsque tous les gens se spécialisent de manière à gagner leur vie dans l'emploi qui leur offre les meilleurs avantages économiques possible. Lorsque l'efficience économique est réalisée, il est impossible d'améliorer la situation d'une personne sans détériorer celle d'une autre.

**L'équité** L'**équité** est la justice ou l'égalité économique. Une économie efficiente n'est pas nécessairement une économie juste et équitable. L'efficience économique peut générer de très gros revenus pour quelques personnes et des revenus très faibles pour la vaste majorité. Une telle situation pourrait être considérée comme injuste par la majorité, mais probablement pas par tout le monde. Si les économistes sont parvenus à formuler une définition largement acceptée de l'efficience, obtenir une telle communauté de vue sur ce qu'est la justice économique est illusoire. Même les gens les plus raisonnables ne s'entendent pas sur la question de l'équité.

**La croissance** On appelle **croissance économique** l'augmentation soutenue du revenu par personne et de la production par personne. La croissance économique résulte de progrès technologiques continus, de l'accumulation d'une quantité croissante de capital productif et d'un niveau d'éducation de plus en plus élevé. Grâce à la croissance économique, des sociétés pauvres se transforment en sociétés riches. Mais la croissance économique a un coût. Elle entraîne l'épuisement des ressources naturelles non renouvelables, et parfois même la destruction de la végétation naturelle. Elle détériore l'environnement. Cependant, ces inconvénients de la croissance ne sont pas inévitables, et les pays les plus riches sont ceux qui déploient le plus d'efforts pour améliorer et protéger l'environnement.

Les politiques gouvernementales peuvent favoriser ou entraver la croissance économique. Ainsi, les incitatifs fiscaux pour la recherche-développement peuvent favoriser la croissance, alors que les taxes visant la conservation des ressources peuvent la freiner. Dans leurs conclusions relatives aux politiques économiques, les économistes doivent tenir compte du taux de croissance désiré et des effets des politiques étudiées sur la croissance.

**La stabilité** La **stabilité économique** est l'absence de variations importantes du taux de croissance économique, du niveau d'emploi et des prix moyens. La macroéconomie s'est vouée presque exclusivement à la compréhension de ces problèmes, et de nombreux macroéconomistes se spécialisent dans l'élaboration de politiques visant à stabiliser les économies instables.

## Accords et désaccords

Les économistes ont la réputation d'être un groupe particulièrement divisé. Vous avez peut-être entendu cette plaisanterie: «On aurait beau réunir tous les économistes du monde et donner une guitare à chacun, on n'en tirerait pas un accord!» Il y a un grain de vérité dans cette blague, mais seulement un grain. En fait, comme le montre le tableau 1.1, les économistes sont largement d'accord sur bon nombre de questions.

Certains de leurs désaccords portent sur ce qui est possible — les énoncés *positifs* — et d'autres sur ce qui est souhaitable — les énoncés *normatifs*. Il y a désaccord sur les énoncés positifs lorsque la preuve existante est encore insuffisante pour en tirer une conclusion claire et nette. Les désaccords sur les questions normatives s'expliquent par des divergences de valeurs et de priorités qui reflètent celles que l'on retrouve dans l'ensemble de la société.

## L'économie : vue d'ensemble

L'**ÉCONOMIE** EST UN MÉCANISME QUI PERMET DE répartir des ressources limitées en vue d'utilisations concurrentes. Ce mécanisme doit permettre de résoudre cinq questions essentielles:

■ Quoi?
■ Comment?
■ Quand?
■ Où?
■ Pour qui?

1. **Quoi?** Quels biens et services faut-il produire et en quelles quantités? Y aura-t-il plus de compagnies de câblodistribution qui offriront le cinéma à la carte ou construira-t-on davantage de salles de

TABLEAU 1.1

# Accords et désaccords entre économistes

| | Pourcentage d'économistes | |
|---|---|---|
| **Énoncés positifs** | **D'accord** | **Pas d'accord** |
| La fixation d'un plafond des loyers réduit l'accessibilité aux logements. | 93 | 7 |
| Une réduction d'impôt peut permettre d'atteindre le plein emploi. | 90 | 9 |
| Le salaire minimum augmente le chômage des jeunes travailleurs. | 79 | 21 |
| Les grandes entreprises vont probablement faire collusion. | 71 | 28 |
| Une baisse du taux de chômage entraîne un taux d'inflation plus élevé. | 59 | 39 |
| La réduction des taux d'imposition sur le revenu marginal augmente l'effort. | 55 | 44 |
| La réduction de l'impôt sur les gains en capital favorise la croissance économique. | 49 | 50 |
| **Énoncés normatifs** | | |
| Il faudrait répartir les revenus de manière plus équitable. | 73 | 27 |
| Il faudrait appliquer les lois plus rigoureusement pour restreindre le pouvoir des monopoles. | 72 | 28 |
| Il faudrait réduire les dépenses publiques. | 55 | 45 |
| **Énoncés positifs sur l'efficience économique** | | |
| Les tarifs douaniers et les quotas à l'importation diminuent habituellement le bien-être économique. | 93 | 7 |
| Un budget fédéral élevé a un effet néfaste sur l'économie. | 84 | 16 |
| Les paiements en espèces sont plus avantageux pour les assistés sociaux que les transferts en nature de valeur égale. | 84 | 15 |
| Les taxes à la pollution sont plus efficaces que les interdictions de polluer. | 78 | 21 |

*Source*: Richard M. Alston, J. R. Kearl et Michael B. Vaughan, «Is There a Consensus Among Economists?» *American Economic Review*, n° 82 (mai 1992), p. 203-209.

cinéma? Les jeunes professionnels préféreront-ils passer leurs vacances en Europe ou vivre dans de plus grandes maisons? Fabriquera-t-on plus de voitures de sport ou plus de camionnettes et de voitures familiales?

2. **Comment?** Quelles méthodes doit-on adopter pour produire des biens et services? Dans tel supermarché, vaut-il mieux installer trois caisses enregistreuses avec lecteur au laser ou six caisses traditionnelles à enregistrement manuel? Dans telle usine de montage automobile, vaut-il mieux confier le soudage des pièces à des ouvriers ou à des robots? Les fermiers enregistreront-ils à la main les horaires d'alimentation du bétail et l'état des stocks ou utiliseront-ils un ordinateur? Les compagnies de cartes de crédit utiliseront-elles des ordinateurs ou les employés liront-ils eux-mêmes les bordereaux d'achat à crédit?

3. **Quand?** À quel moment est-il préférable de produire les divers biens et services? Tel supermarché sera-t-il ouvert en tout temps ou seulement huit heures par jour et six jours par semaine? Telle usine d'automobiles fermera-t-elle pendant l'été et mettra-t-elle ses employés à pied? Y aura-t-il une poussée soudaine de la construction domiciliaire au printemps, avec augmentation des salaires et des heures de travail pour les travailleurs de la construction? Le pétrole brut sera-t-il utilisé maintenant ou stocké pour plus tard?

4. **Où?** À quel endroit les divers biens et services seront-ils produits? La compagnie American Express traitera-t-elle ses bordereaux d'achat à crédit et ses comptes à Toronto ou transférera-t-elle ses dossiers par satellite à la Barbade, où la main-d'œuvre est moins coûteuse? La compagnie Honda fabriquera-t-elle ses véhicules au Japon pour les expédier au Canada ou ouvrira-t-elle une usine en Ontario pour exporter des véhicules du Canada au Japon? La compagnie General Motors construira-t-elle des locomotives à London en Ontario ou fermera-t-elle cette usine de montage pour en installer une nouvelle à Beijing?

5. **Pour qui?** Pour qui produit-on les divers biens et services? La répartition de leur production dépend de la répartition des revenus; les consommateurs à revenus élevés peuvent consommer davantage de biens et services que ceux à faibles revenus. Le niveau de consommation dépend donc des revenus de chacun. Le moniteur de ski consommera-t-il plus que la secrétaire juridique? Les gens de Hong Kong consommeront-ils plus que les Éthiopiens?

Pour bien saisir comment fonctionne l'économie, il convient d'en repérer les principales composantes et de comprendre les relations qui les unissent. La figure 1.2 présente une *économie fermée,* c'est-à-dire une économie qui n'entretient de liens avec aucune autre. On peut apprendre beaucoup de choses en étudiant un modèle d'économie fermée. Dans le monde réel, la seule économie totalement fermée est l'économie mondiale. Au cours des années 1980, l'économie mondiale est devenue un mécanisme hautement intégré qui répartit des ressources limitées et qui décide *quoi, comment, quand* et *où* les divers biens et services seront produits, et *qui* les consommera.

Le modèle économique présenté à la figure 1.2 inclut deux composantes:

- les décideurs,
- les marchés.

## Les décideurs

Les décideurs sont les agents de l'économie. Ils font les choix. La figure 1.2 montre trois catégories de décideurs:

- les ménages,
- les entreprises,
- les gouvernements.

Un *ménage* est constitué par toute personne ou groupe de personnes vivant ensemble (couple, famille,

---

**FIGURE   1.2**

# Vue d'ensemble d'une économie

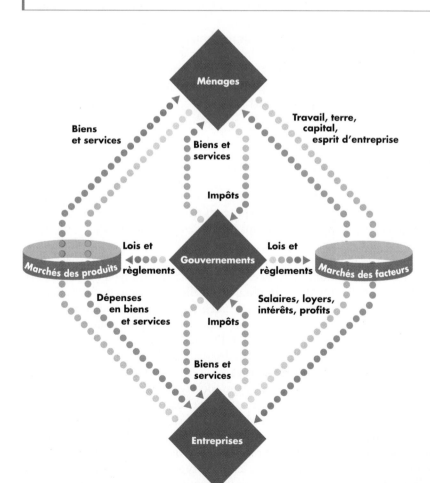

Les ménages, les entreprises et les gouvernements prennent des décisions économiques. Les ménages décident combien de travail, de terre, de capital et d'esprit d'entreprise ils peuvent vendre ou louer en échange de salaires, de loyers, d'intérêts ou de profits. Ils décident également quel pourcentage de leur revenu ils dépenseront pour se procurer les divers types de biens et services disponibles. Les entreprises décident combien de travail, de terre et de capital elles se procureront et quelle quantité des divers types de biens et services elles produiront. Les gouvernements décident quels biens et services ils fourniront ainsi que le montant des impôts que paieront les ménages et les entreprises.

Ces décisions des ménages, des entreprises et des gouvernements sont coordonnées dans les marchés — marchés des produits et marchés des facteurs. Ces marchés sont régis par des règles que les gouvernements établissent et font respecter. Dans ces marchés, les prix s'ajustent constamment pour assurer l'égalité entre l'offre et la demande.

colocataires, etc.) et qui agit en tant qu'unité décisionnelle. Dans une économie, tout le monde appartient à un ménage. Chaque ménage a des désirs illimités et des ressources limitées.

Une *entreprise* est un organisme qui utilise des ressources pour produire des biens et services. On considère comme une entreprise tout producteur de biens ou de services, quelles que soient sa taille et sa production. Les fabricants d'automobiles, les agriculteurs, les banques et les compagnies d'assurances sont des entreprises.

Un *gouvernement* est un organisme aux multiples fonctions: il instaure des lois et des règlements, il administre le mécanisme qui voit au respect de ces lois et règlements (tribunaux et forces policières), il impose des impôts aux ménages et aux entreprises, et il fournit des services publics comme la défense nationale, la santé, les services sociaux, les transports, etc.

## Les marchés

En langage courant, le mot *marché* désigne le lieu où l'on achète et vend des produits comme les fruits et légumes, le poisson ou la viande. En économie, il a un sens plus large: le **marché** désigne un ensemble de dispositions qui permettent aux acheteurs et aux vendeurs d'obtenir de l'information et de commercer les uns avec les autres. Prenons l'exemple du marché mondial du pétrole — le marché où l'on achète et vend du pétrole. Ce marché n'est pas un lieu physique. C'est un réseau de producteurs et d'utilisateurs de pétrole, de grossistes, et d'intermédiaires qui achètent et vendent du pétrole. Dans le marché mondial du pétrole, les décideurs ne se rencontrent pas en personne; ils commercent de partout dans le monde par téléphone, par télécopieur, par Internet et par liaison directe entre ordinateurs.

La figure 1.2 montre deux types de marchés: les marchés des produits et les marchés des facteurs. On appelle *marchés des produits* les marchés où s'échangent des biens et services, et *marchés des facteurs* les marchés où s'échangent des facteurs de production.

Les **facteurs de production** sont les ressources productives de l'économie. On les classe en quatre catégories:

■ le travail,
■ la terre,
■ le capital,
■ l'esprit d'entreprise.

Le **travail** correspond au temps et à l'effort consacrés par le travailleur à la production de biens et services; le travailleur échange ce travail contre un salaire. La **terre** englobe toutes les ressources naturelles utilisées pour produire des biens et services; l'utilisation de la terre s'échange contre un loyer. Le **capital** comprend l'équipement, les bâtiments, l'outillage ainsi que tous les biens destinés à

produire de nouveaux produits; en contrepartie, le capital génère un intérêt. L'**esprit d'entreprise** est une aptitude particulière qui permet de coordonner les trois autres facteurs de production, de prendre des décisions commerciales, d'innover et d'assumer les risques commerciaux; l'esprit d'entreprise est récompensé par le profit.

La figure 1.2 montre que les transactions sur les marchés des produits et des facteurs découlent des décisions prises par les ménages et les entreprises. Les ménages décident combien de travail, de terre et de capital ils vont vendre ou acheter sur le marché des facteurs. Ils reçoivent des revenus sous forme de salaires, de loyers, d'intérêts et de profits. Les ménages décident également comment ils dépensent leurs revenus en biens et services produits par les entreprises.

Les entreprises décident combien de travailleurs elles embaucheront, comment elles les utiliseront pour produire des biens et services, quels biens et services elles produiront et en quelles quantités. Elles vendent leur production sur le marché des produits.

La figure 1.2 illustre les flux résultant des décisions des ménages et des entreprises. Les flux rouges représentent les facteurs de production qui vont des ménages aux entreprises ainsi que les biens et services qui vont des entreprises aux ménages. Les flux verts, qui circulent dans le sens inverse, représentent les sommes payées au cours de ces échanges.

Un processus de choix publics détermine les lois et les règlements imposés par les gouvernements, les impôts qu'ils lèvent ainsi que les biens et services qu'ils fournissent. La figure 1.2 illustre également ces choix publics des gouvernements.

## La coordination des décisions économiques

Le fait le plus marquant relativement aux choix des ménages, des entreprises et des gouvernements est probablement que, tôt ou tard, ils entrent en conflit. Ainsi, dans les marchés des facteurs, les ménages décident de la quantité de travail qu'ils fourniront et de leur spécialisation, mais les entreprises décident du type et de la quantité de main-d'œuvre qu'elles emploieront. Autrement dit, les ménages décident du type et de la quantité de travail à vendre, et les entreprises, du type et de la quantité de travail à acheter. De même, dans les marchés des produits, les ménages décident quels types et quelles quantités de produits et services ils vont acheter, alors que les entreprises décident quels types et quelles quantités de biens et services elles vont vendre.

Comment les milliards de décisions prises par les ménages, les entreprises et les gouvernements peuvent-elles s'équilibrer? Qu'est-ce qui fait que les ménages désirent vendre le même type et la même quantité de travail que le type et la quantité de travail que souhaitent acheter les entreprises? Que se passe-t-il si le nombre de ménages qui désirent travailler dans une compagnie aérienne excède le nombre de travailleurs que les compagnies aériennes désirent embaucher? Comment les entreprises savent-elles ce qu'il faut produire pour répondre à la demande des ménages? Que se passe-t-il si les entreprises désirent vendre plus de hamburgers qu'en demandent les ménages?

**La coordination par le marché**   Les marchés coordonnent les décisions individuelles au moyen d'ajustements de prix. Pour saisir comment, songez au marché des hamburgers de votre localité. Imaginez que, au prix courant, la quantité de hamburgers en vente soit inférieure à la quantité de hamburgers que les consommateurs souhaitent acheter. Certains consommateurs qui veulent acheter des hamburgers ne peuvent pas le faire. Pour que le choix des acheteurs et celui des vendeurs correspondent, les acheteurs doivent réfréner leur désir de hamburgers, et une plus grande quantité de hamburgers doit être mise en vente. On obtient ce résultat en augmentant le prix des hamburgers. La pénurie de hamburgers entraîne la hausse de leur prix. Ce prix plus élevé incite les producteurs à offrir un plus grand nombre de hamburgers; il freine également le désir de hamburgers du consommateur et l'incite à modifier son menu. Un moins grand nombre de consommateurs achète des hamburgers et un plus grand nombre achète des hot-dogs (ou autres substituts des hamburgers). Une plus grande quantité de hamburgers (et de hot-dogs) est offerte sur le marché.

Imaginons maintenant la situation inverse. Au prix courant, il y a plus de hamburgers à vendre que les consommateurs n'en désirent. Dans ce cas, pour que le choix des acheteurs et celui des vendeurs concordent, il faut que les consommateurs achètent davantage de hamburgers et que les producteurs en mettent moins en vente. Ce résultat est obtenu par une baisse du prix des hamburgers. Un surplus de hamburgers entraîne la baisse de leur prix. Cette baisse de prix décourage la production de hamburgers et en favorise la consommation. Les décisions de produire et de vendre, d'acheter et de consommer sont continuellement ajustées et harmonisées au moyen d'ajustements de prix.

Il arrive parfois que les prix soient bloqués ou gelés. Par exemple, le gouvernement peut imposer un plafond des loyers ou un salaire minimum qui empêchent les fluctuations de prix et, par conséquent, l'harmonisation de l'offre et de la demande. D'autres mécanismes se déclenchent alors: par exemple, l'apparition de files d'attente où les premiers arrivés sont les premiers servis, et où les derniers arrivés ne pourront peut-être pas s'approvisionner. Autre possibilité: le recours aux stocks sert de soupape de sécurité temporaire. Si le prix est trop bas, les entreprises vendent plus qu'elles ne le souhaitent et leurs stocks s'épuisent; s'il est trop élevé, les entreprises vendent moins qu'elles ne le souhaitent et leurs stocks s'accumulent. Les files d'attente et les variations de stocks ne sont qu'une solution temporaire au déséquilibre de l'offre et de la demande. Tôt ou tard, un ajustement des prix s'impose.

Nous venons de voir comment la coordination des décisions par le marché détermine *quoi* produire — dans notre exemple, des hamburgers. La coordination par le marché détermine également *comment* les biens et services sont produits. Par exemple, les producteurs de hamburgers peuvent utiliser le gaz, l'électricité, le charbon ou le bois pour faire cuire leurs hamburgers. Le choix du combustible dépend du goût recherché par le producteur, mais également du coût des divers combustibles. Quand un combustible devient très coûteux, comme ce fut le cas du pétrole dans les années 1970, on en utilise moins et on recourt davantage aux autres combustibles. Cette substitution provoquée par la fluctuation du prix est la réponse du marché à la question *comment?*

La coordination par le marché détermine également *quand* les biens et les services sont produits. Si les dépenses des consommateurs en restauration rapide diminuent temporairement et que les prix tombent en deçà du niveau qui permet de supporter la masse salariale et les autres dépenses, les producteurs de hamburgers et de hot-dogs sont forcés de fermer leurs portes et de mettre leurs employés à pied. Si les dépenses du consommateur augmentent ainsi que le prix de la restauration rapide, les entreprises réagissent en produisant davantage de hamburgers et de hot-dogs.

De plus, la coordination par le marché détermine *où* les biens et services sont produits. Si le prix des galettes de hamburger augmente au Canada et baisse au Mexique, McDonald et les entreprises du même genre déplacent leur production de galettes à l'endroit qui offre le plus bas prix.

Enfin, la coordination par le marché détermine *qui* consomme les biens et les services produits. Les compétences, talents et ressources rares et très valorisés commandent un prix élevé, et leurs détenteurs reçoivent une grande partie de la production économique. Les compétences, talents et ressources courants et moins valorisés se vendent à bas prix et leurs détenteurs ne reçoivent qu'une faible partie de la production économique.

**La coordination par directives**   La coordination par le marché est l'un des mécanismes de coordination possibles. Il en existe un autre: *la coordination par directives*. La coordination par directives est également un mécanisme qui permet de déterminer *quoi, comment, quand* et *où* les biens et services sont produits et *pour qui* ils sont produits, mais en utilisant — plutôt que le marché — une structure organisationnelle hiérarchique où les individus exécutent les directives qu'on leur donne. Le meilleur exemple de ce type de structure est le modèle militaire. Les commandants prennent des décisions d'action qui sont transmises par voie hiérarchique et les soldats exécutent sur le terrain les ordres qu'on leur donne.

Une *économie coordonnée par directives* est une économie qui repose sur un mécanisme de coordination par directives. Jusqu'aux réformes entreprises à la fin des années 1980, les économies de l'ex-Union soviétique et des autres pays de l'Europe de l'Est étaient coordonnées par directives. Dans le monde actuel, les économies coordonnées par directives se font de plus en plus rares ; en fait, seule l'économie de la Corée du Nord correspond strictement à cette définition.

Théoriquement, une économie qui repose sur la coordination par le marché s'appelle *économie de marché*. Dans les faits, la plupart des économies ont recours à la fois à la coordination par le marché et à la coordination par directives. On parle alors d'*économie mixte*.

L'économie canadienne s'en remet principalement à la coordination par le marché pour ajuster les décisions des ménages à celles des entreprises et, inversement, pour ajuster les décisions des entreprises à celles des ménages. Toutefois, l'économie canadienne est une économie mixte, car elle a également recours à la coordination par directives. L'économie des Forces armées canadiennes, par exemple, est coordonnée par directives. D'autres organismes gouvernementaux ainsi que de grandes entreprises ont également recours à la coordination par directives. Notre système juridique comporte aussi un élément de coordination par directives ; ainsi, lorsqu'ils soumettent l'économie de marché à des règles et créent des organismes pour la surveiller, les gouvernements influent sur les décisions économiques des ménages et des entreprises, et modifient l'ordre économique.

## Les liens internationaux

Nous venons de voir comment fonctionne une économie fermée — qui n'entretient aucun lien économique avec d'autres économies. Par ailleurs, nous avons noté au passage que la seule économie fermée est l'économie mondiale. Une économie nationale comme l'économie canadienne est une *économie ouverte*.

La figure 1.3 illustre les liens économiques qu'entretient le Canada avec le reste du monde. Dans l'économie ouverte canadienne, les entreprises vendent une partie de leur production au reste du monde. De plus, les entreprises, les ménages et les gouvernements du Canada achètent des biens et services aux entreprises d'autres pays. Ces achats constituent les importations de biens et services du Canada. La figure 1.3 illustre les opérations d'importation et d'exportation qui prennent place dans les marchés mondiaux des produits.

Les valeurs totales des exportations et des importations ne sont pas forcément égales. Lorsque les exportations canadiennes sont supérieures aux importations canadiennes, nous avons alors un surplus. Lorsque les importations canadiennes sont supérieures aux exportations canadiennes, nous avons un déficit. Un pays qui enregistre un surplus prête au reste du monde et un pays qui accuse un déficit emprunte au reste du monde. Ces prêts et ces emprunts internationaux prennent place dans

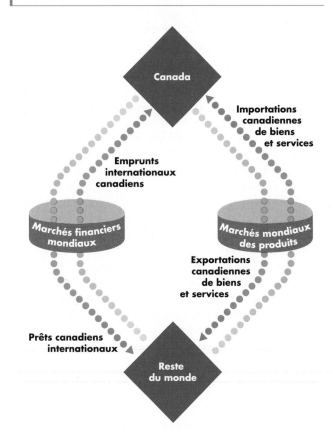

**FIGURE   1.3**

## L'économie mondiale

La figure illustre les liens économiques qu'entretient le Canada avec le reste du monde. Le Canada achète et vend des biens et services dans les marchés mondiaux. On appelle importations canadiennes ce que le Canada achète au reste du monde et exportations canadiennes ce que le Canada vend au reste du monde.

De plus, le Canada emprunte et prête au reste du monde. Les entreprises canadiennes établissent des filiales dans d'autres pays et les entreprises étrangères établissent des filiales au Canada. Ces transactions prennent place dans les marchés financiers mondiaux.

des marchés financiers mondiaux ; c'est ce qu'illustre la figure 1.3.

Le volume des transactions internationales est considérable. En 1997, les entreprises canadiennes ont vendu 40 % de leur production aux autres pays et les importations canadiennes représentaient un peu moins de 40 % des dépenses totales. Le montant total des exportations (et importations) mondiales s'élevait à près de 6 500 milliards de dollars américains en 1997, ce qui représente plus de 80 % de la valeur totale de tous les biens et services produits aux États-Unis. En 1995, les transactions internationales des marchés financiers mondiaux dépassaient 10 billions de dollars, soit 136 % de tous les biens et services produits aux États-Unis.

## À RETENIR

- On appelle économie le mécanisme qui permet de déterminer quels biens et services seront produits, comment, quand, où et pour qui ils seront produits.
- Les décisions des ménages, des entreprises et des gouvernements sont coordonnées par les marchés des produits et par les marchés des facteurs de production.

- Les choix sont parfois coordonnés par directives.

◇ Dans le prochain chapitre, nous étudierons certains des outils qu'utilisent les économistes pour décrire la performance économique et pour construire des modèles économiques. Au chapitre 3, nous concevrons un modèle économique que nous étudierons pour mieux comprendre le coût d'opportunité et la manière dont les gens déterminent quoi produire.

## RÉSUMÉ

### Points clés

**Les économistes: comment ils raisonnent** Les économistes considèrent que toutes les questions économiques découlent de la rareté — du fait que la demande est supérieure à l'offre. Les économistes étudient comment les individus font face à la rareté. La rareté nous impose des choix et des coûts d'opportunité. Le coût d'opportunité d'une action correspond à la valeur de la meilleure option à laquelle on a renoncé. Deux idées fondamentales se dégagent de l'économie: l'effet marginal et le principe de substitution. Les individus prennent des décisions par petits pas, en bougeant sur la marge. Tout bien et tout service a un substitut. Plus le coût d'opportunité d'une action est élevé, plus forte est l'incitation à opérer une substitution. Le phénomène de la rareté force les gens à entrer en concurrence pour se procurer des ressources limitées. (p. 8-11)

**Les économistes: ce qu'ils font** Les économistes se consacrent à la microéconomie — l'étude des décisions des ménages et des entreprises — et à la macroéconomie — l'étude de l'économie dans son ensemble, de son évolution et de ses fluctuations. Ils essaient de comprendre le monde économique par la science économique et d'améliorer la performance économique par l'étude de la politique économique. Les économistes élaborent des théories en concevant et en vérifiant des modèles économiques. Le problème fondamental auquel font face les économistes est de dégager la cause de l'effet, car leurs observations du monde réel sont le résultat de l'effet simultané de plusieurs facteurs. Pour aborder ce problème, les économistes ont recours à l'hypothèse *ceteris paribus* (toutes autres choses étant égales) et ils élaborent des méthodes statistiques et expérimentales pour isoler l'effet de chaque facteur. Les économistes se méfient de l'erreur de composition et de l'erreur du *post hoc ergo propter hoc*. Lorsqu'ils se livrent à l'analyse d'une politique économique, les économistes ont quatre objectifs en tête: l'efficience, l'équité, la croissance et la stabilité. Malgré certains désaccords, les économistes s'entendent sur un large éventail de questions. (p. 11-15)

**L'économie: vue d'ensemble** Les individus ont des désirs illimités mais des ressources (ou facteurs de production) limitées: travail, terre, capital et esprit d'entreprise. L'économie est un mécanisme qui permet de répartir les ressources rares, de déterminer quels biens et services produire, comment, quand et où les produire, et pour qui. Les deux composantes clés de l'économie sont les décideurs et les marchés. Les décideurs économiques sont les ménages, les entreprises et les gouvernements. Les ménages décident combien de leur travail, de leur terre et de leur capital ils vendront ou loueront et combien de chaque bien ou service ils achèteront. Les entreprises décident combien de travailleurs elles embaucheront et quels biens et services elles produiront. Les gouvernements décident quels biens et services ils offriront aux ménages et aux entreprises et le montant d'impôt qu'ils prélèveront. Les décisions des ménages, des entreprises et des gouvernements sont coordonnées par les marchés dans lesquels les prix sont ajustés afin de maintenir l'adéquation entre l'offre et la demande. La coordination peut également se faire par un mécanisme de coordination par directives. L'économie canadienne est une économie mixte; elle s'en remet essentiellement à la coordination par le marché, mais a aussi recours à la coordination par directives. Les économies nationales sont en interaction dans l'économie mondiale. Les pays échangent des produits et des services (exportations et importations) et font des prêts et des emprunts internationaux. (p. 15-21)

### Figure clé

Figure 1.2    Vue d'ensemble d'une économie, 17

### Mots clés

Avantage marginal, 9
Capital, 18
*Ceteris paribus,* 13
Coût d'opportunité, 8
Coût marginal, 9

## QUESTIONS DE RÉVISION

1. Qu'est-ce que la science économique?
2. Donnez des exemples (autres que ceux du chapitre) de questions auxquelles la science économique tente de répondre.
3. Qu'est-ce que la rareté et en quoi diffère-t-elle de la pauvreté?
4. Pourquoi la rareté impose-t-elle des choix aux gens?
5. Pourquoi la rareté force-t-elle les gens à réagir aux coûts?
6. Qu'est-ce qu'un *coût d'opportunité*?
7. Pourquoi la somme d'argent que nous dépensons pour acheter quelque chose ne nous révèle-t-elle pas son coût d'opportunité?
8. Pourquoi le temps consacré à faire quelque chose fait-il partie du coût d'opportunité?
9. Qu'est-ce que le *coût marginal* et pourquoi est-ce le coût le plus pertinent dans la prise d'une décision?
10. Qu'est-ce qu'un coût externe?
11. Qu'est-ce que le *principe de substitution*?
12. Qu'est-ce qu'un *incitatif* et comment les individus réagissent-ils aux incitatifs?
13. Pourquoi la rareté entraîne-t-elle la concurrence?
14. Pourquoi la concurrence entraîne-t-elle des effets ultérieurs qui déterminent les conséquences d'une perturbation économique?
15. Quelle est la différence entre la microéconomie et la macroéconomie?
16. Dites quelle est la différence entre un énoncé positif et un énoncé normatif, et donnez trois exemples de chacun.
17. Qu'est-ce qu'un modèle économique?
18. Que signifie *ceteris paribus*?
19. Qu'est-ce que l'erreur de composition? Donnez-en un exemple.
20. Qu'est-ce que l'erreur du *post hoc ergo propter hoc*? Donnez-en un exemple.
21. Expliquez la différence entre la théorie économique et la politique économique.
22. Quels sont les quatre grands objectifs d'une politique économique?
23. Qui sont les décideurs en matière d'économie?
24. Quelles décisions économiques prennent les ménages? les entreprises? les gouvernements?
25. Qu'est-ce qu'un marché?
26. Qu'est-ce que la coordination par directives?
27. Comment le marché détermine-t-il quels biens et services seront produits, comment, quand, où et pour qui?

## ANALYSE CRITIQUE

1. Les économistes font souvent la remarque suivante: «On ne peut avoir le beurre et l'argent du beurre!» Expliquez le sens de cette remarque.
2. «À tout choix, à toute décision correspond un coût d'opportunité.» Pouvez-vous donner un exemple qui contredit cette affirmation?
3. Serait-il possible d'éliminer la rareté en distribuant aux pauvres une partie de ce qui appartient aux riches afin que tout le monde vive dans l'égalité? Justifiez votre réponse.
4. La liberté d'expression est-elle gratuite pour la société? Justifiez votre réponse.
5. La Ville de Québec s'apprête à adopter la proposition suivante: les propriétaires de véhicules automobiles vieux de plus de cinq ans devront, à chaque renouvellement de leur permis de conduire, faire inspecter leur véhicule pour vérifier s'il est conforme aux règlements antipollution. Il leur en coûtera 25 $ par inspection.
   a) Quel serait le coût d'opportunité de cette mesure pour les propriétaires de véhicules automobiles vieux de plus de cinq ans?
   b) Le coût d'opportunité lié à la propriété de ces vieux véhicules automobiles serait-il entièrement supporté par les conducteurs?

c) Le coût de la vérification d'une automobile vieille de plus de cinq ans fait-il partie du coût d'opportunité de cette mesure?

6. L'ex-Union soviétique n'a pas eu recours aux mécanismes de coordination par le marché pour harmoniser la demande des ménages et l'offre des entreprises. Le gouvernement a fixé le prix des denrées de base et coordonné l'offre et la demande en imposant de longues files d'attente aux consommateurs. Que pouvez-vous dire sur les coûts d'opportunité des produits de base en ex-Union soviétique comparés à ceux du Canada?

---

## P R O B L È M E S

1. Vous projetez d'étudier durant la saison estivale. Si vous le faites, vous ne pourrez pas occuper votre emploi habituel, où vous auriez gagné 6 000 $, ni vivre chez vos parents, où vous ne payez aucun loyer. Vos frais de scolarité pour le semestre d'été seront de 2 000 $, le coût de vos fournitures scolaires, de 200 $ et vos frais de subsistance, de 1 400 $. Quel est le coût d'opportunité de vos études estivales?

2. Le jour de la Saint-Valentin, Bernard envoie des roses rouges à Catherine, et Catherine offre une boîte de chocolats à Bernard. Ils dépensent chacun 15 $. Ils mangent au restaurant et paient chacun la moitié de la facture de 50 $. Catherine ou Bernard ont-ils supporté des coûts d'opportunité? Si oui, de combien? Justifiez votre réponse.

3. Nancy demande à Joëlle d'être demoiselle d'honneur à son mariage. Joëlle accepte. Indiquez lesquels des coûts suivants font partie du coût d'opportunité lié à sa décision, et justifiez votre réponse.
   a) les 200 $ qu'elle a dépensés pour acheter une nouvelle tenue pour cette occasion;
   b) les 50 $ qu'elle a dépensés pour recevoir chez elle les amies de Nancy;
   c) l'argent qu'elle a dépensé pour une coupe de cheveux une semaine avant le mariage;
   d) la visite de deux jours chez sa grand-mère, qui fêtait ses 75 ans la même fin de semaine que le mariage avait lieu;
   e) les 10 $ qu'elle a dépensés pour se payer une collation en se rendant au mariage.

4. Le centre commercial local a un parc de stationnement gratuit, mais il est toujours plein et il faut habituellement 30 minutes pour y trouver une place libre. Aujourd'hui, vous en avez enfin trouvé une, que Philippe convoitait lui aussi. Est-ce que le stationnement est vraiment gratuit à ce centre commercial? Si ce n'est pas le cas, combien cela vous a-t-il coûté pour y stationner aujourd'hui? Lorsque vous avez garé votre voiture, avez-vous imposé des coûts à Philippe? Expliquez vos réponses.

5. Parmi les énoncés suivants, lesquels sont des énoncés positifs:
   a) Une diminution des salaires réduira le nombre de personnes qui souhaitent travailler.
   b) Des taux d'intérêt élevés empêchent de nombreuses personnes d'acheter leur première maison.
   c) Aucune famille ne devrait payer plus de 25 % de ses revenus en impôts.
   d) Le gouvernement devrait réduire le nombre d'hommes dans les Forces armées canadiennes et engager plus de femmes.
   e) Le gouvernement devrait éliminer les dépenses publiques inutiles.
   f) Le gouvernement devrait veiller à l'utilisation efficace de ses ressources.

6. Vous venez d'être engagé par une entreprise qui fabrique et commercialise des cassettes et des disques compacts. Votre employeur va vendre ces produits dans une nouvelle région qui compte 10 millions d'habitants. Selon un sondage, 50 % des gens achètent seulement de la musique populaire, 10 % seulement de la musique classique, et personne n'achète les deux types de musique. Selon un autre sondage, le revenu moyen d'un amateur de musique populaire est de 10 000 $ par an et celui d'un amateur de musique classique est de 15 000 $ par an. Un troisième sondage révèle que les gens à faibles revenus dépensent en moyenne un quart de 1 % de leurs revenus en cassettes et disques compacts, alors que les personnes à revenus élevés y consacrent 2 % de leurs revenus. Vous devez concevoir pour votre employeur un modèle qui permettra de prédire les dépenses en musique populaire et en musique classique dans cette région pour une année.
   a) Énumérez vos hypothèses.
   b) Quelles sont les prédictions de votre modèle?
   c) Mettez en évidence les sources potentielles d'erreurs dans vos prédictions.

# 2

# Les graphiques — construction et utilisation

**Objectifs du chapitre**

- Construire un diagramme de dispersion, un graphique de série chronologique ainsi qu'un graphique de coupe transversale, et les interpréter

- Faire la distinction entre une relation linéaire et une relation non linéaire. Comprendre les notions de maximum et de minimum dans ces relations

- Définir la pente d'une droite, et la calculer

- Exprimer graphiquement les relations entre plus de deux variables

Benjamin Disraeli, premier ministre de Grande-Bretagne à la fin du XIX$^e$ siècle, reconnaissait, dit-on, trois formes de mensonges : le mensonge ordinaire, le mensonge grave et... la statistique. Le graphique est l'un des moyens les plus utiles pour exprimer visuellement des données statistiques et, comme elles, il peut induire en erreur. Cela dit, n'en déplaise à M. Disraeli, un graphique correctement tracé ne ment pas. Au contraire, il permet souvent de percevoir des relations qui, autrement, resteraient obscures. ◆ Le graphique est une invention récente : il n'a fait son apparition qu'à la fin du XVIII$^e$ siècle, longtemps après la découverte des logarithmes ou du calcul différentiel et intégral. Aujourd'hui, à l'ère de l'ordinateur et de l'affichage sur écran, les graphiques ont presque supplanté les mots et les chiffres. Quel usage les économistes font-ils des graphiques ? De quels types de graphiques se servent-ils ? Que révèlent ces graphiques, et que dissimulent-ils ? ◆ Les sept grandes questions que vous avez étudiées au chapitre 1 — ces questions auxquelles la science économique cherche à répondre — sont des questions complexes. Elles portent sur des relations où interviennent un grand nombre de variables. Pratiquement aucun phénomène économique n'est imputable à une cause unique. Au contraire, un grand nombre de variables influent les unes sur les autres. On dit souvent qu'en économie tout est en tout, autrement dit que tout dépend de tout. Les hauts et les bas de la consommation de crème glacée, par exemple, dépendent de son prix, de la température et de plusieurs autres facteurs. Comment illustrer par des graphiques les relations entre plusieurs variables ? Et comment interpréter pareilles relations ?

## Trois formes de mensonges

◐ Dans ce chapitre, nous étudierons divers types de graphiques utilisés en économique. Nous apprendrons à les construire et à les lire. Nous apprendrons aussi à mesurer l'effet d'une variable sur une autre. Vous ne trouverez pas, dans la suite de ce manuel, de graphiques plus complexes que ceux que nous aurons vus dans ce chapitre. Si vous connaissez déjà les diverses méthodes de représentation graphique des données, vous pouvez passer ce chapitre ou vous contenter de le parcourir rapidement. Quoi qu'il en soit, il vous servira de référence et vous pourrez y revenir au besoin pour comprendre les graphiques que vous rencontrerez au cours de vos études en science économique.

## La représentation graphique des données

LA TECHNIQUE DU GRAPHIQUE PERMET DE VISUALISER des quantités qui sont représentées sous la forme de distances, le long d'échelles. On trouvera à la figure 2.1 deux exemples de graphique. Le graphique (a) exprime la température en degrés Celsius (°C) comme s'il s'agissait d'une distance sur une échelle. Les déplacements de gauche à droite représentent les hausses de température, et les déplacements de droite à gauche, les baisses de température. Le point zéro correspond à 0 °C. À droite du zéro, la température est positive alors que, à gauche du zéro, elle est négative.

Dans le graphique (b), l'altitude est mesurée en milliers de mètres au-dessus du niveau de la mer. Le point zéro représente le niveau de la mer. Les chiffres à droite du zéro représentent, en mètres, des points situés au-dessus de la mer. Les chiffres à gauche du zéro mesurent des profondeurs sous le niveau de la mer. Il n'existe pas de règles précises quant au choix de l'échelle à utiliser : on détermine celle-ci selon l'ensemble des valeurs que peut prendre la variable et selon l'espace dont on dispose.

Chacun des graphiques de la figure 2.1 comporte une seule variable. Chaque point de cette échelle représente une température donnée ou une altitude donnée. Ainsi, le point *a* représente une température de 100 °C, soit le point d'ébullition de l'eau ; le point *b* représente une altitude de 6 194 m au-dessus du niveau de la mer, soit la hauteur du mont McKinley, la plus haute montagne de l'Amérique du Nord.

Les graphiques à une seule variable comme ceux de la figure 2.1 ne sont pas très révélateurs. Un graphique est un outil beaucoup plus puissant lorsqu'il montre comment deux variables sont reliées entre elles.

### Les graphiques à deux variables

Pour construire un graphique à deux variables, on se sert de deux échelles perpendiculaires. La figure 2.2 reprend les variables illustrées à la figure 2.1 : la température et l'altitude. La température est représentée de la même manière, mais l'échelle de l'altitude se dresse en position verticale, et les déplacements s'y feront vers le haut ou vers le bas.

On appelle **axes** les deux échelles de la figure 2.2. La ligne verticale est l'**axe des ordonnées** ; la ligne horizontale, l'**axe des abscisses**. La lettre *y* apparaît à l'extrémité

---

**FIGURE  2.2**

## Le graphique à deux variables

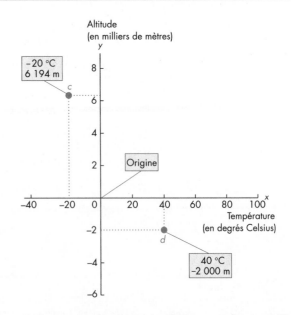

Pour représenter graphiquement la relation entre deux variables, on trace deux axes perpendiculaires. Dans cet exemple, l'altitude est mesurée sur l'axe des ordonnées (*y*), et la température sur l'axe des abscisses (*x*). Le point *c* représente le sommet du mont McKinley, situé à 6 194 m au-dessus du niveau de la mer (mesuré sur l'axe vertical), à une température de −20 °C (mesurée sur l'axe horizontal). Le point *d* représente la température de 40 °C à l'intérieur d'un sous-marin qui explore les profondeurs de l'océan à 2 000 m au-dessous du niveau de la mer.

---

**FIGURE  2.1**

## Le graphique à une seule variable

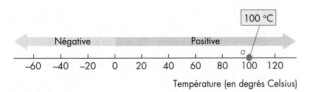

**(a) Température**

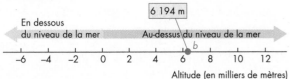

**(b) Altitude**

Tout graphique comporte une échelle qui illustre la quantité comme s'il s'agissait d'une distance. Ici, les deux échelles mesurent respectivement la température et l'altitude. Les chiffres à droite du zéro sont positifs ; les chiffres à gauche du zéro sont négatifs.

de l'axe des ordonnées; la lettre *x,* à l'extrémité de l'axe des abscisses. Chaque axe a un point zéro, qui coïncide avec le point zéro de l'autre axe. Le point zéro commun aux deux axes s'appelle l'**origine**.

Pour construire un graphique à deux variables, nous avons besoin de deux éléments d'information. Par exemple, le mont McKinley culmine à 6 194 m, et l'on enregistre à son sommet, un jour donné, une température de –20 °C. Nous pouvons inscrire dans la figure 2.2 cette double information : d'une part, l'altitude de la montagne (6 194 m) en ordonnée, d'autre part, la température (–20 °C) en abscisse. Les valeurs des deux variables correspondent au point *c*.

À partir du point *c*, on peut tracer deux lignes pointillées, les **coordonnées.** La ligne partant du point *c* vers l'axe horizontal s'appelle l'**ordonnée** (ou coordonnée verticale), parce que sa longueur correspond à la valeur marquée sur l'axe des ordonnées. De même, la ligne partant du point *c* vers l'axe vertical s'appelle l'**abscisse** (ou coordonnée horizontale), parce que sa longueur correspond à la valeur marquée sur l'axe des abscisses.

La figure 2.2 nous indique également que, à l'intérieur d'un sous-marin qui explore les fonds marins à 2 000 m de profondeur *au-dessous* du niveau de la mer, il règne une température accablante de 40 °C. Cette information correspond au point *d*.

Les économistes ont recours à des graphiques semblables à celui de la figure 2.2 pour révéler et décrire les relations entre les variables économiques. Les principaux types de graphiques utilisés en économique sont :

■ les diagrammes de dispersion,

■ les graphiques de série chronologique, ou chronogrammes,

■ les graphiques de coupe transversale.

Examinons chacun de ces types de graphiques.

## Les diagrammes de dispersion

Un **diagramme de dispersion** est un graphique qui montre les valeurs d'une variable économique par rapport à celles d'une autre variable. On a recours à ce type de graphique pour voir s'il existe une relation entre deux variables économiques ou, le cas échéant, pour illustrer cette relation.

### La relation entre la consommation et le revenu
La figure 2.3 présente un diagramme de dispersion qui montre la relation entre la consommation moyenne et le revenu moyen. Il donne en abscisse le revenu moyen et en ordonnée, la consommation moyenne. Chaque point représente la consommation moyenne et le revenu moyen par personne au Canada pour une année entre 1988 et 1998. Les points qui correspondent à chacune des 11 années étudiées sont « dispersés » sur le graphique. Chaque point est accompagné d'un nombre à deux

**FIGURE 2.3**

## Un diagramme de dispersion

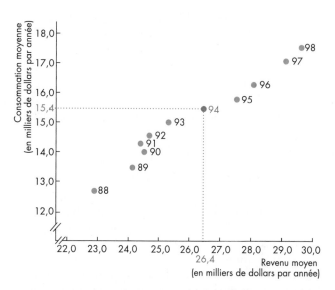

Un diagramme de dispersion montre la relation entre deux variables. Celui-ci montre la relation entre la consommation moyenne et le revenu moyen entre 1988 et 1998. Chaque point indique la valeur des deux variables pour une année donnée, désignée par un nombre à deux chiffres. Par exemple, en 1994, la consommation moyenne était de 15 442 $, et le revenu moyen, de 26 470 $. La forme que prend l'ensemble des points du diagramme montre que, lorsque le revenu augmente, la consommation s'accroît.

chiffres qui désigne l'année. Par exemple, le point 94 indique qu'en 1994 la consommation moyenne était de 15 442 $ et le revenu moyen, de 26 470 $.

**Les coupures d'axes** Chaque axe de la figure 2.3 est brisé par deux petites barres parallèles. Ces coupures indiquent que, pour ne pas comprimer inutilement le graphique, on a « sauté » de l'origine — la valeur 0 — jusqu'aux premières valeurs enregistrées. On a utilisé ces raccourcis parce que, au cours de la période couverte par le graphique, la consommation n'a jamais été inférieure à 12 000 $ et le revenu n'a jamais été inférieur à 22 000 $. Sans ces coupures, il y aurait un grand espace vide entre le zéro et les premières valeurs enregistrées, et tous les points seraient entassés dans le coin droit en haut de sorte que nous ne pourrions pas voir s'il y a ou non une relation entre les deux variables. En brisant les axes, on met cette relation en évidence, un peu comme si on employait un zoom pour amener la relation au centre du graphique et l'agrandir de manière à ce qu'elle occupe tout l'espace.

La signification des graduations sur les axes du graphique est évidemment déterminante ; il faut donc prendre l'habitude de lire attentivement le long des axes les indications relatives aux variables — les définitions de ce qui est mesuré et les unités de mesure utilisées — avant d'interpréter un graphique.

**D'autres relations**  La figure 2.4 présente deux autres diagrammes de dispersion. Le diagramme (a) montre l'évolution dans le temps de la relation entre le nombre de ménages qui possèdent un magnétoscope et le prix moyen de cet appareil. La forme qui se dégage de l'ensemble des points nous apprend que, plus le prix des magnétoscopes baisse, plus le pourcentage des ménages qui en possèdent un est élevé.

Le diagramme (b) nous permet de voir la relation entre le taux d'inflation et le taux de chômage au Canada. La disposition de l'ensemble des points — qui ne dessinent pas de forme définie — ne révèle aucune relation nette entre les deux variables; le graphique montre qu'on ne peut établir aucune relation claire entre le taux d'inflation et le taux de chômage.

Le diagramme de dispersion permet de voir s'il existe une relation entre deux variables économiques; cependant, il ne peut illustrer clairement leur évolution dans le temps. Pour étudier l'évolution de variables économiques, on a recours à des graphiques de série chronologique.

## Les graphiques de série chronologique

Le **graphique de série chronologique,** ou chronogramme, mesure le temps (en mois ou en années, par exemple) sur l'axe des abscisses, et la ou les variables à étudier sur l'axe des ordonnées. La figure 2.5 présente un graphique de série chronologique. Le temps est mesuré en années sur l'axe des abscisses, et la variable qui nous intéresse — le prix du café — se trouve sur l'axe des ordonnées. Ce graphique de série chronologique résume de façon simple et commode une quantité considérable d'informations.

1. Il nous indique le *niveau* du prix du café: il nous dit si celui-ci est *élevé* ou *bas.* Ici, par exemple, lorsque la courbe s'écarte beaucoup de l'axe des abscisses, le prix du café est élevé; lorsqu'elle s'en rapproche, le prix est bas.

2. Il nous indique aussi le *sens de la variation* du prix: à la *hausse* ou à la *baisse.* Ici, si la courbe monte,

---

**FIGURE  2.4**
# D'autres diagrammes de dispersion

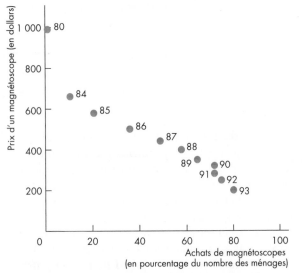

**(a) Propriété d'un magnétoscopes et prix des appareils**

Le diagramme (a) est un diagramme de dispersion qui montre la relation entre le prix des magnétoscopes et le pourcentage des ménages possédant un magnétoscope pour 1980, puis pour toutes les années de 1984 à 1993. Ce graphique indique que le nombre de ménages possédant un magnétoscope augmente au fur et à mesure que le prix des magnétoscopes baisse.

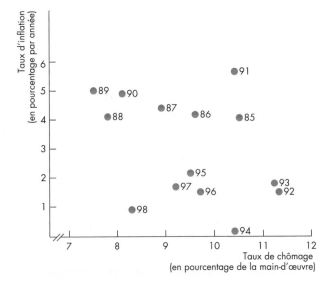

**(b) Chômage et inflation**

Le diagramme (b) est un diagramme de dispersion qui indique la relation entre le taux d'inflation et le taux de chômage. Ce graphique ne révèle pas de relation claire entre le chômage et l'inflation.

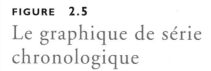

**FIGURE 2.5**

Le graphique de série chronologique

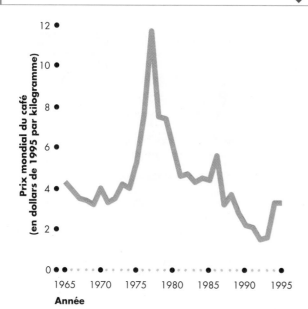

Un graphique de série chronologique révèle l'évolution du niveau d'une variable dans le temps (par exemple, jour, semaine, mois ou année). Le niveau de la variable est représenté sur l'axe des ordonnées et le temps, sur l'axe des abscisses. Le graphique de la figure 2.5 montre l'évolution du prix mondial du café (en dollars de 1995) de 1965 à 1995. Il nous apprend quand ce prix était *élevé* et quand il était *bas*, à quels moments il a augmenté ou baissé, et même à quelle vitesse ces variations se sont produites.

comme en 1976, c'est que le prix du café est en hausse ; si elle descend, comme en 1980, c'est que le prix est en baisse.

3. Il indique enfin la *vitesse de changement* du prix : il nous dit si le prix change *rapidement* ou *lentement*. Si la courbe monte et descend abruptement, le prix varie rapidement ; si la courbe s'aplatit, le prix change lentement. Par exemple, le prix a augmenté très rapidement entre 1976 et 1977. Il a continué à augmenter en 1982, mais plus lentement. De même, quand le prix a baissé en 1978, il a baissé rapidement mais, au milieu des années 60, il a baissé plus lentement.

Le graphique de série chronologique permet aussi de voir s'il y a une tendance. Une **tendance** est une orientation générale qui caractérise l'évolution d'une variable, dans le sens d'une hausse ou d'une baisse. Ainsi, on peut constater à la figure 2.5 que, du milieu des années 70 au début des années 90, la tendance générale pour le prix du café était à la baisse.

Finalement, le graphique de série chronologique nous permet de comparer rapidement différentes périodes. Par exemple, la figure 2.5 montre une grande différence entre les années 70 et les années 80 pour ce qui est du prix mondial du café. En effet, la fluctuation du prix du café a été beaucoup plus importante dans les années 70 que dans les années 80.

Comme on le voit, le graphique de série chronologique fournit une somme considérable d'informations, très clairement et en très peu d'espace.

**La comparaison de deux séries chronologiques**

Le graphique de série chronologique peut parfois servir à comparer deux variables. Supposons, par exemple, que vous vouliez savoir si le solde budgétaire du gouvernement fédéral — son surplus ou son déficit — fluctue avec le taux de chômage. Vous pouvez examiner le solde budgétaire du gouvernement fédéral et le taux de chômage au pays en dessinant un graphique pour chacune de ces variables, pour ensuite fondre ces deux graphiques en un seul, en utilisant une échelle distincte pour chaque série.

Cependant, on se heurte alors à un problème pratique : alors que le solde du gouvernement peut être exprimé sous forme positive (surplus) ou négative (déficit), le taux de chômage, lui, est toujours une valeur positive.

Le graphique 2.6(a) montre le solde budgétaire sous la forme d'un surplus, c'est-à-dire qu'il enregistre une valeur positive lorsque le gouvernement connaît un excédent de ses recettes par rapport à ses dépenses, et une valeur négative dans le cas contraire. L'échelle du taux de chômage apparaît sur la gauche, et l'échelle du surplus de budget gouvernemental apparaît sur la droite. La ligne orange représente le taux de chômage ; la ligne bleue, le surplus du budget. Vous conviendrez qu'il est difficile d'établir à partir du graphique 2.6(a) la relation entre le taux de chômage et le budget.

Dans le graphique 2.6(b), la courbe du solde budgétaire du gouvernement fédéral mesure le déficit. On a donc renversé la courbe du budget qui apparaissait sur la droite. Dans le graphique (a), le surplus budgétaire est négatif ; dans le graphique (b), ce surplus négatif devient donc un déficit positif. Vous pouvez alors « voir » clairement la relation entre ces deux variables.

**Les graphiques de coupe transversale**

Le **graphique de coupe transversale** montre les valeurs d'une variable économique pour divers groupes de population à un moment donné. Le graphique présenté à la figure 2.7 en est un exemple ; il montre le taux de chômage dans les grandes villes du Canada en janvier 1992. Dans ce graphique, au lieu de points et de courbes, on utilise des bandes dont la longueur indique le taux de chômage dans 10 grandes villes canadiennes. On peut

## FIGURE 2.6
### Les relations de série chronologique

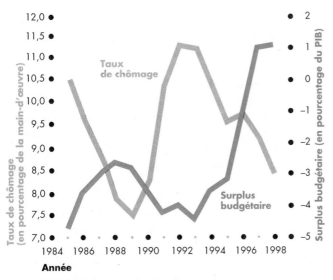

**(a) Chômage et surplus budgétaire**

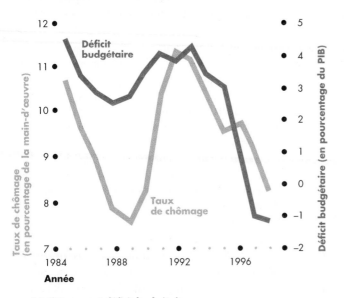

**(b) Chômage et déficit budgétaire**

Ces deux graphiques révèlent l'évolution du taux de chômage et du solde budgétaire du gouvernement fédéral. La courbe du taux de chômage est la même dans les deux graphiques. Dans le graphique (a), le surplus budgétaire — montant de l'impôt *moins* celui des dépenses — est mesuré le long de l'échelle de droite. Il est difficile de voir la relation entre le surplus budgétaire et le taux de chômage. Le graphique (b) indique un déficit budgétaire — montant des dépenses *moins* celui des impôts. En fait, l'échelle du budget est inversée, ce qui montre clairement que le taux de chômage et le déficit budgétaire ont tendance à évoluer dans le même sens.

## FIGURE 2.7
### Le graphique de coupe transversale

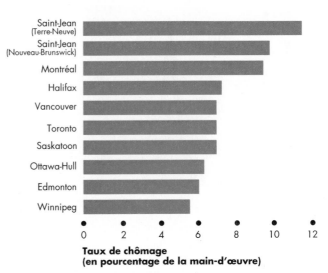

Un graphique de coupe transversale montre la quantité d'une variable dans les divers segments d'une population. Ce graphique permet de comparer le taux de chômage dans 10 grandes villes du Canada.

ainsi comparer ces taux beaucoup plus rapidement et plus facilement qu'en consultant une liste de chiffres.

### Les graphiques trompeurs

Tous les graphiques — diagramme de dispersion, graphique de série chronologique et graphique de coupe transversale — peuvent être trompeurs. Par exemple, le graphique de coupe transversale présenté à la figure 2.8 dramatise la situation qui était représentée à la figure 2.7. Au premier coup d'œil, il donne l'impression que le taux de chômage est environ deux fois moins élevé à Toronto qu'à Saint-Jean (Terre-Neuve). Cependant, un examen plus attentif nous révèle que l'échelle du taux de chômage a été étirée : on a omis les taux de chômage compris entre 0 % et 2 %. Si vous prenez l'habitude, lorsque vous étudiez un graphique, de regarder d'abord les chiffres placés sur les axes, vous éviterez d'être induit en erreur, même si le graphique est délibérément trompeur. Les médias diffusent souvent des graphiques trompeurs ; repérez-les et apprenez à vous en méfier.

Maintenant que nous savons comment utiliser les graphiques pour représenter les données économiques et pour montrer les relations qui peuvent exister entre les

FIGURE 2.8

## Un graphique trompeur

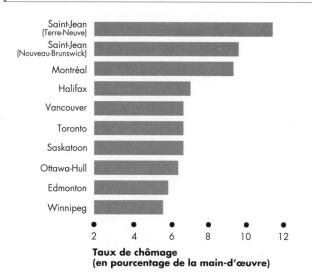

**Taux de chômage**
**(en pourcentage de la main-d'œuvre)**

Un graphique peut induire en erreur si les échelles sont comprimées ou étirées. Dans ce graphique, on a étiré l'échelle du taux de chômage en supprimant les taux de chômage allant de 0 à 2, ce qui a pour résultat de fausser la comparaison des taux de chômage dans les villes. Comparé aux villes où il est élevé, le taux de chômage dans les villes où il est faible semble encore plus faible.

variables, voyons comment les économistes peuvent s'en servir d'une manière plus abstraite pour construire des modèles économiques.

## Les graphiques utilisés dans les modèles économiques

LES GRAPHIQUES UTILISÉS EN ÉCONOMIQUE NE servent pas qu'à illustrer des données ; on peut aussi y recourir pour montrer les relations entre les diverses variables d'un modèle économique. Bien qu'il existe plusieurs types de graphiques en économie, les graphiques utilisés dans les modèles économiques ont un certain nombre de points communs qui, lorsqu'on sait les reconnaître, révèlent tout de suite la signification d'un graphique. Il y a des graphiques pour chacune des situations suivantes :

- des variables qui évoluent ensemble dans le même sens ;

- des variables qui évoluent en sens opposé ;

- des relations qui ont un maximum ou un minimum ;

- des variables qui sont indépendantes.

Examinons chacun de ces quatre cas.

## Les variables qui évoluent ensemble dans le même sens

On appelle **relation positive,** ou **relation directe,** la relation entre deux variables qui changent dans le même sens, à la hausse comme à la baisse. Les trois graphiques de la figure 2.9 montrent des exemples de telles relations.

La figure 2.9 illustre trois types de relations positives : une ligne droite et deux lignes courbes. On appelle **relation linéaire** la relation représentée par une ligne droite. Notons toutefois qu'il est d'usage d'appeler « courbe » toute ligne, droite ou incurvée, qui figure dans un graphique.

Le graphique 2.9(a) illustre la relation linéaire entre le nombre de kilomètres parcourus en cinq heures et la vitesse à laquelle on les parcourt. Le point *a*, par exemple, indique que, pour parcourir 200 km en cinq heures, on doit rouler à 40 km/h. En doublant cette vitesse — c'est-à-dire en roulant à 80 km/h —, on parcourra 400 km dans le même temps ; autrement dit, si l'on double la vitesse en prenant le même temps, la distance parcourue est deux fois plus grande.

Le graphique 2.9(b) décrit la relation entre la distance parcourue par un sprinter et l'épuisement (mesuré par le temps qu'il faut pour que le rythme cardiaque revienne à la normale). Il s'agit d'une relation à pente positive, représentée cette fois par une courbe dont la pente devient plus raide à mesure qu'elle s'éloigne de l'origine. Lorsque la distance parcourue par un sprinter double, le temps de récupération est plus que le double.

Le graphique 2.9(c) présente la relation entre le nombre de problèmes qu'un étudiant réussit à résoudre et le nombre d'heures qu'il y consacre. Cette relation prend également la forme d'une courbe à pente positive. Cependant, la pente est d'abord raide avant de s'adoucir à mesure qu'elle s'éloigne de l'origine. Lorsque le nombre d'heures double, le nombre de problèmes résolus augmente, mais il ne double pas.

## Les variables qui évoluent en sens opposé

On appelle **relation négative,** ou **relation inverse,** la relation entre des variables qui évoluent en sens opposé. La figure 2.10 donne des exemples de telles relations.

Le graphique 2.10(a) illustre la relation entre le nombre d'heures consacrées au squash et le nombre d'heures consacrées au tennis, sur un total de cinq heures. Le joueur qui consacre une heure de plus au tennis dispose d'une heure de moins pour jouer au squash, et réciproquement. Il s'agit d'une relation linéaire négative.

Le graphique 2.10(b) illustre la relation entre le coût par kilomètre parcouru et la longueur d'un trajet. Plus le trajet est long, plus le coût par kilomètre est bas. Mais, au fur et à mesure que le trajet s'allonge, le coût par kilomètre diminue selon un taux décroissant. Cette

---

**FIGURE 2.9**

# Les relations positives (ou directes)

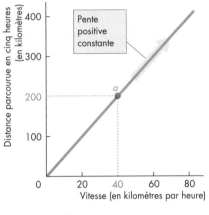

**(a) Pente positive constante**

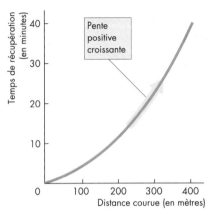

**(b) Pente positive croissante**

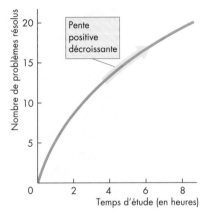

**(c) Pente positive décroissante**

---

Les trois graphiques de la figure montrent une relation positive (ou relation directe) entre deux variables : au fur et à mesure que s'accroît la valeur de la variable mesurée sur l'axe des abscisses, la valeur de la variable mesurée sur l'axe des ordonnées augmente aussi. Le graphique (a) illustre une relation positive linéaire : les deux variables augmentent au même rythme, et leur relation trace une droite. Le graphique (b) montre un autre genre de relation

positive : les deux variables augmentent simultanément, mais à un rythme différent, et leur relation trace une courbe dont la pente devient de plus en plus raide. Le graphique (c) montre encore un autre genre de relation positive : les deux variables augmentent simultanément, et le tracé prend la forme d'une courbe dont la pente s'aplatit.

---

relation est représentée par une courbe à pente négative, qui est d'abord abrupte lorsque le trajet est court et qui s'aplatit au fur et à mesure que le trajet s'allonge.

Le graphique 2.10(c), quant à lui, montre la relation entre le nombre d'heures de loisir que s'accorde un étudiant et le nombre de problèmes qu'il parvient à résoudre. Plus le nombre d'heures de loisir augmente, plus le nombre de problèmes qu'il réussit à résoudre diminue. Il s'agit donc d'une relation négative dont la pente est relativement douce tant que le nombre d'heures de loisir est restreint, mais qui s'accentue au fur et à mesure que le nombre d'heures de loisir augmente.

## Les relations qui ont un maximum et un minimum

En économique, on analyse comment tirer le meilleur parti de ressources limitées ; on cherche, par exemple, à réaliser le profit le plus élevé possible en produisant au coût le plus faible possible. Les économistes utilisent donc fréquemment des graphiques qui décrivent des relations ayant un maximum ou un minimum. La figure 2.11 fournit des exemples de telles relations.

Le graphique 2.11(a) montre la relation qui existe entre le nombre de jours de pluie au cours d'un mois et la récolte de blé. Faute de pluie, le blé ne pousse pas et la récolte est nulle. Jusqu'à 10 jours de pluie par mois, la récolte de blé augmente graduellement. Avec exactement 10 jours de pluie par mois, la récolte atteint un maximum de 2 t par hectare (point *a*). Dès qu'il pleut pendant plus de 10 jours par mois, la production de blé commence à diminuer. À la limite, s'il pleut tous les jours, le blé souffre du manque de soleil et la récolte est pratiquement nulle. D'abord positive, cette relation atteint un maximum, puis devient négative.

Le graphique 2.11(b) illustre le cas inverse : une relation d'abord négative atteint un minimum, puis devient positive. Le coût de l'essence au kilomètre par rapport à la vitesse de parcours en est un bon exemple. À basse vitesse, comme dans un embouteillage, le nombre de kilomètres parcourus au litre est faible et la dépense d'essence au kilomètre est très élevée. À très grande vitesse, la voiture fonctionne au-delà de son taux de rendement optimal : le nombre de kilomètres parcourus au litre est faible, et la dépense d'essence au kilomètre est élevée. En fait, c'est à une vitesse de 100 km/h que la dépense au kilomètre est à son minimum (point *b*).

FIGURE 2.10

# Les relations négatives (ou inverses)

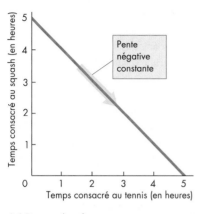

**(a) Pente négative constante**

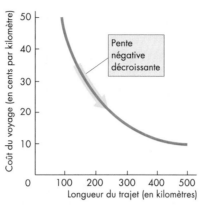

**(b) Pente négative décroissante**

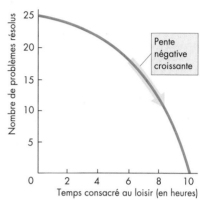

**(c) Pente négative croissante**

Les trois graphiques de la figure montrent une relation négative (ou inverse) entre deux variables. Le graphique (a) montre une relation négative linéaire : à mesure qu'une variable augmente, l'autre diminue au même rythme et on se déplace le long d'une droite. Le graphique (b) présente un deuxième type de relation négative : la pente s'atténue à mesure qu'on se déplace de gauche à droite sur la courbe. Finalement, le graphique (c) illustre le troisième type de relation négative : la pente s'accentue à mesure qu'on se déplace de gauche à droite sur la courbe.

FIGURE 2.11

# Les points maximum et minimum

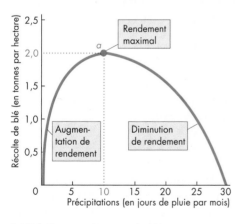

**(a) Relation ayant un maximum**

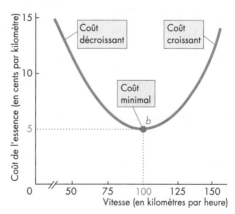

**(b) Relation ayant un minimum**

Le graphique (a) montre une relation ayant un maximum, le point *a*. La courbe est d'abord croissante, atteint son sommet, puis décroît. Le graphique (b) montre une relation ayant un minimum, le point *b*. La courbe décroît jusqu'à son minimum, puis elle croît.

## Les variables indépendantes

Il existe une infinité de situations où une variable ne dépend pas d'une autre ; quelles que soient les variations de l'une, l'autre demeure constante. La figure 2.12 illustre l'indépendance de deux variables. Dans le graphique 2.12(a), la note que vous avez obtenue en économique (exprimée ici sur l'axe des ordonnées) est comparée au prix des bananes (sur l'axe des abscisses). De toute évidence, votre note (75 %) ne dépend aucunement du prix des bananes. L'absence de toute relation entre ces deux variables se traduit ici par une droite horizontale, ni ascendante ni descendante. Dans le graphique 2.12(b), la production de vin français est mesurée sur l'axe horizontal. Comme on peut s'y attendre, la production de vin français (15 milliards de litres par an, dans cet exemple)

## FIGURE 2.12
# Les variables indépendantes

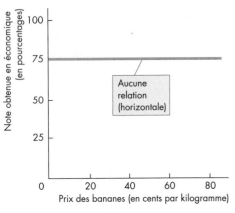

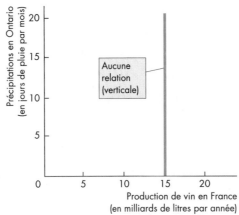

Cette figure illustre la construction de graphiques comportant deux variables qui n'ont entre elles aucune relation. Dans le graphique (a), la note de 75 % qu'un étudiant obtient en économique n'a aucun lien avec le prix des bananes, mesuré sur l'axe des abscisses. La ligne est horizontale. Dans le graphique (b), les précipitations en Ontario n'ont pas d'incidence sur la production de vin en France. La ligne est verticale.

**(a) Variables indépendantes : ligne horizontale**    **(b) Variables indépendantes : ligne verticale**

---

n'est pas touchée par le taux de précipitation en Ontario. L'absence de toute relation entre ces deux variables se traduit ici par une droite verticale.

Les figures 2.9 à 2.12 illustrent, au total, dix formes différentes susceptibles de servir dans l'étude de modèles économiques. Lors de la description des graphiques, nous avons parlé de la pente des courbes. La notion de pente est très importante. Voyons pourquoi.

## La pente d'une relation

On peut mesurer l'influence d'une variable sur une autre par la **pente** de la courbe. La pente d'une relation correspond à la variation de la quantité mesurée sur l'axe des ordonnées (axe vertical) divisée par la variation correspondante de la quantité mesurée sur l'axe des abscisses (axe horizontal). On utilise la lettre grecque $\Delta$ (*delta*) pour signifier l'idée de variation. Le symbole $\Delta y$ représente alors la variation de la valeur de la variable inscrite sur l'axe des ordonnées, tandis que le symbole $\Delta x$ représente la variation de la valeur de la variable inscrite sur l'axe des abscisses. La pente de la relation entre les variables $x$ et $y$ s'exprime donc comme suit :

$$\Delta y / \Delta x.$$

Lorsqu'une valeur élevée de $\Delta y$ est associée à une valeur faible de $\Delta x$, le rapport $\Delta y/\Delta x$ est élevé, la pente est forte et la courbe est à pic. Par contre, lorsqu'une valeur faible de $\Delta y$ est associée à une valeur élevée de $\Delta x$, le rapport $\Delta y/\Delta x$ est peu élevé, la pente est faible et la courbe est aplatie.

Pour clarifier la notion de pente, livrons-nous à quelques calculs.

## La pente d'une droite

La pente d'une droite demeure la même, quel que soit l'endroit sur la ligne où on la calcule. En d'autres termes, la pente d'une droite est constante. Calculons, par exemple, les pentes des lignes contenues dans la figure 2.13. Dans le graphique (a), lorsque $x$ passe de 2 à 6, $y$ passe de 3 à 6. La variation de $x$ est donc égale à +4 ($\Delta x = 4$). Quant à la variation de $y$, elle est égale à +3 ($\Delta y = 3$). La pente de cette droite est donc la suivante :

$$\frac{\Delta y}{\Delta x} = \frac{3}{4}.$$

Dans le graphique (b), lorsque $x$ passe de 2 à 6, $y$ passe de 6 à 3. La variation de $y$ est égale à *moins* 3 ($\Delta y = -3$). La variation de $x$ est égale à *plus* 4 ($\Delta x = 4$). La pente de cette droite est alors la suivante :

$$\frac{\Delta y}{\Delta x} = \frac{-3}{4}.$$

Remarquez que les pentes des deux droites sont d'importance égale en valeur absolue, soit 3/4. Toutefois, dans le graphique (a), la pente est positive (+3/+4 = 3/4) tandis que, dans le graphique (b), elle est négative (−3/+4 = −3/4). La pente d'une relation positive est positive ; la pente d'une relation négative est négative.

## La pente d'une courbe

La pente d'une courbe n'est pas constante. Tout dépend de l'endroit sur la ligne où on la calcule. Il y a deux façons de le faire : calculer la pente en un point sur la ligne ou calculer la pente le long d'un arc. Examinons ces deux possibilités.

FIGURE   2.13

## La pente d'une droite

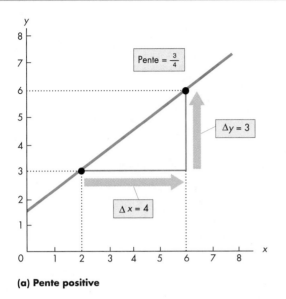

**(a) Pente positive**

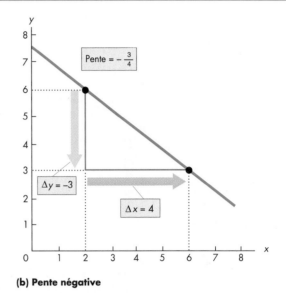

**(b) Pente négative**

Pour calculer la pente d'une droite, il suffit de diviser la variation de la valeur de *y* par la variation correspondante de la valeur de *x*. Le graphique (a) montre le calcul d'une pente positive. Lorsque *x* passe de 2 à 6, la variation de *x* est égale à 4 ($\Delta x = 4$). Ce changement de *x* est accompagné d'un changement de *y*, qui passe de 3 à 6 ($\Delta y = 3$). La pente ($\Delta y/\Delta x$) est alors égale à 3/4.

Le graphique (b) montre le calcul d'une pente négative. Quand la valeur de *x* passe de 2 à 6, $\Delta x$ est égal à 4. Cette variation de *x* donne lieu à une diminution de *y*, qui passe de 6 à 3, de sorte que $\Delta y = -3$. La pente ($\Delta y/\Delta x$) est donc égale à $-3/4$.

**La pente en un point sur la courbe**   Pour calculer la pente en un point précis d'une courbe, vous devez tracer une ligne droite ayant la même pente que la courbe en ce point. Le graphique 2.14(a) illustre comment effectuer ce calcul. Supposons que vous désiriez calculer la pente de la courbe au point *a*. Placez une règle sur le graphique pour qu'elle touche la courbe au point *a* seulement, puis tirez une ligne droite. Une telle droite (ici, tracée en rouge) porte le nom de *tangente*. Elle touche la courbe au point *a*. Si la règle touche la courbe au point *a* seulement, la pente de la courbe en ce point doit égaler la pente de la règle elle-même. Si la courbe et la règle n'ont pas la même pente, la ligne qui longe la règle coupera la courbe au lieu de la toucher — ce ne sera pas une tangente.

Lorsque vous avez déterminé la droite dont la pente est la même que celle de la courbe au point *a*, vous pouvez trouver la pente de la courbe au point *a* en calculant la pente de la droite. Au fur et à mesure que *x* augmente, passant de 0 à 4 ($\Delta x = 4$), *y* augmente, passant de 2 à 5 ($\Delta y = 3$). La pente de la droite est donc égale à :

$$\frac{\Delta y}{\Delta x} = \frac{6}{8} = \frac{3}{4}.$$

Ainsi, la pente de la courbe au point *a* est égale à 3/4.

**La pente le long d'un arc**   Le calcul de la pente d'une courbe le long d'un arc est identique à celui d'une pente « moyenne » pour cet arc. Un arc de courbe est un morceau de courbe. Dans la figure 2.14, la courbe du graphique (b) est la même que celle du graphique (a) mais, plutôt que de calculer la pente au point *a*, nous calculons la pente le long de l'arc entre *b* et *c*. En se déplaçant le long de l'arc de *b* à *c*, *x* et *y* augmentent, passant respectivement de 3 à 5 et de 4 à 5,5. La variation de *x* est égale à 2 ($\Delta x = 2$), et celle de *y* à 1,5 ($\Delta y = 1,5$). Par conséquent, la pente de la droite est la suivante :

$$\frac{\Delta y}{\Delta x} = \frac{1,5}{2} = \frac{3}{4}.$$

La pente de la courbe le long de l'arc *bc* est donc égale à 3/4.

Ce calcul nous donne la pente de la courbe entre les points *b* et *c*. La pente que l'on calcule est celle de la droite qui réunit les points *b* et *c*. Cette pente est approximativement la même que la pente moyenne de la

## FIGURE 2.14
# La pente d'une courbe

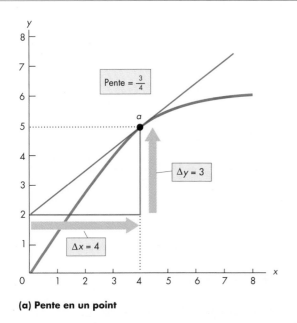

**(a) Pente en un point**

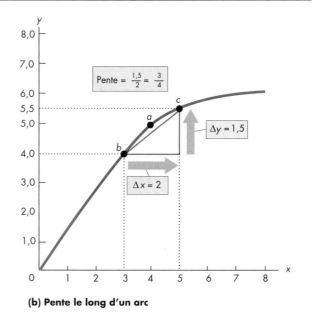

**(b) Pente le long d'un arc**

Pour calculer la pente de la courbe en un point *a*, on trace (comme ici en rouge) une droite qui touche la courbe en ce point (la tangente de la courbe en ce point). On obtient la pente de cette tangente en divisant la variation de *y* par la variation de *x*. Lorsque *x* passe de 0 à 4, $\Delta x$ est égal à 4. Ce changement de *x* est accompagné d'un changement de *y* qui passe de 2 à 5, de sorte que $\Delta y$ est égal à 3. La pente de la ligne rouge est égale à 3/4. Par conséquent, la pente de la courbe au point *a* est de 3/4.

Pour calculer la pente le long d'un arc *bc*, il suffit de tracer une droite qui réunit les deux points *b* et *c*, comme dans ce graphique. On obtient la pente de la droite *bc* en divisant la variation de *y* par la variation de *x*. En se déplaçant de *b* à *c*, *x* augmente de 2 ($\Delta x$ = 2), et *y* augmente de 1,5 ($\Delta y$ = 1,5). La pente de la courbe le long de l'arc *bc* est égale à 1,5 divisé par 2, soit 3/4.

courbe le long de l'arc *bc*. Dans cet exemple, la pente le long de l'arc *bc* est identique à la pente de la courbe au point *a* dans le graphique (a). Cependant, comme vous le constaterez en construisant d'autres graphiques, le calcul de la pente d'une courbe ne donne pas toujours des résultats aussi précis.

## La représentation graphique de relations entre plus de deux variables

NOUS AVONS VU QU'IL EST POSSIBLE DE REPRÉSENTER graphiquement une seule variable par un point situé sur une ligne droite. Nous avons aussi appris à exprimer la relation entre deux variables en utilisant deux axes (axe des ordonnées et axe des abscisses) dans un graphique à deux dimensions. Mais, vous vous en doutez, même si les graphiques à deux dimensions sont utiles, la plupart des

phénomènes qui peuvent nous intéresser comportent des relations entre de nombreuses variables, et pas seulement deux. Par exemple, la quantité de crème glacée consommée dépend à la fois de son prix et de la température extérieure. Si le prix de la crème glacée est élevé et qu'il fait froid, on en consomme beaucoup moins que si son prix est bas et qu'il fait chaud. Quel que soit le prix de la crème glacée, la quantité consommée varie en fonction de la température et, quelle que soit la température, la consommation varie en fonction du prix.

La figure 2.15 illustre la relation entre trois variables. Le tableau indique le nombre de litres de crème glacée consommée chaque jour, selon la température qu'il fait et le prix de la crème glacée. Comment peut-on représenter tous ces chiffres dans un même graphique ?

Pour exprimer dans un graphique une relation entre plus de deux variables, on étudie ce qui se produit quand toutes les variables sauf deux sont maintenues constantes. Comme on l'a vu au chapitre 1 (p. 13), il est d'usage d'appeler cette façon de faire *ceteris paribus*. Le graphique (a) de la figure 2.15 nous en donne un exemple ; il

FIGURE 2.15

# La représentation graphique d'une relation entre trois variables

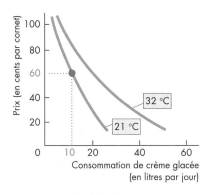

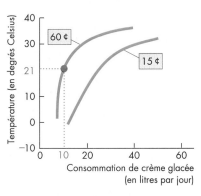

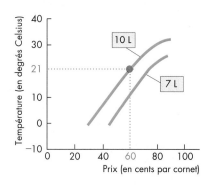

**(a) Relation prix-consommation à une température donnée**

**(b) Relation température-consommation à un prix donné**

**(c) Relation température-prix à une consommation donnée**

| Prix (en cents par cornet) | Consommation de crème glacée (en litres par jour) | | | |
|---|---|---|---|---|
| | –1°C | 10°C | 21°C | 32°C |
| 15 | 12 | 18 | 25 | 50 |
| 30 | 10 | 12 | 18 | 37 |
| 45 | 7 | 10 | 13 | 27 |
| **60** | 5 | 7 | 10 | 20 |
| 75 | 3 | 5 | 7 | 14 |
| 90 | 2 | 3 | 5 | 10 |
| 105 | 1 | 2 | 3 | 6 |

La quantité de crème glacée consommée dépend du prix et de la température. Le tableau contient des chiffres hypothétiques qui indiquent combien de litres de crème glacée sont consommés quotidiennement selon le prix et la température. Par exemple, si le prix du cornet de crème glacée est de 45 ¢ et que la température est de 10°C, la quantité consommée est de 10 L par jour. Pour représenter par un graphique la relation entre trois variables, il faut garder constante la valeur d'une des variables.

Le graphique (a) représente la relation entre le prix et la consommation de crème glacée lorsque la température est maintenue constante. Dans un cas, on suppose une température de 32 °C et dans l'autre, de 21°C.

Le graphique (b) montre la relation entre la température et la consommation de crème glacée, le prix de la crème glacée étant maintenu constant. Dans un cas, on suppose un prix constant de 60 ¢ et dans l'autre, de 15 ¢.

Le graphique (c) illustre la relation entre la température et le prix de la crème glacée, la consommation étant maintenue constante. Dans un cas, on suppose une consommation de 10 L et dans l'autre, de 7 L.

montre ce qu'il advient de la consommation de crème glacée lorsque le prix varie et que la température est maintenue constante. La courbe étiquetée *21°C* exprime la relation entre la consommation de crème glacée et le prix lorsque la température demeure à 21°C. Les chiffres qui ont servi à tracer cette courbe ont été tirés de la troisième colonne du tableau de la figure 2.15. Par exemple, lorsque la température est de 21°C, la consommation est de 10 L quand le cornet coûte 60 ¢, et de 18 L quand il coûte 30 ¢. La courbe étiquetée *32°C*, elle, montre la consommation de crème glacée quand le prix varie et que la température est maintenue à 32°C.

On peut également montrer la relation entre la consommation de crème glacée et la température lorsque

le prix de la crème glacée est maintenu constant, comme dans le graphique 2.15(b). La courbe étiquetée *60 ¢* montre comment la consommation de crème glacée varie avec la température quand le cornet coûte 60 ¢, et l'autre courbe montre la même relation lorsqu'il est de 15 ¢. Par exemple, lorsque le cornet coûte 60 ¢, on consomme 10 L de crème glacée quand la température est de 21 °C, et 20 L quand elle est de 32 °C.

Le graphique 2.15 (c) contient les diverses combinaisons de température et de prix qui produisent un niveau donné de consommation de crème glacée. Une première courbe illustre les combinaisons qui aboutissent à une consommation de 10 L par jour, et une deuxième, les combinaisons qui produisent une consommation de

7 L par jour. La consommation de crème glacée peut être la même si le prix est élevé et qu'il fait chaud que si le prix est bas et qu'il fait froid. Par exemple, 10 L seront consommés s'il fait 32 °C et que le cornet coûte 90 ¢, ou s'il fait 21 °C et que le cornet coûte 60 ¢.

◆ Les connaissances que vous avez acquises sur les graphiques vous permettront d'aller de l'avant dans l'étude de l'économique. Aucun graphique de ce manuel ne dépasse en complexité ceux que nous avons vus dans ce chapitre.

## R É S U M É

### Points clés

**La représentation graphique des données** On utilise principalement trois types de graphiques pour représenter les données économiques : les diagrammes de dispersion, les graphiques de série chronologique et les graphiques de coupe transversale. Chacun de ces graphiques révèle la nature de la relation entre deux variables. Les graphiques peuvent aussi être trompeurs, notamment lorsqu'on étire ou comprime les échelles. (p. 26-31)

**Les graphiques utilisés dans les modèles économiques** Les graphiques qu'on utilise dans les modèles économiques peuvent illustrer cinq types de relations : la relation positive (à pente croissante), la relation négative (à pente décroissante), la relation d'abord positive puis négative (relation ayant un maximum), la relation d'abord négative puis positive (relation ayant un minimum) et l'absence de relation (ligne horizontale ou verticale). (p. 31-34)

**La pente d'une relation** On calcule la pente d'une relation en divisant la variation de la valeur de la variable inscrite sur l'axe des ordonnées (axe vertical) par la variation correspondante de la valeur de la variable inscrite sur l'axe des abscisses (axe horizontal). La pente est donc donnée par le ratio $\Delta y / \Delta x$. La pente d'une ligne droite est constante, tandis que celle d'une courbe est variable. On peut calculer la pente d'une courbe en évaluant soit la pente de la courbe en un point précis, soit la pente le long d'un arc. (p. 34-36)

**La représentation graphique de relations entre plus de deux variables** Pour exprimer par un graphique une relation entre plus de deux variables, il faut maintenir constantes les valeurs de toutes les variables sauf deux. On détermine ensuite la valeur d'une des variables par rapport à la valeur d'une autre. (p. 36-38)

### Figures clés

### Mots clés

## Q U E S T I O N S   D E   R É V I S I O N

1. Quels sont les trois types de graphiques utilisés pour illustrer des données économiques ?
2. Donnez un exemple de diagramme de dispersion.
3. Donnez un exemple de graphique de série chronologique.
4. Donnez un exemple de graphique de coupe transversale.
5. Énumérez trois éléments qu'un graphique de série chronologique révèle clairement.
6. Qu'est-ce qu'une tendance ?

7. Comment un graphique peut-il être trompeur?

8. Construisez des graphiques qui illustrent:
   a) deux variables qui varient ensemble dans le même sens;
   b) deux variables qui varient en sens opposé;
   c) une relation entre deux variables ayant un maximum;
   d) une relation entre deux variables ayant un minimum.

9. Dans la question 8, quelle est la relation positive et quelle est la relation négative?

10. Qu'est-ce que la pente d'une relation?

11. Quelles sont les deux façons de calculer la pente d'une courbe?

12. Comment représente-t-on par un graphique des relations entre plus de deux variables?

---

## P R O B L È M E S

1. De 1974 à 1997, le taux d'inflation au Canada et les taux d'intérêt sur les bons du Trésor du gouvernement canadien ont évolué comme suit:

| Année | Taux d'inflation (en pourcentages) | Taux d'intérêt (en pourcentages) |
|-------|------------------------------------|----------------------------------|
| 1974 | 11,0 | 7,9 |
| 1975 | 9,0 | 7,4 |
| 1976 | 8,0 | 8,9 |
| 1977 | 5,9 | 7,4 |
| 1978 | 5,7 | 8,6 |
| 1979 | 9,1 | 11,6 |
| 1980 | 9,6 | 12,7 |
| 1981 | 10,8 | 17,8 |
| 1982 | 8,7 | 13,8 |
| 1983 | 5,0 | 9,3 |
| 1984 | 3,1 | 11,1 |
| 1985 | 2,6 | 9,5 |
| 1986 | 2,4 | 9,0 |
| 1987 | 4,7 | 8,2 |
| 1988 | 4,6 | 9,4 |
| 1989 | 4,8 | 12,0 |
| 1990 | 3,1 | 12,8 |
| 1991 | 2,7 | 8,9 |
| 1992 | 1,4 | 6,5 |
| 1993 | 1,1 | 4,9 |
| 1994 | 0,6 | 5,4 |
| 1995 | 1,8 | 7,0 |
| 1996 | 1,6 | 4,3 |
| 1997 | 1,6 | 3,2 |

a) Construisez un graphique de série chronologique pour montrer le taux d'inflation et utilisez ensuite ce graphique pour répondre aux questions suivantes:

   (i) En quelle année l'inflation a-t-elle été à son sommet?
   (ii) En quelle année l'inflation a-t-elle été à son plus bas?
   (iii) Au cours de quelles années l'inflation a-t-elle augmenté?
   (iv) Au cours de quelles années l'inflation a-t-elle baissé?
   (v) En quelle année l'inflation a-t-elle monté le plus rapidement?
   (vi) En quelle année l'inflation a-t-elle baissé le plus rapidement?
   (vii) Quelles ont été les tendances principales de l'inflation?

b) Construisez un diagramme de dispersion pour montrer la relation entre l'inflation et le taux d'intérêt.

c) Existe-t-il une relation entre l'inflation et le taux d'intérêt? Si oui, quelle est la nature de cette relation?

2. Utilisez l'information suivante pour construire un graphique qui montrera la relation entre $x$ et $y$.

| $x$ | 0 | 1 | 2 | 3 | 4 | 5 | 6 | 7 | 8 |
|-----|---|---|---|---|----|----|----|----|----|
| $y$ | 0 | 1 | 4 | 9 | 16 | 25 | 36 | 49 | 64 |

a) La relation entre $x$ et $y$ est-elle positive ou négative?

b) La pente de la relation augmente-t-elle ou diminue-t-elle lorsque la valeur de $x$ augmente?

3. En utilisant les données du problème n° 2:
   a) Calculez la pente de la relation entre $x$ et $y$ quand $x$ est égal à 4.
   b) Calculez la pente le long de l'arc lorsque $x$ passe de 3 à 4.
   c) Calculez la pente le long de l'arc lorsque $x$ passe de 4 à 5.
   d) Calculez la pente le long de l'arc lorsque $x$ passe de 3 à 5.
   e) Que remarquez-vous d'intéressant au sujet des réponses (b), (c) et (d) si vous les comparez à la réponse (a)?

4. Le tableau ci-dessous présente des données concernant le prix d'un tour en montgolfière, la température et le nombre de tours par jour.

| Prix d'un tour (en dollars) | Tours en montgolfière (Nombre par jour) | | |
|---|---|---|---|
| | 10 °C | 20 °C | 30 °C |
| 5,00 | 32 | 40 | 60 |
| 10,00 | 27 | 32 | 48 |
| 15,00 | 18 | 27 | 32 |
| 20,00 | 10 | 18 | 27 |

Construisez un graphique montrant la relation entre :

a) le prix et le nombre de tours effectués, lorsque la température est constante ;

b) le nombre de tours effectués et la température, lorsque le prix est constant ;

c) la température et le prix, lorsque le nombre de tours est constant.

# La production, la croissance et l'échange

**Objectifs
du chapitre**

- Expliquer ce qu'est une courbe des possibilités de production
- Définir l'efficience dans la production
- Calculer le coût d'opportunité
- Expliquer comment la croissance économique augmente les possibilités de production et montrer qu'elle a un coût
- Définir la notion d'avantage comparatif
- Comprendre les motifs qui poussent les individus à se spécialiser ainsi que les avantages qu'ils retirent de l'échange

## Faire plus avec moins

Notre mode de vie aurait bien surpris nos grands-parents et il aurait probablement stupéfié nos arrière-grands-parents. La plupart d'entre nous habitons des maisons plus confortables et plus spacieuses que les leurs. Notre alimentation est plus variée et plus abondante ; nous sommes plus grands et nous vivons plus vieux qu'eux. Il y a 20 ans à peine, les jeux vidéo, les téléphones cellulaires, les ordinateurs personnels, les télécopieurs et les manipulations génétiques n'existaient pas ; aujourd'hui, on a du mal à imaginer la vie sans eux. Grâce à la croissance économique, notre richesse dépasse celle de nos parents et de nos grands-parents. Pourtant, elle ne nous a pas libérés de la rareté. Pourquoi ? Comme se fait-il que, malgré notre immense richesse, nous soyons encore contraints de faire des choix et d'en supporter les coûts ? N'y a-t-il donc rien de gratuit ? ◆ Nous vivons dans un monde d'échanges et de spécialisation. Chacun se spécialise dans un métier : le droit, la construction automobile, l'entretien ménager. Notre spécialisation a atteint un tel niveau que le labeur d'un seul travailleur agricole suffit à nourrir 100 personnes. Moins du sixième de la population active canadienne travaille dans le secteur manufacturier ; plus de la moitié est employée dans la vente en gros ou au détail, dans les banques et autres établissements financiers, dans la fonction publique et autres entreprises de services. Mais pourquoi se spécialiser ainsi ? En quoi profitons-nous de la spécialisation et de l'échange ? ◆ Des conventions sociales comme le marché, le droit de propriété ainsi que les systèmes politique et judiciaire qui le garantissent, ou encore la monnaie nous semblent si naturelles après quelques siècles que nous les tenons pour acquises. Mais pourquoi ont-elles été instituées ? Quelle a été leur évolution ? Et comment favorisent-elles la spécialisation des tâches et l'accroissement de la production ?

◆ Voilà un aperçu des questions que nous allons aborder dans ce chapitre. Nous nous pencherons d'abord sur les limites de la production et sur le concept d'efficience. Nous apprendrons ensuite à calculer le coût d'opportunité. Puis nous verrons comment on peut accroître la production par la spécialisation et les échanges.

# La courbe des possibilités de production

QU'EST-CE QUE LA PRODUCTION? C'EST LA transformation du *travail*, de la *terre* et du *capital* en biens et en services. Au premier chapitre, nous avons défini ces facteurs de production que sont le travail, la terre et le capital. Revenons brièvement sur ces notions.

Le *travail* désigne le temps et l'effort que les gens consacrent à la production de biens et de services; il englobe donc l'activité des millions de personnes qui appliquent leurs aptitudes physiques et intellectuelles à la fabrication de produits de toutes sortes: automobiles, sodas, gommes à mâcher, colle, papiers peints, arrosoirs, services financiers, services de garde, etc. Par *terre,* on entend toutes les richesses de la nature utilisées pour produire des biens et des services, y compris l'air, l'eau, l'écorce terrestre et les minéraux qu'elle renferme. Le *capital* désigne l'ensemble des biens qu'on a produits et qui peuvent servir à la production d'autres biens et services: autoroutes, édifices à bureaux, barrages et installations hydroélectriques, aéroports et avions, lignes de montage automobile, manufactures de jupes ou de biscuits, pour n'en nommer que quelques-uns.

On parle plus particulièrement de **capital humain** pour désigner l'ensemble des connaissances et des compétences que les êtres humains acquièrent par l'instruction et la formation professionnelle. Ainsi, pendant que vous étudiez l'économie ou une autre matière, vous augmentez votre capital humain, et ce capital continuera de s'accroître avec l'expérience acquise sur le marché du travail. Le capital humain permet d'améliorer la *qualité* du travail.

La terre, le travail et le capital sont coordonnés par un quatrième facteur de production, *l'esprit d'entreprise.* Les entrepreneurs trouvent de nouvelles réponses aux questions *quoi, comment, quand* et *où* produire; ils prennent des décisions clés et en assument les risques.

Les *biens* et les *services* englobent tout ce qu'une population produit. Les biens sont matériels — automobiles, cuillères, magnétoscopes ou pain — tandis que les services sont immatériels — coupes de cheveux, tours de manège ou appels téléphoniques. On distingue deux types de biens: les biens de production et les biens de consommation. Les *biens de production* sont ceux qui servent à produire d'autres biens; les immeubles, les ordinateurs, les lignes de montage et les téléphones, par exemple, sont des biens de production. Les *biens de consommation* sont les biens qu'achètent les ménages. Certains biens de consommation sont *durables,* comme les chaussures ou les jupes, et d'autres, *non durables,* comme les cornichons à l'aneth ou le dentifrice. On appelle *consommation* le fait d'utiliser des biens et des services.

La somme des biens et services que l'on peut produire est limitée, d'une part, par la rareté des ressources et, d'autre part, par la technologie disponible pour transformer les ressources en produits. La **courbe des possibilités de production** (*CPP*) permet de décrire ces limites: elle trace la frontière entre les combinaisons de biens et de services qu'il est possible de produire et celles qui sont irréalisables.

Pour étudier la courbe des possibilités de production, nous ne prendrons en considération que deux biens à la fois, peu importe lesquels, en supposant que les quantités de tous les autres biens produits restent constantes — nous aurons donc recours au principe *ceteris paribus* dont il a été question au chapitre 1. Nous pourrons ainsi obtenir un *modèle* économique — un modèle où toutes choses demeurent constantes sauf la production des deux biens qui nous intéressent.

Examinons d'abord la courbe des possibilités de production d'une seule entreprise, en l'occurrence, une manufacture de jeans en denim.

## La courbe des possibilités de production d'une entreprise

Marc est entrepreneur. Sa manufacture, Jeans inc., emploie une cinquantaine de personnes (travail). Jeans inc. possède, sur un terrain exigu (terre), un immeuble équipé de machines à tailler et à coudre (capital). Marc utilise ces quantités limitées de terre, de capital et de travail pour produire deux modèles de jeans: un jean de coupe western et un jean de coupe ample. Quelle que soit la combinaison des modèles, les ressources dont dispose Marc lui permettent de produire au maximum 5 000 jeans par semaine.

La figure 3.1 illustre les possibilités de production de Marc. Grâce à cette quantité fixe de travail, de terre et de capital, la quantité maximale de jeans que peut produire Marc est de 5 000 par semaine. S'il utilise toutes ses ressources pour produire des jeans amples, il ne peut plus produire de jeans western. Cette combinaison de jeans, 5 000 jeans dont aucun de coupe western, est l'une des possibilités de production de Marc — c'est la possibilité *a* du tableau de la figure 3.1. Mais il existe de nombreuses autres possibilités dont ce tableau nous donne quelques exemples. Ainsi, il y a la possibilité *b*, où Marc utilise un cinquième de ses ressources pour produire des jeans western. Il produit donc 1 000 jeans western et 4 000 jeans amples — toujours pour un total de 5 000 jeans par semaine. On peut continuer ainsi jusqu'à la possibilité *f,* où Marc consacre la totalité de ses ressources à la production de 5 000 jeans western, et ne produit plus aucun jean ample.

Les chiffres du tableau sont illustrés dans le graphique de la figure 3.1. La quantité de jeans western en milliers figure sur l'axe horizontal et celle des jeans amples en milliers, sur l'axe vertical. Les points *a, b, c, d, e* et *f* représentent les quantités de la ligne correspondante du tableau.

---

**FIGURE   3.1**

## La courbe des possibilités de production de jeans

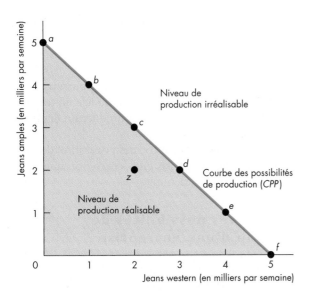

| Possibilités | Jeans western<br>(en milliers par semaine) | | Jeans amples<br>(en milliers par semaine) |
|:---:|:---:|:---:|:---:|
| a | 0 | et | 5 |
| b | 1 | et | 4 |
| c | 2 | et | 3 |
| d | 3 | et | 2 |
| e | 4 | et | 1 |
| f | 5 | et | 0 |

Le tableau énumère six possibilités — *a, b, c, d, e* et *f* — correspondant aux six points situés sur la courbe des possibilités de production de jeans amples et western. La ligne *a* révèle que, s'il ne fabrique aucun jean western, Marc peut fabriquer au maximum 5 000 jeans amples par semaine, etc. Chacune des possibilités correspond à un point sur le graphique. Le tracé qui réunit ces points est la courbe des possibilités de production (*CPP*) de Marc. Cette courbe délimite les niveaux de production réalisable et irréalisable. La partie orangée du graphique contient tous les points où la production est réalisable. Les points situés à l'extérieur de la courbe représentent les niveaux de production irréalisables. Les points situés à l'intérieur de la courbe, comme le point *z*, désignent des niveaux de production inefficaces parce qu'il y a gaspillage ou mauvaise affectation des ressources ; ils indiquent que Marc peut utiliser ses ressources pour produire davantage de jeans de l'un ou l'autre des deux modèles.

Notons que Marc n'est pas forcé de produire des jeans par lots de 1 000 comme dans le tableau. Il pourrait parfaitement produire un seul jean western et 4 999 jeans amples par semaine, ou toute autre combinaison qui donne un total de 5 000 jeans. Toutes les affectations possibles des ressources de Marc à la production de diverses combinaisons de jeans amples et de jeans western se situent le long de la droite qui relie les points *a, b, c, d, e* et *f*. Ce tracé nous montre la courbe des possibilités de production de jeans amples et de jeans western de l'entreprise de Marc, compte tenu de ses ressources actuelles. Jeans inc. pourrait donc produire n'importe quelle combinaison de modèles correspondant à un point quelconque situé sur la courbe, ou à l'intérieur de la courbe, dans la partie orangée. Ce sont là les niveaux de production réalisables pour l'entreprise de Marc. Par contre, tous les points situés à l'extérieur de la courbe représentent les niveaux de production irréalisables. Pour atteindre les niveaux de production correspondant aux points situés à l'extérieur de la courbe, Marc aurait besoin de ressources supplémentaires.

## L'efficience dans la production

On atteint l'**efficience dans la production** lorsqu'il n'est plus possible d'augmenter la production d'un bien ou service sans diminuer celle d'un autre bien ou service. L'efficience dans la production ne peut être atteinte qu'aux points situés *sur* la courbe des possibilités de production. Les points situés *à l'intérieur* de la courbe — comme le point *z* — indiquent des possibilités de production *inefficaces,* où les ressources sont gaspillées ou mal affectées. On considère que des ressources sont *gaspillées* lorsqu'elles sont inutilisées alors qu'elles sont disponibles ; ce serait le cas par exemple si les machines de Marc ne fonctionnaient pas à plein régime. On dit que les ressources sont *mal affectées* lorsqu'elles sont utilisées pour des tâches auxquelles elles ne sont pas destinées. Ce serait le cas, par exemple, si Marc affectait à la couture une coupeuse qualifiée, et à la coupe une couturière qualifiée ; ou encore si l'entraîneur d'une équipe de baseball envoyait un lanceur au bâton et un frappeur au monticule. Dans les deux cas, même si chacun donne tout ce qu'il peut, l'équipe ne joue pas de manière optimale parce que l'affectation des ressources n'est pas efficiente.

Si la production de Marc se situe au point *z*, une utilisation plus efficiente des ressources est possible et lui permettrait d'augmenter la production de l'un ou l'autre de ses modèles de jeans, ou de ses deux modèles. Pour éviter le gaspillage, Marc a tout intérêt à faire en sorte que la production de son entreprise corresponde à un point situé sur la courbe des possibilités de production, autrement dit à produire de manière plus efficiente.

Dans ses efforts pour atteindre l'efficience, Marc devra faire un choix entre les nombreuses possibilités (points) efficientes de sa *CPP*, et il sera obligé de faire face au problème des coûts d'opportunité. Voyons comment ce problème se pose.

## Le coût d'opportunité de production d'une entreprise

On l'a vu au chapitre 1, le *coût d'opportunité* représente ce qu'on sacrifie lorsqu'on fait un choix; autrement dit, la meilleure de toutes les options auxquelles on a renoncé est le coût d'opportunité de l'option choisie. La courbe des possibilités de production peut nous aider à préciser la notion de coût d'opportunité. Comme la courbe des possibilités de Marc ne lui donne le choix qu'entre deux types de produits, il est facile de déterminer la meilleure option à laquelle il a renoncé. Compte tenu des ressources et de la technologie dont il dispose actuellement, Marc ne peut augmenter sa production de jeans western que s'il réduit sa production de jeans amples. Par conséquent, la production de chaque jean western supplémentaire engendre un coût d'opportunité égal à la quantité de jeans amples que Marc doit renoncer à produire. De même, le coût d'opportunité de la production de chaque jean ample supplémentaire est égal au nombre de jeans western que Marc doit renoncer à produire. Ainsi, au point *c* de sa courbe des possibilités de production (voir la figure 3.1), Marc produit moins de jeans western et plus de jeans amples qu'au point *d*. S'il choisit le point *d* plutôt que le point *c*, les 1 000 jeans western supplémentaires *coûtent* 1 000 jeans amples. Bref, un jean western coûte un jean ample, et un jean ample coûte un jean western.

Dans cet exemple, les coûts d'opportunité de la production accrue de l'un ou l'autre modèle de jeans sont les mêmes. Ils sont également constants, indépendamment du niveau de production de chaque modèle. En d'autres termes, à n'importe quel point situé sur la *CPP* illustrée à la figure 3.1, un jean western vaut un jean ample. Ici, les coûts d'opportunité sont constants parce que les ressources utilisées pour produire les jeans ont une productivité égale, qu'elles produisent des jeans western ou des jeans amples.

## Les coûts d'opportunité sont inévitables

Le modèle économique d'une manufacture de jeans en denim nous a appris une leçon fondamentale: nous devons constamment faire des compromis. Un **compromis** est le résultat d'une contrainte qui nous force à abandonner une chose pour en obtenir une autre. Pour Marc, le compromis concerne le type de modèle de jean à produire — western ou ample; sa courbe des possibilités de production définit les conditions de ce compromis. De même, les limites de vos ressources financières — quelles qu'elles soient — vous forcent à faire des compromis: si vous allez au cinéma, vous devez renoncer à acheter des magazines, etc.

L'obligation de faire des compromis s'applique à toutes les situations imaginables du monde réel. À tel moment précis, le monde dispose de telle quantité précise de travail, de terre, de capital et d'esprit d'entreprise. La technologie disponible aidant, ces ressources peuvent servir à produire des biens et des services. Mais il y a une limite au nombre de biens et services qui peuvent être produits. Cette limite établit la frontière entre un niveau de production réalisable et un niveau de production irréalisable; cette frontière est la courbe des possibilités de production de l'économie mondiale, et elle détermine les compromis que nous devons faire. Sur cette courbe, l'augmentation de la production de n'importe quel bien ou service impose la réduction de la production d'autres biens ou services.

Par exemple, le parti politique qui promet une amélioration des services sociaux et de l'éducation fait un compromis. Si davantage de ressources sont consacrées à ces activités, il en restera nécessairement moins pour la défense nationale ou pour la consommation des particuliers. Le coût d'opportunité de l'amélioration des services sociaux et de l'éducation est une réduction concomitante d'autres biens et services.

Un groupe de pression prônant la réduction de l'exploitation forestière pour protéger une faune menacée d'extinction fait un compromis. Si davantage de ressources forestières sont consacrées à la protection de la faune, il y en aura moins de disponibles pour la production de pâte et papier, qui repose sur l'exploitation des forêts.

À une échelle plus petite, mais non moins importante, nous faisons un compromis chaque fois que nous décidons de louer un film vidéo. Pourquoi? Simplement parce que nous décidons de ne pas utiliser nos revenus limités pour acheter un soda, du maïs soufflé ou tout autre produit qui nous aurait fait plaisir. Pour chaque film loué, nous assumons un coût d'opportunité parce que nous devrons nous contenter d'une quantité moindre d'un autre bien ou service.

---

## À RETENIR

- La courbe des possibilités de production (*CPP*) sépare les niveaux de production réalisables et ceux qui ne le sont pas.

- Les points situés sur la *CPP* et à l'intérieur de la courbe correspondent aux niveaux de production réalisables, et les points situés à l'extérieur de la *CPP*, aux niveaux de production irréalisables.

- Les points situés sur la *CPP* décrivent des possibilités efficientes et les points situés à l'intérieur de la *CPP*, des possibilités inefficientes.

- En faisant un choix parmi les points efficients de la *CPP*, on doit faire un *compromis* et supporter un *coût d'opportunité*.

■ Le coût d'opportunité de la production d'une unité supplémentaire d'un bien correspond au nombre d'unités en moins d'un autre bien qui aurait pu être produit.

Les coûts d'opportunité de Marc sont constants le long de la courbe des possibilités de production de jeans. Toutefois, une telle constance est inhabituelle. En règle générale, le coût d'opportunité de la production d'un bien augmente en fonction de l'augmentation de la production de ce bien. Penchons-nous sur ce phénomène.

## L'augmentation du coût d'opportunité

DANS LA QUASI-TOTALITÉ DES CAS, LE TRAVAIL, LA terre et le capital disponibles sont plus productifs dans certaines activités que dans d'autres. Certaines personnes ont la créativité et le talent qu'il faut pour faire de bons films ; d'autres ont la force et la coordination nécessaires pour accomplir des performances physiques. Certaines terres sont propices à l'agriculture, tandis que d'autres conviennent mieux à la construction de centres commerciaux. La majeure partie du capital — les outils, les machines et les immeubles — est expressément destinée à la production de certains biens : machines à couper et machines à coudre, lignes de montage d'automobiles, ou écoles.

Lorsque chaque unité de capital, chaque parcelle de terre, chaque travailleur est affecté aux tâches qui correspondent le mieux à ses compétences, l'économie est à un point précis sur sa courbe des possibilités de production. Mais il y a de nombreuses autres possibilités — et donc de nombreux autres points — sur cette courbe. À mesure que l'économie se déplace le long de sa *CPP*, et donc que la production d'un bien ou service augmente tandis que celle d'autres biens ou services diminue, les facteurs de production sont affectés à des tâches auxquelles ils conviennent de moins en moins. Prenons l'exemple contemporain du sempiternel *compromis* entre les dépenses militaires et la consommation privée, parfois appelé le compromis entre «le beurre et les canons». Aux fins de cet exemple, nos canons seront des missiles et notre beurre, des jeux vidéo.

### Le compromis entre les missiles et les jeux vidéo

La courbe des possibilités de production de missiles ou de jeux vidéo définit les limites de la production de ces deux biens, compte tenu de la totalité des ressources disponibles pour les produire. La figure 3.2 présente cette courbe des possibilités de production.

FIGURE 3.2

## La courbe des possibilités de production de missiles et de jeux vidéo

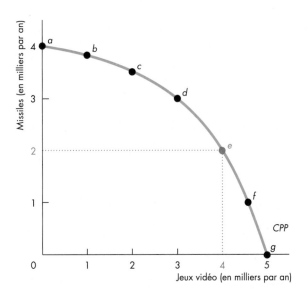

| Possibilités | Jeux (en milliers par an) | | Missiles (en milliers par an) |
|---|---|---|---|
| a | 0,0 | et | 4,0 |
| b | 1,0 | et | 3,8 |
| c | 2,0 | et | 3,5 |
| d | 3,0 | et | 3,0 |
| e | 4,0 | et | 2,0 |
| f | 4,6 | et | 1,0 |
| g | 5,0 | et | 0,0 |

La courbe des possibilités de production de missiles et de jeux vidéo, la *CPP*, s'arque vers l'extérieur étant donné que les ressources ne sont pas également productives dans toutes les activités. La production est au point e — 2 000 missiles et 4 000 jeux vidéo par an. En nous déplaçant de e à f sur la courbe, nous obtenons une légère augmentation de la production de jeux vidéo au coût d'une diminution marquée de la production de missiles. En nous déplaçant de f à e sur la courbe, nous obtenons une augmentation relativement grande de la production de missiles, au coût d'une légère diminution de la production de jeux vidéo.

Imaginons qu'au cours d'une année 4 000 jeux vidéo et 2 000 missiles sont produits, ce qui, dans la figure 3.2, correspond à la possibilité *e* du tableau et au point *e* de la courbe du graphique. Par ailleurs, le graphique montre d'autres possibilités de production. Par exemple, dans un contexte de tension internationale, nous pourrions arrêter de produire des jeux vidéo pour affecter à la production de missiles tous les concepteurs de jeux vidéo ainsi que tous les programmeurs, travailleurs de la chaîne de montage, ordinateurs, immeubles et les autres ressources habituellement utilisées pour produire ces jeux. Nous obtiendrions ainsi une production de 4 000 missiles par année — qui se situerait au point *a* — et la production de jeux disparaîtrait. Inversement, dans un autre contexte — celui de la concertation internationale de désarmement, par exemple —, nous pourrions choisir de clore le programme de missiles pour affecter ses ressources à la production de jeux. Dans ce cas, la production serait de 5 000 jeux vidéo et se situerait au point *g*.

## La forme de la *CPP*

Examinez attentivement, à la figure 3.2, la forme de la courbe des possibilités de production. Dans le cas d'une grande production de missiles et d'une petite production de jeux vidéo — entre les points *a* et *d* —, la pente de la courbe est douce. Dans le cas d'une grande production de jeux et d'une petite production de missiles — entre les points *e* et *f* —, la pente de la courbe est abrupte. Pour cette raison, la courbe des possibilités de production est arquée vers l'extérieur.

Cette caractéristique de la courbe des possibilités de production traduit le fait que les ressources n'ont pas la même productivité dans toutes les activités. Les concepteurs et les programmeurs de jeux vidéo peuvent travailler à la construction de missiles, mais ils ne sont pas aussi qualifiés pour construire des missiles que les employés de la défense qui en sont habituellement chargés. De ce fait, lorsqu'ils passent de la création de jeux à la construction de missiles — en se déplaçant le long de la courbe de production de *e* vers *a* —, la production de missiles augmente légèrement tandis que la production de jeux vidéo baisse considérablement.

De même, les employés de la défense sont capables de produire des jeux vidéo, mais ils ne sont pas aussi compétents (créatifs) dans cette tâche que les personnes qui y sont affectées habituellement. Aussi, lorsque les employés de la défense se mettent à la conception et à la fabrication de jeux vidéo, la production de jeux n'augmente que légèrement et la production de missiles diminue considérablement.

## Le calcul du coût d'opportunité

Nous pouvons calculer le coût d'opportunité des missiles et des jeux en nous servant de la courbe des possibilités de production de la figure 3.2. Pour cela, nous calculons combien de missiles nous devons sacrifier pour produire plus de jeux et combien de jeux nous devons sacrifier pour produire plus de missiles.

Si toutes les ressources disponibles sont affectées à la production de missiles, nous produirons 4 000 missiles et aucun jeu. Mais si nous décidons de produire 1 000 jeux vidéo, quel sera le coût d'opportunité de ces 1 000 jeux? Il correspondra au nombre de missiles que nous devrons sacrifier. Le graphique de la figure 3.2 nous indique que, pour produire 1 000 jeux, nous nous déplaçons de *a* à *b* et que la production de missiles diminue de 200 unités pour passer à 3 800 missiles par année. Le coût d'opportunité des 1 000 premiers jeux vidéo produits est donc de 200 missiles. Si nous décidons de produire 1 000 jeux de plus, à combien de missiles devrons-nous renoncer? Cette fois-ci, nous nous déplaçons de *b* à *c* sur la courbe, et la production de missiles diminue de 300 unités.

Le graphique 3.3(a) illustre ces coûts d'opportunité. Les deux premières lignes du tableau (a) indiquent les coûts d'opportunité que nous venons de calculer. Les lignes suivantes indiquent également les coûts d'opportunité de la production de 1 000 jeux supplémentaires lorsque nous nous déplaçons de *c* à *d*, de *d* à *e*, et de *e* à *g* le long de la courbe des possibilités de production. Pour vérifier si vous comprenez bien le calcul du coût d'opportunité, évaluez le coût d'opportunité d'un déplacement de *e* à *g* sur la courbe.

Nous venons de voir comment calculer le coût d'opportunité des jeux vidéo. Nous pouvons maintenant procéder de la même manière pour calculer le coût d'opportunité des missiles. Si nous consacrons toutes les ressources à la production de jeux vidéo, nous produirons 5 000 jeux vidéo par an et aucun missile. Si nous décidons de produire 1 000 missiles, à combien de jeux devrons-nous renoncer? Là encore, vous pouvez trouver la réponse en vous servant de la figure 3.2. Pour construire 1 000 missiles, nous nous déplacerons de *g* à *f* sur la courbe, et la production de jeux diminuera de 400 unités pour passer à 4 600 unités par an. Le coût d'opportunité de la production des 1 000 premiers missiles est donc de 400 jeux vidéo. Si nous décidons de construire 1 000 missiles de plus par an, à combien de jeux devrons-nous renoncer? Cette fois, nous nous déplacerons de *f* à *e* sur la courbe, et la production de jeux diminuera de 600 unités.

Le graphique 3.3(b) illustre ces coûts d'opportunité. Les deux premières lignes du tableau (b) indiquent les coûts d'opportunité que nous venons de calculer. Les lignes suivantes présentent les coûts d'opportunité de la production de 1 000 missiles supplémentaires lorsque nous nous déplaçons de *e* à *d* et de *d* à *a* le long de la courbe des possibilités de production du graphique de la figure 3.2. Pour vérifier si vous comprenez bien, prenez un exemple quelconque et évaluez le coût d'opportunité d'un déplacement de *d* à *a* sur la courbe.

FIGURE 3.3

# L'augmentation du coût d'opportunité

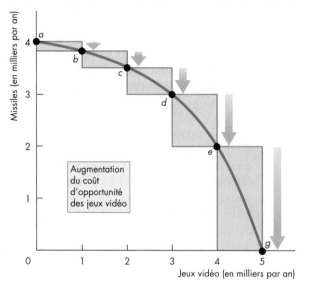

**(a) Coût d'opportunité des jeux vidéo**

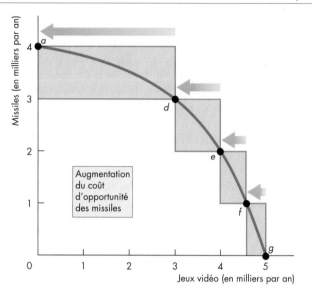

**(b) Coût d'opportunité des missiles**

---

**a) Avec l'augmentation de la production de jeux :**

Le premier millier de jeux coûte 200 missiles.

Le deuxième millier de jeux coûte 300 missiles.

Le troisième millier de jeux coûte 500 missiles.

Le quatrième millier de jeux coûte 1 000 missiles.

Le cinquième millier de jeux coûte 2 000 missiles.

---

Les tableaux indiquent les coûts d'opportunité des jeux et des missiles, et les graphiques illustrent ces coûts d'opportunité au moyen de barres et de flèches.

Dans la partie (a), le coût d'opportunité des jeux passe de 200 missiles pour le premier ensemble de 1 000 jeux vidéo à

---

**b) Avec l'augmentation de la production de missiles :**

Le premier millier de missiles coûte 400 jeux.

Le deuxième millier de missiles coûte 600 jeux.

Le troisième millier de missiles coûte 1 000 jeux.

Le quatrième millier de missiles coûte 3 000 jeux.

---

2 000 missiles pour le cinquième et dernier ensemble de 1 000 jeux vidéo. Dans la partie (b), le coût d'opportunité des missiles passe de 400 jeux vidéo pour le premier millier de missiles à 3 000 jeux vidéo pour le quatrième millier de missiles.

---

## Le coût d'opportunité est un ratio

Le coût d'opportunité de la production d'une unité supplémentaire d'un bien est un ratio. Il correspond à la diminution de la production d'un bien divisée par l'augmentation de la production d'un autre bien, obtenue alors que l'on se déplace le long de la courbe des possibilités de production. Par exemple, comme on le voit à la figure 3.3, le coût d'opportunité des 1 000 premiers missiles est la diminution de la production de jeux vidéo, 400, divisée par l'augmentation de la production de missiles, 1 000. Le coût d'opportunité de 1 missile est donc de 0,4 jeu vidéo.

Comme le coût d'opportunité est un ratio, le coût d'opportunité de la production du bien *X* (le nombre d'unités du bien *Y* auquel on a renoncé) est toujours égal à la réciproque du coût d'opportunité de la production du bien *Y* (le nombre d'unités du bien *Y* auquel on a renoncé). Vérifions cette proposition en revenant une fois de plus à la figure 3.3. Pour faire passer la production de jeux vidéo de 4 600 à 5 000, soit une augmentation de 400 unités, la production de missiles doit passer de 1 000 à 0. Le coût d'opportunité des 400 jeux supplémentaires est de 1 000 missiles, ou de 2,5 missiles par jeu. De même, 1 000 missiles supplémentaires coûtent 400 jeux ; le coût d'opportunité de 1 missile est donc de 0,4 jeu et le coût d'opportunité de 1 jeu est de 2,5 missiles (1/0,4 = 2,5).

### Les coûts d'opportunité croissants sont omniprésents

Le coût d'opportunité croissant et la courbe des possibilités de production arquée vers l'extérieur sont deux manières d'exprimer la même idée : les mêmes ressources n'ont pas la même productivité dans toutes les activités. En réalité, pratiquement toutes les activités auxquelles vous pouvez penser ont des coûts d'opportunité *croissants*. La production de denrées alimentaires et la production de services de santé en sont deux exemples. Nous affectons les agriculteurs les plus compétents et les terres les plus fertiles à la production alimentaire. Nous faisons appel aux meilleurs médecins pour dispenser les soins de santé et nous consacrons les terres les moins fertiles à la construction d'hôpitaux. Si nous enlevons aux agriculteurs expérimentés les terres fertiles et les tracteurs pour leur demander de devenir brancardiers à l'hôpital, la production alimentaire baissera considérablement et nous noterons une légère augmentation de la production de services de santé, augmentation qui, à son tour, entraînera à la hausse le coût d'opportunité d'une unité de services de santé. De même, si nous affectons les ressources des services de santé à l'agriculture, nous devrons employer un plus grand nombre de médecins et d'infirmières comme agriculteurs et un plus grand nombre d'hôpitaux comme fabriques de tomates hydroponiques. La production de services de santé diminuera considérablement et nous noterons une légère augmentation concomitante de la production agricole. Le coût d'opportunité de la production d'une unité alimentaire augmentera.

Bien entendu, cet exemple est caricatural, mais les mêmes principes s'appliquent à tous les choix imaginables : production de diamants ou d'unités de logement, de fauteuils roulants ou de chariots de golf, de céréales destinées à la consommation humaine ou animale. Compte tenu des limites des ressources, dès qu'on augmente la production d'un bien, il faut inévitablement réduire la production d'un autre bien, et, comme les ressources n'ont pas une même productivité dans toutes les activités, plus la production d'un bien augmente et plus son coût d'opportunité est élevé.

### À RETENIR

■ La courbe des possibilités de production (*CPP*) est arquée vers l'extérieur, et le coût d'opportunité de la production d'un bien varie en fonction de la production de ce bien.

■ La courbure vers l'extérieur de la *CPP* et l'augmentation du coût d'opportunité sont dues au fait que les ressources n'ont pas la même productivité dans toutes les activités, et que, pour toute activité, on utilise en premier les ressources les plus appropriées.

Nous venons de voir comment la courbe des possibilités de production définit les limites de la production et comment elle peut nous aider à calculer le coût d'opportunité. Notre prochaine tâche consiste à étudier les facteurs qui nous permettent d'augmenter nos possibilités de production.

## La croissance économique

LOIN D'ÊTRE IMMUABLE, LA COURBE DES POSSIBILITÉS de production qui délimite la frontière entre production réalisable et production irréalisable se modifie constamment. Parfois elle s'arque vers l'*intérieur*, reflétant une réduction de nos possibilités de production. En agriculture, cela peut se produire, par exemple, à la suite d'une sécheresse, d'un verglas ou d'autres conditions climatiques extrêmes. À d'autres moments, quand le temps est propice aux récoltes, la productivité augmente et la courbe s'arque vers l'*extérieur*.

Au fil des ans, nos possibilités de production se sont considérablement accrues. Cette expansion soutenue s'appelle **croissance économique**. Grâce à elle, notre production est bien supérieure à ce qu'elle était il y a 100 ans ou même une décennie. Si ce rythme de croissance se maintient, nos possibilités de production seront encore plus grandes en l'an 2000. Pouvons-nous, en déplaçant la courbe vers l'extérieur, éviter les contraintes que nous imposent nos ressources limitées ? Pouvons-nous éviter les coûts d'opportunité ? Se peut-il que les économistes se trompent lorsqu'ils affirment que rien n'est gratuit ?

### Le coût du déplacement de la courbe

Comme nous allons le découvrir, avec le temps, on arrive à déplacer la courbe des possibilités de production vers l'extérieur ; cependant, il ne peut y avoir de croissance économique sans que nous en payions le prix. Plus la croissance est rapide, plus nous disposerons de biens et services dans l'avenir, et plus il faut se serrer la ceinture pour ce qui est de la consommation immédiate de biens. Mais, pour mieux comprendre les coûts de la croissance économique, penchons-nous d'abord sur ses causes et sur la manière dont s'opère le choix entre le présent et l'avenir.

Les deux principaux moteurs de la croissance économique sont le progrès technologique et l'accumulation de

capital. On appelle **progrès technologique** le développement de nouvelles méthodes pour produire plus efficacement des biens et services, ainsi que le développement de
nouveaux biens. L'**accumulation de capital** est la croissance des ressources en capital, c'est-à-dire des ressources
tangibles utiles à la production. Ainsi, grâce au progrès
technologique et à l'accumulation de capital, nous disposons d'un énorme stock de véhicules automobiles et
d'avions; nous pouvons donc nous permettre des déplacements qui auraient été impensables à l'époque où les
moyens de transport se résumaient au cheval et à la voiture. De même, en remplaçant les câbles par des satellites, nous avons considérablement accru l'efficience des
communications intercontinentales. Toutefois, pour mettre au point de nouvelles techniques et accumuler du
capital, nous devons supporter un coût d'opportunité.
Ce coût est une diminution de la production de biens et
de services destinés à la consommation immédiate, car
les ressources nécessaires à cette production sont affectées
à la recherche et au développement, à la fabrication de
nouvelles machines et à d'autres formes de capital. Pour
mieux comprendre la nature de ces coûts d'opportunité,
revenons à la petite manufacture de jeans de Marc.

## Le progrès technologique et l'accumulation de capital

On s'en souvient, compte tenu de ses ressources, la manufacture de Marc peut produire 5 000 jeans par semaine. Toutefois, Marc et ses employés ne sont pas forcés
de fabriquer des jeans; ils peuvent s'adonner à d'autres
activités. Par exemple, ils peuvent consacrer une partie de
leur temps à installer des machines à couper et des
machines à coudre.

Supposons que Marc passe une partie de son temps
de travail à se tenir au courant des plus récents progrès
réalisés dans la technique de fabrication des jeans. Un
beau jour, il découvre l'existence d'une *innovation technologique* qui améliorerait la rentabilité de sa manufacture. Pour implanter cette innovation, il doit retirer temporairement certains de ses employés de la fabrication de
jeans et les affecter à l'installation de machines à couper
et de machines à coudre assistées par ordinateur qui
utilisent cette nouvelle technique, autrement dit affecter
ses ressources à une *accumulation de capital*.

Toutefois, les employés de Marc ne sont pas également productifs dans toutes les activités. Certains employés sont plus productifs dans la fabrication de jeans,
alors que d'autres sont plus productifs dans l'installation
de machines.

Lorsqu'il procède à l'affectation des tâches, Marc
recherche l'efficience. Il affecte donc à l'installation des
machines les employés qui sont plus productifs dans
cette activité. Mais plus il doit affecter d'employés à l'installation de machines, moins il peut recourir à des employés aptes à cette tâche, et plus il doit recourir à des

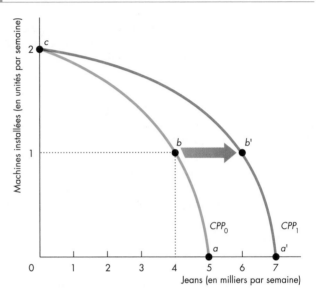

**FIGURE 3.4**

## La croissance économique dans une manufacture de jeans ◆

Si Marc consacre toutes ses ressources à la production de jeans, il
n'installe aucune nouvelle machine et il produit 5 000 jeans par
semaine (point *a*). S'il consacre suffisamment de ses ressources
pour installer une nouvelle machine, sa production de jeans tombe
à 4 000 par semaine (point *b*). Mais, une fois la nouvelle machine
installée, Marc peut augmenter sa production de jeans à un point
situé sur la *CPP* rose. Ainsi, s'il réaffecte maintenant toutes ses
ressources à la seule production de jeans, sa production se situe au
point *a'* (7 000 jeans par semaine). S'il continue de consacrer des
ressources à l'installation d'une machine supplémentaire, sa production se situe au point *b'* (6 000 jeans par semaine). Aussi, en
installant des machines, Marc peut déplacer sa *CPP* vers l'extérieur,
mais il ne peut éviter le coût d'opportunité. Pour déplacer la
courbe vers l'extérieur et augmenter ses possibilités de production
dans l'avenir, Marc doit réduire sa production immédiate de jeans.

employés qui sont plus habiles dans la fabrication des
jeans. Par conséquent, l'augmentation du nombre de
nouvelles machines installées exige une réduction de plus
en plus importante de la production de jeans. La *CPP* de
jeans et d'installation de machines est arquée vers l'extérieur, comme l'était celle des jeux vidéo et des missiles.

La figure 3.4 montre les possibilités de production
de jeans et d'installation de machines. La courbe bleue
*abc* représente la courbe initiale des possibilités de production de Marc. S'il ne consacre aucune ressource à
l'installation de machines, sa production se situe au
point *a*. S'il consacre le cinquième de sa capacité à l'installation de machines, il produit 4 000 jeans et installe
une machine (point *b*). S'il interrompt complètement sa
production de jeans, il installe deux machines (point *c*).

Si la production de Marc se situe au point *a* de la figure 3.4, ses possibilités de production restent bloquées sur la courbe des possibilités de production (courbe bleue). Mais si sa production se déplace vers le point *b* et qu'il installe une machine, il augmente ses possibilités de production à venir. Un plus grand nombre de machines permet à Marc de produire une plus grande quantité de jeans avec, pour corollaire, l'accroissement de ses possibilités de production : la manufacture de Marc connaît alors une croissance économique.

L'augmentation de la capacité productive de l'entreprise de Marc dépend de la quantité de ressources qu'il consacre à l'innovation technologique et à l'accumulation de capital. S'il ne consacre aucune ressource à ces activités, sa *CPP* reste à *abc* — c'est la courbe bleue du départ. S'il réduit sa production courante de jeans pour installer une machine (point *b*), sa courbe se déplace vers l'extérieur jusqu'à la position indiquée par la courbe rose de la figure 3.4. Moins il consacre de ressources à la fabrication courante de jeans et plus il en consacre à l'installation de machines, plus ses possibilités futures de production augmentent.

Toutefois, la croissance économique a un prix. Pour en récolter un jour les fruits, Marc doit consacrer davantage de ressources à l'installation de nouvelles machines et moins de ressources à la production de jeans, car rien n'est gratuit. La rareté est omniprésente et la croissance économique n'est pas une panacée ; elle ne peut l'abolir. Sur la nouvelle courbe des possibilités de production, Marc continue toujours de faire face à des coûts d'opportunité.

Les notions que nous venons d'étudier avec l'exemple de la croissance économique d'une manufacture de jeans s'appliquent également aux ménages et aux pays. Voyons comment.

## La croissance économique des ménages

Pour accroître ses possibilités de production, un ménage n'a d'autre choix que de réduire sa consommation courante pour consacrer davantage de ressources à l'accumulation de capital. Il peut prétendre à des revenus plus élevés en accumulant du capital réel ou du capital humain. Par exemple, en réduisant leur consommation courante de biens et services, et en poursuivant des études à temps complet, les membres d'un ménage peuvent augmenter leur capital humain, leur potentiel de revenu et leur consommation future.

## La croissance économique des nations

Si, collectivement, nous consacrons la totalité de nos ressources à la production de denrées alimentaires,

de vêtements, de logements et d'autres produits de consommation courante, et que nous n'en affectons aucune à la recherche, au développement et à l'accumulation de capital, nous n'aurons dans l'avenir ni nouveau capital ni nouvelle technologie. Nos possibilités de production resteront les mêmes qu'aujourd'hui. Pour les accroître dans l'avenir, nous devons produire moins de biens de consommation dès maintenant. Avec les ressources ainsi libérées, nous pourrons accumuler du capital et/ou mettre au point de nouvelles techniques qui nous permettront de produire une plus grande quantité de biens de consommation demain. La réduction de la production de biens de consommation aujourd'hui est le coût d'opportunité de la croissance économique de demain.

L'histoire économique du Canada et de certains pays asiatiques illustre de façon frappante les effets de ces choix sur le rythme de la croissance économique. Ainsi, en 1960, les possibilités de production par personne étaient quatre fois plus grandes au Canada qu'à Hong Kong (voir la figure 3.5). Le Canada consacre un cinquième de ses ressources à l'accumulation de capital et les quatre cinquièmes à la consommation ; il se situe alors au point *a* du graphique 3.5(a). Hong Kong, par contre, consacre plus du tiers de ses ressources à l'accumulation de capital et moins des deux tiers à la consommation ; il se situe alors au point *a* du graphique 3.5(b). À partir de 1960, ces deux pays ont connu une croissance économique, mais celle-ci a été beaucoup plus rapide à Hong Kong qu'au Canada. Comme Hong Kong a consacré un plus gros pourcentage de ses ressources à l'accumulation de capital, ses possibilités de production se sont accrues plus rapidement. Résultat : en 1997, les possibilités de production par personne étaient les mêmes au Canada et à Hong Kong.

Si ses possibilités de production par personne continuent de croître aussi rapidement qu'au cours des dernières décennies, Hong Kong dépassera probablement le Canada très bientôt. Si Hong Kong continue d'affecter un pourcentage aussi élevé de ses ressources à l'accumulation de capital (point *b* sur sa courbe des possibilités de production de 1997), sa croissance se poursuivra probablement plus vite que celle du Canada et sa *CPP* s'arquera vers l'extérieur bien au-delà de la nôtre. Toutefois, si Hong Kong augmente sa consommation et diminue son accumulation de capital (se déplaçant vers le point *c* sur sa courbe des possibilités de production de 1997), le rythme de son expansion économique se ralentira pour se rapprocher du nôtre.

De toutes les économies asiatiques, Hong Kong est celle qui a affiché le rythme de croissance le plus rapide, mais des pays comme Singapour, Taiwan, la Corée du Sud et la Chine ont obtenu des résultats semblables, grugeant l'écart qui les séparait du Canada.

FIGURE 3.5

## La croissance économique au Canada et à Hong Kong

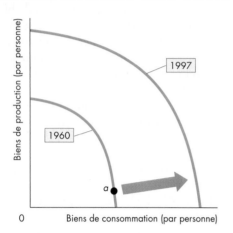

**(a) Canada**

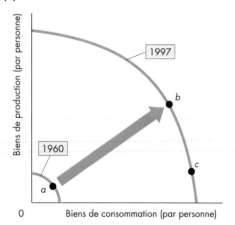

**(b) Hong Kong**

En 1960, les possibilités de production par personne au Canada (a) étaient de loin supérieures à celles de Hong Kong (b). Mais Hong Kong a consacré plus du tiers de ses ressources à l'accumulation de capital, et le Canada s'en est tenu au cinquième — point *a* de chacun des graphiques. L'accumulation plus rapide de capital à Hong Kong a engendré un déplacement plus rapide de sa courbe des possibilités de production. En 1997, les possibilités de production par personne étaient pratiquement les mêmes au Canada et à Hong Kong.

---

### À RETENIR

■ Le progrès technologique et l'accumulation de capital entraînent la croissance économique.

■ Le coût d'opportunité d'une croissance économique plus rapide est une baisse de la consommation courante.

■ En réduisant la consommation courante, nous pouvons consacrer davantage de ressources à la mise au point de nouvelles techniques et à l'accumulation du capital, et accélérer ainsi le rythme de la croissance économique.

---

## Les avantages de l'échange

THÉORIQUEMENT, CHACUN DE NOUS PEUT SOIT produire tous les biens qu'il consomme, soit se concentrer sur la production d'un bien (ou de quelques biens) pour en échanger une partie contre d'autres biens ; c'est ce qu'on appelle la *spécialisation.* Nous allons voir quels avantages il y a pour un producteur à se spécialiser dans la production d'un produit ou d'un service pour lequel il possède un **avantage comparatif** et à procéder ensuite à des échanges avec d'autres producteurs. Nous constaterons ainsi que la spécialisation et les échanges profitent à tout le monde, et que même les personnes moins productives que d'autres peuvent en tirer avantage. Mais commençons par approfondir la notion d'avantage comparatif.

### L'avantage comparatif

On dit qu'une personne a un avantage comparatif sur une autre lorsqu'elle est en mesure de produire un bien à un coût d'opportunité inférieur. Les écarts entre les coûts d'opportunité reflètent des différences entre les compétences individuelles et entre les caractéristiques d'autres ressources relatives à la terre et au capital. Personne n'excelle dans toutes les activités. Un lanceur exceptionnel peut être un receveur médiocre et une brillante avocate peut se révéler une enseignante médiocre. Ce qu'une personne trouve facile, une autre le trouvera difficile ; ce constat s'applique à presque toutes les activités humaines. Il en va de même pour la terre et pour le capital. Telle parcelle de sol est fertile mais ne recèle aucun gisement minéral ; tel site offre un panorama exceptionnel mais son sol est stérile. Telle machine est d'une incroyable précision, mais difficile à manœuvrer ; telle autre est ultra-rapide mais tombe souvent en panne.

Si personne n'excelle dans toutes les activités, il est certain que certaines personnes en surpassent bien d'autres dans de nombreuses activités. Mais elles n'ont pas pour autant d'*avantage comparatif* dans chacune de ces activités. Céline Dion danse mieux que la plupart des gens, mais elle est encore meilleure chanteuse. Son *avantage comparatif* est son talent de chanteuse.

Les différences entre les compétences individuelles et entre d'autres ressources relatives à la terre et au capital entraînent des écarts dans les coûts d'opportunité associés à la production des biens et services. L'avantage comparatif est le résultat de ces différences. Examinons de plus près cette notion d'avantage comparatif en reprenant l'exemple de Marc et de sa manufacture de jeans.

Nous avons vu que Marc était en mesure de produire des jeans ou d'installer des machines. Mais il peut aussi modifier ses machines et produire d'autres biens. Supposons que l'un de ces biens soit les jupes en denim. Et supposons que la courbe des possibilités de production de jeans et de jupes de Marc soit celle que montre le graphique (a) de la figure 3.6. Comme nous l'avons vu à la figure 3.1, si Marc consacre toutes ses ressources à la fabrication de jeans, il peut produire 5 000 jeans par semaine. La *CPP* du graphique (a) nous indique que, s'il utilise toutes ses ressources pour fabriquer des jupes, il peut produire 10 000 jupes par semaine. Toutefois, pour produire des jupes, Marc doit diminuer sa production de jeans. Pour chaque lot de 1 000 jupes produites, il doit réduire sa production de jeans de 500 unités. Le coût d'opportunité supporté par Marc pour la production d'une jupe est donc de 0,5 jean.

Inversement, si Marc désire augmenter sa production de jeans, il doit diminuer sa production de jupes. Pour chaque lot de 1 000 jeans supplémentaires, il doit réduire sa production de jupes de 2 000 unités. Le coût d'opportunité de la production d'un jean est donc de deux jupes.

Supposons que Marc ne soit pas seul dans le marché des jeans et des jupes en denim ; une autre manufacture, exploitée par Mireille, peut également en produire. Mais les machines de la manufacture de Mireille conviennent mieux à la fabrication des jupes qu'à celle des jeans et sa main-d'œuvre est plus habituée à fabriquer des jupes, de sorte que la manufacture de Mireille peut produire 25 000 jupes ou 2 000 jeans par semaine.

Cette différence entre les deux manufactures signifie que la courbe des possibilités de production de Mireille — graphique 3.6(b) — est différente de celle de Marc. Si Mireille consacre toutes ses ressources à la fabrication de jupes, elle peut en produire 25 000 par semaine. Si elle consacre toutes ses ressources à la fabrication de jeans, elle peut en produire 2 000 par semaine. Pour produire des jeans, Mireille doit réduire sa production de jupes. Pour chaque lot de 1 000 jeans supplémentaires, elle doit réduire sa production de jupes de 12 500 unités. Le coût d'opportunité de la production d'un jean à la manufacture de Mireille est de 12,5 jupes.

Inversement, si Mireille désire augmenter sa production de jupes, elle doit diminuer sa production de jeans. Pour chaque lot de 1 000 jupes supplémentaires, elle devra réduire sa production de jeans de 80 unités. Ainsi, le coût d'opportunité de la production d'une jupe est de 0,08 jean.

Marc comme Mireille peuvent *diversifier* leurs activités en produisant à la fois des jeans et des jupes. Supposons par exemple que Marc et Mireille produisent la même quantité de jupes et de jeans — soit 1 400 jeans et 7 100 jupes. Leur production se situe au point *a* de leurs courbes des possibilités de production respectives. Leur production totale est de 2 800 jeans et de 14 200 jupes.

Dans la production de quel bien Mireille a-t-elle un avantage comparatif ? Rappelez-vous qu'une personne a un avantage comparatif dans la production d'un bien lorsque son coût d'opportunité est inférieur à celui des autres personnes. Mireille jouit donc d'un avantage comparatif dans la production de jupes. Vous pouvez le constater en comparant les deux courbes des possibilités de production de la figure 3.6. La courbe des possibilités de production de Mireille est plus abrupte que celle de Marc. Pour produire une jupe supplémentaire, Mireille doit sacrifier moins de jeans que Marc (0,08 jean contre 0,5 jean pour chaque jupe additionnelle). La production d'une jupe supplémentaire engendre un coût d'opportunité moins grand pour Mireille que pour Marc, ce qui signifie que la production de jupes confère un avantage comparatif à Mireille.

Marc, au contraire, a un avantage comparatif dans la production de jeans. En effet, sa courbe des possibilités de production est plus plate que celle de Mireille, ce qui signifie qu'il doit sacrifier moins de jupes qu'elle lorsqu'il accroît sa production de jeans (2 jupes contre 12,5 par jean supplémentaire). Le coût d'opportunité de la production d'un jean est moins élevé pour Marc que pour Mireille ; par conséquent, la production de jeans confère à Marc un avantage comparatif.

## Tirer profit de l'échange

Si Marc, qui a un avantage comparatif dans la production de jeans, y consacre toutes ses ressources, il peut produire 5 000 jeans par semaine — point *b* de sa *CPP*. Si Mireille, qui a un avantage comparatif dans la production de jupes, y consacre toutes ses ressources, elle peut produire 25 000 jupes par semaine — point *b* sur sa *CPP*. En se spécialisant, Marc et Mireille pourraient produire au total 5 000 jeans et 25 000 jupes par semaine.

Pour recueillir les profits de la spécialisation, Marc et Mireille doivent faire des échanges. Supposons, par exemple, qu'ils s'entendent sur les mesures suivantes : chaque semaine, Mireille produit 25 000 jupes et Marc produit 5 000 jeans ; Mireille fournit à Marc 12 500 jupes en échange de 2 500 jeans. Grâce à cette mesure, Marc et Mireille se déplacent le long de la « droite des échanges » (en rose dans les graphiques de la figure 3.6) jusqu'au point *c*. À ce point, chacun possède 12 500 jupes et 2 500 jeans, soit 1 100 jeans et 5 400 jupes de plus que lorsqu'ils diversifient leur production sans faire d'échanges (point *a* de leurs *CPP* respectives). Ces 1 100 jeans et ces 5 400 jupes supplémentaires représentent les profits que Mireille et Marc retirent de la spécialisation et de l'échange.

En résumé, Mireille peut soit produire des jeans à un coût d'opportunité de 12,5 jupes soit acheter ses jeans de Marc au prix de 5 jupes par jean. Marc, lui, peut produire des jupes au coût d'opportunité de 0,5 jean par jupe ou acheter des jupes à Mireille au prix de 0,2 jean

## FIGURE 3.6

# Les avantages de la spécialisation et des échanges

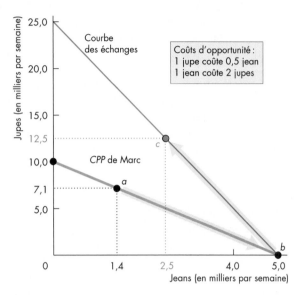

**(a) Manufacture de Marc**

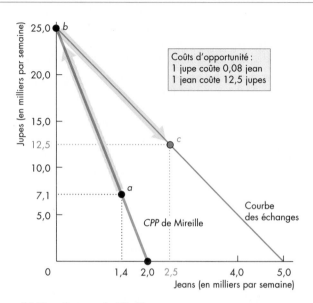

**(b) Manufacture de Mireille**

La production de Marc (partie a) et celle de Mireille (partie b) se situent toutes les deux au point *a* de leurs *CPP* respectives. Pour Marc, le coût d'opportunité d'un jean est de deux jupes et le coût d'opportunité d'une jupe est de 0,5 jean. Pour Mireille, le coût d'opportunité d'un jean est 12,5 jupes (plus élevé que pour Marc) et le coût d'opportunité d'une jupe est de 0,08 jean (plus bas que pour Marc). Mireille détient donc un avantage comparatif dans la production de jupes et Marc, dans la production de jeans.

Si Mireille se spécialise dans la production de jupes et Marc, dans la production de jeans, leur production se situe au point *b*

sur leurs *CPP* respectives. Supposons qu'ils échangent ensuite des jupes contre des jeans, se déplaçant vers la « droite des échanges » (en rose). Mireille achète des jeans à Marc à un coût inférieur au coût d'opportunité de sa propre production de jeans et Marc achète des jupes à Mireille à un coût inférieur au coût d'opportunité de sa propre production de jupes. Leur consommation se déplace jusqu'au point *c* de la courbe des échanges — soit à l'extérieur de leurs *CPP* respectives — et chacun d'eux possède maintenant 2 500 jeans et 12 500 jupes par semaine.

---

par jupe. Donc, Mireille obtient ses jeans à un moindre coût lorsqu'elle les achète de Marc, et Marc obtient ses jupes à un moindre coût en les achetant de Mireille. Par la spécialisation et l'échange, Mireille et Marc parviennent à obtenir davantage de jeans et de jupes; c'est comme s'ils pouvaient atteindre un niveau de production à l'extérieur de leurs courbes des possibilités de production respectives.

## L'avantage absolu

Nous venons de voir que Marc jouit d'un avantage comparatif dans la production de jeans et Mireille, dans la production de jupes. Nous avons également vu que Marc peut produire une plus grande quantité de jeans que Mireille, et Mireille, une plus grande quantité de jupes que Marc. Par contre, ni Marc ni Mireille ne peut pro-

duire une plus grande quantité *des deux produits* que l'autre.

Si, avec un même ensemble de facteurs de production, une personne arrive à produire davantage des deux biens qu'une autre, on dit que cette personne détient un **avantage absolu** dans la production des deux biens. Dans notre exemple, ni Marc ni Mireille ne détient d'avantage absolu sur l'autre dans la production des deux biens.

On serait tenté de croire qu'une personne (ou un pays) qui détient un avantage absolu ne peut tirer profit de la spécialisation et de l'échange, mais ce serait une erreur. Voyons pourquoi en reprenant l'exemple de Marc et Mireille. Supposons que Mireille invente et brevette un procédé de production qui lui permette d'être *quatre* fois plus productive. Grâce à sa nouvelle technique, Mireille peut produire 100 000 jupes par semaine (4 fois les 25 000 d'autrefois) ou 8 000 jeans (4 fois les 2 000 d'origine) si elle consacre toutes ses ressources à l'une ou l'autre de ses productions. Notez que Mireille détient maintenant un avantage absolu dans la production de ces deux articles.

Rappelons qu'on retire des profits de la spécialisation lorsque chaque personne se spécialise dans la production du bien qui lui confère un *avantage comparatif,* et qu'on détient un avantage comparatif dans la production d'un bien lorsqu'on le produit à un *coût d'opportunité inférieur* à celui de la concurrence.

Ici, les coûts d'opportunité de Marc restent exactement les mêmes qu'auparavant. Mais qu'en est-il des coûts d'opportunité de Mireille maintenant qu'elle est quatre fois plus productive? Si nous les calculons en procédant comme nous avons appris à le faire, nous verrons qu'ils n'ont pas changé. En effet, comme Mireille peut produire quatre fois plus *des deux marchandises* qu'auparavant, pour augmenter sa production de jeans de 1 000 unités par semaine (sur sa nouvelle courbe des possibilités de production), elle doit toujours réduire sa production de jupes de 12 500 unités. Pour elle, le coût d'opportunité de la production d'un jean est toujours de 12,5 jupes. De même, pour augmenter sa production de jupes de 1 000 unités, elle doit réduire sa production de jeans de 80 unités, et son coût d'opportunité pour une jupe est toujours de 0,08 jean.

Lorsque Mireille devient quatre fois plus productive qu'avant, chaque unité de ses ressources produit davantage, mais ses coûts d'opportunité restent les mêmes. La production d'un jean supplémentaire coûte la même chose qu'auparavant, en termes de nombre de jupes à sacrifier. Étant donné que ni les coûts d'opportunité de Mireille ni ceux de Marc n'ont changé, Mireille continue de jouir d'un avantage comparatif dans la production de jupes et Marc, dans la production de jeans. Marc peut encore acheter des jupes à Mireille à un prix inférieur au coût d'opportunité qu'il supporterait s'il décidait de les produire lui-même. Et Mireille peut encore acheter des jeans à Marc à un prix inférieur au coût d'opportunité qu'elle supporterait si elle décidait de les produire elle-même. Tous deux peuvent donc encore tirer profit de la spécialisation et de l'échange.

Il est essentiel de bien comprendre que, même si l'on détient un avantage absolu, il est impossible de jouir d'un avantage comparatif dans tous les domaines. C'est pourquoi on peut toujours tirer des gains de la spécialisation et de l'échange.

## L'avantage comparatif dynamique

Le concept d'avantage comparatif n'est pas un concept statique. À tout moment, les ressources disponibles et la technologie employée déterminent les avantages comparatifs des individus et des nations. Par conséquent, à mesure que le progrès technologique et l'accumulation de capital déplacent des courbes de possibilités de pro-duction vers l'extérieur, les avantages comparatifs changent. Par ailleurs, les individus deviennent plus compétents dans une tâche qu'ils accomplissent à répétition. Lorsqu'on produit à maintes reprises le même bien ou service, on devient plus productif dans cette activité; c'est ce qu'on appelle l'**apprentissage par la pratique**. Ainsi, plus vous jouez à un jeu vidéo, meilleur vous devenez à ce jeu. L'apprentissage par la pratique est le fondement même de l'**avantage comparatif dynamique,** c'est-à-dire de l'avantage comparatif dont jouit un producteur (ou un pays producteur) qui, en raison de sa spécialisation dans la production d'un bien ou d'un service et de son apprentissage par la pratique, arrive maintenant à produire ce bien ou ce service au coût d'opportunité le plus bas.

L'avantage comparatif dynamique s'applique aux individus, aux entreprises et aux pays. La courbe des possibilités de production de certaines personnes présente une pente abrupte — au début, elles ne semblent pas se distinguer des autres, mais, par la pratique et leur travail acharné, elles atteignent une productivité exceptionnelle dans certaines activités. Ainsi, le fabricant canadien de matériel ferroviaire et de transport Bombardier jouit d'un avantage comparatif dynamique. À mesure que sa main-d'œuvre et ses dirigeants ont pris de l'expérience dans la construction de trains à grande vitesse, l'entreprise a pu réduire ses coûts et consolider son avantage comparatif.

Singapour, la Corée du Sud, Hong Kong et Taiwan ont misé énergiquement sur l'avantage comparatif dynamique. Ils ont mis sur pied des industries où, au départ, ils ne jouissaient pas nécessairement d'un avantage comparatif et, en tirant parti de l'apprentissage par la pratique, ils produisent maintenant des biens de haute technologie à des coûts d'opportunité peu élevés. La décision d'établir une industrie de génie génétique à Singapour illustre bien ce phénomène: à l'origine, cette ville ne jouissait probablement pas d'un avantage comparatif dans le domaine du génie génétique, mais elle pourrait bien en acquérir un à mesure que ses scientifiques et ses travailleurs de la production deviendront de plus en plus compétents dans ce domaine.

## À RETENIR

■ La production augmente lorsque les gens se spécialisent dans l'activité où ils jouissent d'un avantage comparatif.

■ Tout producteur d'un bien ou d'un service détient un avantage comparatif lorsque son coût d'opportunité pour la production de ce bien ou de ce service est inférieur à celui de ses concurrents.

■ Les profits découlant de la spécialisation et de l'échange proviennent des écarts entre les coûts d'opportunité.

■ Lorsque, avec un même ensemble de facteurs de production, un producteur peut produire une plus grande quantité des mêmes biens qu'un autre producteur, on dit qu'il jouit d'un avantage absolu.

■ Même les individus qui détiennent un avantage absolu peuvent retirer des gains en se spécialisant dans les activités qui leur confèrent un avantage comparatif et en faisant des échanges.

■ L'apprentissage par la pratique peut permettre d'obtenir un avantage comparatif dynamique.

## Les conventions sociales et l'échange

LES PARTICULIERS ET LES PAYS PEUVENT RETIRER DES profits en se spécialisant dans la production des biens et des services qui leur confèrent un avantage comparatif et en effectuant des échanges — voir « L'évolution de nos connaissances », p. 63. Toutefois, pour récolter les profits des échanges entre des milliards de personnes spécialisées dans des millions d'activités différentes, il faut organiser et structurer ces échanges. À cette fin, on a adopté des conventions sociales dont les plus importantes sont :

■ les marchés,

■ le droit de propriété,

■ la monnaie.

### Les marchés

Au chapitre 1, nous avons défini un *marché* comme un lieu où acheteurs et vendeurs se réunissent pour échanger de l'information et commercer entre eux. Les marchés peuvent être des lieux réels comme la boulangerie ou la poissonnerie, ou encore des lieux virtuels comme le marché mondial du pétrole.

Réels ou virtuels, tous les marchés ont en commun de mettre en relation des producteurs et des consommateurs de biens et de services. Ces relations sont tantôt directes — dans le marché de la coupe de cheveux, par exemple — et tantôt indirectes parce qu'elles engagent plusieurs paliers de producteurs de services et de commerçants — comme dans le marché du pétrole.

Les marchés opèrent en regroupant une quantité considérable d'informations sur les offres et les demandes de produits et en ramenant cette information à un seul chiffre : le prix. Le prix fluctue en fonction des décisions des acheteurs et des vendeurs. Il s'élève en cas de pénurie, et diminue en cas d'abondance relative. Le prix est un signal pour les acheteurs et les vendeurs. Chaque acheteur ou vendeur potentiel connaît le coût d'opportunité des biens et des services qu'il peut lui-même produire. En comparant ce coût d'opportunité au prix du marché, chacun peut décider d'être acheteur ou vendeur. Un producteur qui peut produire un bien ou un service à un coût d'opportunité inférieur au prix du marché peut en tirer profit en produisant ou en vendant ce bien ou ce service. Et toute personne qui peut produire un bien à un coût d'opportunité supérieur au prix du marché a avantage à l'acheter plutôt qu'à le produire.

Les marchés sont l'une des conventions sociales qui permettent aux gens de se spécialiser et de tirer des profits de la production accrue qu'entraîne la spécialisation. Toutefois, les marchés ne fonctionneraient pas très bien sans ces autres conventions sociales que sont le droit de propriété et la monnaie.

### Le droit de propriété

Le terme **droit de propriété** désigne un ensemble de conventions sociales qui régissent la possession, l'utilisation et la cession de facteurs de production et de biens et services. Les *biens tangibles* comprennent la terre et les immeubles, qu'on appelle propriétés dans le langage courant, ainsi que les biens d'entreprise comme les usines et l'équipement. Les *biens financiers* comprennent les actions, les obligations et l'argent à la banque. La *propriété intellectuelle* est le produit intangible de l'activité créatrice ; elle inclut les livres, la musique, les programmes informatiques ainsi que les inventions de toutes sortes, et elle est protégée par les droits d'auteur et les brevets.

Si le droit de propriété n'existe pas ou s'il est mal protégé, la spécialisation et la production de biens où l'on détient un avantage comparatif perdent leur intérêt. À quoi bon en effet vouloir se spécialiser dans une production et échanger son produit si n'importe qui peut s'en emparer par la force sans rien céder en contrepartie ? À quoi bon si la somme de temps, d'énergie et d'autres ressources qu'il faut consacrer à la protection du patrimoine — et qui est perdue pour la production — gruge les gains éventuels de la spécialisation et de l'échange ?

Établir le droit de propriété est l'un des plus grands défis qu'ont à relever la Russie et les autres pays de l'Europe de l'Est pour instaurer des économies de marché. Même dans des pays comme le Canada, où le droit de propriété est pourtant bien établi, il est parfois difficile de faire respecter le droit de propriété intellectuelle, car la technologie moderne permet de copier assez facilement des livres, du matériel visuel et sonore ou des programmes informatiques.

### La monnaie

Les marchés et le droit de propriété permettent aux individus de se spécialiser et d'échanger le fruit de leur production. Mais *comment* ces échanges se font-ils ? Par deux moyens :

- le troc,
- l'échange monétaire.

**Le troc** On peut échanger simplement un bien ou un service contre un autre bien ou service : c'est ce qu'on appelle le **troc**. Mais ce système ne se prête pas à l'échange d'un grand nombre de biens. Supposons que vous ayez des oranges et que vous désiriez des pommes. Pour troquer votre production, vous devriez trouver quelqu'un qui a des pommes et qui désire des oranges. C'est ce que les économistes appellent la *double coïncidence des besoins* — A désire vendre exactement ce que B désire acheter et B désire vendre exactement ce que A désire acheter. Comme l'expression l'indique, de telles rencontres sont aléatoires. À moins d'avoir beaucoup de chance, vous ne réussirez pas à trouver quelqu'un qui a des pommes et qui désire des oranges, et vous devrez entreprendre une série d'échanges successifs. Pour obtenir des pommes, vous devrez échanger des oranges contre des prunes, des prunes contre des bleuets, des bleuets contre des ananas et, enfin, des ananas contre des pommes.

L'aspect laborieux du troc n'empêche pas qu'on y recoure encore assez souvent de nos jours. Pour n'en donner que quelques exemples, quand la vedette rock britannique Rod Stewart a donné un concert à Budapest en 1986, l'État lui a versé une partie de son cachet de 30 000 $ sous forme d'équipement sonore et de câbles électriques de fabrication hongroise, et d'usage d'un chariot à fourche. Avant les changements qui venaient de survenir en Europe de l'Est, les coiffeurs de Varsovie obtenaient leur équipement auprès de perruquiers londoniens, en échange de mèches de cheveux. Aujourd'hui encore, en Australie, les transformateurs de viande troquent leurs conserves contre du saumon, de la chair de crabe ou des pétoncles de Russie, et les lainiers australiens échangent leur laine contre des moteurs électriques russes.

Bien que le troc existe toujours, il n'est pas très efficient. Heureusement, l'humanité a trouvé une solution plus avantageuse...

**L'échange monétaire** L'échange monétaire est une forme d'échange par laquelle un produit particulier ou un jeton que nous appelons monnaie sert de moyen de paiement et d'échange. La monnaie diminue le coût de transaction et rend possibles des millions de transactions qui ne seraient pas rentables autrement. Imaginez toutes les opérations de troc auxquelles vous devriez vous livrer tous les jours pour obtenir un café, un coca-cola, une

vidéocassette, des livres scolaires, du temps avec votre professeur, ainsi que tous les autres biens et services que vous consommez... Dans un système d'échange monétaire, vous pouvez échanger votre temps et vos efforts contre de la monnaie et utiliser cette monnaie pour acheter les biens et les services convoités, ce qui vous évite l'effarante quantité de tracas et de complications auxquels vous auriez à faire face dans un monde où tous les échanges passeraient par le troc.

Les métaux comme l'or, l'argent et le cuivre, généralement certifiés par la frappe de pièces, ont longtemps fait office de monnaie. Mais avant, les sociétés primitives utilisaient de simples objets comme des coquillages en guise de monnaie. De même, durant la Deuxième Guerre mondiale, les cigarettes servaient de monnaie aux prisonniers dans les camps de guerre. Attention, il ne s'agissait pas là de troc mais d'un système monétaire où fumeurs et non-fumeurs achetaient et vendaient des biens en utilisant les cigarettes comme moyen de paiement.

Dans les sociétés modernes, les gouvernements émettent des billets et des pièces de monnaie. Le système bancaire offre aussi de la monnaie par le biais des comptes chèques. Grâce à un compte chèque, nous pouvons régler une dette en rédigeant un ordre écrit — le chèque — à la banque pour qu'elle transfère des fonds de notre compte à celui du bénéficiaire. De plus en plus répandus, les liens électroniques entre comptes de banque permettent d'opérer directement des transferts de fonds entre différents comptes sans même avoir à remplir des chèques.

◈ Vous entrevoyez maintenant comment les économistes s'y prennent pour répondre aux questions économiques. Le phénomène de la rareté et son corollaire, le coût d'opportunité, nous permettent de comprendre les origines de phénomènes économiques fondamentaux comme la spécialisation, les échanges et ces conventions sociales que sont les marchés, le droit de propriété et la monnaie. Voilà qu'un fait tout simple, la rareté, et ses corollaires, le choix et le coût d'opportunité, expliquent tant de choses !

Les exemples de nouvelles activités où les Canadiens se découvrent un avantage comparatif abondent ; la première de nos rubriques « Entre les lignes » (p. 58) vous propose d'examiner celui des télécommunications par micro-ondes. Cela vous donnera l'occasion de voir les notions abordées dans ce chapitre appliquées au monde réel.

# Pleins FEUX sur les politiques

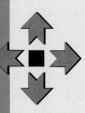

# Le Canada se spécialise et fait des échanges

MONTREAL GAZETTE, le 20 JANVIER 1996

## Les échanges

PAR PETER HADEKEL

Les activités d'exportation du Canada sont en plein essor et peu d'entreprises sont plus prospères que SR Telecom inc., dont le siège social est à Saint-Laurent.

Cette entreprise de fabrication de systèmes de télécommunication à hyperfréquences conçus pour les régions rurales et éloignées a réalisé un chiffre d'affaires de plus de 140 millions de dollars en 1995. Étonnamment, les exportations comptent pour 97 % de ce total.

« Pour SR Telecom, vendre à l'étranger n'est pas une fin en soi, mais une nécessité », déclare Mike Morris, vice-président (liaison technique et industrielle). « Les limites du marché de nos produits au Canada, précise M. Morris, nous obligent à nous tourner vers l'étranger pour assurer notre croissance. »

Des entreprises comme SR Telecom ont permis au pays d'atteindre un rendement commercial record en 1995. Au cours des 10 premiers mois de 1995, le Canada a expédié à l'étranger pour 209,2 milliards de dollars de marchandises — une hausse de 18,4 milliards comparativement à la même période l'année précédente...

SR Telecom, qui a fait ses débuts dans le marché nord-américain, vend aujourd'hui ses systèmes téléphoniques dans 77 pays. Plus de 45 % des activités de l'entreprise se font en Asie ; SR Telecom réalise également des ventes considérables en Europe, au Moyen-Orient, en Afrique et en Amérique latine.

Ses ventes récentes à l'exportation comprenaient un contrat de 80 millions de dollars avec l'Arabie Saoudite et un autre, de 81 millions, avec la Thaïlande.

Malgré la concurrence de géants internationaux comme Alcatel, NEC et AT&T, SR Telecom a pu réussir parce que l'entreprise a, pour l'essentiel, conçu et développé la technologie qui est aujourd'hui largement utilisée dans l'industrie. Ses systèmes de télécommunication à hyperfréquences numériques permettent d'offrir aux régions rurales ou éloignées des services téléphoniques de qualité à des prix abordables. À mesure que les pays émergents se modernisent et étendent leur service téléphonique de base, le marché potentiel devient considérable.

Selon une estimation de ce secteur de l'industrie des télécommunications, au cours de cette décennie seulement, les pays devraient dépenser 700 milliards de dollars pour offrir de nouveaux services de téléphone dans le monde entier.

## Les faits en bref

■ SR Telecom inc., dont le siège social est situé à Saint-Laurent et qui fabrique des systèmes de télécommunication à hyperfréquences numériques, a réalisé un chiffre d'affaires de 140 millions de dollars en 1995, dont 97 % des ventes vont à l'exportation.

■ SR Telecom vend ses produits à 77 pays d'Asie, d'Europe, du Moyen-Orient, d'Afrique et d'Amérique latine.

■ Avec la modernisation et l'expansion des services téléphoniques des pays émergents, le marché potentiel de SR Telecom est considérable.

■ Au cours de cette décennie seulement, les dépenses totales en nouveaux services téléphoniques dans le monde entier devraient s'élever à 700 milliards de dollars.

■ SR Telecom et les autres exportateurs canadiens ont vendu à l'étranger pour 209,2 milliards de dollars de marchandises au cours des dix premiers mois de 1995, ce qui représente une hausse de 18,4 % par rapport à la même période de l'année précédente.

# Analyse

## ÉCONOMIQUE

■ Les Canadiens se spécialisent dans la production des biens et services où ils ont un avantage comparatif.

■ Les Canadiens jouissent d'un avantage comparatif dans la production de pâte et papier, l'un des principaux produits d'exportation du pays.

■ Toutefois, ces dernières années, les Canadiens ont acquis un avantage comparatif dans le matériel électronique, notamment le matériel de télécommunication.

■ La figure 1 montre les exportations canadiennes en matériel de télécommunication et en pâte et papier.

■ On peut constater que, en 1980, les exportations de pâte et de papier étaient environ quatre fois plus élevées que celles de matériel de télécommunication. Cependant, en 1994, les exportations de ces deux produits avaient pratiquement la même importance.

■ La figure 2 illustre les gains réalisés par les Canadiens grâce aux échanges dans le domaine du matériel de télécommunication. La courbe bleue est la courbe des possibilités de production du Canada (CPP), et la rouge est la courbe des échanges du Canada.

■ La CPP indique les compromis que fait le Canada entre la production de matériel de

télécommunication et celle de tous les autres biens et services.

■ Sans échanges, la production du Canada pourrait se situer au point *a*, où il produit et consomme un volume *A* d'autres biens et services et un volume *B* de matériel de télécommunication.

■ Toutefois, si le Canada consacre davantage de ressources au matériel de télécommunication, sa production peut se déplacer jusqu'au point *b* sur la CPP. À ce point, la production correspond à un volume *C* d'autres biens et services et à un volume *D* de matériel de télécommunication.

■ En exportant du matériel de télécommunication et en important d'autres biens et services, les Canadiens peuvent consommer au point *c*, où ils ont un volume *B* de matériel de télécommunication et un volume *E* d'autres biens et services.

■ Au point *c*, les Canadiens consomment la même quantité de matériel de télécommunication que s'il n'y avait aucun échange mais davantage d'autres biens et services.

■ Les Canadiens bénéficient de la spécialisation et des échanges avec le reste du monde.

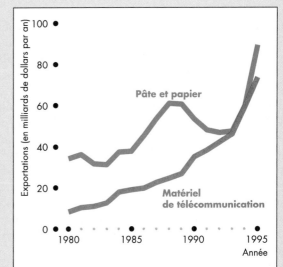

**Figure 1  Les exportations canadiennes**

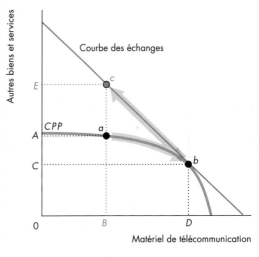

**Figure 2  Les gains des échanges**

## Si vous

### DEVIEZ VOTER

■ Certaines personnes prétendent que le Canada devrait empêcher les biens et services étrangers d'entrer librement au pays parce que la main-d'œuvre étrangère est trop bon marché et que les Canadiens ne peuvent pas la concurrencer. Qu'en pensez-vous ? Pourquoi ?

## RÉSUMÉ

### Points clés

**La courbe des possibilités de production** La courbe des possibilités de production sépare le niveau de production réalisable et le niveau de production irréalisable lorsque toutes les ressources disponibles sont utilisées à plein régime. La production peut se situer à n'importe quel point sur la courbe des possibilités de production ou à l'intérieur de la courbe, mais elle est irréalisable à l'extérieur de la courbe. Les points situés sur la courbe des possibilités de production sont efficaces et les points situés à l'intérieur sont inefficaces. Le long de la courbe des possibilités de production, le coût d'opportunité de l'augmentation de la production d'un bien ou d'un service est la production de l'autre bien ou service qu'on a dû sacrifier. Le coût d'opportunité est inévitable et les individus y réagissent en faisant des compromis. (p. 43-46)

**L'augmentation du coût d'opportunité** On calcule le coût d'opportunité en divisant la réduction de la quantité d'un bien par l'augmentation de la quantité de l'autre bien, lorsqu'on se déplace le long de la courbe des possibilités de production. Le coût d'opportunité d'un bien augmente avec le niveau de production de ce bien ; la courbe des possibilités de production s'arque vers l'extérieur et le coût d'opportunité augmente du fait que les ressources n'ont pas la même productivité dans toutes les activités. À mesure que l'économie se déplace le long de la *CPP* — c'est-à-dire que la production de l'un des biens augmente et que la production d'un autre diminue —, les facteurs de production sont affectés à des tâches auxquelles ils conviennent de moins en moins, ce qui entraîne l'augmentation du coût d'opportunité. (p. 46-49)

**La croissance économique** Avec le temps, la courbe des possibilités de production se déplace vers l'extérieur en raison des choix qu'entraîne l'accumulation des connaissances et du capital. Le coût d'opportunité de la croissance économique — production d'un plus grand nombre de biens et de services dans l'avenir — est la consommation réduite de biens et de services dans le présent. (p. 49-52)

**Les avantages de l'échange** La production s'accroît lorsque les individus se spécialisent dans l'activité où ils ont un avantage comparatif. Chacun produit alors le bien pour lequel son coût d'opportunité est plus bas que

pour les autres, et on échange des biens produits au coût d'opportunité le plus bas possible. Les avantages comparatifs changent avec le temps, et l'apprentissage par la pratique entraîne l'avantage comparatif dynamique. (p. 52-56)

**Les conventions sociales et l'échange** Dans le monde réel, les échanges s'appuient sur la spécialisation de milliards d'individus dans des millions de différentes activités. Pour permettre aux individus et aux sociétés de se spécialiser et d'effectuer des échanges, les marchés, le droit de propriété et la monnaie ont été établis. Ces conventions sociales permettent aux individus de recueillir les gains provenant de la spécialisation et des échanges. (p. 56-57)

### Figures clés

### Mots clés

## QUESTIONS DE RÉVISION

1. En quoi la courbe des possibilités de production reflète-t-elle la rareté?
2. En quoi la courbe des possibilités de production reflète-t-elle l'efficience de la production?
3. En quoi la courbe des possibilités de production illustre-t-elle le coût d'opportunité?
4. Pourquoi la courbe des possibilités de production s'arque-t-elle vers l'extérieur pour la plupart des produits?
5. Pourquoi le coût d'opportunité augmente-t-il à mesure que le niveau de production d'un bien augmente?
6. Quels facteurs peuvent faire en sorte que la courbe des possibilités de production s'arque vers l'extérieur? vers l'intérieur?

7. Comment nos choix influent-ils sur le rythme de la croissance économique?
8. Qu'est-ce que le coût d'opportunité de la croissance économique?
9. Pourquoi les gens ont-ils avantage à se spécialiser et à faire des échanges?
10. Quels sont les gains découlant de la spécialisation et des échanges? D'où proviennent-ils?
11. Quelle est la différence entre l'avantage comparatif et l'avantage absolu?
12. Pourquoi des conventions sociales comme les marchés, le droit de propriété et la monnaie sont-elles devenues nécessaires?

## ANALYSE CRITIQUE

1. Lisez attentivement l'article de journal reproduit dans la rubrique «Entre les lignes» (p. 58).
   a) Décrivez la croissance des exportations canadiennes de matériel de télécommunication et de produits de pâte et papier.
   b) Expliquez pourquoi les exportations canadiennes de matériel de télécommunication ont connu un essor aussi rapide ces dernières années.
   c) Expliquez pourquoi les Canadiens y gagnent lorsque des entreprises comme SR Telecom produisent des biens destinés à l'exportation.
2. Les pays qui achètent du matériel de télécommunication canadien ont-ils intérêt à le faire? Dites précisément ce qu'ils y gagnent ou y perdent, et expliquez comment.
3. Traditionnellement, le Canada exporte du bois d'œuvre et des produits de pâte et papier. S'il se

mettait à exporter une plus grande quantité de ces produits et moins de matériel de télécommunication, quelles en seraient les conséquences?

4. Selon vous, quel est l'effet de la croissance des exportations canadiennes sur le volume de la production du Canada? La nature des exportations a-t-elle une importance?
5. Expliquez pourquoi la croissance économique n'élimine pas la rareté.
6. Pourquoi les travailleurs se spécialisent-ils dans une profession ou un métier? Quels sont les avantages de la spécialisation?
7. Comment se fait-il que tout le monde retire des avantages de la spécialisation et des échanges? Pourquoi les plus productifs ne sont-ils pas les seuls à en profiter?

## PROBLÈMES

1. Le Pays des Cigales ne produit que deux biens: des denrées alimentaires et des filtres solaires. Le tableau suivant présente ses possibilités de production.

| Denrées alimentaires (en kilogrammes par mois) | | Filtres solaires (en litres par mois) |
|---|---|---|
| 300 | et | 0 |
| 200 | et | 50 |
| 100 | et | 100 |
| 0 | et | 150 |

a) Tracez le graphique de la courbe des possibilités de production du Pays des Cigales.
b) Quels sont les coûts d'opportunité de la production de denrées alimentaires et de filtres solaires du Pays des Cigales pour chaque possibilité de production présentée dans le tableau?
c) Pourquoi les coûts d'opportunité sont-ils les mêmes quelles que soient les combinaisons de produits sélectionnées?

2. Le Pays des Fourmis ne produit que deux biens : des denrées alimentaires et des filtres solaires. Ses possibilités de production sont les suivantes :

| Denrées alimentaires (en kilogrammes par mois) | | Filtres solaires (en litres par mois) |
|---|---|---|
| 150 | et | 0 |
| 100 | et | 100 |
| 50 | et | 200 |
| 0 | et | 300 |

a) Tracez le graphique de la courbe des possibilités de production du Pays des Fourmis.

b) Quels sont les coûts d'opportunité de la production de denrées alimentaires et de filtres solaires du Pays des Fourmis pour chaque possibilité de production présentée dans le tableau ?

3. Le temps a passé… De plus en plus, les pays se spécialisent et effectuent des échanges les uns avec les autres. Le Pays des Cigales dont nous avons parlé au problème n° 1 produit et consomme 50 kg de denrées alimentaires et 125 L de filtres solaires par mois. Quant au Pays des Fourmis dont il était question au problème n° 2, il produit et consomme 150 kg de denrées alimentaires par mois et aucun filtre solaire. Imaginez que ces deux pays signent un accord de libre-échange donnant à chacun accès au marché de l'autre.

a) Quel bien sera exporté et quel bien sera importé par le Pays des Cigales après l'ouverture des marchés ?

b) Quel bien sera exporté et quel bien sera importé par le Pays des Fourmis après l'ouverture des marchés ?

c) Quelle quantité de denrées alimentaires et de filtres solaires les deux pays peuvent-ils produire si chacun d'eux se spécialise complètement dans l'activité où il a un avantage comparatif ?

4. Supposons que le Pays des Fourmis acquière une nouvelle technique et devienne trois fois plus productif qu'il ne l'était au problème n° 2.

a) Indiquez, sur un graphique, l'effet de la productivité accrue sur la courbe des possibilités de la production du Pays des Fourmis.

b) La nouvelle technique a-t-elle modifié les coûts d'opportunité de la production de denrées alimentaires et de filtres solaires du Pays des Fourmis ?

c) Le Pays des Fourmis a-t-il maintenant un avantage absolu dans la production de ces deux biens ?

d) Le Pays des Fourmis peut-il obtenir des gains de la spécialisation et des échanges avec le Pays des Cigales ? Si oui, que produira-t-il ?

e) Quels seraient les gains totaux provenant de ces échanges ? De quoi ces gains dépendent-ils ?

5. André et Robert travaillent au Palais de la pizza, l'entreprise de Mario. Dans une journée de 8 heures, André peut préparer 240 pizzas ou 100 coupes glacées, et Robert, 80 pizzas ou 80 coupes glacées. Qui leur patron Mario affectera-t-il à la préparation des coupes glacées ? Qui préparera les pizzas ? Justifiez vos réponses.

6. Louise adore jouer au tennis mais, plus elle y consacre de temps, moins ses notes en économique sont satisfaisantes. La figure indique le compromis qu'elle doit faire.

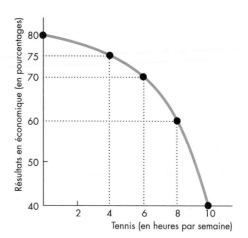

Calculez le coût d'opportunité de deux heures de tennis si Louise augmente le temps qu'elle consacre au tennis de…

a) 4 à 6 heures par semaine ;

b) 6 à 8 heures par semaine ;

c) 8 à 10 heures par semaine.

« *Pour avoir de quoi manger, on ne doit compter ni sur la générosité du boucher, ni sur celle du brasseur, ni sur celle du boulanger, mais plutôt sur le souci que chacun [d'eux] a de ses intérêts personnels.* »

ADAM SMITH, *LA RICHESSE DES NATIONS*

# Les sources de la richesse économique

**LES QUESTIONS ET LES IDÉES**

Pourquoi certaines nations deviennent-elles riches alors que d'autres restent pauvres ? Adam Smith a été l'un des premiers à tenter de répondre à cette question. Tandis qu'il y réfléchissait, l'économie britannique vivait ce qu'on a appelé plus tard sa « révolution industrielle » (1760 -1830) ; de nouvelles techniques faisaient leur apparition dans les fabriques de coton et de laine, dans la sidérurgie et les transports, et dans l'agriculture.

Adam Smith voulait comprendre les sources de la richesse économique, et il utilisa à cette fin toutes ses capacités d'observation et d'abstraction. Il en conclut que la réponse résidait dans :
- la division du travail ;
- la liberté d'accès aux marchés nationaux et internationaux.

Selon Smith, la division du travail était « la plus grande amélioration apportée aux capacités de production de la main-d'œuvre ». De fait, elle s'avéra encore plus productive lorsqu'on l'appliqua à la création de nouvelles techniques. Les scientifiques et les ingénieurs, formés à des disciplines extrêmement pointues, devinrent des spécialistes en matière d'invention. Grâce à leurs solides compétences, le progrès technologique put s'accélérer, de sorte que dans les années 1820 des machines arrivaient à fabriquer des biens de consommation plus rapidement et avec plus de précision que n'importe quel artisan. À la fin des années 1850, les machines pouvaient fabriquer des machines que la main-d'œuvre seule n'aurait jamais pu produire.

Toutefois, affirme Smith, les fruits de la division du travail sont limités par la taille du marché. Pour que le marché soit le plus vaste possible, il ne doit y avoir aucune entrave au libre-échange, tant dans les pays qu'entre les pays. Smith soutient que, si chaque individu fait le meilleur choix économique possible, cela nous conduit « comme par une main invisible » au meilleur résultat économique possible pour l'ensemble de la société.

**HIER...** *ADAM SMITH estima qu'une personne qui travaillait avec acharnement en se servant des outils disponibles dans les années 1770 pouvait probablement fabriquer 20 épingles par jour. Cependant, observa-t-il, si l'on décomposait le processus en plusieurs opérations permettant la spécialisation — par la division du travail —, avec les mêmes outils, 10 personnes pourraient fabriquer non plus 200 mais 48 000 épingles par jour ! Une personne tire le fil de métal, une autre le redresse, une troisième le coupe, une quatrième l'effile et une cinquième émoud la pointe. Trois spécialistes fabriquent la tête et un quatrième la fixe. Enfin, l'épingle est polie et mise sous emballage. Toutefois, précisa Adam Smith, pour que cette division du travail soit rentable, le marché doit être vaste ; une usine qui emploie 10 ouvriers à la fabrication d'épingles doit pouvoir en vendre plus de 15 millions par an.*

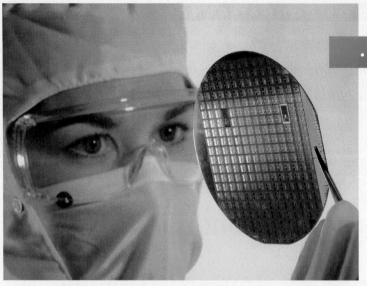

*LES PUCES ÉLECTRONIQUES donnent à votre ordinateur sa capacité de stockage de l'information accessible instantanément, les circuits électroniques logiques lui confèrent sa puissance de calcul, et les puces sur mesure rendent votre appareil photographique facile à utiliser. La puce informatique est un extraordinaire exemple de la productivité de la division du travail. Les concepteurs conçoivent les délicats circuits d'une puce. Les imprimantes et les caméras permettent de transférer l'image de leur agencement sur des plaques de verre qui serviront ensuite de patrons. Les travailleurs préparent les tranches de silicium sur lesquelles on imprimera les circuits; certains découpent les tranches, d'autres les polissent, d'autres les cuisent au four, et d'autres encore les enrobent d'un agent chimique photosensible. Les machines transfèrent une copie du circuit sur la tranche. Les agents chimiques gravent ensuite le dessin sur la tranche. Suit une autre série de procédés par dépôt d'atomes qui servent de transistors et d'aluminium qui interconnecte les transistors. Enfin, une scie au diamant ou au laser sépare les centaines de puces sur la tranche. Chaque étape du processus de la création d'une puce informatique, de sa conception à sa séparation finale de la tranche, utilise d'autres puces informatiques. Tout comme la production en série d'épingles imaginée par Adam Smith en 1770, pour être rentable, la production de nos puces contemporaines exige l'accès à un vaste marché — un marché mondial — où l'on pourra en écouler un volume considérable.*

## L'ÉCONOMISTE ADAM SMITH

Savant de premier ordre, Adam Smith a apporté une extraordinaire contribution non seulement à l'économie — qu'il éleva au rang de science —, mais aussi aux domaines de l'éthique et de la jurisprudence. Né en 1723 à Kirkcaldy, un petit village de pêcheurs près d'Édimbourg, il était l'enfant unique de l'agent des douanes de la ville (qui mourut avant sa naissance).

À l'âge de 28 ans, il devint professeur de logique à l'Université d'Oxford. Treize ans plus tard, il accepta une charge de précepteur qui consistait à accompagner pendant deux ans un riche duc écossais dans un grand périple en Europe. Après quoi, ce duc lui accorda une rente annuelle de 300 livres sterling, ce qui représentait dix fois le salaire moyen de l'époque.

Sa sécurité matérielle ainsi assurée, Smith consacra 10 ans de sa vie à la rédaction de ses fameuses *Recherches sur la nature et les causes de la richesse des nations*. Publié en 1776, cet ouvrage fut accueilli comme une véritable révolution. Plusieurs penseurs avant Adam Smith avaient abordé dans leurs écrits certaines questions économiques, mais c'est lui qui érigea l'économique au rang de science. Son traité était si vaste et si bien documenté qu'aucun auteur en économique ne put, par la suite, avancer des idées sans les relier à celles de Smith.

# L'offre et la demande

**Objectifs
du chapitre**

- Établir la distinction entre le prix en argent et le prix relatif

- Expliquer les principaux facteurs qui influent sur la demande

- Expliquer les principaux facteurs qui influent sur l'offre

- Expliquer comment l'offre et la demande déterminent les prix

- Expliquer comment sont déterminées les quantités achetées et vendues

- Expliquer pourquoi certains prix chutent tandis que d'autres montent ou fluctuent

- Prédire les variations des prix à partir du modèle de l'offre et de la demande

**U**ne escalade vertigineuse, une dégringolade abrupte, des montées et des descentes. On croirait qu'il est question de montagnes russes, mais détrompez-vous ; ces termes sont employés couramment pour décrire l'évolution des prix. ◆ On pourrait multiplier les exemples de dégringolade de prix. Prenons le cas du lecteur de disques compacts.

## Une balade en montagnes russes

Quand les premiers sont apparus, en 1983, leur prix tournait autour de 800 $, soit 1 100 $ en dollars d'aujourd'hui ; or, on peut maintenant s'en procurer un pour moins de 200 $. Depuis l'arrivée sur le marché des lecteurs de disques compacts, leur ventes annuelles n'ont jamais cessé d'augmenter, alors comment expliquer que leur prix baisse constamment ? Pourquoi l'augmentation des ventes n'a-t-elle pas permis, au contraire, de maintenir un prix élevé ? ◆ L'escalade ou flambée des prix est un autre phénomène courant. Comme toute flambée, elle est de courte durée. En 1993 et 1994, nous avons connu une flambée du prix du café : le kilo est passé de 1,30 $ en 1993 à 4,60 $ en 1994. Comment expliquer cette escalade spectaculaire ? ◆ De saison en saison, d'année en année, les prix de certains produits — le café, les bananes, le maïs, le blé et d'autres produits agricoles — ressemblent à des montagnes russes. Pourquoi le prix des bananes varie-t-il tellement alors que le goût des consommateurs pour les bananes ne se dément pas ? ◆ Tandis que certains prix font des montagnes russes, bon nombre d'autres en revanche sont remarquablement stables ; c'est le cas, notamment, du prix des cassettes audio vierges. Pourtant, bien que leur prix ne diminue jamais, les ventes de cassettes audio ne cessent d'augmenter. Pourquoi les entreprises continuent-elles à vendre de plus en plus de cassettes vierges si elles sont incapables de les vendre plus cher ? Et comment expliquer que nous achetions de plus en plus de cassettes vierges bien que leur prix ne diminue pas ?

◘ L'étude de la loi de l'offre et de la demande nous permettra de répondre à ces questions et à d'autres de même nature puisqu'elle vise essentiellement à expliquer la relation entre les prix et les quantités. Mais, d'abord, examinons de plus près la notion de prix. Quand on parle de prix, qu'entend-on par là au juste ?

## Le coût d'opportunité et le prix

NOUS L'AVONS VU, C'EST LA RARETÉ QUI DÉTERMINE les phénomènes économiques. Lorsque la quantité demandée excède les ressources disponibles, les gens doivent faire des choix et en assumer les coûts d'opportunité. Les coûts d'opportunité influent sur les choix. Si le coût d'opportunité d'un bien ou d'un service augmente, les consommateurs cherchent des substituts moins coûteux — c'est ce qu'on appelle le *principe de substitution* — et achètent moins de cet article plus onéreux.

Nous allons partir de ces notions et de ces principes fondamentaux pour étudier à la fois la réaction des gens aux fluctuations de *prix* et les forces qui s'exercent sur les prix. Mais d'abord, nous devons bien saisir la relation entre le coût d'opportunité et le prix.

Le *coût d'opportunité* d'une décision correspond à la meilleure des possibilités auxquelles on renonce par cette décision. Quand vous achetez une tasse de café, vous renoncez à quelque chose. Si la meilleure des choses que vous sacrifiez est la gomme à mâcher, le coût d'opportunité de votre tasse de café est la *quantité* de gomme à mâcher dont vous avez dû vous priver. Pour calculer cette quantité, il faut connaître le prix des deux marchandises.

Le *prix* d'un objet est la quantité de dollars qu'on doit sacrifier pour obtenir cet objet, son prix en argent; c'est ce que les économistes appellent le *coût monétaire*. Si le coût monétaire d'une tasse de café est de 1$ et celui du paquet de gomme à mâcher, de 50 ¢, le coût d'opportunité d'une tasse de café est de deux paquets de gomme à mâcher. Pour calculer le coût d'opportunité, il suffit de diviser le prix d'une tasse de café par le prix d'un paquet de gomme à mâcher. On trouve ainsi le rapport, la *relation* entre un prix et un autre. C'est ce qu'on appelle le **prix relatif** et il est équivalent au *coût d'opportunité*. C'est le prix d'un bien X divisé par le prix d'un bien Y. Il indique le nombre d'unités d'un bien Y qu'il faut sacrifier pour obtenir une unité supplémentaire d'un bien X.

Il y a des millions de prix relatifs: celui du café par rapport à la gomme à mâcher, celui du café par rapport au coca-cola, celui du café par rapport à n'importe quelle denrée, celui de la gomme à mâcher par rapport au coca-cola et celui de la gomme à mâcher par rapport à n'importe quelle denrée. Il a donc fallu trouver une façon simple d'exprimer le prix relatif. On se réfère généralement à ce qu'on appelle un «panier» de biens et de services plutôt qu'à un bien ou à un service en particulier. On divise le coût monétaire d'un bien par le prix d'un «panier» de biens (appelé *indice des prix*). Le prix relatif ainsi obtenu donne le coût d'opportunité d'un article exprimé en quantité du «panier» de biens qu'il a fallu sacrifier pour se le procurer.

La figure 4.1 illustre un exemple de la différence entre un coût monétaire et un prix relatif. La ligne verte

**FIGURE 4.1**
## Le prix du blé

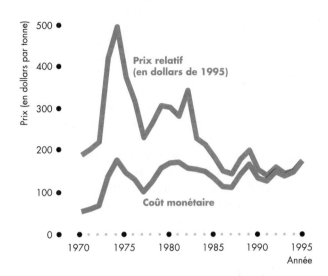

Le coût monétaire du blé, c'est-à-dire le montant en dollars auquel on doit renoncer pour acquérir une tonne de blé, a fluctué entre 50$ et 175$. Mais le *prix relatif* ou *coût d'opportunité* du blé, exprimé en dollars de 1995, a fluctué entre 175$ et 500$, avec une tendance à la baisse. Or, ce fait passerait inaperçu si l'on ne se fiait qu'à la courbe verte qui illustre l'évolution du coût monétaire du blé.

*Source:* Fonds monétaire international, *Annuaire des statistiques financières internationales*, 1995, Washington, D.C.

représente le coût monétaire du blé et montre que ce coût a fluctué, avec une tendance à la hausse. La ligne rouge représente le prix relatif du blé en dollars de 1995, c'est-à-dire l'évolution du prix du blé par rapport au prix d'un panier de biens correspondant aux habitudes de consommation moyennes de la population. Cette courbe nous renseigne sur le coût d'opportunité du blé parce qu'elle montre quel aurait été le prix du blé chaque année si tous les autres prix, *en moyenne*, étaient restés les mêmes qu'en 1995. Le prix relatif du blé a atteint son niveau le plus élevé en 1974; par la suite, il a eu tendance à baisser.

Comme nous allons le voir, la théorie de l'offre et de la demande détermine les *prix relatifs*, et quand on parle ici de «prix», il s'agit de *prix relatifs*. Lorsqu'on prédit la chute du prix d'un bien, on parle, non pas d'une baisse du *coût monétaire* de ce bien, mais d'une baisse du prix de ce bien *par rapport* au prix moyen des autres biens et services (baisse qui peut effectivement entraîner une diminution du coût monétaire).

Voyons maintenant ce qu'on entend par l'offre et la demande, en commençant par la demande.

# La demande

COMBIEN DE FOIS AVEZ-VOUS EU ENVIE DE CECI OU de cela en soupirant : « Si seulement je pouvais me le permettre » ou « Si seulement le prix était abordable ! » Les *désirs* des individus pour des biens et des services sont illimités, mais la rareté garantit à coup sûr que bon nombre de ces désirs resteront insatisfaits. La demande ne correspond pas aux désirs des gens, mais aux décisions qu'ils ont prises pour satisfaire certains de leurs désirs. Si on *demande* quelque chose, c'est qu'on a décidé de l'acheter.

La **quantité demandée** d'un bien ou d'un service est la quantité de ce bien ou de ce service que les consommateurs *prévoient* acheter à un prix déterminé et dans une période donnée. La quantité demandée ne correspond pas nécessairement à la quantité qui sera réellement achetée. Parfois la quantité demandée dépasse la quantité disponible sur le marché ; la quantité achetée est alors inférieure à la quantité demandée.

La quantité demandée se calcule pour une période donnée. Supposons, par exemple, qu'une personne boive une tasse de café par jour. La quantité de café demandée par cette personne peut équivaloir à 1 tasse par jour, à 7 tasses par semaine ou à 365 tasses par année. En l'absence de toute indication de durée, il est donc impossible de déterminer si la quantité demandée est forte ou faible.

## Les facteurs qui influent sur les intentions d'achat

La quantité d'un bien ou d'un service que les consommateurs désirent acheter varie en fonction de plusieurs facteurs, dont les plus importants sont :
- le prix du bien,
- le prix des autres biens,
- le revenu des consommateurs,
- le prix qu'on s'attend à payer dans l'avenir,
- la population,
- les préférences des consommateurs.

Voyons d'abord la relation entre la quantité demandée d'un bien et le prix de ce bien. Pour étudier cette relation, nous supposerons qu'à l'exception du prix du bien tous les facteurs susceptibles d'influer sur les intentions d'achat des consommateurs restent constants. Nous pourrons alors nous poser la question suivante : « Comment la quantité demandée d'un bien varie-t-elle en fonction de son prix ? »

## La loi de la demande

La loi de la demande s'exprime comme suit :

Toutes autres choses étant égales, la quantité demandée d'un bien diminue au fur et à mesure que son prix augmente.

Pourquoi l'augmentation du prix entraîne-t-elle une diminution de la quantité demandée ? Il y a deux raisons à cela[1] :
- l'effet de substitution,
- l'effet de revenu.

**L'effet de substitution**  Lorsque le prix d'un bien augmente, toutes autres choses étant égales, son prix augmente par rapport à celui des autres biens. Par conséquent, son coût d'opportunité augmente. Même si chaque bien est unique, tous les biens ont des substituts — d'autres biens qui peuvent les remplacer. Lorsque le coût d'opportunité d'un bien augmente par rapport au coût d'opportunité de ses substituts, les consommateurs achètent moins de ce bien et davantage de ses substituts.

**L'effet de revenu**  Lorsque le prix d'un bien augmente, toutes autres choses étant égales, le prix augmente par rapport au revenu des consommateurs. Quand les prix augmentent et que le revenu des consommateurs demeure le même, ces derniers sont obligés de réduire leur consommation de certains biens et services. Généralement, lorsque le prix d'un bien augmente, les consommateurs en achètent moins.

Pour voir comment fonctionnent l'effet de substitution et l'effet de revenu, reprenons l'exemple des cassettes audio vierges. Ces cassettes peuvent avoir plusieurs substituts : les disques compacts, les cassettes préenregistrées, des émissions de radio ou de télévision, un concert en direct. Une cassette audio vierge coûte environ 3 $.

Si le prix d'une cassette double, passant à 6 $, et que le revenu des consommateurs ainsi que le prix de tous les autres biens restent constants, la quantité demandée de cassettes vierges diminue. Les gens les remplacent par des substituts (disques compacts, cassettes préenregistrées, etc.) et, leur budget étant plus restreint, ils achètent moins de cassettes vierges et moins d'autres biens et services.

Par contre, si le prix d'une cassette tombe à 1 $, et que le revenu et le prix des autres biens et services restent constants, la quantité demandée de cassettes vierges augmente. Les gens substituent alors aux disques compacts et aux cassettes préenregistrées des cassettes vierges. En réponse à la baisse du prix des cassettes, ils achètent plus de cassettes vierges et plus d'autres biens et services.

---

[1] On peut représenter graphiquement la courbe de demande — courbe à pente négative — en procédant à une *analyse marginale* des choix des consommateurs. Pour cela, on peut se fonder sur la notion d'*utilité marginale décroissante* (plus la quantité d'un bien qu'on consomme est grande, plus la marge de satisfaction additionnelle qu'on pourra retirer de l'unité suivante sera réduite), comme nous l'expliquons au chapitre 7. Une autre méthode — que nous verrons au chapitre 8 — consiste à étudier l'effet de substitution et l'effet de revenu.

## Le barème de demande et la courbe de demande

Le tableau de la figure 4.2 donne un barème de demande de cassettes vierges. Le *barème de demande* liste les quantités demandées en fonction du prix exigé, tous les autres facteurs susceptibles d'influer sur les intentions d'achat des consommateurs — le prix des autres biens, leurs revenus, les prix qu'ils s'attendent à payer dans l'avenir, leurs caractéristiques (population) et leurs préférences — étant constants. Ainsi, dans notre exemple, si les cassettes vierges se vendent 1 $ l'unité, la quantité demandée est de 9 millions de cassettes par semaine ; quand leur prix passe à 5 $ l'unité, la quantité demandée tombe à 2 millions de cassettes par semaine. Les autres lignes du tableau montrent les quantités demandées lorsque le prix d'une cassette est de 2 $, 3 $ et 4 $.

Un barème de demande peut être illustré par un graphique comme celui de la figure 4.2, qui montre la courbe de demande de cassettes vierges. Une **courbe de demande** est en fait la représentation graphique d'un barème de demande : elle illustre la relation entre la quantité demandée d'un bien et son prix quand tous les autres facteurs qui ont une incidence sur les intentions d'achat des consommateurs restent constants. Il est d'usage de mesurer la quantité demandée en abscisse (c'est-à-dire sur l'axe horizontal), et le prix en ordonnée (axe vertical). Les points *a* à *e*, situés sur la courbe de demande, correspondent alors aux données qui apparaissent dans le barème de demande. Par exemple, le point *a* montre que la quantité demandée est de 9 millions de cassettes vierges par semaine si le prix est de 1 $ l'unité ; le point *e* montre que la quantité demandée est de 2 millions de cassettes vierges par semaine lorsque le prix est de 5 $ l'unité, etc.

**Ce que le consommateur est prêt à payer**  On peut aussi considérer que la courbe de demande d'un bien permet de déterminer le prix le plus élevé que les consommateurs sont prêts à payer pour se procurer la dernière unité de ce bien. Si la quantité achetée du bien est grande, son prix sera bas ; à l'inverse, si elle est faible, son prix sera élevé. Ainsi, la figure 4.2 montre que, si 9 millions de cassettes vierges sont achetées chaque semaine, le prix le plus haut que le consommateur est prêt à payer pour la neuf millionième cassette est de 1 $. Par contre, s'il n'y avait que 2 millions de cassettes achetées par semaine, le consommateur serait disposé à débourser jusqu'à 5 $ pour la dernière unité achetée.

## L'évolution de la demande

Le terme **demande** renvoie à la relation globale entre la quantité demandée d'un bien et son prix, toutes autres choses étant égales. À la figure 4.2, la demande de cassettes vierges est décrite à la fois par le barème de

## La courbe de demande

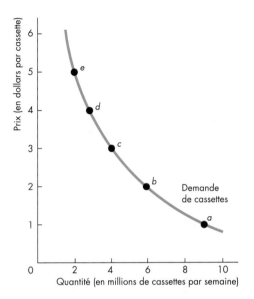

| | **Prix** (en dollars par cassette) | **Quantité** (en millions de cassettes par semaine) |
|---|---|---|
| *a* | 1 | 9 |
| *b* | 2 | 6 |
| *c* | 3 | 4 |
| *d* | 4 | 3 |
| *e* | 5 | 2 |

Le tableau présente un barème de demande. On y trouve la quantité de cassettes demandées pour chaque prix, tous les autres facteurs susceptibles d'influer sur les désirs des consommateurs étant constants. Si le prix est de 1 $ la cassette, la quantité demandée est de 9 millions de cassettes par semaine ; quand le prix passe à 3 $, la quantité demandée chute à 4 millions par semaine. La courbe de demande (courbe bleue dans le graphique) illustre la relation entre la quantité demandée et le prix, tous les autres facteurs demeurant constants. Ici, cette courbe a une pente négative : à mesure que le prix baisse, la quantité demandée augmente.

On peut interpréter cette courbe de deux manières. Premièrement, elle indique la quantité que les gens ont l'intention d'acheter à un prix donné. Par exemple, si le prix d'une cassette est de 3 $, la quantité demandée est de 4 millions de cassettes par semaine. Deuxièmement, la courbe de demande indique, pour une quantité donnée, le prix maximal que les consommateurs sont prêts à débourser pour la dernière cassette offerte sur le marché. Ainsi, le prix le plus élevé que le consommateur consent à payer pour la six millionième cassette est de 2 $.

demande et par la courbe de demande. Pour construire un barème de demande et en tracer la courbe, nous avons supposé que, à l'exception du prix du bien, tous les facteurs ayant une incidence sur les intentions d'achat des consommateurs restaient constants. Voyons maintenant quel effet chacun de ces autres facteurs peut avoir sur le consommateur.

**1.  Le prix des autres biens**  La quantité de cassettes audio vierges que les consommateurs désirent acheter dépend en partie du prix de certains autres biens et services qui sont soit des substituts, soit des compléments aux cassettes audio vierges.

Un **substitut**, ou *bien substitut*, est un bien qui peut être utilisé à la place d'un autre. Par exemple, vous pouvez prendre l'autobus plutôt que le train ; vous pouvez manger un hamburger plutôt qu'une poutine, une poire plutôt qu'une pomme. Comme nous l'avons vu, les cassettes audio vierges peuvent avoir plusieurs substituts : les disques compacts, les cassettes préenregistrées, les émissions de radio ou de télévision, les concerts en direct. Or, quand le prix d'un produit substitut augmente, les gens consomment moins de ce produit et achètent davantage de cassettes. Par exemple, si le prix du disque compact augmente, ils feront davantage d'enregistrements et la demande de cassettes vierges augmentera.

Un **complément**, ou *bien complémentaire*, est un bien qui est consommé avec un autre. Par exemple, les hamburgers et les frites sont des compléments. Il en va de même pour les amuse-gueules et l'apéritif, les spaghettis et la sauce tomate, les souliers de course et les survêtements, etc. Les cassettes ont, elles aussi, leurs compléments : les baladeurs, les magnétophones et les lecteurs de cassettes. Si le prix d'un de ces compléments augmente, les gens achètent moins de cassettes. Par exemple, si le prix des baladeurs augmente, les consommateurs en achètent moins et il se vend moins de cassettes : la demande de cassettes diminue.

**2.  Le revenu des consommateurs**  Un autre facteur qui a une incidence sur la demande est le revenu des consommateurs. Toutes autres choses étant égales, lorsque leur revenu augmente, les consommateurs augmentent leur demande de la plupart des biens. Par contre, quand leur revenu diminue, ils diminuent leur demande en conséquence. Une hausse du revenu accroît la demande de la plupart des biens, mais pas nécessairement de tous. Les biens pour lesquels la demande s'accroît avec le revenu sont appelés **biens normaux**. Les biens pour lesquels la demande baisse lorsque le revenu augmente sont appelés **biens inférieurs**. Les transports en commun sont un exemple de bien inférieur. Ceux qui utilisent le plus les transports en commun sont les gens à faible revenu. Au fur et à mesure que le revenu augmente, la demande de transport en commun diminue. Les gens optent alors pour des moyens de transport plus onéreux mais plus pratiques ; ils font appel au transport privé.

**3.  Le prix qu'on s'attend à payer dans l'avenir**  Si on s'attend à une augmentation du prix d'un bien et si ce bien peut être stocké en prévision d'un usage futur, son coût d'opportunité actuel est inférieur à ce qu'il sera après l'augmentation. Dans cette éventualité, les consommateurs devancent leurs achats. Ils achètent une plus grande quantité du bien avant l'augmentation prévue (et une moins grande quantité par la suite), de sorte que la demande courante augmente.

Supposez, par exemple, qu'un gel endommage toute la récolte d'oranges de la Floride de la saison. Vous vous attendez à une flambée du prix du jus d'orange et, devant cette éventualité, vous stockez du jus d'orange congelé de façon à ne pas avoir à en acheter au cours des six prochains mois. Votre demande courante de jus d'orange a augmenté (et votre demande future a diminué).

De même, si on pense que le prix d'un bien va diminuer dans les mois qui viennent, le coût d'opportunité actuel de ce bien est plus élevé que le prix qu'on s'attend à payer plus tard. Là encore, les consommateurs modifient leurs achats. Ils achètent moins de ce bien en attendant que son prix baisse (et davantage après), de sorte que la demande courante de ce bien diminue.

Le prix des ordinateurs ne cesse de baisser, ce qui pose un dilemme au consommateur. Faut-il acheter un nouvel ordinateur maintenant, au début de l'année scolaire, ou attendre que les prix baissent ? Comme les gens s'attendent à ce que les prix des ordinateurs continuent à baisser, la demande actuelle des ordinateurs est inférieure (la demande future lui est supérieure) à ce qu'elle serait normalement.

**4.  La population**  La demande dépend également de la taille de la population et de sa répartition selon l'âge. Toutes autres choses étant égales, plus la population augmente, plus la demande de tous les biens et services s'accroît. Par contre, plus la population est faible, moins la demande de tous les biens et services est importante. Ainsi, la demande de places de stationnement, de films, de cassettes et de tout autre bien imaginable est beaucoup plus grande à Montréal qu'à Fermont.

Plus la tranche d'âge d'une population donnée est importante, toutes autres choses étant égales, plus la demande pour les types de biens et de services que consomme ce groupe d'âge augmente. Par exemple, en 1995, on comptait au Canada environ 1,9 million de jeunes âgés de 20 à 24 ans comparativement à 2,3 millions en 1985. Par conséquent, le nombre d'inscriptions dans les universités a diminué entre 1985 et 1995. Dans la même période, le nombre de personnes de 85 ans et plus vivant au Canada a augmenté, ce qui a entraîné une augmentation des demandes de services d'hébergement pour personnes âgées.

**5.  Les préférences des consommateurs**  Enfin, la demande dépend des préférences des consommateurs. Par préférences, on entend les habitudes ou les goûts des consommateurs en matière de biens et services. Par exemple, un amateur de musique rock achètera davantage de cassettes audio qu'un bourreau de travail qui n'a aucun penchant pour la musique. Par conséquent, à revenu égal, leur demande de cassettes sera très différente.

Le tableau 4.1 résume les influences exercées sur la demande de cassettes audio vierges.

### Le mouvement le long de la courbe de demande et le déplacement de la courbe

Tout changement d'un des facteurs qui influent sur les intentions d'achat des consommateurs provoque soit un mouvement le long de la courbe de demande, soit un déplacement de la courbe. Voyons de plus près chacune de ces possibilités.

**Le mouvement le long de la courbe de demande**
Si le prix d'un bien varie alors que tous les autres facteurs restent constants, la quantité demandée de ce bien change. Ce changement se traduit sur le graphique par

un mouvement le long de la courbe de demande. Par exemple, la figure 4.2 montre que, si le prix d'une cassette passe de 3 $ à 5 $, il y a un mouvement le long de la courbe, du point *c* au point *e*.

**Le déplacement de la courbe de demande**   Si le prix d'un bien demeure constant alors qu'un des autres facteurs susceptibles d'influer sur les intentions d'achat des consommateurs varie, il y a une modification de la demande de ce bien. Ce changement de la demande s'exprime sur le graphique par un déplacement de la courbe de demande. Par exemple, une baisse du prix du baladeur, complément de la cassette, a pour effet d'accroître la demande de cassettes. Nous pouvons illustrer cette augmentation de la demande de cassettes par un nouveau barème et une nouvelle courbe de demande. Si le prix du baladeur baisse, les consommateurs achètent davantage de cassettes vierges quel que soit leur prix. C'est ce qu'illustre le déplacement de la courbe de demande : on achète un plus grand nombre de cassettes à tous les prix.

La figure 4.3 montre ce déplacement de la courbe correspondant à une modification de la demande. Le tableau présente d'abord le barème de demande initial lorsque le prix des baladeurs était de 200 $, puis le nouveau barème de demande lorsque le prix tombe à 50 $. Le graphique illustre le déplacement de la courbe de demande de cassettes qui résulte de cette baisse du prix du baladeur : la courbe se déplace vers la droite.

**La modification de la demande et la modification de la quantité demandée**   À un prix donné, la quantité demandée est représentée par un point sur la courbe de demande. Une **modification de la demande** se traduit par un déplacement de la courbe de demande, tandis qu'une **modification de la quantité demandée** se traduit par un mouvement le long de la courbe de demande.

La figure 4.4 illustre et résume cette distinction. Si le prix d'un bien baisse et qu'aucun autre facteur ne change, la quantité demandée de ce bien augmente, ce qui occasionne un mouvement vers le bas le long de la courbe de demande $D_0$. À l'inverse, si le prix augmente et que tous les autres facteurs restent constants, la quantité demandée diminue, et il a un mouvement vers le haut le long de la courbe $D_0$.

S'il y a modification d'un ou de plusieurs des autres facteurs susceptibles d'influer sur les plans d'achat des consommateurs, la courbe de demande se déplace et il y a modification de la demande (à la hausse ou à la baisse). Une augmentation du revenu (dans le cas d'un bien normal), de la taille de la population, du prix d'un substitut, du prix qu'on s'attend à payer dans l'avenir, ou encore une baisse du prix d'un complément entraîneront un déplacement de la courbe de demande vers la droite ($D_1$ en rose). Il y aura alors augmentation de la demande. Inversement, la courbe de demande se déplacera vers la gauche ($D_2$ en bleu) s'il y a une diminution du revenu, de la taille de la population, du prix d'un substitut ou du prix

---

**TABLEAU  4.1**
## La demande de cassettes

**LA LOI DE LA DEMANDE**

La quantité de cassettes demandée...

*diminue si :*

- Le prix des cassettes augmente.

*augmente si :*

- Le prix des cassettes diminue.

**L'ÉVOLUTION DE LA DEMANDE**

La demande de cassettes...

*diminue si :*

- Le prix d'un substitut baisse.

- Le prix d'un complément augmente.

- Le revenu diminue*.

- On s'attend à une baisse du prix de la cassette dans l'avenir.

- La population diminue.

*augmente si :*

- Le prix d'un substitut augmente.

- Le prix d'un complément diminue.

- Le revenu augmente*.

- On s'attend à une hausse du prix de la cassette dans l'avenir.

- La population augmente.

---

\* Une cassette est un bien normal.

FIGURE 4.3

# L'augmentation de la demande

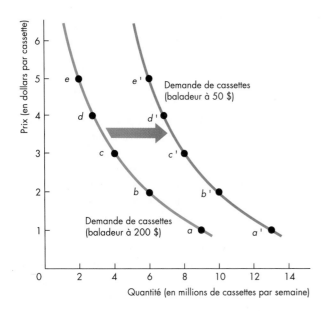

| Barème de demande initial (baladeur à 200 $) | | Nouveau barème de demande (baladeur à 50 $) | |
|---|---|---|---|
| **Prix** (en dollars par cassette) | **Quantité** (en millions de cassettes par semaine) | **Prix** (en dollars par cassette) | **Quantité** (en millions de cassettes par semaine) |
| a | 1 | 9 | a' | 1 | 13 |
| b | 2 | 6 | b' | 2 | 10 |
| c | 3 | 4 | c' | 3 | 8 |
| d | 4 | 3 | d' | 4 | 7 |
| e | 5 | 2 | e' | 5 | 6 |

Toute variation d'un facteur autre que le prix d'un bien susceptible d'influencer les acheteurs conduit à un nouveau barème de demande et entraîne un déplacement de la courbe de demande de ce bien. Ici, une *baisse* du prix du baladeur (un complément à la cassette) fait *augmenter* la demande de cassettes. Ainsi, à 3 $ la cassette (ligne *c* du tableau), la quantité demandée est de 4 millions de cassettes par semaine si le baladeur coûte 200 $, et de 8 millions par semaine s'il ne coûte que 50 $. Quand la demande augmente, la courbe de demande se déplace vers la droite, comme l'indique la flèche, et correspond alors à la courbe rose.

qu'on s'attend à payer dans l'avenir pour ce bien, ou encore une augmentation du prix d'un bien complément. Il y aura alors diminution de la demande. (Dans le cas d'un bien inférieur, toute modification du revenu entraîne des déplacements dans les directions opposées.)

FIGURE 4.4

# La modification de la quantité demandée et la modification de la demande

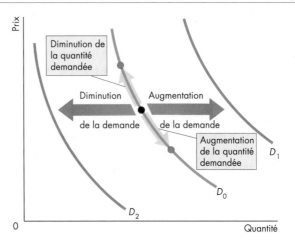

La variation du prix d'un bien entraîne un mouvement le long de la courbe de demande et une *modification de la quantité demandée*. Par exemple, sur la courbe de demande $D_0$, une hausse du prix provoque une diminution de la quantité demandée, tandis qu'une baisse du prix produit une augmentation de la quantité demandée. Les flèches bleu pâle sur la courbe de demande $D_0$ montrent ces mouvements le long de la courbe de demande.

Si l'un des autres facteurs ayant une incidence sur la demande varie de manière à faire augmenter la quantité que les consommateurs ont l'intention d'acheter, la courbe de demande se déplace vers la droite (de $D_0$ à $D_1$), et il y a *augmentation de la demande*. À l'inverse, si l'un de ces facteurs modifie la demande de manière à réduire la quantité que les consommateurs ont l'intention d'acheter, il y a déplacement de la courbe de demande vers la gauche (de $D_0$ à $D_2$) et *diminution de la demande*.

## À RETENIR

- La *quantité demandée* d'un bien représente la quantité de ce bien que les consommateurs prévoient acheter dans une période donnée et à un prix déterminé. Toutes autres choses étant égales, la quantité demandée d'un bien augmente quand le prix de ce bien diminue.
- La *demande* désigne la relation globale entre le prix et la quantité demandée, toutes autres choses étant égales.
- Lorsque le prix d'un bien varie et que tous les autres facteurs qui peuvent influer sur les intentions d'achat des consommateurs restent constants, la quantité demandée *varie*, ce qui entraîne un *mouvement le long de la courbe*.

■ Tout changement d'un des facteurs d'influence autre que le prix du bien provoque une *modification de la demande,* ce qui se traduit par un *déplacement de la courbe de demande.*

## L'offre

LA **QUANTITÉ OFFERTE** D'UN BIEN REPRÉSENTE LA quantité que les producteurs prévoient vendre à un prix déterminé dans une période donnée. La quantité offerte n'équivaut pas nécessairement à la quantité qui sera réellement vendue. Les consommateurs peuvent contrecarrer les plans de vente des entreprises en achetant moins que la quantité prévue par les entreprises. Comme la quantité demandée, la quantité offerte se calcule sur une période donnée.

### Les facteurs qui influent sur les intentions de vente

La quantité offerte d'un bien particulier ou d'un service varie en fonction de plusieurs facteurs, dont les plus importants sont :

■ le prix du bien,
■ le prix des facteurs de production,
■ le prix des autres biens,
■ le prix qu'on s'attend à payer dans l'avenir,
■ le nombre de fournisseurs,
■ la technologie disponible.

Commençons par étudier la relation entre le prix d'un bien et la quantité offerte de ce bien. Pour ce faire, nous supposerons que tous les autres facteurs susceptibles d'influer sur la quantité offerte sont constants. Nous pourrons alors nous poser la question suivante : « Comment la quantité offerte d'un bien varie-t-elle avec le prix de ce bien ? »

### La loi de l'offre

La loi de l'offre s'exprime comme suit :

Toutes autres choses étant égales, plus le prix d'un bien est élevé, plus la quantité offerte de ce bien est élevée.

Comment expliquer que l'augmentation du prix entraîne un accroissement de la quantité offerte ? La réponse à cette question repose sur la notion de rentabilité : plus le prix d'un bien augmente, plus les producteurs sont prêts à supporter un coût d'opportunité élevé pour produire ce bien. Comme le coût d'opportunité pour produire une unité supplémentaire est de plus en plus élevé à mesure que la quantité produite augmente,

l'augmentation du prix est donc une condition nécessaire pour que les producteurs acceptent d'augmenter leur production.

### Le barème d'offre et la courbe d'offre

Le tableau de la figure 4.5 présente un barème d'offre de cassettes vierges. Un barème d'offre est une liste des quantités offertes selon le prix, tout autre facteur ayant une incidence sur les plans de vente des entreprises demeurant constant. Ainsi, à 1 $ l'unité, aucune cassette n'est offerte. Par contre, à 4 $ l'unité, la quantité offerte est de 5 millions de cassettes.

La figure 4.5 illustre la courbe d'offre de cassettes. Une **courbe d'offre** est la représentation graphique d'un barème d'offre : elle montre la relation entre la quantité offerte d'un bien et son prix, toutes autres choses étant égales. Les points *a* à *e* situés sur la courbe d'offre illustrent les lignes *a* à *e* du barème d'offre. Le point *d,* par exemple, montre que la quantité offerte sera de 5 millions de cassettes par semaine si le prix de la cassette est de 4 $ l'unité.

**Le prix de vente minimal** Tout comme la courbe de demande, la courbe d'offre peut s'interpréter de deux façons. Bien sûr, comme nous l'avons vu, elle montre la quantité d'un bien que les producteurs désirent vendre selon son prix. Mais on peut également voir la courbe d'offre d'un bien comme une indication du prix minimal nécessaire pour que les producteurs consentent à produire la dernière unité d'une quantité donnée d'un bien. Ainsi, pour qu'ils offrent 3 millions de cassettes chaque semaine, le prix de la cassette doit être d'au moins 2 $. Pour qu'ils acceptent d'en offrir 5 millions par semaine, le prix minimal doit être d'au moins 4 $ l'unité.

### La modification de l'offre

Le terme **offre** désigne la relation globale qui existe entre la quantité offerte d'un bien et son prix, toutes autres choses étant égales. La figure 4.5 illustre de deux façons l'offre de cassettes : par le barème d'offre et par la courbe d'offre. Et pour construire ce barème d'offre et cette courbe d'offre, nous avons supposé que tous les autres facteurs pouvant avoir une incidence sur les plans des producteurs restaient constants. Penchons-nous maintenant sur ces autres facteurs.

**1. Le prix des facteurs de production** Le prix des facteurs de production nécessaires à la production d'un bien auront aussi un effet important sur l'offre de ce bien. Ainsi, des hausses du prix de la main-d'œuvre et du capital utilisés dans la production des cassettes entraîne une augmentation des coûts de production, ce qui a pour effet de diminuer l'offre de cassettes.

## FIGURE 4.5
# La courbe d'offre

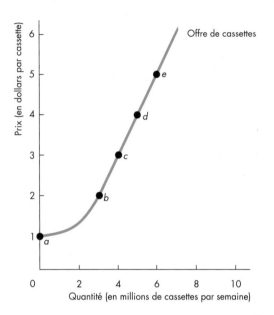

| | Prix (en dollars par cassette) | Quantité (en millions de cassettes par semaine) |
|---|---|---|
| a | 1 | 0 |
| b | 2 | 3 |
| c | 3 | 4 |
| d | 4 | 5 |
| e | 5 | 6 |

Ce tableau présente le barème d'offre de cassettes. Il montre par exemple que, si le prix des cassettes est de 2 $ l'unité, la quantité offerte est de 3 millions par semaine ; s'il est de 5 $, la quantité offerte passe à 6 millions par semaine. La courbe d'offre illustre la relation entre la quantité offerte d'un bien et son prix, toutes autres choses étant égales. La courbe d'offre a généralement une pente positive : le prix et la quantité offerte du bien augmentent simultanément.

Une courbe d'offre se lit de deux façons. À un prix donné, elle indique d'abord la quantité que les producteurs souhaitent vendre. Ainsi, à 3 $ l'unité, les producteurs ont l'intention de vendre 4 millions de cassettes par semaine. La courbe d'offre donne aussi le prix le plus bas auquel la dernière unité d'une quantité donnée d'un bien sera mise en vente. Par exemple, il faudra un prix minimal de 3 $ l'unité pour qu'il y ait une offre de 4 millions de cassettes par semaine.

**2. Le prix des autres biens**    Le prix des autres biens peut influer sur l'offre d'un bien. Si, par exemple, une même chaîne de montage peut produire des voitures sport ou des berlines, le nombre de berlines construites dépendra du prix de vente des voitures sport et, inversement, le nombre de voitures sport construites sera fonction du prix des berlines. Du point de vue de la production, ces deux biens sont des *substituts*. Toute augmentation du prix d'un *substitut de production* entraîne une diminution de l'offre. Les biens peuvent également être des *compléments de production* s'ils sont obligatoirement produits ensemble. On peut penser aux produits chimiques obtenus à partir du charbon : coke, goudron et nylon. Toute augmentation du prix d'un de ces sous-produits provoque un accroissement de l'offre des autres sous-produits.

Les cassettes vierges, si elles n'ont pas de compléments de production évidents, ont en revanche un substitut de production : les cassettes préenregistrées. Une augmentation du prix des cassettes préenregistrées encourage les producteurs à utiliser leur équipement pour produire plus de cassettes préenregistrées, ce qui provoque un fléchissement de l'offre de cassettes vierges.

**3. Le prix qu'on s'attend à payer dans l'avenir**    Si les producteurs s'attendent à ce que le prix d'un bien augmente prochainement, et s'ils peuvent entreposer ce bien, ils ont l'occasion d'augmenter leur bénéfice en retardant la vente de ce bien. Ils reportent alors leurs ventes en réduisant la quantité offerte sur le marché avant la hausse de prix attendue (pour en offrir une plus grande quantité plus tard), ce qui provoque une diminution de l'offre courante de ce bien. Si, au contraire, les producteurs s'attendent à la baisse prochaine du prix d'un bien, ils voudront vendre ce bien dès que possible. Là encore, ils modifient leurs ventes, cette fois en essayant de vendre la plus grande quantité possible de ce bien avant la baisse des prix attendue (et moins ensuite), ce qui provoque une augmentation de l'offre courante de ce bien.

**4. Le nombre de fournisseurs**    Toutes autres choses étant égales, plus le nombre d'entreprises qui fournissent un bien est élevé, plus l'offre de ce bien sera grande.

**5. La technologie disponible**    En réduisant la quantité de facteurs de production utilisés ainsi que leur prix, le progrès technologique permet aux producteurs de baisser leurs coûts de production et d'augmenter leur offre. Par exemple, en mettant au point de nouvelles techniques de production de cassettes, les sociétés Sony et 3M ont considérablement diminué leurs coûts de production, ce qui a contribué à augmenter l'offre de cassettes. À long terme, le progrès technologique est le facteur qui a le plus d'influence sur l'offre.

Le tableau 4.2 présente une synthèse des principaux facteurs qui influent sur l'offre (à la hausse ou à la baisse).

## TABLEAU 4.2
## L'offre de cassettes

### LA LOI DE L'OFFRE

La quantité de cassettes offerte...

*diminue si :*

- Le prix des cassettes diminue.

*augmente si :*

- Le prix des cassettes augmente.

### LA MODIFICATION DE L'OFFRE

L'offre de cassettes...

*diminue si :*

- Le prix d'un facteur utilisé dans la fabrication des cassettes augmente.
- Le prix d'un substitut de production augmente.
- Le prix d'un complément de production diminue.
- On s'attend à une hausse du prix des cassettes dans l'avenir.
- Le nombre de fabricants de cassettes diminue.

*augmente si :*

- Le prix d'un facteur utilisé dans la fabrication des cassettes diminue.
- Le prix d'un substitut de production baisse.
- Le prix d'un complément de production augmente.
- On s'attend à une baisse du prix des cassettes dans l'avenir.
- Le nombre de fabricants de cassettes augmente.
- On découvre une technique pour produire des cassettes plus efficacement.

## Le mouvement le long de la courbe d'offre et le déplacement de la courbe

Toute variation d'un des facteurs qui influent sur les plans des producteurs provoque soit un mouvement le long de la courbe, soit un déplacement de cette courbe.

**Le mouvement le long de la courbe** Si le prix d'un bien varie alors que tous les autres facteurs qui ont une incidence sur les plans de vente des producteurs restent constants, il se produira un mouvement le long de la courbe d'offre. Comme le montre la figure 4.5, si le prix d'une cassette passe de 3 $ à 5 $, par exemple, il y a un mouvement le long de la courbe d'offre : on passe du point *c* (4 millions de cassettes par semaine) au point *e* (6 millions de cassettes par semaine). La pente positive de la courbe d'offre révèle qu'une hausse du prix d'un bien ou d'un service augmente la quantité offerte de ce bien. C'est la loi de l'offre.

**Le déplacement de la courbe d'offre** Si le prix d'un bien reste inchangé, mais qu'un autre facteur ayant une incidence sur les plans de vente des producteurs varie, il y

## FIGURE 4.6
## L'augmentation de l'offre

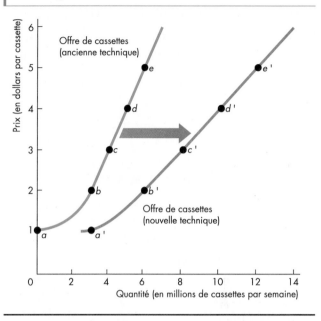

| Barème d'offre initial (ancienne technique) | | Nouveau barème d'offre (nouvelle technique) | |
|---|---|---|---|
| **Prix** (en dollars par cassette) | **Quantité** (en millions de cassettes par semaine) | **Prix** (en dollars par cassette) | **Quantité** (en millions de cassettes par semaine) |
| *a* 1 | 0 | *a'* 1 | 3 |
| *b* 2 | 3 | *b'* 2 | 6 |
| *c* 3 | 4 | *c'* 3 | 8 |
| *d* 4 | 5 | *d'* 4 | 10 |
| *e* 5 | 6 | *e'* 5 | 12 |

Si le prix d'un bien demeure constant alors qu'un autre facteur susceptible d'influer sur les intentions de vente des producteurs varie, il y a un nouveau barème d'offre et la courbe d'offre se déplace. Par exemple, si Sony et 3M mettent au point une technique qui permet de produire les cassettes à des coûts plus bas, le barème d'offre change, comme le montre le tableau.

À 3 $ l'unité (ligne *c* du tableau), les producteurs planifiaient avec l'ancienne technique une offre hebdomadaire de 4 millions de cassettes ; au même prix, avec la nouvelle technique, ils prévoient une offre hebdomadaire de 8 millions de cassettes. Le progrès technique fait *augmenter* l'offre de cassettes et déplace la courbe d'offre *vers la droite*, comme l'indiquent le mouvement de la flèche et la courbe rose qui en résulte.

a modification de l'offre et déplacement de la courbe. Nous l'avons déjà mentionné, le progrès technologique permet de réduire les coûts de production et d'augmenter l'offre, ce qui modifie le barème d'offre. Le tableau de la figure 4.6 contient des données fictives qui illustrent ce phénomène. On y voit deux barèmes d'offre : le

## FIGURE   4.7

### La modification de la quantité offerte et la modification de l'offre ◆

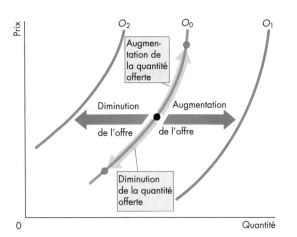

Sur la courbe d'offre $O_0$, une hausse du prix du bien provoque un *accroissement de la quantité offerte*, tandis qu'une baisse du prix provoque une *diminution de la quantité offerte*, comme l'indiquent les flèches bleu pâle. Si un autre des facteurs susceptibles d'influer sur l'offre fait augmenter la quantité que les producteurs ont l'intention de vendre, la courbe d'offre se déplace vers la droite (de $O_0$ à $O_1$) et *l'offre augmente*. Inversement, si un de ces facteurs varie de manière à entraîner une diminution de la quantité que les producteurs sont disposés à vendre, la courbe d'offre se déplace vers la gauche (de $O_0$ à $O_2$), et *l'offre diminue*.

barème initial, fondé sur l'ancienne technique, et le nouveau barème, basé sur la nouvelle technique. Avec la nouvelle technique, la quantité de cassettes offerte augmente quel que soit le prix de la cassette. Le graphique de la figure 4.6 illustre le déplacement de la courbe d'offre qui en résulte. Lorsque la technique de production s'améliore, la courbe d'offre de cassettes se déplace vers la droite.

**La modification de l'offre et la modification de la quantité offerte**    Chaque point sur la courbe représente la quantité offerte à un prix donné. Une **modification de l'offre** se traduit par un déplacement de la courbe d'offre, tandis qu'une **modification de la quantité offerte** se traduit par un mouvement le long de la courbe d'offre.

La figure 4.7 illustre et résume cette distinction. Quand le prix d'un bien baisse et qu'aucun autre facteur ne change, il y a diminution de la quantité offerte du bien, ce qui se traduit par un mouvement vers le bas le long de la courbe d'offre $O_0$. Quand le prix d'un bien

augmente, toutes autres choses étant égales, il se produit une hausse de la quantité offerte, ce qui se traduit par un mouvement vers le haut le long de la courbe d'offre $O_0$. Si un autre facteur susceptible d'influer sur les producteurs varie, la courbe d'offre se déplace et il y a *modification de l'offre*. Si la courbe d'offre est $O_0$, un changement technique qui diminue la quantité de facteurs utilisés dans la production d'un bien entraînera une augmentation de l'offre et déplacera la courbe d'offre, qui correspondra alors à la courbe $O_1$ (rose). En revanche, si les coûts de production augmentent, l'offre fléchira et la courbe d'offre se déplacera vers la courbe $O_2$ (l'autre courbe rose).

---

### À   RETENIR

■ La *quantité offerte* d'un bien est la quantité que les producteurs ont l'intention de vendre au cours d'une période donnée à un prix déterminé. Toutes autres choses étant égales, la quantité offerte augmente avec le prix.

■ L'*offre* est la relation globale entre la quantité offerte et le prix, toutes autres choses étant égales.

■ Lorsque le prix d'un bien varie, toutes autres choses étant égales, *il y a modification de la quantité offerte*, qui est représentée par un *mouvement le long de la courbe d'offre*.

■ Toute modification, autre que celle du prix, d'un facteur qui a une incidence sur les plans des producteurs a pour effet de *modifier l'offre* et de *déplacer la courbe d'offre*.

Maintenant que nous sommes familiarisés avec la demande et l'offre, réunissons ces deux concepts et voyons comment se déterminent les prix.

## La détermination des prix

NOUS AVONS VU QUE LA HAUSSE DU PRIX D'UN BIEN entraîne une réduction de la quantité demandée et une augmentation de la quantité offerte de ce bien. Nous verrons maintenant comment les prix s'ajustent de manière à ce que les quantités demandées et offertes soient égales.

### Le rôle régulateur des prix

Le prix d'un bien détermine les quantités demandées et offertes de ce bien. Si le prix est trop élevé, la quantité offerte dépasse la quantité demandée. Inversement, si le prix est trop bas, la quantité demandée excède la quantité offerte. Il n'y a qu'un seul prix pour lequel la quantité demandée est égale à la quantité offerte. Voyons quel est ce prix.

La figure 4.8 combine le barème de demande de la figure 4.2 et le barème d'offre de la figure 4.5. Elle montre que, si le prix d'une cassette est de 1 $, les consommateurs demandent 9 millions de cassettes par semaine alors qu'aucune cassette n'est produite. En d'autres mots, au prix de 1 $, la quantité demandée excède de 9 millions la quantité offerte. Cette *demande excédentaire,* enregistrée dans la dernière colonne du tableau, se traduit sur le marché par une pénurie de 9 millions de cassettes par semaine. Si le prix est de 2 $, la pénurie subsiste, mais elle n'est plus que de 3 millions de cassettes par semaine. Par contre, quand le prix de la cassette passe à 5 $, la quantité offerte excède la quantité demandée. La quantité offerte est de 6 millions de cassettes pour une quantité demandée de 2 millions. Il y a donc chaque semaine une *offre excédentaire,* ou surplus, de 4 millions de cassettes. En fait, il n'y a qu'un seul prix — 3 $ l'unité — où il n'y a ni pénurie ni surplus. À ce prix, la quantité demandée correspond exactement à la quantité offerte, soit 4 millions de cassettes par semaine.

Le graphique de la figure 4.8 illustre le fonctionnement du marché des cassettes vierges. La courbe de demande de la figure 4.2 et la courbe d'offre de la figure 4.5 se croisent quand le prix de la cassette est de 3 $. La quantité échangée est alors de 4 millions de cassettes par semaine. Pour tout prix *supérieur* à 3 $, la quantité offerte dépasse celle qui est demandée. Il y a donc un surplus de cassettes. Ainsi, lorsque le prix d'une cassette est de 4 $, il y a un surplus de 2 millions de cassettes par semaine (flèche bleu pâle). Par contre, si le prix d'une cassette est *inférieur* à 3 $, la quantité demandée dépasse la quantité offerte et il y a pénurie de cassettes. Ainsi, à un prix de 2 $ la cassette, il y a une pénurie de 3 millions de cassettes par semaine (flèche rose pâle).

## L'équilibre

Un *équilibre* est une situation où des forces opposées se compensent réciproquement. Il y a donc équilibre dans un marché lorsque le prix est tel que les forces opposées — les intentions des acheteurs et celles des vendeurs — se compensent. Le **prix d'équilibre** est le prix où la quantité demandée est égale à la quantité offerte. La **quantité d'équilibre** est la quantité achetée et vendue au prix d'équilibre.

Afin de bien comprendre cette notion d'équilibre, il nous faut examiner de plus près le comportement des acheteurs et des vendeurs en cas de pénurie ou de surplus.

**Une pénurie entraîne une hausse des prix** Supposons que les cassettes vierges se vendent 2 $ chacune. Les consommateurs sont prêts à acheter 6 millions de cassettes par semaine et les producteurs ont l'intention d'en vendre 3 millions par semaine. Comme les consommateurs ne peuvent pas obliger les producteurs à offrir plus de cassettes, la quantité vendue sera de 3 millions par

### FIGURE 4.8
## L'équilibre

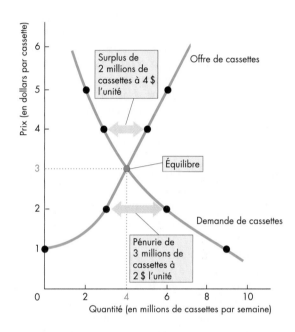

| Prix (en dollars par cassette) | Quantité demandée | Quantité offerte | Pénurie (–) ou surplus (+) |
|---|---|---|---|
| | (en millions de cassettes par semaine) | | |
| 1 | 9 | 0 | –9 |
| 2 | 6 | 3 | –3 |
| 3 | 4 | 4 | 0 |
| 4 | 3 | 5 | +2 |
| 5 | 2 | 6 | +4 |

Le tableau donne les quantités demandées et offertes ainsi que les pénuries ou les surplus de cassettes selon leur prix. Lorsque le prix unitaire des cassettes est de 2 $, la quantité demandée est de 6 millions par semaine et la quantité offerte, de 3 millions. Il y a donc pénurie de 3 millions de cassettes par semaine, ce qui en fait augmenter le prix. Lorsque le prix est de 4 $, la quantité demandée est de 3 millions par semaine et la quantité offerte, de 5 millions. Il en résulte un surplus de 2 millions de cassettes par semaine, ce qui en fait baisser le prix. Quand le prix s'établit à 3 $, la quantité offerte et la quantité demandée s'équilibrent ; à 4 millions de cassettes par semaine, il n'y a ni surplus ni pénurie. Les consommateurs et les producteurs n'ont alors aucun avantage à faire varier le prix. Le prix où la quantité demandée est égale à la quantité offerte est le prix d'équilibre.

semaine. Dans une telle situation de pénurie, de puissantes forces interviennent pour faire monter le prix jusqu'à ce qu'il atteigne son niveau d'équilibre, c'est-à-dire jusqu'à ce que la quantité demandée soit égale à la quantité offerte. De nombreux consommateurs frustrés sont prêts à payer plus cher pour se procurer les cassettes qu'ils désirent et, voyant leur nombre, certains producteurs augmentent leur prix. Lorsque les acheteurs font de la surenchère et que les producteurs augmentent leur prix en conséquence, le prix tend vers l'équilibre. La montée des prix réduit la pénurie, car la quantité demandée diminue et la quantité offerte augmente. Lorsqu'il n'y a plus de pénurie, les forces qui poussent le prix à la hausse cessent d'opérer et le prix ainsi atteint est le prix d'équilibre.

**Un surplus entraîne une baisse des prix**  Supposons que le prix d'une cassette soit de 4 $. Les producteurs ont l'intention de vendre 5 millions de cassettes par semaine et les consommateurs ne sont prêts à en acheter que 3 millions. Comme les producteurs ne peuvent pas forcer les consommateurs à acheter davantage de cassettes, la quantité achetée est de 3 millions par semaine. Dans cette situation de surplus, de puissantes forces interviennent pour faire baisser le prix jusqu'à son niveau d'équilibre. Certains producteurs, incapables d'écouler la quantité de cassettes prévue, baissent leur prix. D'autres doivent même diminuer la production. Certains acheteurs, qui ont remarqué le nombre de cassettes invendues sur les étagères, offrent de les acheter à un prix plus bas. Comme les producteurs se disputent la clientèle et comme les acheteurs proposent des prix plus bas, le prix tend vers l'équilibre. La chute du prix réduit le surplus, car elle fait augmenter la quantité demandée et diminuer la quantité offerte. Lorsque le prix est assez bas pour éliminer tout surplus et que les forces qui font baisser les prix cessent d'opérer, le prix atteint son équilibre.

**La « meilleure affaire » possible pour les acheteurs et les vendeurs**  Les deux situations que nous venons d'examiner conduisent à des changements de prix. Dans la première, il s'exerce une pression à la hausse sur le prix initial de 2 $. Dans la deuxième, le prix initial est de 4 $ et les producteurs se disputent la clientèle. Dans les deux cas, le prix varie jusqu'à ce qu'il atteigne 3 $ la cassette. À ce prix, la quantité demandée et la quantité offerte de cassettes sont égales, et il n'est avantageux pour personne de proposer un prix différent. Les consommateurs paient ce qu'ils sont disposés à payer pour la dernière unité achetée et les producteurs vendent au prix le plus bas qu'ils puissent accepter.

Lorsque les gens sont libres de faire des offres d'achat et de vente au prix qu'ils désirent, et que les acheteurs s'efforcent d'obtenir le prix le plus bas possible tandis que les vendeurs cherchent à obtenir le plus élevé, l'échange se fait au prix d'équilibre — le prix où la quantité demandée est égale à la quantité offerte.

---

La théorie de l'offre et de la demande que nous venons d'étudier sommairement est l'un des principaux outils de l'analyse économique. Mais il n'en a pas toujours été ainsi. Il y a 100 ans à peine, les meilleurs économistes ne maniaient pas bien ces notions qu'un débutant en économique saisit pourtant facilement aujourd'hui. (Voir la rubrique « L'évolution de nos connaissances », p. 93-94.)

Pour conclure ce chapitre, voyons comment la théorie de l'offre et de la demande peut nous aider à comprendre et même à prédire les variations de prix, montées vertigineuses, chutes abruptes et montagnes russes dont nous parlions dans l'introduction.

---

## La prédiction des variations dans les prix et les quantités échangées

LA THÉORIE DE L'OFFRE ET DE LA DEMANDE PERMET d'analyser l'incidence de divers facteurs sur les prix et les quantités échangées. Selon cette théorie, toute variation d'un prix découle d'une modification de la demande ou de l'offre, ou encore des deux. Penchons-nous d'abord sur les effets d'une modification de la demande.

### La modification de la demande

Qu'arrive-t-il au prix et à la quantité échangée lorsque la demande de cassettes vierges augmente? Nous allons répondre à cette question en prenant un exemple. Si le prix du baladeur passe de 200 $ à 50 $, la demande de cassettes augmente, comme on le voit au tableau de la figure 4.9. (Rappelons que le baladeur est un complément des cassettes vierges et que la demande d'un bien augmente lorsque le prix d'un de ses compléments baisse.) Les trois premières colonnes expriment le barème de demande initial et le nouveau barème, et le tableau donne aussi le barème d'offre des cassettes.

Le prix d'équilibre initial était de 3 $ la cassette, pour une quantité échangée de 4 millions de cassettes par semaine. Quand la demande augmente, le prix d'équilibre passe à 5 $ l'unité. À ce prix, 6 millions de cassettes sont échangées chaque semaine. Donc, à la suite d'une hausse de la demande, le prix et la quantité échangée augmentent.

Le graphique de la figure 4.9 illustre ces variations. D'abord, il montre la demande et l'offre initiales de cassettes ; le prix d'équilibre initial est alors de 3 $ l'unité et la quantité échangée, de 4 millions de cassettes par semaine. Au fur et à mesure que la demande s'accroît, la courbe de demande se déplace vers la droite. On voit le prix d'équilibre passer à 5 $ l'unité et la quantité échangée, à 6 millions de cassettes par semaine. La quantité offerte augmente, mais il n'y a *pas de modification de l'offre*. La courbe d'offre ne se déplace pas.

Examinons le cas inverse. À partir d'un prix de 5 $ l'unité et d'une quantité échangée de 6 millions de cassettes par semaine, on peut prévoir ce qui se produira si la demande fléchit assez pour revenir à son niveau initial. Une diminution de la demande entraînera une baisse du prix d'équilibre, qui descendra alors à 3 $ la cassette, ainsi qu'une baisse de la quantité d'équilibre, qui tombera à 4 millions de cassettes par semaine. Cette baisse de la demande pourrait être le résultat d'une baisse de prix des disques compacts ou des lecteurs de disques compacts. (Le disque compact et le lecteur de disques compacts sont des substituts aux cassettes.)

Nous pouvons donc formuler comme suit nos deux premières prédictions, en supposant que toutes choses soient égales par ailleurs.

- Si la demande s'accroît, le prix et la quantité échangée augmentent.
- Si la demande baisse, le prix et la quantité échangée diminuent.

## La modification de l'offre

Supposons maintenant que les sociétés Sony et 3M viennent de mettre au point une nouvelle technique qui permet de réduire les coûts de production des cassettes. Cela a pour effet de modifier l'offre. Le tableau de la figure 4.10 donne le nouveau barème d'offre (le même que nous avions à la figure 4.6). Quel est le nouveau prix d'équilibre et quelle est la nouvelle quantité échangée ? La réponse nous est donnée par les chiffres en rose dans le tableau de la figure : le prix tombe à 2 $ la cassette et la quantité échangée passe à 6 millions d'unités par semaine. Pour mieux comprendre ce phénomène, on n'a qu'à regarder quelles étaient les quantités demandées et offertes à l'ancien prix, soit à 3 $ la cassette : la quantité offerte était de 8 millions de cassettes par semaine et le surplus de cassettes exerçait une pression à la baisse sur le prix. Ce n'est qu'au prix de 2 $ la cassette que la quantité demandée est égale à la quantité offerte.

**FIGURE 4.9**

## Les effets d'une modification de la demande

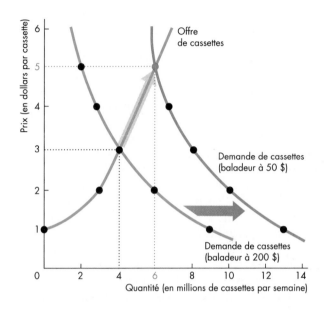

| Prix | Quantité demandée | | Quantité offerte |
|---|---|---|---|
| (en dollars par cassette) | (en millions de cassettes par semaine) | | (en millions de cassettes par semaine) |
| | Baladeur à 200 $ | Baladeur à 50 $ | |
| 1 | 9 | 13 | 0 |
| 2 | 6 | 10 | 3 |
| 3 | 4 | 8 | 4 |
| 4 | 3 | 7 | 5 |
| 5 | 2 | 6 | 6 |

Si le prix d'un baladeur est de 200 $, la demande correspond à la courbe bleue. Le prix d'équilibre est de 3 $ par cassette et la quantité d'équilibre, de 4 millions de cassettes par semaine. Si le prix du baladeur passe de 200 $ à 50 $, la demande de cassettes augmente et la courbe de demande se déplace vers la droite. Cette nouvelle situation est illustrée par la courbe rose. Si le prix des cassettes se maintient à 3 $, il y aura une pénurie de 4 millions de cassettes par semaine.

Le prix de la cassette atteint un nouvel équilibre à 5 $ l'unité. La quantité offerte augmente, comme l'indique la flèche bleu pâle sur la courbe d'offre, et la nouvelle quantité d'équilibre devient alors de 6 millions de cassettes par semaine. L'accroissement de la demande provoque un accroissement de la quantité offerte, mais l'offre demeure la même ; il n'y a aucun déplacement de la courbe d'offre.

Le graphique de la figure 4.10 illustre l'effet d'un accroissement de l'offre. On y voit la courbe de demande de cassettes ainsi que la courbe d'offre initiale et la nouvelle courbe d'offre. Au départ, le prix d'équilibre est de 3 $ l'unité, et la quantité échangée par semaine est de 4 millions de cassettes. L'accroissement de l'offre fait bouger la courbe d'offre vers la droite. Le nouveau prix d'équilibre est maintenant de 2 $ et la quantité échangée, de 6 millions de cassettes par semaine (chiffres en rose). La quantité demandée augmente, mais il n'y a *pas de modification de la demande*. La courbe de la demande ne se déplace pas. La quantité d'équilibre est de 6 millions de cassettes par semaine.

On peut examiner la situation inverse. Si on a un prix initial de 2 $ l'unité et une quantité échangée de 6 millions de cassettes par semaine, on peut examiner ce qui se produit lorsque la courbe d'offre revient à sa position de départ. On constate que la contraction de l'offre entraîne le déplacement de la courbe vers la gauche. Si le prix d'équilibre passe à 3 $ par cassette, la quantité demandée diminue, mais il ne se produit aucune modification de la demande. La quantité d'équilibre tombe à 4 millions de cassettes par semaine. Cette baisse de l'offre pourrait, par exemple, être causée par une augmentation du coût de la main-d'œuvre ou du prix des matières premières.

Nous voici maintenant en mesure de formuler deux autres prédictions, toutes autres choses étant égales.

■ Si l'offre augmente, la quantité échangée s'accroît et le prix baisse.

■ Si l'offre diminue, la quantité échangée baisse et le prix augmente.

## Les modifications simultanées de l'offre et de la demande

Dans les exemples précédents, nous avons étudié séparément l'effet d'une modification de la demande et l'effet d'une modification de l'offre. Dans chaque cas, nous avons pu prévoir dans quel sens évolueraient le prix et la quantité échangée. Par contre, si la demande et l'offre varient simultanément, il n'est pas toujours possible de prévoir les répercussions sur le prix et la quantité échangée. Examinons deux exemples de modification simultanée de l'offre et de la demande. Nous verrons d'abord ce qui se passe quand la demande et l'offre évoluent dans le même sens, c'est-à-dire quand toutes les deux augmentent, ou quand toutes les deux diminuent. Nous prendrons ensuite un deuxième exemple pour voir ce qui se passe lorsque l'offre et la demande évoluent dans des directions opposées, soit que la demande diminue et que l'offre augmente, soit le contraire.

### La demande et l'offre évoluent dans le même sens
Nous avons vu comment une augmentation de la demande de cassettes entraînait une hausse du prix des cas-

**FIGURE 4.10**

## Les effets d'une modification de l'offre

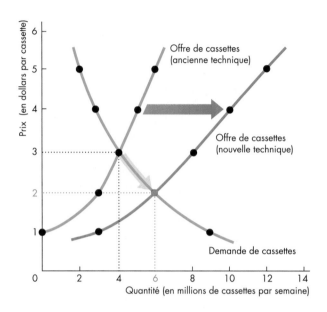

| Prix | Quantité demandée | Quantité offerte | |
| (en dollars par cassette) | (en millions de cassettes par semaine) | (en millions de cassettes par semaine) | |
| | | Ancienne technique | Nouvelle technique |
| --- | --- | --- | --- |
| 1 | 9 | 0 | 3 |
| 2 | 6 | 3 | 6 |
| 3 | 4 | 4 | 8 |
| 4 | 3 | 5 | 10 |
| 5 | 2 | 6 | 12 |

La courbe d'offre (en bleu) représente la quantité de cassettes offerte lorsqu'on utilise l'ancienne technique. Le prix d'équilibre est de 3 $ la cassette et la quantité d'équilibre est de 4 millions de cassettes par semaine. Grâce à la nouvelle technique, la quantité de cassettes offerte augmente et la courbe d'offre se déplace vers la droite. Cette nouvelle situation est représentée par la courbe rose.

Lorsque le prix unitaire se maintient à 3 $, il y a un surplus de 4 millions de cassettes par semaine. Le prix de la cassette baisse et le nouveau prix d'équilibre est de 2 $ la cassette. Lorsque le prix chute à 2 $, la quantité demandée augmente, comme le montre la flèche bleu pâle sur la courbe de demande, et la nouvelle quantité d'équilibre s'établit à 6 millions de cassettes par semaine. L'augmentation de la quantité offerte accroît la quantité demandée, mais la demande demeure la même ; il n'y a aucun déplacement de la courbe de demande.

settes et, par là, un accroissement de la quantité échangée. Nous avons vu également qu'une augmentation de l'offre de cassettes avait pour effet de faire baisser le prix des cassettes et, par là, d'augmenter la quantité échangée. Examinons à présent ce qui se passe lorsque l'offre et la demande évoluent simultanément.

Le tableau de la figure 4.11 rassemble les données qui décrivent, d'une part, les quantités initialement offertes et demandées et, d'autre part, les nouvelles quantités offertes et demandées après la diminution du prix des baladeurs et l'amélioration des techniques de production. Le graphique 4.11 illustre ces mêmes données. Le point d'intersection des courbes d'offre et de demande initiales (en bleu) correspond à un prix de 3 $ par cassette et à une quantité échangée de 4 millions de cassettes par semaine. Les nouvelles courbes de demande et d'offre (en rose) se croisent en un point qui correspond également à un prix de 3 $ par cassette, mais à une quantité échangée qui est maintenant de 8 millions de cassettes par semaine.

Une augmentation de la demande *ou* de l'offre se traduit par un accroissement de la quantité échangée. Par conséquent, quand l'offre et la demande augmentent simultanément, la quantité échangée s'accroît également.

Une augmentation de la demande entraîne une hausse des prix et une augmentation de l'offre, une baisse des prix. Dans ce cas, nous ne pouvons donc pas prévoir dans quel sens évoluera le prix si la demande et l'offre évoluent simultanément. Dans cet exemple, les augmentations simultanées de l'offre et de la demande sont telles que leurs effets s'annulent : la hausse de prix provoquée par l'augmentation de la demande compense exactement la baisse de prix entraînée par l'augmentation de l'offre, et le prix reste le même. Cependant, si la demande avait augmenté un peu plus que dans notre exemple, le prix aurait augmenté. En revanche, si l'offre avait augmenté un peu plus, le prix aurait baissé.

Nous voici maintenant en mesure de formuler deux autres prédictions.

■ Si la demande et l'offre augmentent *simultanément,* la quantité échangée s'accroît et le prix augmente, baisse, ou reste le même.

■ Si la demande et l'offre diminuent *simultanément,* la quantité échangée baisse et le prix augmente, baisse, ou reste le même.

**La demande et l'offre évoluent dans des directions opposées**    Voyons maintenant ce qui se produit lorsque la demande et l'offre évoluent simultanément, mais dans des directions *opposées.* Reprenons l'exemple du marché des cassettes, mais supposons cette fois que l'offre augmente et que la demande diminue. Supposons que, comme dans le cas précédent, une innovation dans les techniques de production engendre une augmentation de l'offre de cassettes. Imaginons maintenant qu'en plus de cette augmentation de l'offre de cassettes le prix des lecteurs de disques compacts baisse. Nous avons vu

**FIGURE 4.11**

## Les effets d'une augmentation simultanée de l'offre et de la demande

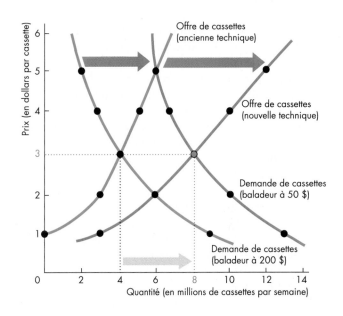

| | **Quantités initiales** (en millions de cassettes par semaine) | | **Nouvelles quantités** (en millions de cassettes par semaine) | |
|---|---|---|---|---|
| **Prix** (en dollars par cassette) | **Quantité demandée** (baladeur à 200 $) | **Quantité offerte** (ancienne technique) | **Quantité demandée** (baladeur à 50 $) | **Quantité offerte** (nouvelle technique) |
| 1 | 9 | 0 | 13 | 3 |
| 2 | 6 | 3 | 10 | 6 |
| 3 | 4 | 4 | 8 | 8 |
| 4 | 3 | 5 | 7 | 10 |
| 5 | 2 | 6 | 6 | 12 |

Lorsqu'un baladeur coûte 200 $ et que les cassettes sont fabriquées avec l'ancienne technique, le prix d'une cassette est de 3 $ et la quantité échangée est de 4 millions de cassettes par semaine. Une baisse du prix du baladeur fait augmenter la demande de cassettes, tandis que le progrès technique fait augmenter leur offre. La courbe d'offre croise la nouvelle courbe de demande à un prix unitaire de 3 $. Le prix est le même, mais la quantité échangée est passée à 8 millions de cassettes par semaine. L'augmentation simultanée de l'offre et de la demande a eu pour effet d'accroître les ventes des cassettes sans en modifier le prix.

que le lecteur de disques compacts était un *substitut* des cassettes. Les lecteurs de disques compacts étant moins chers, plus de gens en achètent et remplacent les cassettes par des disques compacts. Par conséquent, la demande de cassettes diminue.

Le tableau de la figure 4.12 montre, d'une part, les barèmes des quantités initialement offertes et demandées et, d'autre part, les barèmes des nouvelles quantités offertes et demandées. Le graphique illustre ces mêmes barèmes. Les quantités initiales sont indiquées en bleu et les nouvelles, en rose. Le point d'intersection des courbes d'offre et de demande initiales correspond à un prix de 5 $ par cassette et à une quantité échangée de 6 millions de cassettes par semaine. Les nouvelles courbes de demande et d'offre se croisent en un point qui correspond à un prix de 2 $ par cassette et à la quantité initialement échangée, c'est-à-dire 6 millions de cassettes par semaine.

Une diminution de la demande *ou* une augmentation de l'offre se traduit par une baisse des prix. Par conséquent, lorsqu'il y a à la fois diminution de la demande et augmentation de l'offre, le prix baisse.

Une diminution de la demande entraîne une diminution de la quantité échangée, et une augmentation de l'offre provoque une augmentation de la quantité échangée, de sorte qu'il nous est impossible de prévoir dans quel sens évoluera la quantité échangée lorsque la demande diminue et que l'offre augmente en même temps. Dans cet exemple, la diminution de la demande et l'augmentation de l'offre sont telles que l'augmentation de la quantité échangée, provoquée par l'augmentation de l'offre, compense exactement la diminution de la quantité échangée, provoquée par la diminution de la demande. Par conséquent, la quantité échangée reste la même. Si la demande avait diminué un peu plus que dans l'exemple étudié ici, la quantité échangée aurait diminué. En revanche, si l'offre avait augmenté un peu plus que dans l'exemple de la figure, la quantité échangée aurait augmenté.

Nous pouvons donc formuler deux autres prédictions.

■ Si la demande diminue et que l'offre augmente, le prix baisse et la quantité échangée augmente, diminue, ou reste la même.

■ Si la demande augmente et que l'offre diminue, le prix augmente et la quantité échangée augmente, diminue, ou reste la même.

## Les lecteurs de disques compacts, le café et les bananes

Au début de ce chapitre, nous avons examiné quelques faits concernant les prix et les quantités échangées des lecteurs de disques compacts, du café et des bananes. Pour expliquer les changements qui surviennent dans les prix et les quantités échangées de ces biens, nous ferons encore une fois appel à la théorie de l'offre et de la demande.

### FIGURE 4.12

## Les effets d'une diminution de la demande et d'une augmentation de l'offre

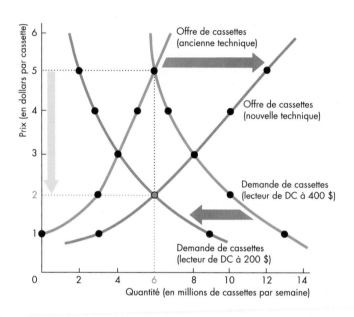

| | **Quantités initiales** (en millions de cassettes par semaine) | | **Nouvelles quantités** (en millions de cassettes par semaine) | |
|---|---|---|---|---|
| **Prix** (en dollars par cassette) | **Quantité demandée** (lecteur de DC à 400 $) | **Quantité offerte** (ancienne technique) | **Quantité demandée** (lecteur de DC à 200 $) | **Quantité offerte** (nouvelle technique) |
| 1 | 13 | 0 | 9 | 3 |
| 2 | 10 | 3 | 6 | 6 |
| 3 | 8 | 4 | 4 | 8 |
| 4 | 7 | 5 | 3 | 10 |
| 5 | 6 | 6 | 2 | 12 |

Lorsqu'un lecteur de disques compacts se vend 400 $ et que les cassettes sont fabriquées avec l'ancienne technique, le prix d'une cassette est de 5 $ et la quantité échangée est de 6 millions de cassettes par semaine. Une baisse du prix du lecteur de disques compacts fait diminuer la demande de cassettes, tandis que le progrès technique fait augmenter leur offre. La nouvelle courbe d'offre croise la nouvelle courbe de demande à un prix unitaire de 2 $. Le prix est moins élevé mais, dans ce cas, la quantité échangée demeure stable à 6 millions de cassettes par semaine. La diminution de la demande et l'augmentation de l'offre ont pour effet de faire baisser le prix, mais la quantité échangée demeure la même.

**FIGURE 4.13**

## Les prix : chute, montée et fluctuation

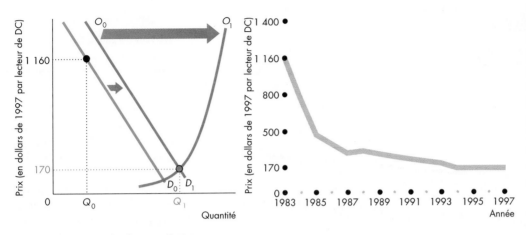

**(a) La chute du prix des lecteurs de DC**

Une augmentation importante de l'offre de lecteurs de disques compact (de $O_0$ à $O_1$) combinée à une légère augmentation de la demande (de $D_0$ à $D_1$) a fait augmenter la quantité de lecteurs de disques compacts échangée (de $Q_0$ à $Q_1$). Le prix moyen d'un lecteur de disques compacts, qui était de 1 160 $ en 1983, n'est plus que de 170 $ en 1997. Les prix ont dégringolé.

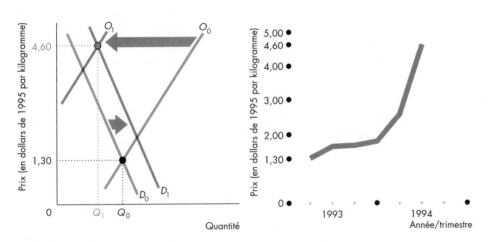

**(b) La montée vertigineuse du prix du café**

Une baisse importante de l'offre du café (de $O_0$ à $O_1$) combinée à une légère augmentation de la demande a fait baisser la quantité échangée (de $Q_0$ à $Q_1$) et a entraîné l'augmentation du prix du café, qui est passé de 1,30 $ le kilogramme au deuxième trimestre de 1993 à 4,60 $ le kilogramme au troisième trimestre de 1994. Il s'agit là d'une montée vertigineuse.

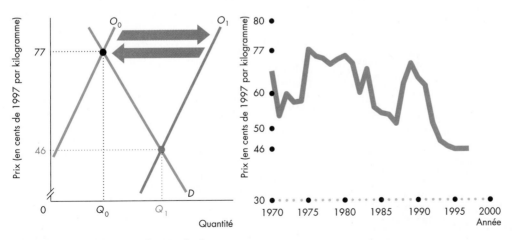

**(c) Les montagnes russes ou le prix des bananes**

La demande de bananes (D) demeure constante, mais l'offre fluctue entre $O_0$ et $O_1$. Par ricochet, le prix des bananes a fluctué entre 46 ¢ et 77 ¢ le kilogramme — des montagnes russes, quoi !

# L'effet de l'offre et de la demande sur le prix des téléavertisseurs

## Les faits
### EN BREF

■ Le progrès de la technologie des téléavertisseurs a fait baisser le prix de ces appareils, qu'on utilise maintenant à de nouvelles fins.

■ Par exemple, un restaurant à grande affluence distribue des téléavertisseurs pour appeler ses clients dès qu'une table se libère ; une garderie prête des téléavertisseurs aux parents le matin ; un fermier japonais se sert d'un téléavertisseur pour dire à ses vaches de rentrer à l'heure de la traite.

■ De nouveaux modèles de téléavertisseurs visent la clientèle des particuliers.

■ Bien que le prix des téléphones cellulaires baisse encore plus rapidement que celui des téléavertisseurs, les ventes de téléavertisseurs augmentent de 25 % par année et ne donnent aucun signe de fléchissement.

THE BOSTON GLOBE, LE 6 MAI 1994

## Une personne avertie en vaut deux

PAR MICHAEL PUTZEL

WASHINGTON — Attention ! Ne regardez pas tout de suite, mais quelqu'un essaie d'attirer votre attention...

Séduits par une technologie de plus en plus efficace et de moins en moins coûteuse, et par une guerre des prix qui met les téléavertisseurs à la portée de leur bourse, toutes sortes de gens se promènent maintenant avec un « messageur ».

Ainsi, on voit de plus en plus d'établissements à grande affluence comme le Bugaboo Creek Family Steak House, un restaurant du Massachusetts, remettre des téléavertisseurs à leurs clients pour les prévenir dès qu'une table se libère.

À Tigard, en Ontario, le personnel de la garderie Kid Klubhouse prête un téléavertisseur au parent qui dépose son enfant le matin. On peut ainsi l'avertir et le consulter si un problème se pose dans la journée.

Pas mal... mais il y a mieux ! Au Japon, un producteur de lait appelle ses vaches chaque soir à l'heure de la traite en envoyant un signal à l'animal de tête, qui porte au cou non pas une cloche, mais un téléavertisseur. Dès qu'il perçoit les vibrations, l'animal se dirige vers l'étable. Je n'ai pas le nom de ce fermier, mais on me jure que l'histoire est authentique !

Récemment, les fabricants de téléavertisseurs ont lancé sur le marché deux nouveaux modèles d'appareils destinés à une clientèle non commerciale ; ils visent ainsi le secteur le plus actif de cette industrie de croissance. Les téléavertisseurs ou messageurs (termes préférables à « bip », d'autant plus que la plupart n'émettent plus ce fameux bip) sont maintenant disponibles dans toute la gamme de couleurs à la mode (Que diriez-vous d'un bleu canard ? À moins que vous ne préfériez un petit bleu sarcelle ?). Et leurs fonctions, de la transmission de signaux musicaux à la diffusion instantanée de bulletins d'actualités, ne cessent de se multiplier.

On attend le lancement, prévu pour la fin de l'année, d'une montre Seiko avec téléavertisseur intégré qui permettra d'afficher de courts messages, les résultats sportifs et les numéros de loterie gagnants. Et on fabrique en ce moment même des téléavertisseurs bidirectionnels qui permettront de répondre à un signal reçu ; ils devraient être mis en vente sous peu.

Comme la baisse du prix des téléphones cellulaires est encore plus rapide que celle des téléavertisseurs, on pourrait penser que les téléphones sans fil sont à la veille de remplacer les messageurs. Or, selon un analyste spécialisé dans le domaine de la téléphonie sans fil, rien n'indique que cela se produira dans un avenir prévisible, et des études montrent que les ventes de téléavertisseurs continueront à progresser d'environ 25 % par année.

# Analyse

## ÉCONOMIQUE

■ La figure 1 illustre le marché des téléavertisseurs. La courbe de la demande est la courbe *D* et la courbe d'offre initiale, la courbe $O_0$. Le prix d'un téléavertisseur est de 300 $ et il s'en vend 1 million par année.

■ Toutes autres choses étant égales, plus le prix des téléavertisseurs est bas, plus l'usage de ces appareils se diversifie : on s'en sert pour avertir qu'une table est prête au restaurant, qu'un enfant à la garderie est malade ou même pour appeler les vaches à l'heure de la traite !

■ Les progrès de la technologie et l'accroissement du nombre de fabricants de téléavertisseurs ont entraîné une augmentation de l'offre, et la courbe d'offre dans la figure 1 s'est déplacée vers la droite en $O_1$.

■ Dans cet exemple, si ces changements avaient été les seuls facteurs d'influence sur le marché des téléavertisseurs, le prix d'un appareil aurait chuté à 200 $ et la quantité demandée aurait augmenté à 7 millions par année, comme le montre le mouvement le long de la courbe de demande.

■ Mais un autre facteur a eu une incidence sur le marché des téléavertisseurs. En effet, le progrès technique a provoqué une augmentation de l'offre et une baisse du prix de tous les appareils de téléphonie sans fil, notamment celui des téléphones cellulaires, qui sont des substituts des téléavertisseurs.

■ La chute des prix des téléphones cellulaires (substituts des téléavertisseurs) a eu pour effet de faire baisser la demande de téléavertisseurs. La courbe de demande s'est déplacée vers la gauche, de $D_0$ à $D_1$, comme l'illustre la figure 2.

■ Dans cet exemple, la diminution de la demande de téléavertisseurs en a fait baisser encore plus le prix, qui se situe à présent à 100 $, et en a fait diminuer la quantité offerte, comme le montre le mouvement le long de la courbe d'offre dans la figure 2.

■ L'augmentation de l'offre des téléavertisseurs et la diminution de la demande de ces mêmes appareils ont eu pour effet d'en faire baisser le prix.

■ Mais, comme l'augmentation de la quantité demandée est plus importante dans la figure 1 que la diminution de la quantité offerte dans la figure 2, la quantité échangée a augmenté.

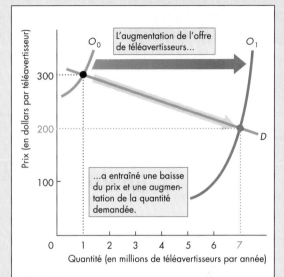

**Figure 1**

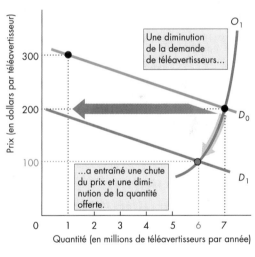

**Figure 2**

# Pleins
## FEUX
### sur les
### politiques

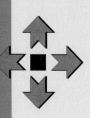

# L'offre et la demande en action

## Hausse probable du prix du lait

PAR WANDA CHOW

Au cours des prochaines semaines, les consommateurs du Manitoba devront s'attendre à une augmentation du prix du lait qui pourrait aller jusqu'à 4 ¢, augmentation due essentiellement à la hausse du coût des aliments pour le bétail.

À compter du 1er février, les producteurs de lait recevront 3,3 ¢ de plus par litre. D'après Daryl Kraft, président de la Commission de révision du prix du lait du Manitoba (chargée d'établir le prix maximum autorisé pour cette denrée), cette hausse, à laquelle viendront s'ajouter les frais de transformation, se traduira pour le consommateur par une augmentation maximale de 4 ¢ par litre, soit une augmentation de 2 % à 3 %.

Les défenseurs des intérêts des consommateurs ainsi qu'au moins un épicier de Winnipeg considèrent que c'est trop.

Joe Cantor a expliqué qu'un grand nombre de ses clients ont des revenus modiques ou reçoivent des prestations d'aide sociale. Une famille moyenne de quatre personnes devra débourser 10 $ de plus par mois, estime-t-il, « et c'est là une situation inacceptable ».

Toutefois, d'après James Wade, directeur général des Producteurs de lait du Manitoba, cette augmentation ne fera que couvrir les frais des producteurs de lait. « C'est un ajustement tout à fait justifié compte tenu de la hausse des coûts que les producteurs de lait supportent depuis six mois, et qui n'avait eu jusqu'ici aucune incidence sur le prix du lait. »

Depuis le mois d'août, le prix des aliments pour le bétail a connu une hausse « considérable », pouvant aller dans certains cas jusqu'à 20 % ou 25 %.

Après la hausse du prix du lait, le producteur moyen recevra 4 200 $ de plus par année, somme qui lui permettra tout juste de rentrer dans ses frais.

Parmi les autres facteurs à l'origine de cette hausse, on mentionne la baisse du prix de revente des bêtes improductives et l'augmentation du prix de remplacement du bétail.

Selon M. Kraft, qui est également professeur d'économie agricole à l'Université du Manitoba, la montée du prix des aliments pour le bétail serait la conséquence d'une pénurie mondiale de céréales.

## Les faits
### EN BREF

■ C'est la Commission de révision du prix du lait du Manitoba qui fixe le prix maximal autorisé pour le lait dans cette province.

■ Depuis le 1er février 1996, les producteurs de lait du Manitoba reçoivent 3,3 ¢ de plus par litre. Avec les frais connexes qui s'y ajouteront, on s'attend à ce que cette augmentation se traduise pour le consommateur par une hausse de 4 ¢, soit 2 % à 3 %, du prix du litre de lait.

■ Cette hausse du prix du lait est due essentiellement à l'augmentation du prix des aliments pour le bétail.

■ L'augmentation du prix des aliments pour le bétail résulte d'une pénurie mondiale de céréales.

# Analyse

## É C O N O M I Q U E

■ La figure I illustre le marché du lait au Manitoba. La courbe de demande est la courbe D. La courbe d'offre initiale correspond à $O_0$ et le prix d'équilibre est de 1,25 $ le litre.

■ Une augmentation du prix des aliments pour le bétail a provoqué une hausse du prix du lait et une baisse de l'offre du lait. La courbe d'offre s'est déplacée vers la gauche en $O_1$.

■ Si le prix du lait reste à 1,25 $ le litre, il y aura une pénurie de lait. La quantité demandée équivaut à $Q_0$, et la quantité offerte à $Q_2$.

■ Pour éviter une pénurie, la Commission de révision du prix du lait du Manitoba a approuvé une hausse du prix du lait qui portera le litre à 1,29 $.

■ Une hausse des prix entraîne une baisse de la quantité demandée, comme l'indique la flèche le long de la courbe de demande, et une augmentation de la quantité de lait offerte, comme le montre la flèche le long de la courbe d'offre.

■ La figure I montre que le marché a retrouvé son équilibre. La quantité de lait achetée est la même que la quantité de lait vendue et correspond à $Q_1$.

■ La figure 2 montre les fluctuations du marché des aliments pour le bétail. Ces fluctuations sont identiques à celles que subit le marché du lait. La courbe de demande est la courbe D. La courbe d'offre initiale correspond à $O_0$ et le prix d'équilibre est de 200 $ la tonne.

■ En 1995 et 1996, la production mondiale de céréales a diminué en raison de la sécheresse et des troubles politiques qui ont freiné la production en Russie.

■ La diminution de la production de céréales a entraîné la diminution de l'offre des aliments pour le bétail et la courbe d'offre s'est déplacée vers la gauche en $O_1$.

■ La diminution de l'offre a eu pour effet de faire augmenter le prix des aliments pour le bétail, qui est passé à 215 $ la tonne.

■ Une augmentation du prix des aliments pour le bétail a fait baisser la quantité demandée et augmenter la quantité offerte.

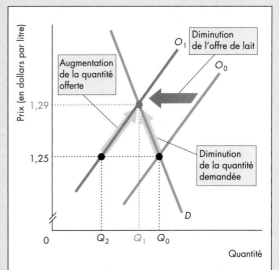

**Figure 1  Le marché du lait au Manitoba**

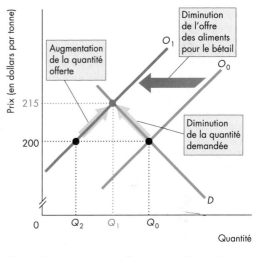

**Figure 2  Le marché des aliments pour le bétail**

## Si vous

### DEVIEZ VOTER

■ Le Manitoba a-t-il vraiment besoin d'une commission de révision du prix du lait?

■ Pourquoi ne peut-on pas laisser les pressions du marché déterminer librement le prix du lait?

■ Qu'arriverait-il si la Commission de révision du prix du lait du Manitoba n'approuvait pas une hausse de prix?

■ Voteriez-vous pour ou contre une proposition en faveur de l'abolition de la Commission de révision du prix du lait?

### Une chute de prix : les lecteurs de disques compacts

Le graphique 4.13(a) montre le marché des lecteurs de disques compacts. En 1983, quand les premiers lecteurs de disques compacts sont arrivés sur le marché, les entreprises qui en fabriquaient étaient rares et l'offre — représentée par la courbe $O_0$ — était faible. Cette même année, les titres de disques compacts n'étaient pas nombreux et la demande de lecteurs — représentée par la courbe $D_0$ — était faible. Cette année-là, les quantités offertes et demandées étaient égales à $Q_0$ et le prix d'un lecteur de disques compacts était de 1 160 $ (en dollars de 1997).

Le progrès technique et l'intensification de la production de lecteurs de disques compacts par des usines de plus en plus nombreuses ont fait augmenter l'offre, de sorte que la courbe d'offre s'est déplacée vers la droite, de $O_0$ à $O_1$. Simultanément, la hausse des revenus, combinée avec la baisse des prix des disques compacts et l'augmentation du nombre de titres de disques compacts, a provoqué un accroissement de la demande des lecteurs de disques compacts, accroissement beaucoup moindre, cependant, que celui de l'offre. La courbe de la demande s'est déplacée vers la droite, de $D_0$ à $D_1$. Avec la nouvelle courbe de demande $D_1$ et la nouvelle courbe d'offre $O_1$, le prix d'équilibre d'un lecteur de disques compacts est tombé à 170 $ et la quantité échangée a augmenté à $Q_1$.

La forte augmentation de l'offre, combinée avec la hausse plus faible de la demande, a provoqué une augmentation de la quantité de lecteurs de disques compacts échangée et une chute importante de leur prix. Le graphique 4.13(a) montre la chute du prix des lecteurs de disques compacts.

### Un prix qui monte en flèche : l'exemple du café

Le graphique 4.13(b) illustre le marché du café. Au cours du deuxième trimestre de 1993, la courbe d'offre pour le café se présentait comme $O_0$ et la courbe de demande comme $D_0$. Le prix du café était de 1,30 $ le kilogramme et la quantité échangée équivalait à $Q_0$.

Puis, plusieurs gels consécutifs au Brésil ont endommagé les caféiers et réduit considérablement la récolte, et donc l'offre de café. Cette diminution de l'offre a fait bouger la courbe d'offre vers la gauche, de $O_0$ à $O_1$. Or, au même moment, la demande augmentait légèrement. Cette augmentation au départ assez faible a été stimulée par une hausse des revenus et une augmentation de la population. La courbe de demande s'est alors déplacée vers la droite, de $D_0$ à $D_1$. L'importante chute de l'offre et une faible augmentation de la demande ont provoqué une montée rapide du prix du café, qui est passé de 1,30 $ le kilogramme au deuxième trimestre de 1993 à 4,60 $ le kilogramme au cours du troisième trimestre de 1994. Comme on le voit au graphique 4.13(b), la quantité échangée a diminué, passant de $Q_0$ à $Q_1$.

### Un prix qui fait des montagnes russes : l'exemple des bananes

Le graphique 4.13(c) illustre le marché des bananes. La demande de bananes, représentée par la courbe $D$, reste relativement stable au fil des ans. Par contre, l'offre de bananes, qui dépend surtout des conditions climatiques, fluctue entre $O_0$ et $O_1$. Elle correspond à $O_1$ si les conditions climatiques sont propices à une bonne récolte, et à $O_0$, qui indique une baisse de l'offre, si elles ne sont pas favorables. Les fluctuations de l'offre font varier la quantité échangée entre $Q_0$ et $Q_1$, c'est-à-dire entre 46 ¢ (en cents de 1997) le kilogramme (le prix le plus bas) et 77 ¢ le kilogramme (le prix le plus haut). Le graphique 4.13(c) montre la courbe du prix des bananes, qui évoque des montagnes russes.

◈ La maîtrise de la théorie de l'offre et de la demande vous permettra non seulement d'expliquer les fluctuations du prix et de la quantité échangée d'un bien, mais aussi de prévoir les fluctuations de prix. Mais vous voudrez aller plus loin. L'étude de la microéconomie vous apprendra aussi à prévoir *l'ampleur* des fluctuations, et l'étude de la macroéconomie à expliquer les fluctuations de l'économie dans son ensemble. En fait, la théorie de l'offre et de la demande peut nous aider à répondre à presque toutes les questions d'ordre économique. Vous en avez deux exemples dans la rubrique « Entre les lignes » (p. 84 et 86). Ces études de cas permettent de mieux comprendre comment les pressions exercées par l'offre et la demande définissent le monde d'aujourd'hui.

## RÉSUMÉ

### Points clés

**Le coût d'opportunité et le prix**   Le coût d'opportunité correspond au prix relatif. On peut le calculer en divisant le coût monétaire d'un bien ou d'un service par le prix (l'indice) d'un « panier » d'autres biens et services. La théorie de l'offre et de la demande explique comment sont déterminés les prix relatifs. (p. 67)

**La demande**   La quantité demandée d'un bien ou d'un service désigne la quantité que les consommateurs ont l'intention d'acheter à un prix déterminé dans une période donnée. Toutes autres choses étant égales, plus le prix d'un bien augmente, plus la quantité demandée diminue. Toute variation du prix d'un bien provoque une modification de la quantité demandée, variation qui se traduit par un mouvement le long de la courbe de demande de ce bien. La variation de tout facteur autre que le prix du bien ayant une incidence sur les intentions d'achat des consommateurs se traduit par un déplacement de la courbe de demande — vers la droite dans le cas d'une augmentation de la demande et vers la gauche dans le cas d'une diminution de la demande. (p. 68-73)

**L'offre**   La quantité offerte d'un bien ou d'un service désigne la quantité que les producteurs ont l'intention de vendre à un prix déterminé dans une période donnée. Toutes autres choses étant égales, plus le prix d'un bien augmente, plus la quantité offerte de ce bien s'accroît. Toute variation de prix d'un bien entraîne une modification de la quantité offerte, modification qui se traduit par un mouvement le long de la courbe d'offre. Tout changement autre que le prix du bien dans les plans de vente entraîne une modification de la quantité offerte, variation qui se traduit par un déplacement de la courbe d'offre — vers la droite dans le cas d'une augmentation de l'offre, et vers la gauche dans le cas d'une diminution de l'offre. (p. 73-76)

**La détermination des prix**   Plus le prix est élevé, plus la quantité offerte est grande et plus la quantité demandée est faible. Au prix d'équilibre, la quantité demandée est égale à la quantité offerte. Lorsque le prix est supérieur au prix d'équilibre, il y a surplus — la quantité demandée est plus faible que la quantité offerte — et le prix baisse. Lorsque que le prix est inférieur au prix d'équilibre, il y a pénurie — la quantité offerte est moins grande que la quantité demandée — et le prix monte. (p. 76-78)

**La prédiction des variations dans les prix et les quantités échangées**   Une augmentation de la demande entraîne une hausse des prix et un accroissement de la quantité échangée. Inversement, une baisse de la demande provoque une diminution du prix et de la quantité échangée. Une augmentation de l'offre donne lieu à un accroissement de la quantité échangée et à une baisse du prix. Une diminution de l'offre entraîne une diminution de la quantité échangée et une augmentation du prix. (p. 78-88)

**Figures et tableaux clés**

**Mots clés**

## Q U E S T I O N S     D E     R É V I S I O N

1. Qu'est-ce qui distingue un coût monétaire et un prix relatif? Lequel des deux est un coût d'opportunité? Pourquoi?
2. Qu'est-ce que la quantité demandée d'un bien ou d'un service?
3. Qu'est-ce que la quantité offerte d'un bien ou d'un service?
4. Énumérez les principaux facteurs qui influent sur la demande des consommateurs en expliquant pour chacun si une variation à la hausse entraînera une augmentation ou une diminution de cette demande.
5. Énumérez les principaux facteurs qui influent sur l'offre faite par les producteurs en expliquant pour chacun d'entre eux si une variation à la hausse entraînera une augmentation ou une diminution de cette offre.
6. Énoncez la loi de l'offre et de la demande.

7. Si la quantité disponible d'un bien est constante, que nous révèle la courbe de demande sur le prix que les consommateurs sont prêts à payer pour obtenir cette quantité fixe du bien?

8. Si les consommateurs ne désirent acheter qu'une quantité fixe d'un bien, que nous révèle la courbe d'offre sur le prix auquel les entreprises sont prêtes à vendre cette quantité?

9. Quelle est la différence entre:
   a) une modification de la demande et une modification de la quantité demandée?
   b) une modification de l'offre et une modification de la quantité offerte?

10. Pourquoi le prix d'équilibre est-il celui où la quantité demandée est égale à la quantité offerte?

11. Quel est l'effet sur le prix des cassettes et sur la quantité de cassettes vendues...
   a) d'une augmentation du prix des disques compacts?
   b) d'une augmentation du prix des baladeurs?
   c) d'une augmentation de l'offre de lecteurs de disques compacts?
   d) d'une situation où le revenu des consommateurs augmente et où les fabricants de cassettes adoptent de nouvelles techniques qui réduisent les coûts de production?
   c) d'une augmentation des prix des moyens de production qu'on utilise pour fabriquer les cassettes?

## A N A L Y S E   C R I T I Q U E

1. Étudiez le marché du lait au Manitoba («Entre les lignes», p. 86), puis:
   a) Expliquez pourquoi l'offre du lait a diminué.
   b) Tracez un diagramme de l'offre et de la demande pour expliquer ce qui est arrivé au prix du lait et à la quantité échangée.
   c) Expliquez ce qui est arrivé à la demande de lait et à la quantité demandée.
   d) Expliquez ce qui est arrivé au marché mondial d'aliments pour le bétail.

2. Étudiez le marché des téléavertisseurs («Entre les lignes», p. 84), puis:
   a) Décrivez les variations de prix des téléavertisseurs et des quantités vendues.
   b) Tracez un diagramme de l'offre et de la demande pour expliquer les variations du prix des téléavertisseurs et de la quantité échangée.

3. Pourquoi, en dépit de la stabilité du prix des cassettes audio, le nombre de cassettes achetées ne cesse-t-il d'augmenter chaque année? Pourquoi les entreprises vendent-elles plus de cassettes, même si elles n'en obtiennent pas un prix plus élevé, et pourquoi les consommateurs continuent-ils à acheter davantage de cassettes, même si leur prix n'a pas baissé depuis une décennie?

4. Le gouvernement fédéral a réduit de 50 % la flottille de pêche de la Colombie-Britannique. Quels effets aura cette décision sur le prix du saumon de la Colombie-Britannique et sur la quantité échangée?

5. Après la guerre du Golfe, l'ONU a interdit toute importation de pétrole en provenance de l'Irak. Cette interdiction a-t-elle entraîné une pénurie de pétrole? Expliquez votre réponse.

6. Pour des raisons de santé publique, de nombreux pays ont banni l'utilisation de l'amiante dans la construction de bâtiments. Quel effet aura cette décision sur le prix de l'amiante et sur la quantité échangée?

## P R O B L È M E S

1. Associez chacun des événements suivants à l'effet qu'il produira.

### Événements

a) Le prix de l'essence est à la hausse.
b) Le prix de l'essence est à la baisse.
c) On abolit les limites de vitesse sur les autoroutes.
d) On invente un moteur qui consomme une quantité minime d'un carburant peu coûteux.
e) La population double.
f) La robotisation fait baisser le coût de production des voitures.

g) On adopte une nouvelle loi interdisant l'importation de voitures en provenance du Japon.

h) Les primes d'assurance-automobile augmentent de 100 %.

i) On hausse l'âge minimal pour obtenir un permis de conduire.

j) On découvre une énorme réserve de pétrole de haute qualité au Mexique.

k) Les pressions de groupes écologiques entraînent la fermeture de toutes les centrales nucléaires.

l) Le prix des voitures est à la hausse.

m) Le prix des voitures est à la baisse.

n) La température moyenne en été est de dix degrés au-dessous de la normale.

**Effet**

1. Mouvement le long de la courbe de demande du pétrole

2. Déplacement vers la droite de la courbe de demande du pétrole

3. Déplacement vers la gauche de la courbe de demande du pétrole

4. Mouvement le long de la courbe d'offre du pétrole

5. Déplacement vers la droite de la courbe d'offre du pétrole

6. Déplacement vers la gauche de la courbe d'offre du pétrole

7. Mouvement le long de la courbe de demande des voitures

8. Mouvement le long de la courbe d'offre des voitures

9. Mouvement vers la droite de la courbe de demande des voitures

10. Mouvement vers la gauche de la courbe de demande des voitures

11. Déplacement vers la droite de la courbe d'offre des voitures

12. Déplacement vers la gauche de la courbe d'offre des voitures

13. Hausse du prix de l'essence

14. Diminution de la quantité d'équilibre du pétrole

2. La figure suivante illustre le marché de la pizza.

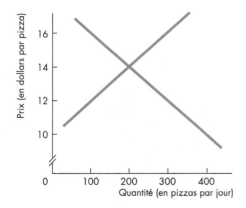

a) Étiquetez les courbes.

b) Quel est le prix d'équilibre d'une pizza ?

c) Quelle est la quantité de pizzas échangée ?

d) Décrivez le marché de la pizza lorsque le prix est de 12 $ l'unité.

e) Décrivez le marché de la pizza lorsque le prix est de 15 $ l'unité.

3. Pour la gomme à mâcher, le barème d'offre et le barème de demande s'établissent comme suit :

| Prix<br>(en cents par paquet) | Quantité<br>demandée<br>(en millions de paquets par semaine) | Quantité<br>offerte |
|---|---|---|
| 10 | 200 | 0 |
| 20 | 180 | 30 |
| 30 | 160 | 60 |
| 40 | 140 | 90 |
| 50 | 120 | 120 |
| 60 | 100 | 140 |
| 70 | 80 | 160 |
| 80 | 60 | 180 |
| 90 | 40 | 200 |

a) Quel est le prix d'équilibre du paquet de gomme à mâcher ?

b) Quelle est la quantité d'équilibre de la gomme à mâcher ?

4. Supposons qu'un incendie majeur détruise la moitié des fabriques de gomme à mâcher, réduisant ainsi de moitié la quantité offerte selon le barème d'offre établi précédemment.

c) Quel est le nouveau prix d'équilibre du paquet de gomme à mâcher ?

d) Quelle est la nouvelle quantité d'équilibre de la gomme à mâcher ?

e) Y a-t-il un mouvement le long de la courbe d'offre ou un déplacement de la courbe d'offre ?

f) Y a-t-il un mouvement le long de la courbe de demande ou un déplacement de la courbe de demande ?

g) Supposons que les usines incendiées soient reconstruites et qu'elles reprennent progressivement la production de la gomme à mâcher ; qu'arriverait-il :

(i) au prix du paquet de gomme à mâcher ?

(ii) à la quantité échangée ?

(iii) à la courbe de demande ?

(iv) à la courbe d'offre ?

5. Supposons que le barème de demande et le barème d'offre pour la gomme à mâcher soient ceux qu'on indique au problème précédent. Une augmentation de la population adolescente fait grimper de 40 millions de paquets par semaine la demande de gomme à mâcher.

a) Établissez le nouveau barème de demande pour la gomme à mâcher.

b) Quelle est la nouvelle quantité d'équilibre de la gomme à mâcher?

c) Quel est le nouveau prix d'équilibre du paquet de gomme à mâcher?

d) Y a-t-il un mouvement le long de la courbe de demande ou un déplacement de la courbe de demande?

e) Y a-t-il un mouvement le long de la courbe d'offre ou un déplacement de la courbe d'offre?

6. Supposons que le barème de demande et le barème d'offre pour la gomme à mâcher soient les mêmes qu'au problème nº 3. Une augmentation de la population adolescente entraîne une augmentation de la demande de gomme à mâcher de 40 millions de paquets par semaine et, au même moment, se produit un incendie semblable à celui décrit dans le problème nº 3, qui détruit la moitié des fabriques de gomme à mâcher.

a) Tracez le graphique de la courbe de demande et de la courbe d'offre initiales.

b) Quelle est la nouvelle quantité d'équilibre de la gomme à mâcher?

c) Quel est le nouveau prix d'équilibre du paquet de gomme à mâcher?

7. Complétez le tableau ci-dessous en ajoutant dans chaque colonne une flèche dirigée vers le haut pour indiquer une augmentation, une flèche dirigée vers le bas pour indiquer une diminution, et un point d'interrogation pour indiquer une situation indéterminée (augmentation ou diminution selon l'ampleur de la modification de l'offre et de la demande). Un conseil: pour faire ce tableau, établissez séparément pour chaque cas un barème de demande et un barème d'offre.

|  | Augmentation de la demande | Pas de changement de la demande | Diminution de la demande |
|---|---|---|---|
| Augmentation de l'offre | P<br>Q | P<br>Q | P<br>Q |
| Pas de changement de l'offre | P<br>Q | P<br>Q | P<br>Q |
| Diminution de l'offre | P<br>Q | P<br>Q | P<br>Q |

« *Si un événement quelconque venait à déplacer l'échelle de production de son point d'équilibre, des forces contraires entreraient immédiatement en action pour l'y rétablir, exactement comme dans le cas d'une pierre suspendue à une corde qui, lorsqu'on l'écarte de son point d'équilibre, y retourne sous la force de la gravité.* »

ALFRED MARSHALL, *PRINCIPES D'ÉCONOMIE POLITIQUE*

# La loi de l'offre et de la demande : genèse d'une découverte

**LES QUESTIONS ET LES IDÉES**

Comment les prix sont-ils fixés ? Antoine-Augustin Cournot a été le premier à répondre à cette question en formulant la loi de l'offre et de la demande dans les années 1830. Mais ce fut l'avènement des chemins de fer, vers 1850, qui donna une application pratique à cette toute nouvelle théorie. En effet, il s'agissait là d'une avancée technologique aussi révolutionnaire à l'époque que le transport aérien au XX^e siècle, et, comme les compagnies aériennes de nos jours, les compagnies de chemins de fer se livraient à une concurrence acharnée.

En Angleterre, Dionysius Lardner utilisa la théorie de la loi de l'offre et de la demande pour montrer aux compagnies ferroviaires comment augmenter leurs bénéfices en réduisant les tarifs sur les longs trajets, où la concurrence était féroce, et en augmentant ceux des trajets plus courts, où la concurrence des autres services de transport était plus faible. Les principes de cette théorie, à laquelle Lardner trouva la première application pratique, servent encore aujourd'hui aux économistes pour déterminer les tarifs qui permettront aux compagnies aériennes de maximiser les profits que leur rapporte le transport des marchandises et des voyageurs. En effet, comme pour les chemins de fer d'autrefois, l'organisation en étoile des routes aériennes autour des aéroports permet aux compagnies aériennes de limiter fortement la concurrence sur les trajets locaux, pour lesquels elles peuvent imposer des tarifs élevés (par kilomètre parcouru). Par contre, elles sont obligées de réduire au minimum les tarifs des vols extérieurs, qui font l'objet d'une concurrence féroce. Ce système tarifaire ressemble beaucoup à celui qu'appliquaient les compagnies ferroviaires au siècle dernier.

En France, Jules Dupuit se servit de la loi de la demande pour prévoir le rendement des ponts ferroviaires. Son travail allait être à l'origine de ce qu'on appelle aujourd'hui l'*analyse coûts-bénéfices*. Les économistes ont encore recours aux principes découverts par Dupuit pour prévoir les coûts et les bénéfices des autoroutes, des aéroports, des barrages et des centrales électriques.

**HIER...** *DUPUIT A UTILISÉ la loi de la demande pour déterminer si la construction d'un pont ou d'un canal serait assez bien accueillie par les utilisateurs pour en justifier les coûts. Après avoir établi la relation entre les coûts de production et l'offre, Lardner se servit de la théorie de l'offre et de la demande pour prévoir les coûts, les prix et les bénéfices des services ferroviaires. Cette théorie permit également de trouver des moyens d'accroître les revenus en augmentant les tarifs des trajets courts et en diminuant les tarifs du transport des marchandises sur de longues distances.*

*De nos jours, les économistes appliquent les principes établis par Dupuit pour déterminer si l'expansion d'un aéroport et des installations de contrôle en justifie les coûts, et les compagnies aériennes recourent aux principes conçus par Lardner pour établir leurs tarifs et planifier les rabais. Comme les compagnies ferroviaires, les compagnies aériennes fixent des tarifs élevés (par kilomètre parcouru) pour les trajets de courte distance, où la concurrence est faible, et appliquent des tarifs plus bas aux vols long-courrier, qui font l'objet d'une concurrence acharnée.*

Antoine-Augustin Cournot

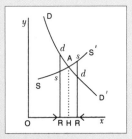

## LES ÉCONOMISTES ANTOINE-AUGUSTIN COURNOT ET ALFRED MARSHALL

Antoine-Augustin Cournot (1801-1877), professeur de mathématiques à l'Université de Lyon, en France, fut le premier à tracer une courbe de demande dans les années 1830. L'ingénieur et économiste français Jules Dupuit (1804-1866) en fit la première application pratique en calculant le rendement potentiel d'un pont et les frais de péage adéquats, advenant sa construction.

Professeur de philosophie à l'Université de Londres, l'Irlandais Dionysius Lardner (1793-1859) fut le premier à appliquer la théorie de l'offre et de la demande pour établir la relation entre les coûts de production et l'offre. Surnommé par les scientifiques de l'époque « Dionysius Diddler » (Dionysius l'escroc), Lardner s'exerça à résoudre un nombre incroyable de problèmes dans des domaines allant de l'astronomie à la construction de voies ferrées en passant par la science économique. Personnage haut en couleur, il aurait probablement été l'invité parfait pour des débats télévisés s'ils avaient existé dans les années 1850. On sait que Lardner a rendu visite à l'École des ponts et chaussées à Paris ; il a probablement beaucoup appris de Dupuit, qui rédigeait alors *De la mesure de l'utilité des travaux publics*, un ouvrage économique marquant.

Plusieurs autres chercheurs ont contribué à affiner la théorie de l'offre et de la demande. C'est cependant à Alfred Marshall (1842-1924) qu'on en doit la première formulation complète et approfondie assimilable à celle qu'on connaît aujourd'hui. Professeur d'économie politique à l'Université de Cambridge, en Angleterre, Marshall publie en 1890 *Principles of Economics*, un traité monumental connu en français sous le titre *Principes d'économie politique*, qui fera autorité pendant presque un demi-siècle. Dans son analyse, Marshall — qui était pourtant très bon mathématicien — ne fait guère appel aux mathématiques ni même aux graphiques. Il relègue à une note en bas de page son diagramme de l'offre et de la demande, que nous reproduisons ici dans son format original.

Alfred Marshall

Pour décrire une courbe de demande à pente négative, on utilise l'équation suivante :

$$P = a - bQ_D,$$

où $P$ représente le prix et $Q_D$, la quantité demandée. Si le prix est $a$, les acheteurs ne sont pas disposés à acheter le bien. Une baisse du prix a pour effet de faire augmenter la quantité demandée. De même, l'équation de la demande nous indique le prix le plus élevé que les acheteurs sont prêts à payer pour se procurer une quantité déterminée de ce bien. Une augmentation de la quantité entraîne une baisse du prix que les acheteurs sont disposés à payer pour ce bien.

Pour décrire une courbe d'offre à pente positive, on utilise l'équation suivante :

$$P = c + dQ_O,$$

où $Q_O$ représente la quantité offerte. Lorsque le prix est $c$, les vendeurs ne sont pas disposés à vendre ce bien. Une hausse de prix entraîne une augmentation de la quantité offerte. De la même façon, l'équation de l'offre nous indique le prix le plus bas auquel les vendeurs consentiraient à offrir une quantité déterminée de ce bien. Un accroissement de la quantité provoque une hausse du prix de vente.

Le prix fluctue et finit par atteindre un équilibre. Lorsque l'équilibre est atteint, la quantité demandée est égale à la quantité offerte. On a alors :

$$Q_D = Q_O.$$

Pour trouver le prix d'équilibre ($P^*$) et la quantité d'équilibre $Q^*$, on pose :

$$Q_D = Q_O = Q^*.$$

Il s'ensuit que :

$$P^* = a - bQ^*$$
$$P^* = c + dQ^*.$$

On résout ces deux équations pour $Q^*$ :

$$c + dQ^* = a - bQ^*$$
$$bQ^* + dQ^* = a - c$$
$$(b + d)Q^* = a - c$$
$$Q^* = \frac{a - c}{b + d}.$$

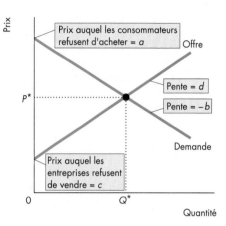

Pour trouver le prix d'équilibre ($P^*$), on substitue à $Q^*$ $\frac{a - c}{b + d}$ soit dans l'équation de la demande, soit dans celle de l'offre. Ainsi, dans le cas de l'équation de la demande, on aura :

$$P^* = a - b\left(\frac{a - c}{b + d}\right)$$

$$P^* = \frac{a(b + d) - b(a - c)}{b + d}$$

$$P^* = \frac{ad + bc}{b + d}.$$

Nous pouvons alors voir l'incidence de la modification de l'offre et de la demande sur les prix et la quantité échangée.

- Si la demande s'accroît, $a$ augmente, et $P^*$ et $Q^*$ augmentent.
- Si la demande baisse, $a$ diminue, et $P^*$ et $Q^*$ diminuent.
- Si l'offre s'accroît, $c$ diminue, $P^*$ diminue et $Q^*$ augmente.
- Si l'offre baisse, $c$ augmente, $P^*$ augmente et $Q^*$ diminue.

# Chapitre

# 5

# L'élasticité

**Objectifs
du chapitre**

- Définir et calculer l'élasticité de la demande par rapport au prix

- Expliquer ce qui détermine l'élasticité de la demande

- Déterminer, à l'aide de l'élasticité-prix de la demande, si une variation de prix fait augmenter ou diminuer les recettes

- Définir et calculer d'autres types d'élasticité de la demande

- Définir et calculer l'élasticité de l'offre

# Le dilemme de la fixation des prix

Vous êtes responsable de la stratégie économique de La Belle Pizza et vous voulez augmenter ses recettes. Mais vous êtes devant un dilemme : allez-vous restreindre l'offre de pizzas pour faire monter le prix ou allez-vous baisser le prix des pizzas pour en vendre davantage ? Quelle décision permettra d'augmenter les recettes de La Belle Pizza ? ◆ En tant que responsable de la stratégie économique de La Belle Pizza, vous devez tout savoir sur la demande de pizzas. Par exemple, quel serait l'effet d'une augmentation des revenus des particuliers sur la demande de pizzas ? Quels sont les substituts de la pizza ? D'autres entrepreneurs s'apprêtent-ils à créer un nouveau type de restauration rapide ? L'engouement pour les aliments santé éloignera-t-il les gens de la pizza ? ◆ La Belle Pizza n'est pas le seul producteur à faire face à ce dilemme. Ainsi, l'annonce d'une récolte exceptionnelle de raisins réjouira les consommateurs de vin puisqu'elle en fera baisser le prix. Mais est-ce une aussi bonne nouvelle pour les viticulteurs ? Leurs recettes augmenteront-elles ? Ou, au contraire, cette baisse de prix engouffrera-t-elle tous les profits générés par l'augmentation de leurs ventes ? ◆ Le gouvernement fait face lui aussi à ce genre de dilemme quand, par exemple, il décide de hausser les taxes sur le tabac et l'alcool afin d'augmenter ses recettes fiscales pour équilibrer son budget. Ces taux d'imposition plus élevés généreront-ils des recettes fiscales plus élevées ? Ou, au contraire, inciteront-ils tant de gens à opter pour des substituts du tabac et de l'alcool que l'augmentation des taxes entraînera au bout du compte une baisse des recettes fiscales ?

◇ L'étude de ce chapitre vous aidera à répondre à ces questions. Vous y apprendrez à mesurer de manière précise l'effet des variations du prix et d'autres facteurs sur les quantités achetées et vendues.

# L'élasticité-prix de la demande

ANALYSONS DE PLUS PRÈS VOTRE TÂCHE EN TANT QUE responsable de la stratégie économique de La Belle Pizza. Vous devez décider s'il faut ou non diminuer la production, et donc l'offre, en déplaçant la courbe d'offre vers la gauche afin de faire augmenter le prix. Pour prendre cette décision, vous devez connaître l'effet d'une variation de prix sur la quantité de pizzas demandée. Vous devez également savoir comment mesurer cet effet.

## L'effet d'une variation du prix sur la quantité demandée : deux scénarios

Pour comprendre l'importance de l'effet d'une variation du prix sur la quantité demandée de pizzas, comparons les deux scénarios possibles dans le cas de La Belle Pizza en nous reportant à la figure 5.1. Dans les deux graphiques de cette figure, les courbes d'offre sont identiques, mais les courbes de demande diffèrent.

Examinons d'abord la courbe d'offre initiale de pizzas ($O_o$) de chacun des deux graphiques. Remarquez que, dans les deux cas, la courbe d'offre initiale croise la courbe de demande au point qui correspond à un prix de 10 $ la pizza et à une quantité vendue de 40 pizzas par jour. Supposons maintenant que vous envisagiez de restreindre l'offre de manière à ce que la courbe d'offre se déplace de $O_o$ à $O_1$. Dans le graphique (a) de la figure 5.1, la nouvelle courbe d'offre $O_1$ croise la courbe de demande $D_a$ en un point correspondant à un prix de 30 $ la pizza et à une quantité vendue de 23 pizzas par jour. Dans le graphique (b), la courbe d'offre a subi le même déplacement, mais $O_1$ croise $D_b$ en un point correspondant à un prix de 15 $ la pizza et à une quantité vendue de 15 pizzas par jour. Dans le graphique (a), vous pouvez voir que le prix augmente davantage et que la quantité diminue moins que dans le graphique (b). Qu'advient-il des recettes totales de La Belle Pizza dans les deux cas ?

Les **recettes totales** provenant de la vente d'un bien donné sont égales au prix de ce produit multiplié par la quantité vendue. Par exemple, lorsque le prix d'une pizza est de 10 $ et qu'on vend 40 pizzas par jour, les recettes totales sont de 400 $ par jour. Ce montant est égal aux dépenses des consommateurs pour ce produit.

Une augmentation de prix exerce toujours deux effets opposés sur les recettes totales. Si le prix augmente, la recette par unité vendue augmente aussi (rectangle bleu dans le graphique), ce qui tend à augmenter les recettes totales ; par contre, le nombre d'unités vendues baisse, ce qui tend à diminuer les recettes totales (rectangle rose). L'un de ces effets peut être plus important que l'autre. Dans le graphique (a), le premier effet est le plus important (le rectangle bleu est plus grand que le

# La demande, l'offre et les recettes totales

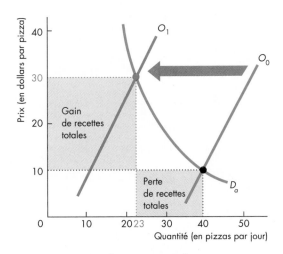

**(a) Augmentation des recettes totales**

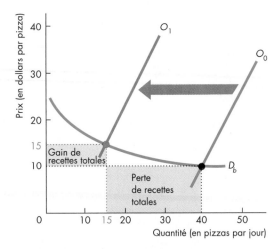

**(b) Diminution des recettes totales**

Si l'offre se déplace de $O_o$ à $O_1$, le prix augmente et la quantité vendue diminue. Dans le graphique (a), les recettes totales — la quantité vendue multipliée par le prix — passent de 400 $ à 690 $ par jour. L'augmentation des recettes engendrée par la hausse du prix (rectangle bleu) est supérieure à la baisse des recettes due à la diminution de la quantité vendue (rectangle rose). Dans le graphique (b), les recettes totales passent de 400 $ à 225 $ par jour. L'augmentation des recettes totales engendrée par la hausse du prix (rectangle bleu) est inférieure à la diminution des recettes totales engendrée par la diminution de la quantité vendue (rectangle rose). Cette différence dans l'évolution des recettes totales s'explique par le fait que les acheteurs ont réagi différemment à une même variation de prix.

rectangle rose), de sorte que les recettes totales augmentent. Par contre, dans le graphique (b), le second effet est le plus important (le rectangle rose est plus grand que le rectangle bleu), de sorte que les recettes totales diminuent.

## La pente de la courbe dépend des unités de mesure choisies

La différence entre les deux scénarios vient du fait que les acheteurs ne réagissent pas de la même façon à une variation du prix. Dans les graphiques de la figure 5.1, il est évident que la courbe de demande $D_a$ est bien plus abrupte que la courbe $D_b$. Mais on ne peut pas toujours comparer des courbes en se fiant simplement à la pente, parce que la pente d'une courbe dépend des unités de mesure utilisées pour mesurer le prix et la quantité. De plus, les courbes de demande à comparer sont souvent celles de biens différents. Par exemple, avant de modifier le taux d'imposition, le gouvernement doit comparer la demande de pizzas à la demande de tabac. Laquelle est la plus sensible à une variation de prix? Lequel des deux produits peut-on taxer davantage sans réduire les recettes fiscales? Comparer la pente de la demande de pizzas à la pente de la demande de tabac ne nous apprend rien, car la pizza se mesure en nombre de pizzas, et le tabac en kilogrammes, deux unités de mesure différentes. Comme les pentes des courbes de demande dépendent des unités utilisées pour mesurer les prix et les quantités, on ne peut pas les comparer.

Pour surmonter cette difficulté, nous devons donc nous doter d'une mesure de la sensibilité de la demande *indépendante* des unités de mesure et de prix, à savoir l'élasticité.

## L'élasticité : un concept indépendant des unités choisies

L'**élasticité-prix de la demande** est une mesure indépendante des unités de mesure et de prix, et qui permet de calculer les effets d'une variation du prix sur la quantité demandée, toutes autres choses étant égales par ailleurs. On la calcule à l'aide de la formule suivante :

$$\text{Élasticité-prix de la demande} = \frac{\text{Pourcentage de variation de la quantité demandée}}{\text{Pourcentage de variation du prix}}.$$

Comme elle est un ratio de pourcentage de changement, l'élasticité-prix de la demande n'est pas liée aux unités de mesure utilisées pour exprimer la demande. Par exemple, si nous mesurons un prix en dollars et que celui-ci passe de 1 $ à 1,50 $, nous avons une augmentation de 0,50 $. Si nous mesurons ce même prix en cents et que celui-ci passe de 100 ¢ à 150 ¢, nous avons une augmentation de 50 ¢. La première augmentation représente 0,5 unité, et la seconde 50 unités, mais dans les deux cas il s'agit d'une augmentation de 50 %.

**Le signe négatif et l'élasticité**   Lorsque le prix d'un bien *augmente*, la pente négative de la courbe de demande implique que la quantité demandée *diminue*. Étant donné qu'une variation de prix *positive* entraîne une variation *négative* de la quantité demandée, l'élasticité-prix de la demande est donc toujours négative. Cependant, c'est l'ampleur, ou *valeur absolue*, de l'élasticité-prix de la demande qui nous indique le degré de sensibilité de la demande — son degré d'élasticité. Pour comparer les élasticités, on utilise la valeur absolue de l'élasticité-prix de la demande et on élimine le signe « moins ». Et, si aucune équivoque n'est possible, on laisse souvent tomber le mot prix pour parler simplement d'élasticité de la demande.

## Le calcul de l'élasticité

Pour calculer l'élasticité de la demande, il faut connaître les quantités demandées à différents prix si tous les autres facteurs ayant une incidence sur la décision de l'acheteur demeurent constants. Supposons que nous disposions de toutes les données nécessaires sur les prix et la demande de pizzas, et que nous voulions calculer l'élasticité de la demande de pizzas.

La figure 5.2 se concentre sur la courbe de demande de pizzas et montre l'effet d'une légère variation du prix de la pizza sur la quantité demandée. Au départ, le prix est de 9,50 $ la pizza et on vend 41 pizzas par jour — point initial dans le graphique. Ensuite, le prix augmente à 10,50 $ la pizza, et le nombre de pizzas vendues diminue à 39 par jour — nouveau point dans le graphique. Lorsque le prix augmente de 1 $ par pizza, la quantité demandée diminue de 2 pizzas par jour.

Pour calculer l'élasticité de la demande, il faut exprimer les variations du prix en pourcentage du *prix moyen*, et les variations de la demande en pourcentage de la *quantité moyenne*. On calcule ainsi l'élasticité à un point de la courbe de demande situé à mi-chemin entre le point initial et le nouveau point. Le prix initial est de 9,50 $, et le nouveau prix de 10,50 $ ; le prix moyen est donc de 10 $. Une hausse du prix de 1 $ correspond à une augmentation du prix de 10 % par rapport au prix moyen, c'est-à-dire

$$\Delta P/P_{moy} = 10\%.$$

La quantité demandée initiale était de 41 pizzas, et la nouvelle quantité est de 39 pizzas ; la quantité moyenne demandée est donc de 40 pizzas. Une baisse de la quantité demandée de 2 pizzas correspond à une diminution de 5 % par rapport à la quantité moyenne demandée, c'est-à-dire

$$\Delta Q/Q_{moy} = 5\%.$$

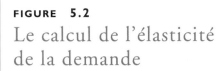

**FIGURE 5.2**

Le calcul de l'élasticité de la demande

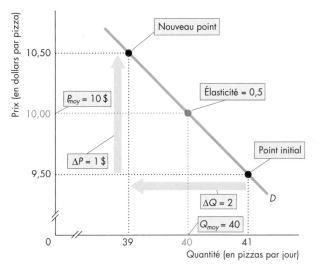

On calcule l'élasticité de la demande à l'aide de la formule suivante*:

$$\text{Élasticité-prix de la demande} = \frac{\text{Pourcentage de variation de la quantité demandée}}{\text{Pourcentage de variation du prix}}$$

$$= \frac{\%\Delta Q}{\%\Delta P}$$

$$= \frac{\dfrac{\Delta Q}{Q_{moy}}}{\dfrac{\Delta P}{P_{moy}}}$$

$$= \frac{\dfrac{2}{40}}{\dfrac{1}{10}} = 0,5.$$

Ce calcul mesure l'élasticité lorsque le prix moyen de la pizza est de 10 $, et la quantité moyenne de 40 pizzas.

\* Dans la formule, la lettre grecque delta (Δ) correspond à «variation de», et %Δ à «pourcentage de variation de».

L'élasticité-prix de la demande — le pourcentage de variation de la quantité demandée (5 %) divisé par le pourcentage de variation du prix (10 %) — est de 0,5, c'est-à-dire

$$\text{Élasticité-prix de la demande} = \frac{\%\Delta Q}{\%\Delta P}$$

$$= \frac{5\,\%}{10\,\%} = 0,5.$$

**Le prix moyen et la quantité moyenne**   On utilise le prix *moyen* et la quantité *moyenne* pour éviter d'obtenir deux élasticités différentes selon que le prix augmente ou

diminue. Une hausse de prix de 1 $ représente 10,5 % de 9,50 $, et 2 pizzas représentent 4,9 % de 41 pizzas. Si l'on utilise ces chiffres pour calculer l'élasticité, on obtient 0,47. Une baisse de prix de 1 $ représente 9,5 % de 10,50 $, et 2 pizzas représentent 5,1 % de 39 pizzas. En utilisant ces chiffres pour calculer l'élasticité, on obtient 0,54. En utilisant les valeurs moyennes du prix et de la quantité demandée, nous obtenons la même élasticité de 0,5, que le prix augmente ou qu'il baisse.

**Les pourcentages et les proportions**   L'élasticité est le ratio entre le *pourcentage* de variation de la quantité demandée et le pourcentage de variation du prix. La variation proportionnelle du prix, $\Delta P/P_{moy}$, est égale à la variation exprimée en pourcentage du prix, divisée par 100. De même, la variation proportionnelle de la quantité, $\Delta Q/Q_{moy}$, est égale à la variation exprimée en pourcentage de la quantité divisée par 100. Par conséquent, lorsque l'on divise une variation de pourcentage par une autre, le facteur 100 s'annule et le résultat est le même que si l'on utilisait les variations proportionnelles.

## La demande élastique et la demande inélastique

La figure 5.3 présente trois courbes de demande qui couvrent tout l'éventail des élasticités possibles de la demande. Dans le graphique 5.3 (a), la quantité demandée est constante quel que soit le prix. Si la quantité demandée reste constante malgré une variation du prix, l'élasticité de la demande est nulle et l'on dit que la **demande** est **parfaitement inélastique.** L'insuline est un bien pour lequel la demande est très peu élastique (probablement zéro dans une limite raisonnable de prix). Pour les diabétiques, l'insuline est si vitale que nombre d'entre eux sont prêts à acheter à n'importe quel prix, ou presque, la quantité dont ils ont besoin pour rester en santé. Cependant, même si le prix de l'insuline est bas, ils n'éprouvent pas le besoin de s'en procurer en plus grande quantité.

Si le pourcentage de variation de la quantité demandée est inférieur au pourcentage de variation du prix, l'élasticité de la demande est inférieure à 1 ; on dit alors que la **demande** de ce bien est **inélastique,** comme dans l'exemple du graphique 5.3 (a).

Si le pourcentage de variation de la quantité demandée est supérieur au pourcentage de variation du prix, l'élasticité de la demande est supérieure à 1 ; on dit alors que la **demande** de ce bien est **élastique.** La frontière entre une demande élastique et une demande inélastique se trouve là où le pourcentage de variation de la quantité demandée est égal au pourcentage de variation du prix. L'élasticité de la demande est égale à l'unité, et la **demande** est alors dite **à élasticité unitaire.** Le graphique 5.3 (b) offre un exemple de courbe de demande à élasticité unitaire.

---

**FIGURE 5.3**

# La demande inélastique et la demande élastique

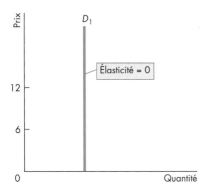

**(a) Demande parfaitement inélastique**

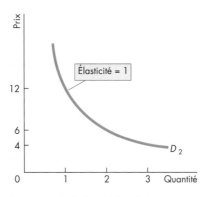

**(b) Demande à élasticité unitaire**

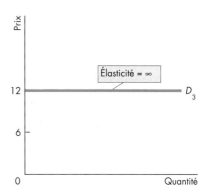

**(c) Demande parfaitement élastique**

Dans ces graphiques, l'élasticité est constante pour chaque demande illustrée. La courbe de demande du graphique (a) correspond à la courbe d'un bien dont l'élasticité-prix de la demande est zéro. La courbe de la demande du graphique (b) correspond à la courbe d'un bien dont la demande est à élasticité unitaire. La courbe de demande du graphique (c) correspond à un bien dont l'élasticité de la demande est infinie.

---

Si la demande est très sensible à une variation de prix, la valeur de la demande varie alors à l'infini et l'on a affaire à une **demande parfaitement élastique**. On trouvera au graphique 5.3 (c) un exemple de courbe de demande parfaitement élastique. Les crayons feutres vendus à la librairie du campus universitaire et au dépanneur du coin sont un bon exemple de biens dont la demande est très élastique (presque infinie). Si les deux magasins offrent des crayons feutres au même prix, les étudiants en achèteront indifféremment dans l'un ou l'autre des deux magasins. Mais, si la librairie augmente, même très légèrement, le prix des crayons feutres alors que le dépanneur maintient le sien, la demande de crayons feutres de la librairie sera nulle. Les crayons feutres vendus dans les deux magasins sont de parfaits substituts les uns pour les autres.

## L'élasticité sur une courbe de demande linéaire

L'élasticité et la pente de la courbe de demande sont deux choses distinctes, mais néanmoins reliées. Pour mieux comprendre la relation entre l'élasticité et la pente de la courbe de demande, considérons une courbe de demande à pente constante, c'est-à-dire une droite.

La figure 5.4 illustre le calcul de l'élasticité d'une courbe de demande à pente constante. Calculons l'élasticité de la demande de pizzas si le prix moyen est de 40 $, et la quantité moyenne vendue de 4 pizzas par jour. Pour cela, imaginons que le prix d'une pizza augmente,

passant de 30 $ à 50 $. La variation du prix est de 20 $, et le prix moyen de 40 $ (la moyenne de 30 $ et de 50 $), ce qui signifie que la variation proportionnelle du prix est :

$$\frac{\Delta P}{P_{moy}} = \frac{20}{40}.$$

Au prix de 30 $ la pizza, la quantité demandée est de 8 pizzas par jour. Au prix de 50 $ la pizza, la quantité demandée est de zéro. Par conséquent, la variation de la quantité demandée est de 8 pizzas par jour et celle de la quantité moyenne demandée est de 4 pizzas par jour (la moyenne de 8 et de 0) ; la variation proportionnelle correspond donc à la quantité demandée, soit :

$$\frac{\Delta Q}{Q_{moy}} = \frac{8}{4}.$$

En divisant la variation proportionnelle de la quantité demandée par la variation proportionnelle des prix, on obtient :

$$\frac{\Delta Q/Q_{moy}}{\Delta P/P_{moy}} = \frac{8/4}{20/40} = 4.$$

En utilisant la même méthode, on peut calculer l'élasticité de la demande pour n'importe quel prix et n'importe quelle quantité demandée le long de la courbe de demande. Comme la courbe de demande est une droite, une variation de prix de 20 $ entraîne une variation de la quantité demandée de 8 pizzas à n'importe quel prix moyen. Par conséquent, dans la formule de l'élasticité, $\Delta Q = 8$ et $\Delta P = 20$, et ce, quels que soient la quantité moyenne et le prix moyen. Toutefois, plus le

## FIGURE 5.4
## L'élasticité-prix sur une courbe de demande linéaire

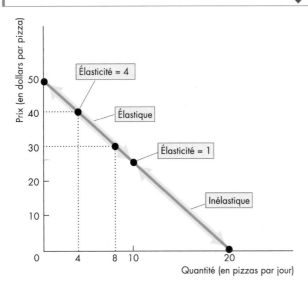

Sur une courbe de demande linéaire, l'élasticité diminue à mesure que le prix diminue et que la quantité demandée augmente. La demande est à élasticité unitaire au milieu de la droite (élasticité = 1). Au-dessus de ce point, la demande est élastique; au-dessous de ce point, elle est inélastique.

prix moyen est bas, plus la quantité moyenne demandée est élevée. Donc, plus le prix moyen est bas, moins la demande est élastique.

Vérifions cette proposition en calculant l'élasticité de la demande à un point situé au milieu de la courbe, où le prix d'une pizza est de 25 $, et la quantité demandée de 10 pizzas par jour. La variation proportionnelle du prix est de 20 $ / 25 $ = 0,8, la variation proportionnelle de la quantité demandée est de 8 / 10 = 0,8, et l'élasticité de la demande est donc de 1. Sur une courbe en ligne droite, l'élasticité du prix est toujours de 1 au milieu de la courbe. Au-dessus de ce point, la demande est élastique (l'élasticité du prix est supérieure à 1) et, au-dessous de ce point, la demande est inélastique (l'élasticité du prix est inférieure à 1).

La demande est parfaitement élastique (à l'infini) lorsque la quantité demandée est égale à zéro, et parfaitement inélastique (zéro) lorsque le prix est de zéro.

## Les facteurs qui influent sur l'élasticité de la demande

Le tableau 5.1 nous donne des exemples de valeurs réelles d'élasticité de la demande obtenues à partir d'estimations des habitudes d'achat des consommateurs. On peut voir que ces valeurs d'élasticité de la demande dans le mode

## TABLEAU 5.1
## L'élasticité-prix de la demande : quelques exemples concrets

| Biens ou services | Élasticité |
| --- | --- |
| **Demande élastique** | |
| Métaux | 1,52 |
| Produits électriques | 1,39 |
| Produits mécaniques | 1,30 |
| Meubles | 1,26 |
| Véhicules motorisés | 1,14 |
| Instruments | 1,10 |
| Services professionnels | 1,09 |
| Services de transport | 1,03 |
| **Demande inélastique** | |
| Gaz, électricité et eau | 0,92 |
| Pétrole | 0,91 |
| Produits chimiques | 0,89 |
| Boissons (de toutes sortes) | 0,78 |
| Vêtements | 0,64 |
| Tabac | 0,61 |
| Services bancaires et d'assurance | 0,56 |
| Logement | 0,55 |
| Produits de l'agriculture et de la pêche | 0,42 |
| Livres, magazines et journaux | 0,34 |
| Nourriture | 0,12 |

*Sources:* Ahsan Mansur et John Whalley, « Numerical Specification of Applied General Equilibrium Models: Estimation, Calibration, and Data », dans *Applied General Equilibrium Analysis*, Herbert E. Scarf et John B. Shoven (dir.), Cambridge University Press, New York, 1984, p. 109; et Henri Theil, Ching-Fan Chung et James L. Seale fils, *Advances in Econometrics, Supplement 1, 1989, International Evidence on Consumption Patterns*, CT: JAI Press Inc., Greenwich, 1989.

réel varient de 1,52 pour les métaux — la demande la plus élastique du tableau — à 0,12 pour les denrées alimentaires, la demande la moins élastique du tableau. Pourquoi la demande est-elle élastique pour certains produits et inélastique pour d'autres ? Parce que l'élasticité de la demande dépend de trois principaux facteurs :

■ la substituabilité des produits,

■ la part du revenu consacrée au produit,

■ l'horizon temporel de la courbe de demande.

**La substituabilité des produits** Plus il est facile pour le consommateur de remplacer un bien ou un service par un autre, plus la demande du produit ou de son substitut sera élastique. Ainsi, les métaux ont d'excellents substituts, les plastiques par exemple. Par contre, bien que le pétrole ait de nombreux substituts, aucun ne semble parfait (on imagine mal des automobiles propulsées par un moteur à vapeur alimenté au charbon, et les avions à propulsion nucléaire n'existent pas encore). Par conséquent, la demande de métaux est beaucoup plus élastique que la demande de pétrole.

Dans le langage courant, on appelle biens de *première nécessité* certains biens, comme les aliments et le logement, et biens de *luxe* d'autres biens, comme des vacances dans des lieux exotiques. Les biens de première nécessité sont des biens difficiles à remplacer et essentiels à notre bien-être ; leur demande est donc généralement inélastique. Les biens de luxe sont des biens qui ont de nombreux substituts ; leur demande est donc élastique.

Les possibilités de substitution dépendent aussi de la façon dont on définit le bien. Par exemple, même s'il n'existe pas de substitut parfait au pétrole, les divers types de pétrole brut peuvent se substituer les uns aux autres sans trop de problèmes. La densité et la composition chimique du pétrole diffèrent d'une région du globe à l'autre. Prenons l'exemple du brut saoudien léger. L'élasticité de la demande de brut saoudien léger intéresse au premier chef les conseillers économiques de l'Arabie Saoudite. Supposons que ce pays songe à augmenter unilatéralement le prix de son pétrole. Certes, le saoudien léger a certaines caractéristiques qui lui sont propres, mais d'autres pétroles dans le monde peuvent facilement lui être substitués. Or, les acheteurs de pétrole sont très sensibles au prix. Par conséquent, la demande de saoudien léger est très élastique.

Cette distinction entre « le pétrole en général » et les divers types de pétroles peut s'appliquer à de nombreux autres biens et services. Ainsi, la demande de viande (« en général ») est beaucoup moins élastique que la demande de bœuf, d'agneau ou de poulet. De même, la demande d'ordinateurs personnels est moins élastique que la demande d'ordinateurs Compaq, Dell ou IBM, qui est très élastique.

**La part du revenu consacrée au produit** Toutes choses étant égales par ailleurs, plus la part du revenu consacrée au bien est élevée, plus la demande de ce bien est élastique. Si le consommateur ne consacre qu'une légère partie de son revenu à un bien, une variation du prix de ce bien a peu d'effet sur l'ensemble de son budget. Par contre, s'il consacre un pourcentage élevé de son revenu à un bien, une hausse du prix de ce bien l'incitera à revoir son budget de dépenses.

Prenons l'exemple des manuels scolaires et de la gomme à mâcher. Si le prix des manuels scolaires double (une augmentation de 100 %), le nombre de manuels achetés baisse considérablement : les étudiants se prêtent les livres ou les photocopient illégalement. Par contre, si le prix de la gomme à mâcher double, la consommation ne varie presque pas. Pourquoi ? Parce que les manuels scolaires représentent un pourcentage important du budget des étudiants, tandis que la gomme à mâcher n'en

représente qu'une infime partie. Certes, il n'est jamais agréable de voir les prix augmenter, mais, alors qu'une hausse du prix de la gomme à mâcher se remarquera à peine dans le budget de l'étudiant, une augmentation du prix des manuels scolaires le grèvera lourdement.

La figure 5.5 montre le pourcentage du revenu consacré aux denrées alimentaires et l'élasticité-prix de la demande de denrées alimentaires dans 20 pays. Ces données confirment la tendance générale que nous venons de décrire. Plus le pourcentage du revenu consacré aux denrées alimentaires est élevé, plus l'élasticité-prix de la demande de denrées alimentaires est grande. Ainsi, dans

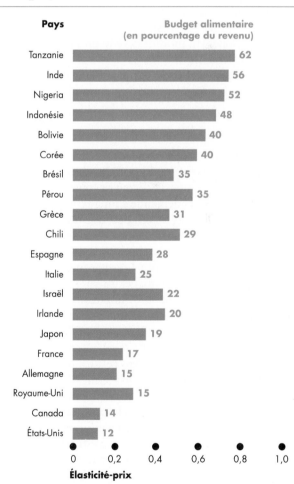

**FIGURE 5.5**

L'élasticité-prix de la demande de denrées alimentaires dans 20 pays

Lorsque le revenu augmente et que le pourcentage du revenu consacré aux denrées alimentaires diminue, la demande de denrées alimentaires devient moins élastique.

*Source :* Henri Theil, Ching-Fan Chung et James L. Seale fils, *Advances in Econometrics, Supplement I, 1989, International Evidence on Consumption Patterns*, CT : JAI Press Inc., Greenwich, 1989.

un pays africain pauvre comme la Tanzanie, où le revenu moyen équivaut à 3,3 % du revenu moyen aux États-Unis et où l'on consacre 62 % du revenu à la nourriture, l'élasticité-prix de la demande de denrées alimentaires est de 0,77. Par contre, aux États-Unis, où l'on ne consacre que 12 % du revenu à la nourriture, l'élasticité de la demande de denrées alimentaires est de 0,12. Ces chiffres confirment le fait que, dans un pays où les gens consacrent une large part de leur revenu à la nourriture, une hausse du prix des denrées alimentaires les amènera à diminuer leurs achats de denrées alimentaires davantage que dans un pays où la nourriture ne représente qu'un faible pourcentage de leur revenu.

**L'horizon temporel de la courbe de demande**   Plus le temps écoulé à partir d'une variation de prix est long, plus la demande est élastique. Après une hausse du prix d'un produit, les consommateurs continuent souvent, pendant un certain temps, à acheter ce produit en même quantité qu'auparavant. Par la suite, ils découvrent des produits substituts acceptables et moins coûteux. À mesure que ce processus de substitution prend place, la quantité achetée du produit devenu plus coûteux diminue graduellement.

Pour décrire l'effet du temps sur la demande, on fait la distinction entre deux horizons temporels :

1. la demande à court terme,
2. la demande à long terme.

La demande à court terme décrit la réaction des acheteurs à une variation du prix d'un produit *avant* qu'ils aient eu le temps de découvrir toutes les possibilités de substitution, et la demande à long terme décrit leur réaction une fois qu'ils les ont découvertes.

Un exemple de hausse de prix durable est la flambée du prix du pétrole, qui a quadruplé en 1973 et 1974. Cette flambée a entraîné une brusque augmentation des coûts du chauffage résidentiel et du mazout. Au début, les consommateurs n'ont eu d'autre choix que de maintenir leur consommation au même niveau, ou à peu près. Ils ont bien tenté d'utiliser différemment les équipements dont ils disposaient — fournaises et automobiles — afin d'économiser le carburant. Mais cela n'allait pas de soi. Bien sûr, ils pouvaient baisser le thermostat de la fournaise, rouler moins vite et restreindre leurs déplacements, mais, somme toute, ils avaient l'impression que les économies réalisées au détriment du confort et de la qualité de vie n'en valaient pas la peine. À court terme, la flambée soudaine du prix du pétrole s'est donc traduite par une baisse relativement faible de la consommation de pétrole : la demande était inélastique.

À long terme, cependant, d'autres options se sont présentées et, à mesure que les consommateurs les ont adoptées, la quantité de pétrole demandée a diminué graduellement — la demande est devenue plus élastique. D'abord, les consommateurs ont remplacé leurs équipements énergivores par de moins gourmands. Le pro-

grès technologique a permis de réaliser de plus grandes économies. Les fournaises et génératrices électriques sont devenues moins voraces en carburant, comme les moteurs des avions ainsi que ceux des véhicules automobiles, dont la taille moyenne a diminué.

## L'élasticité, les recettes totales et les dépenses totales

Nous avons commencé ce chapitre en exposant un dilemme. Comment un producteur de pizzas (ou de n'importe quoi) peut-il augmenter ses recettes totales : en réduisant sa production pour augmenter le prix ou en baissant le prix pour vendre une plus grande quantité ? Le concept de l'élasticité-prix de la demande nous permet maintenant de répondre à cette question.

La variation des recettes totales d'un producteur (et des dépenses totales des consommateurs) dépend de la variation de la quantité vendue à la suite d'une variation de prix — autrement dit, de l'élasticité de la demande. Si la demande est élastique, une baisse du prix de 1 % entraîne une augmentation de la quantité vendue de plus de 1% et les recettes totales augmentent. Si la demande est à élasticité unitaire, une baisse du prix de 1 % entraîne une augmentation de la quantité vendue de 1 % et les recettes totales restent les mêmes. Si la demande est inélastique, une baisse de 1 % du prix entraîne une augmentation inférieure à 1 % de la quantité vendue et les recettes totales diminuent.

**Le calcul des recettes totales**   Nous pouvons utiliser le lien entre l'élasticité et les recettes totales pour estimer l'élasticité en faisant le **calcul des recettes totales**. Grâce à ce calcul, on peut estimer l'élasticité-prix de la demande en observant l'effet d'une variation du prix sur les recettes totales (lorsque tous les autres facteurs exerçant une influence sur la quantité vendue restent constants). Si une baisse de prix entraîne une augmentation des recettes totales, la demande est élastique ; si une baisse de prix entraîne une diminution des recettes totales, la demande est inélastique ; si une baisse de prix n'entraîne aucune variation des recettes totales, la demande est à élasticité unitaire.

La figure 5.6 indique le lien entre l'élasticité de la demande et les recettes totales. Le graphique (a) présente la courbe de demande que vous avez étudiée à la figure 5.4. Entre 25 et 50$, la demande est élastique. Entre 0 et 25$, la demande est inélastique. Au prix de 25 $, la demande est à élasticité unitaire.

Le graphique (b) illustre les recettes totales. Au prix de 50 $, la quantité vendue est de zéro et les recettes totales sont donc nulles. Au prix de 0 $, la quantité demandée est de 20 pizzas par jour, mais, là encore, les recettes totales sont nulles. Une baisse de prix dans la fourchette de prix où la demande est élastique entraîne une augmentation des recettes totales — le pourcentage

**FIGURE 5.6**

# L'élasticité et les recettes totales

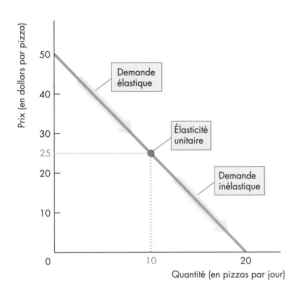

**(a) Demande**

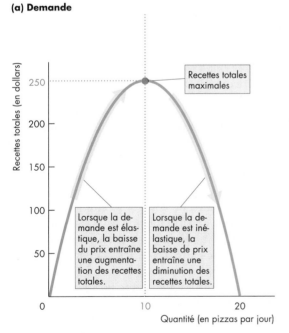

**(b) Recettes totales**

Lorsque la demande est élastique, comme dans la fourchette de prix de 25 $ à 50 $, une baisse du prix — graphique (a) — entraîne une augmentation des recettes totales — graphique (b). Lorsque la demande est inélastique, comme dans la fourchette de prix de 0 $ à 25 $, une baisse du prix — graphique (a) — entraîne une diminution des recettes totales — graphique (b). Lorsque la demande est à élasticité unitaire, au prix de 25 $ — graphique (a) —, les recettes totales sont maximales — graphique (b).

d'augmentation de la quantité demandée est supérieur au pourcentage de diminution du prix. Une baisse de prix dans la fourchette de prix où la demande est inélastique entraîne une diminution des recettes totales — le pourcentage d'augmentation de la quantité demandée est inférieur au pourcentage de baisse du prix. Au point où la demande est à élasticité unitaire, les recettes totales sont maximales. Une légère variation de prix au-dessus ou au-dessous de 25 $ se traduit par des recettes totales constantes.

---

### À RETENIR

- L'élasticité de la demande est une mesure de la sensibilité de la demande d'un bien ou d'un service à une variation du prix de ce bien ou de ce service.
- L'élasticité de la demande est la valeur du ratio obtenu en divisant le pourcentage de variation de la quantité demandée d'un bien par le pourcentage de variation du prix de ce bien.
- L'élasticité de la demande d'un bien est déterminée par l'existence de substituts pour ce bien, par la part du revenu consacrée à l'achat de ce bien et par le temps écoulé depuis la variation de son prix.
- Une baisse de prix entraîne une augmentation des recettes totales lorsque la demande est élastique, une diminution des recettes totales lorsque la demande est inélastique, et ne fait pas varier les recettes totales lorsque la demande est à élasticité unitaire.

Nous avons étudié jusqu'à présent l'élasticité-prix de la demande, qui est la forme la plus courante d'élasticité. Cependant, comme nous allons le voir maintenant, il existe d'autres types d'élasticité de la demande.

## Les autres types d'élasticité de la demande

LA QUANTITÉ DEMANDÉE D'UN PRODUIT DÉPEND DE plusieurs autres variables que le prix, notamment des revenus et du prix des autres biens. On peut donc calculer l'élasticité de la demande par rapport à ces autres variables et obtenir ainsi d'autres types d'élasticité de la demande.

### L'élasticité-prix croisée de la demande

La quantité demandée de n'importe quel bien dépend du prix des biens substituts et complémentaires de ces biens. On mesure l'influence de ces variables sur la demande d'un bien en utilisant le concept de l'élasticité-prix croisée de la demande. L'**élasticité-prix croisée de la demande** mesure la sensibilité de la demande aux variations du prix des biens substituts ou complémentaires, toutes autres choses étant égales par ailleurs. On la calcule à l'aide de la formule suivante :

$$\text{Élasticité-prix croisée} = \frac{\text{Pourcentage de variation de la quantité demandée du bien considéré}}{\text{Pourcentage de variation du prix d'un produit substitut ou complémentaire}}.$$

L'élasticité-prix croisée de la demande est positive par rapport au prix d'un bien substitut, et négative par rapport au prix d'un produit complémentaire, comme le montre clairement la figure 5.7. Lorsque le prix d'un hamburger — substitut de la pizza — augmente, la demande de pizzas augmente et la courbe de demande de pizzas se déplace vers la droite, de $D_0$ à $D_1$. Puisque la hausse du prix du hamburger entraîne une augmentation de la demande de pizzas, la quantité demandée augmente et l'élasticité-prix croisée de la demande par rapport au prix du hamburger est positive. Lorsque le prix d'un coca-cola — produit complémentaire de la pizza — augmente, la demande de pizzas diminue et la courbe de demande de pizzas se déplace vers la gauche, de $D_0$ à $D_2$. Puisqu'une hausse du prix du coca-cola entraîne une baisse de la demande de pizzas, la quantité demandée diminue et l'élasticité-prix croisée de la demande de pizzas par rapport au prix du coca-cola est négative.

## L'élasticité-revenu de la demande

Comment la quantité demandée d'un produit donné évolue-t-elle en fonction des revenus ? Cela dépend de l'élasticité-revenu de la demande du produit considéré. L'**élasticité-revenu de la demande** est le pourcentage de variation de la quantité demandée divisé par le pourcentage de variation du revenu :

$$\text{Élasticité-revenu} = \frac{\text{Pourcentage de variation de la quantité demandée}}{\text{Pourcentage de variation du revenu}}.$$

L'élasticité-revenu de la demande peut être soit négative, soit positive. On distingue trois cas, selon que l'élasticité :

1. est supérieure à 1 (bien *normal,* demande élastique par rapport au revenu) ;
2. se situe entre 0 et 1 (bien *normal,* demande inélastique par rapport au revenu) ;
3. est inférieure à 0 (bien *inférieur,* élasticité-revenu négative).

La figure 5.8 illustre ces trois cas. Le graphique (a) représente une élasticité-revenu de la demande supérieure à 1. Dans ce cas, la quantité demandée augmente avec le revenu, et plus rapidement que celui-ci. La courbe a une pente positive, et cette pente s'accentue. Les croisières, les vêtements sur mesure, les voyages à l'étranger, les bijoux et les œuvres d'art appartiennent à cette catégorie.

Le graphique (b) illustre une élasticité-revenu de la demande comprise entre 0 et 1. Ici, la quantité demandée augmente avec le revenu, mais moins rapidement que celui-ci. La courbe a une pente positive, mais cette pente est de moins en moins accentuée à mesure que le revenu augmente. Les aliments de base, les vêtements, les meubles, les journaux et magazines appartiennent à cette catégorie.

Le graphique (c) montre une élasticité-revenu de la demande qui finit par devenir négative. Dans ce cas, la quantité demandée augmente avec le revenu jusqu'à ce que ce dernier atteigne un certain seuil (*m*). Au-delà de ce seuil, la quantité demandée décroît avec l'augmentation du revenu. L'élasticité-revenu de la demande est positive mais inférieure à 1 jusqu'au niveau de revenu *m*, et négative au-delà. Dans cette catégorie, on trouve notamment les bicyclettes à une vitesse, les petites motos, les pommes de terre et le riz. Les consommateurs à faible

---

**FIGURE 5.7**

## L'élasticité-prix croisée de la demande

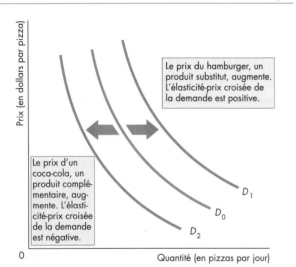

Le prix du hamburger, un produit substitut, augmente. L'élasticité-prix croisée de la demande est positive.

Le prix d'un coca-cola, un produit complémentaire, augmente. L'élasticité-prix croisée de la demande est négative.

Lorsque le prix du hamburger, un substitut de la pizza, augmente, la demande de pizzas augmente et la courbe de demande de pizzas se déplace vers la droite, de $D_0$ à $D_1$. L'élasticité-prix croisée de la demande de pizzas par rapport au prix du hamburger est *positive*. Lorsque le prix du coca-cola, un produit complémentaire de la pizza, augmente, la demande de pizzas diminue et la courbe de demande de pizzas se déplace vers la gauche, de $D_0$ à $D_2$. L'élasticité-prix croisée de la demande de pizzas par rapport au prix du coca-cola est *négative*.

**FIGURE 5.8**

L'élasticité-revenu de la demande

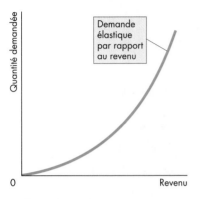

(a) **Élasticité-revenu supérieure à 1**

(b) **Élasticité-revenu comprise entre zéro et 1**

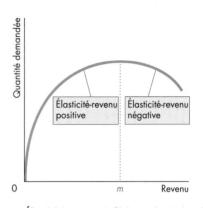

(c) **Élasticité-revenu inférieure à 1 (négative)**

On classe les élasticités-revenus de la demande en trois catégories. Dans le graphique (a), l'élasticité-revenu de la demande est supérieure à 1. Dans ce cas, la quantité demandée augmente avec le revenu et plus rapidement que celui-ci. Dans le graphique (b), l'élasticité-revenu de la demande est comprise entre zéro et 1. La quantité demandée augmente aussi avec le revenu, mais dans un pourcentage moindre que celui-ci. Dans le graphique (c), l'élasticité-revenu de la demande est positive tant que les revenus sont bas, mais devient négative au-delà du seuil m. À ce niveau de revenu, la quantité demandée a atteint un maximum.

---

revenu achètent la plupart de ces produits. En dessous d'un certain revenu, la quantité demandée de ces produits augmente avec le revenu. Mais, à un certain stade, quand le revenu atteint le seuil *m,* les consommateurs se tournent vers d'autres produits, plus chers : la petite voiture remplace la motocyclette ; les fruits, les légumes et la viande se substituent aux pommes de terre et au riz.

Les biens et les services dont l'élasticité-revenu de la demande est positive sont dits *biens normaux* ; lorsque l'élasticité est supérieure à 1, on les qualifie souvent de *biens de luxe.* Les biens dont l'élasticité-revenu est négative sont appelés *biens inférieurs,* en ce sens où, au-delà d'un certain seuil de revenu, les consommateurs préféreront les remplacer par des produits plus coûteux, mais qu'ils considèrent supérieurs.

### L'élasticité-revenu de la demande dans le monde réel

Le tableau 5.2 donne des exemples concrets d'élasticité-revenu de la demande. La demande de biens de première nécessité comme les denrées alimentaires et les vêtements est inélastique par rapport au revenu, alors que celle de produits de luxe comme les voyages à l'étranger et les transports aériens est élastique par rapport au revenu.

Le fait d'être considéré produit de première nécessité ou produit de luxe ne tient pas intrinsèquement à la nature du bien, mais dépend du niveau de revenu ; un consommateur à faible revenu pourra considérer les denrées alimentaires de base et les vêtements comme des produits de luxe. Par conséquent, le *niveau* de revenu exerce un effet important sur l'élasticité-revenu de la demande. La figure 5.9 illustre l'effet exercé par le niveau de revenu sur l'élasticité-revenu de la demande de denrées alimentaires dans 20 pays. Dans les pays à faible revenu, comme la Tanzanie et l'Inde, l'élasticité-revenu de la demande de denrées alimentaires est grande tandis qu'elle est faible dans des pays à revenu élevé comme le Canada et les États-Unis. Par exemple, une augmentation de 10 % du revenu entraîne une augmentation de la demande de denrées alimentaires de 7,5 % en Inde et de seulement 1,5 % au Canada et aux États-Unis.

## L'élasticité de l'offre

En 1994, l'industrie automobile de l'Amérique du Nord a connu une forte croissance et a donc accru sa demande d'acier. Il y a eu *modification de la demande* d'acier. Tant les fabricants d'automobiles que les producteurs d'acier étaient très curieux de savoir quel effet cette augmentation de la demande allait avoir sur le prix de l'acier. On le sait, une modification de la demande entraîne le déplacement de la courbe de demande ainsi

---

**TABLEAU  5.2**

## L'élasticité-revenu de la demande : quelques exemples concrets

| Biens ou services | Élasticité |
|---|---|
| **Demande élastique** | |
| Transports aériens | 5,82 |
| Cinéma | 3,41 |
| Voyages à l'étranger | 3,08 |
| Logement | 2,45 |
| Électricité | 1,94 |
| Repas au restaurant | 1,61 |
| Trains et autobus locaux | 1,38 |
| Essence et carburant | 1,36 |
| Coupes de cheveux | 1,36 |
| Automobiles | 1,07 |
| **Demande à élasticité unitaire** | |
| Soins dentaires | 1,00 |
| **Demande inélastique** | |
| Chaussures | 0,94 |
| Tabac | 0,86 |
| Cordonnerie | 0,72 |
| Boissons alcoolisées | 0,62 |
| Meubles | 0,53 |
| Vêtements | 0,51 |
| Journaux et magazines | 0,38 |
| Téléphone | 0,32 |
| Denrées alimentaires | 0,14 |

Sources : H.S. Houthakker et Lester D. Taylor, *Consumer Demand in the United States*, Harvard University Press, Cambridge, Mass.,1970) ; et Henri Theil, Ching-Fan Chung et James L. Seale fils, *Advances in Econometrics, Supplement I, 1989, International Evidence on Consumption Patterns*, CT: JAI Press inc., Greenwich, 1989.

---

**FIGURE  5.9**

## L'élasticité-revenu de la demande de denrées alimentaires dans 20 pays

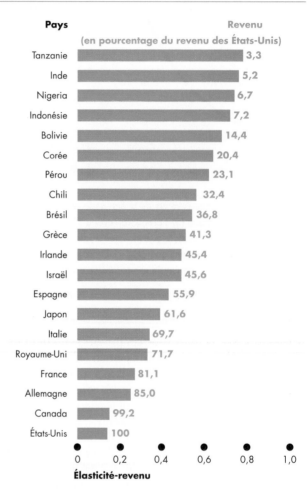

Lorsque le revenu augmente, l'élasticité-revenu de la demande de denrées alimentaires diminue. Les consommateurs à faible revenu consacrent aux denrées alimentaires un pourcentage plus élevé de toute augmentation de revenu contrairement aux consommateurs à haut revenu.

Source : Henri Theil, Ching-Fan Chung et James L. Seale fils, *Advances in Econometrics, Supplement I, 1989, International Evidence on Consumption Patterns*, CT : JAI Press Inc., Greenwich, 1989.

---

qu'un *mouvement le long de la courbe d'offre*. Pour prédire des variations de prix et de quantité, nous devons savoir dans quelle mesure la quantité offerte est sensible à la variation du prix. Autrement dit, nous devons connaître l'élasticité de l'offre.

L'**élasticité de l'offre** mesure l'effet de la variation du prix d'un bien sur la quantité offerte de ce bien. On la calcule à l'aide de la formule suivante :

$$\text{Élasticité de l'offre} = \frac{\text{Pourcentage de variation de la quantité offerte}}{\text{Pourcentage de variation du prix}}.$$

Deux cas particuliers d'élasticité de l'offre méritent d'être mentionnés. Si la quantité offerte reste constante quel que soit le prix, la courbe d'offre est verticale et l'élasticité de l'offre est nulle. L'offre est parfaitement inélastique. Si, à partir d'un certain prix, les producteurs sont disposés à vendre n'importe quelle quantité, la courbe d'offre est horizontale et l'élasticité de l'offre est infinie. L'offre est parfaitement élastique.

La valeur de l'élasticité de l'offre dépend de deux éléments :

■ la substituabilité des facteurs de production,
■ le temps de réponse des producteurs aux variations de prix.

## La substituabilité des facteurs de production

Certains biens et services ne sont produits que grâce à des facteurs de production rares ou exclusifs ; l'offre de ces produits est donc peu élastique, voire nulle. D'autres biens et services sont produits à l'aide de facteurs de production plus courants, pouvant être affectés à des tâches très variées ; l'offre de ces produits est donc très élastique.

Un tableau de Borduas est le fruit d'un type de travail unique — le travail de Borduas. On ne peut substituer à ce travail nul autre facteur de production. Il n'existe qu'un seul exemplaire des tableaux de Borduas ; la courbe d'offre de chacun de ces tableaux est donc verticale et l'élasticité de l'offre est nulle. Par contre, on peut cultiver du blé sur une terre où l'on pourrait tout autant cultiver du maïs. Il est donc aussi facile de cultiver du blé que du maïs, et le coût d'opportunité du blé, en ce qui concerne le maïs auquel on renonce, est presque constant. La courbe d'offre de blé est donc presque horizontale et l'offre est très élastique. De même, si un bien est produit dans plusieurs pays, comme le sucre ou la viande de bœuf, par exemple, l'offre de ce bien est très élastique.

L'offre de la plupart des biens et services se situe entre ces deux extrêmes. On peut augmenter la quantité produite, mais cela entraîne des coûts plus élevés. Quand le prix augmente, la quantité produite augmente aussi. L'élasticité de l'offre de ces biens et services se situe quelque part entre zéro et l'infini.

## Le temps de réponse des producteurs aux variations de prix

Pour étudier l'effet du temps écoulé à partir d'une variation de prix sur l'offre, on distingue trois types d'offres :

■ l'offre instantanée,
■ l'offre à long terme,
■ l'offre à court terme.

**L'offre instantanée** La *courbe d'offre instantanée* indique l'effet immédiat (initial) d'une augmentation ou d'une diminution du prix sur la quantité offerte.

Pour certains produits, comme les fruits et légumes périssables, l'offre instantanée est parfaitement inélastique ; la courbe d'offre instantanée est donc verticale. Les quantités produites dépendent de décisions prises plusieurs mois avant la récolte et, dans certains cas

comme celui des oranges, plusieurs années avant la mise en marché. Une variation du prix aujourd'hui n'entraîne donc aucune variation de la quantité produite aujourd'hui.

Pour d'autres biens comme les appels interurbains, l'offre instantanée est élastique. Lorsque de nombreuses personnes utilisent le téléphone en même temps, la demande de liaisons téléphoniques par câble, de commutations par ordinateur et de temps d'émission des satellites augmente brusquement tout comme la quantité achetée (jusqu'aux limites physiques du réseau téléphonique), mais le prix reste fixe. Les planificateurs de télécommunications interurbaines prévoient les fluctuations de la demande et redirigent les appels pour assurer l'équilibre entre la quantité offerte et la quantité demandée sans augmentation de prix.

**L'offre à long terme** La *courbe d'offre à long terme* indique l'effet d'une variation de prix sur l'offre une fois que les producteurs ont procédé à tous les ajustements techniques possibles pour ajuster l'offre. Dans le cas des oranges, le long terme est le temps nécessaire pour amener les nouveaux plants à maturité — une quinzaine d'années. Dans certains cas, l'ajustement à long terme à la nouvelle configuration de prix exige que l'on construise une nouvelle usine et que l'on forme les travailleurs à de nouvelles machines ou à de nouvelles méthodes, ce qui prend souvent plusieurs années.

**L'offre à court terme** La *courbe d'offre à court terme* indique l'effet d'une variation de prix sur la quantité offerte une fois que les producteurs ont procédé à certains des ajustements techniques possibles. Le premier type d'ajustement auquel on procède d'habitude touche la quantité de main-d'œuvre employée. Pour augmenter la production à court terme, les entreprises demandent souvent à leurs employés de faire des heures supplémentaires et, parfois, en embauchent d'autres. À l'inverse, pour diminuer leur production à court terme, elles licencient des employés ou réduisent leurs heures de travail. Sur un période un peu plus longue, elles peuvent procéder à d'autres ajustements : formation de nouveaux employés ou achat de nouveaux équipements. Face à une modification de prix, les réactions à court terme correspondent à une séquence de mesures d'ajustement plutôt qu'à une réponse unique comme dans le cas des réactions instantanées ou à long terme.

**Les trois courbes d'offre** Le graphique de la figure 5.10 illustre les trois types de courbes d'offre que nous venons de distinguer. Il illustre les courbes d'offre du marché des oranges en prenant pour point de référence un prix de 2 $ le kilogramme et une production de 3 millions de kilogrammes par semaine. Les trois courbes d'offre passent par ce point. Comme l'indique la courbe *OI* (en bleu), l'offre instantanée est parfaitement

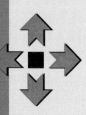

# L'élasticité en action

## Pleins FEUX sur les politiques

GLOBE AND MAIL, LE 20 JUIN 1996

## Le prix des médicaments brevetés diminue pour la deuxième année consécutive

PAR MARION STINSON

TORONTO — En 1995, le prix des médicaments brevetés a diminué pour la deuxième année consécutive. C'est la première fois qu'on assiste à un tel phénomène depuis que le gouvernement fédéral a entrepris, en 1987, de contrôler les prix et d'étendre aux compagnies pharmaceutiques la protection conférée par un brevet.

Selon le rapport annuel du Conseil d'examen du prix des médicaments brevetés — l'organisme fédéral de surveillance du prix des médicaments —, les prix ont baissé de 1,75 % l'an dernier, et ce, malgré une augmentation globale de 2,14 % de l'indice des prix à la consommation (IPC), qui mesure le prix d'un panier de biens et de services qu'achètent habituellement les consommateurs.

En 1994, le prix des médicaments brevetés avait déjà baissé de 0,42 %, alors que l'IPC augmentait de 0,19 %.

Depuis l'instauration du Conseil en 1987, la hausse moyenne du prix des médicaments brevetés est de 1,6 % par an en moyenne. De 1983 à 1987, le prix des médicaments avait augmenté de 7,5 % par an en

moyenne, soit le double du taux d'augmentation de l'IPC.

Le Conseil a le pouvoir de forcer les fabricants de médicaments brevetés à limiter la hausse des prix au taux d'inflation. [...]

En 1995, on note que 69 compagnies ont vendu des médicaments brevetés au Canada comparativement à 73 l'année précédente, une baisse qui résulte des fusions qui ont eu lieu l'an dernier dans cette industrie.

Selon le Conseil, l'application des nouvelles directives concernant le prix des médicaments a permis aux consommateurs d'économiser 32,7 millions de dollars l'an dernier.

Malgré la baisse des prix en 1994, les dépenses en médicaments ont augmenté de 3,8 %. L'organisme ne réglemente que le prix des médicaments brevetés, qui représentent 44 % des ventes totales de médicaments. De plus, les dépenses des consommateurs incluent les frais de distribution, ainsi que les frais du grossiste, qui ne sont pas réglementés par l'organisme fédéral de contrôle des prix.

Bien que les prix aient baissé l'an dernier, les quantités vendues ont augmenté de 14,8 %, la plus forte augmentation depuis 1988.

# Analyse

## ÉCONOMIQUE

■ Le tableau suivant résume sous la forme de nombres indices l'information contenue dans l'article relativement aux prix, aux quantités et aux dépenses :

| Année | Prix | Quantité | Dépenses | IPC |
|---|---|---|---|---|
| 1993 | 10,00 | 10,00 | 100,0 | 100,00 |
| 1994 | 9,96 | 10,42 | 103,8 | 100,19 |
| 1995 | 9,79 | 11,97 | 117,1 | 102,33 |

■ Le prix a baissé de 0,42% en 1994, et de 1,75% en 1995.

■ Les dépenses ont augmenté de 3,8% en 1994, et la quantité vendue de 14,8% en 1995. Les autres chiffres relatifs aux dépenses et aux quantités ont été calculés en considérant le fait que les dépenses sont égales aux prix multipliés par les quantités.

■ L'indice des prix à la consommation (IPC) a augmenté de 0,19% en 1994 et de 2,14% en 1995.

■ La formule suivante permet de calculer l'élasticité de la demande :

$$\text{Élasticité-prix de la demande} = \frac{\text{Pourcentage de variation de la quantité demandée}}{\text{Pourcentage de variation du prix}}$$

■ On peut utiliser ces chiffres pour calculer l'élasticité de la demande de médicaments brevetés.

■ Dans l'analyse de la demande, *prix* signifie *prix relatif* (voir p. 67).

■ Pour calculer le prix relatif des médicaments brevetés($P$), il faut diviser le prix monétaire par l'IPC. Les chiffres ainsi obtenus pour $P$ ainsi que les valeurs pour la quantité ($Q$) et les dépenses ($PQ$) sont les suivants :

| Année | $P$ | $Q$ | $PQ$ |
|---|---|---|---|
| 1993 | 10,00 | 10,00 | 100,0 |
| 1994 | 9,94 | 10,42 | 103,4 |
| 1995 | 9,56 | 11,97 | 114,4 |

■ Le graphique de la figure ci-contre illustre les calculs de l'élasticité résumés dans le tableau de la figure.

■ L'élasticité était estimée à 6,83 en 1993-1994, et à 3,55 en 1994-1995.

■ Il est probable que l'élasticité ait été surestimée dans ces deux calculs. Toutefois, il s'agit d'estimations calculées à partir des chiffres figurant dans l'article.

■ Comme le montre le graphique, avec une élasticité supérieure à 1, la demande est élastique. Le prix diminue avec l'augmentation de la quantité demandée et des dépenses totales.

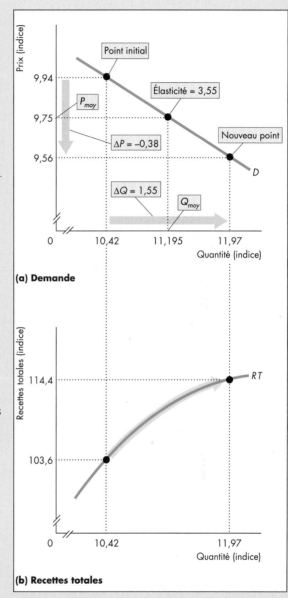

(a) Demande

(b) Recettes totales

| Année | $\Delta P$ | $P_{moy}$ | $\Delta Q$ | $Q_{moy}$ | Élasticité |
|---|---|---|---|---|---|
| 1993–1994 | −0,06 | 9,97 | 0,42 | 10,21 | −6,83 |
| 1994–1995 | −0,38 | 9,75 | 1,55 | 11,195 | −3,55 |

## Si vous

### DEVIEZ VOTER

■ Quels sont les avantages et les inconvénients d'un organisme gouvernemental de contrôle du prix des médicaments brevetés ?

■ Si cette question devenait un enjeu électoral, comment voteriez-vous ?

## FIGURE 5.10

# L'offre instantanée, l'offre à court terme et l'offre à long terme

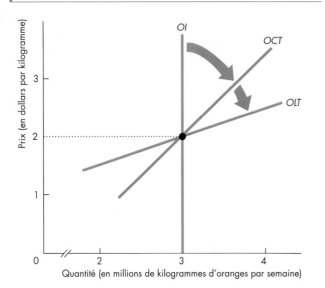

La courbe d'offre instantanée *OI* (en bleu) montre la réaction initiale des producteurs au moment où le prix change : on constate que l'offre instantanée est parfaitement inélastique. La courbe d'offre à court terme *OCT* (en violet) indique la quantité offerte un fois que les producteurs ont procédé à certains ajustements à leur production en réponse au changement de prix. La courbe d'offre à long terme *OLT* (en rose) illustre la quantité offerte une fois que les producteurs ont procédé à tous les ajustements techniques possibles.

inélastique. Après quelque temps, l'offre devient plus sensible au prix, comme le montre la courbe d'offre à court terme *OCT* (en violet). Au bout d'un certain temps, on obtient la courbe d'offre à long terme *OLT* (en rose), la plus élastique des trois.

La courbe d'offre instantanée est verticale puisque, au moment du changement de prix, les producteurs ne sont pas en mesure de changer les quantités produites ; ils ont cueilli, emballé et expédié le produit de leur récolte sur le marché, et la quantité offerte ce jour donné est fixe. La courbe d'offre à court terme a une pente ascendante, car les producteurs peuvent très rapidement prendre des mesures pour modifier la quantité produite en réaction à une variation de prix. Par exemple, si le prix baisse considérablement, ils peuvent arrêter de cueillir les oranges et les laisser pourrir dans l'arbre. Ou, si le prix augmente, ils peuvent utiliser des engrais et améliorer le système d'irrigation pour augmenter la production de leurs orangers. À plus long terme, ils peuvent planter un plus grand nombre d'arbres et augmenter la production de façon à répondre à une hausse donnée du prix des oranges.

◇ Vous avez maintenant appris à calculer l'élasticité et à utiliser ce concept. À la rubrique « Entre les lignes » (p. 110) se trouve une application pratique de l'élasticité dans le marché des médicaments brevetés. De plus, le tableau 5.3 (p. 113) vous fournit une synthèse des divers types d'élasticité que vous venez d'étudier.

Dans le prochain chapitre, nous utiliserons ces nouvelles connaissances pour étudier quelques marchés bien réels — des marchés en action.

## R É S U M É

### Points clés

**L'élasticité-prix de la demande**   L'élasticité-prix de la demande est le pourcentage de variation de la quantité demandée divisé par le pourcentage de variation du prix. Plus l'élasticité de la demande est grande, plus l'effet du changement de prix sur la quantité demandée est grand. Lorsque le pourcentage de variation de la quantité demandée est inférieur au pourcentage de variation du prix, la demande est inélastique. Lorsque le pourcentage de variation de la quantité demandée est égal au pourcentage de variation du prix, la demande est à élasticité unitaire. Lorsque le pourcentage de variation de la quantité demandée est supérieur au pourcentage de variation du prix, la demande est élastique.

L'élasticité dépend de la possibilité de substituer un bien à un autre, de la part du revenu consacrée à ce bien

et de l'horizon temporel considéré (temps écoulé depuis le changement de prix).

Lorsque la demande est élastique, une baisse de prix entraîne une augmentation des recettes totales. Lorsque la demande est à élasticité unitaire, une baisse de prix n'entraîne aucun changement dans les recettes totales. Lorsque la demande est inélastique, une baisse de prix entraîne une diminution des recettes totales. (p. 98-105)

### Les autres types d'élasticité de la demande

L'élasticité-prix croisée de la demande est le pourcentage de variation de la quantité demandée d'un bien divisé par le pourcentage de variation du prix d'un autre bien. L'élasticité-prix croisée de la demande par rapport au prix d'un produit substitut est positive ; l'élasticité-prix croisée de la demande par rapport au prix d'un produit complémentaire est négative.

**TABLEAU 5.3**

# Le mini-glossaire de l'élasticité

## ÉLASTICITÉ-PRIX DE LA DEMANDE

| Nature de la demande | Valeur numérique | Interprétation |
|---|---|---|
| Parfaitement élastique ou infiniment élastique | Infinie | Une hausse infime de prix provoque une diminution infinie de la quantité demandée. |
| Élastique | Non infinie mais supérieure à 1 | La diminution en pourcentage de la quantité demandée est supérieure à la hausse en pourcentage du prix. |
| Élasticité unitaire | 1 | La diminution en pourcentage de la quantité demandée est égale à la hausse en pourcentage du prix. |
| Inélastique | Supérieure à zéro mais inférieure à 1 | La diminution en pourcentage de la quantité demandée est inférieure à la hausse en pourcentage du prix. |
| Parfaitement inélastique ou complètement inélastique | Zéro | La quantité demandée reste constante quel que soit le prix. |

## ÉLASTICITÉ-PRIX CROISÉE DE LA DEMANDE

| Nature de la demande | Valeur numérique | Interprétation |
|---|---|---|
| Substituts parfaits | Infinie | Une augmentation infime du prix d'un bien provoque une augmentation infinie de la quantité demandée de l'autre bien. |
| Substituts | Positive, mais non infinie | Si le prix d'un bien augmente, la quantité demandée de l'autre bien augmente également. |
| Biens indépendants | Zéro | La quantité demandée d'un bien reste constante quel que soit le prix de l'autre bien. |
| Biens complémentaires | Inférieure à zéro (négative) | La quantité demandée d'un bien diminue lorsque le prix de l'autre bien augmente. |

## ÉLASTICITÉ-REVENU DE LA DEMANDE

| Nature de la demande | Valeur numérique | Interprétation |
|---|---|---|
| Élastique par rapport au revenu (biens normaux) | Supérieure à 1 | L'augmentation en pourcentage de la quantité demandée est supérieure à l'augmentation en pourcentage du revenu. |
| Inélastique par rapport au revenu (biens normaux) | Inférieure à 1, mais supérieure à zéro | L'augmentation en pourcentage de la quantité demandée est inférieure à l'augmentation en pourcentage du revenu. |
| Élasticité-revenu négative (biens inférieurs) | Inférieure à zéro | Lorsque le revenu augmente, la quantité demandée diminue. |

## ÉLASTICITÉ DE L'OFFRE

| Nature de la demande | Valeur numérique | Interprétation |
|---|---|---|
| Parfaitement élastique | Infinie | Une augmentation infime du prix provoque une augmentation infinie de la quantité offerte. |
| Élastique | Non infinie mais supérieure à 1 | L'augmentation en pourcentage de la quantité offerte est supérieure à l'augmentation en pourcentage du prix. |
| Inélastique | Supérieure à zéro mais inférieure à 1 | L'augmentation en pourcentage de la quantité offerte est inférieure à l'augmentation en pourcentage du prix. |
| Parfaitement inélastique | Zéro | La quantité offerte est la même quel que soit le prix. |

\* Dans chaque description, les directions de la variation peuvent être inversées. Par exemple, une *diminution* infime de prix provoque une *augmentation* infinie de la quantité demandée.

L'élasticité-revenu de la demande est le pourcentage de variation de la quantité demandée divisé par le pourcentage de variation du revenu. Plus l'élasticité-revenu de la demande est élevée, plus l'effet de la variation du revenu sur la demande est grand. Lorsque l'élasticité de la demande est entre zéro et 1, la demande est inélastique et, à la suite d'une augmentation d'un certain pourcentage du revenu, la dépense consacrée à un certain bien augmentera d'un pourcentage moindre. Lorsque l'élasticité-revenu de la demande est supérieure à 1, la demande est élastique par rapport au revenu et, à la suite d'une augmentation d'un certain pourcentage du revenu, la dépense consacrée à ce bien augmentera d'un pourcentage supérieur. Lorsque l'élasticité-revenu de la demande est inférieure à zéro, la dépense pour ce bien diminue, alors que le revenu augmente (et le bien est un produit inférieur). (p. 105-107)

**L'élasticité de l'offre**   L'élasticité de l'offre mesure l'effet d'une variation du prix d'un bien sur la quantité produite de ce bien. L'élasticité de l'offre est le pourcentage de variation de l'offre d'un bien divisé par le pourcentage de variation du prix de ce bien. Les élasticités de l'offre sont habituellement positives et elles varient de zéro (courbe d'offre verticale) à l'infini (courbe d'offre horizontale).

Les décisions relatives à l'offre sont prises par rapport à trois intervalles temporels: on distingue l'offre instantanée, l'offre à long terme et l'offre à court terme. L'offre instantanée décrit la réaction des producteurs à un changement de prix au moment où ce changement se produit. L'offre à long terme décrit la réaction des

producteurs à un changement de prix une fois qu'ils ont fait tous les ajustements techniques de la production possibles. L'offre à court terme décrit la réaction des producteurs à une variation de prix après qu'ils ont fait quelques ajustements de la production. (p. 107-112)

### Figures et tableau clés

### Mots clés

## QUESTIONS DE RÉVISION

1. Qu'est-ce que l'élasticité-prix de la demande?

2. Pourquoi l'élasticité nous informe-t-elle mieux que la pente de la courbe sur la sensibilité de la demande par rapport au prix?

3. Tracez et décrivez la courbe de demande d'un bien dont l'élasticité est toujours:
   a) infinie,
   b) égale à zéro,
   c) égale à l'unité.

4. Dites pour lequel des deux produits de chacune des paires suivantes la demande est la plus élastique:
   a) le magazine *People* ou les magazines en général?
   b) les vacances en général ou des vacances en Floride?
   c) le brocoli ou les légumes en général?

5. Quels sont les trois facteurs qui déterminent la valeur numérique de l'élasticité de la demande?

6. Qu'entend-on par demande à court terme et demande à long terme?

7. Pourquoi la demande à court terme est-elle généralement moins élastique que la demande à long terme?

8. Quel rapport y a-t-il entre l'élasticité et les recettes totales? Si l'élasticité de la demande de soins dentaires est égale à 1 et si le prix des soins dentaires augmente de 10 %, de combien les recettes totales varieront-elles?

9. Qu'est-ce que l'élasticité-prix croisée de la demande? Est-elle positive ou négative?

10. Qu'est-ce que l'élasticité-revenu de la demande?

11. Donnez un exemple de produit dont la demande a une élasticité-revenu:
    a) supérieure à 1,
    b) positive mais inférieure à 1,
    c) inférieure à zéro.

12. Indiquez le signe (positif ou négatif) des élasticités suivantes :
    a) l'élasticité-prix croisée de la demande de crème glacée par rapport au prix du yogourt glacé ;
    b) l'élasticité-prix croisée de la demande de maïs à souffler par rapport au prix des machines à maïs soufflé ;
    c) l'élasticité-revenu de la demande de croisières aux Caraïbes ;
    d) l'élasticité-revenu de la demande de dentifrice ;
    e) l'élasticité de l'offre de saumon irlandais.
13. Qu'est-ce que l'élasticité de l'offre ? Est-elle positive ou négative ?

14. Donnez un exemple d'un produit dont l'élasticité de la demande est :
    a) zéro,
    b) supérieure à zéro mais non infinie,
    c) infinie.
15. Qu'est-ce que l'offre instantanée ? l'offre à court terme ? l'offre à long terme ?
16. Pourquoi l'offre instantanée est-elle complètement inélastique pour la plupart des produits et services ?
17. Pourquoi l'offre à long terme est-elle plus élastique que l'offre à court terme ?

---

## A N A L Y S E     C R I T I Q U E

1. Lisez attentivement la rubrique « Entre les lignes » (p. 110), puis répondez aux questions suivantes :
    a) Comment les prix et les quantités de médicaments brevetés ainsi que les dépenses relatives à ces produits ont-ils fluctué au cours de 1994 et 1995 ?
    b) Comment pouvons-nous utiliser l'information fournie dans l'article pour calculer l'élasticité de la demande de médicaments brevetés ?
    c) Est-il possible que notre estimation de l'élasticité de la demande soit erronée ? Est-il plus probable que nous ayons sous-estimé ou surestimé sa valeur ?
    d) Quelle est l'incidence de notre estimation de l'élasticité de la demande sur les futures dépenses en médicaments ?
2. Dans quelles conditions une récolte exceptionnelle permet-elle aux viticulteurs d'augmenter leurs recettes ?
3. Quelle est l'élasticité de la demande du tabac et de l'alcool si un taux de taxation plus élevé permet au gouvernement d'augmenter ses recettes fiscales ?
4. Comment utiliseriez-vous le concept de l'élasticité pour déterminer si un produit est un bien normal ou un bien inférieur ? De quelle information auriez-vous besoin pour effectuer cette analyse ?

---

## P R O B L È M E S

1. La figure suivante illustre la demande de vidéocassettes en location.

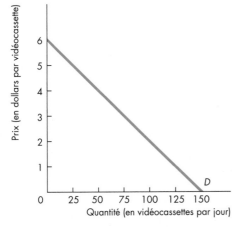

a) À quel prix l'élasticité de la demande est-elle égale à 1 ? supérieure à 1 ? inférieure à 1 ?

b) À quel prix les recettes quotidiennes sont-elles le plus élevées ?
c) Calculez l'élasticité de la demande si le prix de la location passe de 4 $ à 5 $.
2. Le tableau suivant indique le barème de la demande mondiale de pétrole.

| Prix (en dollars par baril) | Quantité demandée (en millions de barils par jour) |
|---|---|
| 10 | 60 |
| 20 | 50 |
| 30 | 40 |
| 40 | 30 |
| 50 | 20 |

a) Si le prix passe de 20 $ à 30 $ le baril, les recettes totales provenant de la vente de pétrole vont-elles augmenter ou diminuer ?
b) Les recettes totales augmenteront-elles ou baisseront-elles si le prix atteint 40 $ le baril ?

c) À quel prix les recettes totales des producteurs seront-elles maximales?

d) Quelle quantité de pétrole permettra d'obtenir les recettes totales maximales définies au problème n° 2 (c)?

e) Calculez l'élasticité-prix de la demande pour une variation de prix de 10 $ par baril aux prix moyens de 15 $, 25 $, 35 $ et 45 $ le baril.

f) Quelle est l'élasticité-prix de la demande qui permet d'obtenir des recettes totales maximales?

3. Si une augmentation de 10 % du prix du poulet fait baisser la quantité demandée de poulet de 5 % et augmenter la demande de porc de 8 %, calculez l'élasticité-prix croisée de la demande entre le poulet et le porc.

4. L'an dernier, les revenus de Jacques sont passés de 9 000 $ à 11 000 $. Jacques a augmenté sa consommation de beurre d'arachide, la portant de 2 pots à 4 pots par mois, et diminué sa consommation de macaroni au fromage, l'amenant de 12 paquets à 8 paquets par mois. Calculez l'élasticité-revenu de la demande:

a) du beurre d'arachide,

b) du macaroni au fromage.

5. Le tableau suivant offre des données sur la demande d'appels interurbains.

| Prix (en cents par minute) | Quantité demandée (en millions de minutes par jour) | |
|---|---|---|
| | Court terme | Long terme |
| 10 | 700 | 1 000 |
| 20 | 500 | 500 |
| 30 | 300 | 0 |

Au prix de 20 cents la minute, la demande est-elle plus élastique à court ou à long terme?

6. Dans le problème n° 5, les dépenses totales en interurbains augmentent-elles ou diminuent-elles lorsque le prix d'un appel passe de 20 à 10 ¢ la minute?

7. Le tableau suivant présente quelques données sur l'offre d'appels interurbains.

| Prix (en cents par minute) | Quantité offerte (en millions de minutes par jour) | |
|---|---|---|
| | Court terme | Long terme |
| 10 | 300 | 0 |
| 20 | 500 | 500 |
| 30 | 700 | 1 000 |

Au prix de 20 ¢ la minute, calculez l'élasticité de l'offre à court et à long terme.

8. Dans le problème n° 7, quelle est l'offre la plus élastique et pourquoi? Comparez l'élasticité lorsque les prix sont de 15 ¢ la minute et de 25 ¢ la minute.

# Les marchés en action

**Objectifs
du chapitre**

- Expliquer les effets à court et à long terme d'une variation de l'offre sur les prix et sur les quantités échangées

- Expliquer les effets à court et à long terme d'une variation de la demande sur les prix et sur les quantités échangées

- Expliquer les effets d'un contrôle des prix

- Expliquer les effets des taxes de vente sur les prix

- Expliquer comment l'interdiction de vente d'un produit influe sur le prix et sur les quantités consommées de ce produit

- Expliquer comment la détention de stocks et la spéculation limitent les variations des prix à la production

- Expliquer comment les régies des marchés agricoles influent sur les prix et sur les quantités produites

**L**e 18 avril 1906, San Francisco fut ravagée par un tremblement de terre qui fit relativement peu de morts si l'on considère que plus de la moitié des logements de la ville furent détruits. Comment le marché du logement de San Francisco a-t-il réagi à cette catastrophe? Comment les loyers et la quantité de logements disponibles se sont-ils ajustés à cette nouvelle situation? A-t-il fallu plafonner les loyers pour maintenir le coût des logements à un niveau abordable? ◆ Pratiquement tous les jours, on invente de nouvelles machines qui permettent de réduire la main-d'œuvre et

## Une période difficile

d'augmenter la productivité. Comment le marché du travail s'adapte-t-il aux conséquences du progrès technologique? La baisse de la demande de main-d'œuvre entraîne-t-elle une baisse constante des salaires des travailleurs? Faut-il imposer un salaire minimum pour empêcher la baisse des salaires? ◆ Tout ce que nous achetons, ou presque, est taxé. Quels sont les effets des taxes sur les prix et sur les quantités de biens que nous achetons? Les prix augmentent-ils du plein montant de la taxe? Autrement dit, nous, acheteurs, payons-nous la taxe intégralement ou le vendeur en assume-t-il une partie? ◆ Le commerce de produits tels les drogues, les armes à feu automatiques et l'uranium enrichi est illégal. Quels sont les effets de cette prohibition sur les quantités réellement consommées de tels produits et sur leur prix pour ceux qui les échangent illégalement? ◆ En 1988, la production céréalière était très maigre, car les récoltes avaient été dévastées par la sécheresse. En 1991, par contre, la production était excellente. Quels furent les effets de ces fluctuations de la production sur les prix et sur les revenus agricoles? Comment les interventions des spéculateurs et des organismes gouvernementaux influent-elles sur les revenus agricoles?

◆ Dans ce chapitre, nous utiliserons la théorie de l'offre et de la demande ainsi que la notion d'élasticité (chapitres 4 et 5) pour répondre à ces questions. Commençons par examiner la réaction d'un marché à une modification radicale de l'offre.

# Le marché du logement et le plafonnement des loyers

POUR ÉTUDIER COMMENT UN MARCHÉ LIBRE RÉAGIT à une modification radicale de l'offre, nous allons nous offrir un petit voyage dans le temps.

Nous sommes à San Francisco en avril 1906, au lendemain du tremblement de terre. La ville a été ravagée par le feu. Les grands titres du *New York Times* donnent une idée de l'ampleur de la catastrophe.

Le 19 avril 1906 :

> **Tremblement de terre à San Francisco : plus de 500 morts et 200 millions de dollars de dégâts**
>
> **La moitié de la ville en ruine et 50 000 personnes sans abri**

Le 20 avril 1906 :

> **Une armée de sans-abri fuit la ville dévastée**
>
> **200 000 sans-abri menacés par la famine**

Le 21 avril 1906 :

> **Nouveau drame à San Francisco : le vent pousse les flammes vers le port**
>
> **Les 200 000 réfugiés luttent contre la famine et la maladie**
>
> **San Francisco : des foules entières, sans abri et dans un total dénuement, s'installent dans des campements de fortune**

Le commandant des troupes fédérales chargé de faire face à cette situation d'urgence décrit ainsi l'ampleur de la catastrophe :

> **Aucun hôtel, petit ou grand, n'est resté debout. Les immeubles à logements ont disparu... Deux cent vingt-cinq mille personnes se retrouvent sans abri[1].**

Du jour au lendemain, plus de la moitié de la population d'une ville de 400 000 habitants se retrouve à la rue. Des abris et des camps de fortune remédient temporairement à certains problèmes, mais il faut également utiliser les maisons et les immeubles intacts, qui, estime-t-on, devront abriter 40 % plus de gens qu'auparavant.

Le tremblement de terre a interrompu la publication du *San Francisco Chronicle* pendant un mois. Fait curieux, lorsque le journal réapparaît, le 24 mai 1906, on n'y fait aucune allusion à la pénurie de logements, un problème qui restait pourtant assez grave pour mériter qu'on s'y intéresse. Voici comment Milton Friedman et George J. Stigler résument la situation :

*Aucune mention n'est faite de la pénurie de logements !* Les petites annonces font état de soixante-quatre offres d'appartements ou de maisons à louer et de dix-neuf maisons à vendre, et ne mentionnent que cinq demandes d'appartements ou de maisons. Par la suite, un nombre considérable de logements de toutes sortes, à l'exception de chambres d'hôtel, étaient à louer[2].

Comment la ville de San Francisco a-t-elle fait face à une réduction aussi radicale de l'offre de logements ?

## La réponse du marché à une diminution de l'offre

Les deux graphiques de la figure 6.1 permettent d'analyser le marché du logement à San Francisco en 1906. La courbe de demande de logements est *D*. Il y a deux courbes d'offre : la courbe d'offre à court terme, *OCT*, et la courbe d'offre à long terme, *OLT*. La courbe d'offre à court terme indique comment la quantité d'unités de logement offerte varie en fonction du changement du prix (loyer), alors que le nombre de maisons et d'immeubles résidentiels reste constant. La réponse de l'offre résulte de la variation du taux d'occupation des édifices existants. La quantité d'unités de logement offerte augmente si les familles louent des chambres ou des parties de leur maison ou de leur appartement. Par contre, cette quantité diminue si les familles occupent un plus grand nombre de pièces.

La courbe d'offre à long terme indique la variation de la quantité offerte d'unités de logement une fois qu'on a eu le temps de se débarrasser des ruines et de construire des maisons et des immeubles résidentiels neufs. Dans cet exemple, la courbe d'offre à long terme est parfaitement élastique. En réalité, nous ne savons pas si elle l'est vraiment, mais l'hypothèse est plausible. Elle suppose que le coût de construction d'un logement est relativement constant, quelle que soit la quantité d'unités de logement disponibles.

Le point d'équilibre, qui détermine le prix (loyer) et la quantité échangée, se trouve à l'intersection de la courbe d'offre à *court terme* et de la courbe de demande. Avant le tremblement de terre, le loyer d'équilibre était de 16 $ par mois et il y avait 100 000 unités de logement disponibles[3]. À ce niveau d'équilibre, le marché du logement se situe également sur la courbe d'offre à long terme, soit *OLT*. Examinons la situation immédiatement après le tremblement de terre.

Le graphique 6.1(a) rend compte de la nouvelle situation. La destruction des logements a entraîné la baisse de l'offre de logements et le déplacement de la courbe *OCT*

---

[1] Tiré de Milton Friedman et George J. Stigler, « Roofs or Ceilings? The Current Housing Problem », dans *Popular Essays on Current Problems*, vol. 1, nᵒ 2, New York Foundation for Economic Education, 1946, p. 3-159. Traduction libre.

[2] *Ibid.*, p. 3.

[3] Ces chiffres se rapprochent du loyer mensuel et de la quantité de logements réelle à San Francisco en 1906. (À cette époque, le revenu moyen était d'environ 46 $ par mois.)

## FIGURE 6.1

# Le marché du logement à San Francisco en 1906

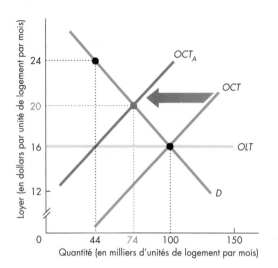

**(a) Après le tremblement de terre**

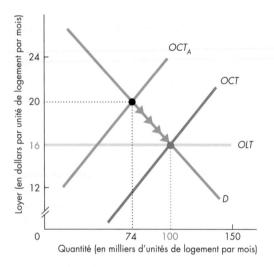

**(b) Ajustement à long terme**

Le graphique (a) indique que, avant le tremblement de terre, le marché du logement était en équilibre avec 100 000 unités de logement louées chaque mois à 16 $ par mois. Après le tremblement de terre, la courbe d'offre à court terme s'est déplacée de *OCT* à *OCT$_A$*. Le loyer est passé à 20 $ par mois, et le nombre d'unités de logement a diminué et est passé à 74 000.

Avec des loyers de 20 $ par mois, il devient rentable de construire des maisons et des appartements. À mesure qu'on le fait, la courbe d'offre à court terme se déplace vers la droite (graphique b). Le nombre d'unités de logement augmente graduellement pour atteindre 100 000 et les loyers sont ramenés graduellement à 16 $ par mois — comme le montre la droite fléchée.

vers la gauche jusqu'à *OCT$_A$*. Si le taux d'occupation des unités de logement intactes était resté inchangé et si les loyers s'étaient maintenus à 16 $ par mois, il n'y aurait eu que 44 000 unités de logement disponibles. Mais ce n'est évidemment pas le cas. Avec seulement 44 000 unités de logement disponibles, les gens sont prêts à payer jusqu'à 24 $ par mois pour la dernière unité de logement disponible. Ils se livrent à la surenchère, ce qui entraîne la hausse du loyer moyen, qui, comme on le voit dans le graphique 6.1(a), passe de 16 $ à 20 $ par mois. À mesure que les loyers augmentent, les gens qui disposent d'un logement intact rationalisent l'usage qu'ils en font et mettent les pièces inutilisées, les greniers et les sous-sols à la disposition des sans-abri. Le nombre d'unités de logement disponibles augmente progressivement pour atteindre 74 000.

Nous venons d'étudier la réaction à court terme du marché du logement après le tremblement de terre de 1906. Voyons maintenant sa réaction à long terme.

## L'ajustement à long terme

Le temps a passé et le tremblement de terre n'est plus qu'un mauvais souvenir. Peu à peu, on commence à remplacer les habitations en ruine par de nouvelles maisons et de nouveaux immeubles résidentiels. L'offre se met à augmenter. La courbe d'offre à long terme nous indique que, éventuellement, le loyer moyen, qui est actuellement de 20 $ par mois, reviendra à 16 $ par mois. Cette baisse anticipée entraîne une accélération de la construction domiciliaire qui fait augmenter l'offre, et la courbe d'offre à court terme se déplace progressivement vers la droite.

Le graphique 6.1(b) illustre cet ajustement à long terme. Avec la construction d'un plus grand nombre d'unités de logement, la courbe d'offre à court terme se déplace vers la droite et croise la courbe de demande aux points qui correspondent à un plus grand nombre d'unités de logement et à un loyer moyen plus bas. L'équilibre du marché se déplace dans le sens des flèches le long de la courbe de demande. Ce déplacement s'arrête lorsque la construction de nouveaux logements cesse d'être rentable, c'est-à-dire lorsqu'on revient à la situation initiale : 100 000 unités de logement disponibles et un loyer moyen de 16 $ par mois.

Cette analyse de la réponse à court et à long terme du marché du logement s'applique à de nombreux autres marchés, et cela, que la variation concerne l'offre (comme dans notre exemple) ou la demande.

## La réglementation du marché du logement

Nous venons de voir comment un marché du logement donné — celui de San Francisco en 1906 — a réagi à une baisse soudaine de l'offre ; nous avons pu constater qu'un des facteurs déterminants du processus d'ajustement était la hausse temporaire des loyers. Supposons maintenant que les autorités de San Francisco aient imposé un **plafonnement des prix,** autrement dit un règlement stipulant qu'il était illégal d'augmenter les loyers au-delà d'un certain seuil. Quand un plafonnement des prix est appliqué au marché du logement, on parle de **plafonnement des loyers.** Quel aurait été l'effet d'une telle intervention sur les mécanismes du marché du logement ?

L'effet d'un plafonnement des prix (en l'occurrence, des loyers) varie selon que le plafond fixé est supérieur ou inférieur au prix (loyer) d'équilibre. Un plafond supérieur au prix d'équilibre n'aura aucun effet sur l'ensemble du marché : comme il n'entre pas en conflit avec les forces du marché, celles-ci continuent à s'exercer librement. Par contre, un plafond inférieur au prix d'équilibre a des répercussions importantes sur le marché, puisqu'il empêche le prix d'équilibrer l'offre et la demande. Le mécanisme législatif et le mécanisme du marché s'affrontent ; fatalement, l'un ou l'autre — ou les deux — devra céder du terrain.

Revenons à San Francisco pour examiner plus concrètement les effets sur les quantités offerte et demandée d'un plafond fixé à un prix inférieur au prix d'équilibre. Que se serait-il passé si, au lendemain du tremblement de terre, les autorités municipales avaient plafonné les loyers à 16 $ par mois (le prix d'équilibre des loyers avant la destruction de la moitié des logements.) La figure 6.2 illustre cette question et y apporte certaines réponses. Si le plafond des loyers est fixé à 16 $ par mois, le nombre d'unités de logement disponibles est de 44 000, et la quantité demandée de 100 000. Il y a donc pénurie d'unités de logement ; il en manque 56 000.

Lorsque la quantité demandée est supérieure à la quantité disponible, qu'est-ce qui détermine la quantité réellement échangée ? Réponse : la plus petite quantité — donc, la quantité offerte. On ne peut pas obliger les propriétaires à mettre des maisons en location ; or, à un loyer mensuel de 16 $, ils ne sont prêts à offrir que 44 000 unités de logement.

Ainsi, l'effet immédiat d'un plafond des loyers fixé à 16 $ par mois se traduit par une disponibilité de 44 000 unités de logement seulement pour une demande totale de 100 000 unités. La demande excédentaire — demande insatisfaite — est donc de 56 000 unités de logement. Mais ce n'est pas tout. Il faut allouer les 44 000 unités de logement disponibles à certaines des 100 000 personnes qui en désirent une. Comment cette attribution se fera-t-elle ?

Dans un marché libre, la pénurie entraînerait une hausse des loyers, comme le montre le graphique 6.1(a). Le mécanisme des prix équilibrerait les quantités demandée et offerte, et déterminerait l'allocation des rares ressources de logement. Tant qu'une personne serait prête à payer davantage que le prix minimal offert par une autre personne, les loyers monteraient et la quantité d'unités de logement disponibles augmenterait. Lorsqu'un plafon-

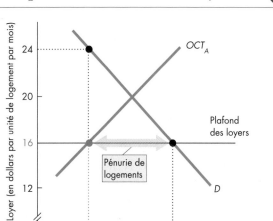

**FIGURE 6.2**

## Un plafonnement des loyers

Avec un plafond des loyers à 16 $ par mois, la quantité d'unités de logement offerte après le tremblement de terre aurait été de 44 000. Les consommateurs auraient été prêts à payer jusqu'à 24 $ par mois pour la dernière de ces unités. Comme la dernière unité de logement disponible vaut plus cher que le plafond fixé par les autorités, les consommateurs passeront du temps à chercher un logement, et certains régleront leur problème en se rabattant sur le marché noir.

nement des loyers tente de bloquer ce mécanisme du marché en rendant illégale la hausse des loyers, deux autres mécanismes interviennent pour rétablir l'équilibre :

- l'activité de prospection,
- le marché noir.

## L'activité de prospection

Lorsque la quantité demandée est supérieure à la quantité offerte, de nombreux fournisseurs n'ont rien à vendre et de nombreux consommateurs n'ont rien à acheter. Par conséquent, les consommateurs insatisfaits consacrent leur temps et leurs ressources à chercher un fournisseur avec qui ils peuvent s'entendre. Cette recherche, qu'on appelle **activité de prospection,** existe même dans les marchés libres où les prix équilibrent la quantité demandée et la quantité offerte ; mais, lorsque le prix est réglementé, elle augmente.

L'activité de prospection est coûteuse. Elle exige du temps et des ressources — un téléphone, une automobile, de l'essence, etc. — qui pourraient être utilisés à des fins plus productrices. Les locataires potentiels épluchent les journaux pour trouver non plus des annonces de logement, mais des avis de décès : toute information sur des logements qui se libèrent est précieuse… Ils se précipitent pour arriver les premiers dès qu'ils entendent parler d'un logement vacant. Le *coût total* du logement comprend donc le coût direct — le loyer ou prix réglementé — plus le coût du temps et des autres ressources consacrées à la prospection — un prix non réglementé. Autrement dit, s'il est possible de plafonner le coût direct du loyer, ce n'est pas le cas du coût total. Et ce coût total peut même se révéler *plus élevé* que le prix d'un marché non réglementé.

## Le marché noir

Dans le contexte du plafonnement des prix et des loyers, un contrat au **marché noir** est un contrat d'échange illégal en vertu duquel l'acheteur et le vendeur concluent une affaire à un prix supérieur au prix plafond fixé par la loi. Le marché du logement n'est pas le seul qui soit réglementé d'une façon ou d'une autre et où les forces économiques génèrent un marché noir. Par exemple, la revente de billets de spectacle est interdite, mais néanmoins courante pour les concerts et les grands événements sportifs.

Dans le cas d'un plafonnement des loyers, le marché noir prend habituellement la forme d'une collusion entre le vendeur et l'acheteur, qui s'entendent officiellement sur le montant d'un loyer respectant le plafond imposé par la loi, et concluent officieusement un autre accord quant au loyer réel ; le montant que peut atteindre celui-ci au marché noir dépend principalement de la rigueur avec laquelle les autorités contrôlent les prix, des risques d'être pris en flagrant délit d'infraction et des sanctions encourues.

Si le risque d'être pris en flagrant délit d'infraction est mince, le marché noir fonctionnera comme un marché libre, où les loyers et la quantité de logements échangés tournent autour du prix d'équilibre. Par contre, si le contrôle est très rigoureux et que les contrevenants risquent de lourdes sanctions, le nombre de logements offerts et loués diminuera. Ainsi, dans l'exemple de San Francisco, un plafond des loyers fixé à 16 $ et rigoureusement contrôlé aurait restreint à 44 000 le nombre de logements disponibles. Un petit nombre de propriétaires aurait offert des logements à 24 $ par mois — le prix le plus élevé qu'un consommateur était prêt à payer — et le gouvernement aurait découvert et puni certains de ces contrevenants.

## Le plafonnement des prix dans la réalité

New York, Paris et Toronto ne sont que trois des nombreuses grandes villes qui pratiquent le plafonnement des loyers, mais c'est à New York que cette mesure a eu les effets les plus dévastateurs. On y a vu des propriétaires de Harlem et du Bronx renoncer à louer plusieurs milliers de logements non rentables, abandonnant ainsi des îlots entiers de la ville aux rats et aux trafiquants de drogue. À Paris, les appartements dont le loyer est plafonné se transmettent d'une génération à l'autre ; les locataires potentiels épluchent les avis de décès dans l'espoir de repérer un appartement vacant.

Les locataires et les propriétaires frustrés cherchent constamment des moyens de contourner la réglementation. Une pratique courante consiste à payer au propriétaire une somme considérable sous un prétexte quelconque — par exemple 2 000 $ pour des rideaux usés ou pour une nouvelle serrure.

Selon toute évidence, le plafonnement des loyers profite davantage aux locataires à revenus moyens et élevés qu'aux plus démunis. À Toronto, il n'est pas rare qu'une mère seule à faible revenu doive payer 800 $ par mois pour un sous-sol, tandis qu'un avocat bien nanti paie 600 $ par mois pour un appartement spacieux et confortable dont le loyer est plafonné. Si l'objectif du plafonnement des loyers est d'aider les pauvres, le but est loin d'être atteint. Selon Assar Lindbeck, président du comité du prix Nobel en science économique, le plafonnement des loyers serait le moyen le plus sûr de détruire une ville, un moyen plus efficace encore que la bombe H.

---

### À RETENIR

- Une baisse de l'offre de logements entraîne une hausse du prix (loyer) d'équilibre.
- À court terme, une hausse des loyers entraîne une baisse de la quantité demandée de logements et une augmentation de la quantité offerte, car le taux d'occupation des maisons et des appartements habités est beaucoup plus élevé.
- À long terme, une hausse des loyers stimule la construction domiciliaire. L'offre de logements augmente et les loyers baissent.
- Le plafonnement des loyers inhibe la capacité du marché du logement de réagir aux variations et peut entraîner une pénurie permanente de logements.

Étudions maintenant les effets d'un prix plancher — un prix minimal — en prenant pour exemple le marché du travail.

## Le marché du travail et les lois sur le salaire minimum

POUR LA MAJORITÉ D'ENTRE NOUS, LE MARCHÉ DU travail est le marché le plus important, celui où nous sommes le plus impliqués. L'interaction de l'offre et de la demande dans le marché du travail joue un rôle déterminant sur nos emplois et sur nos salaires. Les entreprises décident de la quantité de travailleurs à embaucher, et les ménages du nombre d'heures qu'ils sont prêts à travailler. Le taux salarial permet d'équilibrer la quantité demandée et la quantité offerte, et détermine le niveau d'emploi. Mais le marché du travail est soumis à des perturbations continuelles, de sorte que les salaires et les perspectives d'emploi changent constamment. Les plus importantes de ces perturbations sont dues au progrès technologique.

Comme on ne cesse d'inventer des techniques qui permettent d'économiser la main-d'œuvre, certaines catégories d'emplois, habituellement celles qui exigent la main-d'œuvre la moins qualifiée, sont constamment à la baisse. Comment le marché du travail réagit-il à cette baisse continue de la demande de travailleurs non spécialisés? Cela signifie-t-il que les salaires des travailleurs non spécialisés diminuent constamment? Pour répondre à cette question, étudions le marché de la main-d'œuvre non spécialisée.

La figure 6.3 représente le marché de la main-d'œuvre non spécialisée. Les entreprises demandent de la main-d'œuvre et, toutes choses demeurant égales par ailleurs, plus le taux salarial est bas, plus la quantité demandée de main-d'œuvre est forte. Dans le graphique (a), la courbe de demande de travail *D* illustre cette relation entre le taux salarial et la quantité demandée de main-d'œuvre. Les ménages fournissent la main-d'œuvre et, toutes choses demeurant égales par ailleurs, plus le taux salarial est élevé, plus la quantité offerte de main-d'œuvre est forte. Cependant, plus la période d'ajustement est longue, plus l'offre de main-d'œuvre est élastique. C'est pourquoi il existe deux courbes d'offre : la courbe d'offre à court terme, *OCT,* et la courbe d'offre à long terme, *OLT.*

La courbe d'offre à court terme montre le lien entre les variations du nombre d'heures de travail offertes par un nombre donné de travailleurs et les variations du taux salarial. Pour que les travailleurs offrent un plus grand nombre d'heures, les entreprises doivent proposer des salaires plus élevés, de sorte que la courbe d'offre à court terme a une pente positive.

La courbe d'offre à long terme montre le lien entre la quantité de travail offerte et le taux salarial lorsque les travailleurs ont eu le temps d'acquérir de nouvelles compétences et de trouver de nouveaux types d'emploi. Le nombre de travailleurs sur le marché de l'emploi non spécialisé varie en fonction des salaires qu'offre ce marché comparativement à d'autres. Si les salaires y sont assez élevés, ces travailleurs intégreront ce marché. S'ils sont trop bas, ils le quitteront. Certains suivront une formation pour accéder au marché de la main-d'œuvre spécialisée, et d'autres quitteront le marché du travail pour travailler à domicile ou prendre leur retraite.

Étant donné que les travailleurs peuvent intégrer ou quitter librement le marché de l'emploi non spécialisé, la courbe d'offre à long terme est extrêmement élastique. Dans la figure 6.3, on a supposé, pour simplifier, que la

---

**FIGURE 6.3**

# Un marché de la main-d'œuvre non spécialisée ◆

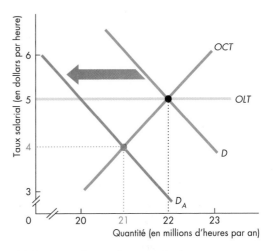

**(a) Après une innovation technologique**

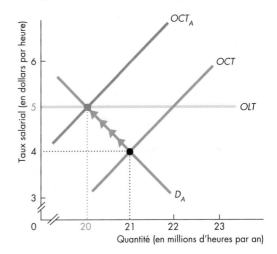

**(b) Ajustement à long terme**

Le graphique (a) montre l'effet immédiat d'une innovation qui permet de réaliser des économies de main-d'œuvre sur le marché de l'emploi non spécialisé. Initialement, le taux salarial horaire est de 5 $, et le nombre d'heures de travail annuel de 22 millions. L'innovation entraîne un déplacement de la courbe de demande de *D* à *D_A*. Le taux salarial passe de 5 $ à 4 $ l'heure et le nombre d'heures de travail passe de 22 millions à 21 millions par an. Cette baisse du taux horaire incite certains travailleurs à quitter ce marché, et la courbe d'offre à court terme se déplace graduellement vers *OCT_A* (graphique b). Lorsque le taux salarial augmente graduellement, le taux d'emploi diminue. À long terme, le taux salarial revient à 5 $ l'heure et le nombre d'heures de travail diminue pour atteindre 20 millions par an.

courbe d'offre à long terme était parfaitement élastique (horizontale). Le marché de l'emploi non spécialisé est en équilibre au taux salarial horaire de 5 $ pour 22 millions d'heures de travail.

Qu'arrive-t-il lorsqu'une nouvelle technique qui permet d'économiser de la main-d'œuvre entraîne la baisse de la demande de travailleurs non spécialisés? Le graphique 6.3(a) présente les effets à court terme d'une telle perturbation. Avant l'adoption de la nouvelle technique, la courbe de demande correspond à $D$; après, elle se déplace vers la gauche jusqu'à $D_A$. Le taux salarial passe de 5 $ à 4 $ l'heure, et le nombre d'heures de travail de 22 millions à 21 millions. Mais cet effet à court terme sur les salaires et l'emploi est provisoire.

Avec le temps, les travailleurs qui gagnent seulement 4 $ l'heure cherchent à améliorer leur sort. Ils constatent que d'autres emplois (dans des marchés qui exigent d'autres types de compétences) commandent des salaires horaires supérieurs et décident graduellement de reprendre leurs études ou d'accepter des emplois moins bien rémunérés mais qui leur offrent des possibilités de formation en milieu de travail. Il en résulte un déplacement de la courbe d'offre à court terme vers la gauche.

Le graphique 6.3(b) illustre l'ajustement à long terme. En se déplaçant vers la gauche, la courbe d'offre à court terme croise la courbe de demande $D_A$ aux points correspondant à des salaires horaires plus élevés et à un nombre d'heures de travail non spécialisé plus bas. À long terme, la courbe $OCT$ (offre à court terme) se déplace jusqu'à $OCT_A$. À ce point, le taux horaire est de nouveau de 5 $ et le nombre d'heures de travail non spécialisé ($D_A$) diminue pour atteindre 20 millions.

Si le processus d'ajustement que nous venons de décrire est parfois plus rapide, il arrive aussi qu'il traîne en longueur. Dans ce cas, les salaires restent bas plus longtemps, et le gouvernement peut être tenté de protéger les travailleurs moins bien rémunérés en imposant au marché un salaire minimum.

### Le salaire minimum

Une **loi sur le salaire minimum** est une loi qui rend illégale l'embauche d'un travailleur à un salaire inférieur au plancher fixé. S'il est fixé à un niveau *inférieur* au salaire d'équilibre, le salaire minimum n'a aucun effet. La loi et les forces du marché n'entrent pas en conflit. Par contre, s'il est fixé *au-dessus* du salaire d'équilibre, le salaire minimum entre en conflit avec les forces du marché et a des répercussions sur le marché du travail. Examinons ces répercussions en reprenant notre exemple du marché de la main-d'œuvre non spécialisée.

Supposons que le salaire horaire est de 4 $ — voir le graphique 6.3(a) — et que le gouvernement adopte une loi fixant le salaire minimum à 5 $ l'heure. Quels seront les effets de cette intervention? Reportons-nous à la figure 6.4, où le salaire minimum est représenté par la

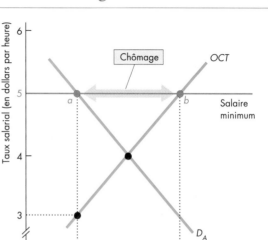

**FIGURE 6.4**

## Le salaire minimum et le chômage

La courbe de demande de travail est représentée par $D_A$, et la courbe d'offre par $OCT$. Sur un marché libre, le taux salarial est de 4 $ l'heure pour 21 millions d'heures de travail par an. Si l'on impose un salaire minimum de 5 $ l'heure, l'emploi ne correspond plus qu'à 20 millions d'heures alors que 22 millions d'heures sont disponibles, c'est-à-dire qu'il y a une offre excédentaire de 2 millions d'heures par an ($ab$), ce qui se traduit par du chômage. Avec une demande de 20 millions d'heures de travail, certains travailleurs seront prêts à offrir la vingt millionième heure de travail à 3 $ seulement. Ces chômeurs insatisfaits consacreront du temps et d'autres ressources à la recherche d'un emploi.

ligne horizontale rose. Au salaire minimum, le nombre d'heures demandées est de 20 millions (point $a$) et le nombre d'heures de travail offertes est de 22 millions (point $b$), de sorte que 2 millions d'heures de travail restent inutilisées.

Que font les travailleurs de leurs heures de travail inutilisées? Ils cherchent du travail. Avec seulement 20 millions d'heures de travail utilisées, bien des gens sont prêts à travailler à des salaires moindres que le salaire minimum. En fait, la 20 millionième heure de travail sera offerte à un salaire de 3 $ seulement. Comment savons-nous qu'il y a des gens prêts à travailler pour 3 $ l'heure seulement?

Revenons à la figure 6.4. Nous pouvons voir que, lorsque seulement 20 millions d'heures de travail sont disponibles, le salaire le plus bas auquel les travailleurs sont prêts à offrir cette 20 millionième heure est de 3 $, comme nous l'indique la courbe d'offre. Or, la personne qui cherche un emploi de façon intensive pourra peut-être s'en trouver un et gagner 5 $ l'heure, soit 2 $ de plus que le salaire horaire le plus bas auquel elle est prête à travailler. C'est pourquoi il est rentable pour les chômeurs de consacrer beaucoup de temps et d'efforts à la recherche de travail. Même si les heures de travail disponibles ne sont que de 20 millions, chacun d'eux consacrera du temps et des efforts à la recherche de l'un de ces emplois si rares.

### Le salaire minimum dans la réalité

Les règlements et les lois qui régissent les marchés du travail relèvent des provinces ; chacune a donc sa propre loi sur le salaire minimum. Les économistes ne sont pas unanimes quant aux effets du salaire minimum sur le marché du travail. Toutefois, ils s'accordent sur un point : ses répercussions négatives touchent surtout la main-d'œuvre non spécialisée. Comme il y a davantage de travailleurs non spécialisés chez les jeunes — ces derniers ayant eu moins le temps et l'occasion d'acquérir des compétences et de l'expérience —, on peut en déduire que l'imposition d'un salaire minimum entraîne un taux de chômage plus élevé chez les jeunes travailleurs que chez les plus âgés. En fait, c'est exactement ce qui se passe. Le taux de chômage chez les adolescents est plus de deux fois supérieur au taux de chômage moyen. Bien que de nombreux autres facteurs influent sur le taux de chômage des jeunes, on peut affirmer qu'il est dû en partie à l'existence d'un salaire minimum.

---

### À RETENIR

- Une baisse de la demande de main-d'œuvre non spécialisée entraîne une baisse du salaire d'équilibre.

- À court terme, des salaires peu élevés entraînent une baisse de la main-d'œuvre non spécialisée offerte et une hausse de la quantité de main-d'œuvre demandée.

- À long terme, des salaires peu élevés incitent certains travailleurs à quitter la population active et d'autres à acquérir une formation et de nouvelles compétences. L'offre de main-d'œuvre non spécialisée diminue et les salaires augmentent.

- Les lois sur le salaire minimum limitent la capacité du marché du travail à réagir aux changements et peuvent provoquer un chômage chronique.

Voyons maintenant quels sont les effets des taxes.

## Les taxes

L'AN DERNIER, LES GOUVERNEMENTS FÉDÉRAL ET provinciaux ainsi que les municipalités ont prélevé au-delà de 100 milliards de dollars — plus de 3 000 $ par personne en moyenne — en taxes sur les produits et ser-

vices que nous achetons. Ce montant inclut la taxe de vente et les taxes spéciales sur l'essence, les boissons alcoolisées et le tabac. Lorsque nous achetons un produit ou un service taxé, nous payons le prix qui figure sur l'étiquette *plus* un autre montant, la *taxe*. Quels sont les effets des taxes sur les prix et sur les quantités de produits achetées et vendues ? Le prix que nous payons pour des produits et des services inclut-il la totalité de la taxe ? La question se pose-t-elle vraiment ? Comme la taxe de vente s'ajoute au prix des produits ou des services, n'est-il pas évident que nous, les consommateurs, assumons entièrement la taxe. Le prix que nous payons n'est-il pas le prix avant taxe plus un montant correspondant à la taxe ? C'est possible, mais ce n'est habituellement pas le cas. En fait, il est même possible que nous ne payions pas du tout cette taxe, et que ce soit le vendeur qui la paie à notre place. Essayons de comprendre ces affirmations apparemment contradictoires.

### Qui paie la taxe de vente ?

Pour étudier les effets de la taxe de vente, nous devons d'abord observer un marché où une telle taxe n'existe pas. Nous pourrons ensuite y intégrer une taxe de vente et étudier ses conséquences.

La figure 6.5 illustre un marché de lecteurs de disques compacts : la courbe de demande est *D*, la courbe d'offre est *O*, le prix d'équilibre d'un lecteur de disques compacts est de 100 $, et la quantité échangée est de 5 000 lecteurs par semaine.

Supposons que le gouvernement impose une taxe de 10 $ sur les lecteurs de disques compacts. Quels seront les effets de cette taxe sur le prix et sur la quantité des lecteurs de disques compacts ? Pour répondre à cette question, nous devons comprendre comment l'offre et la demande réagiront à l'introduction de cette nouvelle taxe sur le marché des lecteurs de disques compacts.

Lorsqu'il est taxé, un produit a deux prix : l'un *avant* taxe et l'autre *après* taxe. Les consommateurs ne sont sensibles qu'au prix qu'ils paient, le prix après taxe, tandis que les producteurs ne sont sensibles qu'au prix qu'ils reçoivent, le prix avant taxe. La taxe s'insère entre ces deux prix.

Dans le graphique de la figure 6.5, le prix représenté sur l'axe vertical est le prix qui *inclut* la taxe, le prix après taxe payé par le consommateur. Avec l'imposition d'une taxe la demande ne change pas — la courbe de demande ne se déplace pas. C'est le prix total payé par le consommateur (donc le prix incluant la taxe) qui influe sur la quantité demandée.

Cependant, la courbe d'offre se *déplace*. Lorsqu'on impose une taxe de vente sur un produit, ce dernier est mis en vente à un prix supérieur à celui qui aurait prévalu sans cette taxe. L'offre du produit diminue et la courbe de demande se déplace vers la gauche, vers *O + taxe*. Pour déterminer la position de cette nouvelle

## FIGURE   6.5
# La taxe de vente

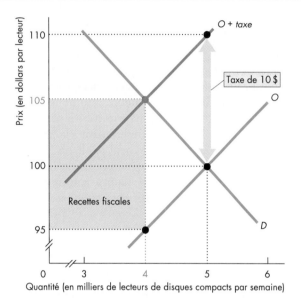

La courbe de demande de lecteurs de disques compacts est *D* et la courbe d'offre est *O*. Sans taxe de vente, le prix d'un lecteur est de 100 $ et on échange 5 000 lecteurs par semaine. Supposons que l'on impose une taxe de vente de 10 $ par lecteur. Le prix représenté sur l'axe vertical est le prix *après* taxe. La courbe de demande ne change pas, mais l'offre diminue et la courbe d'offre se déplace vers la gauche. La courbe *O* + *taxe* indique le prix auquel les vendeurs offriront les lecteurs de disques compacts. La distance verticale entre la courbe d'offre *O* et la nouvelle courbe d'offre *O* + *taxe* est égale au montant de la taxe — 10 $ par lecteur.

Le nouveau prix d'équilibre est atteint à 105 $ pour une quantité de 4 000 lecteurs de disques compacts échangés par semaine. La taxe de vente augmente le prix d'un montant inférieur à celui de la taxe, réduit le prix reçu par le fournisseur et diminue la quantité achetée et vendue. Les recettes fiscales qu'en retire le gouvernement sont représentées par le rectangle bleu.

courbe d'offre, il faut ajouter le montant de la taxe au prix le plus bas que les fournisseurs sont prêts à accepter pour chaque quantité vendue. Par exemple, sans la taxe, les fournisseurs sont prêts à vendre 4 000 lecteurs par semaine à 95 $ le lecteur. Avec une taxe de 10 $, ils offriront donc 4 000 lecteurs par semaine au prix de 105 $ l'unité — prix *après* taxe. De même, sans la taxe, les fournisseurs sont prêts à vendre 5 000 lecteurs par semaine à 100 $ l'unité, et offriront donc cette même quantité à 110 $ l'unité après taxe. La nouvelle courbe d'offre *O* + *taxe* se trouve à gauche de la courbe initiale — l'offre a diminué — et la distance verticale entre la courbe initiale d'offre *O* et la nouvelle courbe d'offre *O* + *taxe* est égale au montant de la taxe. La courbe *O* + *taxe* représente l'offre faite aux consommateurs.

Un nouvel équilibre est atteint lorsque la nouvelle courbe d'offre croise la courbe de demande — au prix de 105 $ pour une quantité de 4 000 lecteurs de disques compacts par semaine. La taxe de vente de 10 $ a fait monter le prix payé par le consommateur de seulement 5 $ (105 $ par rapport à 100 $), un montant inférieur à celui de la taxe de 10 $. Elle a aussi fait baisser le prix reçu par le fournisseur de 5 $ (95 $ par rapport à 100 $). La taxe de 10 $ est donc payée en partie par un prix plus élevé imposé au consommateur et en partie par un prix moins élevé reçu par le vendeur.

La taxe rapporte au gouvernement des recettes fiscales égales au montant de la taxe par produit multiplié par le nombre de produits vendus. C'est ce qu'illustre le rectangle bleu de la figure 6.5. La taxe de 10 $ sur les lecteurs de disques compacts permet d'obtenir des recettes fiscales de 40 000 $ par semaine.

Dans notre exemple, l'acheteur et le vendeur se partagent également le montant de la taxe ; il en coûte à l'un comme à l'autre 5 $ par lecteur de disques compacts. En réalité, un tel partage de la taxe à égalité est exceptionnel, bien qu'un certain partage soit courant. Dans certains cas, bien que ce soit exceptionnel, il peut aussi arriver que l'un ou l'autre assume intégralement la taxe. Examinons ces cas de plus près.

## Le partage de la taxe et l'élasticité de la demande

Le partage du montant de la taxe entre les acheteurs et les vendeurs dépend de l'élasticité de la demande. Là encore, on distingue deux cas extrêmes :

■ La demande est parfaitement inélastique et l'acheteur paie.

■ La demande est parfaitement élastique et le vendeur paie.

**La demande est parfaitement inélastique**   Le graphique 6.6(a) illustre le marché de l'insuline, un médicament vital pour les diabétiques, qui doivent en consommer quotidiennement. La quantité demandée est de 100 000 doses par jour, et ce, quel que soit le prix. Cela signifie qu'une personne diabétique sacrifiera tous les autres produits et services plutôt que se priver de la dose d'insuline indispensable à sa survie et à sa santé. La demande d'insuline est parfaitement inélastique, comme le montre la courbe verticale $D_I$. La courbe d'offre d'insuline est *O*. En l'absence de taxe, le prix est de 2 $ la dose pour une quantité de 100 000 doses par jour achetée par les diabétiques.

Si l'insuline est taxée à raison de 20 ¢ la dose, nous devons ajouter la taxe au prix le plus bas auquel les compagnies pharmaceutiques sont prêtes à vendre l'insuline pour déterminer le prix auquel elles la vendront aux consommateurs. Nous obtenons ainsi une nouvelle courbe d'offre, soit *O* + *taxe*. Le prix passe de 2 $ à 2,20 $ la dose,

**FIGURE 6.6**

# La taxe de vente et l'élasticité de la demande

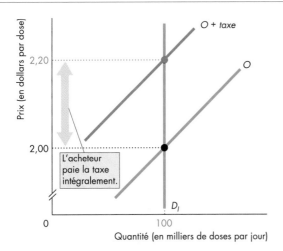

**(a) Demande parfaitement inélastique**

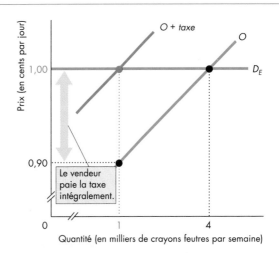

**(b) Demande parfaitement élastique**

Le graphique (a) illustre le marché de l'insuline. La demande d'insuline est parfaitement inélastique. En l'absence de taxe, le prix est de 2 $ la dose et on achète 100 000 doses par jour. Une taxe sur les ventes de 20 ¢ par dose fait augmenter le prix auquel les vendeurs sont prêts à vendre l'insuline et fait déplacer la courbe d'offre vers O + taxe. Le prix passe de 2 $ à 2,20 $ la dose, mais la quantité achetée ne change pas. Les acheteurs paient la taxe intégralement.

Le graphique (b) indique le marché des crayons feutres roses. La demande de crayons feutres roses est parfaitement élastique. En l'absence de taxe, le prix d'un crayon feutre rose est de 1 $ et 4 000 crayons feutres sont achetés par semaine. Une taxe sur les ventes de 10 ¢ par crayon feutre entraîne le déplacement de la courbe d'offre vers O + taxe. Le prix reste à 1 $ le crayon, et la quantité de crayons feutres vendue passe de 4 000 à 1 000 par semaine. Les fournisseurs paient la taxe intégralement.

mais la quantité ne change pas. Le consommateur paie intégralement la taxe de vente de 20 ¢ la dose.

**La demande est parfaitement élastique**   Le graphique 6.6(b) présente le marché des crayons feutres roses. À part quelques fanatiques du rose, les gens se moquent que leur crayon feutre soit rose, bleu, jaune ou vert. Si les crayons feutres roses coûtent moins cher que les autres, tout le monde utilisera des crayons roses. Si les crayons feutres roses coûtent plus cher que les autres, personne n'en achètera. La demande de crayons feutres roses est parfaitement élastique lorsque leur prix est le même que celui des crayons feutres d'autres couleurs, soit 1 $ l'unité, comme l'indique le graphique 6.6(b). La courbe de demande des crayons roses est la courbe horizontale $D_E$. La courbe d'offre est O. En l'absence de taxe, le prix d'un crayon feutre rose est de 1 $, et la quantité demandée, de 4 000 crayons feutres par semaine.

Si une taxe de vente de 10 ¢ est imposée sur les crayons feutres roses et seulement sur ceux-ci, nous devons ajouter le montant de cette taxe au prix le plus bas que les fournisseurs sont prêts à accepter pour déterminer le prix auquel les crayons feutres seront vendus aux consommateurs. La nouvelle courbe d'offre est O + taxe. Le prix reste le même, soit 1 $ le crayon, et la quantité de

crayons feutres roses tombe à 1 000 par semaine. La taxe de vente de 10 ¢ ne modifie pas le prix que paie le consommateur, mais elle fait diminuer le montant reçu par le fournisseur d'une somme égale au montant total de la taxe de vente, soit 10 ¢ par crayon. Par conséquent, les vendeurs réduisent la quantité offerte.

Nous avons vu que, si la demande est parfaitement inélastique, l'acheteur paie intégralement la taxe tandis que, si elle est parfaitement élastique, c'est le vendeur qui l'assume. Habituellement, comme la demande n'est ni parfaitement inélastique ni parfaitement élastique, l'acheteur et le vendeur se partagent la taxe dans une proportion qui reflète l'élasticité de la demande. Moins la demande est élastique, plus la part de taxe payée par l'acheteur est grande.

## Le partage de la taxe et l'élasticité de l'offre

Le partage du montant de la taxe entre les acheteurs et vendeurs dépend également de l'élasticité de l'offre. Ici encore, on distingue deux cas extrêmes :

■ L'offre est parfaitement inélastique et le vendeur paie.
■ L'offre est parfaitement élastique et l'acheteur paie.

## FIGURE 6.7
# La taxe de vente et l'élasticité de l'offre

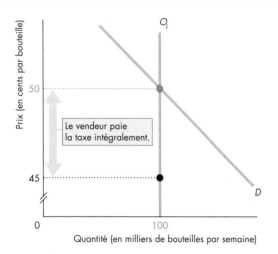

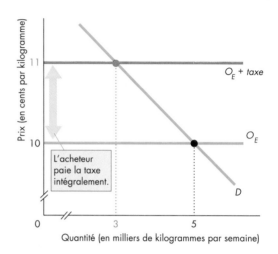

**(a) Offre parfaitement inélastique**

**(b) Offre parfaitement élastique**

Le graphique (a) illustre le marché de l'eau de source. L'offre est parfaitement inélastique. En l'absence de taxe, le prix est de 50¢ la bouteille. L'imposition d'une taxe de vente de 5¢ réduit le prix reçu par les vendeurs, mais le prix payé par les consommateurs reste de 50¢ la bouteille et le nombre de bouteilles achetées reste le même. Les fournisseurs paient intégralement la taxe.

Le graphique (b) illustre le marché du sable dont on extrait le silicone pour la fabrication des puces informatiques. L'offre est

parfaitement élastique. En l'absence de taxe, le prix est de 10¢ le kilogramme et on achète 5 000 kilogrammes de sable par semaine. L'imposition d'une taxe de vente de 1¢ par kilogramme augmente le prix le plus bas auquel les vendeurs sont prêts à offrir le sable, ce qui le porte à 11¢ le kilogramme. La courbe d'offre se déplace vers $O_E + taxe$. Le prix passe à 11¢ le kilogramme, et la quantité à 3 000 kilogrammes par semaine. Les acheteurs paient la taxe intégralement.

**L'offre est parfaitement inélastique**   Le graphique 6.7(a) illustre le marché de l'eau de source dont le débit constant ne peut être ajusté. La quantité disponible est de 100 000 bouteilles par semaine, et ce, quel que soit le prix. L'offre est parfaitement inélastique et la courbe d'offre est $O_I$. La courbe de demande d'eau provenant de cette source est $D$. En l'absence de taxe, le prix de cette eau est de 50¢ la bouteille et, à ce prix, on achète les 100 000 bouteilles provenant de la source.

Supposons qu'une taxe de 5¢ la bouteille soit imposée sur cette eau de source. Même si le prix reçu par les propriétaires de la source baissait d'un montant correspondant au montant intégral de la taxe, ils continueraient de produire la même quantité — 100 000 bouteilles par semaine. Par contre, les consommateurs ne sont prêts à acheter ces 100 000 bouteilles que si le prix n'excède pas 50¢ la bouteille. Le prix reste donc à 50¢ la bouteille et les fournisseurs paient la taxe intégralement. La taxe de 5¢ par bouteille fait baisser de 5¢ le prix reçu par les fournisseurs, le ramenant à 45¢ la bouteille.

**L'offre est parfaitement élastique**   Le graphique 6.7(b) présente le marché du sable, dont les fabricants de puces informatiques extraient le silicone. Ce sable est

disponible en quantité pratiquement illimitée, et ses propriétaires sont prêts à en fournir n'importe quelle quantité au prix de 10¢ le kilogramme. L'offre est parfaitement élastique et la courbe d'offre est $O_E$. La courbe de demande de sable est $D$. Sans taxe, le prix est de 10¢ le kilogramme et, à ce prix, on achète 5 000 kilogrammes de sable par semaine.

Si une taxe de 1¢ par kilogramme de sable est imposée, nous devons ajouter cette taxe au prix le plus bas auquel les fournisseurs sont prêts à vendre le sable pour déterminer le prix auquel ce sable sera vendu aux fabricants de puces informatiques. Comme les fournisseurs de sable sont prêts à offrir n'importe quelle quantité à 10¢ le kilogramme lorsqu'il n'y a pas de taxe, avec la taxe de 1¢ le kilogramme, ils sont prêts à offrir n'importe quelle quantité de sable à 11¢ le kilogramme le long de la courbe $O_E + taxe$. Autrement dit, lorsque l'offre est parfaitement élastique, la taxe entraîne le déplacement vers le haut de la courbe d'offre d'une distance correspondant au montant de la taxe. Un nouvel équilibre est atteint lorsque la nouvelle courbe d'offre croise la courbe de demande — au prix de 11¢ le kilogramme et à une quantité de 3 000 kilogrammes par semaine. La taxe de vente a fait augmenter le prix payé par les fabricants de puces informatiques d'une somme correspondant au montant intégral de la taxe — 1 ¢ par kilogramme — et elle a fait baisser la quantité vendue.

Nous avons vu que, lorsque l'offre est parfaitement inélastique, le vendeur paie intégralement la taxe et que, lorsqu'elle est parfaitement élastique, c'est l'acheteur qui l'assume en entier. Habituellement, l'offre n'est ni parfaitement élastique ni parfaitement inélastique ; vendeurs et acheteurs se partagent donc la taxe dans une proportion qui varie en fonction de l'élasticité de l'offre. Plus l'offre est élastique, plus la part de la taxe payée par l'acheteur est importante.

### Les taxes de vente dans la réalité

Nous avons vu l'éventail des répercussions possibles d'une taxe de vente sur les prix et sur les quantités échangées en étudiant des cas extrêmes. En réalité, l'offre et la demande sont rarement parfaitement élastiques ou parfaitement inélastiques. Elles se situent quelque part entre les deux, comme dans le premier exemple que nous avons étudié. Mais l'offre et la demande de certains produits tendent vers l'un ou l'autre de ces pôles. Ainsi, les gouvernements choisissent souvent de taxer des produits dont la demande est peu élastique, comme l'alcool, le tabac ou l'essence. L'acheteur assume donc la plus grande partie de la taxe. De plus, comme la demande est inélastique, la quantité achetée ne baisse pas beaucoup et le gouvernement perçoit des recettes fiscales importantes.

Il est très rare qu'une taxe élevée soit imposée sur un produit dont la demande est élastique, car, si c'est le cas, il est facile de trouver des substituts à ce bien ou à ce service. S'il est taxé, les consommateurs en achèteront moins et se tourneront vers un produit substitut non taxé. La quantité achetée du bien taxé diminuera considérablement et le gouvernement ne percevra que de maigres recettes fiscales. C'est ce qui explique que l'on taxe les produits dont la demande est inélastique, et que les acheteurs paient la plus grande partie de cette taxe.

---

### À RETENIR

■ L'effet de la taxe de vente varie en fonction de l'élasticité de l'offre et de la demande.

■ Pour une offre donnée, moins la demande est élastique et plus la hausse du prix due à la taxe est grande, moins la quantité diminue et plus la part de la taxe payée par l'acheteur est importante.

■ Pour une demande donnée, plus l'offre est élastique et plus la hausse du prix est grande, plus la quantité diminue et plus la part de la taxe payée par l'acheteur est importante.

L'imposition de taxes est l'une des méthodes employées pour modifier les prix et les quantités. Une autre méthode consiste à interdire le commerce d'un produit.

---

## Les marchés des produits illégaux

LES MARCHÉS DE NOMBREUX PRODUITS ET SERVICES sont réglementés, et l'achat et la vente de certains produits sont interdits — ces produits sont illégaux. Prenons l'exemple des drogues illégales comme la marijuana, la cocaïne et l'héroïne.

Bien qu'elles soient illégales, ces drogues font l'objet d'un commerce de plusieurs milliards de dollars. Le modèle et les principes économiques qui expliquent les échanges de produits et services légaux expliquent tout aussi bien ces échanges illégaux.

En étudiant le marché des drogues, n'oubliez pas que la science économique tente de comprendre le fonctionnement du monde économique. Elle n'encourage ni ne condamne les activités qu'elle tente d'expliquer. En tant que membre bien informé de la société, vous devez avoir une opinion sur les drogues et sur la politique gouvernementale concernant les drogues. Ce que vous apprendrez quant à l'économie des marchés des produits illégaux vous aidera à raffiner cette opinion. Mais ces connaissances ne tiennent pas lieu de jugement moral et ne peuvent vous aider en la matière. Ce que trouverez dans les paragraphes qui suivent est une analyse objective du fonctionnement des marchés des produits illégaux et non un plaidoyer sur la manière dont ces produits devraient être réglementés.

Pour étudier le marché des produits illégaux, nous allons d'abord examiner les prix et les quantités qui auraient cours si ces produits n'étaient pas interdits, ce qui nous permettra de dégager ensuite les effets de leur interdiction. Finalement, nous verrons comment l'imposition d'une taxe pourrait réduire leur consommation.

### Un marché libre des drogues

Le graphique de la figure 6.8 illustre un marché des drogues. La courbe de demande ($D$) montre que, toutes autres choses étant égales, plus le prix des drogues est bas, plus la quantité de drogues demandée est grande. La courbe d'offre ($O$), elle, permet de constater que, toutes choses étant égales par ailleurs, plus le prix des drogues est bas, plus la quantité offerte est faible. Si les drogues n'étaient pas illégales, la quantité achetée et vendue serait $Q_C$, et le prix serait $P_C$.

## La prohibition des drogues

Lorsque la vente d'un produit est illégale, les coûts liés au commerce de ce produit augmentent. Le montant de cette augmentation varie en fonction de l'importance des sanctions imposées aux contrevenants par la loi et de la rigueur avec laquelle on applique cette loi. Plus la peine est forte et plus l'application de la loi est rigoureuse, plus les coûts sont élevés. Selon les cas, on peut imposer des sanctions aux vendeurs, aux acheteurs ou aux deux.

**Les sanctions imposées aux vendeurs** Au Canada, les trafiquants de drogues encourent de fortes sanctions lorsque leurs activités sont mises à jour. Par exemple, un trafiquant de marijuana pourrait écoper d'une amende de 200 000 $ et d'une peine de 20 ans d'emprisonnement, et un trafiquant d'héroïne d'une amende de 500 000 $ et d'une peine de 20 ans d'emprisonnement. Ces sanctions sont incluses dans le prix de vente des drogues illégales et entraînent une baisse de l'offre — un déplacement de la courbe d'offre vers la gauche. Pour déterminer la nouvelle courbe d'offre, il faut ajouter les coûts liés au fait d'enfreindre la loi en vendant de la drogue au prix minimum que les trafiquants sont prêts à accepter pour la drogue. Dans la figure 6.8, on a ajouté le coût d'infraction à la loi (CIL) au prix le plus bas que les trafiquants sont prêts à accepter, et la courbe d'offre se déplace vers la gauche jusqu'à $O + CIL$. Si les sanctions ne visent que les vendeurs, le marché se déplace du point $c$ jusqu'au point $a$: le prix augmente et la quantité achetée diminue.

**Les sanctions imposées aux acheteurs** Au Canada, il est illégal de se trouver *en possession* de drogues comme la marijuana, la cocaïne et l'héroïne. Par exemple, la possession de marijuana peut entraîner une peine d'emprisonnement de un an, et la possession d'héroïne une peine de deux ans. Les sanctions pour possession frappent les acheteurs et, pour déterminer le prix maximum que ceux-ci sont prêts à payer, il faut *déduire* le coût d'infraction de la valeur du produit. La demande diminue et la courbe de demande se déplace vers la gauche. Dans la figure 6.8, la courbe de demande se déplace vers $D - CIL$. Si les sanctions ne visent que les acheteurs, le marché se déplace du point $c$ au point $b$. Le prix et la quantité achetée diminuent.

**Les sanctions imposées aux vendeurs et aux acheteurs** Lorsque les sanctions sont imposées aux vendeurs *et* aux acheteurs, l'offre et la demande diminuent, et les courbes d'offre et de demande se déplacent. Dans la figure 6.8, les coûts d'infraction à la loi sont les mêmes pour les acheteurs et les vendeurs, de sorte que les deux courbes se déplacent d'une même distance vers la gauche. Le marché se déplace jusqu'au point $d$. Le prix reste donc celui qui prévaudrait dans un marché libre, mais la quantité achetée diminue jusqu'en $Q_p$.

---

**FIGURE 6.8**

## Le marché d'un produit illégal

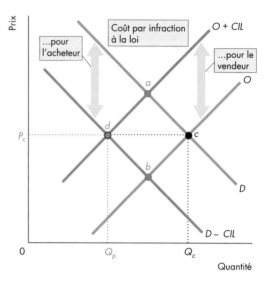

La courbe de demande de drogues est $D$ et la courbe d'offre est $O$. Si les drogues ne sont pas illégales, la quantité consommée est $Q_c$ au prix de $P_c$ (point $c$). Si la vente de drogue est illégale, on ajoute le coût d'infraction à la loi (CIL) aux autres coûts, et l'offre diminue jusqu'à $O + CIL$. Le prix augmente et la quantité consommée diminue — point $a$. Si l'achat de drogues est illégal, on soustrait le coût d'infraction à la loi au prix le plus bas que les acheteurs sont prêts à payer, et la demande diminue jusqu'à $D - CIL$. Le prix diminue et la quantité consommée diminue — point $b$. Si tant la vente que l'achat de drogues est illégal, les courbes d'offre et de demande se déplacent et la quantité consommée diminue encore plus, mais (dans notre exemple) le prix demeure à son niveau de prix non réglementé — point $d$.

Plus la sanction est forte et plus l'application de la loi est rigoureuse, plus la baisse de la demande (ou de l'offre, ou des deux) sera importante et plus le déplacement de la courbe de demande (ou d'offre, ou des deux) sera grand. Si les sanctions sont plus sévères pour les vendeurs, le prix montera au-dessus de $P_c$ et, si elles sont plus sévères pour les acheteurs, le prix baissera au-dessous de $P_c$. Au Canada, les sanctions imposées aux vendeurs sont beaucoup plus sévères que celles qui sont imposées aux acheteurs. Par conséquent, la baisse de l'offre est beaucoup plus importante que la baisse de la demande. La quantité de drogues échangée diminue et le prix augmente, par rapport à ce qui se passe dans un marché libre.

Lorsque les sanctions sont suffisamment élevées et que la loi est appliquée rigoureusement, il est théoriquement possible de réduire la demande (ou l'offre, ou les deux) jusqu'au point où la quantité achetée est égale à zéro. Toutefois, dans la réalité, un tel résultat est inhabituel et n'est jamais atteint dans le cas des drogues illégales. Cela s'explique principalement par le coût exorbitant de la répression criminelle et par l'insuffisance des ressources dont disposent les forces policières pour faire appliquer la loi. Cet état de fait a incité certaines personnes à proposer de décriminaliser les drogues (et autres produits illégaux) et de les mettre en vente libre mais en les taxant lourdement, ainsi qu'on le fait pour des drogues légales comme l'alcool. Comment un tel marché fonctionnerait-il ?

## La légalisation et la taxation des drogues

La figure 6.9 illustre ce qui se produirait si les drogues étaient légalisées et taxées. S'il n'y a pas de taxe, la quantité de drogues est $Q_c$ et le prix est $P_c$. Supposons maintenant qu'on taxe les drogues à un taux choisi pour que la quantité achetée soit la même que si elles étaient illégales. La taxe ajoutée au prix d'offre entraîne le déplacement de la courbe d'offre jusqu'en $O + taxe$. L'équilibre se produit à une quantité $Q_p$. Le prix payé par le consommateur augmente jusqu'en $P_b$ et le prix reçu par les fournisseurs diminue jusqu'en $P_s$. Le gouvernement perçoit des recettes fiscales qui correspondent au rectangle bleu de la figure.

**Le commerce illégal aux fins d'évasion fiscale**   Il est probable qu'un taux d'imposition extrêmement élevé réduirait la consommation de drogues au niveau qui existe lorsqu'il y a prohibition. Il est aussi probable que de nombreux trafiquants de drogues et consommateurs tenteraient de camoufler leurs activités pour échapper à la taxe. En agissant ainsi, ils encourraient des coûts d'infraction à la loi qui taxe les drogues. Si la sanction prévue pour violation de cette loi est aussi sévère que l'était la loi qui rendait les drogues illégales, l'analyse que nous avons faite plus tôt s'applique ici. La quantité de drogues consommée variera selon la sévérité de la sanction et selon que cette sanction touche les acheteurs, les vendeurs ou les deux. Si des sanctions sont imposées, la quantité consommée diminue et les recettes fiscales sont inférieures à celles illustrées par le rectangle bleu de la figure 6.9.

**Interdiction ou taxation ? Les avantages et les inconvénients**   Quelle est la meilleure solution, l'interdiction ou la taxation ? Nous venons de voir que ces deux mesures peuvent donner des résultats similaires si les taxes et les sanctions sont fixées à un niveau approprié. Cependant, d'autres facteurs doivent être pris en considération.

Le fait qu'on puisse utiliser les recettes fiscales pour mieux faire appliquer les lois et mettre en place une campagne de sensibilisation plus efficace contre les drogues plaide en faveur de la taxation et contre la prohibition. Par contre, le fait qu'une interdiction puisse influencer les préférences et réduire la demande de drogues parle en faveur de l'interdiction et contre la taxation. Par ailleurs,

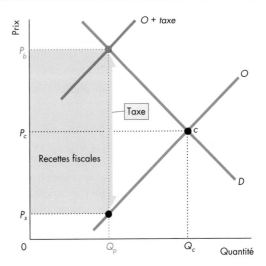

### FIGURE 6.9
## La légalisation et la taxation des drogues

Les drogues sont légalisées mais elles sont lourdement taxées. La taxe ajoutée au prix d'offre entraîne le déplacement de la courbe d'offre de $O$ à $O + taxe$. La quantité achetée diminue jusqu'en $Q_p$, le prix payé par le consommateur augmente jusqu'en $P_b$, et le prix reçu par les fournisseurs diminue jusqu'en $P_s$. Le gouvernement perçoit des recettes fiscales correspondant au rectangle bleu.

certaines personnes sont choquées à l'idée que le gouvernement puisse profiter du commerce de substances nocives.

### À   R E T E N I R

- L'imposition d'une sanction aux vendeurs d'un produit illégal entraîne la hausse du prix de vente de ce produit et la baisse de l'offre de ce produit.
- L'imposition d'une sanction aux acheteurs d'un produit illégal fait en sorte que les acheteurs sont moins prêts à payer pour ce produit et diminue la demande de ce produit.
- L'imposition d'une sanction aux acheteurs ou aux vendeurs entraîne la baisse de la quantité d'un produit illégal.
- Le prix d'un produit illégal augmente si les sanctions imposées aux vendeurs sont plus sévères que celles qui frappent les acheteurs, et il baisse si les sanctions imposées aux acheteurs sont plus sévères que celles qui frappent les vendeurs.
- L'imposition d'une taxe suffisamment élevée peut réduire la consommation au même niveau que l'interdiction.

# La stabilisation des revenus agricoles

LA PRODUCTION AGRICOLE CONNAÎT D'IMPORTANTES fluctuations à cause des variations climatiques. Quels sont les effets de ces fluctuations de la production sur les prix et les revenus agricoles ? Comment peut-on stabiliser les revenus agricoles ? Les réponses à ces questions dépendent de l'organisation des marchés des produits agricoles. Commençons par étudier un marché agricole non réglementé.

## Un marché agricole non réglementé

La figure 6.10 illustre le marché du blé. Dans les deux graphiques, la courbe de demande de blé est *D*. Une fois que les producteurs agricoles ont fini leur récolte, ils n'ont aucun pouvoir sur la quantité offerte ; l'offre est donc inélastique le long d'une *courbe d'offre instantanée.* Dans des conditions climatiques normales, la courbe d'offre instantanée est $OI_0$ (dans les deux graphiques de la figure).

Le prix est déterminé au point d'intersection de la courbe d'offre instantanée et de la courbe de demande. Dans des conditions normales, le prix est de 200 $ la tonne. La quantité de blé produite est de 20 millions de tonnes et les revenus agricoles sont de 4 milliards de dollars. Supposons que pour les producteurs agricoles le coût d'opportunité de la production de blé soit, lui aussi, de 4 milliards de dollars. Dans des conditions normales, les producteurs agricoles ne feraient donc que couvrir leur coût d'opportunité.

**Les mauvaises récoltes**  Supposons que les conditions climatiques aient entraîné de mauvaises récoltes. Quels seront les effets de ces mauvaises récoltes sur le prix du blé et sur les revenus des producteurs agricoles ? Le graphique 6.10(a) répond à cette question. L'offre diminue et la courbe d'offre instantanée se déplace vers la gauche jusqu'à $OI_1$, point correspondant à une production de 15 millions de tonnes de blé. Avec une baisse de l'offre, le prix passe de 200 $ à 300 $ la tonne.

Quelle est la répercussion sur les revenus agricoles ? Ils passent à 4,5 milliards de dollars (300 $ × 15 millions de tonnes). Une baisse de l'offre a entraîné une hausse de prix et une augmentation des revenus agricoles parce que la demande de blé est *inélastique.* En pourcentage, la diminution de la quantité demandée est inférieure à la hausse de prix. Nous pouvons vérifier cela au graphique 6.10(a) : l'augmentation de 1,5 milliard de dollars des revenus attribuable à la hausse de prix (rectangle bleu pâle) excède la diminution de 1 milliard de dollars des revenus attribuable à la diminution de la quantité (rectangle rose). Les producteurs agricoles réalisent maintenant un revenu qui excède leur coût d'opportunité.

## FIGURE 6.10

# Les récoltes, les prix et les revenus agricoles

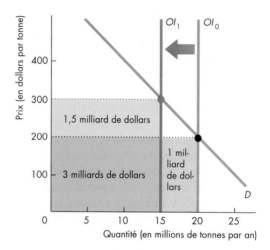

**(a) Mauvaise récolte : les revenus augmentent**

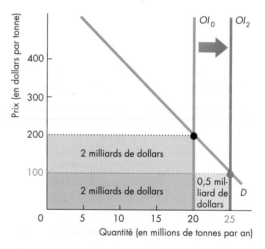

**(b) Récolte abondante : les revenus diminuent**

La courbe de demande de blé est *D*. En temps normal, la courbe d'offre est $OI_0$ et 20 millions de tonnes se vendent au prix de 200 $ la tonne. Dans le graphique (a), une mauvaise récolte entraîne une baisse de l'offre jusqu'à $OI_1$. Le prix passe de 200 $ à 300 $ la tonne, et les revenus agricoles *augmentent* et passent de 4 milliards à 4,5 milliards de dollars — l'augmentation de 1,5 milliard de dollars des revenus attribuable à la hausse du prix (rectangle bleu pâle) excède la perte de 1 milliard de dollars de revenus attribuable à la diminution de la quantité (rectangle rose). Dans le graphique (b), une récolte abondante déplace l'offre jusqu'à $OI_2$. Le prix baisse, passant à 100 $ la tonne, et les revenus agricoles diminuent, passant à 2,5 milliards de dollars — la réduction de 2 milliards de dollars de revenus attribuable à la baisse du prix (rectangle rose) excède l'augmentation de 0,5 milliard de dollars des revenus due à l'augmentation de la quantité vendue (rectangle bleu pâle).

Notons que, bien que les revenus agricoles *totaux* augmentent lorsque les récoltes sont mauvaises, les fermiers ne profitent pas tous également de la situation. Ceux dont les récoltes ont été entièrement dévastées perdent des revenus tandis que ceux dont les récoltes ont été épargnées font d'énormes profits.

**Les récoltes abondantes**   Le graphique 6.10(b) montre ce qui se produit dans la situation inverse, c'est-à-dire lorsque les récoltes sont abondantes. L'offre augmente à 25 millions de tonnes et la courbe d'offre instantanée se déplace vers la droite jusqu'à $OI_2$. Lorsque la quantité offerte augmente, le prix baisse, passant à 100 $ la tonne. De même, les revenus agricoles diminuent, passant à 2,5 milliards de dollars. Les revenus diminuent parce que la demande de blé est inélastique. Pour le constater, reportez-vous au graphique 6.10(b) : vous voyez que la baisse de 2 milliards de dollars des revenus attribuable au prix plus bas (rectangle rose) excède l'augmentation de 0,5 milliard de dollars des revenus attribuable à l'augmentation de la quantité vendue (rectangle bleu pâle).

**L'élasticité de la demande**   Dans l'exemple que nous venons d'étudier, la demande est inélastique. Lorsque la demande est élastique, les fluctuations de prix se déplacent dans une direction identique, mais les revenus fluctuent dans la direction opposée. Une récolte abondante entraîne une augmentation des revenus, et une mauvaise récolte une diminution des revenus. Mais, comme la demande est généralement inélastique dans le cas des produits agricoles, le cas étudié est pertinent.

Afin de stabiliser les prix à la production agricole, des institutions de deux types ont été mises en place :
- les marchés spéculatifs des stocks,
- les régies des marchés agricoles.

## Les marchés spéculatifs des stocks

De nombreux produits, dont la plupart sont des produits agricoles, peuvent être stockés. Ces stocks servent alors de marge de sécurité entre la production et la consommation. Lorsque la production diminue, les produits en stock peuvent être vendus ; lorsque la production augmente, les produits peuvent être stockés.

Dans un marché où il y a des stocks, il faut distinguer la production et l'offre. La quantité produite n'est pas la même que la quantité offerte. La quantité offerte excède la quantité produite lorsque des produits stockés sont vendus et la quantité produite excède la quantité offerte lorsque des produits sont stockés. Par conséquent, la courbe d'offre varie en fonction du comportement des détenteurs de stocks.

**Le comportement des détenteurs de stocks**   Les détenteurs de stocks sont des spéculateurs. Ils espèrent acheter à bas prix et vendre à prix fort. Autrement dit, ils cherchent à acheter des biens et à les stocker lorsque leur prix est bas pour les vendre lorsque leur prix est élevé. Le profit ou la perte correspondent au prix de vente moins le prix d'achat et le coût du stockage[4].

Comment les détenteurs de stocks savent-ils que c'est le moment d'acheter ou de vendre ? Comment déterminent-ils si le prix est bas ou s'il est élevé ? Pour cela, ils doivent prévoir le plus précisément possible ce que seront les prix dans l'avenir. Si le prix courant est supérieur au prix à venir, ils vendent les produits stockés et, si le prix courant est inférieur au prix à venir, ils achètent des produits pour les stocker. Ce comportement des détenteurs de stocks se traduit par une courbe d'offre parfaitement élastique face au prix à venir prévu par les détenteurs de stocks.

Voyons quels sont les effets des fluctuations de la production sur les prix et les quantités sur un marché où il y a des stocks. Reprenons comme exemple le marché du blé.

**Les fluctuations de la production**   Dans la figure 6.11, la courbe de demande de blé est $D$. Les détenteurs de stocks prévoient que le prix sera de 200 $ la tonne dans l'avenir. La courbe d'offre est $O$ — l'offre est parfaitement élastique au prix prévu par les détenteurs de stocks. La production fluctue entre $Q_1$ et $Q_2$.

Lorsque la production fluctue et qu'il n'y a pas de stocks, le prix et la quantité fluctuent. Le prix baisse lorsque la production augmente et il augmente lorsque la production diminue, comme le montrait la figure 6.10. Mais, s'il y a des stocks, le prix ne fluctue pas. Lorsque la production est faible, à $Q_1$ ou 15 millions de tonnes, les détenteurs de stocks vendent 5 millions de tonnes à partir des stocks et la quantité achetée par les consommateurs est de 20 millions de tonnes. Le prix reste à 200 $ la tonne. Lorsque la production est abondante, à $Q_2$ ou 25 millions de tonnes, les détenteurs de stocks achètent 5 millions de tonnes et les consommateurs continuent d'acheter 20 millions de tonnes. Là encore, le prix demeure à 200 $ la tonne.

Les stocks permettent de réduire les fluctuations de prix. Dans la figure 6.11, les fluctuations de prix sont entièrement éliminées. Dans la réalité, s'il y a des frais d'entreposage des stocks ou si les stocks sont presque épuisés, des fluctuations de prix peuvent apparaître, mais elles seront beaucoup moins marquées que celles d'un marché sans stocks.

**Les revenus agricoles**   Même si la spéculation sur les stocks réussit à stabiliser les prix, elle ne stabilise pas les revenus agricoles. Bien que le prix soit stabilisé, les

---

[4] Nous supposerons aux fins de notre démonstration que le coût de stockage est tellement faible que nous pouvons ne pas en tenir compte. Cette supposition, bien qu'elle ne soit pas indispensable, nous permet de mieux dégager les répercussions sur les prix des décisions des détenteurs de stocks.

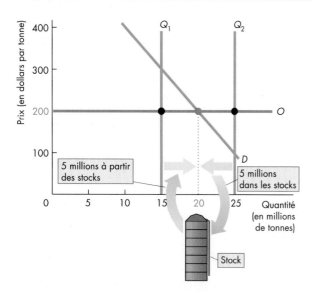

**FIGURE 6.11**

## Comment les stocks limitent les variations de prix

Les détenteurs de stocks offrent le blé stocké lorsque le prix du blé dépasse 200 $ la tonne et ils stockent le blé lorsque le prix du blé est inférieur à 200 $ la tonne, ce qui rend l'offre parfaitement élastique le long de la courbe d'offre $O$. Lorsque la production diminue, passant à $Q_1$, 5 millions de tonnes sont offertes à partir des stocks; lorsque la production augmente, passant à $Q_2$, 5 millions de tonnes sont stockées. Le prix demeure à 200 $ la tonne.

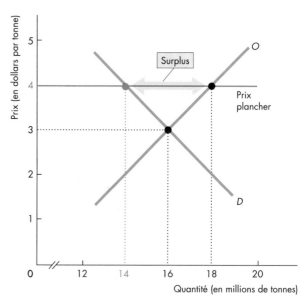

**FIGURE 6.12**

## Un prix plancher pour la poudre de lait écrémé

Le prix concurrentiel d'équilibre de la poudre de lait écrémé est de 3 $ la tonne et la quantité d'équilibre échangée est de 16 millions de tonnes. L'imposition d'un prix plancher de 4 $ la tonne entraîne la hausse du prix à 4 $ la tonne, la diminution de la quantité vendue à 14 millions de tonnes et l'augmentation de la quantité produite à 18 millions de tonnes. Le prix plancher crée donc un surplus de 4 millions de tonnes de poudre de lait écrémé. Si la Régie des marchés agricoles et alimentaires du Québec n'achète pas le surplus et laisse les producteurs agricoles trouver leur propre marché, le prix reviendra à son niveau concurrentiel de 3 $ la tonne.

revenus agricoles continuent à fluctuer avec la production. Mais des récoltes abondantes génèrent maintenant des revenus plus importants que les mauvaises récoltes, car, si leurs produits peuvent être stockés, les fermiers font face à une demande parfaitement élastique.

### Les régies des marchés agricoles

Tous les gouvernements nationaux interviennent dans les marchés agricoles. C'est dans l'Union européenne que l'intervention gouvernementale dans les marchés agricoles est la plus généralisée. Cependant, elle existe également au Québec et dans le reste du Canada, où elle vise à stabiliser les prix de nombreux produits agricoles comme les céréales, le lait, les œufs, le tabac, le porc et la volaille. Au Canada, plus de 100 régies et organismes de contrôle des marchés agricoles influent sur plus de la moitié des ventes totales de produits agricoles. Une **régie des marchés agricoles** est un organisme de réglementation qui intervient sur les marchés agricoles pour stabiliser les prix de nombreux produits agricoles. Ces régies sont souvent subventionnées par le gouvernement. Com-

ment les marchés fonctionnent-ils en présence d'un programme de stabilisation? La réponse dépend du type d'intervention qu'on y fait.

On distingue trois types d'intervention:
■ le prix plancher,
■ le quota,
■ la subvention.

**Le prix plancher** Un prix plancher fonctionne de la même manière dans un marché agricole que dans les autres marchés. Au début de ce chapitre, lorsque nous avons étudié l'effet du salaire minimum, nous avons parlé de prix plancher dans le marché du travail. Le principe est le même.

La figure 6.12 indique comment fonctionne un prix plancher (ou prix de soutien) dans le marché de la poudre de lait écrémé. Le prix concurrentiel d'équilibre du lait écrémé en poudre est de 3 $ la tonne, et 16 millions de tonnes sont produites et achetées. Si la Régie des marchés agricoles et alimentaires du Québec impose un prix plancher de 4 $ la tonne, le prix du lait écrémé en poudre augmente, passant de 3 $ à 4 $ la tonne, et la quantité demandée diminue, passant de 16 millions à 14 millions de tonnes. La quantité offerte augmente et passe à 18 millions de tonnes. Les producteurs agricoles produisent un surplus de 4 millions de tonnes.

Cette façon de soutenir le prix d'un produit agricole échouera si elle n'est pas accompagnée d'un programme de gestion des surplus produits. Si les producteurs agricoles doivent eux-mêmes chercher un marché pour leurs surplus de poudre de lait écrémé, le prix baissera au-dessous du prix plancher pour revenir au prix concurrentiel, soit 3 $ la tonne. En revanche, si la Régie achète le surplus au prix plancher, le prix restera au prix plancher. Si la Régie achète systématiquement plus qu'elle ne vend, elle se retrouvera alors avec d'énormes stocks. L'Union européenne a connu ce problème durant les années 1980 : les organismes de stabilisation se sont retrouvés avec sur les bras des montagnes de beurre et des lacs de vin ! Les contribuables ont dû assumer les coûts d'achat et d'entreposage de ces stocks, et ce sont les gros producteurs agricoles qui ont le plus bénéficié de l'imposition d'un prix plancher pour ces produits.

**Le quota** Un **quota** est une restriction imposée à la quantité d'un produit qu'une exploitation agricole a la permission de produire. Si la production agricole est limitée par un quota, la courbe d'offre devient alors parfaitement inélastique. La figure 6.13 illustre l'effet d'un quota dans le marché du blé.

Le prix concurrentiel est de 300 $ la tonne, et la quantité concurrentielle de 16 millions de tonnes. La Régie des marchés agricoles impose des quotas qui limitent la production totale à 14 millions de tonnes. La courbe d'offre devient la ligne verticale *Quota*. Lorsque la production est limitée par un quota, la quantité produite est de 14 millions de tonnes et le prix augmente pour passer à 400 $ la tonne.

Cependant, les choses ne s'arrêtent pas forcément là. Les producteurs agricoles sont prêts à produire du blé au prix de 200 $ la tonne, si bien que, au prix du marché — 400 $ la tonne —, ils souhaiteront augmenter leur production. Si la Régie des marchés agricoles et alimentaires du Québec ne punit pas le dépassement de quotas, une augmentation graduelle de la quantité de blé offerte finira par restaurer l'équilibre concurrentiel.

**La subvention** Une **subvention** est un paiement versé par le gouvernement au producteur pour le subventionner. Une subvention est en quelque sorte une taxe négative : au lieu d'être fait par un producteur au gouvernement, le paiement est fait par le gouvernement au producteur. La subvention a donc l'effet inverse d'une taxe : au lieu d'augmenter le prix payé par le consommateur, elle le fait baisser à un niveau inférieur à celui qui aurait prévalu sans subside.

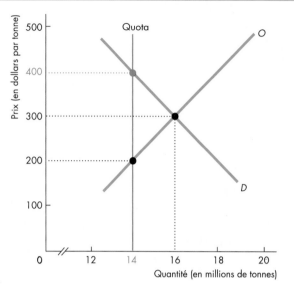

**FIGURE 6.13**
## Un quota pour le blé

Le prix concurrentiel d'équilibre du blé est de 300 $ la tonne et la quantité d'équilibre échangée est de 16 millions de tonnes. On fixe un quota à 14 millions de tonnes. Le prix augmente alors, passant à 400 $ la tonne, et la quantité échangée passe à 14 millions de tonnes. Les producteurs sont prêts à offrir 14 millions de tonnes au prix de 200 $ la tonne ; ils souhaiteront donc augmenter la quantité qu'ils offrent. Si la Régie des marchés agricoles et alimentaires du Québec ne peut imposer un plafond à la quantité produite, alors la quantité produite augmentera et le prix baissera pour revenir au niveau concurrentiel de 300 $ la tonne.

La figure 6.14 illustre le fonctionnement d'un subside dans le marché du lait. L'équilibre concurrentiel se situe à 30 ¢ le litre pour 16 milliards de litres échangés. La Régie des marchés agricoles et alimentaires du Québec offre alors un subside de 10 ¢ par litre. Ce subside fait monter l'offre de lait, ce qui déplace la courbe d'offre vers la droite. L'importance de ce déplacement varie en fonction de l'importance du subside. Dans notre exemple, les producteurs agricoles sont prêts à vendre un litre 10 ¢ de moins que le prix qui aurait prévalu en l'absence d'un subside. Le prix d'équilibre baisse pour passer à 25 ¢ le litre et la quantité échangée passe à 17 milliards de litres. Les producteurs agricoles reçoivent 35 ¢ le litre : le prix du marché (25 ¢ le litre) plus le subside de 10 ¢ par litre. Les producteurs agricoles y gagnent donc, mais ce sont les contribuables qui paient la subvention. Celle-ci totalise 1,7 milliard de dollars, c'est-à-dire le montant du subside, soit 10 ¢ par litre, multiplié par les 17 milliards de litres produits. Cette façon de soutenir la production agricole fait baisser le prix payé par le consommateur pour les produits subventionnés, mais elle peut imposer des coûts importants à l'ensemble des contribuables.

# Pleins
## FEUX
### sur les
### politiques

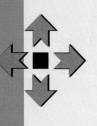

# Les taxes et le marché du travail

## Les faits
en bref

■ Les gouvernements fédéral et provinciaux ont recommandé de doubler le montant des cotisations au Régime de pensions du Canada (RPC) d'ici à l'an 2004, et de quasiment les tripler d'ici à l'an 2025.

■ Selon les gouvernements, il est équitable d'imposer des contributions plus élevées car elles forcent les *baby-boomers* à cotiser davantage à leurs propres régimes de pension.

■ Toutefois, selon la Fondation canadienne de la jeunesse, des cotisations plus élevées augmenteront le taux de chômage des jeunes, qui atteint déjà presque 15 %.

■ La Fondation recommande que les taux de contribution au RPC augmentent à mesure que le travailleur vieillit et reçoit un salaire plus élevé.

*TORONTO STAR*, LE 22 MAI 1996

# Selon un rapport, il faut s'attendre à un taux de chômage plus élevé chez les jeunes si les cotisations au régime de pensions augmentent

PAR SHAWN MCCARTHY

OTTAWA — Selon un groupe de recherche sur les problèmes des jeunes, l'intention du gouvernement de hausser les cotisations au Régime de pensions du Canada causera préjudice à ceux-là mêmes que le gouvernement veut aider — les jeunes d'aujourd'hui, qui auront à assumer le fardeau financier des *baby-boomers* à la retraite.

La Fondation canadienne de la jeunesse — un organisme indépendant sans but lucratif — soutient qu'il faudrait réviser l'ensemble du Régime de pensions du Canada pour le rendre plus équitable à l'égard des générations qui suivent celle des *baby-boomers*.

« Nous savons que la génération des jeunes travailleurs d'aujourd'hui bénéficiera infiniment moins du système que les générations précédentes », a affirmé en entrevue Michael Grant, le directeur de la recherche à la Fondation...

Hier, M. Grant a déclaré que l'augmentation immédiate des cotisations pour éviter des augmentations trop brutales lorsque la génération des *baby-boomers* prendra sa retraite posait de graves problèmes.

Ottawa et les provinces ont proposé de doubler en huit ans les cotisations au RPC, et ce, même si l'on pouvait éviter cette augmentation en optant pour une diminution des prestations.

On prévoit maintenant que les taux de cotisation auront presque triplé d'ici à 2025.

Les gouvernements soutiennent qu'il est plus équitable d'imposer des cotisations plus élevées dès maintenant parce que cela oblige les *baby-boomers* qui travaillent à contribuer davantage à leurs propres régimes de pension.

Cependant, Grant s'est dit préoccupé de l'effet que pourrait avoir l'augmentation de la hausse des cotisations au RPC sur le chômage des jeunes, qui est aujourd'hui d'environ 15 %.

« Nous croyons qu'il existe un lien de cause à effet entre la hausse de l'impôt sur le revenu et un chômage accru chez les jeunes », a-t-il déclaré. « Proportionnellement, les jeunes assument plus que leur part des charges sociales. »

La Fondation soutient donc qu'il faudrait que les cotisations au RPC augmentent avec l'âge, pour tenir compte du fait que généralement les revenus augmentent de cette façon, et que les gens d'âge moyen ont davantage tendance à économiser pour leur retraite.

# Analyse

## ÉCONOMIQUE

■ La population canadienne vieillit. Née entre la fin des années 1940 et le début des années 1950, la génération des *baby-boomers* prendra sa retraite entre 2010 et 2020.

■ D'ici à 2025, un pourcentage plus faible de travailleurs canadiens assumera la charge financière d'un pourcentage plus grand de Canadiens à la retraite.

■ Pour parer à cette situation, les gouvernements fédéral et provinciaux prévoient augmenter les cotisations au RPC.

■ Ces cotisations sont une forme de taxe à l'emploi. Elles sont versées par les employeurs et les travailleurs à la Régie des rentes du Québec et au Régime de pensions du Canada.

■ Nous pouvons étudier l'incidence de ce genre de taxe en examinant ses effets sur l'offre et la demande dans le marché du travail.

■ La figure 1 présente un marché du travail sans taxe. La courbe de demande est $D$ et la courbe d'offre est $O$. Le taux salarial d'équilibre est de 5 $ l'heure pour 20 millions d'heures de travail par année.

■ La figure 2 montre ce qui se produit lorsque employeurs et travailleurs doivent payer une taxe. Dans cet exemple, l'impôt assumé par les employeurs et les travailleurs est de 1 $ l'heure.

■ La taxe imposée à l'employeur, appelée charge sociale, réduit la demande de main-d'œuvre. La courbe de demande se déplace vers la gauche, de $D_0$ à $D_1$. Cela s'explique par le fait que l'employeur qui doit payer une taxe de 1 $ l'heure est maintenant prêt à embaucher un nombre donné de travailleurs seulement si le taux salarial est de 1 $ *de moins* qu'avant l'imposition de la taxe.

■ La taxe sur le salaire entraîne la diminution de l'offre de main-d'œuvre. La courbe d'offre se déplace vers la gauche, de $O_0$ à $O_1$. Cela s'explique par le fait que l'employé qui doit payer une taxe de 1 $ l'heure est maintenant prêt à travailler un nombre d'heures donné seulement si le taux salarial est de 1 $ *de plus* qu'auparavant.

■ Le nouveau niveau d'équilibre d'emploi est de 15 millions d'heures par an. Dans cet exemple, le taux salarial reste le même (mais on peut facilement changer d'exemple pour faire en sorte que le taux salarial augmente ou diminue).

■ L'ampleur de la diminution de l'emploi dépend des élasticités respectives de la demande et de l'offre, comme on l'a expliqué aux pages 122 à 125 de ce chapitre.

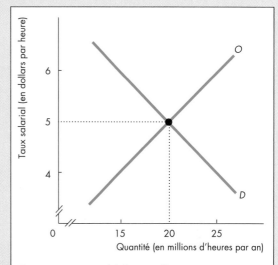

**Figure 1    Un marché du travail sans taxes**

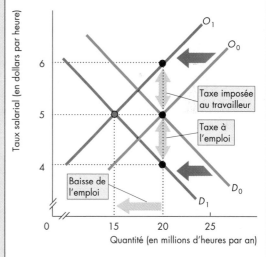

**Figure 2    Les taxes dans un marché du travail**

## Si vous

### DEVIEZ VOTER

■ Devrait-on augmenter les cotisations au RPC et au RRQ ?

■ Devrait-on plutôt renforcer les incitations fiscales pour convaincre les gens d'économiser davantage en vue de leur retraite en cotisant à des régimes de retraite privés ?

■ Comment voteriez-vous sur cette question ? Justifiez votre réponse de manière détaillée.

## FIGURE 6.14
## Une subvention pour le lait ◆

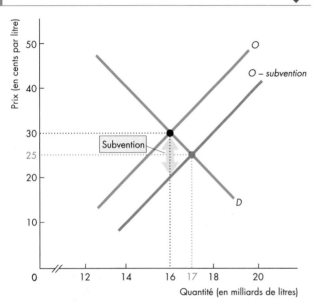

Le prix concurrentiel d'équilibre est de 30¢, et la quantité d'équilibre produite et achetée est de 16 milliards de litres. La Régie des marchés agricoles et alimentaires du Québec paie une subvention de 10¢ par litre. Par conséquent, les producteurs sont maintenant prêts à offrir chaque litre de lait à 10¢ de moins le litre. La courbe d'offre se déplace vers la droite de manière à ce que la distance verticale entre la courbe d'offre O et la courbe d'offre O – subvention soit égale à 10¢ le litre. Le prix d'équilibre baisse et passe à 25¢ le litre, et la quantité produite et vendue augmente pour passer à 17 milliards de litres. Les producteurs reçoivent 35¢ le litre, ce qui est le prix du marché, soit 25¢ le litre plus la subvention de 10¢ par litre. La subvention totale est de 1,7 milliard de dollars, une somme que doivent payer les contribuables.

## À RETENIR

- La demande de la plupart des produits agricoles est inélastique.

- En l'absence de stocks, une mauvaise récolte (diminution de l'offre) fait monter les prix et augmenter les revenus agricoles, et une récolte abondante (augmentation de l'offre) fait baisser les prix et diminuer les revenus agricoles.

- Les détenteurs de stocks spéculent en tentant d'acheter à bas prix et de vendre à prix fort. Une spéculation efficace peut amortir les fluctuations de prix.

- Les régies des marchés agricoles limitent également les fluctuations de prix en fixant des prix planchers, en imposant des quotas ou en versant des subsides.

◆ Nous avons maintenant terminé notre étude de l'offre et de la demande et de ses applications. Nous avons vu comment le modèle offre-demande nous permet de faire des prédictions sur les prix et les quantités échangées, et de comprendre un éventail très large d'événements concrets. Les questions que nous avons étudiées dans ce chapitre vous permettront de participer, en toute connaissance de cause, à plusieurs débats politiques en cours. L'un d'eux, dont vous entendrez souvent parler au cours des prochaines années, porte sur les régimes de pensions : le Régime de pensions du Canada (RPC) et la Régie des rentes du Québec (RRQ). Les outils que vous avez acquis dans ce chapitre vous aideront à mieux comprendre certains des enjeux de ce débat, comme vous avez pu le constater en lisant la rubrique «Entre les lignes» (p. 136).

## RÉSUMÉ

### Points clés

**Le marché du logement et le plafonnement des loyers**   Une baisse subite de l'offre de logements se traduit par une baisse de l'offre à court terme et par la hausse des loyers. À court terme, cette hausse des loyers entraîne une augmentation de la quantité d'unités de logement offerte (à partir de maisons et logements existants) et stimule la construction domiciliaire, ce qui augmente l'offre à long terme. Les loyers diminuent progressivement alors que l'offre augmente, elle aussi, progressivement. Si un plafonnement des loyers empêche l'augmentation des loyers, l'incitation à augmenter la quantité offerte à long ou à court terme est nulle. La quantité d'unités de logement est alors moindre que sur

un marché libre. Les gens passent du temps à chercher un logement et le coût total du logement, incluant la valeur du temps et des ressources consacrés à le chercher, est plus élevé que celui qui aurait prévalu sur un marché libre. (p. 119-122)

**Le marché du travail et les lois sur le salaire minimum**   Une diminution de la demande de main-d'œuvre non spécialisée se traduit à court terme par une baisse des salaires et de l'emploi. Cette baisse des salaires incite les travailleurs non spécialisés à acquérir de nouvelles compétences. Ainsi, l'offre à court terme de main-d'œuvre non spécialisée diminue et les salaires augmentent. Si le gouvernement impose un salaire minimum supérieur au salaire d'équilibre, il s'ensuit une diminution de la quantité demandée de main-d'œuvre qui se traduit par du chômage. L'imposition d'un salaire minimum touche plus particulièrement les jeunes. (p. 122-125)

**Les taxes** Lorsqu'un bien ou un service est taxé, en général son prix augmente et la quantité achetée diminue. Le prix augmente cependant d'un montant inférieur à celui de la taxe. La taxe est payée en partie par l'acheteur et en partie par le vendeur. La proportion de la taxe payée par l'acheteur et par le vendeur varie en fonction de l'élasticité de la demande et de l'élasticité de l'offre. Moins la demande est élastique et plus l'offre est élastique, plus la hausse du prix est marquée, plus la diminution de la quantité achetée est petite et plus la proportion de la taxe payée par l'acheteur est grande. (p. 125-129)

**Les marchés des produits illégaux** Les sanctions imposées aux vendeurs d'un produit illégal augmentent le prix de vente de ce produit et en diminuent l'offre. Les sanctions imposées aux acheteurs les rendent moins enclins à payer pour ce produit et en diminuent la demande. Plus les sanctions sont élevées et plus la répression criminelle est rigoureuse, plus la quantité achetée est petite. Selon la sévérité des sanctions imposées aux vendeurs ou aux acheteurs, le prix sera plus élevé ou moins élevé que sur un marché libre. Une taxe sur les drogues pourrait donner le même résultat que l'interdiction. Cependant, l'interdiction de la vente de drogues peut influer sur les préférences et réduire la demande de drogues illégales. (p. 129-131)

**La stabilisation des revenus agricoles** Les revenus agricoles fluctuent parce que les récoltes varient selon les conditions climatiques. La demande de la plupart des produits agricoles est inélastique, de sorte qu'une diminution de l'offre entraîne une augmentation du prix et des revenus agricoles, tandis qu'une augmentation de l'offre entraîne une baisse des prix et des revenus agricoles. Les interventions des détenteurs de stocks et des organismes gouvernementaux stabilisent les prix et les

revenus agricoles. Les détenteurs de stocks achètent à bas prix et vendent à prix fort. L'offre est donc parfaitement élastique face au prix à venir prévu par les détenteurs de stocks. Lorsque la production est faible, les détenteurs de stocks vendent leurs produits stockés, empêchant ainsi les prix de monter. Lorsque la production est abondante, les détenteurs de stocks achètent des produits pour les stocker, empêchant ainsi les prix de tomber. Les régies des marchés agricoles fixent des prix planchers supérieurs au prix d'équilibre qui créent des surplus persistants ; elles établissent des quotas qui limitent l'offre et font augmenter les prix ; ou elles accordent des subventions qui augmentent l'offre, réduisent le prix du marché et augmentent les revenus agricoles. (p. 132-138)

## Figures clés

## Mots clés

## QUESTIONS DE RÉVISION

1. Décrivez les effets d'une diminution subite de l'offre de logements sur les loyers et sur la quantité d'unités de logement disponibles. Reconstituez l'évolution des loyers et de la quantité d'unités de logement louées.

2. En reprenant la situation décrite à la question n° 1, dites en quoi les choses seraient différentes si un plafonnement des loyers était imposé.

3. Décrivez les effets d'une augmentation de l'offre sur le prix et sur la quantité échangée. Reconstituez l'évolution du prix et de la quantité.

4. Décrivez les effets d'une hausse de la demande sur le prix et sur la quantité échangée d'un bien.

5. Décrivez les effets de l'augmentation de la demande de travail sur le taux salarial et sur la quantité de main-d'œuvre employée.

6. Pourquoi un salaire minimum crée-t-il du chômage ?

7. Lorsqu'une intervention gouvernementale plafonne les prix, quelles forces interviennent pour rétablir une situation d'équilibre ?

8. En quoi l'imposition d'une taxe de vente sur un produit influe-t-elle sur l'offre et la demande

de ce produit? Comment la taxe de vente se répercute-t-elle sur le prix du produit et sur la quantité achetée?

9. Lorsqu'on impose une taxe de vente sur un produit ou un service dont la demande est parfaitement élastique, qui paie la taxe?

10. Lorsqu'on impose une taxe de vente sur un produit ou un service dont l'offre est parfaitement élastique, qui paie la taxe?

11. Comment l'interdiction de vente d'un produit influe-t-elle sur la demande et l'offre de ce produit? En quoi cette interdiction modifie-t-elle le prix du produit et la quantité achetée?

12. Comment l'interdiction de consommer un produit influe-t-elle sur la demande et l'offre de ce produit?

En quoi cette interdiction modifie-t-elle le prix du produit et la quantité achetée?

13. À part l'interdiction, quels sont les autres moyens de limiter la consommation de drogues? Décrivez les avantages et les inconvénients de chacun.

14. Pourquoi les revenus agricoles fluctuent-ils?

15. Est-ce que les revenus agricoles augmentent ou diminuent si la récolte est abondante? Pourquoi?

16. Expliquez pourquoi la spéculation peut stabiliser le prix d'un bien qu'on peut stocker, mais pas les revenus des producteurs de ce bien.

17. Comment peut-on stabiliser les prix agricoles? Une telle stabilisation est-elle rentable?

## ANALYSE CRITIQUE

1. Lisez attentivement l'article portant sur les effets des cotisations au Régime de pensions du Canada (RPC) sur le marché du travail (rubrique « Entre les lignes », p. 136) et répondez aux questions suivantes en justifiant vos réponses.

   a)  Les cotisations au RPC influent-elles sur la demande de main-d'œuvre, sur l'offre de main-d'œuvre, ou sur les deux?

   b)  Les cotisations au RPC ont-elles le même effet sur tous les types de main-d'œuvre?

   c)  Selon cet article, quels sont les effets prévisibles d'une augmentation des cotisations au RPC sur le taux de chômage?

   d)  Comment l'élasticité de la demande de main-d'œuvre et l'élasticité de l'offre influeront-elles sur les effets d'une hausse des cotisations au RPC sur les salaires, l'emploi et le chômage?

2. De nombreuses villes canadiennes recourent au plafonnement des loyers. À votre avis, quels sont les

effets de cette mesure sur les loyers que paient les étudiants pour se loger et sur la quantité et la qualité des logements vacants?

3. Pendant des années, les provinces ont augmenté les taxes sur les cigarettes. Vers le milieu des années 90, le Québec et l'Ontario ont réduit ces taxes. Quel a été l'effet de cette réduction sur le prix des cigarettes, la quantité de cigarettes vendues et les recettes fiscales provinciales? Qui va profiter de cette baisse de la taxe, les acheteurs ou les vendeurs de cigarettes?

4. Certains producteurs de céréales de l'Ouest canadien aimeraient vendre leurs céréales sur le marché mondial, ce que la loi canadienne interdit. La Commission canadienne des grains est le seul vendeur de céréales. Si la loi changeait et que les producteurs agricoles pouvaient vendre eux-mêmes leurs céréales sur le marché mondial, quel serait l'effet de ce changement sur leurs revenus?

## PROBLÈMES

1. La figure suivante illustre le marché des logements locatifs de votre ville.

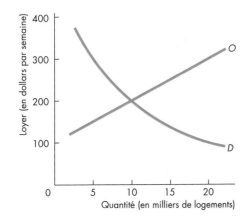

a)  Quel est le loyer d'équilibre?

b)  Quelle est la quantité d'équilibre des logements locatifs?

2. Supposons maintenant qu'un plafonnement des loyers de 150 $ soit imposé dans le marché du logement décrit au problème n° 1.

   a)  Quel est le nombre d'unités de logement louées?

   b)  Combien manque-t-il d'unités de logement pour répondre à la demande?

   c)  Quel est le prix maximum que les demandeurs seront prêts à payer pour obtenir la dernière unité de logement vacante?

3. Le tableau suivant décrit la demande et l'offre de main-d'œuvre chez les adolescents.

| Taux salarial (en dollars l'heure) | Quantité demandée | Quantité offerte |
|---|---|---|
| | (en heures par mois) | |
| 2 | 3 000 | 1 000 |
| 3 | 2 500 | 1 500 |
| 4 | 2 000 | 2 000 |
| 5 | 1 500 | 2 500 |
| 6 | 1 000 | 3 000 |

a) Quel est le taux salarial d'équilibre?

b) Quel est le niveau d'emploi?

c) Quel est le niveau de chômage?

d) Si le gouvernement impose un salaire minimum de 3 $ l'heure pour les adolescents, combien d'heures les adolescents travaillent-ils?

e) Si le gouvernement impose un salaire minimum de 5 $ l'heure, quels sont les niveaux d'emploi et de chômage?

f) Quel est le niveau de chômage lorsque le salaire minimum est de 5 $ l'heure et que la demande augmente de 500 heures?

4. Le tableau suivant illustre trois courbes d'offre de voyages en train.

| Prix (en cents par kilomètre-passager) | Quantité offerte (en milliards de kilomètres-passagers) | | |
|---|---|---|---|
| | Instantanément | À court terme | À long terme |
| 20 | 500 | 350 | 200 |
| 30 | 500 | 400 | 300 |
| 40 | 500 | 450 | 400 |
| 50 | 500 | 500 | 500 |
| 60 | 500 | 550 | 600 |
| 70 | 500 | 600 | 700 |
| 80 | 500 | 650 | 800 |
| 90 | 500 | 700 | 900 |

a) Lorsque le prix est de 50 ¢ par kilomètre-passager, quelle est la quantité offerte…
   i) à long terme?
   ii) à court terme?

b) Supposons que le prix initial soit de 50 ¢ et qu'il passe ensuite à 70 ¢. Quelle sera la quantité offerte…
   i) immédiatement après la hausse de prix?
   ii) à court terme?
   iii) à long terme?

5. Supposons que l'offre de voyages en train soit la même qu'au problème n° 4. Le tableau suivant présente deux calendriers de demande — la demande initiale et la nouvelle demande.

| Prix (en cents par kilomètre-passager) | Quantité demandée (en milliards de kilomètres-passagers) | |
|---|---|---|
| | Initiale | Nouvelle |
| 20 | 5 000 | 5 300 |
| 30 | 2 000 | 2 300 |
| 40 | 1 000 | 1 300 |
| 50 | 500 | 800 |
| 60 | 400 | 700 |
| 70 | 300 | 600 |
| 80 | 200 | 500 |
| 90 | 100 | 400 |

a) Quel est le prix d'équilibre initial? la quantité initiale?

b) Après une augmentation de la demande, quels sont…
   i) le prix et la quantité d'équilibre instantanés initiaux?
   ii) le prix et la quantité d'équilibre à court terme?
   iii) le prix et la quantité d'équilibre à long terme?

6. Le tableau suivant illustre la demande à long et à court terme de voyages en train.

| Prix (en cents par kilomètre-passager) | Quantité demandée (en milliards de kilomètres-passagers) | |
|---|---|---|
| | À court terme | À long terme |
| 20 | 650 | 5 000 |
| 30 | 600 | 2 000 |
| 40 | 550 | 1 000 |
| 50 | 500 | 500 |
| 60 | 450 | 400 |
| 70 | 400 | 300 |
| 80 | 350 | 200 |
| 90 | 300 | 100 |

L'offre de voyages en train est la même que pour le problème n° 4.

a) Quels sont le prix et la quantité d'équilibre à long terme de voyages en train?

b) Une inondation détruit le cinquième des trains et des rails. L'offre tombe à 100 milliards de kilomètres-passagers. Quels seront les effets de cette catastrophe sur les prix et la quantité de voyages en train…
   i) à court terme?
   ii) à long terme?

7. Voici les tableaux de l'offre et de la demande de carrés au chocolat.

| Prix (en cents par carré) | Quantité demandée | Quantité offerte |
|---|---|---|
| | (en millions par jour) | |
| 50 | 5 | 3 |
| 60 | 4 | 4 |
| 70 | 3 | 5 |
| 80 | 2 | 6 |
| 90 | 1 | 7 |

a) En l'absence de taxes sur les carrés au chocolat, quel est leur prix et combien sont produits et consommés?

b) Si on impose une taxe de 20 ¢ sur chaque carré au chocolat, quels en seront les effets sur le prix d'un carré au chocolat et sur le nombre de carrés produits et consommés?

c) Quel sera le montant des recettes fiscales du gouvernement et qui le paiera?

8. Calculez l'élasticité de la demande illustrée à la figure 6.10 si le prix du blé est de 300 $ la tonne. Cette élasticité signifie-t-elle que les revenus agricoles fluctuent dans la même direction que les prix ou dans la direction opposée?

9. Le gouvernement de l'Île aux Tortues envisage de stabiliser les prix et les revenus agricoles. Actuellement, le marché des œufs est concurrentiel. Le tableau suivant décrit l'offre et la demande d'œufs.

| Prix (en dollars par douzaine) | Quantité demandée | Quantité offerte |
|---|---|---|
| | (en douzaines par semaine) | |
| 1,20 | 3 000 | 500 |
| 1,30 | 2 750 | 1 500 |
| 1,40 | 2 500 | 2 500 |
| 1,50 | 2 250 | 3 500 |
| 1,60 | 2 000 | 4 500 |
| 1,70 | 1 750 | 5 500 |
| 1,80 | 1 500 | 6 500 |

a) Calculez le prix concurrentiel d'équilibre ainsi que la quantité échangée.

b) Le gouvernement impose un prix plancher de 1,50 $ la douzaine. Calculez le prix du marché, la quantité d'œufs échangée et les revenus des producteurs agricoles. Calculez également le surplus d'œufs.

c) Calculez le montant que le gouvernement doit dépenser en subsides pour les œufs afin de maintenir le prix plancher.

10. Le gouvernement impose un quota de 1 500 douzaines d'œufs par semaine sur le marché des œufs décrit au problème n° 9.

a) Quel prix devront payer les consommateurs?

b) Quel est le revenu des producteurs d'œufs?

**Alice Nakamura enseigne** le commerce à l'Université d'Alberta depuis le début de sa carrière. Née à Boston en 1945, elle a fait ses études à l'Université du Wisconsin puis à l'Université Johns Hopkins, où elle a obtenu son doctorat en 1972. Mme Nakamura, qui a présidé l'Association canadienne d'économique, est l'auteure de plusieurs ouvrages et de nombreux articles sur des sujets aussi divers que le rôle des femmes sur le marché du travail et le mode de gestion des entreprises japonaises et américaines. Elle a également apporté sa contribution à l'économétrie (l'application d'instruments statistiques et mathématiques à l'économique).

## ENTRETIEN AVEC Alice Nakamura

Robin Bade et Michael Parkin ont discuté avec Alice Nakamura de son travail, et plus précisément du fonctionnement des marchés et de la manière dont ils peuvent aider l'humanité à résoudre le problème économique fondamental de la rareté.

**Madame Nakamura, qu'est-ce qui vous a attirée vers l'économique ?**

Comme le disait le recteur de l'Université Western Ontario, Paul Davenport, lorsque son établissement m'a décerné un doctorat honorifique en juin 1996, j'ai connu l'économique au berceau. Les étudiants en économétrie qui découvrent la technique itérative Cochrane-Orcutt, se documentent sur l'élasticité des échanges ou s'initient à la micro-simulation trouvent des références aux travaux de mon père, Guy H. Orcutt ; moi, j'en ai entendu parler à la maison toute mon enfance. Même si je ne comprenais pas grand-chose aux aspects techniques de ses recherches jusqu'à ce que je suive des cours d'économique au collège, j'étais déjà convaincue qu'une meilleure compréhension de nos institutions et de nos comportements économiques était un moyen privilégié d'améliorer la condition humaine.

Cela dit, des événements d'une autre nature ont aussi influé sur mon choix de carrière. Mes années de collège ont coïncidé avec la guerre du Vietnam. Or, les questions soulevées par cette guerre ont mis en évidence le rôle clé des comportements économiques dans tous les domaines, qu'il s'agisse de l'engagement des États-Unis et de leurs alliés dans ce conflit, de la composition raciale des Forces armées américaines ou du rôle des femmes dans l'économie nationale. L'actualité brûlante de ces questions ainsi que les convictions que m'avaient instillées mes parents m'ont poussée à abandonner la musique et le piano — auxquels je me destinais — pour l'économique.

**L'essentiel de votre travail se fonde sur des méthodes mathématiques et statistiques très rigoureuses, et cela, même**

lorsque vous abordez des questions politiques. Peut-on faire de l'économique sans recourir aux mathématiques? Autrement dit, est-il indispensable de nos jours de posséder de solides notions de mathématiques pour être économiste?

Il est vrai que je travaille constamment à améliorer mes connaissances mathématiques. Les mathématiques sont un outil d'analyse et un moyen d'expression d'une grande utilité pour la recherche en économique, qu'elle soit théorique ou empirique. Cela dit, je ne suis pas de ceux qui croient qu'on peut remplacer l'observation directe et l'analyse de l'activité économique dans le monde réel par des déductions mathématiques tirées d'axiomes sur le comportement économique.

De tous les sujets sur lesquels vous avez travaillé — et ils sont étonnamment nombreux —, lequel vous apparaît le plus important?

À part quelques incursions dans d'autres domaines comme l'économie du droit et les finances de l'État, mes publications concernent essentiellement la méthodologie économétrique, l'économie du travail empirique, l'analyse microéconomique du comportement des entreprises, la modélisation par microsimulation et l'étude des indices de productivité et de prix. Ces sujets peuvent sembler disparates, mais en fait presque toutes mes recherches sont liées d'une manière ou d'une autre aux déterminants fondamentaux de l'emploi et des revenus. Par exemple, l'étude que j'ai effectuée avec mon mari Massao Nakamura sur les erreurs de spécification relève de la méthodologie économétrique, mais elle était motivée par des problèmes que nous posait une recherche empirique sur les déterminants de l'emploi et des revenus chez les femmes mariées.

À mon avis, ma contribution la plus importante à l'économique reste, encore aujourd'hui, les résultats d'une étude menée avec mon mari et où nous avons établi que le comportement des femmes mariées occupant un emploi à temps plein est relativement le même que celui des hommes — notamment pour ce qui est de l'élasticité des heures de travail par rapport au salaire et de leur constance sur le marché du travail. Aujourd'hui, ces résultats semblent aller de soi, tellement que bien des jeunes économistes ont probablement du mal à les considérer comme des «découvertes». Mais, à l'époque où nous avons publié nos premiers articles sur le sujet, il semblait bien établi que les salaires des femmes étaient très élastiques, alors que ceux des hommes l'étaient très peu, et peut-être même pas du tout. On croyait alors que, contrairement à celle des hommes, la participation des femmes au marché du travail était essentiellement intermittente. Ces idées reçues sur le travail des femmes se répercutaient sur les politiques gouvernementales en matière de législation du travail, de programmes de transfert — assurance emploi, éducation publique, formation professionnelle —, de fiscalité, ainsi que dans bien d'autres domaines. Elles étaient si solidement ancrées que nous avons eu énormément de mal à faire publier nos premiers articles sur le sujet. Remarquez qu'en fin de compte les éditeurs les ont acceptés précisément parce que nos résultats allaient à contre-courant. Les recherches qui font une percée dans un domaine sont à la fois le cauchemar et le pain béni des éditeurs de périodiques scientifiques.

Croyez-vous que l'économie de marché rend maintenant justice aux femmes?

Il est évident que les choses pourraient encore s'améliorer à bien des égards; cependant, depuis l'époque où j'étais aux études, nous avons fait de grands progrès en matière d'éducation, de formation professionnelle et de perspectives d'emploi pour les femmes.

Mais ces progrès s'accompagnent de nouveaux impératifs. Selon moi, il est maintenant urgent que nous veillions à satisfaire les besoins émotifs et matériels des enfants. Un grand nombre de femmes mariées ayant de jeunes enfants se retrouvent maintenant sur le marché du travail à temps plein. L'érosion — tant réelle que perçue — des revenus et de la sécurité d'emploi des hommes explique peut-être que si peu de familles profitent des nouvelles perspectives d'emploi qui s'offrent aux femmes pour privilégier des modèles de travail permettant aux pères de consacrer davantage de temps à leur travail parental et aux autres activités de la «production domestique». Il semble en effet que, en moyenne, la contribution des familles à l'éducation des enfants a diminué et qu'elle continue de le faire. Or, cette désaffection n'est pas compensée — du moins pas complètement — par un accroissement des services publics et privés destinés aux enfants.

La situation des enfants est d'autant plus précaire que l'augmentation

*[...] j'étais déjà convaincue qu'une meilleure compréhension de nos institutions et de nos comportements économiques était un moyen privilégié d'améliorer la condition humaine.*

de l'offre d'emplois rémunérés pour les femmes a correspondu à une transformation profonde de la structure familiale, de sorte que les enfants sont de plus en plus nombreux à être élevés par une mère seule ou à grandir sans leur père biologique. Avec cette évolution de la structure familiale, de moins en moins d'enfants vivent dans une unité familiale où un homme veille à leur bien-être économique. Or, les femmes sont toujours moins nombreuses que les hommes sur le marché du travail, moins nombreuses à occuper des emplois à temps plein, et leur salaire horaire reste généralement inférieur à celui des hommes.

Je ne crois pas qu'il faille attendre d'avoir résolu tous les problèmes liés aux besoins des enfants pour éliminer les derniers vestiges de la discrimination à l'égard des femmes sur le marché du travail, mais j'aimerais que la société s'en préoccupe davantage.

### Pourquoi y a-t-il si peu de femmes économistes?

Quand j'étais aux études, la grande majorité des gens croyaient encore que le cerveau des femmes n'était pas fait pour les mathématiques — et donc pas fait pour l'économique, où les maths jouent maintenant un rôle central.

À mon avis, beaucoup de femmes ont boudé les cours d'économique parce qu'elles étaient convaincues d'avance d'y être médiocres; pour la même raison, d'autres qui s'y sont essayées comme moi ont baissé les bras trop vite devant des sujets objectivement difficiles à comprendre. Je crois que cela explique aussi pourquoi si peu d'universitaires chevronnées ont apporté une contribution majeure à l'économique. Les maigres

> *Depuis mes débuts, année après année, je constate que les femmes y sont plus nombreuses et plus visibles et, selon moi, cette tendance va se maintenir.*

perspectives d'emploi s'offrant à celles de ma génération qui *réussissaient* malgré tout à décrocher un diplôme, ainsi que la difficulté pour une femme de trouver un mentor et de s'introduire dans les réseaux professionnels, n'y sont pas étrangères non plus.

### Selon vous, quelle tendance se dessine quant au nombre et à la visibilité des femmes en économique?

Depuis mes débuts, année après année, je constate que les femmes y sont plus nombreuses et plus visibles et, selon moi, cette tendance va se maintenir.

### Quelles caractéristiques des marchés du travail sont encore mal comprises et devraient faire l'objet de recherches?

Il y en a plusieurs: d'importantes questions concernant l'allocation des ressources et les activités de production dans le secteur privé (mécanismes d'allocation des ressources fondés sur les prix du marché), dans le secteur public (mécanismes d'allocation des ressources fondés sur l'électorat), dans le secteur non gouvernemental sans but lucratif (mécanismes internes d'allocation des ressources propres aux ONG) et

dans les familles (unités de production domestique).

Il y a un besoin pressant de recherches sur les facteurs qui déterminent les niveaux d'emploi et les salaires, qu'il s'agisse d'études macroéconomiques sur les effets des taux d'intérêt et des politiques commerciales ou fiscales sur les perspectives d'emploi, ou encore d'études microéconomiques analysant les décisions des entreprises face à l'embauche et à la rémunération, ainsi que les décisions des travailleurs face à l'offre de travail.

### Que conseilleriez-vous d'étudier à quelqu'un qui se prépare à une carrière en économie ou en affaires?

Idéalement, quelqu'un qui envisage une carrière dans les affaires devrait se doter d'une solide formation générale afin de bien maîtriser les «outils» du monde des affaires (comptabilité, applications commerciales de l'informatique, etc.), et se trouver un champ de spécialisation comme le marketing, la gestion des ressources humaines, les systèmes d'information, le droit commercial ou la finance internationale. Une connaissance pratique — travail d'été, stages en entreprise, etc. — du domaine où l'on souhaite trouver un emploi serait aussi un précieux atout.

# L'utilité et la demande

**Objectifs du chapitre**

- Expliquer les limites à la capacité de dépenser des consommateurs

- Définir l'utilité totale et l'utilité marginale

- Expliquer la théorie de l'utilité marginale des choix de consommation

- Utiliser la théorie de l'utilité marginale pour prévoir les effets des variations de prix

- Utiliser la théorie de l'utilité marginale pour prévoir les effets des variations du revenu

- Définir la notion de surplus du consommateur et calculer ce surplus

- Expliquer le paradoxe de la valeur

L'eau est indispensable à la vie tandis que les diamants n'ont guère d'utilité, sinon décorative. Mais si l'eau est infiniment plus utile que les diamants, comment se fait-il qu'elle ne coûte presque rien alors que les diamants coûtent si cher? ◆ En 1973, l'OPEP a réduit ses ventes de pétrole, ce qui a entraîné une flambée des prix. Pourtant, la consommation de pétrole est restée pratiquement la même. Notre demande de pétrole n'est pas élastique. Pourquoi? ◆ En 1983, le lecteur de disques compacts a fait son apparition sur le marché; il coûtait alors plus de 1 000 $ et, à ce prix, les acheteurs étaient rares. Depuis, les prix ont considérablement diminué et il se vend d'énormes quantités de lecteurs de disques. Notre demande de lecteurs de disques est élastique. Pourquoi? Qu'est-ce qui rend la demande de certains biens élastique, et la demande d'autres biens inélastique? ◆ Au cours des 50 dernières années, notre façon de dépenser nos revenus a radicalement changé. Les dépenses liées à l'automobile, qui représentaient à peine 5 % des dépenses des ménages dans les années 1940, atteignent aujourd'hui plus de 15 %. Par contre, les dépenses en nourriture sont passées de 30 % dans les années 1940 à moins de 20 % aujourd'hui. Pourquoi la part du revenu consacrée à certains biens augmente-t-elle à mesure que le revenu s'accroît, tandis que celle consacrée à d'autres biens diminue?

## De l'eau, de l'eau, encore de l'eau…

◆ Dans les trois chapitres précédents, nous avons constaté que la demande a un effet important sur le prix d'un bien, mais sans nous attarder aux forces qui déterminent la demande d'un consommateur. C'est ce que nous allons faire dans ce chapitre. Nous verrons pourquoi nous choisissons d'acheter certains biens et comment ces décisions conduisent à la loi de la demande. Nous en apprendrons un peu plus long sur les forces qui déterminent les prix, ce qui nous permettra de comprendre pourquoi, par exemple, le prix de certains biens, comme les diamants et l'eau, est si peu en rapport avec les avantages qu'ils nous procurent.

# Les choix de consommation des ménages

DE NOMBREUX FACTEURS DÉTERMINENT LES CHOIX de consommation des ménages, mais on peut les regrouper en deux catégories :

- les contraintes budgétaires,
- les préférences.

## Les contraintes budgétaires

Les choix de consommation d'un ménage sont limités par son revenu et par les prix des biens et services. Un ménage ne peut dépenser qu'une somme donnée, et il ne peut influer sur les prix des biens et services qu'il consomme.

Les contraintes exercées sur les choix de consommation des ménages déterminent leur *droite de budget*. Pour rendre ce concept aussi clair que possible, prenons l'exemple du «ménage» de Julie. Julie dispose d'un revenu mensuel de 30 $ qu'elle consacre intégralement à l'achat de deux biens : des films et des sodas. Une place de cinéma coûte 6 $, et un paquet de 6 sodas 3 $. Julie atteint les limites de sa consommation de films et de sodas lorsqu'elle a dépensé la totalité de son revenu.

La figure 7.1 illustre les diverses possibilités de consommation de films et de sodas qui s'offrent à Julie. Les lignes *a* à *f* du tableau correspondent à six manières possibles de répartir son revenu de 30 $ entre ces deux biens. Par exemple, Julie peut voir 2 films qui coûteront 12 $ et acheter 6 paquets de sodas avec les 18 $ qui restent (ligne *c*). Les six possibilités du tableau correspondent respectivement aux points *a* à *f* du graphique. La droite qui relie ces points est la droite de budget de Julie.

La droite de budget de Julie établit les limites de ses choix ; elle trace la frontière entre ce qui est financièrement possible et ce qui ne l'est pas. Julie peut se permettre toutes les possibilités correspondant aux points situés sur la droite de budget et à l'intérieur de cette droite. Par contre, elle ne peut pas se permettre les possibilités correspondant aux points situés à l'extérieur de la droite de budget. Les limites des possibilités de consommation de Julie sont déterminées par les prix et par son revenu et, par conséquent, elles changeront si les prix varient ou si son revenu change.

## Les préférences

Comment Julie répartit-elle ses 30 $ entre ces deux biens ? La réponse dépend de ce qu'elle aime et de ce qu'elle n'aime pas — de ses *préférences*. Les économistes recourent au concept d'utilité pour décrire les préférences. Ils appellent **utilité** l'avantage ou la satisfaction

qu'une personne retire de la consommation d'un bien ou d'un service. Mais qu'est-ce que l'utilité exactement, et comment peut-on la mesurer ? L'utilité est un concept abstrait et les unités de mesure permettant de l'évaluer sont choisies arbitrairement, tout comme les unités qui nous permettent de mesurer la température.

---

**FIGURE  7.1**

## Les possibilités de consommation de Julie  ◆

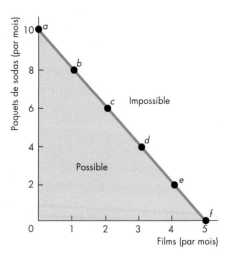

Les lignes *a* à *f* du tableau décrivent six manières possibles de répartir 30 $ entre les films et les sodas. Ainsi, Julie peut acheter 2 films et 6 paquets de sodas (ligne *c*). Les combinaisons *a* à *f* coûtent 30 $ chacune et correspondent aux points *a* à *f* du graphique. La droite qui relie ces points définit la limite entre ce que Julie peut se permettre et ce qu'elle ne peut se permettre. Julie doit restreindre ses choix aux points situés sur la droite de budget ou à l'intérieur de cette droite (triangle orangé).

| | Films | | Paquets de sodas | |
|---|---|---|---|---|
| **Possibilités** | **Quantité** | **Dépense** (en dollars) | **Quantité** | **Dépense** (en dollars) |
| *a* | 0 | 0 | 10 | 30 |
| *b* | 1 | 6 | 8 | 24 |
| *c* | 2 | 12 | 6 | 18 |
| *d* | 3 | 18 | 4 | 12 |
| *e* | 4 | 24 | 2 | 6 |
| *f* | 5 | 30 | 0 | 0 |

**Une analogie — la température** La température est un concept abstrait et les unités qui la mesurent sont choisies arbitrairement. Nous savons que nous avons chaud ou que nous avons froid, mais nous ne pouvons pas *observer* la température. Nous pouvons constater que l'eau se transforme en vapeur s'il fait assez chaud, et en glace s'il fait assez froid. Nous pouvons construire un instrument, le thermomètre, qui nous aide à prévoir que ces changements se produiront. Les graduations du thermomètre correspondent aux degrés de ce que nous appelons la température, mais les unités qui mesurent la température sont arbitraires. Ainsi, nous savons que, si un thermomètre gradué en degrés Celsius indique 0, l'eau se transforme en glace. Mais les unités de mesure elles-mêmes importent peu ; à preuve, le même phénomène se produit si un thermomètre gradué en degrés Fahrenheit indique 32.

Le concept d'utilité nous permet de faire des prédictions concernant les choix des consommateurs de la même façon que le concept de température nous aide à prévoir des phénomènes physiques. Il faut avouer cependant que la théorie de l'utilité marginale est loin d'être aussi précise que la théorie qui nous permet de prédire à quel moment l'eau se transformera en glace ou en vapeur.

Voyons comment on utilise le concept d'utilité pour décrire les préférences.

## L'utilité totale

L'**utilité totale** est l'avantage total ou la satisfaction totale qu'un individu retire de la consommation de biens et services. Le niveau d'utilité totale dépend des quantités consommées — plus elles sont élevées, plus l'utilité totale est grande. À titre d'exemple, on peut voir au tableau 7.1 quelle utilité totale retire Julie de la consommation de diverses quantités de films (les deux premières colonnes) et de sodas (les deux dernières colonnes). Si elle ne voit aucun film, elle n'en retire aucune utilité. Si elle voit un film par mois, elle retire 50 unités d'utilité. Plus le nombre de films qu'elle voit par mois augmente, plus l'utilité totale augmente ; si elle voit 10 films par mois, elle obtient 250 unités d'utilité totale. Il en est de même pour l'utilité totale que retire Julie de la consommation de sodas. Si elle ne boit aucun soda, elle n'en retire aucune utilité. Plus elle boit de sodas, plus l'utilité totale qu'elle en retire augmente.

## L'utilité marginale

L'**utilité marginale** est la variation de l'utilité totale résultant du supplément d'utilité totale attribuable à la dernière unité consommée. Le tableau de la figure 7.2 présente le calcul de l'utilité marginale que retire Julie de la consommation de films. Lorsque sa consommation passe de 4 à 5 films par mois, l'utilité totale qu'elle en

**TABLEAU 7.1**

## L'utilité totale que retire Julie de la consommation de films et de sodas

| Films | | Paquets de sodas | |
|---|---|---|---|
| Quantité par mois | Utilité totale | Quantité par mois | Utilité totale |
| 0 | 0 | 0 | 0 |
| 1 | 50 | 1 | 75 |
| 2 | 88 | 2 | 117 |
| 3 | 121 | 3 | 153 |
| 4 | 150 | 4 | 181 |
| 5 | 175 | 5 | 206 |
| 6 | 196 | 6 | 225 |
| 7 | 214 | 7 | 243 |
| 8 | 229 | 8 | 260 |
| 9 | 241 | 9 | 276 |
| 10 | 250 | 10 | 291 |
| 11 | 256 | 11 | 305 |
| 12 | 259 | 12 | 318 |
| 13 | 261 | 13 | 330 |
| 14 | 262 | 14 | 341 |

retire passe de 150 unités à 175 unités. Par conséquent, pour Julie, l'utilité marginale d'un cinquième film dans le mois est de 25 unités. Vous remarquerez que les unités d'utilité marginale apparaissent à mi-chemin entre les quantités consommées. C'est la *modification* de la consommation qui, en passant de 4 à 5 films, produit l'utilité *marginale* de 25 unités. Le tableau fournit le calcul de l'utilité marginale pour chaque niveau de consommation de films.

Le graphique (a) de la figure 7.2 illustre l'utilité totale que Julie retire de la consommation de films. Plus le nombre de films que voit Julie par mois est élevé, plus l'utilité totale qu'elle en retire est grande. Le graphique (b) illustre l'utilité marginale : nous constatons que plus Julie voit de films, plus l'utilité marginale qu'elle retire de sa consommation de films diminue. Par exemple, l'utilité marginale passe de 50 unités pour le premier film à 38 unités pour le second et à 33 unités pour le troisième. Nous appelons principe d'**utilité marginale décroissante** cette diminution de l'utilité marginale au fur et à mesure que la consommation d'un bien donné augmente.

---

**FIGURE 7.2**

# L'utilité totale et l'utilité marginale

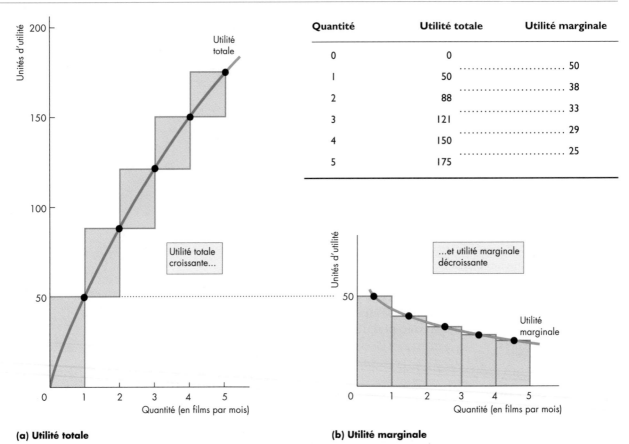

| Quantité | Utilité totale | Utilité marginale |
|---|---|---|
| 0 | 0 | |
| | | 50 |
| 1 | 50 | |
| | | 38 |
| 2 | 88 | |
| | | 33 |
| 3 | 121 | |
| | | 29 |
| 4 | 150 | |
| | | 25 |
| 5 | 175 | |

**(a) Utilité totale**

**(b) Utilité marginale**

Le tableau montre que, au fur et à mesure que la consommation de films de Julie augmente, l'utilité totale qu'elle en retire augmente aussi. Il montre également l'utilité marginale — c'est-à-dire le supplément d'utilité totale résultant du dernier film que Julie a vu. L'utilité marginale décroît à mesure que la consommation augmente. Les graphiques montrent l'utilité totale et l'utilité marginale

que retire Julie de sa consommation de films. Dans le graphique (a), les rectangles illustrent la variation de l'utilité totale pour chaque film supplémentaire — l'utilité marginale. Ces rectangles sont reproduits dans le graphique (b) comme une série de marches descendantes qui illustrent l'utilité marginale de chaque film supplémentaire.

---

L'utilité marginale est positive, mais elle diminue au fur et à mesure que la consommation d'un bien augmente. Pourquoi en est-il ainsi ? Prenons le cas de Julie. Julie aime les films et, plus elle en voit, plus elle est satisfaite. C'est pourquoi l'utilité marginale est positive. L'avantage que Julie retire du dernier film qu'elle a vu représente l'utilité marginale. Afin de comprendre pourquoi l'utilité marginale diminue, imaginez ce que vous ressentiriez dans les deux situations suivantes. Première situation : vous venez de passer 29 soirées consécutives à étudier. L'occasion de voir un film se présente. L'utilité que vous retirez de ce film correspond à l'utilité marginale d'un film par mois. Deuxième situation : depuis un mois, vous avez été au cinéma tous les soirs sans exception. Voilà 29 soirs que vous n'avez travaillé sur aucun devoir ou examen. Vous avez beau adorer le cinéma et être tout à fait

disposé à voir un film de plus, le plaisir que vous retireriez du 30e film en autant de jours ne serait pas énorme, et certainement pas aussi grand que dans la première situation. Ce serait l'utilité marginale du 30e film en un mois.

---

**À RETENIR**

■ Les possibilités de consommation d'un ménage sont limitées par le revenu et par le prix des biens et services.

■ Le concept d'utilité permet de décrire les préférences du consommateur. Selon la théorie de l'utilité marginale, plus la quantité consommée d'un bien augmente, plus l'utilité totale est grande, mais plus l'utilité marginale qu'en retire le consommateur diminue.

## La maximisation de l'utilité

L̲E REVENU D'UN MÉNAGE AINSI QUE LES PRIX DES biens et services limitent le niveau d'utilité totale que ce ménage peut retirer de sa consommation. Selon l'hypothèse fondamentale de la théorie de l'utilité marginale, compte tenu du revenu qu'ils ont à dépenser et des prix qu'ils doivent payer, les ménages consomment la quantité de biens et services qui maximise l'utilité totale. L'hypothèse de la maximisation de l'utilité est une autre expression du problème fondamental de l'économique. Comme les besoins et les désirs des gens sont illimités tandis que les ressources pour les combler sont limitées, les ménages doivent faire des choix difficiles. En faisant ces choix, ils cherchent à tirer le plus d'avantages possible de leur revenu ; autrement dit, ils cherchent à maximiser l'utilité totale.

Voyons comment Julie répartit ses 30 $ mensuels entre les films et les sodas afin de maximiser l'utilité totale qu'elle en retire, en supposant qu'un film coûte 6 $, et un paquet de six sodas 3 $.

### Les choix qui maximisent l'utilité

La manière la plus directe de calculer comment Julie dépense son revenu pour en maximiser l'utilité totale consiste à dresser un tableau comme le tableau 7.2, qui reprend les mêmes combinaisons possibles de films et de sodas que la droite de budget de Julie de la figure 7.1. Ce tableau présente trois éléments d'information : premièrement, le nombre de films consommés et l'utilité totale que Julie a retirée de chaque quantité (les deux premières colonnes) ; deuxièmement, le nombre de paquets de sodas consommés et l'utilité totale que Julie a retirée de chaque quantité (côté droit) ; troisièmement, l'utilité totale que Julie a retirée de la consommation de films *et* de sodas (colonne du centre).

La première ligne du tableau 7.2 nous dit par exemple ce qui se passe si Julie ne regarde aucun film et achète 10 paquets de six sodas. Dans ce cas, Julie ne retire évidemment aucune utilité de sa consommation de films, mais elle retire 291 unités d'utilité totale de sa consommation de sodas. L'utilité totale qu'elle retire de sa consommation de films *et* de sodas (colonne du centre) est donc elle aussi de 291 unités. Le reste du tableau est construit de la même manière.

Le tableau 7.2 montre clairement quelle combinaison de films et de sodas maximise l'utilité totale du revenu de Julie. Si elle consomme 2 films et 6 paquets de sodas, elle obtient 313 unités d'utilité totale. C'est ce qu'elle peut faire de mieux avec les 30 $ dont elle dispose, compte tenu du prix des films et des sodas. Si elle achète 8 paquets de sodas, elle ne voit qu'un film et obtient 310 unités d'utilité totale, soit 3 de moins que le maximum possible. Si elle voit 3 films et ne consomme que

### TABLEAU 7.2
## La maximisation de l'utilité totale : les possibilités de Julie

| Films | | Utilité totale (films et sodas) | Paquets de six sodas | |
|---|---|---|---|---|
| Quantité par mois | Utilité totale | | Utilité totale | Quantité par mois |
| 0 | 0 | 291 | 291 | 10 |
| 1 | 50 | 310 | 260 | 8 |
| 2 | 88 | 313 | 225 | 6 |
| 3 | 121 | 302 | 181 | 4 |
| 4 | 150 | 267 | 117 | 2 |
| 5 | 175 | 175 | 0 | 0 |

4 paquets de sodas, elle obtient 302 unités d'utilité totale, soit 11 de moins que le maximum possible.

Nous venons de décrire un **équilibre du consommateur**, c'est-à-dire une situation où, compte tenu du prix des biens et des services, le consommateur a dépensé son revenu de façon à en maximiser l'utilité totale.

Pour trouver l'équilibre du consommateur de Julie, nous avons calculé l'utilité totale qu'elle retirerait de la consommation de films et de sodas. Mais, comme nous le verrons maintenant, il existe un meilleur moyen de déterminer un équilibre du consommateur.

### L'égalisation des utilités marginales par dollar dépensé

Pour connaître la répartition du revenu qui maximise l'utilité totale d'un consommateur, il suffit de faire en sorte que l'utilité marginale par dollar dépensé soit égale pour tous les biens considérés. L'**utilité marginale par dollar dépensé** correspond à l'utilité marginale de la dernière unité d'un bien consommée, divisée par le prix de ce bien. Par exemple, dans le cas de Julie, l'utilité marginale associée à la consommation du premier film est de 50 unités. Le prix d'un film est de 6 $, ce qui signifie que l'utilité marginale par dollar dépensé en films est de 8,33 unités d'utilité par dollar (50 divisé par 6).

L'utilité totale est maximisée lorsque l'utilité marginale par dollar dépensé est la même pour tous les biens et que le consommateur dépense la totalité de son revenu.

Julie maximise l'utilité totale de son revenu lorsqu'elle le dépense entièrement et qu'elle consomme des films et des sodas conformément à l'équation suivante :

$$\frac{\text{Utilité marginale des films}}{\text{Prix des films}} = \frac{\text{Utilité marginale des sodas}}{\text{Prix des sodas}}.$$

Appelons *Um$_f$* l'ensemble des utilités marginales retirées de la consommation de films, *Um$_s$* l'ensemble des utilités marginales retirées de la consommation de sodas, *P$_f$* le prix d'un film, et *P$_s$* le prix d'un soda. L'utilité que retire Julie est maximisée lorsqu'elle dépense la totalité de son revenu et lorsque :

$$\frac{Um_f}{P_f} = \frac{Um_s}{P_s}.$$

Utilisons cette formule pour déterminer quelle répartition du revenu de Julie en maximise l'utilité totale.

Le tableau 7.3 présente les utilités marginales que retire Julie par dollar dépensé en films et en sodas. Par exemple, à la ligne *b*, l'utilité marginale retirée de la consommation de films est de 50 unités et, puisque chaque film coûte 6 $, l'utilité marginale par dollar dépensé en films est de 8,33 unités (50 divisé par 6). Chaque ligne du tableau correspond à une manière de répartir son revenu qui permet à Julie de dépenser les 30 $ dont elle dispose. Nous pouvons voir que l'utilité marginale par dollar dépensé pour chaque bien, comme l'utilité marginale elle-même, diminue au fur et à mesure que la consommation de ce bien augmente.

L'utilité totale est maximisée quand l'utilité marginale par dollar dépensé en films est égale à l'utilité marginale par dollar dépensé en sodas ; c'est la possibilité *c*, où Julie consomme 2 films et 6 paquets de sodas.

La figure 7.3 montre pourquoi la règle « égaliser l'utilité marginale par dollar dépensé pour tous les biens » est efficace. Supposons que, au lieu d'aller voir 2 films et de boire 6 paquets de sodas (possibilité *c*), Julie n'aille

voir que 1 film et consomme 8 paquets de sodas (possibilité *b*). Elle obtient alors 8,33 unités d'utilité du dernier dollar dépensé en films et 5,67 unités du dernier dollar dépensé en sodas. Elle peut donc augmenter l'utilité totale en achetant moins de sodas et en voyant davantage de films. Si elle dépense un dollar de moins en sodas et un dollar de plus en films, l'utilité totale des sodas diminue de 5,67 unités et l'utilité totale des films augmente de 8,33 unités. L'utilité totale de la consommation des deux biens augmente de 2,66 unités.

Supposons maintenant que Julie voie 3 films et consomme 4 paquets de sodas (possibilité *d*). Dans ce cas, l'utilité marginale du dernier dollar qu'elle dépense en films est inférieure à l'utilité marginale du dernier dollar qu'elle dépense en sodas. Julie peut maintenant augmenter son utilité totale en dépensant moins en films et davantage en sodas.

---

**FIGURE 7.3**

## L'égalisation des utilités marginales par dollar dépensé ◈

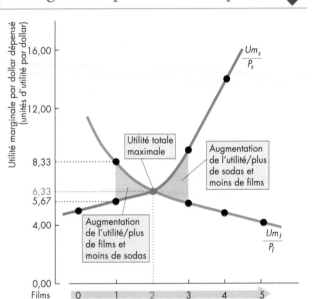

Si Julie va voir 1 film et consomme 8 paquets de six sodas (possibilité *b*), elle retire 8,33 unités d'utilité du dernier dollar dépensé en films et 5,67 unités d'utilité du dernier dollar dépensé en sodas. Elle peut obtenir davantage d'utilité totale en voyant un film supplémentaire. Si elle consomme 4 paquets de sodas et qu'elle voit 3 films (possibilité *d*), elle retire 5,50 unités d'utilité du dernier dollar dépensé en films et 9,33 unités d'utilité du dernier dollar dépensé en sodas. Elle peut retirer davantage d'utilité totale en voyant un film de moins. L'utilité totale est maximisée lorsque l'utilité marginale par dollar dépensé en films et l'utilité marginale par dollar dépensé en sodas sont égales.

---

**TABLEAU 7.3**

## L'égalisation des utilités marginales par dollar dépensé

| | Films (6 $ par film) | | | Paquets de six sodas (3 $ par paquet) | | |
|---|---|---|---|---|---|---|
| | Quantité | Utilité marginale | Utilité marginale par dollar dépensé | Quantité | Utilité marginale | Utilité marginale par dollar dépensé |
| *a* | 0 | 0 | | 10 | 15 | 5,00 |
| *b* | 1 | 50 | 8,33 | 8 | 17 | 5,67 |
| *c* | 2 | 38 | 6,33 | 6 | 19 | 6,33 |
| *d* | 3 | 33 | 5,50 | 4 | 28 | 9,33 |
| *e* | 4 | 29 | 4,83 | 2 | 42 | 14,00 |
| *f* | 5 | 25 | 4,17 | 0 | 0 | |

**La puissance de l'analyse marginale**    La méthode que nous venons d'utiliser pour maximiser l'utilité dans l'exemple de Julie illustre bien la puissance de l'*analyse marginale*. En comparant le gain marginal retiré de la consommation accrue d'un bien avec la perte marginale associée à la consommation réduite d'un autre bien, Julie peut s'assurer qu'elle maximise l'utilité.

Dans notre exemple, Julie choisit la combinaison où l'utilité marginale par dollar dépensé en films et l'utilité marginale par dollar dépensé en sodas sont exactement les mêmes. Comme nous achetons des biens et des services indivisibles, les chiffres ne concordent pas toujours aussi exactement, mais la logique reste la même. La règle à suivre est très simple : si l'utilité marginale par dollar dépensé en films est supérieure à l'utilité marginale par dollar dépensé en sodas, il suffit de s'offrir plus de films et moins de sodas ; si l'utilité marginale par dollar dépensé en sodas est supérieure à l'utilité marginale par dollar dépensé en films, il suffit de s'offrir plus de sodas et moins de films.

De manière générale, si le gain marginal associé à une activité est supérieur à la perte marginale, il est avantageux de choisir cette activité. Vous verrez constamment ce principe à l'œuvre dans vos études d'économique. Vous constaterez aussi que, dans la vie courante, vous l'appliquez à chacun de vos choix économiques.

**Les unités d'utilité**    Dans le tableau 7.3 et dans la figure 7.3, nous n'avons pas eu recours au concept de l'utilité totale pour déterminer la répartition du revenu qui permet de maximiser l'utilité. Tous les calculs ont été faits à partir de l'utilité marginale et du prix. En égalisant l'utilité marginale par dollar dépensé pour les deux biens, nous savons que Julie a optimisé ses dépenses de consommation.

Cette façon d'envisager l'utilité maximale est importante : elle signifie que les unités ayant servi à calculer l'utilité importent peu. Nous pourrions doubler ou diviser par deux ou par n'importe quel nombre positif tous les chiffres qui mesurent l'utilité, les élever au carré ou en extraire la racine carrée, les résultats resteraient les mêmes. De ce point de vue, l'utilité ressemble à la température : nos prédictions sur la maximisation de l'utilité ne dépendent pas davantage des unités d'utilité que nos prédictions sur le gel de l'eau ne dépendent de la graduation du thermomètre.

---

### À RETENIR

■ Le consommateur choisit les quantités de biens et services qui maximisent son utilité totale.

■ Le consommateur dépense son revenu de façon à ce que l'utilité marginale par dollar dépensé soit égale pour chaque bien consommé.

■ Une fois que l'utilité marginale par dollar dépensé est la même pour tous les biens, le consommateur ne peut plus augmenter l'utilité totale en dépensant son revenu différemment.

---

## Les prédictions de la théorie de l'utilité marginale

VOYONS MAINTENANT QUELLES PRÉDICTIONS LA théorie de l'utilité marginale nous permet de faire. Par exemple, quels sont les effets prévisibles d'une variation des prix et du revenu sur la consommation de films et de sodas de Julie ?

### Les effets d'une baisse du prix des films

Pour calculer les effets d'une variation des prix sur la consommation, nous devons procéder en trois étapes : 1) déterminer les combinaisons de films et de sodas qui, aux nouveaux prix, épuisent le revenu, 2) calculer les nouvelles utilités marginales par dollar dépensé et 3) déterminer pour chaque bien les combinaisons qui égalisent l'utilité marginale par dollar dépensé.

Le tableau 7.4 montre les différentes combinaisons de films et de sodas qui épuisent la totalité du revenu de

---

**TABLEAU    7.4**

## Les effets d'une modification du prix des films sur les possibilités de Julie

| Films (3 $ par film) | | Paquets de six sodas (3 $ par paquet) | |
|---|---|---|---|
| Quantité | Utilité marginale par dollar dépensé | Quantité | Utilité marginale par dollar dépensé |
| 0 | | 10 | 5,00 |
| 1 | 16,67 | 9 | 5,33 |
| 2 | 12,67 | 8 | 5,67 |
| 3 | 11,00 | 7 | 6,00 |
| 4 | 9,67 | 6 | 6,33 |
| 5 | 8,33 | 5 | 8,33 |
| 6 | 7,00 | 4 | 9,33 |
| 7 | 6,00 | 3 | 12,00 |
| 8 | 5,00 | 2 | 14,00 |
| 9 | 4,00 | 1 | 25,00 |
| 10 | 3,00 | 0 | |

## FIGURE 7.4
# Une baisse du prix des films

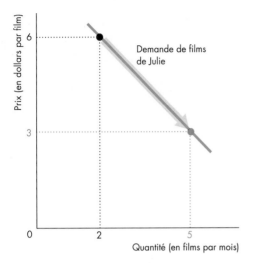

**(a) Films**

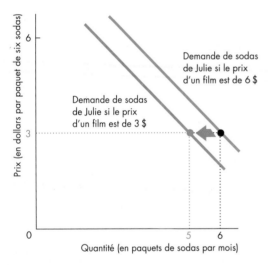

**(b) Sodas**

Lorsque le prix d'un film baisse et que le prix des sodas reste constant, la quantité de films demandée par Julie augmente et, dans le graphique (a), il y a déplacement le long de la courbe de demande de films. De plus, la demande de sodas de Julie diminue et, dans le graphique (b), la courbe de demande de sodas se déplace vers la gauche.

30 $ de Julie si un film et un paquet de sodas coûtent la même chose, soit 3 $. Comme le changement de prix ne modifie pas les préférences de Julie, le barème des utilités marginales reste le même qu'au tableau 7.3. Cependant, nous divisons maintenant l'utilité marginale qu'elle retire des films par 3 $, le nouveau prix d'un film, afin d'obtenir l'utilité marginale par dollar dépensé en films.

Pour découvrir comment Julie réagit à une baisse du prix des films, il suffit de comparer la nouvelle répartition de revenu qui maximise l'utilité (tableau 7.4) avec la répartition initiale (tableau 7.3). Nous constatons que Julie voit davantage de films (3 de plus par mois) et boit moins de sodas (elle passe de 6 à 5 paquets par mois), ce qui signifie qu'elle substitue les films aux sodas. La figure 7.4 illustre ces effets : dans le graphique (a), la baisse du prix des films entraîne un mouvement le long de la courbe de demande de films de Julie, et elle se traduit dans le graphique (b) par un déplacement vers la gauche de la courbe de demande de sodas.

### Les effets d'une augmentation du prix des sodas

Le tableau 7.5 présente les combinaisons de films et de sodas qui épuisent le revenu de Julie (30 $ par mois) quand un film coûte 3 $, et un paquet de sodas 6 $. Si l'on divise par 6 $ — le nouveau prix du paquet de six sodas — l'utilité marginale qu'elle retire de la consommation de sodas, on obtient la nouvelle utilité marginale par dollar dépensé en sodas.

Nous pouvons voir l'effet de la hausse du prix des sodas sur la consommation de Julie en comparant la nouvelle répartition du revenu qui en maximise l'utilité (tableau 7.5) avec la répartition précédente (tableau 7.4). Julie réagit à une hausse du prix des sodas en réduisant sa consommation de sodas (qui passe de 5 à 2 paquets par mois) et en voyant davantage de films (1 de plus par mois). Autrement dit, lorsque le prix des sodas augmente, Julie substitue les films aux sodas. La figure 7.5 illustre ces effets : dans le graphique (a), une hausse du prix des sodas produit un mouvement le long de la

## TABLEAU 7.5
# Les effets d'une modification du prix des sodas sur les possibilités de Julie

| Films (3 $ par film) | | Paquets de six sodas (6 $ par paquet) | |
|---|---|---|---|
| **Films** | **Utilité marginale par dollar dépensé** | **Paquets de six sodas** | **Utilité marginale par dollar dépensé** |
| 0 | | 5 | 4,17 |
| 2 | 12,67 | 4 | 4,67 |
| 4 | 9,67 | 3 | 6,00 |
| 6 | **7,00** | 2 | **7,00** |
| 8 | 5,00 | 1 | 12,50 |
| 10 | 3,00 | 0 | |

FIGURE 7.5

# Une hausse du prix des sodas

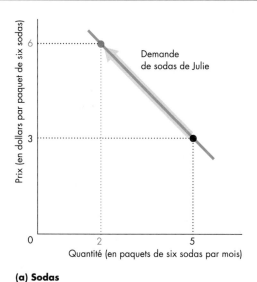

**(a) Sodas**

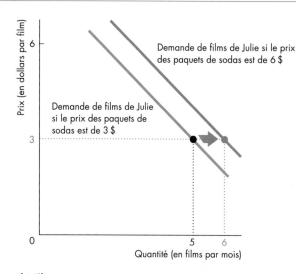

**(b) Films**

SI le prix des sodas augmente tandis que le prix d'un film reste le même, la demande de sodas de Julie diminue — graphique (a) — et il y a un mouvement le long de la courbe de demande de sodas. De plus, la demande de films de Julie augmente — graphique (b) — et la courbe de demande de films se déplace vers la droite.

---

courbe de demande de sodas et, dans le graphique (b), la hausse du prix des sodas entraîne un déplacement de la courbe de demande de films.

La théorie de l'utilité marginale permet de prévoir les deux résultats suivants :

■ lorsque le prix d'un bien augmente, la quantité demandée de ce bien diminue ;

■ lorsque le prix d'un bien augmente, la demande d'un autre bien pouvant servir de substitut augmente.

Cela vous rappelle-t-il quelque chose ? Vous avez raison. Ces prédictions découlant de la théorie de l'utilité marginale correspondent aux hypothèses que nous posions au chapitre 4 relativement à la demande du consommateur. Nous *supposions* que la courbe de demande d'un bien avait une pente négative et qu'une hausse du prix d'un substitut faisait augmenter la demande de ce bien.

Nous avons vu que la théorie de l'utilité marginale permet de prévoir les effets des variations de prix sur les quantités demandées de biens et services. Elle permet de comprendre à la fois la forme et la position de la courbe de demande et nous aide à saisir comment la courbe de demande d'un bien se déplace lorsque le prix d'un autre bien varie. La théorie de l'utilité marginale nous aide aussi à comprendre autre chose concernant la demande : comment elle change si le revenu change. Étudions les effets d'une modification du revenu sur la consommation.

## Les effets d'une augmentation du revenu

Supposons maintenant que le revenu de Julie augmente de 12 $ par mois, le prix d'un film et d'un paquet de sodas étant le même, soit 3 $. Nous avons vu, au tableau 7.4, qu'à ces prix et avec un revenu de 30 $ par mois Julie voyait 5 films et consommait 5 paquets de six sodas par mois. Comparons cette consommation de films et de sodas avec la nouvelle consommation de Julie maintenant qu'elle dispose d'un revenu de 42 $ par mois. En nous reportant aux calculs du tableau 7.6, nous constatons qu'avec 42 $ Julie peut aller voir 14 films par mois si elle n'achète aucun soda, acheter 14 paquets de sodas par mois si elle ne voit aucun film, ou encore choisir n'importe quelle autre des combinaisons décrites par les autres lignes du tableau. Pour trouver la combinaison où l'utilité marginale par dollar dépensé est la même pour les films et les sodas, il suffit de calculer l'utilité marginale par dollar dépensé comme on l'a fait précédemment. Avec 42 $ de revenu mensuel, Julie égalise l'utilité marginale des films et des sodas lorsqu'elle consomme 7 films et 7 paquets de sodas par mois.

Si nous comparons cette situation à celle du tableau 7.4, nous constatons qu'avec 12 $ de plus par mois Julie consomme 2 paquets de sodas de plus et 2 films de plus. Ce résultat s'explique par les préférences de Julie

## TABLEAU 7.6
### Les possibilités de consommation de Julie avec un revenu mensuel de 42 $

| Films (3 $ par film) | | Paquets de six sodas (3 $ par paquet) | |
|---|---|---|---|
| Quantité | Utilité marginale par dollar dépensé | Quantité | Utilité marginale par dollar dépensé |
| 0 | | 14 | 3,67 |
| 1 | 16,67 | 13 | 4,00 |
| 2 | 12,67 | 12 | 4,33 |
| 3 | 11,00 | 11 | 4,67 |
| 4 | 9,67 | 10 | 5,00 |
| **5** | **8,33** | 9 | 5,33 |
| 6 | 7,00 | 8 | 5,67 |
| 7 | 6,00 | 7 | 6,00 |
| 8 | 5,00 | 6 | 6,33 |
| 9 | 4,00 | **5** | **8,33** |
| 10 | 3,00 | 4 | 9,33 |
| 11 | 2,00 | 3 | 12,00 |
| 12 | 1,00 | 2 | 14,00 |
| 13 | 0,67 | 1 | 25,00 |
| 14 | 0,33 | 0 | |

## TABLEAU 7.7
### La théorie de l'utilité marginale

**Hypothèses**

- Le consommateur retire de l'utilité des biens qu'il consomme.

- Chaque unité supplémentaire d'un bien augmente l'utilité totale; l'utilité marginale est positive.

- À mesure que la consommation d'un bien augmente, son utilité marginale diminue.

- Le but du consommateur est de maximiser l'utilité totale qu'il retire de sa consommation.

**Conséquences**

Le consommateur maximise l'utilité totale lorsque l'utilité marginale par dollar dépensé est égale pour tous les biens.

**Prédictions**

- Toutes autres choses étant égales par ailleurs, la hausse du prix d'un bien entraîne la diminution de la quantité achetée de ce bien (loi de la demande).

- La hausse du prix d'un bien entraîne une consommation accrue des substituts de ce bien.

- La quantité demandée de biens normaux augmente à mesure que le revenu augmente.

---

telles que décrites par les utilités marginales; d'autres préférences auraient eu d'autres effets. Un revenu plus élevé entraîne toujours une plus grande consommation d'un *bien normal* et une plus petite consommation d'un *bien inférieur*. Pour Julie, les sodas et les films sont des biens normaux; quand son revenu augmente, elle achète de plus grandes quantités de ces deux biens.

Vous avez maintenant terminé l'étude de la théorie de l'utilité marginale des choix de consommation d'un ménage. Le tableau 7.7 résume les principales hypothèses sur lesquelles repose cette théorie, ses conséquences et les prédictions qu'elle permet de faire.

## La demande individuelle et la demande du marché

Si la théorie de l'utilité marginale vise entre autres à expliquer, comme nous venons de le faire, la demande individuelle — comment un ménage dépense son re-

venu —, son objectif premier est d'expliquer la demande du marché. Vous le devinez, ces deux notions sont intimement liées. Voyons comment.

La *demande individuelle* est la relation entre la quantité demandée d'un bien par une personne et le prix de ce bien. La **demande du marché** est la relation entre la quantité demandée d'un bien au total et le prix de ce bien. La demande du marché est donc la somme de toutes les demandes individuelles.

La figure 7.6 illustre la relation entre la demande individuelle et la demande du marché. Dans cet exemple, nous supposons que Julie et Antoine sont les seuls consommateurs du marché, de sorte que le total de leurs demandes respectives constitue la demande du marché. Comme Julie, Antoine consacre l'intégralité de son revenu à la consommation de films et de sodas. À raison de 3 $ par film, Julie demande 5 films par mois et Antoine en demande 2; la quantité totale demandée par le marché est donc de 7 films par mois. La courbe de demande de films de Julie — graphique (a) — et celle d'Antoine — graphique (b) — s'ajoutent *horizontalement* l'une à

FIGURE 7.6

## FIGURE 7.6
## Les courbes de demande individuelle et la courbe de demande du marché

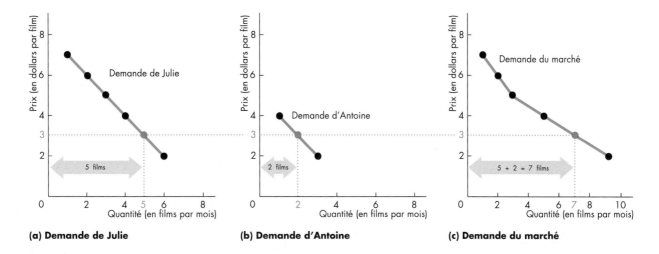

**(a) Demande de Julie**  **(b) Demande d'Antoine**  **(c) Demande du marché**

| Prix | Quantité de films demandée | | |
|---|---|---|---|
| (en dollars par film) | Julie | Antoine | Marché |
| 7 | 1 | 0 | 1 |
| 6 | 2 | 0 | 2 |
| 5 | 3 | 0 | 3 |
| 4 | 4 | 1 | 5 |
| 3 | 5 | 2 | 7 |
| 2 | 6 | 3 | 9 |

Cette figure illustre la relation entre la demande de films et le prix d'un film. Le tableau montre que la demande du marché est la somme des demandes individuelles. Par exemple, au prix de 3 $, Julie demande 5 films, et Antoine 2 films ; la quantité totale demandée sur le marché est donc de 7 films. Le graphique (c) montre que la courbe de demande du marché est la somme horizontale des courbes de demande individuelles. Par conséquent, au prix de 3 $, la courbe de demande du marché montre que la quantité demandée est de 7 films, soit la somme des quantités demandées par Julie — graphique (a) — et par Antoine — graphique (b).

l'autre pour donner la courbe de demande du marché — graphique (c).

La courbe de demande du marché est la somme horizontale des courbes de demande individuelles. Elle est formée par l'addition des quantités demandées par chaque consommateur à chaque niveau de prix.

La théorie de l'utilité marginale prédit que la pente des courbes de demande individuelles est négative ; elle prédit donc que la pente des courbes de demande du marché sera négative.

### L'utilité marginale et le monde réel

La théorie de l'utilité marginale permet de répondre à une multitude de questions qui se posent dans le monde réel. Nous pouvons l'utiliser pour interpréter certains phénomènes décrits dans l'introduction de ce chapitre,

comme l'élasticité de la demande de lecteurs de disques et l'inélasticité de la demande de pétrole. Les élasticités de la demande sont déterminées par nos préférences. L'aspect de nos préférences qui détermine l'élasticité de la demande est la hauteur des marches de l'utilité marginale du graphique 7.2 (b) — l'escarpement, et donc le taux de diminution de l'utilité marginale.

Le taux de diminution de l'utilité marginale d'un bien avec l'augmentation de sa consommation diffère selon les biens. Par exemple, on peut raisonnablement penser que l'utilité marginale du piment fort diminue plus rapidement que celle du poulet. Dans le cas du poulet, il faut une grande variation de la quantité achetée pour entraîner une petite variation de l'utilité marginale. Aussi, lorsque le prix du poulet varie légèrement, il faut que la quantité demandée varie considérablement pour restaurer l'équilibre du consommateur. La demande de poulet est élastique. Dans le cas du piment fort, une légère variation de la quantité achetée entraîne une grande variation de l'utilité marginale. Aussi, lorsque le prix du piment varie, une petite variation de la quantité demandée restaure l'équilibre du consommateur. La demande de piment est inélastique.

Notons que la théorie de l'utilité marginale ne s'applique pas seulement aux choix des *consommateurs*. On peut s'en servir pour expliquer *tous* les choix des ménages, par exemple la répartition du temps entre le travail à la maison, au bureau ou à l'usine. Les démographes l'utilisent même pour prévoir le nombre d'enfants qu'auront les gens...

## À RETENIR

■ Lorsque le prix d'un bien diminue alors que le prix des autres biens et le revenu d'une personne restent constants, cette personne consomme de plus grandes quantités du bien dont le prix a baissé et diminue sa demande d'autres biens.

■ Ces changements entraînent un mouvement le long de la courbe de demande du bien dont le prix est à la baisse, et un déplacement des courbes de demande des biens dont le prix est resté fixe.

■ Lorsque le revenu d'une personne augmente, elle peut se permettre d'acheter une plus grande quantité de tous les biens, et la quantité achetée augmente pour tous les biens *normaux*.

## Les critiques de la théorie de l'utilité marginale

LA THÉORIE DE L'UTILITÉ MARGINALE NOUS AIDE À comprendre les choix des consommateurs, ainsi qu'à prévoir comment ces choix seront modifiés par d'éventuelles variations des prix et du revenu. Néanmoins, elle fait l'objet d'un certain nombre de critiques que nous allons maintenant passer en revue.

### On ne peut ni observer ni mesurer l'utilité

C'est un fait, l'utilité est une notion qui n'est pas observable, mais ce n'est pas une raison pour ne pas l'utiliser. Nous pouvons observer les prix des biens et services, les quantités consommées et les revenus des consommateurs. Notre objectif est de comprendre leurs choix de consommation et de prévoir les effets des variations de prix et de

revenu sur ces choix. Pour faire de telles prédictions, nous *supposons* que les gens retirent une utilité de leur consommation, qu'une augmentation de la consommation entraîne une augmentation de l'utilité totale, que l'utilité marginale diminue à mesure que le niveau de consommation diminue, et que les gens cherchent à maximiser l'utilité totale. À partir de ces hypothèses, nous pouvons prévoir les effets des variations de prix et de revenu sur leur consommation. Comme nous l'avons vu, l'échelle utilisée pour exprimer l'utilité importe peu. Les consommateurs maximisent l'utilité totale en égalisant l'utilité marginale par dollar dépensé pour chaque bien consommé. Dans la mesure où nous utilisons une même échelle pour exprimer l'utilité de divers biens, nous obtiendrons des résultats identiques, quelle que soit cette échelle. L'eau gèle quand il fait assez froid, et cela, que le thermomètre utilisé mesure la température en Celsius, en Fahrenheit ou en n'importe quelle autre unité.

### « Les gens ne sont pas intelligents à ce point »

Selon certains critiques, la théorie de l'utilité marginale ne tient pas, car elle suppose que les gens se comportent comme des espèces d'ordinateurs qui, avant d'acheter, calculent l'utilité marginale de chaque bien pour chaque quantité, divisent les valeurs obtenues par le prix de ces biens et calculent les quantités de manière à ce que l'utilité marginale de chaque bien divisée par le prix de ce bien soit égale pour tous les biens qu'ils achètent. Ce qui est évidemment impossible.

Ces critiques confondent les activités des gens en chair et en os avec celles des consommateurs d'un modèle économique. Un modèle économique est à l'économie réelle ce qu'un modèle réduit de train est à un train véritable. Dans un modèle économique, les consommateurs effectuent les calculs que nous venons de décrire ; dans une économie réelle, ils se contentent de consommer en essayant de trouver la meilleure affaire possible à leurs yeux. Et, ce faisant, ils se comportent bel et bien de la façon dont le modèle économique dit qu'ils devraient se comporter. Nous observons leurs choix de consommation, et non la gymnastique mentale à laquelle ils se livrent. La théorie de l'utilité marginale postule que les comportements de consommation observés dans le monde réel sont analogues à ceux du modèle économique où les consommateurs peuvent calculer les quantités de biens qui maximisent leur utilité totale. Ensuite, nous examinons dans quelle mesure le modèle de l'utilité marginale se rapproche de la réalité en comparant les prédictions de ce modèle avec les choix de consommation que nous observons dans le monde réel.

La théorie de l'utilité marginale a également d'autres implications dignes d'intérêt. Nous allons en examiner deux.

# D'autres implications de la théorie de l'utilité marginale

Nous aimons tous faire de bonnes affaires, c'est-à-dire payer un article moins cher que son prix habituel. Selon la théorie de l'utilité marginale, nous faisons *presque toujours* une bonne affaire lorsque nous achetons un article parce que nous attribuons aux biens que nous achetons une valeur totale supérieure à ce qu'ils nous coûtent. Voyons cela de plus près.

## Le surplus du consommateur et les gains à l'échange

Comme nous l'avons constaté au chapitre 3, les gens ont intérêt à se spécialiser dans la production de biens pour lesquels ils ont un avantage comparatif, pour ensuite échanger ces biens (p. 52-54). Grâce à la théorie de l'utilité marginale, nous disposons d'un moyen précis pour mesurer les gains à l'échange.

Quand Julie va voir un film ou s'achète des sodas, elle échange son revenu contre ces biens. Tire-t-elle un profit de cet échange? La valeur des dollars qu'elle échange est-elle supérieure ou inférieure à la valeur qu'elle accorde aux films et aux sodas? Le principe de l'utilité marginale décroissante veut que Julie retire de ces biens une valeur supérieure au montant d'argent qu'elle verse en contrepartie.

## Le calcul du surplus du consommateur

Du point de vue du consommateur, la **valeur** d'un bien est le montant le plus élevé qu'il est disposé à payer pour obtenir ce bien. Le **surplus du consommateur** est la différence entre la valeur d'un bien aux yeux du consommateur et son prix, c'est-à-dire le montant qu'il doit réellement payer pour obtenir ce bien. Lorsque les consommateurs peuvent acheter la quantité qu'ils veulent d'un bien à un prix donné, la diminution de l'utilité marginale garantit que le consommateur obtiendra un surplus. Reprenons l'exemple de Julie et de ses choix de consommation.

Le graphique (a) de la figure 7.7 montre la courbe de demande de films de Julie. Si Julie ne pouvait voir qu'un seul film par mois, elle serait disposée à payer 7 $ pour cette sortie au cinéma. Elle serait disposée à payer 6 $ pour un second film, 5 $ pour un troisième, etc.

Heureusement, Julie ne doit payer que 3 $ pour chaque film qu'elle voit, soit le prix du marché. Bien qu'elle évalue le premier film qu'elle voit dans le mois à 7 $, elle ne le paie que 3 $, soit 4 $ de moins que ce qu'elle serait disposée à payer. Le deuxième film qu'elle voit a une valeur de 6 $ à ses yeux. La différence entre la valeur que Julie attribue à ce film et le prix qu'elle le paie est de 3 $.

FIGURE 7.7

## Le surplus du consommateur

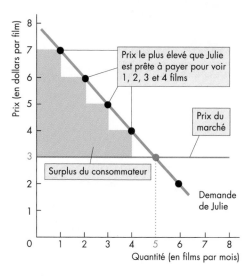

**(a) Julie**

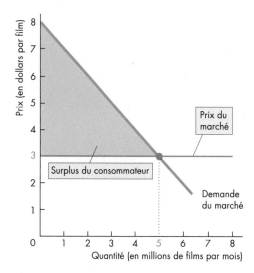

**(b) Marché des films**

Le graphique (a) illustre le fait que Julie est prête à payer **7 $** pour le premier film du mois, **6 $** pour le deuxième, **5 $** pour le troisième, **4 $** pour le quatrième et **3 $** pour le cinquième. Le prix réel d'un film est de **3 $**, si bien qu'elle voit 5 films et paie **3 $** par film. Pour Julie, le surplus du consommateur sur les quatre premiers films est de **10 $** (4 $ + 3 $ + 2 $ + 1 $). Dans le graphique (b), le surplus du consommateur de l'ensemble du marché des films correspond au triangle vert. Sa valeur est de 12,5 millions de dollars (la surface du triangle est égale à sa base, 5 millions de films par mois, multipliée par sa hauteur, 5 $ par mois, le tout divisé par 2).

# L'utilité des nouveaux produits

## Les faits
### en bref

GLOBE AND MAIL, LE 29 JUILLET 1996

## Les boissons «nouvel âge» ont pris un coup de vieux

PAR ANN GIBBON

Il y a quelques décennies, lorsqu'on voulait une boisson non alcoolisée pour se désaltérer, on ne trouvait pas grand-chose d'autre que les sodas et les jus de fruits.

La compagnie Clearly Canadian Beverage a changé cette situation. En 1988, cette firme, installée à Vancouver, entre en scène avec des eaux pétillantes aromatisées aux fruits dans des bouteilles de verre transparent.

Un marketing judicieux lui permet de reconfigurer le marché en y imposant une nouvelle catégorie, celle des boissons «alternatives» ou «nouvel âge». Des mélanges franchement exotiques de «kiwi, limette et pamplemousse» ou «de thé glacé à la framboise» ressuscitent des papilles gustatives qui se mouraient d'ennui.

D'autres compagnies, certaines minuscules, d'autres gigantesques, emboîtent bientôt le pas ; Coca-Cola, pour ne nommer qu'elle, lance les boissons Fruitopia...

Mais voilà, à la longue, les bulles se sont éventées. Depuis quelque temps, les ventes de ce secteur plafonnent et les actions de certaines compagnies ont chuté de manière spectaculaire.

«Le marché des boissons nouvel âge a connu son apogée et il est maintenant en déclin», soutient Hellen Berry, vice-présidente recherche et marketing de la firme new-yorkaise Beverage Marketing Corp. Madame Berry parle ici de l'ensemble du marché nord-américain, ce qui représente des ventes d'environ 5,5 milliards de dollars (US).

«Les consommateurs sont passés à autre chose» [...], confirme Peter van Stolk, président de Urban Juice and Soda Co., pour qui la durée de vie des boissons nouvel âge risque d'être aussi éphémère que les engouements des consommateurs de ce secteur, essentiellement des jeunes dans la vingtaine.

Peter van Stolk compare le secteur des boissons «alternatives» à l'industrie de la mode : «Il suit les tendances. C'est toujours comme ça : notre clientèle se lasse vite d'une marque. On doit donc changer régulièrement les noms comme les étiquettes, et surtout ne jamais commettre l'erreur de donner à un produit le nom de la compagnie.»

# Analyse

## ÉCONOMIQUE

■ En 1988, on créait une boisson «nouvel âge», dont l'utilité marginale unitaire dépassait celle des traditionnelles boissons comme les sodas.

■ La figure 1 présente des valeurs hypothétiques d'utilité marginale. Les rectangles bleus représentent l'utilité marginale des sodas traditionnels, et les rectangles rouges celle des boissons nouveau genre. Dans cet exemple, l'utilité marginale de la boisson «nouvel âge» ($Um_{na}$) est deux fois supérieure à celle du soda traditionnel ($Um_{st}$).

■ Pour maximiser l'utilité, le consommateur répartit son revenu de manière à ce que l'utilité marginale par dollar dépensé soit la même pour tous les biens. Ainsi, chaque consommateur obtient

$$\frac{Um_{st}}{Prix_{st}} = \frac{Um_{na}}{Prix_{na}}.$$

■ Si, en 1988, un soda coûtait 1 $ et une boisson «nouvel âge», 2 $, le consommateur buvait chaque semaine la même quantité de chacune des boissons. (La quantité totale varie en fonction du revenu du consommateur et de l'utilité marginale des autres biens.)

■ La figure 2 illustre l'évolution du marché des boissons «nouvel âge» depuis 1988. Selon les tableaux d'utilité marginale du consommateur, la demande de boissons nouvel âge est D.

■ En 1988, l'offre de boissons nouvel âge était $O_o$, le prix était de 2 $ la bouteille et les ventes atteignaient 1 milliard de bouteilles par année.

■ Au fil des ans, de nouvelles entreprises sont entrées sur le marché des boissons «nouvel âge» et la courbe d'offre s'est déplacée vers la droite

jusqu'à $O_1$. Le prix est passé graduellement de 2 $ à 1 $ la bouteille.

■ À mesure que le prix diminuait, la quantité demandée augmentait.

■ Le revenu total de l'industrie a également augmenté, passant de 2 milliards de dollars (1 milliard de bouteilles à 2 $ l'unité) en 1988 à 5,5 milliards de dollars (5,5 milliards de bouteilles à 1 $ l'unité) en 1995.

■ Il est également possible que l'arrivée sur le marché des boissons «nouvel âge» version 1990 (les boissons pour sportifs, par exemple) ait fait diminuer l'utilité marginale ainsi que la demande de boissons des années 1980.

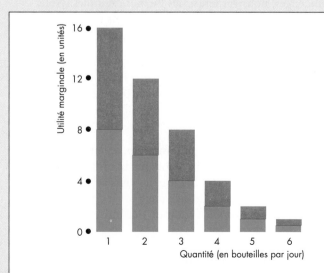

**Figure 1    L'utilité marginale des boissons**

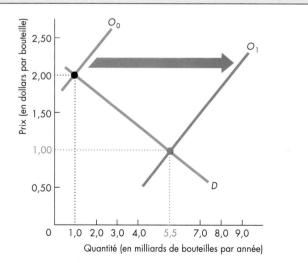

**Figure 2    La demande de boissons «nouvel âge»**

Le troisième film qu'elle voit au cours du mois a une valeur de 5 $, soit 2 $ de plus que ce qu'elle paie. Elle attribue au quatrième film une valeur de 4 $, soit 1 $ de plus que ce qu'elle paie. Le graphique (a) de la figure 7.7 montre la différence entre la valeur que Julie attribue aux premier, deuxième, troisième et quatrième films et le prix qu'elle les paie (3 $). Cette différence se traduit par un gain pour Julie. Calculons ce gain.

Le montant total que Julie est prête à payer pour ses 5 films mensuels s'élève à 25 $ (7 $ + 6 $ + 5 $ + 4 $ + 3 $). Dans les faits, elle paie 15 $ (5 films à 3 $ par film). La différence entre ce qu'elle est prête à payer et ce qu'elle paie est donc de 10 $. Ce montant correspond au surplus du consommateur. En allant voir 5 films par mois, Julie obtient des biens qui valent 10 $ de plus que ce qu'elle doit réellement dépenser pour eux.

Supposons qu'il y ait un million de consommateurs qui, sans être tout à fait pareils, ressemblent à Julie. Certains sont prêts à payer 8 $ pour voir leur premier film ; d'autres seulement 7,99 $. Au prix de 7,99 $, la demande de films augmente donc. Chaque fois que le prix baisse d'un sou, la demande de films augmente. Comme on le voit au graphique 7.7 (b), le surplus du consommateur pour l'ensemble du marché correspond à la zone située sous la courbe de demande et au-dessus de la ligne de prix du marché. Ici, on peut déterminer que le surplus du consommateur correspond à la surface du triangle. Cette surface est égale à la base (5 millions de films) du triangle multipliée par sa hauteur (5 $ par film, soit 8 $ moins 3 $), le tout divisé par 2 ; elle est donc de 12,5 millions de dollars.

Passons maintenant à une autre implication de la théorie de l'utilité marginale.

## Le paradoxe de la valeur

Pendant des siècles, les philosophes sont restés perplexes devant le paradoxe exposé au début de ce chapitre : le prix d'un élément aussi vital que l'eau est négligeable tandis que le prix des diamants, qui ne servent à rien, est très élevé. Adam Smith a tenté en vain de résoudre ce paradoxe. Ce n'est qu'avec la découverte de la théorie de l'utilité marginale qu'une explication satisfaisante a enfin pu être trouvée.

La solution de ce casse-tête réside dans la distinction entre utilité *totale* et utilité *marginale*. L'utilité totale que nous tirons de l'eau est immense. Mais, ne l'oublions pas, plus notre consommation d'un bien augmente, plus l'utilité marginale diminue. Nous utilisons tellement d'eau que son utilité marginale — l'avantage que nous tirons d'un verre d'eau supplémentaire — n'a qu'une valeur infime. En revanche, l'utilité totale des diamants est très faible par rapport à celle de l'eau ; mais, justement parce que nous achetons peu de diamants, leur utilité marginale est très élevée.

Lorsqu'un ménage a maximisé son utilité totale, il a réparti son revenu de manière à ce que l'utilité marginale par dollar dépensé soit égale pour tous les biens, c'est-à-dire que l'utilité marginale associée à un bien, divisée par le prix de ce bien, est égale pour tous les biens. Cette égalité des utilités marginales par dollar dépensé s'applique aux dépenses en diamants comme aux dépenses en eau : l'utilité marginale des diamants est élevée et se divise par un prix élevé, alors que l'utilité marginale de l'eau est faible et se divise par un faible prix. Dans les deux cas, l'utilité marginale par dollar dépensé est la même.

Nous avons terminé notre étude de la théorie de l'utilité marginale. Elle nous a servi à analyser comment Julie répartissait son revenu entre deux biens : les films et les sodas. Nous avons vu comment cette théorie pouvait permettre de résoudre le paradoxe de la valeur. Nous avons aussi appris comment l'utiliser pour expliquer nos choix de consommation dans le monde réel.

◇ Au chapitre suivant, nous allons nous pencher sur une autre représentation théorique du comportement des ménages. Pour vous aider à faire le lien entre la théorie de l'utilité marginale, qui faisait l'objet de ce chapitre, et cette théorie plus moderne du comportement des ce ménages, nous garderons les mêmes exemples. Nous retrouverons Julie et nous découvrirons une autre façon de comprendre comment elle peut tirer le maximum de ses 30 $ de revenu mensuel.

---

# R É S U M É

## Points clés

**Les choix de consommation des ménages** Les choix de consommation des ménages sont déterminés par les contraintes auxquelles ils font face ainsi que par leurs préférences. Un ménage est limité dans ses choix par son revenu et par le prix des biens qu'il souhaite se procurer. Les préférences des ménages se traduisent en utilité marginale retirée des biens consommés. La théorie de l'utilité marginale repose sur le postulat suivant : l'utilité marginale diminue lorsque la consommation augmente. Selon cette théorie, les gens achètent la combinaison de biens qu'ils peuvent s'offrir dans les limites de leur budget en s'efforçant de maximiser l'utilité totale. (p. 148-150)

**La maximisation de l'utilité** L'objectif du consommateur est de maximiser son utilité totale, compte tenu de son revenu et du prix des biens et services qu'il désire acheter. L'utilité totale est maximisée lorsque tout le revenu disponible est dépensé et que l'utilité marginale par dollar dépensé est la même pour tous les biens achetés. (p. 151-153)

### Les prédictions de la théorie de l'utilité marginale

Selon la théorie de l'utilité marginale, toutes autres choses étant égales par ailleurs, plus le prix d'un bien est élevé, plus la quantité demandée de ce bien est faible — la loi de la demande. On appelle demande individuelle la relation entre le prix du bien et la quantité demandée par un ménage. La demande du marché est la somme de toutes les demandes individuelles, et la courbe de demande du marché est la somme horizontale de toutes les courbes de demande individuelles. Comme les courbes de demande individuelles ont une pente négative, la pente des courbes de demande du marché est également négative. (p. 153-158)

### Les critiques de la théorie de l'utilité marginale

C'est un fait, nous ne pouvons pas observer l'utilité. Mais ce n'est pas une raison pour ne pas utiliser cette notion. Selon la théorie de l'utilité marginale, le ratio de l'utilité marginale /prix de chaque bien est le même pour tous les biens. L'unité de mesure que nous utilisons pour représenter l'utilité importe peu.

La théorie de l'utilité marginale n'est pas infirmée par le fait que les gens n'ont pas tous la capacité ou le désir de se livrer à tous les calculs qu'elle implique. En effet, cette théorie ne vise pas à prédire les processus mentaux des consommateurs, mais simplement à prévoir leur comportement en supposant qu'ils dépensent leur revenu de la façon qu'ils jugent la meilleure possible. (p. 158)

### D'autres implications de la théorie de l'utilité marginale

La théorie de l'utilité marginale implique qu'habituellement les biens et services que nous achetons ont à nos yeux une valeur supérieure à la valeur du montant que nous déboursons pour nous les procurer. Nous bénéficions ainsi du surplus du consommateur, qu'on définit comme la différence entre ce que nous sommes prêts à payer pour obtenir un bien et le prix que nous payons réellement.

La théorie de l'utilité marginale permet de résoudre le paradoxe de la valeur. La valeur est déterminée par l'utilité marginale, et non par l'utilité totale. L'eau, que nous consommons en quantité considérable, a une utilité totale élevée, mais son utilité marginale est faible. Au contraire, les diamants, que nous consommons en petite quantité, ont une faible utilité totale et une très grande utilité marginale. (p. 159-162)

### Figures et tableau clés

### Mots clés

## Q U E S T I O N S   D E   R É V I S I O N

1. Qu'entend-on par contrainte budgétaire des ménages ?
2. Qu'est-ce qui détermine les possibilités de consommation d'un ménage ?
3. Qu'entend-on par utilité ?
4. Quelle est la différence entre utilité totale et utilité marginale ?
5. Comment l'utilité marginale retirée d'un bien change-t-elle lorsque le ménage
   a)   augmente la consommation de ce bien ?
   b)   diminue la consommation de ce bien ?
6. Suzanne est une consommatrice. Son utilité marginale est-elle maximisée quand
   a)   elle a dépensé tout son revenu ? (Justifiez votre réponse.)
   b)   elle a dépensé tout son revenu et que l'utilité marginale est égale pour tous les biens ? (Justifiez votre réponse.)
   c)   elle a dépensé tout son revenu et que l'utilité marginale par dollar dépensé est égale pour tous les biens ? (Justifiez votre réponse.)
7. Qu'entend-on par « utilité marginale par dollar dépensé » ?

8. Quels sont les effets sur l'utilité marginale par dollar dépensé pour un bien lorsque
   a) le consommateur dépense davantage pour ce bien?
   b) le consommateur dépense moins pour ce bien?

9. Quelles prédictions la théorie de l'utilité marginale permet-elle de faire quant aux effets d'une variation de revenu sur la quantité consommée d'un bien?

10. Quelles prédictions la théorie de l'utilité marginale permet-elle de faire quant aux effets d'une variation du prix d'un bien sur la consommation d'un autre bien?

11. Quelles prédictions la théorie de l'utilité marginale permet-elle de faire quant aux effets d'une variation du revenu sur la consommation d'un bien?

12. Quelle est la relation entre la demande individuelle et la demande de marché?

13. Comment construit-on une courbe de demande du marché à partir des courbes de demande individuelles?

14. Que répondriez-vous à quelqu'un qui affirme que la théorie de l'utilité marginale est inutile parce qu'il est impossible d'observer l'utilité?

15. Que répondriez-vous à quelqu'un qui affirme que la théorie de l'utilité marginale est caduque parce que les gens ne sont pas assez malins pour calculer l'équilibre du consommateur, c'est-à-dire la situation où l'utilité marginale par dollar dépensé est égale pour tous les biens?

16. Quelle valeur le consommateur attribue-t-il à un bien?

17. Qu'est-ce que le surplus du consommateur? Comment le calcule-t-on?

18. Qu'est-ce que le paradoxe de la valeur? Comment la théorie de l'utilité marginale permet-elle de le résoudre?

## A N A L Y S E   C R I T I Q U E

1. Lisez attentivement l'article intitulé «Les boissons "nouvel âge" ont pris un coup de vieux» (rubrique «Entre les lignes», p. 160), puis
   a) résumez les principaux points de l'article;
   b) expliquez comment la théorie de l'utilité marginale permet d'interpréter les tendances décrites.

2. Que laisse supposer l'information contenue dans l'article au sujet de l'élasticité de la demande de boissons «nouvel âge»?

3. Quelles prédictions pouvez-vous faire sur l'évolution probable des revenus générés par la vente de boissons «nouvel âge»?

4. Du point de vue du gouvernement, les boissons «nouvel âge» seraient-elles un bon produit à taxer?

5. Depuis les années 1940, la part du revenu dépensée en denrées alimentaires a diminué alors que la part du revenu dépensé en automobiles a augmenté. Expliquez pourquoi.

6. Il y a quelques années, certains gouvernements provinciaux ont réduit la taxe sur les cigarettes, ce qui a eu pour effet de diminuer le prix du paquet de cigarettes. Quel effet cette mesure a-t-elle eu sur la façon dont les fumeurs répartissaient leurs dépenses en cigarettes et en autres biens? Expliquez votre réponse à l'aide de la théorie de l'utilité marginale.

7. Une grande ville canadienne se propose d'interdire l'usage du tabac dans les bars. Quel effet cette interdiction aurait-elle sur l'utilité que les fumeurs retirent du tabac? Comment les fumeurs ajusteraient-ils leurs dépenses dans les bars et leurs dépenses pour d'autres biens? Expliquez votre réponse à l'aide de la théorie de l'utilité marginale.

## P R O B L È M E S

1. En utilisant les chiffres fournis au tableau 7.1 (p. 149), calculez l'utilité marginale que retire Julie de sa consommation de sodas. Tracez deux graphiques comme ceux de la figure 7.2 pour illustrer l'utilité que Julie retire des sodas, l'un pour l'utilité totale et l'autre pour l'utilité marginale.

2. Mathieu pratique la planche à voile et la plongée sous-marine. L'utilité qu'il retire de chacun de ces sports est la suivante:

| Demi-heures par mois | Utilité retirée de la planche à voile | Utilité retirée de la plongée sous-marine |
|---|---|---|
| 1 | 60 | 20 |
| 2 | 110 | 38 |
| 3 | 150 | 53 |
| 4 | 180 | 64 |
| 5 | 200 | 70 |
| 6 | 206 | 75 |
| 7 | 211 | 79 |
| 8 | 215 | 82 |
| 9 | 218 | 84 |

a) Tracez des graphiques montrant l'utilité totale que retire Mathieu de la planche à voile et de la plongée sous-marine.

b) Comparez les deux graphiques d'utilité totale. Que vous apprennent-ils sur les préférences de Mathieu ?

c) Tracez des graphiques illustrant l'utilité marginale que retire Mathieu de la planche à voile et de la plongée sous-marine.

d) Comparez les deux graphiques d'utilité marginale. Que vous apprennent-ils sur les préférences de Mathieu ?

3. Mathieu a 35 $ à dépenser. La location de matériel de planche à voile coûte 10 $ l'heure, et celle de matériel de plongée sous-marine 5 $ l'heure. En utilisant cette information ainsi que celles fournies au problème n° 2, dites combien de temps Mathieu consacrera, d'une part, à la planche à voile et, d'autre part, à la plongée sous-marine ?

4. La sœur de Mathieu lui donne 20 $ à dépenser pour ses loisirs ; il dispose donc maintenant de 55 $ à dépenser. Comment répartira-t-il cette somme entre les heures de planche à voile et les heures de plongée ?

5. Si Mathieu n'a que 55 $ à dépenser et que le prix de la location de matériel de plongée passe à 5 $ l'heure, comment répartira-t-il le temps qu'il consacre à la planche à voile et à la plongée sous-marine ?

6. La pente de la courbe de demande de planche à voile et de plongée sous-marine de Mathieu est-elle négative ou positive ?

7. Mathieu prend des vacances au Club Med, où tous les frais liés aux activités sportives sont compris dans le prix. Mathieu décide de consacrer trois heures par jour à ses deux sports préférés. Comment répartit-il ces trois heures entre la plongée sous-marine et la planche à voile ?

8. Le barème de demande de yogourt de Charlotte et François est le suivant :

| Prix (en cents par boîte) | Quantité demandée (en boîtes par semaine) | |
|---|---|---|
| | par Charlotte | par François |
| 10 | 12 | 6 |
| 30 | 9 | 5 |
| 50 | 6 | 4 |
| 70 | 3 | 3 |
| 90 | 1 | 2 |

Charlotte et François sont les deux seules personnes sur le marché du yogourt. Montrez que la courbe de demande du marché est la somme des courbes de demande de Charlotte et François.

9. La figure suivante illustre la demande de planche à voile de Valérie.

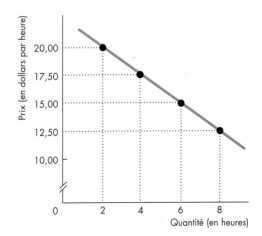

Quel est le surplus du consommateur de Valérie si

a) une heure de planche à voile coûte 17,50 $ ?

b) une heure de planche à voile coûte 12,50 $ ?

# 8

## Contraintes budgétaires, préférences et choix de consommation

**Objectifs
du chapitre**

- Calculer les possibilités de consommation d'un ménage et tracer sa droite de contrainte budgétaire (ou droite de budget)

- Déterminer les déplacements de la droite de budget lorsque les prix et les revenus changent

- Établir une carte de préférences à partir des courbes d'indifférence

- Expliquer les choix que font les ménages

- Prévoir les effets des variations de prix et de revenu sur les choix de consommation

**C**omme les plaques tectoniques sous l'effet des mouvements de l'écorce terrestre, la structure de nos dépenses se modifie avec le temps. Les empires commerciaux, soumis à des mouvements souterrains, croissent et déclinent. Des biens comme les 78 tours et les voitures tirées par des chevaux sont disparus de nos listes d'achats, où figurent maintenant de nouveaux biens, comme les ordinateurs personnels et les téléphones cellulaires. D'autres biens, la mini-jupe par exemple, apparaissent, disparaissent et réapparaissent au gré des modes. ♦ Ces fluctuations constantes mais superficielles de notre consommation occultent des modifications plus lentes et plus profondes de la structure de nos dépenses. Depuis quelques années, nous avons assisté à la prolifération de boutiques d'épicerie fine et de haute couture, et cela, même si le pourcentage de nos revenus consacré à l'alimentation et à l'habillement est plus faible qu'en 1950. Parallèlement, nos dépenses en logement, en transport et en loisirs augmentent constamment. Pourquoi la structure des dépenses se modifie-t-elle avec le temps? Comment réagissons-nous aux variations de notre revenu et du prix des biens que nous achetons? ♦ Il n'y a pas que notre façon de dépenser qui se modifie comme une plaque tectonique avec le temps. Des mouvements souterrains similaires semblent influer sur toutes les facettes de notre comportement. Ainsi, la moyenne d'heures consacrées au travail a diminué au fil du temps, passant de 70 heures par semaine au XIX^e siècle à 35 heures de nos jours. Par ailleurs, si la semaine de travail normale est beaucoup plus courte qu'autrefois, un plus grand nombre de gens se retrouvent sur le marché du travail salarié. Ce changement a été particulièrement spectaculaire chez les femmes, qui sont beaucoup plus nombreuses que jadis à travailler hors du foyer. Pourquoi la semaine de travail normale a-t-elle raccourci? Pourquoi les femmes sont-elles plus nombreuses sur le marché du travail salarié?

# Les mouvements souterrains

◖ Dans ce chapitre, nous allons étudier un modèle de choix de consommation qui permet de prévoir les effets des variations de prix et de revenu sur les biens et services que les consommateurs achètent, sur leur nombre d'heures de travail et sur leurs décisions en matière d'emprunts et de prêts.

## Les possibilités de consommation

LES CHOIX DES CONSOMMATEURS SONT LIMITÉS PAR des contraintes de revenu et de prix. Un ménage dispose d'un certain montant à dépenser et ne peut influer sur les prix des biens et des services qu'il achète ; il doit les accepter tels quels. Les contraintes imposées sur les choix de consommation d'un ménage sont décrites par sa **droite de budget** — une notion que nous avons vue au chapitre précédent.

Pour bien comprendre la notion de droite de budget, reprenons l'exemple de Julie[1]. Julie dispose d'un revenu mensuel de 30 $, qu'elle dépense en achetant seulement deux biens : des films et des sodas. Un film coûte 6 $, et un paquet de six sodas 3 $. Quand Julie dépense tout son revenu, elle atteint les limites de sa consommation de films et de sodas.

Chaque ligne du tableau de la figure 8.1 décrit une des combinaisons de films et de sodas que Julie peut s'offrir. Selon le scénario de la ligne *a,* elle achète 10 paquets de sodas et ne voit aucun film. On peut constater que cette combinaison épuise la totalité de son revenu mensuel de 30 $. Passons maintenant au scénario décrit à la ligne *f,* où Julie voit 5 films et ne boit aucun soda. Là encore, cette combinaison épuise la totalité des 30 $ dont elle dispose. En fait, toutes les combinaisons de biens décrites dans le tableau épuisent le revenu de Julie ; comme vous pouvez le vérifier, chacune coûte exactement 30 $. Les chiffres du tableau correspondent aux diverses possibilités de consommation de Julie, illustrées par les points *a* à *f* dans le graphique de la figure 8.1.

**Biens divisibles et biens indivisibles**  Certains biens, les *biens divisibles,* peuvent être achetés exactement dans la quantité souhaitée ; l'essence et l'électricité sont des biens divisibles. D'autres biens, les *biens indivisibles,* ne peuvent être achetés qu'en unités entières ; on peut sortir du cinéma au milieu d'un film mais on ne peut acheter une moitié de film. Cependant, le modèle des choix de consommation des ménages que nous nous apprêtons à construire sera plus facile à comprendre si nous supposons que tous les biens et services sont divisibles. Avec cette hypothèse, les possibilités de consommation ne se limitent plus aux points *a* à *f* comme dans la figure 8.1, mais incluent également tous les points intermédiaires situés sur la droite qui relie les points *a* à *f.* Si Julie pouvait acheter ses films à la seconde et ses sodas à la goutte, elle pourrait se situer sur n'importe quel point de la droite de

---

[1] Si vous avez lu le chapitre précédent, qui portait sur la théorie de l'utilité marginale, vous connaissez déjà Julie et sa passion pour le cinéma et les sodas. Vous reconnaîtrez donc son histoire, du moins jusqu'à un certain point, car, dans ce chapitre, nous allons utiliser une méthode différente pour représenter ses préférences — une méthode qui nous épargne le recours au concept d'utilité.

**FIGURE 8.1**

# La droite de budget

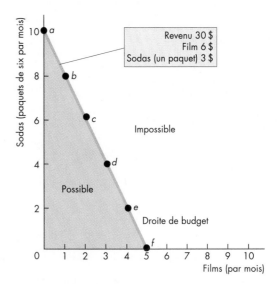

| Possibilités de consommation | Films (par mois) | Paquets de six sodas (par mois) |
|---|---|---|
| *a* | 0 | 10 |
| *b* | 1 | 8 |
| *c* | 2 | 6 |
| *d* | 3 | 4 |
| *e* | 4 | 2 |
| *f* | 5 | 0 |

La droite de budget de Julie trace la limite entre ce qu'elle peut acheter et ce qu'elle ne peut acheter. Le tableau dresse la liste des combinaisons de films et de sodas que Julie peut acheter en un mois dans les conditions suivantes : elle dispose d'un revenu de 30 $, un paquet de six sodas coûte 3 $ et un film coûte 6 $. La ligne *a,* par exemple, nous montre que Julie peut acheter 10 paquets de sodas et ne voir aucun film. Cette combinaison lui permet de dépenser la totalité de son revenu de 30 $. Le graphique trace la droite de budget de Julie, les points *a* à *f* correspondant à chacune des lignes du tableau. Pour les biens divisibles, la droite de budget est la droite continue *af.* Pour calculer l'équation de la droite de budget de Julie, il faut

- supposer que les dépenses sont égales au revenu
$$(3\,\$ \times Q_s) + (6\,\$ \times Q_f) = 30\,\$,$$

- diviser par 3 $
$$Q_s + 2Q_f = 10,$$

- soustraire $2Q_f$ des deux membres de l'équation
$$Q_s = 10 - 2Q_f.$$

budget et consommer n'importe quelle quantité d'un film ou d'un soda.

La droite de budget de Julie illustre les contraintes qui limitent ses choix ; elle trace la frontière entre ce que Julie peut acheter et ce qu'elle ne peut acheter. Julie peut acheter toutes les combinaisons correspondant aux points situés sur la droite de budget et à l'intérieur de la droite. Elle ne peut acheter les combinaisons correspondant aux points situés à l'extérieur de la droite. Sa consommation est limitée par les prix et par son revenu, et elle varie selon les variations des prix et de son revenu. Nous allons voir comment en étudiant une équation qui décrit les possibilités de consommation de Julie.

### L'équation de budget

Nous pouvons décrire la droite de budget par l'*équation de budget* suivante :

$$\text{Dépenses} = \text{Revenu}.$$

Dans le cas de Julie, les dépenses et le revenu s'élèvent à 30 $ par semaine.

Les dépenses sont égales à la somme du prix de chaque bien, multipliée par la quantité achetée. Dans le cas de Julie, l'équation est la suivante :

$$\text{Dépenses} = (\text{Prix des sodas} \times \text{Quantité de sodas})$$
$$+ (\text{Prix d'un film} \times \text{Quantité de films}).$$

Appelons le prix des sodas $P_s$, la quantité de paquets de sodas $Q_s$, le prix d'un film $P_f$, la quantité de films $Q_f$, et le revenu $y$. Si l'on utilise ces symboles, l'équation de budget de Julie est la suivante :

$$P_s Q_s + P_f Q_f = y.$$

Si nous utilisons les prix que doit débourser Julie, soit 3 $ le paquet de six sodas et 6 $ le film, ainsi que son revenu, 30 $, nous obtenons l'équation suivante :

$$(3\,\$ \times Q_s) + (6\,\$ \times Q_f) = 30\,\$.$$

Julie peut choisir n'importe quelle quantité de sodas ($Q_s$) et de films ($Q_f$) qui respecte l'équation. Pour exprimer la relation existant entre ces quantités, il suffit de remanier l'équation de manière à ce qu'elle corresponde à la droite de budget de Julie. Pour cela, il faut diviser les deux parties de l'équation par le prix des sodas ($P_s$), soit :

$$Q_s + \frac{P_f}{P_s} \times Q_f = \frac{y}{P_s}.$$

Il faut ensuite soustraire $\frac{P_f}{P_s} \times Q_f$ des deux membres de l'équation. Nous obtenons ainsi :

$$Q_s = \frac{y}{P_s} - \left(\frac{P_f}{P_s} \times Q_f\right).$$

Dans le cas de Julie, le revenu ($y$) est de 30 $, le prix d'un film ($P_f$) de 6 $, et le prix d'un paquet de sodas ($P_s$) de

3 $. Par conséquent, Julie doit choisir la combinaison de films et de sodas correspondant à l'équation :

$$Q_s = \frac{30\,\$}{3\,\$} - \left(\frac{6\,\$}{3\,\$} \times Q_f\right),$$

ou

$$Q_s = 10 - 2\,Q_f.$$

Cette équation nous montre que le nombre de sodas que consomme Julie ($Q_s$) varie selon le nombre de films qu'elle voit ($Q_f$). Pour interpréter cette équation, reprenons la droite de budget de la figure 8.1 et vérifions si l'équation que nous venons d'établir correspond à cette droite de budget. Si nous considérons que $Q_f$, le nombre de films, est égal à zéro, l'équation de budget nous apprend que $Q_s$, la quantité de sodas, est $y/P_s$, ce qui correspond à 30 $/3 $, ou à 10 paquets de six sodas. Cette combinaison de $Q_f$ et $Q_s$ est la même que celle qui se trouve à la ligne *a* du tableau de la figure 8.1. Si l'on considère que $Q_f$ est égale à 5, on obtient $Q_s$ égale zéro (ligne *f* du tableau de la figure 8.1). Vous pouvez répéter l'opération pour les autres lignes du tableau.

L'équation de budget contient deux variables qui dépendent de la volonté du ménage ($Q_f$ et $Q_s$) et deux variables ($y/P_s$ et $P_f/P_s$) sur lesquelles il n'a aucun pouvoir. Examinons de plus près ces deux dernières.

**Le revenu réel** Le **revenu réel** d'un ménage correspond à la plus grande quantité d'un bien que ce ménage peut acheter. Dans l'équation de budget, le revenu réel de Julie est $y/P_s$. Le résultat est le nombre maximal de paquets de sodas que Julie peut acheter. Autrement dit, c'est le revenu réel de Julie exprimé en sodas, son revenu nominal divisé par le prix des sodas. Comme le revenu de Julie est de 30 $, et le prix des sodas de 3 $ le paquet, son revenu réel exprimé en sodas est de 10 paquets de six sodas. Dans la figure 8.1, le revenu réel correspond au point où la droite de budget coupe l'ordonnée.

**Le prix relatif** Le **prix relatif** est le prix d'un bien divisé par le prix d'un autre bien. Dans l'équation de budget de Julie, la variable ($P_f/P_s$) est le prix relatif d'un film exprimé en sodas. Comme $P_f = 6\,\$$ et $P_s = 3\,\$$, $P_f/P_s = 2$. Ainsi, pour voir un film de plus, Julie doit réduire sa consommation de sodas de 2 paquets.

Nous venons de calculer le coût d'opportunité d'un film pour Julie. Souvenez-vous que le coût d'opportunité d'une action est la meilleure autre possibilité à laquelle nous avons renoncé. Pour que Julie puisse voir un film supplémentaire, elle doit renoncer à 2 paquets de six sodas (puisqu'il n'y a que deux biens dans notre exemple). Nous avons également calculé le coût d'opportunité des sodas de Julie. Pour que Julie puisse consommer 2 paquets de sodas de plus, elle doit renoncer à voir 1 film. Pour Julie, le coût d'opportunité de 2 paquets de six sodas est de 1 film.

Le prix relatif d'un film exprimé en sodas correspond à la valeur de la pente de la droite de budget de Julie.

Pour calculer cette pente, il suffit de reprendre la formule que nous avons étudiée au chapitre 2 : la pente d'une droite est égale à la variation de la variable mesurée en ordonnée (sur l'axe vertical), divisée par la variation de la variable mesurée en abscisse (sur l'axe horizontal) lorsque nous nous déplaçons le long de la droite. Dans le cas de

Julie (figure 8.1), la variable mesurée en ordonnée est la quantité de sodas qu'elle peut acheter. Au fur et à mesure que, le long de la droite de budget de Julie, la quantité de sodas passe de 10 à 0, le nombre de films passe de 0 à 5. La pente de la droite de budget a donc une valeur de 10 paquets de sodas divisés par 5 films, soit 2 paquets de sodas par film (comme il s'agit d'une droite, nous savons que sa pente est constante et identique en tout point). La valeur de cette pente correspond exactement au prix relatif que nous venons de calculer. Elle correspond également au coût d'opportunité d'un film.

**Une variation de prix**   Lorsque les prix varient, la droite de budget varie également. Toutes autres choses étant égales, moins le prix d'un bien mesuré en abscisse est élevé, plus la pente de la droite de budget est douce. Si le prix d'un film passe, par exemple, de 6 $ à 3 $, le revenu réel exprimé en sodas ne change pas, mais le prix relatif d'un film diminue. La droite de budget pivote vers la droite et sa pente diminue, comme le montre le graphique (a) de la figure 8.2. Plus le prix d'un bien mesuré en abscisse est élevé, toutes autres choses étant égales, plus la pente de la droite de budget est abrupte. Si le prix d'un film passe, par exemple, de 6 $ à 12 $, le prix relatif d'un film augmente. La droite de budget pivote vers la gauche et devient plus abrupte, comme le montre le graphique 8.2 (a).

**Une variation de revenu**   Une variation du *revenu nominal* modifie le revenu réel mais pas les prix relatifs. La droite de budget se déplace, mais sa pente ne change pas. Toutes autres choses étant égales, plus le revenu nominal d'un consommateur est élevé, plus le revenu réel est élevé et plus la droite de budget se déplace vers la droite. Plus le revenu nominal d'un consommateur est bas, plus le revenu réel est bas et plus la droite de budget se déplace vers la gauche. Le graphique 8.2 (b) illustre l'effet d'une variation de revenu sur la droite de budget de Julie. La droite de budget initiale est la même que celle utilisée à la figure 8.1, alors que Julie disposait d'un revenu de 30 $. Une nouvelle droite de budget illustre les possibilités de consommation de Julie lorsque son revenu tombe à 15 $ par mois. La nouvelle droite de budget est parallèle à l'ancienne, mais elle est plus proche de l'origine. Les deux droites de budget sont parallèles, elles ont la même pente, car le prix relatif est le même dans les deux cas. La nouvelle droite de budget est plus proche de l'origine que la droite initiale étant donné que le revenu réel de Julie a diminué.

---

**FIGURE 8.2**

# Les variations de prix et de revenu

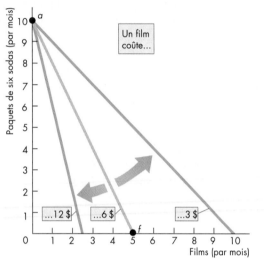

**(a) Variation de prix**

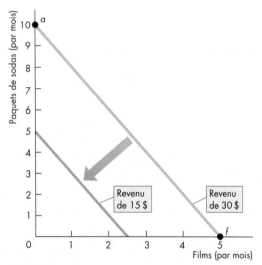

**(b) Variation de revenu**

Dans le graphique (a), le prix d'un film varie. Lorsqu'il passe de 6 $ à 3 $, la droite de budget se déplace vers l'extérieur et sa pente diminue. Lorsque le prix passe de 6 $ à 12 $, la droite de budget se déplace vers la gauche et sa pente augmente.

Dans le graphique (b), le revenu passe de 30 $ à 15 $ tandis que le prix des films et des sodas reste le même. La droite de budget se déplace vers la gauche, mais sa pente ne change pas.

---

### À   R E T E N I R

■ La droite de budget montre les quantités maximales de biens et services qu'un ménage peut acheter compte tenu de son revenu et du prix de ces biens et services.

- La position de la droite de budget varie en fonction du revenu réel, et sa pente varie en fonction du prix relatif.

- Une variation du prix d'un bien entraîne une variation du prix relatif et modifie la pente de la droite de budget. Si le prix d'un bien mesuré en abscisse augmente, la pente de la droite de budget augmente (en valeur absolue).

- Une variation du revenu nominal entraîne une variation du revenu réel et un déplacement parallèle de la droite de budget, mais la pente ne change pas. Une augmentation du revenu nominal entraîne le déplacement de la droite de budget vers la droite.

Nous venons de déterminer les quantités maximales de biens et services que peut acheter un ménage. Penchons-nous maintenant sur les préférences des consommateurs.

## Les préférences et les courbes d'indifférence

LES PRÉFÉRENCES REPRÉSENTENT CE QUE NOUS aimons et ce que nous n'aimons pas. Une hypothèse primordiale concernant les préférences est qu'elles ne changent pas avec les prix et les revenus. Ce que nous aimons ou n'aimons pas ne dépend pas de ce que nous pouvons acheter avec notre revenu. Lorsqu'un prix fluctue, ou lorsque notre revenu se modifie, nous faisons de nouveaux choix, mais les préférences qui dictent ces choix restent les mêmes. Nous allons maintenant découvrir une méthode ingénieuse de représentation graphique des préférences d'un consommateur : la carte de préférences.

L'élaboration d'une telle carte repose sur une hypothèse séduisante : nous pouvons classer toutes les combinaisons possibles de biens de consommation en trois catégories : les biens que nous aimons, ceux que nous aimons moins et ceux qui nous laissent indifférents. Pour préciser ce concept, examinons les préférences de Julie relativement aux diverses combinaisons de films et de sodas. La figure 8.3 illustre en partie sa réponse.

Supposez que Julie nous dise qu'elle consomme actuellement 2 films et 6 paquets de sodas par mois, une combinaison qui correspond au point *c* de la figure 8.3. Admettons qu'elle nous fasse ensuite la liste de toutes les combinaisons de films et de sodas qui lui donnent la même satisfaction que sa consommation actuelle. Si nous représentons graphiquement les combinaisons de films et de sodas que Julie dit aimer autant que la combinaison du point *c*, nous obtenons la courbe verte de la figure 8.3. Cette courbe est l'élément clé d'une carte de préférences ; on l'appelle la courbe d'indifférence.

La **courbe d'indifférence** est la courbe reliant toutes les combinaisons de biens qui procurent une égale satis-

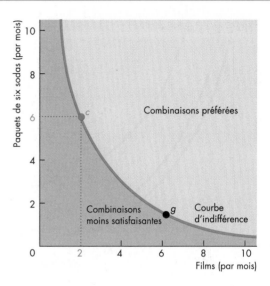

**FIGURE 8.3**

## La cartographie des préférences

Si Julie consomme 6 paquets de sodas et voit 2 films par mois, son point de consommation est le point *c*. Julie peut comparer toutes les autres combinaisons possibles de sodas et de films à celle du point *c* et classer par ordre de préférence les combinaisons qu'elle préfère, celles qu'elle aime moins et celles qui lui donnent autant de satisfaction. La courbe qui délimite la frontière entre les combinaisons qu'elle préfère et celles qu'elle aime moins que la combinaison *c* est une courbe d'indifférence. Les points situés sur la courbe d'indifférence, tels que *c* et *g*, correspondent à des combinaisons de biens qui donnent toutes autant de satisfaction à Julie. Elle préfère tous les points situés au-dessus de sa courbe d'indifférence (partie jaune) à tout point situé sur la courbe et elle préfère tout point situé sur sa courbe d'indifférence à tout point situé en dessous (partie grise).

faction au consommateur — consommer l'une ou l'autre lui est indifférent. La courbe d'indifférence de la figure 8.3 nous apprend que la combinaison correspondant au point *c* — qui permet à Julie de voir 2 films et de consommer 6 paquets de sodas par mois — la satisfait tout autant que la combinaison correspondant au point *g* ou que toute autre combinaison située sur la courbe.

Supposons que Julie nous dise aussi que, peu importe la combinaison de films et de sodas, si elle n'a pas à diminuer sa consommation de sodas, elle préfère voir plus de films, ou encore que, si elle n'a pas à diminuer le nombre de films qu'elle voit, elle préfère consommer plus de sodas. Nous pouvons en déduire que, pour Julie, la courbe d'indifférence trace la frontière entre les combinaisons de biens qu'elle préfère et celles qu'elle n'aime pas. Julie préfère toute combinaison située au-dessus de sa courbe d'indifférence (partie jaune) à toute combinaison située le long de sa courbe d'indifférence. Elle préfère

FIGURE 8.4

## Une carte de préférences

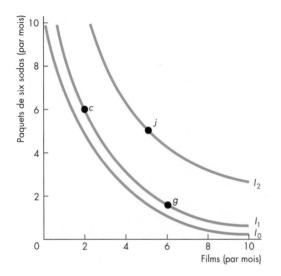

Une carte de préférences est constituée d'un nombre infini de courbes d'indifférence. Nous n'avons représenté ici que trois des courbes d'indifférence de la carte de Julie, soit $I_0$, $I_1$ et $I_2$. Chacune montre les points correspondant à des combinaisons de biens qui donnent un même degré de satisfaction à Julie. Par exemple, il lui est indifférent que sa consommation se situe au point $c$ ou au point $g$ de la courbe d'indifférence $I_1$. Cependant, elle préfère n'importe quel point situé sur une courbe d'indifférence plus élevée. Ainsi, Julie préfère le point $j$ aux points $c$ ou $g$; par conséquent, elle préfère n'importe quel point situé sur la courbe d'indifférence $I_2$ à n'importe quel point situé sur la courbe d'indifférence $I_1$.

également toute combinaison située le long de sa courbe d'indifférence à toute combinaison située en dessous (partie grise).

La courbe d'indifférence de la figure 8.3 n'est qu'une des courbes possibles. Nous la retrouvons à la figure 8.4, (courbe $I_1$), et elle passe par les points $c$ et $g$. Deux autres courbes d'indifférence sont $I_0$ et $I_2$. Julie préfère tout point situé sur la courbe d'indifférence $I_2$ à tout point situé sur la courbe d'indifférence $I_1$, et elle préfère tout point situé sur $I_1$ à tout point situé sur $I_0$. Nous dirons que $I_2$ est une courbe d'indifférence plus élevée que $I_1$ et que cette dernière est une courbe d'indifférence plus élevée que $I_0$.

Les courbes d'indifférence ne se croisent jamais. Essayons de comprendre pourquoi. Prenons les courbes $I_1$ et $I_2$ de la figure 8.4. Nous savons que Julie préfère le point $j$ au point $c$. Nous savons également que Julie préfère n'importe quel point situé sur la courbe d'indifférence $I_2$ à n'importe quel point situé sur la courbe d'in-

différence $I_1$. Si ces courbes d'indifférence se croisaient, cela signifierait que Julie retirerait la même satisfaction de la combinaison de biens située au point d'intersection des deux courbes que des combinaisons $c$ et $j$, et donc qu'elle retirerait la même satisfaction de $j$ que de $c$. Or, nous savons que Julie préfère $j$ à $c$; il ne peut donc y avoir de point d'intersection, et les courbes d'indifférence ne peuvent se croiser.

Une carte de préférences est constituée d'une série de courbes d'indifférence. Les courbes d'indifférence représentées à la figure 8.4 n'illustrent qu'une partie de la carte des préférences de Julie. Sa carte complète se compose d'un nombre infini de courbes d'indifférence, qui ont toutes une pente négative et dont aucune ne se croise. Elles ressemblent à la courbe de niveau d'une carte mesurant la hauteur d'une montagne. Une courbe d'indifférence relie des points correspondant à des combinaisons de biens qui donnent un même degré de satisfaction au consommateur, un peu comme la courbe de niveau d'une carte mesurant la hauteur d'une montagne relie les points d'égale hauteur situés au-dessus du niveau de la mer. L'examen du profil des courbes de niveau d'une telle carte nous permet de tirer des conclusions sur le terrain. De la même manière, en examinant le profil des courbes d'indifférence d'un consommateur, nous pouvons tirer des conclusions sur ses préférences. Cependant, l'interprétation d'une carte de préférences exige un certain travail, ainsi qu'un moyen de décrire avec plus de précision la forme des courbes d'indifférence. Dans les deux prochaines sections, nous apprendrons à « lire » une carte de préférences.

## Le taux marginal de substitution

Le **taux marginal de substitution** ($TmS$) correspond à la quantité d'un produit $y$ (mesuré en ordonnée) qu'est prêt à sacrifier un consommateur afin d'obtenir une plus grande quantité d'un bien $x$ (mesuré en abscisse), tout en restant sur la même courbe d'indifférence, c'est-à-dire en retirant la même satisfaction de la nouvelle combinaison. Nous calculons le taux marginal de substitution à partir de la pente d'une courbe d'indifférence. Si celle-ci est abrupte, le taux marginal de substitution est élevé; le consommateur est prêt à renoncer à une grande quantité du bien $y$ en échange d'une petite quantité du bien $x$ sans que cela ne fasse de différence à ses yeux. Si la pente de la courbe d'indifférence est douce, le taux marginal de substitution est peu élevé; pour continuer à retirer la même satisfaction, le consommateur ne pourra renoncer qu'à une petite quantité du bien $y$ en échange d'une grande quantité du bien $x$.

La figure 8.5 présente le calcul du taux marginal de substitution. La courbe $I_1$ est une des courbes d'indifférence de Julie. Supposons qu'au point $c$ de la figure Julie consomme 6 paquets de sodas et aille voir 2 films. Le taux marginal de substitution est calculé en mesurant

FIGURE 8.5

## Le taux marginal de substitution

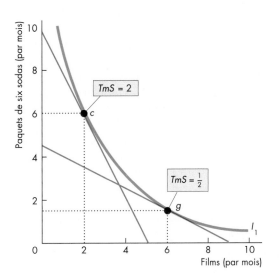

La pente d'une courbe d'indifférence permet de mesurer le taux marginal de substitution, ou *TmS*. Le taux marginal de substitution nous révèle dans quelle proportion une personne est prête à renoncer à un bien pour obtenir une quantité plus grande d'un autre bien, et cela, en retirant la même satisfaction, c'est-à-dire en restant sur la même courbe d'indifférence. La ligne rouge qui passe par le point *c* nous montre que Julie est prête à renoncer à 10 paquets de sodas pour voir 5 films. Son taux marginal de substitution au point *c* est donc de 2 (10 divisé par 5). La ligne rouge qui passe par le point *g* nous montre que Julie est prête à renoncer à 4 1/2 paquets de sodas pour aller voir 9 films. Son taux marginal de substitution au point *g* correspond à 1/2 (4 1/2 divisé par 9).

la pente de la courbe d'indifférence au point *c*. Pour obtenir cette pente, il suffit de tracer une droite tangente à la courbe d'indifférence au point *c*. La pente de cette droite est égale à la variation de la quantité de paquets de sodas divisée par la variation du nombre de films au fur et à mesure que nous nous déplaçons le long de cette droite. Par exemple, si la consommation de sodas baissait de 10 paquets, le nombre de films augmenterait de 5. Par conséquent, au point *c*, Julie est prête à échanger des sodas contre des films à raison de 2 paquets de six sodas par film. Son taux marginal de substitution est de 2.

Supposons maintenant que Julie aille voir 6 films et consomme 1½ paquet de six sodas au point *g*, comme le montre la figure 8.5. À ce point, quel est son taux marginal de substitution ? Pour le savoir, il suffit de calculer

la pente de la courbe d'indifférence au point *g*. Cette pente est celle de la tangente de la courbe d'indifférence au point *g*. Dans ce cas, lorsque la quantité de sodas diminue de 4½ paquets, le nombre de films augmente de 9. Par conséquent, au point *g*, Julie est prête à échanger des sodas contre des films à raison de ½ paquet de sodas (3 canettes) par film. Son taux marginal de substitution est alors de ½.

Notez bien que, si Julie consomme beaucoup de sodas et voit peu de films (point *c*), son taux marginal de substitution est élevé. Par contre, si elle voit beaucoup de films et consomme peu de sodas (point *g*), son taux marginal de substitution est peu élevé. Cette caractéristique du taux de substitution donne lieu à une hypothèse fondamentale de la théorie du comportement du consommateur : le taux marginal de substitution décroissant. Le principe du **taux marginal de substitution décroissant** correspond à la tendance générale du taux marginal de substitution à décroître au fur et à mesure que le consommateur se déplace le long d'une courbe d'indifférence, augmentant sa consommation du bien mesuré en abscisse et réduisant sa consommation du bien mesuré en ordonnée.

**Calculez votre propre taux marginal de substitution décroissant** Vous pourrez peut-être mieux comprendre l'hypothèse du taux marginal de substitution décroissant en vous référant à vos propres préférences en matière de films et de sodas. Imaginons que vous consommiez 10 paquets de six sodas par semaine et aucun film. À combien de paquets de sodas seriez-vous prêt à renoncer pour aller voir un film par semaine ? Votre réponse à cette question donne votre taux marginal de substitution entre les films et les sodas lorsque vous n'allez voir aucun film. Par exemple, si vous êtes prêt à renoncer à 4 paquets de sodas pour aller voir 1 film, votre taux marginal de substitution entre les sodas et les films est de 4. Imaginons maintenant que vous consommiez 6 paquets de sodas et 1 film par semaine. À combien de paquets de sodas seriez-vous prêt à renoncer pour voir 2 films par semaine ? Votre réponse à cette question donne votre taux marginal de substitution lorsque vous allez voir 1 film par semaine. Si votre réponse correspond à un chiffre inférieur à celui que vous obtenez lorsque vous ne voyez aucun film, vos préférences révèlent un taux marginal de substitution décroissant entre les sodas et les films. Normalement, plus le nombre de films que vous voyez est grand, plus la quantité de sodas à laquelle vous êtes prêt à renoncer pour voir un film supplémentaire est petite.

La forme des courbes d'indifférence montre que le taux marginal de substitution est décroissant, car les courbes sont convexes par rapport à l'origine. Le degré de convexité d'une courbe d'indifférence nous apprend jusqu'à quel point une personne est prête à substituer un bien à un autre sans que son niveau de satisfaction ne change. Pour éclaircir ce point, prenons quelques exemples.

## Le degré de substituabilité

La plupart d'entre nous ne pensons pas spontanément aux films et aux sodas comme à de parfaits substituts. Nous avons une idée assez précise du nombre de films et du nombre de sodas que nous voulons consommer chaque mois. Néanmoins, nous sommes prêts, dans une certaine mesure, à substituer l'un de ces biens à l'autre. Vous avez beau entretenir une passion immodérée pour les sodas, vous savez que vous pourriez en sacrifier une canette par mois en échange d'une quantité *n* de films. Et tout cinéphile que vous soyez, il existe une quantité *n* de sodas qui pourrait vous convaincre de voir un film de moins par mois. Les courbes d'indifférence d'une personne pour les films et les sodas peuvent ressembler à celles du graphique (a) de la figure 8.6.

**Les substituts parfaits** Certains biens peuvent être remplacés si facilement par d'autres que nous ne remarquons même pas la différence. Prenons le cas des ordinateurs personnels : ceux de marque Dell, Compaq et Toshiba sont des clones des ordinateurs personnels IBM, et la plupart d'entre nous ne voyons aucune différence

entre ces clones et les vrais IBM. Même chose pour les crayons feutres de la librairie et ceux du supermarché. Lorsque deux biens sont de parfaits substituts l'un pour l'autre, leurs courbes d'indifférence sont des lignes droites à pente négative comme l'illustre le graphique (b) de la figure 8.6. Le taux marginal de substitution est constant.

**Les compléments** Certains biens ne peuvent être des substituts les uns pour les autres, car ils sont complémentaires. La figure 8.6 (c) illustre l'exemple des chaussures du pied droit et des chaussures du pied gauche. Les courbes d'indifférence des compléments sont en forme de coude. La combinaison 1 chaussure du pied gauche et 2 chaussures du pied droit donne la même satisfaction que la combinaison 1 chaussure du pied gauche et 1 chaussure du pied droit. Il est plus satisfaisant d'avoir 2 paires de souliers qu'une seule paire, mais une paire plus un soulier ne donne pas plus de satisfaction qu'une seule paire.

Dans la réalité, des exemples aussi extrêmes de substituts parfaits et de compléments parfaits sont assez rares, mais ceux que nous avons choisis ont l'avantage de mon-

---

**FIGURE 8.6**

## Le degré de substituabilité

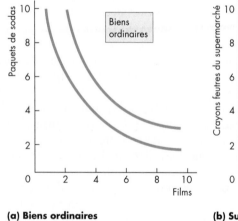 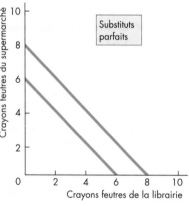 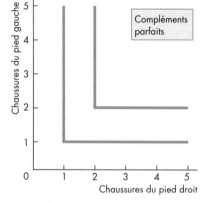

**(a) Biens ordinaires**   **(b) Substituts parfaits**   **(c) Compléments parfaits**

La forme des courbes d'indifférence révèle le degré de substituabilité des biens. Le graphique (a) présente les courbes d'indifférence de deux biens ordinaires : des films et des sodas. Pour que le consommateur soit aussi satisfait tout en consommant moins de sodas, il doit voir un plus grand nombre de films ; plus sa consommation de sodas baisse, plus le nombre de films qu'il faut pour compenser cette baisse augmente. Le graphique (b) montre les courbes d'indifférence de deux substituts parfaits. Pour que le

consommateur retire la même satisfaction, il doit remplacer un crayon feutre du supermarché par un crayon feutre de la librairie. Le graphique (c) présente deux compléments parfaits : des biens qui ne peuvent être substitués les uns aux autres. Avoir deux chaussures du pied gauche et une chaussure du pied droit n'est pas mieux que d'en avoir une de chaque pied. Toutefois, il est préférable d'en avoir deux de chaque pied que seulement une de chaque pied.

*Avec le porc, je vous suggère un blanc d'Alsace ou un Coke.*

Dessin de Weber ; ©1988, The New Yorker Magazine Inc.

trer comment la forme des courbes d'indifférence nous renseigne sur le degré de substituabilité de deux biens. Plus il est facile de remplacer l'un de ces biens par l'autre, plus la forme de leurs courbes d'indifférence se rapprochera de la ligne droite et plus le taux marginal de substitution aura tendance à être constant. Les courbes d'indifférence des biens qu'il est difficile de substituer les uns aux autres ont une forme coudée comme celle des courbes du graphique 8.6 (c).

Dans ce dessin humoristique, le garçon semble convaincu que le Coke et le blanc d'Alsace sont de parfaits substituts, ainsi que des compléments du porc. Souhaitons que les clients partagent ses préférences...

## À RETENIR

- Les préférences d'une personne peuvent être représentées par une carte de préférences constituée d'une série de courbes d'indifférence.
- Les courbes d'indifférence de la plupart des biens ont des pentes négatives et sont convexes par rapport à l'origine. Elles ne se croisent jamais.
- On appelle taux marginal de substitution la pente d'une courbe d'indifférence.
- Le taux marginal de substitution diminue à mesure que le consommateur augmente sa consommation du bien mesuré en abscisse et réduit celle du bien mesuré en ordonnée.

Les deux éléments de base du modèle des choix des ménages sont maintenant en place : la droite de budget et la carte de préférences. Ces éléments vont maintenant nous servir à analyser les choix de consommation.

# Les choix de consommation d'un ménage

NOUS ALLONS REPRENDRE L'EXEMPLE DE LA DROITE de budget et des courbes d'indifférence de Julie pour trouver la meilleure combinaison de films et de sodas qu'elle peut se permettre. Quelle quantité de films et de sodas Julie *choisit*-elle d'acheter ? La figure 8.7 combine sa droite de budget (figure 8.1) ainsi que ses courbes d'indifférence (figure 8.4). Examinons d'abord le point *h* de la courbe d'indifférence $I_0$. Comme le point *h* est situé sur sa droite de budget, nous savons qu'elle peut se permettre la combinaison de biens qui y correspond. Mais est-ce là la combinaison de films et de sodas qu'elle choisit parmi toutes les combinaisons qu'elle peut se permettre ? La réponse est non. Pour comprendre pourquoi, examinons le point *c*, qui correspond à une consommation de 2 films et de 6 paquets de sodas. Le point *c* se trouve lui aussi sur la droite de budget de Julie ; nous savons donc qu'elle peut se permettre cette combinaison.

**FIGURE 8.7**
## Le meilleur point accessible

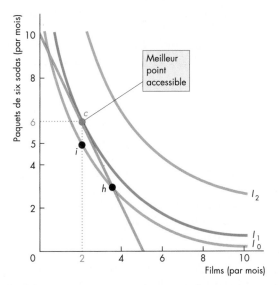

Le meilleur point accessible à Julie est le point *c*. À ce point, elle se situe à la fois sur sa ligne de budget et sur la courbe d'indifférence la plus élevée. À un point comme *h*, Julie est prête à renoncer à un nombre de films plus grand que nécessaire en échange d'un paquet de six sodas. Elle peut se déplacer jusqu'au point *i*, combinaison qu'elle considère aussi satisfaisante que le point *h*, même s'il représente une dépense moindre. À partir de *i*, elle peut alors dépenser l'argent qui lui reste en augmentant sa consommation de sodas et se déplacer ainsi jusqu'au point *c*, une combinaison qu'elle préfère à celle du point *i*.

Toutefois, le point c se trouve également sur la courbe d'indifférence $I_1$, une courbe d'indifférence plus élevée que $I_0$. Nous savons donc que Julie préfère le point c au point h.

Y a-t-il d'autres points qui correspondent à la fois aux préférences de Julie et aux limites de son budget? Non. Toutes les autres combinaisons qu'elle peut se permettre — c'est-à-dire tous les autres points qui se trouvent sur sa droite de budget ou au-dessous — se trouvent sur des courbes d'indifférence situées au-dessous de $I_1$. La courbe d'indifférence $I_1$ est la courbe d'indifférence la plus élevée que Julie peut atteindre.

## Les caractéristiques de la meilleure combinaison accessible

La meilleure combinaison accessible, en l'occurrence le point c, a deux caractéristiques. Elle est située:

- sur la droite de budget,
- sur la courbe d'indifférence accessible la plus élevée.

**Sur la droite de budget**   La meilleure combinaison accessible est située *sur* la droite de budget. Julie n'a pas intérêt à choisir un point situé à l'intérieur de la droite de budget, car elle obtient une plus grande quantité des deux biens avec certaines combinaisons accessibles situées sur la droite de budget. Julie leur préfère donc celle du point c. La meilleure combinaison accessible ne peut se situer au-delà de sa droite de budget, car, compte tenu des limites de son budget, Julie ne peut se la permettre.

**Sur la courbe d'indifférence accessible la plus élevée**   La combinaison choisie se trouve sur la courbe d'indifférence accessible la plus élevée. À ce point, la courbe d'indifférence a la même pente que la droite de budget. Autrement dit, le taux marginal de substitution entre deux biens (la valeur absolue de la pente de la courbe d'indifférence) est égal au prix relatif de ces biens (la valeur absolue de la pente de la droite de budget).

Afin de comprendre pourquoi le point c correspond à la meilleure combinaison possible, revenons au point h de la figure 8.7, une combinaison moins satisfaisante pour Julie que celle du point c. Au point h, le taux marginal de substitution de Julie est inférieur au prix relatif: la pente de la courbe d'indifférence $I_0$ est moins abrupte que la pente de la droite de budget de Julie. À mesure que Julie renonce à des films pour consommer plus de sodas et qu'elle monte ainsi le long de la courbe d'indifférence $I_0$, elle se déplace à l'intérieur de sa droite de budget et ne dépense pas tout son revenu. Elle peut se déplacer jusqu'au point i, par exemple — qui correspond à 2 films et à 5 paquets de six sodas —, et faire des économies de 3 $. Les combinaisons correspondant aux points i et h lui donnent une égale satisfaction. Mais elle préfère le point c au point i, puisque, au point c,

elle peut consommer davantage de sodas en voyant le même nombre de films.

En se déplaçant le long de sa droite de budget du point h jusqu'au point c, Julie traverse toute une série de courbes d'indifférence (qui ne sont pas représentées ici) situées entre les courbes d'indifférence $I_0$ et $I_1$. Toutes ces courbes d'indifférence sont plus élevées que $I_0$; par conséquent, tout point situé sur une de ces courbes est préférable au point h. Lorsque Julie arrive au point c, elle atteint sa courbe d'indifférence la plus élevée. Si elle continue de se déplacer le long de la droite de budget, elle rencontrera des courbes d'indifférence moins élevées que $I_1$.

---

### À RETENIR

- Les combinaisons de biens accessibles à un consommateur sont situées sur sa droite de budget ou à l'intérieur de cette droite.
- Les courbes d'indifférence du consommateur représentent ses préférences.
- Le consommateur obtient la meilleure répartition possible de son revenu lorsqu'il l'a entièrement dépensé (sur la droite de budget) et que le taux marginal de substitution (la valeur de la pente de la courbe d'indifférence) est égal au prix relatif (la valeur de la pente de la droite de budget).

Utilisons maintenant ce modèle de choix de consommation des ménages pour prévoir les réactions des consommateurs aux variations de prix et de revenu.

---

# Les prévisions du modèle de comportement du consommateur

COMMENÇONS PAR EXAMINER L'EFFET D'UNE variation de prix. En étudiant comment le consommateur réagit à une variation de prix, toutes autres choses étant égales, nous pouvons obtenir une courbe de demande du consommateur.

## L'ajustement à une variation de prix

L'effet d'une variation de prix sur la quantité consommée d'un bien s'appelle **effet de prix**. Le graphique (a) de la figure 8.8 nous servira à analyser l'effet de prix d'une baisse du prix des films. La situation initiale est la suivante: un film coûte 6 $, un paquet de sodas coûte 3 $ et Julie dispose d'un revenu mensuel de 30 $. Dans ce cas,

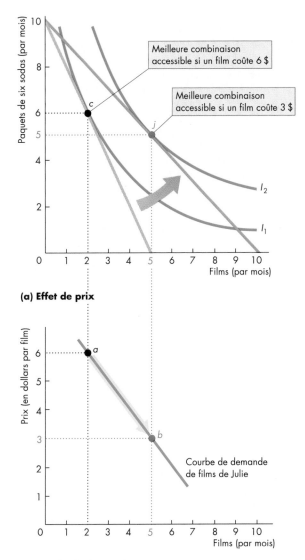

**FIGURE 8.8**

# L'effet de prix et la courbe de demande

**(a) Effet de prix**

**(b) Courbe de demande**

La consommation initiale de Julie est représentée par le point *c* (graphique a). Si le prix d'un film passe de 6 $ à 3 $, la consommation de Julie se situe au point *j*. L'augmentation du nombre de films (la consommation passe de 2 à 5 par mois) et la diminution du nombre de paquets de sodas (la consommation passe de 6 à 5 par mois) traduisent l'effet de prix.

Le graphique (b) montre la courbe de demande de films de Julie. Si le prix d'un film est de 6 $, Julie va voir 2 films par mois, ce qui correspond au point *a*. Si le prix d'un film tombe à 3 $, Julie va voir 5 films par mois, ce qui correspond au point *b*. La courbe de demande de Julie représente la quantité maximale de films qu'elle choisit de voir en respectant son budget lorsque le prix des films varie.

sa consommation est représentée par le point *c*, point où sa droite de budget est tangente à sa courbe d'indifférence accessible la plus élevée, soit $I_1$. Julie consomme 6 paquets de six sodas et 2 films par mois.

Supposons maintenant que le prix d'un film tombe à 3 $. Nous avons déjà vu au graphique 8.2 (a) les effets d'une variation des prix sur la droite de budget. Si le prix d'un film baisse, la droite de budget se déplace vers l'extérieur et sa pente est moindre. La nouvelle droite de budget correspond à la droite orange vif du graphique (a) de la figure 8.8. La meilleure combinaison accessible à Julie est alors celle qui correspond au point *j*, où elle consomme 5 films et 5 paquets de sodas. Comme on le voit, depuis que le prix d'un film a baissé, Julie consomme moins de sodas et voit davantage de films. Sa consommation de sodas est tombée de 6 à 5 paquets et sa consommation de films est passée de 2 à 5 par mois. Si le prix des films baisse tandis que le prix des sodas et son revenu restent constants, Julie remplace les sodas par des films.

## La courbe de demande

On le sait, une courbe de demande est une représentation graphique de la relation entre la quantité demandée d'un bien et son prix lorsque tous les autres facteurs susceptibles d'influer sur les plans d'achat restent constants. Au chapitre 4, nous avons vu que la courbe de demande a une pente négative et se déplace si le revenu du consommateur ou le prix d'un autre bien varie. Nous pouvons maintenant tracer une courbe de demande à partir de la droite de budget et des courbes d'indifférence d'un consommateur. Cela nous permettra de voir que la loi de la demande et la courbe de demande de pente négative sont les conséquences des décisions du consommateur quant à la meilleure combinaison de biens qu'il peut se permettre.

Établissons la courbe de demande de films de Julie. Pour cela, il suffit de baisser progressivement le prix d'un film pour déterminer la meilleure combinaison qui lui est accessible à chaque prix. Le graphique 8.8 (a) ne présente que deux prix et deux points situés sur la ligne de demande de films de Julie. Si le prix d'un film est de 6 $, Julie voit 2 films par mois, ce qui correspond au point *a*. Lorsque le prix d'un film tombe à 3 $, Julie voit 5 films, ce qui correspond au point *b*. La courbe de demande relie ces deux points ainsi que tous les autres points correspondant à la meilleure combinaison de films que Julie peut s'offrir à chaque prix — au-delà de 6 $, entre 6 et 3 $ et en dessous de 3 $ — compte tenu du prix des sodas et de son revenu. Comme nous pouvons le constater, la pente de la courbe de demande de films de Julie est négative — plus le prix d'un film est bas, plus elle va voir de films. C'est la loi de la demande.

Voyons maintenant ce qui se passe lorsque le revenu de Julie varie.

## L'ajustement à une variation du revenu

L'effet d'une variation du revenu sur la consommation lorsque tous les prix restent constants s'appelle **effet de revenu**. Voyons comment une variation de revenu se répercute sur la consommation. Le graphique (a) de la figure 8.9 montre l'effet de revenu lorsque le revenu de Julie diminue. Si elle dispose d'un revenu de 30 $, qu'un film coûte 3 $ et qu'un paquet de six sodas coûte également 3 $, sa consommation se situe au point *j*, soit une combinaison de 5 films et de 5 paquets de sodas. Si son revenu tombe à 21 $ et que le prix des films et des sodas reste le même, sa consommation correspond au point *k*, soit une combinaison de 4 films et de 3 paquets de sodas. Lorsque le revenu de Julie baisse, elle consomme donc une moins grande quantité des deux biens. Pour Julie, les films et les sodas sont des biens normaux.

**La courbe de demande et l'effet de revenu**   Comme le montre le graphique (b) de la figure 8.9, une variation du revenu entraîne un déplacement de la courbe de demande. Avec un revenu de 30 $, la courbe de demande de Julie est $D_0$, la même qu'à la figure 8.8. Mais, lorsque son revenu tombe à 21 $, elle voit moins de films, aux différents prix, et sa courbe de demande se déplace donc vers la gauche jusqu'à $D_1$.

## L'effet de substitution et l'effet de revenu

Nous venons d'étudier les effets d'une variation du prix des films et du revenu de Julie sur sa consommation de films et de sodas. Nous avons découvert que, si son revenu augmente, sa consommation des deux biens augmente aussi. Les films et les sodas sont des *biens normaux*. Lorsque le prix d'un film baisse, Julie achète davantage de films et de sodas. Une baisse du prix d'un bien normal entraîne une augmentation de la consommation de ce bien. Afin de mieux comprendre les raisons de ces changements, décomposons l'effet de prix en deux parties, la première étant l'effet de substitution, et la deuxième l'effet de revenu.

La figure 8.10 illustre l'effet de prix et sa décomposition en effet de substitution et en effet de revenu. Le graphique (a) illustre l'effet de prix que nous avons déjà déterminé à la figure 8.8. Voyons comment nous pouvons analyser l'effet de prix en isolant d'abord l'effet de substitution.

**L'effet de substitution**   L'**effet de substitution** est l'effet d'une variation du prix d'un bien sur les quantités consommées lorsque (de façon hypothétique) le revenu est ajusté pour que la combinaison initiale et la nouvelle combinaison de biens apportent le même niveau de satis-

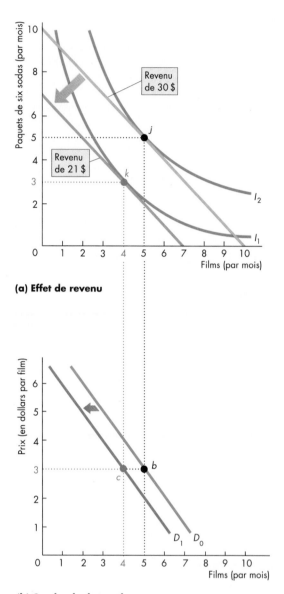

**FIGURE 8.9**

L'effet de revenu et la variation de la demande ◆

**(a) Effet de revenu**

**(b) Courbe de demande**

Une variation du revenu entraîne le déplacement de la droite de budget et modifie la meilleure combinaison de biens accessible, et donc la consommation. Dans le graphique (a), lorsque le revenu de Julie tombe de 30 $ à 21 $, elle consomme moins de films et moins de sodas. Dans le graphique (b), lorsque Julie dispose d'un revenu de 30 $, sa courbe de demande de films est $D_0$. Lorsque son revenu tombe à 21 $, sa courbe de demande de films se déplace vers la gauche jusqu'à $D_1$. La demande de films de Julie diminue, car, à chacun des prix possibles, elle voit maintenant moins de films.

**FIGURE 8.10**

# L'effet de prix, l'effet de substitution et l'effet de revenu

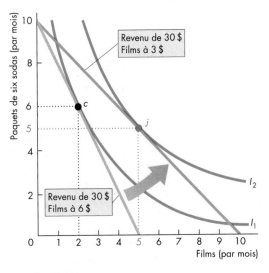

**(a) Effet de prix**

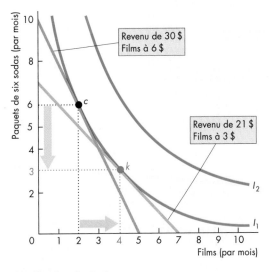

**(b) Effet de substitution**

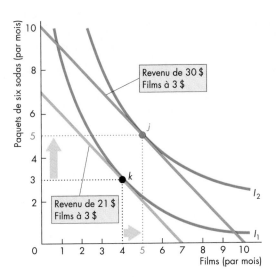

**(c) Effet de revenu**

L'effet de prix peut se décomposer en effet de substitution et en effet de revenu. Le graphique 8.10 (a) illustre l'effet de prix, qui est le même que celui illustré au graphique (a) de la figure 8.8.

Pour calculer l'effet de substitution — graphique 8.10 (b) —, nous supposons que, lorsque le prix d'un film diminue, le revenu de Julie diminue aussi, de sorte que la meilleure combinaison qu'elle peut se permettre corresponde toujours à un point de sa courbe d'indifférence initiale $I_1$. L'effet de substitution de la variation du prix est le déplacement de $c$ à $k$.

Pour calculer l'effet de revenu — graphique 8.10 (c) —, il suffit d'inverser la baisse de revenu hypothétique de Julie tout en maintenant les nouveaux prix constants. L'augmentation du revenu entraîne le déplacement de la droite de budget vers la droite et l'augmentation du nombre de films et de sodas consommés. L'effet de revenu de la variation de prix est le déplacement de $k$ à $j$.

faction au consommateur. Pour isoler l'effet de substitution de Julie, imaginons que, lorsque le prix des films baisse, le revenu de Julie baisse également d'un montant juste suffisant pour que la meilleure combinaison accessible reste sur la courbe d'indifférence initiale.

Le graphique (b) de la figure 8.10 illustre l'effet de substitution. Supposons (de manière hypothétique) que, lorsque le prix d'un film tombe de 6 $ à 3 $, le revenu de Julie baisse à 21 $. Pourquoi 21 $ ? Parce que ce niveau de revenu permet tout juste, compte tenu du nouveau prix d'un film, que la meilleure combinaison accessible à

Julie reste sur la courbe d'indifférence initiale (point $c$). Dans ce cas, la nouvelle droite de budget de Julie est la ligne orange clair du graphique 8.10 (b). Compte tenu du nouveau prix d'un film et de son nouveau revenu, qui est plus faible, la meilleure combinaison de biens accessible à Julie correspond au point $k$ de la courbe d'indifférence $I_1$. Le déplacement de $c$ à $k$ est l'effet de substitution d'une variation de prix. L'effet de substitution de la baisse du prix des films est une augmentation du nombre de films de 2 à 4 et une diminution de la consommation de sodas. L'effet de substitution va

# Effet de substitution et effet de revenu

## Les faits
en bref

■ Le coût de presque toutes les activités énumérées dans le tableau a augmenté plus rapidement que le revenu disponible.

■ Selon un professeur de finances de l'Université de Calgary, ces dernières années, les «salaires réels» ont diminué et les taxes ont augmenté.

■ Les familles ont moins d'argent à consacrer aux sorties familiales.

CALGARY HERALD, LE 14 JANVIER 1996

## La hausse des prix écrase les familles

PAR CHRIS DAWSON

Il en coûte de plus en plus cher pour faire du ski ou du camping, pour manger sous l'œil bienveillant de Ronald McDonald, pour faire une balade en voiture jusqu'au parc national de Banff, pour marcher dans les rues de Heritage Park.

«On dirait que tous les prix ont doublé!, s'exclame Gayle Peters, une mère de Calgary. Il n'y a que nos salaires qui n'aient pas doublé!»

Et c'est bien là que le bât blesse. Tandis que le coût des sorties en famille a augmenté constamment avec le temps, les revenus, eux, n'ont pas connu la même croissance.

Le fait est indéniable, les «salaires réels» ont diminué tout au long des années 1990, constate Michael Robinson, professeur de finances à l'Université de Calgary, «et les contribuables sont taxés bien plus lourdement qu'il y a dix ans». [...]

Les taxes directes et déguisées continuent d'augmenter, ajoute M. Robinson, tout comme les frais d'utilisation, les billets d'entrée et le coût des services publics.

Le résultat? Les familles ont moins d'argent à dépenser lors de leurs sorties familiales…

### Coûts croissants des loisirs des familles

Coût de diverses activités pour une famille de quatre (deux adultes et deux enfants d'âge scolaire) en 1996 et en 1986 (sauf indication contraire)

| Activités | Prix de 1996 | Prix de 1986 |
|---|---|---|
| ■ Un billet d'entrée pour une journée à Heritage Park | Adultes: 10$, enfants: 6$ **Total: 32$*** | Adultes: 5$, enfants: 2$ **Total: 14$** |
| ■ Une journée de ski à Parc olympique Canada (depuis 1988) | Adultes: 17$, enfants[1]: 9$ **Total: 52$*** | Adultes: 12$, enfants[2]: 10$ **Total: 44$** |
| ■ Une journée à Banff avec bain dans les sources thermales | Prix d'entrée au parc: 8$; piscine pour adultes: 5$, pour enfants: 3$ **Total: 24$*** | Prix d'entrée au parc: 3$, piscine pour adultes: 2,75$, pour enfants: 1,75$ **Total: 12$** |
| ■ Un repas chez McDonald (un Big Mac, une frite et un soda pour chaque membre de la famille) | Big Mac: 2,55$, frites: 0,95$, soda: 1,15$ **Total: 18,60$** 16,30$* | Big Mac: 1,79$, frites: 0,59$, soda (moyen): 0,75$ **Total: 12,52$** 14$ |
| ■ Billet d'entrée familial pour une journée au centre de loisirs Southland | | |
| ■ Une journée au musée Glenbow | Adultes: 5$, étudiants: 3,50$ **Total: 17$*** | Adultes: 2$, étudiants: 1$ **Total: 6$** |
| ■ Un film Famous Players + un maïs soufflé, un soda et une friandise pour chaque membre de la famille | Adultes: 8$, enfants: 4,25$, soda: 2,34$, maïs soufflé: 2,81$, friandise: 0,93$ **Total: 48,82$*** | Adultes: 6,50$, enfants: 2,75$, soda: 1,75$, maïs soufflé: 2,50$, friandise: 0,75$ **Total: 38,50$** |
| ■ Une nuit dans un terrain de camping provincial dans la région de Kananaskis | 15$ (et bois de chauffage: 4$) **Total: 19$*** | 5$ (bois de chauffage inclus) |
| ■ Une journée au zoo | Adultes: 8$, enfants: 4$ **Total: 24$*** | Adultes: 4,50$, enfants: 2,25$ **Total: 13,50$** |

[1]De 5 à 12 ans, [2]De 5 à 17 ans    *TPS comprise

© 1996, *Calgary Herald*, traduction et reproduction autorisées.

# Analyse

## ÉCONOMIQUE

■ Le revenu familial moyen canadien après impôt était d'environ 34 000 $ en 1986 et d'environ 44 000 $ en 1996. Durant cette décennie, les revenus ont donc augmenté d'environ 22 %.

■ Durant cette même décennie, l'augmentation du prix des activités de loisir familiales énumérées dans le tableau a augmenté dans le meilleur des cas de 16 % (centre de loisirs Southland), et dans le pire de 280 % (camping dans la région de Kananaskis).

■ Les *revenus réels* ont diminué mais les *prix relatifs* ont changé. Pour mieux dégager la variation des prix relatifs, comparons ceux de deux types d'activités familiales : 1) une soirée McDonald et cinéma ; 2) un week-end de camping avec une journée d'activités de plein air.

■ En 1986, chacune de ces activités coûtait environ 50 $. En 1996, une soirée McDonald et cinéma coûte 70 $, et une fin de semaine camping et plein air 140 $.

■ La figure 1 montre comment une famille aurait pu répartir son budget de loisirs en 1986. Ici, la famille dépense 2 600 $ en soirées McDonald et cinéma ainsi qu'en week-ends camping et plein air. À raison de 50 $ par activité, elle peut se permettre

l'une ou l'autre de ces activités une fois par semaine. La droite de budget illustre ces possibilités. Une fin de semaine camping et plein air coûte une soirée au cinéma.

■ Les courbes d'indifférence révèlent les préférences de cette famille. Pour elle, la meilleure combinaison accessible consiste en 32 soirées McDonald et cinéma, et 20 week-ends camping et plein air.

■ La figure 2 illustre la situation en 1996. Si cette famille consacre le même pourcentage de son revenu à ces deux biens qu'en 1986 (hypothèse), elle obtiendra en échange une quantité moins grande de chacun d'eux.

■ Si elle dépense tout son budget de loisirs en soirées McDonald et cinéma, elle peut s'en permettre 48 par année. Si elle dépense tout son budget de loisirs en week-ends camping et plein air, elle ne peut s'en permettre que 24 par année. Un week-end camping et plein air coûte maintenant deux soirées McDonald et cinéma.

■ La meilleure combinaison possible que peut se permettre cette famille correspond maintenant à 38 soirées McDonald et cinéma, et à 5 week-ends camping et plein air.

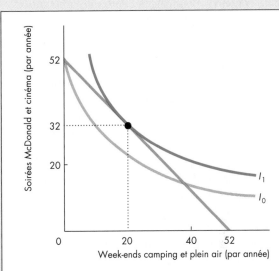

**Figure 1  Une famille en 1986**

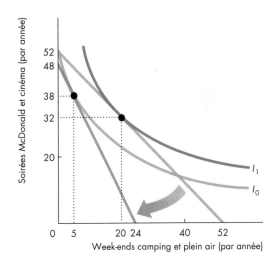

**Figure 2  Une famille en 1996**

Comme une soirée McDonald et cinéma coûte proportionnellement moins cher qu'un week-end camping et plein air, la famille a remplacé les week-ends en camping par des soirées au cinéma.

■ Ces résultats théoriques correspondent à ce qui se passe dans la réalité : à cause de la baisse du revenu réel qu'elles ont subie, les familles font moins de sorties familiales qu'en 1986.

toujours dans le même sens : lorsque le prix relatif d'un bien diminue, le consommateur augmente sa consommation de ce bien et diminue sa consommation de l'autre bien.

**L'effet de revenu**    Pour calculer l'effet de substitution, nous avons diminué le revenu de Julie de 9 $. Redonnons-lui maintenant ces 9 $. Comme le montre le graphique 8.10 (c), cette augmentation de revenu se traduit par un déplacement de la droite de budget de Julie. La pente de la droite de budget ne change pas, car les deux prix demeurent constants. Cette variation de la droite de budget de Julie est semblable à celle qui est illustrée à la figure 8.9, où nous avons étudié l'effet du revenu sur la consommation. À mesure que la droite de budget de Julie se déplace vers la droite, ses possibilités de consommation augmentent et la meilleure combinaison de biens qu'elle peut se permettre se situe au point $j$ sur la courbe d'indifférence $I_2$. Ce déplacement de $k$ à $j$ est l'effet de revenu de la variation de prix. Dans notre exemple, l'augmentation du revenu entraîne une augmentation de la consommation de films et de sodas, puisqu'il s'agit de biens normaux.

**L'effet de prix**    Comme le montre la figure 8.10, nous avons décomposé l'effet de prix — graphique (a) — en deux effets, l'effet de substitution — graphique (b) — et l'effet de revenu — graphique (c). Dans le graphique (b), Julie retire la même satisfaction de ses choix avant et après le changement de prix. Son revenu baisse en même temps que le prix des places de cinéma, et elle remplace les sodas par des films. L'effet de substitution va toujours dans le même sens : le consommateur achète une plus grande quantité du bien dont le prix a baissé et une moins grande quantité du bien dont le prix a augmenté. Dans le graphique (c), les prix sont constants et le revenu de Julie revient à son niveau initial. La direction de l'effet de revenu sera différente selon qu'il s'agit d'un bien normal ou d'un bien inférieur. Par définition, les biens normaux sont ceux dont la consommation augmente à mesure que le revenu augmente. Pour Julie, les films et les sodas sont des biens normaux parce que sa consommation de chacun de ces biens augmente avec l'effet de revenu. L'effet de revenu et l'effet de substitution augmentent la consommation de films de Julie.

Les flèches des graphiques (b) et (c) de la figure 8.10 indiquent les effets de substitution et de revenu d'une variation de prix. Le déplacement du point $c$ au point $k$ dans le graphique (b) est l'effet de substitution, et le déplacement du point $k$ au point $j$ dans le graphique (c) est l'effet de revenu. Pour les films, l'effet de revenu renforce l'effet de substitution avec, pour résultat, l'augmentation du nombre de films que voit Julie. Pour les sodas, l'effet de substitution et l'effet de revenu vont dans des directions opposées avec, pour résultat dans ce cas-ci, la diminution de la consommation de sodas de Julie.

## Le retour au monde réel

Nous avons ouvert ce chapitre sur le constat que la manière dont les consommateurs dépensent leur revenu a changé au fil des ans, comme la manière dont ils occupent leur temps. Le modèle de la courbe d'indifférence nous permet d'expliquer ces phénomènes.

Les dépenses des consommateurs sont déterminées par les choix qu'ils font en cherchant à utiliser le mieux possible leur revenu limité. Les variations de prix et de revenu se traduisent par une modification des meilleurs choix accessibles aux consommateurs, ainsi que de la structure de leurs dépenses. La baisse du prix des ordinateurs et des téléphones cellulaires s'est traduite par une augmentation des quantités achetées de ces biens. À mesure que le revenu augmente, la demande pour certains biens comme le logement, le transport et les loisirs augmente rapidement car, dans ces cas, l'effet de revenu est important.

Ce modèle peut aussi expliquer la manière dont nous utilisons notre temps. Le temps consacré aux loisirs est un bien de consommation. Le coût d'opportunité d'une heure de loisir correspond aux biens et aux services que nous pourrions acheter avec une heure de travail — le taux salarial *réel*. Historiquement, à mesure que le taux salarial réel augmentait, le « prix » des heures de loisir augmentait également ; nous avons donc dû substituer des heures de travail aux heures de loisir. Toutefois, l'augmentation du taux salarial a aussi fait augmenter le revenu. Comme les loisirs sont un bien normal, à mesure que le revenu augmentait, la demande de loisirs augmentait elle aussi. L'effet de revenu a été plus fort que l'effet de substitution de sorte qu'au fil du temps la semaine de travail s'est raccourcie et la quantité de loisirs consommée a augmenté.

◇ Nous venons de terminer l'étude des choix des ménages. L'auteur de l'article présenté dans la rubrique « Entre les lignes » (p. 180) utilise les outils que vous venez d'étudier pour expliquer des comportements de consommation comme les sorties au cinéma et les week-ends de loisirs en famille. Dans les chapitres suivants, nous examinerons les choix des entreprises qui déterminent l'offre de biens et de services.

## R É S U M É

### Points clés

**Les possibilités de consommation** La droite de budget délimite la frontière entre ce qu'un ménage peut acheter et ce qu'il ne peut acheter, compte tenu de son budget et du prix des biens et services. Le point où la droite de budget croise l'ordonnée est le revenu réel du ménage exprimé en biens mesurés sur cet axe. La valeur de la pente de la droite de budget est le prix relatif du bien mesuré en abscisse par rapport au prix du bien mesuré en ordonnée. Une variation de prix modifie la pente de la droite de budget. Une variation de revenu entraîne le déplacement de la droite de budget (vers la droite dans le cas d'une augmentation et vers la gauche dans le cas d'une baisse), mais la pente reste la même. (p. 168-171)

**Les préférences et les courbes d'indifférence** Les courbes d'indifférence représentent les préférences du consommateur. Une courbe d'indifférence relie toutes les combinaisons de biens qui procurent une égale satisfaction au consommateur. On appelle taux marginal de substitution la valeur de la pente d'une courbe d'indifférence. Une des hypothèses fondamentales quant au comportement du consommateur est que le taux marginal de substitution diminue à mesure que la consommation du bien mesuré en ordonnée diminue et que la consommation du bien mesuré en abscisse augmente. (p. 171-175)

**Les choix de consommation d'un ménage** La consommation d'un ménage correspond au point qui permet la meilleure combinaison de biens possible pour ce ménage. Ce point est situé à l'intersection de la droite de budget et de la courbe d'indifférence accessible la plus élevée. À ce point, les pentes de la droite de budget et de la courbe d'indifférence ont la même valeur : le taux marginal de substitution est égal au prix relatif. (p. 175-176)

**Les prévisions du modèle de comportement du consommateur** Toutes autres choses étant égales, lorsque le prix d'un bien diminue, la consommation de ce bien par le ménage augmente. De plus, toutes autres choses étant égales, lorsque le revenu d'un ménage augmente, ce ménage achète une quantité plus grande de tous les biens (normaux). Une baisse du prix d'un bien abaisse le coût relatif de ce bien et entraîne une augmentation du revenu réel. La baisse du prix relatif entraîne l'augmentation de la consommation de ce bien ; c'est l'effet de substitution. L'augmentation du revenu réel fait augmenter la consommation de ce bien s'il s'agit d'un bien normal et diminuer la consommation de ce bien s'il s'agit d'un bien inférieur ; c'est l'effet de revenu. (p. 176-182)

### Figures clés

### Mots clés

## Q U E S T I O N S   D E   R É V I S I O N

1. Quels sont les facteurs qui limitent les choix de consommation d'un ménage ?
2. Qu'est-ce qu'une droite de budget ?
3. Quels sont les facteurs qui déterminent le point d'intersection de la droite de budget avec l'ordonnée ?
4. Quels sont les facteurs qui déterminent la pente de la droite de budget ?
5. Quel est l'élément commun à tous les points situés sur une même courbe d'indifférence ?
6. Quel est le lien entre le degré de substituabilité et la forme d'une courbe d'indifférence ?

7. Qu'est-ce que le taux marginal de substitution ?

8. Quelles sont les deux conditions que doit remplir un consommateur pour faire le meilleur choix de consommation possible ?

9. Quel est l'effet d'une variation de revenu sur la consommation d'un bien normal ?

10. Quel est l'effet d'une variation de prix sur la consommation d'un bien inférieur ?

11. Quel est l'effet d'une variation de prix sur la consommation d'un bien normal ?

12. Qu'est-ce que l'effet de prix ?

13. Qu'est-ce que l'effet de substitution ?

14. Comment peut-on isoler l'effet de substitution ?

15. Quelle est la direction de l'effet de substitution ?

# A N A L Y S E    C R I T I Q U E

1. Lisez attentivement la rubrique « Entre les lignes » (p. 180) et répondez aux questions suivantes :
   a) Qu'est-il arrivé aux revenus réels entre 1986 et 1996 ?
   b) Quelles ont été les variations des prix relatifs entre 1986 et 1996 ?
   c) À l'aide d'un graphique semblable à celui de la p. 181, montrez en quoi les types de consommation auraient été différents en 1996 si
      i)  les revenus réels avaient été ceux de 1986, et les prix relatifs ceux de 1996 ;
      ii) les revenus réels avaient été ceux de 1996, et les prix relatifs ceux de 1986.
   d) Comment les habitudes de consommation changeraient-elles si le gouvernement imposait une taxe sur les films et la restauration minute, mais pas sur les autres produits et services du secteur des loisirs d'un graphique semblable à celui de la p. 181.

2. Le gouvernement libéral de Jean Chrétien a été élu parce qu'il a promis l'abolition de la taxe sur les produits et services (TPS). Si la TPS, taxe imposée sur presque tous les biens et services, était remplacée par une taxe imposée seulement sur les biens, quel en serait l'effet sur la quantité de biens et services qu'achète le consommateur moyen ?

3. Une fois au pouvoir, le gouvernement de Jean Chrétien a adopté une politique d'uniformisation de la TPS en combinant cette dernière à la taxe de vente provinciale. Actuellement, dans plusieurs provinces, cette dernière est imposée sur les produits, mais pas sur les services. Au Québec, par contre, il y a maintenant plusieurs années que cette uniformisation a été réalisée et que la TVQ s'applique aux services. Quel a été l'effet de cette uniformisation de la TPS et de la TVQ sur la quantité de produits et services qu'achète le consommateur moyen ?

4. Antoine, qui appartient à la « génération X », dépense son revenu en logement (location), en nourriture, en vêtements et en vacances. Il obtient une augmentation qui fait passer son salaire de 2 000 $ à 3 000 $ par mois. Entre-temps, le prix des billets d'avion ainsi que tous les coûts associés aux vacances ont augmenté de 50 %. Les autres prix n'ont pas changé.
   a) Quel sera l'effet de ces variations de revenu et de prix sur la façon de dépenser d'Antoine ?
   b) La situation financière d'Antoine sera-t-elle meilleure, moins bonne ou restera-t-elle inchangée ?
   c) La situation d'Antoine aurait-elle été différente si la taxe de vente provinciale n'avait pas couvert les services ?

# P R O B L È M E S

1. Charlotte dispose d'un revenu de 12 $ par semaine. Un sac de maïs soufflé coûte 3 $, et un soda 3 $.
   a) Quel est le revenu réel de Charlotte exprimé en sodas ?
   b) Quel est son revenu réel exprimé en sacs de maïs soufflé ?
   c) Quel est le prix relatif des sodas exprimé en sacs de maïs soufflé ?
   d) Quel est le coût d'opportunité d'un soda ?
   e) Calculez l'équation de la droite de budget en plaçant les sacs de maïs du côté gauche.

   f) Tracez le graphique de la droite de budget de Charlotte en plaçant les sodas en abscisse.
   g) Dans le graphique de la question f, quelle est la pente de la droite de budget ? À quoi est-elle égale ?

2. Le revenu de Charlotte et les prix qu'elle doit payer sont les mêmes qu'au problème n° 1. Les courbes d'indifférence de la figure suivante décrivent ses préférences.
   a) Combien de sacs de maïs soufflé et de sodas Charlotte achète-t-elle ?

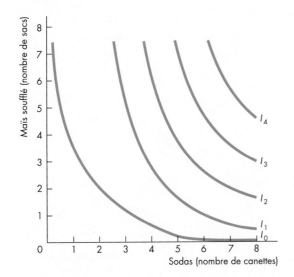

b) Quel est le taux marginal de substitution entre le maïs soufflé et les sodas au point de consommation où se situe Charlotte ?

3. Supposons maintenant que, dans le cas décrit au problème n° 2, le prix d'un soda soit de 1,50 $ la canette, et que le prix du maïs soufflé et le revenu de Charlotte restent constants.

a) Calculez les nouvelles quantités de sodas et de maïs soufflé qu'achète Charlotte.

b) Trouvez deux points situés sur la courbe de demande de sodas de Charlotte.

c) Définissez l'effet de substitution de la variation de prix.

d) Définissez l'effet de revenu de la variation de prix.

e) Les sodas sont-ils des biens normaux ou des biens inférieurs pour Charlotte ?

f) Le maïs soufflé est-il un bien normal ou un bien inférieur pour Charlotte ?

4. Georges achète des gâteaux qui coûtent 1 $ chacun et des illustrés qui coûtent 2 $ chacun. Chaque mois, il consacre tout son revenu à l'achat de 20 gâteaux et de 10 illustrés. Le mois prochain, le prix des gâteaux va tomber à 50 ¢, et le prix de l'illustré va grimper à 3 $.

a) Georges pourra-t-il acheter 20 gâteaux et 10 illustrés le mois prochain ?

b) Choisira-t-il encore d'acheter 20 gâteaux et 10 illustrés ?

c) S'il modifie sa consommation, quel bien achètera-t-il en plus grande quantité ? en moins grande quantité ?

d) Georges préfère-t-il que les gâteaux coûtent 1 $ et les illustrés 2 $, ou que les gâteaux coûtent 50 ¢ et les illustrés 3 $ ?

e) Lorsque les prix changeront le mois prochain, y aura-t-il à la fois un effet de revenu et un effet de substitution ? Sinon, lequel de ces effets y aura-t-il ?

5. Supposons maintenant que, dans le cas décrit au problème n° 4, le prix des gâteaux et celui des illustrés restent les mêmes (respectivement 1 $ et 2 $). Georges obtient une augmentation de salaire de 10 $ par mois. Il achète alors 16 illustrés et 18 gâteaux. Les gâteaux et les illustrés sont-ils pour lui des biens inférieurs ou des biens normaux ?

# 9

# L'organisation
# de la production

**Objectifs
du chapitre**

- Expliquer ce qu'est une entreprise et décrire les problèmes économiques que connaissent *toutes* les entreprises

- Définir et expliquer ce qu'est le problème principal-agent

- Décrire les différentes formes juridiques des entreprises en précisant ce qui les différencie

- Expliquer comment les entreprises mobilisent des capitaux pour financer leurs opérations

- Calculer le coût d'opportunité et le profit économique d'une entreprise

- Expliquer pourquoi les entreprises coordonnent certaines activités économiques, tandis que les marchés en coordonnent d'autres

**Ces rêves qui prennent forme...**

Au début de l'été 1971, Greig Clark, étudiant à l'Université de Western Ontario, constate qu'il doit trouver 3 000 $ pour couvrir les frais de sa prochaine année universitaire. Il a alors l'idée d'embaucher d'autres étudiants pour repeindre des maisons de Thunder Bay, sa ville natale. C'est ainsi que College Pro Painters a vu le jour. Minuscule au départ, cette entreprise embauche aujourd'hui des milliers d'étudiants et génère des bénéfices considérables. En 1987, College Pro comptait plus de 500 points de service en Amérique du Nord et réalisait un chiffre d'affaires de 35 millions de dollars. Deux ans plus tard, l'entreprise était la cible d'une opération de prise de contrôle et elle fait maintenant partie de First Service. ◆ Quelque deux millions d'entreprises exercent ainsi leurs activités au Canada, sous toutes sortes de formes ; certaines sont de gigantesques multinationales, d'autres de petites entreprises familiales comme le casse-croûte ou le dépanneur du coin. Bien que les trois quarts de ces entreprises soient exploitées par leurs propriétaires, les sociétés par actions (comme IBM) réalisent environ 90 % des ventes commerciales. Quelles sont les diverses formes juridiques que peuvent prendre les entreprises ? Pourquoi certaines entreprises restent-elles modestes tandis que d'autres deviennent des géants industriels ? Pourquoi la majorité des entreprises sont-elles exploitées par leurs propriétaires ? ◆ Les entreprises dépensent des millions de dollars en biens immobiliers, en chaînes de production, en activités de recherche-développement et de commercialisation de nouveaux produits. Comment mobilisent-elles des capitaux pour financer toutes ces activités ? Qu'attendent les investisseurs en échange de leurs placements ? Comment mesure-t-on la santé financière des entreprises ? ◆ La plupart des composantes d'un ordinateur personnel IBM sont fabriquées par d'autres entreprises. Le système d'exploitation de cet ordinateur a été conçu et produit par la firme Microsoft ; or cette dernière a maintenant dépassé IBM, et les noms de ses produits, comme DOS et Windows, sont sur toutes les lèvres. Pourquoi la société IBM ne fabrique-t-elle pas ses propres composantes électroniques ? Pourquoi n'a-t-elle pas créé son propre système d'exploitation ? Pourquoi laisser ces activités à d'autres firmes ? Comment les entreprises décident-elles ce qu'elles fabriquent et ce qu'elles achètent à d'autres entreprises ?

◗ Dans ce chapitre, nous allons nous intéresser aux entreprises et aux décisions qu'elles prennent pour faire face à la rareté, en commençant par nous pencher sur les problèmes économiques et les choix auxquels toute entreprise fait face.

# L'entreprise et ses problèmes économiques

LE CANADA COMPTE DEUX MILLIONS D'ENTREPRISES dont la taille, les activités et le potentiel varient considérablement. Qu'ont en commun toutes ces entreprises? Qu'est-ce qui distingue une entreprise d'une autre? Quelles sont les diverses formes d'organisation des entreprises et en quoi diffèrent-elles? Voilà les questions auxquelles nous tenterons d'abord de répondre.

## Qu'est-ce qu'une entreprise?

Une **entreprise** est une organisation qui mobilise et gère des facteurs de production afin de produire et de vendre des biens et services. La rareté est la raison d'être des entreprises. Les entreprises nous aident à faire face au problème économique fondamental de la rareté et nous permettent d'utiliser nos ressources limitées de la manière la plus efficiente possible. Mais toute entreprise a aussi ses propres problèmes économiques, car elle doit faire en sorte de tirer le meilleur parti possible des ressources limitées dont elle dispose. Pour cela, il lui faut prendre de nombreuses décisions concernant:

- la nature et la quantité des biens et services à produire,
- les composantes qu'elle produira elle-même et celles qu'elle achètera à d'autres entreprises,
- les techniques de production à utiliser,
- la nature et la quantité des facteurs de production à employer,
- l'organisation de son management,
- les salaires et les paiements à verser aux facteurs de production et aux fournisseurs.

La majorité des entreprises prennent ces décisions pour maximiser leur profit. Et toutes les entreprises, qu'elles visent le profit ou autre chose, prennent ces décisions afin de produire au plus bas coût possible.

Dans le reste de ce chapitre, ainsi que dans les chapitres 10 à 13, nous étudierons les choix que doit faire une entreprise pour être rentable, et nous verrons comment il est possible de prédire le comportement d'une entreprise en déterminant ses réactions face à un environnement changeant. Mais nous allons d'abord nous pencher sur le problème fondamental de toute entreprise: l'*organisation*. Toute entreprise organise la production de biens ou de services en combinant et en coordonnant les facteurs de production qu'elle mobilise. Les entreprises organisent la production en recourant à deux systèmes:

- les systèmes de contrôle,
- les systèmes d'incitatifs.

## Les systèmes de contrôle

Un système de contrôle est une méthode d'organisation des facteurs de production basée sur la hiérarchie. Au sommet, un chef de la direction dirige les cadres supérieurs; ceux-ci dirigent les cadres intermédiaires qui, à leur tour, dirigent les chefs d'exploitation; enfin, ces derniers dirigent les travailleurs qui produisent les biens et services. Les directives sont transmises de haut en bas par voie hiérarchique; l'information est véhiculée, toujours par voie hiérarchique, de bas en haut. Les gestionnaires consacrent l'essentiel de leur temps à recueillir et à traiter l'information relative à la performance des employés dont ils sont responsables, ainsi qu'à prendre des décisions sur les directives à donner et sur la meilleure manière de les faire exécuter.

Le nombre de paliers de gestion varie selon la complexité de l'entreprise et des techniques dont on dispose pour traiter l'information. Dans les organisations les plus petites et les plus simples, un ou deux paliers de gestion peuvent suffire. Par contre, les grandes organisations aux tâches complexes comptent souvent de multiples paliers. Cependant, dans les années 1980 et 1990, la révolution informatique a entraîné une importante réduction du nombre de paliers et, par conséquent, du nombre de cadres intermédiaires.

Malgré les énormes efforts qu'ils déploient pour être bien informés, les gestionnaires ne reçoivent que des informations partielles sur ce qui se passe dans les secteurs de l'entreprise sous leur responsabilité. C'est pourquoi, en plus des systèmes de contrôle, les entreprises recourent pour organiser la production à des systèmes d'incitatifs.

## Les systèmes d'incitatifs

Les systèmes d'incitatifs créés au sein des organisations sont des mécanismes similaires à ceux du marché. Ils se retrouvent à tous les paliers de l'entreprise et s'appliquent au directeur général comme aux employés de la production et de la vente. Le recours aux incitatifs s'explique par le fait qu'il est humainement impossible aux propriétaires et aux dirigeants d'une entreprise d'avoir toute l'information nécessaire à l'exploitation de leur entreprise. Quelle a été exactement la contribution de Greig Clark au succès de College Pro Painters ou le rôle exact de Bill Gates dans les succès de Microsoft Corporation? Même des années plus tard, nul ne peut donner une réponse nette et précise à ces questions. Pourtant, même s'il est impossible de mesurer leur apport personnel, College Pro Painters et Microsoft leur ont confié la direction des opérations et leur ont fourni des incitatifs à la réussite.

Au bas de l'échelle, certains travailleurs sont plus diligents que d'autres, mais il est souvent difficile pour les gestionnaires de savoir qui travaille et qui se traîne les pieds. Et comment savoir si les ventes du mois dernier ont diminué parce que l'équipe de vente a relâché ses efforts ou pour une autre raison ? Là encore, l'entreprise devra établir un système d'incitatifs pour s'assurer que l'équipe de vente travaille de manière efficiente.

Comme leur information est incomplète, les entreprises ne peuvent pas se contenter d'acquérir et de payer ce facteur de production que sont les travailleurs comme s'il s'agissait de pâte dentifrice. Elles établissent donc des contrats et des modes de rémunération incitatifs, qui font augmenter la productivité. Ces contrats et ces modes de rémunération établissent ce qu'on appelle une relation mandant-mandataire afin de résoudre ce que la théorie économique qualifie de problème principal-agent.

## Le problème principal-agent

Souvent nous ne pouvons pas réaliser nous-mêmes les activités de production de biens et services que nous désirons (ou devons) entreprendre. Nous avons besoin d'un avocat pour nous représenter en cour, d'un entrepreneur pour bâtir notre maison ou d'un médecin pour nous soigner. Nous avons recours à ces personnes précisément parce que nous n'avons pas les connaissances nécessaires pour accomplir la tâche. Il nous est donc difficile, voire impossible, d'évaluer la qualité des biens ou des services que nous offrent ces personnes. L'avocat a-t-il bien défendu nos intérêts ? Le médecin a-t-il posé le bon diagnostic et prescrit le meilleur traitement ? Et ainsi de suite.

Le problème devient particulièrement crucial si les objectifs personnels des agents embauchés entrent en conflit avec les intérêts de la personne qui les a embauchés. Ainsi, un médecin pourrait prescrire un test ou un traitement superflu ou mal approprié pour se plier aux exigences de votre assurance-maladie ou même pour gonfler ses honoraires.

Le **problème principal-agent** consiste à déterminer le système de rémunération qui incite un *agent* à agir dans le meilleur intérêt d'un *principal,* même lorsque les objectifs de cet agent entrent en conflit avec ceux du principal et que le principal n'est pas en mesure de contrôler ses actions. Dans la relation avec notre avocat, nous sommes le principal et l'avocat est l'agent. Dans la relation entre les actionnaires de la Banque Royale et les directeurs de la banque, les actionnaires sont les principaux ; ils souhaitent que les directeurs (les agents) agissent dans leur intérêt, en cherchant à maximiser les profits de l'entreprise.

## La résolution du problème principal-agent

Qu'ils soient chefs de la direction ou simples employés, les agents poursuivent leurs propres objectifs, qui sont différents des objectifs du principal. L'objectif d'un actionnaire de la Banque Royale (principal) est de maximiser les profits de la banque ; mais ces profits dépendent des décisions de ses directeurs (agents), qui ont leurs propres objectifs.

Ainsi, un directeur de banque peut inviter un client à une partie de baseball sous prétexte de fidéliser ce client, alors qu'en fait il se paie du bon temps aux frais de l'entreprise. Ce faisant, l'agent atteint un de ses objectifs (se payer du bon temps), mais cet objectif entre en conflit avec l'intérêt du principal (maximiser ses profits). Dans sa relation avec ses caissiers (agents), ce même directeur de banque devient à son tour le principal. Il veut que les caissiers fassent tout leur possible pour attirer et satisfaire de nouveaux clients, ce qui lui permettra d'atteindre ses objectifs d'exploitation. Mais les caissiers aiment bien discuter entre eux, quitte à faire attendre les clients...

On ne peut résoudre le problème principal-agent en se contentant de donner des directives et de s'assurer que les employés s'y conforment. Dans la plupart des entreprises, il est impossible pour les actionnaires de surveiller les directeurs, et même les directeurs ne peuvent pas surveiller constamment les employés. À défaut de quoi, les propriétaires de l'entreprise (principaux) doivent inciter les directeurs (agents) à chercher la maximisation du profit. À leur tour, les directeurs (principaux) doivent inciter leurs employés et leurs fournisseurs à travailler de manière efficiente. C'est ce que chaque principal tente de faire en instaurant des systèmes d'incitatifs qui motivent les agents à travailler dans l'intérêt du principal.

Les trois principaux moyens de résoudre le problème principal-agent sont :
- la propriété,
- la rémunération à la performance,
- les contrats à long terme.

**La propriété** Le fait de céder (entièrement ou en partie) la propriété d'une entreprise à un gestionnaire ou à un travailleur peut l'inciter à adopter une attitude de travail qui fait augmenter les profits de cette entreprise. Lorsqu'ils deviennent propriétaires de l'entreprise (même en partie), les agents adoptent les objectifs des principaux. Ainsi, un employé a davantage intérêt à ce que son employeur fasse des profits si ces profits lui reviennent en partie sous forme de primes ou de gratifications. Si les régimes de copropriété sont très courants pour les cadres supérieurs, ils sont plus rares pour les employés. C'est pourtant la solution qu'a choisie Canadien Pacifique en 1995 en vendant CP Express et Transport, la troisième plus grande entreprise de camionnage du Canada, à ses 3 500 employés.

**La rémunération à la performance** Les régimes de rémunération à la performance, où le salaire est fonction de la performance de l'agent, sont monnaie courante. Ils reposent sur toutes sortes de critères de mesure de la performance. Les gestionnaires participent souvent aux bénéfices de l'entreprise si les objectifs de profits ont été atteints et les travailleurs touchent des primes lorsqu'ils ont atteint les objectifs de production ou de vente.

La rémunération à la performance a l'avantage sur la copropriété de protéger l'agent lorsque des facteurs sur lesquels il n'a aucune prise ont des effets néfastes sur l'entreprise. Une tempête de verglas peut faire chuter les profits de l'entreprise même si l'agent a agi dans le plus strict intérêt du principal.

**Les contrats à long terme**  Les contrats à long terme sont un autre moyen de résoudre le problème principal-agent dans la mesure où ils lient le sort des gestionnaires et des travailleurs (agents) au succès du principal — du propriétaire de l'entreprise. Car, si le problème principal-agent tient à une information incomplète sur le présent, les entreprises doivent aussi affronter l'incertitude devant l'avenir.

### L'incertitude devant l'avenir

Les décisions d'une entreprise reposent sur les résultats qu'elle en attend. Mais ces attentes sont souvent déçues, et ce, pour une raison évidente. Bien des entreprises doivent s'engager dans un projet et y consacrer d'énormes sommes d'argent *avant* de savoir si elles pourront vendre leurs produits en quantité suffisante et à un prix assez élevé pour couvrir leurs dépenses. Dans les années 1960, des avionneurs britanniques et français ont consacré plusieurs années et des millions de dollars à la construction du Concorde, un supersonique transatlantique. Ils s'attendaient évidemment à vendre assez de ces avions ultraperfectionnés pour couvrir leurs coûts. Mais la clientèle prête à payer plus cher pour aller plus vite s'est finalement révélée très restreinte, et les ventes n'ont pas suffi à amortir les coûts. Plus modestement, des millions de gens ont investi leur temps et leur argent pour monter leur petite affaire — un café, un restaurant, une boutique — sans savoir combien elle leur rapporterait. Bon nombre se sont montrés trop optimistes; les recettes ne couvrant pas les coûts, l'entreprise fut un échec.

Les problèmes de l'information incomplète et de l'incertitude devant l'avenir ont engendré différentes formes d'organisation des entreprises. Examinons-les.

### Les différentes formes juridiques des entreprises

Les trois principales formes juridiques d'entreprises sont:
- l'entreprise individuelle,
- la société de personnes,
- la société par actions.

La forme juridique d'une entreprise influe sur sa structure organisationnelle et sur le montant d'impôts que ses propriétaires devront payer. Elle détermine également qui percevra les bénéfices et qui sera responsable des dettes dans le cas où l'entreprise devrait mettre fin à ses activités.

**L'entreprise individuelle**  Une *entreprise individuelle* est une entreprise qui appartient à un seul propriétaire, dont la responsabilité est illimitée. Par *responsabilité illimitée,* on entend la responsabilité légale qu'a le propriétaire de régler toutes les dettes de l'entreprise jusqu'à concurrence du montant total de ses avoirs. Si les avoirs de l'entreprise ne suffisent pas à régler ces dettes, les créanciers peuvent exiger d'être payés à même les biens personnels du propriétaire. Le dépanneur et le restaurant du coin, le programmeur à la pige, le rédacteur indépendant et l'artiste, voilà autant d'exemples d'entreprises individuelles.

Le propriétaire de l'entreprise individuelle prend toutes les décisions de gestion et il est l'unique ayant droit résiduel. L'*ayant droit résiduel* est la personne (physique ou morale) qui perçoit les bénéfices de l'entreprise et qui est responsable de ses pertes. Les bénéfices du propriétaire d'une entreprise individuelle sont considérés comme un revenu; ils s'ajoutent à ses autres revenus et sont imposés comme des revenus personnels.

**La société de personnes**  La *société de personnes* est une entreprise qui appartient à plusieurs propriétaires (deux ou plus) dont la responsabilité est illimitée. Les associés doivent s'entendre sur une structure de gestion et sur un mode de répartition des bénéfices. Comme pour l'entreprise individuelle, les bénéfices d'une société de personnes sont imposés à titre de revenu personnel des propriétaires. Toutefois, chaque associé est légalement responsable de toutes les dettes de l'entreprise (jusqu'à concurrence de la totalité de ses avoirs personnels). On dit dans ce cas que chaque associé a l'*entière responsabilité* des dettes de la société. La majorité des cabinets juridiques et des cabinets d'experts-comptables sont des sociétés de personnes.

**La société par actions**  La *société par actions* est une entité juridique qui appartient à un ou à plusieurs actionnaires dont la responsabilité est limitée. La *responsabilité limitée* signifie que, légalement, les propriétaires sont responsables des dettes de l'entreprise seulement jusqu'à concurrence du montant qu'ils ont investi dans la société; si la société fait faillite, ses propriétaires, contrairement à ceux de l'entreprise individuelle ou de la société de personnes, ne peuvent être contraints à payer ses dettes à même leurs biens personnels.

Le capital de la société est réparti en actions. Une *action* est une part du capital social de l'entreprise. Les actions de nombreuses sociétés s'achètent et se vendent sur les marchés boursiers comme la Bourse de Montréal.

Certaines sociétés par actions, guère plus grandes qu'une entreprise individuelle, appartiennent à un seul propriétaire et sont gérées exactement comme une entreprise individuelle. Par contre, les structures de gestion des grandes sociétés sont beaucoup plus complexes. Habituellement, elles ont à leur tête un directeur général et des vice-présidents, responsables, par exemple, de la production, des finances, de la commercialisation et par-

**TABLEAU 9.1**

## Les avantages et les inconvénients des différentes formes juridiques de l'entreprise

| Forme juridique | Avantages | Inconvénients |
|---|---|---|
| **Entreprise individuelle** | ■ Les formalités de constitution sont simples.<br>■ Le processus décisionnel est simple.<br>■ Les bénéfices ne sont imposés qu'une seule fois ; ils s'ajoutent aux autres revenus et sont imposés comme des revenus personnels. | ■ Aucun mécanisme n'est prévu pour neutraliser les mauvaises décisions.<br>■ Le propriétaire engage tous ses biens personnels.<br>■ L'entreprise disparaît avec son propriétaire.<br>■ Le capital a un coût élevé.<br>■ La main-d'œuvre a un coût élevé. |
| **Société de personnes** | ■ Les formalités de constitution sont simples.<br>■ Le processus décisionnel est diversifié.<br>■ Le retrait de l'un des associés n'empêche pas le fonctionnement de la société.<br>■ Les bénéfices ne sont imposés qu'une seule fois ; ils s'ajoutent aux autres revenus et sont imposés comme des revenus personnels. | ■ La nécessité d'arriver à un consensus peut impliquer un processus lent et coûteux.<br>■ Chacun des associés engage la totalité de ses biens personnels.<br>■ Le retrait d'un des associés peut entraîner une pénurie de capitaux.<br>■ Le capital a un coût élevé. |
| **Société par actions** | ■ La responsabilité des propriétaires est limitée.<br>■ Il est possible de lever des capitaux importants à de faibles coûts.<br>■ La qualité de la gestion ne dépend pas des compétences des propriétaires.<br>■ Les structures sont permanentes.<br>■ Les contrats de travail à long terme réduisent les coûts de la main-d'œuvre. | ■ La complexité de la structure de gestion ralentit parfois le processus décisionnel et le rend coûteux.<br>■ La société doit acquitter des impôts sur les bénéfices ; de plus, les dividendes sont imposés à titre de revenus personnels. |

fois de la recherche. Des équipes de spécialistes relèvent de chacun de ces cadres supérieurs. Chaque échelon de la structure de gestion en sait suffisamment sur ce qui se passe à l'échelon inférieur pour exercer un contrôle sur celui-ci, mais, dans l'ensemble, le management est assuré par des spécialistes qui se consacrent à un aspect particulier des activités de la société.

Les ressources financières de la société proviennent de ses propriétaires — les actionnaires — et d'emprunts. Les sociétés empruntent parfois aux banques, mais elles peuvent aussi emprunter directement aux ménages en émettant des obligations — emprunts sur lesquels elles paient un montant d'intérêt fixe.

Si la société par actions réalise des bénéfices, les dividendes sont versés aux actionnaires, qui sont les ayants droit résiduels. Par contre, si ses pertes l'acculent à la faillite, la perte résiduelle est absorbée par les banques et par ses autres créanciers. Comme leur responsabilité est limitée, les actionnaires eux-mêmes ne sont responsables des dettes de la société que jusqu'à concurrence du montant de leur investissement initial.

Les bénéfices d'une société par actions sont imposés indépendamment des revenus de ses actionnaires. Autre-ment dit, ils sont imposés deux fois : la société paie des impôts sur ses bénéfices, puis les actionnaires paient des impôts sur les revenus qu'ils reçoivent en dividendes. Ils paient également des impôts sur leurs gains en capital lorsqu'ils vendent leurs actions. Un **gain en capital** est le profit qui est tiré de la vente d'une action (ou d'une obligation) à un prix supérieur au prix d'achat initial. Les actions des sociétés engendrent des gains en capital lorsque les sociétés conservent une partie de leurs bénéfices et les réinvestissent dans des activités rentables au lieu de payer des dividendes. Ainsi, même les bénéfices non répartis sont imposés deux fois puisque les gains en capital qu'ils engendrent sont eux-mêmes imposés.

## Les avantages et les inconvénients des diverses formes juridiques de l'entreprise

L'existence même de trois grandes formes d'entreprises implique que chacune présente des avantages et des inconvénients, sinon seule l'une ou l'autre aurait survécu. Le tableau 9.1 résume ces avantages et ces inconvénients.

## À RETENIR

■ L'entreprise est une organisation qui mobilise des facteurs de production et qui gère la production et la vente de biens et services.

■ Les entreprises visent l'efficience, et la plupart cherchent à maximiser leurs profits ; cependant, elles sont toutes aux prises avec les problèmes de l'information incomplète et de l'incertitude devant l'avenir. Pour résoudre ces problèmes, les entreprises établissent des relations agent-principal entre les propriétaires, les cadres supérieurs, les travailleurs et d'autres entreprises ; de plus, elles instaurent des structures juridiques efficaces et des régimes de rémunération appropriés.

■ Chacune des formes juridiques de l'entreprise — l'entreprise personnelle, la société de personnes et la société par actions — a ses avantages et ses inconvénients, et chacune a un rôle à jouer dans chaque secteur de l'économie.

## Le financement des entreprises

CHAQUE ANNÉE, LES ENTREPRISES MOBILISENT DES milliards de dollars pour investir, acheter des biens de production ou financer leurs stocks. Par exemple, une compagnie aérienne peut mobiliser des centaines de millions de dollars pour agrandir son parc d'avions ; un producteur d'acier, pour construire une nouvelle usine ; un producteur de logiciels, pour payer les programmeurs qui conçoivent un nouveau jeu électronique. Voyons comment les entreprises se procurent des capitaux.

### Les modes de financement

Toutes les entreprises obtiennent une partie des fonds dont elles ont besoin de leurs propriétaires. Les **capitaux propres** sont les sommes que le propriétaire investit dans son entreprise. Les entreprises individuelles et les sociétés de personnes se financent également en empruntant aux banques ou à des amis. En raison de leur caractère plus permanent, les sociétés par actions peuvent lever des capitaux importants grâce à des moyens qui ne sont généralement pas à la portée des ménages, des entreprises individuelles et des sociétés de personnes. Il s'agit essentiellement des moyens suivants :

■ l'émission d'actions,

■ la vente d'obligations.

## L'émission d'actions

L'un des moyens les plus courants pour une entreprise de se procurer des capitaux est l'émission d'actions. Ces capitaux sont les *capitaux propres* de l'entreprise, car les actionnaires en sont propriétaires : ils ont acheté une partie du capital de l'entreprise.

Les sociétés vendent des parts de leur capital — des actions — qui sont négociées sur les marchés boursiers. Un *marché boursier* est un marché organisé pour la négociation des actions. Les bourses canadiennes se trouvent à Toronto, à Montréal et à Vancouver.

La figure 9.1 montre l'offre d'une entreprise qui émet de nouvelles actions afin de se procurer des fonds. En février 1994, Reebok International ltée a vendu 3 millions d'actions de son capital social, à raison de 33,125 $ l'action, se procurant ainsi 99 375 000 $. Une entreprise n'a pas l'obligation légale de verser des dividendes à ses actionnaires lorsqu'elle se procure des capi-

### FIGURE 9.1
## Une émission d'actions

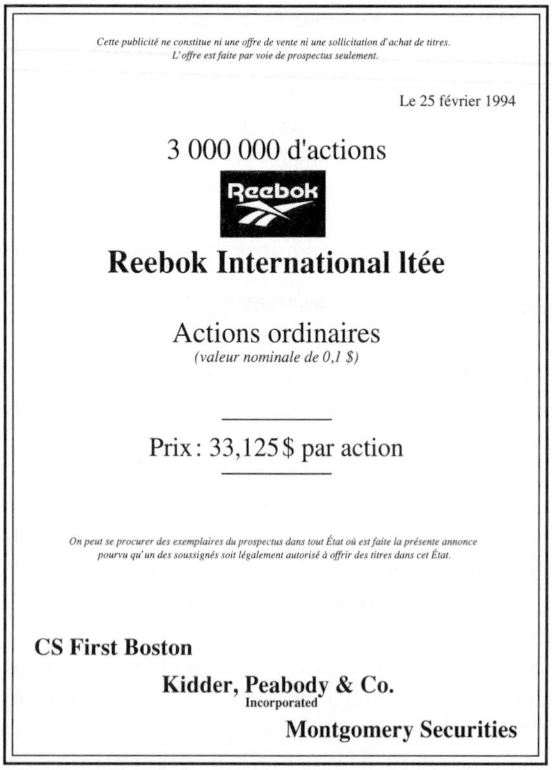

Cette publicité ne constitue ni une offre de vente ni une sollicitation d'achat de titres. L'offre est faite par voie de prospectus seulement.

Le 25 février 1994

3 000 000 d'actions

**Reebok**

**Reebok International ltée**

Actions ordinaires
*(valeur nominale de 0,1 $)*

Prix : 33,125 $ par action

On peut se procurer des exemplaires du prospectus dans tout État où est faite la présente annonce pourvu qu'un des soussignés soit légalement autorisé à offrir des titres dans cet État.

**CS First Boston**

**Kidder, Peabody & Co.**
Incorporated

**Montgomery Securities**

Une action du capital social d'une entreprise permet à son détenteur de recevoir un dividende (si les administrateurs votent en ce sens). Reebok a vendu 3 000 000 d'actions à raison de 33,125 $ l'action, se procurant ainsi 99 375 000 $ en fonds additionnels.

taux par la vente d'actions, mais les actionnaires s'attendent évidemment à recevoir un dividende ou un gain en capital, sinon personne n'achèterait d'actions.

## La vente d'obligations

Une **obligation** est une reconnaissance de dette par laquelle une entreprise s'engage à verser à son détenteur des sommes convenues à des dates déterminées. En règle générale, l'obligation d'une société spécifie qu'un certain montant, la *valeur nominale* de l'obligation, sera remboursé à une *date d'échéance* convenue. En outre, un autre montant, appelé *coupon,* est versé chaque année entre la date de vente de l'obligation et son échéance.

La figure 9.2 donne un exemple de financement par obligations. Le 12 juillet 1994, Kinpo Electronics inc., une société installée à Taïwan qui voulait prendre le contrôle d'Apple Computers, de Motorola et de Texas Instruments pour s'emparer du marché mondial des agendas électroniques s'est procuré 44 millions de dollars en vendant des obligations. Ce jour-là, Kinpo s'est engagée à verser 1,32 million de dollars (l'équivalent d'un taux d'intérêt annuel de 3 %) aux détenteurs de coupons le 12 juillet de chaque année jusqu'en 2001, et à rembourser les 44 millions de dollars le 12 juillet 2001. Kinpo s'est donc engagée à payer au total 53,24 millions de dollars, l'emprunt de 44 millions de dollars, plus 1,32 million de dollars par an pendant sept ans.

Lorsqu'elle prend une décision financière, une entreprise cherche à réduire au minimum le prix de revient des capitaux. Si elle peut mobiliser des capitaux en vendant des obligations à un coût moindre que celui proposé par n'importe quelle autre source, l'entreprise choisira cette méthode de financement. Mais comment détermine-t-elle le montant à emprunter ? Pour répondre à cette question, il est indispensable de comprendre un principe fondamental du financement des entreprises et des ménages.

## L'actualisation et la valeur actuelle

Nous venons de voir que, lorsqu'une entreprise mobilise des fonds, elle s'engage à effectuer une série de paiements dans l'avenir. Mais la vente d'une obligation procure une rentrée de fonds dans le présent. Ainsi, Kinpo touche 44 millions de dollars en 1994 et s'engage à verser 53,24 millions de dollars jusqu'en l'an 2001. Or, lorsqu'une entreprise mobilise des fonds, c'est qu'elle prévoit les utiliser pour générer par ses activités une rentrée de fonds dans l'avenir. Ainsi, la société Kinpo a emprunté 44 millions de dollars parce qu'elle prévoyait les utiliser pour fabriquer et vendre des composantes et des produits informatiques qui lui rapporteraient des revenus dans l'avenir.

Si vous avez le choix entre recevoir un dollar aujourd'hui ou dans un an, vous choisirez de recevoir le dollar

L'obligation est l'engagement de payer un coupon et de rembourser la valeur nominale. Kinpo, un fabricant de composantes informatiques et d'agendas électroniques, a vendu des obligations afin de se procurer 44 millions de dollars en 1994. La compagnie a promis de payer tous les ans sous forme de coupon 3 $ pour chaque 100 $ emprunté, ainsi que de rembourser les obligations en 2001.

immédiatement. En effet, un dollar aujourd'hui vaut plus qu'un dollar demain, car le dollar d'aujourd'hui peut être investi pour générer un intérêt. Il en va de même pour une entreprise. Pour savoir si elle doit emprunter et combien, l'entreprise doit toujours comparer la valeur d'une somme d'argent aujourd'hui avec la valeur de cette somme plus tard. On y arrive en calculant la **valeur actuelle** de la somme à percevoir ou à payer dans l'avenir ; celle-ci correspond au montant que l'on doit investir aujourd'hui pour obtenir la valeur de cette somme future, compte tenu de l'intérêt perçu. Ce concept est traduit par l'équation suivante :

Somme future = Valeur actuelle + Revenu en intérêts.

Le revenu en intérêts est égal à la valeur actuelle multipliée par le taux d'intérêt, $r$, soit :

Somme future = Valeur actuelle + ($r \times$ valeur actuelle) ou

Somme future = Valeur actuelle $\times$ ($1 + r$).

Si vous disposez de 100 $ aujourd'hui et que le taux d'intérêt est de 10 % par an ($r = 0,1$), vous récupérerez 110 $ dans un an, les 100 $ d'origine plus 10 $ d'intérêts. Vérifions si l'équation ci-dessus nous permet d'arriver au même résultat : 100 $ $\times$ 1,1 = 110 $.

La formule que nous venons d'utiliser permet de calculer le montant d'une somme future à partir de la valeur actuelle et du taux d'intérêt. Pour calculer la valeur actuelle d'une somme future, il suffit d'inverser l'équation. Au lieu de multiplier la valeur actuelle par ($1 + r$), on divise la somme future par ($1 + r$). Cela donne :

$$\text{Valeur actuelle} = \frac{\text{Somme future}}{(1 + r)}.$$

Nous pouvons utiliser cette formule pour calculer la valeur actuelle. On appelle actualisation le calcul de la valeur actuelle. L'**actualisation** consiste à convertir une somme d'argent future en sa valeur actuelle. Calculons la valeur actuelle de 110 $ à percevoir dans un an, en supposant que le taux d'intérêt annuel soit de 10 %. On se doute évidemment que la réponse est 100 $ ; en effet, nous l'avons vu, si on investissait 100 $ aujourd'hui à un taux d'intérêt annuel de 10 %, on disposerait de 110 $ dans un an. En appliquant la formule, on obtient :

$$\text{Valeur actuelle} = \frac{110 \, \$}{(1 + 0,1)}$$

$$= \frac{110 \, \$}{(1,1)}$$

$$= 100 \, \$.$$

Le calcul de la valeur actuelle d'une somme d'argent à recevoir dans un an est le cas le plus simple, mais nous pouvons aussi calculer la valeur actuelle d'une somme d'argent à percevoir dans plusieurs d'années. Voyons, par exemple, comment calculer la valeur actuelle d'une somme d'argent qui sera disponible dans deux ans.

Supposons que vous investissiez aujourd'hui 100 $ pour deux ans à un taux d'intérêt de 10 % par année. Votre placement vous rapportera 10 $ la première année. Ainsi, à la fin de la première année, vous disposerez de 110 $. Si vous réinvestissez l'intérêt de 10 $, le taux d'intérêt vous rapportera 10 $ supplémentaires la deuxième année sur les 100 $ investis au départ, plus 1 $ sur les 10 $ d'intérêts (*intérêts composés*), ce qui vous rapportera 11 $ au cours de la deuxième année, et 21 $ au total pour les deux années (10 $ la première année et 11 $ la deuxième année). Au bout de deux ans, vous récupérerez 121 $. À partir de la définition de la valeur actuelle, avec

un taux d'intérêt de 10 %, la valeur actuelle des 121 $ à percevoir dans deux ans est, par conséquent, 100 $. Autrement dit, si vous disposez actuellement de 100 $ et que vous les investissez à un taux de 10 %, vous aurez 121 $ dans deux ans.

La formule suivante permet de calculer la valeur actuelle d'une somme d'argent à percevoir dans deux ans :

$$\text{Valeur actuelle} = \frac{\text{Somme d'argent à percevoir dans deux ans}}{(1 + r)^2}.$$

Vérifions cette formule en calculant la valeur actuelle de 121 $ deux ans plus tard lorsque le taux d'intérêt annuel est de 10 %. En prenant les chiffres de notre exemple, nous obtenons :

$$\text{Valeur actuelle} = \frac{121 \, \$}{(1 + 0,1)^2}$$

$$= \frac{121 \, \$}{(1,1)^2}$$

$$= \frac{121 \, \$}{(1,21)}$$

$$= 100 \, \$.$$

On peut calculer la valeur actuelle d'une somme d'argent à percevoir dans un nombre quelconque d'années en appliquant la formule générale suivante, construite à partir de la formule que nous venons d'utiliser :

$$\text{Valeur actuelle} = \frac{\text{Montant disponible dans } n \text{ années}}{(1 + r)^n}.$$

Prenons un exemple. Si le taux d'intérêt est de 10 % par an, les 100 $ que vous recevrez dans 10 ans ont une valeur actuelle de 38,55 $. Cela veut dire que, si vous investissez 38,55 $ aujourd'hui à un taux d'intérêt de 10 %, vous récupérerez 100 $ dans 10 ans. (Vous pouvez vérifier ces calculs avec votre calculette).

## La valeur actuelle et l'analyse marginale

Les entreprises utilisent le concept de valeur actuelle pour prendre leurs décisions financières, en l'associant cependant avec un autre principe fondamental, celui de l'analyse marginale. Dans ces décisions, seuls l'avantage additionnel — l'*avantage marginal* — et le coût additionnel — le *coût marginal* — résultant de cette décision sont pertinents. En calculant l'avantage marginal et le coût marginal d'un emprunt, une entreprise est en mesure de maximiser ses profits. Le bénéfice net est la différence entre l'avantage marginal et le coût marginal, et la valeur actuelle *nette* est la valeur actuelle du bénéfice net.

L'entreprise décide combien elle va emprunter en calculant la valeur actuelle nette de l'emprunt d'un dollar additionnel — le dollar marginal emprunté. Si la valeur actuelle du dollar marginal emprunté est positive, l'entreprise augmente ses profits en *augmentant* la somme empruntée. Si la valeur actuelle du dollar marginal emprunté est négative, l'entreprise augmente ses profits en *diminuant* son emprunt. Lorsque la valeur actuelle du dollar marginal emprunté est égale à zéro, l'entreprise maximise ses profits.

## À RETENIR

- Les entreprises financent l'achat de leurs biens d'équipement en vendant des obligations — promesses de revenus fixes indépendants des profits de l'entreprise — et des actions — parts de propriété dans le capital de l'entreprise et donc droit à une part de ses profits.
- Les entreprises empruntent lorsque l'emprunt leur permet d'augmenter la valeur actuelle nette de leurs fonds.
- La valeur actuelle nette d'une somme d'argent à recevoir dans $n$ années lorsque le taux d'intérêt annuel est $r$ est égale à la somme d'argent divisée par $(1 + r)^n$.

Nous avons vu comment les entreprises maximisent leurs bénéfices en établissant des types d'organisation appropriés et en se procurant des fonds de la manière la plus rentable possible. Mais comment les entreprises mesurent-elles leur performance ? Comment calculent-elles leurs coûts et leurs profits ? C'est ce que nous allons voir maintenant.

## Le coût d'opportunité et le profit économique

LE COÛT D'OPPORTUNITÉ DE LA PRODUCTION D'UN bien d'une entreprise correspond à la meilleure option à laquelle l'entreprise a renoncé pour produire ce bien. On peut aussi dire qu'il s'agit de la meilleure utilisation de ses facteurs de production à laquelle l'entreprise a renoncé pour produire un bien. Le coût d'opportunité est une autre option réelle qu'elle a sacrifiée ; cependant, pour pouvoir comparer le coût d'opportunité d'une action au coût d'une autre, on l'exprime souvent en unités monétaires. Mais il ne faut jamais perdre de vue que, même si le coût d'opportunité est parfois exprimé en unités monétaires, il correspond à l'autre possibilité à laquelle on a renoncé, et non à sa valeur monétaire.

Le coût d'opportunité de production d'une entreprise est composé de deux éléments :

1. les coûts explicites,
2. les coûts implicites.

Les coûts explicites sont payés directement en numéraire — *coûts monétaires*. Les coûts implicites (mesurés en unités monétaires) représentent les possibilités auxquelles on a renoncé, mais qui n'ont pas été payées directement en numéraire. Les coûts explicites sont facilement mesurables, mais ce n'est pas le cas pour les coûts implicites.

Une entreprise supporte des coûts explicites lorsqu'elle paie pour un facteur de production pendant qu'elle l'utilise. Le coût monétaire est le montant payé pour ce facteur de production, mais ce même montant aurait pu être dépensé à d'autres fins ; il correspond donc également au coût d'opportunité (exprimé en dollars) de l'utilisation de ce facteur de production. Par exemple, lorsqu'une pizzeria embauche un serveur, le salaire qu'elle lui paie inclut à la fois le coût monétaire et le coût d'opportunité de l'embauche du serveur — l'entreprise paie le serveur pendant qu'elle utilise ses services. Normalement, la main-d'œuvre est un facteur de production dont le coût monétaire équivaut au coût d'opportunité.

Une entreprise supporte des coûts implicites lorsqu'elle utilise les facteurs de production suivants :

- le capital,
- les stocks,
- les ressources du propriétaire.

### Les coûts d'utilisation du capital

Le coût d'utilisation des biens de production est un coût implicite puisqu'une entreprise achète habituellement son équipement — débourse une certaine somme d'argent — en prévision d'une utilisation future. Par exemple, GM a acheté une chaîne de montage, l'a payée durant l'année et l'utilise depuis plusieurs années. Comment calculer le coût d'opportunité de l'utilisation de ce bien de production acheté il y a plusieurs années auparavant ? D'abord, il faut décomposer ce coût en deux éléments :

- l'amortissement,
- l'intérêt.

**L'amortissement** L'**amortissement économique** est une imputation qui reflète la baisse de la valeur marchande d'un bien de production durable au cours du temps. Par exemple, l'amortissement économique sur un an est égal au prix sur le marché du facteur de production au début de l'année moins son prix sur le marché à la fin de l'année. Supposons, par exemple, qu'Air Canada possède un Boeing 747 gros porteur qu'elle aurait pu vendre 5 millions de dollars le 31 décembre 1997 et qu'elle pourrait vendre 4 millions de dollars un an plus tard, soit le 31 décembre 1998. La différence de 1 million de dollars dans la valeur marchande du Boeing est un coût implicite d'utilisation de l'avion au cours de 1998. Notez que le coût initial de l'avion n'a aucune influence directe sur ce calcul.

L'amortissement économique a plusieurs causes. La plus courante est la diminution de la durée utile d'un bien d'équipement usagé. De plus, le maintenir en bon état de marche est souvent plus onéreux que s'il s'agissait d'un bien neuf. Une autre cause est l'obsolescence : même si le bien usagé fonctionne bien et peut continuer de fonctionner durant de nombreuses années, il en existe un autre, neuf, qui fonctionne encore mieux ou à moindre coût. Supposons que Kinko ait acheté le 1$^{er}$ janvier 1997 des photocopieuses neuves, qu'elle comptait utiliser pendant trois ans. Or, cette même année, une nouvelle photocopieuse, plus rapide, a été commercialisée, et le prix du marché des anciennes photocopieuses a baissé de 90 %. Pour Kinko, cette baisse de prix de 90 % correspond alors au coût d'opportunité de l'utilisation des photocopieuses de 1997. Même si ses photocopieuses sont neuves et fonctionnent bien, leur amortissement économique (et leur coût d'opportunité) au cours de 1997 est très élevé. Si vous avez déjà acheté un ordinateur personnel, vous connaissez ce phénomène.

**L'intérêt** Les fonds utilisés pour acheter un bien immobilisé pourraient avoir été utilisés à autre chose. S'ils avaient été utilisés différemment, ils auraient produit un rendement — un revenu d'intérêts. Ce revenu auquel on a renoncé fait partie du coût d'opportunité de l'utilisation des biens immobilisés, et ce coût d'opportunité existe que l'entreprise emprunte ou non pour acheter ce bien immobilisé. Pour clarifier ce point, prenons deux exemples : un où l'entreprise emprunte et un autre où elle utilise ses bénéfices accumulés.

Si l'entreprise emprunte des fonds, elle doit payer des intérêts ; le coût d'intérêt est alors un coût explicite. Si elle utilise ses propres fonds, le coût d'opportunité est alors le montant qu'elle aurait gagné en les affectant à la meilleure autre possibilité. Supposons que cette meilleure autre possibilité soit de placer ces fonds sous forme de dépôt bancaire. Le coût d'opportunité de l'utilisation du bien immobilisé est alors l'intérêt rattaché au dépôt bancaire auquel elle a renoncé. Le coût est alors implicite, mais néanmoins bien réel.

**Le loyer implicite** Pour évaluer le coût d'opportunité lié à l'utilisation d'édifices, d'usines et de biens d'équipement, on doit additionner l'amortissement économique et les frais d'intérêt. Ce coût d'opportunité correspond au revenu auquel l'entreprise renonce lorsqu'elle utilise elle-même ses biens plutôt que de les louer à une autre entreprise. En fait, l'entreprise loue ses biens à elle-même ; elle paie alors un **loyer implicite** pour leur utilisation.

Les gens louent constamment des maisons, des appartements, des voitures, des téléviseurs, des magnétoscopes et des cassettes vidéo, et les entreprises louent des photocopieuses, du matériel de terrassement, des services de lancement de satellites, etc. Lorsqu'une entreprise loue du matériel d'une autre entreprise, elle paie un loyer *explicite*. Par contre, si le propriétaire d'un bien d'équipement l'utilise lui-même plutôt que de le louer à quelqu'un d'autre, il paie un *loyer implicite*. Le revenu auquel il a renoncé en utilisant ce bien plutôt que de le louer à quelqu'un est le coût d'opportunité de l'utilisation de ce matériel. Ce coût d'opportunité est le loyer *implicite* de l'appareil.

Les forces du marché tendent à égaliser le loyer explicite et le loyer implicite. Si le coût d'opportunité de la location était inférieur au coût d'opportunité de l'achat, tout le monde voudrait louer et personne ne voudrait acheter. Les locataires ne trouveraient plus de propriétaires de qui louer et le loyer explicite augmenterait. Si le coût d'opportunité de la location était supérieur au coût d'opportunité de l'achat, tout le monde voudrait acheter et personne ne voudrait louer. Les propriétaires ne trouveraient personne à qui louer et le loyer explicite diminuerait. Ce n'est que lorsque les coûts d'opportunité de location et d'achat sont égaux — lorsque le loyer explicite est égal au loyer implicite — qu'il n'y a aucun incitatif à passer de l'achat à la location et vice versa.

**Les coûts irrécupérables** Les **coûts irrécupérables** sont l'*amortissement économique passé* de l'actif de l'entreprise (édifices, usine, équipement). Lorsque le bien a été acheté, on a dû renoncer à une autre possibilité, maintenant révolue et irrécupérable. Le coût irrécupérable n'est pas un *coût d'opportunité*. Ainsi, dans l'exemple des photocopieuses de Kinko, on a vu que l'entreprise a subi un coût d'opportunité élevé en 1997, quand le prix du marché de la photocopieuse plus lente s'est effondré. Et bien, l'année suivante, la perte de valeur de ses photocopieuses au cours de 1997 est devenue pour Kinko un coût irrécupérable. Le coût d'opportunité de l'utilisation de photocopieuses en 1998 ne comprend donc *pas* cette baisse de valeur.

**Les méthodes comptables** Si les comptables calculent la valeur d'amortissement, sauf exception, ils ne calculent pas l'*amortissement économique*. En général, ils mesurent l'amortissement d'un bien immobilisé en appliquant au prix d'achat initial un taux d'amortissement conventionnel, fondé sur des règlements de Revenu Canada. Pour les immeubles, la période d'amortissement conventionnelle est de 20 ans. Si une entreprise achète un nouvel édifice à bureaux pour la somme de 100 000 $, le comptable imputera un vingtième de ce montant, soit 5 000 $, au coût annuel de production associé à l'utilisation de l'édifice. À la fin de la première année, les comptes de l'entreprise indiqueront que la valeur de l'édifice est de 95 000 $ (le coût initial moins l'amortissement de 5 000 $). Les comptables utilisent divers taux d'amortissement à divers types de biens ; par exemple, pour les automobiles et les ordinateurs, la période d'amortissement conventionnelle est de trois ans.

Ces mesures comptables de l'amortissement sont calculées à des fins fiscales. Elles ne mesurent pas (et ne visent pas à mesurer) l'amortissement économique, et ne constituent pas une mesure correcte de la composante amortissement du coût d'opportunité de l'utilisation de biens.

## Le coût d'utilisation des stocks

Les *stocks* sont constitués des matières premières et des produits semi-finis ou finis qui appartiennent à l'entreprise. Le coût d'opportunité de l'utilisation d'un article en stock est son prix actuel sur le marché. Les entreprises établissent des stocks pour que le processus de production soit efficient. Lorsqu'un article est retiré des stocks, il faut donc le remplacer par un nouvel article. Le prix de ce nouvel article est le coût d'opportunité de l'utilisation de l'article retiré des stocks. On peut arriver à la même conclusion par un autre raisonnement. Au lieu d'utiliser l'article retiré des stocks dans son processus de production, l'entreprise aurait pu le vendre. Le prix du marché de cet article est donc la valeur de la possibilité à laquelle on a renoncé en stockant cet article.

Pour mesurer le coût de l'utilisation des stocks, les comptables utilisent souvent une méthode appelée méthode FIFO[1], pour « premier entré, premier sorti ». Selon cette méthode de calcul des coûts de stockage, le coût monétaire d'un article retiré des stocks est le coût du premier article de ce type à avoir été ajouté aux stocks. Il existe une autre méthode comptable appelée LIFO[2], pour « dernier entré, premier sorti ». Selon cette méthode, le coût monétaire d'un article retiré des stocks est le coût du dernier article de ce type ajouté au stock. Certaines entreprises ont des stocks peu importants ou des inventaires au taux de rotation très élevé. Dans ces cas, le coût monétaire de l'utilisation d'un article stocké et son coût d'opportunité sont identiques. Lorsque le processus de production fait appel à des stocks conservés pendant une longue période, l'écart entre ces deux mesures du coût de l'utilisation des stocks peut être important. Si les prix restent constants tout au long de la période de stockage, les méthodes FIFO et LIFO sont identiques, et mesurent toutes deux le coût d'opportunité. Par contre, si les prix varient, la méthode FIFO n'est pas une mesure du coût d'opportunité. LIFO s'en rapproche assez lorsque le prix le plus récent qui a été payé est identique au prix payé pour remplacer l'article utilisé.

## Le coût des ressources du propriétaire

Le propriétaire d'une entreprise consacre souvent beaucoup de temps et d'efforts à l'organisation de son entreprise. Ce temps et ces efforts auraient pu être consacrés à une autre activité, qui aurait généré un salaire. Le coût d'opportunité du temps et de l'énergie consacrés à son entreprise est le salaire que l'entrepreneur a sacrifié en renonçant à l'emploi le plus rémunérateur auquel il aurait pu avoir accès par ailleurs.

En plus de fournir de la main-d'œuvre pour l'entreprise, le propriétaire fournit l'*esprit d'entreprise* — le facteur de production qui organise les activités, prend les décisions, innove et assume les risques liés à l'exploitation de l'entreprise. Il n'entreprendrait pas ces activités s'il n'espérait pas en tirer un profit. Ce profit s'appelle **profit normal**. Le profit normal fait partie du coût d'opportunité de l'entreprise, car il s'agit du coût d'une autre possibilité à laquelle l'entrepreneur a renoncé. Cette autre possibilité serait de diriger une autre entreprise.

Habituellement, le propriétaire d'une entreprise fait des prélèvements sur ses recettes pour couvrir ses dépenses quotidiennes. Pour le comptable, ces prélèvements font partie des bénéfices engendrés par l'entreprise — et non du coût d'opportunité du temps du propriétaire et de son esprit d'entreprise. Cependant, dans la mesure où ils compensent le salaire auquel le propriétaire a renoncé ainsi que le risque qu'il a assumé, ces prélèvements font partie du coût d'opportunité de l'entreprise.

## Le profit économique

Qu'en est-il des résultats financiers — profits ou pertes de l'entreprise ? Le **profit économique** d'une entreprise est égal à son revenu total moins son coût d'opportunité. Ce coût d'opportunité correspond aux coûts explicites et implicites de la meilleure autre possibilité à laquelle elle a renoncé, y compris le *profit normal*.

Le profit économique ne correspond pas à ce que les comptables appellent profit. Pour le comptable, le profit d'une entreprise est égal à son revenu total moins son coût monétaire et son amortissement conventionnel.

## Le coût d'opportunité et le profit économique : un exemple

Pour vous aider à mieux comprendre les concepts de coût d'opportunité, de profit normal et de profit économique d'une entreprise, prenons un exemple qui nous permettra de comparer concrètement les concepts économiques de coût d'opportunité et de profit aux concepts comptables de coût et de profit.

Antoine est propriétaire d'un magasin de bicyclettes, VéloCité. Le tableau 9.2 nous montre ses recettes totales,

---

[1] *First in, first out.*
[2] *Last in, first out.*

**TABLEAU 9.2**

# L'état des recettes, des coûts et des bénéfices de VéloCité

### Le comptable

| Poste | Montant |
|---|---|
| Recettes totales | 300 000 $ |
| Coûts : | |
|     Coût de gros des bicyclettes | 150 000 |
|     Services et fournitures | 20 000 |
|     Salaires | 50 000 |
|     Amortissement | 22 000 |
|     Intérêts bancaires | 12 000 |
| Coût total | 254 000 $ |
| Bénéfices | 46 000 $ |

### L'économiste

| Poste | Montant |
|---|---|
| Recettes totales | 300 000 $ |
| Coûts : | |
|     Coût de gros des bicyclettes | 150 000 |
|     Services et fournitures | 20 000 |
|     Salaires | 50 000 |
|     Baisse de la valeur du marché des actifs[a] | 10 000 |
|     Salaire d'Antoine (implicite)[b] | 40 000 |
|     Intérêts bancaires | 12 000 |
|     Intérêts sur les sommes investies[c] dans l'entreprise (implicite) | 11 500 |
|     Profit normal (implicite)[d] | 6 000 |
| Coût d'opportunité | 299 500 $ |
| Profit économique | 500 $ |

[a] La baisse de la valeur du marché des actifs de l'entreprise donne le coût d'opportunité lié au fait de ne pas avoir vendu les actifs un an auparavant ; elle fait partie du coût d'opportunité de l'utilisation de ces actifs pendant l'année.
[b] Antoine aurait pu travailler ailleurs au tarif horaire de 40 $. Comme il a consacré 1 000 heures de travail à son entreprise, le coût d'opportunité de son temps est donc de 40 000 $.

[c] Antoine a investi 115 000 $ dans son entreprise. Si le taux d'intérêt en vigueur est de 10 % par année, le coût d'opportunité de ces fonds est de 11 500 $.
[d] Antoine aurait pu éviter le risque d'exploiter sa propre entreprise, et il n'aurait pas accepté d'assumer ce risque pour des bénéfices inférieurs à 6 000 $. Il s'agit là de son profit normal (cette évaluation du profit normal n'est qu'une hypothèse).

ses coûts et ses bénéfices. On y présente le calcul comptable en fonction des coûts dans la colonne de gauche, et le calcul économique dans la colonne de droite.

Au cours de l'année, les ventes de VéloCité ont totalisé 300 000 $, montant qui apparaît au poste « recettes totales ». Antoine a acheté ses bicyclettes au prix de gros de 150 000 $. Par ailleurs, il s'est procuré des services et des fournitures d'une valeur de 20 000 $, et il a versé 50 000 $ en salaires à ses mécaniciens et à la préposée aux ventes. Il a également payé 12 000 $ d'intérêt à la banque. Tous les postes que nous venons de mentionner apparaissent dans les deux versions de l'état des résultats, celle du comptable et celle de l'économiste. Pour tous les autres postes, leurs versions diffèrent ; les notes en bas du tableau expliquent ces différences.

Le comptable a calculé l'amortissement sur la base d'un taux fixe par rapport aux actifs d'Antoine. L'économiste, lui, impute un coût au temps d'Antoine et aux sommes investies dans l'entreprise, et il inclut dans son calcul les risques assumés ainsi que l'amortissement économique. Pour le comptable, les coûts d'Antoine s'élèvent à 254 000 $ ; ses profits, à 46 000 $. L'économiste, lui, évalue le coût d'opportunité de son exercice à 299 500 $ et son profit économique à 500 $.

Le calcul du profit réalisé selon la méthode comptable ne nous renseigne pas sur le profit économique

d'Antoine, car il fait abstraction de certains éléments du coût d'opportunité, et en mesure d'autres incorrectement. Par contre, le calcul du profit économique réalisé par l'économiste nous dit comment vont les affaires d'Antoine par rapport à ce à quoi il peut s'attendre. Tout profit économique positif est une bonne nouvelle pour Antoine puisque son profit normal — le revenu normal attribuable à son esprit d'entreprise — fait partie du coût d'opportunité de l'exploitation de son entreprise.

---

## À RETENIR

- Le profit économique d'une entreprise est égal à la différence entre ses recettes totales et le coût d'opportunité de sa production.

- Le coût d'opportunité diffère du coût monétaire. Le coût monétaire mesure le coût de production en se basant sur les dollars dépensés pour mobiliser les facteurs de production. Le coût d'opportunité mesure le coût de production en considérant la valeur de ce à quoi l'entreprise renonce en utilisant l'ensemble des facteurs de production qu'elle mobilise.

■ Les principales différences entre ces deux méthodes touchent le coût d'utilisation du capital, le coût des stocks et le coût des ressources fournies directement par le propriétaire de l'entreprise. Mais le coût d'opportunité inclut également le profit normal, c'est-à-dire le profit auquel le propriétaire s'attend compte tenu des risques qu'il a assumés.

Le calcul du coût d'opportunité de la production nous intéresse dans la mesure où il nous permet de comparer l'efficience de différentes méthodes de production. Mais qu'entend-on par efficience?

## L'efficience économique

COMMENT LES ENTREPRISES CHOISISSENT-ELLES entre les diverses méthodes de production? Quel est le mode de production le plus efficient? On distingue deux concepts d'efficience: l'efficience technique et l'efficience économique. Une méthode de production a atteint l'**efficience technique** lorsqu'il est impossible d'augmenter la production sans augmenter la quantité de facteurs de production utilisés. L'**efficience économique** est atteinte lorsque le coût de production d'une quantité donnée est le plus bas possible.

L'efficience technique est du ressort de l'ingénieur. Selon ce qui est techniquement possible, on peut ou non faire telle ou telle chose. L'efficience économique dépend du prix des facteurs de production. Une méthode techniquement efficiente n'est pas nécessairement économiquement efficiente. Par contre, une méthode économiquement efficiente est forcément efficiente sur le plan technique. Examinons plus concrètement les concepts d'efficience technique et d'efficience économique en prenant un exemple.

Supposons qu'il existe quatre méthodes pour produire des téléviseurs:

a) *Le montage robotisé* Une seule personne surveille l'ensemble du processus, qui est commandé par ordinateur.

b) *La chaîne de montage* Chaque travailleur se spécialise dans une tâche précise qu'il accomplit à mesure que les téléviseurs en cours d'assemblage passent devant lui.

c) *Le montage traditionnel* Chaque travailleur se spécialise dans une tâche précise, mais il se déplace d'un établi à l'autre pour l'accomplir.

d) *Le montage manuel* Chaque travailleur assemble à la main un téléviseur à l'aide de quelques outils manuels.

Le tableau 9.3 donne les quantités de travail et de capital requises par chacune de ces quatre méthodes pour une production de 10 téléviseurs par jour. Voyons d'abord si ces méthodes sont toutes techniquement efficientes. En examinant les chiffres du tableau, on constate que la méthode *c* ne l'est pas. Pour fabriquer 10 télé-

---

**TABLEAU 9.3**

## Quatre méthodes de production de 10 téléviseurs par jour ◆

| | | Quantités de facteurs de production | |
|---|---|---|---|
| | **Méthode** | **Main-d'œuvre** | **Capital** |
| *a* | Le montage robotisé | 1 | 1 000 |
| *b* | La chaîne de montage | 10 | 10 |
| *c* | Le montage traditionnel | 100 | 10 |
| *d* | Le montage manuel | 1 000 | 1 |

---

viseurs, elle exige 100 travailleurs et 10 unités de capital. Or, la méthode *b* permet de produire ces 10 téléviseurs avec 10 unités de capital et seulement 10 travailleurs. La méthode *c* non plus n'est pas techniquement efficiente puisque, pour produire 10 téléviseurs, elle exige elle aussi 10 unités de capital, mais 90 unités de travail de plus que la méthode *b*.

Peut-on dire que les autres méthodes ne sont pas techniquement efficientes? La réponse est non: chacune des trois autres méthodes est techniquement efficiente. La méthode *a* exige moins de main-d'œuvre et plus de capital que la méthode *b*, et la méthode *d* exige plus de main-d'œuvre et moins de capital que la méthode *b*.

Voyons maintenant ce qui en est de l'efficience économique. Les quatre méthodes sont-elles économiquement efficientes? Il est impossible de répondre à cette question sans connaître les coûts de la main-d'œuvre et du capital. Supposons donc que les coûts de la main-d'œuvre soient de 75 $ par jour-personne, et les coûts d'investissement, de 250 $ par jour-machine. Rappelons que l'efficience économique est atteinte lorsque le coût de production est le plus bas possible. Le tableau 9.4 donne les coûts d'utilisation des quatre méthodes de production. Comme on le voit, la méthode *b* est la moins coûteuse. La méthode *a* utilise moins de main-d'œuvre mais davantage de capital. La combinaison de main-d'œuvre et de capital de la méthode *a* se traduit par des coûts plus élevés que ceux de la méthode *b*. La méthode *d*, c'est-à-dire l'autre méthode techniquement efficiente, utilise très peu de capital mais énormément de main-d'œuvre; ses coûts sont beaucoup plus élevés que ceux de la méthode *b*.

La méthode *c* n'est pas techniquement efficiente. Elle utilise le même montant de capital que la méthode *b*, mais requiert 10 fois plus de main-d'œuvre. Notons que, même si elle n'est pas efficiente techniquement, les coûts de production de la méthode *c* pour un téléviseur sont inférieurs à ceux des méthodes *a* et *d*.

**TABLEAU 9.4**

## Les coûts de quatre méthodes de production de 10 téléviseurs par jour

| Méthode | Coût de la main-d'œuvre (75 $ par jour) | | Coût du capital (250 $ par jour) | | Coût total | Coût par téléviseur |
|---------|------|---|-------|---|-------|-------|
| a | 75 $ | + | 250 000 $ | = | 250 075 $ | 25 007,50 $ |
| b | 750 | + | 2 500 | = | 3 250 | 325,00 |
| c | 7 500 | + | 2 500 | = | 10 000 | 1 000,00 |
| d | 75 000 | + | 250 | = | 75 250 | 7 525,00 |

Toutefois, la méthode *b* est supérieure à la méthode *c*. Comme cette dernière n'est pas techniquement efficiente, il existe forcément une autre méthode moins coûteuse. Autrement dit, un procédé qui n'est pas techniquement efficient ne peut être économiquement efficient.

Bien que, dans notre exemple, la méthode *b* soit économiquement efficiente, les méthodes *a* ou *d* pourraient être économiquement efficientes dans d'autres circonstances. Voyons lesquelles.

Supposons tout d'abord que le coût de la main-d'œuvre soit de 150 $ par jour-personne et que celui du capital soit de 1 $ par jour-machine seulement. Le tableau 9.5 donne les coûts de production d'un téléviseur dans ces conditions selon les quatre méthodes. Ici, c'est la méthode *a* qui est économiquement efficiente. Le capital est bon marché par rapport à la main-d'œuvre, de sorte que la méthode qui utilise le plus de capital devient la plus efficiente économiquement.

Supposons maintenant que la main-d'œuvre ne coûte que 1 $ par jour, et le capital, 1 000 $ par jour. Le tableau 9.6, qui donne les coûts de production d'un téléviseur dans ces conditions, montre que c'est main-

**TABLEAU 9.5**

## Les coûts de trois méthodes de production de 10 téléviseurs par jour : coûts de main-d'œuvre élevés

| Méthode | Coût de la main-d'œuvre (150 $ par jour) | | Coût du capital (1 $ par jour) | | Coût total | Coût par téléviseur |
|---------|------|---|-------|---|-------|-------|
| a | 150 $ | + | 1 000 $ | = | 1 150 $ | 115,00 $ |
| b | 1 500 | + | 10 | = | 1 510 | 151,00 |
| d | 150 000 | + | 1 | = | 150 001 | 15 000,10 |

**TABLEAU 9.6**

## Les coûts de trois méthodes de production de 10 téléviseurs par jour : coûts du capital élevés

| Méthode | Coût de la main-d'œuvre (1 $ par jour) | | Coût du capital (1 000 $ par jour) | | Coût total | Coût par téléviseur |
|---------|------|---|-------|---|-------|-------|
| a | 1 $ | + | 1 000 000 $ | = | 1 000 001 $ | 100 000,10 $ |
| b | 10 | + | 10 000 | = | 10 010 | 1 001,00 |
| d | 1 000 | + | 1 000 | = | 2 000 | 200,00 |

tenant la méthode *d*, qui requiert beaucoup de main-d'œuvre mais peu de capital, qui devient économiquement efficiente.

Une entreprise qui n'utilise pas la méthode de production économiquement efficiente fait des bénéfices inférieurs à ceux qu'elle pourrait obtenir, car ses coûts de production sont plus élevés que nécessaire. Ce processus de sélection naturelle entre entreprises se fait au profit de celles qui produisent au moindre coût, et au détriment des autres. Dans les cas extrêmes, une entreprise qui n'est pas efficiente fera faillite ou sera rachetée par un concurrent qui entrevoit des possibilités de réduire les coûts et de réaliser des bénéfices plus élevés.

Pour terminer, revenons aux principes économiques fondamentaux évoqués au début de ce chapitre afin de comprendre pourquoi la production de certains biens et services est coordonnée par les entreprises, tandis que la production d'autres biens et services est coordonnée par les marchés.

## Les entreprises et les marchés

AU DÉBUT DE CE CHAPITRE, NOUS AVONS DÉFINI l'entreprise comme une organisation qui embauche et gère des facteurs de production afin de produire et de vendre des biens et services. Dans l'organisation de leur production, les entreprises coordonnent les activités économiques de nombreuses personnes. Cependant, elles ne sont pas les seules institutions à coordonner l'activité économique; comme nous l'avons vu au chapitre 4, les marchés le font aussi. En ajustant les prix, les marchés équilibrent les décisions des acheteurs et des vendeurs, et équilibrent les quantités demandées et offertes de nombreux biens et services.

La production d'un concert rock illustre bien la manière dont se fait la coordination par les marchés. Un producteur loue un stade, du matériel de scène, et engage des ingénieurs et techniciens, des groupes rock, une superstar, un agent de publicité et un vendeur de billets — autant de transactions de marché. Puis, il vend des billets à des milliers d'amateurs de rock, les droits audio à une maison de disques et les droits de télédiffusion à un réseau de télévision — autres transactions de marché. Si on produisait des concerts rock comme on produit des flocons d'avoine, l'entreprise qui produit des concerts rock posséderait tout le capital utilisé (stades, scène, matériel audiovisuel) et emploierait toute la main-d'œuvre nécessaire (chanteurs, musiciens, ingénieurs, techniciens, préposés à la vente, etc.).

Qu'est-ce qui détermine si un ensemble d'activités particulières est coordonné par les marchés ou par une entreprise? La réponse est simple: le coût. Compte tenu du coût d'opportunité de votre temps et du coût des autres facteurs de production que vous devrez mobiliser, vous utiliserez la méthode la moins coûteuse — entreprise ou marché. Autrement dit, vous utiliserez la méthode économiquement efficiente.

Les entreprises coordonnent l'activité économique lorsqu'elles peuvent accomplir une tâche de façon plus efficiente que les marchés; si c'est le cas, il est rentable de créer une entreprise. Par contre, si les marchés peuvent accomplir une tâche de façon plus efficiente qu'une entreprise, on utilise les marchés. Toute tentative de créer une entreprise pour suppléer le marché dans cette coordination est alors vouée à l'échec.

### Pourquoi les entreprises?

Les entreprises sont souvent plus efficientes que les marchés pour coordonner l'activité économique, et cela, pour trois raisons déterminantes:

- les coûts de transaction moins élevés,
- les économies d'échelle,
- la production en équipe.

**Les coûts de transaction**   Ronald Coase, économiste de l'Université de Chicago et prix Nobel de sciences économiques, a été le premier à postuler que les entreprises existaient parce qu'elles accomplissaient certaines activités de manière plus efficiente que les marchés. Ronald Coase s'est penché sur la capacité des entreprises à réduire ou à éliminer les coûts de transaction. Les **coûts de transaction** sont les coûts qu'entraîne le fait de rechercher un partenaire commercial, de parvenir à une entente sur les prix et sur les autres aspects de la transaction, et de s'assurer que les termes du contrat sont respectés — bref, les coûts liés à la mise au point et à la signature du ou des contrats indispensables à toute transaction avec des tiers. Pour les transactions de *marché*, acheteurs et vendeurs doivent se rencontrer et négocier les conditions de leur entente. Ils ont parfois recours à un avocat pour rédiger un contrat détaillé et, le cas échéant, une rupture de contrat entraîne des dépenses supplémentaires. Une *entreprise* peut faire l'économie de bon nombre de ces coûts de transaction: comme il n'est pas nécessaire de signer des contrats entre les diverses divisions d'une même entreprise, cela réduit d'autant le nombre de transactions nécessaires.

Considérons, par exemple, deux moyens qui s'offrent à vous pour faire réparer votre voiture.

1. *La coordination par une entreprise*   Vous laissez votre voiture au garage. Pièces, outils, heures de travail du mécanicien, tout ce qui est nécessaire pour que votre voiture soit de nouveau en état de rouler sera coordonné par le propriétaire du garage. Vous n'aurez qu'à acquitter une seule facture pour toutes ces activités.

# L'organisation de la production de beignes

FINANCIAL POST, LE 10 AOÛT 1996

## Tim Hortons se lance sur le marché américain

PAR SCOTT ANDERSON

Lorsque Ron Joyce lança la première franchise Tim Hortons à Hamilton (Ontario) en 1965, envisager que cette chaîne en compte un jour une dizaine lui semblait un objectif réaliste.

La 1 000e franchise Tim Hortons a ouvert ses portes la semaine dernière.

Joyce et son équipe de gestionnaires ont un nouvel objectif — « 2 000 Tim Hortons en l'an 2 000 » —, qui, selon toutes les prévisions, sera atteint bien avant le tournant du siècle.

« Nous atteindrons cet objectif, c'est certain. Et je serai dans les coulisses pour y voir », a déclaré hier M. Joyce en entrevue.

Les coulisses ont toujours été l'endroit de prédilection de cet ancien policier devenu entrepreneur, bien qu'il ait fait la une cette semaine en vendant Tim Hortons au géant américain de la restauration rapide Wendy's International inc., une transaction d'une valeur de 425 millions de dollars américains.

Selon cette entente, Wendy's émettra pour Joyce, cofondateur et unique propriétaire de Tim Hortons par l'intermédiaire du groupe TDL, 16,2 millions d'actions d'une valeur approximative de 300 millions de dollars américains. De plus, Wendy's assumera une dette d'environ 125 millions de dollars américains en échange de toutes les actions de TDL.

Cette transaction fait de Joyce le plus gros actionnaire de la chaîne de hamburgers, avec 13,5 % des actions ; Dave Thomas, président du conseil d'administration de Wendy's et fondateur de la chaîne, n'en détiendra que 5,7 %.

Les deux compagnies pourront « partager leurs idées et apprendre ensemble », de dire M. Joyce, qui a également parlé de synergie.

Bien que M. Joyce insiste sur le fait que cette fusion sera profitable à bien des égards pour les deux entreprises, son principal avantage pour la chaîne de beignes est de lui ouvrir toutes grandes les portes du marché des États-Unis, où la chaîne de hamburgers est bien implantée.

M. Joyce prévoit ouvrir entre 40 et 50 Tim Hortons par année en Amérique du Nord, ainsi que 15 à 20 restaurants Wendy's-Tim Hortons...

Même si la plupart de ces nouveaux établissements s'installeront chez nos voisins du Sud, M. Joyce a affirmé que la compagnie n'oublie pas ses racines et qu'elle restera solidement ancrée au Canada, où elle règne sur l'industrie des beignes avec 35,9 % du marché.

## Les faits en bref

■ Ron Joyce, un ancien policier, a lancé la première franchise Tim Hortons à Hamilton, Ontario, en 1965.

■ Au départ, M. Joyce envisageait la création d'une chaîne d'une dizaine d'établissements. En 1996, Tim Hortons ouvrait son 1 000e magasin et détenait 35,9 % du marché canadien des beignes.

■ En 1996, Wendy's International Inc. a acheté Tim Hortons dans une transaction d'une valeur de 425 millions de dollars américains, qui faisait de Ron Joyce le principal actionnaire de Wendy's.

■ Le principal avantage de cette transaction pour Tim Hortons était un accès privilégié au marché américain.

■ L'objectif de la transaction était l'ouverture de 40 à 50 nouveaux Tim Hortons par année en Amérique du Nord, et le lancement de 15 à 20 restaurants Wendy's-Tim Hortons.

■ En 1998, l'association Wendy's-Tim Hortons avait atteint la plupart de ses objectifs. Il y avait alors quelque 5 200 Wendy's et plus de 1 600 Tim Hortons dans le monde, et 55 nouveaux restaurants Wendy's-Tim Hortons avaient ouvert leurs portes au Canada. Les 16,2 millions d'actions de Ron Joyce valent maintenant 479 millions de dollars américains.

# Analyse

## ÉCONOMIQUE

■ Jusqu'en août 1995, Tim Hortons, propriété de Ron Joyce, était une société privée établie à Hamilton, Ontario.

■ La compagnie comptait près de 1 000 établissements et avait enregistré en 1994 des recettes de 603 millions de dollars.

■ Wendy's était la troisième plus grande chaîne de hamburgers après McDonald's et Burger King. En 1994, l'entreprise avait enregistré un profit de 92,7 millions de dollars américains et des recettes totales de 1,4 milliard.

■ Wendy's possédait 1 283 restaurants et 3 220 restaurants franchisés dans 34 pays, dont 200 restaurants au Canada.

■ En fusionnant leurs activités, Tim Hortons et Wendy's pouvaient offrir des services à un coût moindre tout en augmentant leur rentabilité.

■ Entre autres économies, les cadres supérieurs allaient desservir une organisation plus vaste, les coûts de marketing allaient être amortis sur un plus grand volume d'activités et certaines succursales pourraient vendre à la fois la gamme Wendy's et la gamme Tim Hortons.

■ La valeur boursière de Wendy's nous permet d'estimer l'augmentation de la rentabilité de la nouvelle compagnie. Le 8 août 1996, les actions de Wendy's se vendaient 17,50 $ chacune. Le jeudi suivant l'annonce de la fusion, leur valeur a grimpé à 18,50 $, soit une augmentation de 6 %, et elle est restée relativement stable le reste de la semaine ; le marché estimait donc que les actifs combinés des deux compagnies valaient 6 % de plus que leurs actifs gérés séparément.

■ Pour résoudre le problème fondamental principal-agent, l'entreprise Wendy's a misé sur deux stratégies : la gestion directe (figure 1) et les accords de franchise (figure 2).

■ Avec une gestion directe, la haute direction établit des objectifs d'exploitation précis et surveille la performance.

■ Avec la franchise, la haute direction de Wendy's reçoit un paiement de l'exploitant de la franchise, mais n'établit pas d'objectifs d'exploitation précis.

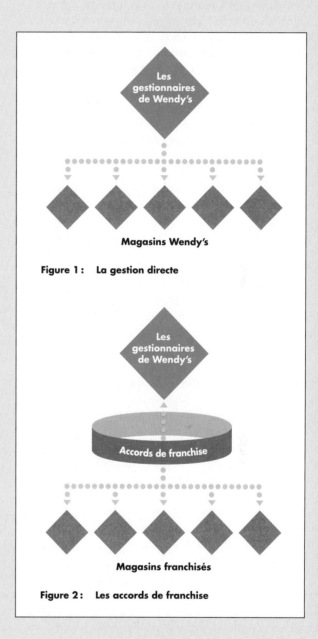

**Figure 1 :    La gestion directe**

**Figure 2 :    Les accords de franchise**

2. *La coordination par le marché* Vous faites appel à un mécanicien pour diagnostiquer le problème et dresser la liste des pièces et outils nécessaires. Vous allez acheter les pièces chez le ferrailleur, puis louer les outils chez Quiloutout. Vous retournez chez le mécanicien et lui demandez de réparer votre voiture. Vous rapportez les outils et vous acquittez vos factures : salaire du mécanicien, frais de location de Quiloutout et achats chez le ferrailleur.

Qu'est-ce qui vous incite à choisir l'une ou l'autre de ces méthodes ? La réponse est simple : le coût. En tenant compte du coût d'opportunité de votre temps et des autres facteurs de production nécessaires, vous choisirez la méthode la moins coûteuse, autrement dit, la méthode économiquement efficiente.

Avec la première méthode, vous opérez une seule transaction avec une seule entreprise. Il est vrai que cette entreprise, elle, devra en mener plusieurs — engager la main-d'œuvre et acheter les pièces et outils nécessaires à la réparation. Mais l'entreprise ne fait pas toutes ces transactions pour réparer votre seule voiture ; elles lui permettent d'en réparer des centaines d'autres. Le nombre de transactions distinctes est donc considérablement réduit si les gens font réparer leur voiture au garage au lieu de procéder eux-mêmes à toutes les transactions que nous avons décrites.

**Les économies d'échelle** Lorsque le coût de production d'un bien baisse alors que le niveau de production augmente, l'entreprise fait des **économies d'échelle**. De nombreux secteurs industriels font des économies d'échelle considérables. Les fabricants d'automobiles, par exemple. Une entreprise peut produire 4 millions d'automobiles par année à un coût unitaire moindre que 200 entreprises produisant chacune 20 000 voitures par an. La coordination par les entreprises est plus efficiente que la coordination par les marchés pour réaliser les économies d'échelle qui découlent de la spécialisation et de la division du travail.

**La production en équipe** Le processus de production où est engagé un groupe de personnes spécialisées dans des tâches complémentaires s'appelle *production en équipe*. Le sport est le meilleur exemple de travail en équipe : certains joueurs sont spécialisés dans le lancer, d'autres dans la frappe, certains jouent à la défense, d'autres à l'attaque. La production de biens et services fournit d'innombrables exemples de travail en équipe. On sait que les chaînes de production d'automobiles et de téléviseurs sont plus efficientes si les individus travaillent en équipe et se spécialisent dans certaines tâches.

On peut aussi considérer l'entreprise comme une équipe composée d'acheteurs de matières premières et d'autres facteurs de production, de travailleurs affectés à la production et de vendeurs. Et chacun de ces groupes est lui-même composé de divers spécialistes. Chaque membre d'une équipe est spécialisé, mais la valeur de la production de l'équipe et les bénéfices qu'elle engendre dépendent de la coordination des activités de chacun des membres de l'équipe. L'idée que la création d'entreprises est la conséquence des économies que permet la production en équipe a été formulée pour la première fois par Armen Alchian et Harold Demsetz de l'Université de Californie à Los Angeles.

Comme les entreprises peuvent réaliser des économies sur les coûts de transaction et des économies d'échelle, et qu'elles peuvent organiser une production en équipe efficiente, ce sont les entreprises plutôt que les marchés qui coordonnent la majeure partie de nos activités économiques. Cependant, l'efficience économique des entreprises a des limites. Lorsqu'une entreprise devient trop grande ou trop diversifiée, le coût de gestion et de contrôle par unité produite augmente, de sorte qu'à un moment donné le marché redevient plus efficient dans la coordination des ressources. IBM est un exemple d'entreprise qui, à un moment donné, est devenue trop grande pour être efficiente, et qui, pour tenter de corriger la situation, s'est décomposée en multiples petites entreprises, chacune se spécialisant dans un segment du marché de l'informatique.

Il arrive que les entreprises établissent entre elles des relations à long terme qui leur permettent de réduire les transactions par le marché, de sorte qu'il est parfois difficile de déterminer où s'arrête une entreprise et où en commence une autre. Ainsi, GM a des relations à long terme avec des fournisseurs de fenêtres, de pneus et d'autres pièces, et Wal-Mart a des relations à long terme avec les fournisseurs de certains biens qu'elle vend en magasin. Ce type de relations permet à des entreprises comme GM et Wal-Mart de diminuer des coûts de transaction qui seraient beaucoup plus élevés si elles devaient magasiner dans le marché libre chaque fois qu'elles ont besoin de s'approvisionner.

◆ La rubrique « Entre les lignes » (p. 202) rend compte d'un événement réel — la fusion de Tim Hortons et de Wendy's — qui, bien qu'il remonte à 1996, illustre parfaitement certaines des leçons de ce chapitre. Au prochain chapitre, nous poursuivrons notre étude des choix des entreprises. Nous verrons comment elles prennent leurs décisions relatives à la production et à la réduction des coûts.

# R É S U M É

## Points clés

**L'entreprise et ses problèmes économiques** Les entreprises mobilisent et gèrent des facteurs de production afin de produire et de vendre des biens et services. Les entreprises recherchent l'efficience pour produire au coût le plus bas possible et maximiser ainsi les profits. L'information incomplète et l'incertitude devant l'avenir limitent les possibilités des entreprises. Pour fonctionner de manière efficiente, les propriétaires d'entreprises (principaux) doivent inciter leurs gestionnaires (agents) à essayer de réaliser un maximum de profits. Les gestionnaires (principaux) doivent à leur tour inciter les travailleurs et d'autres entreprises (agents) à travailler de manière efficiente. Mais aucun système d'incitatifs n'est parfait, et les entreprises cherchent constamment de nouveaux moyens d'améliorer la performance et d'augmenter leurs profits.

Les principales formes juridiques d'entreprises sont l'entreprise individuelle, la société de personnes et la société par actions. (p. 188-192)

**Le financement des entreprises** Les entreprises se procurent des fonds auprès des sources les moins coûteuses. Lorsqu'une entreprise mobilise des fonds, elle les reçoit dans le présent et s'engage à faire une série de paiements dans l'avenir. L'entreprise compare les sommes reçues aujourd'hui aux sommes à payer dans l'avenir en calculant la valeur actuelle des paiements. (p. 192-195)

**Le coût d'opportunité et le profit économique** On calcule le profit économique en soustrayant le coût d'opportunité des recettes totales. Le coût d'opportunité de la production d'un bien correspond à la meilleure possibilité à laquelle l'entreprise a renoncé. Il comprend deux éléments : les coûts explicites et les coûts implicites. Les coûts explicites sont payés directement en numéraire — coûts monétaires. Les coûts implicites (mesurés en unités monétaires) correspondent aux meilleures possibilités auxquelles on a renoncé, mais ils ne sont pas payés directement en numéraire. Les coûts implicites d'une entreprise découlent de l'utilisation de son capital, de ses stocks et des ressources fournies par son propriétaire. L'amortissement économique passé du capital n'est pas un coût d'opportunité courant. Il s'agit d'un coût irrécupérable — d'une possibilité révolue. Le coût d'opportunité des ressources fournies par le propriétaire d'une entreprise est le salaire du meilleur emploi auquel il a renoncé et le profit normal lié à l'esprit d'entreprise. (p. 195-199)

**L'efficience économique** Une méthode de production est techniquement efficiente lorsqu'il est impossible d'augmenter la production sans utiliser un plus grand nombre de facteurs de production. Une méthode de production est économiquement efficiente lorsque le coût de production d'un bien donné est le plus bas possible. (p. 199-201)

**Les entreprises et les marchés** Les entreprises coordonnent les activités économiques lorsqu'elles peuvent accomplir une tâche de manière plus efficiente — à un coût inférieur — que les marchés. Les entreprises peuvent économiser des frais de transaction, réaliser des économies d'échelle et des économies liées à la production en équipe. (p. 201-204)

## Tableaux clés

## Mots clés

## QUESTIONS DE RÉVISION

1. Qu'est-ce qu'une entreprise? À quels problèmes économiques toutes les entreprises font-elles face?

2. Quels sont les deux systèmes d'organisation des entreprises?

3. Pourquoi les entreprises organisent-elles la production en utilisant à la fois un système de contrôle et un système d'incitatifs?

4. Quels facteurs font qu'il est difficile pour l'entreprise de maximiser le profit qu'elle tire de ses ressources?

5. Qu'est-ce que la relation principal-agent? D'où vient-elle?

6. Par quels moyens un principal peut-il tenter de résoudre le problème principal-agent?

7. Quelles sont les principales formes juridiques de l'entreprise? Donnez les principaux avantages et inconvénients de chacune.

8. Quelle forme juridique de l'entreprise est la plus courante? Laquelle génère la majeure partie de la production de biens et services au Canada?

9. Quels sont les principaux modes de financement des entreprises?

10. Décrivez ce qu'est une action et ce qu'est une obligation en précisant ce qui les différencie.

11. Qu'entend-on par valeur actuelle nette?

12. Quels sont les facteurs qui déterminent le prix d'une action?

13. Expliquez comment une entreprise utilise l'analyse marginale lorsqu'elle prend une décision financière.

14. Expliquez la différence entre le coût monétaire et le coût d'opportunité. Quels sont les éléments du calcul du coût d'opportunité dont on ne tient pas compte dans le calcul du coût monétaire.

15. Expliquez la différence entre coûts implicites et coûts explicites.

16. Décrivez ce qu'est a) le profit comme l'entendent les comptables, b) le profit normal et c) le profit économique.

17. Expliquez la différence entre l'efficience technique et l'efficience économique.

18. Pourquoi la majeure partie de l'activité économique est-elle coordonnée par les entreprises plutôt que par les marchés?

## ANALYSE CRITIQUE

1. Lisez attentivement la rubrique « Entre les lignes » (p. 202), puis répondez aux questions suivantes:
   a) Quels étaient les principaux avantages d'une fusion pour les entreprises Tim Hortons et Wendy's?
   b) Comment pouvait-on savoir que cette fusion serait probablement profitable pour les deux entreprises?
   c) Qu'est-ce qu'une franchise?
   d) Pourquoi la franchise peut-elle être un mode d'organisation efficient dans le cas d'une entreprise comme Tim Hortons?

2. L'entreprise de restauration Valentine souhaite étendre ses activités dans l'ensemble du pays. Partout où elle s'établit au Canada, elle vend des franchises au lieu d'engager un gérant pour exploiter un restaurant. Pourquoi?

3. Au Canada, tous les restaurants McDonald's sont la propriété de l'entreprise McDonald's, qui les exploite elle-même. Aux États-Unis, les établissements McDonald's sont des franchises. Pourquoi les McDonald's d'Amérique du Nord ne sont-ils pas tous des franchises ou tous des restaurants appartenant à une seule et même compagnie?

4. Certaines entreprises comme la compagnie de cosmétiques Avon vendent leurs produits par la méthode du porte-à-porte. D'autres, comme Computerland, vendent leurs produits par catalogues. D'autres encore, comme Eaton et La Baie, vendent leurs produits en magasin. Pourquoi les compagnies n'ouvrent-elles pas toutes des magasins?

5. Claude songe à monter une entreprise de jardinage à Fermont. De quelle information a-t-il besoin pour prendre sa décision? Énumérez les coûts économiques que devra supporter l'entreprise de Claude durant sa première année d'activité.

6. De nombreuses industries ont adopté de nouveaux systèmes informatisés, ce qui a entraîné la disparition d'innombrables emplois. Ainsi, les guichets automatiques ont presque éliminé les caissiers de banque et les nouveaux appareils de télécommunication ont remplacé d'innombrables téléphonistes. Ces innovations techniques ont-elles une influence sur l'efficience économique? Devons-nous nous inquiéter du remplacement des travailleurs par des machines?

# P R O B L È M E S

1. L'entreprise Bulles inc. a contracté un emprunt bancaire de 1 million de dollars à un taux d'intérêt de 10 % par an. Le conseiller financier de l'entreprise lui suggère de rembourser cet emprunt en émettant des obligations. Pour mobiliser 1 million de dollars, Bulles inc. devra: 1) dans un an jour pour jour, payer aux détenteurs d'obligations 9 $ pour chaque 100 $ d'obligations; 2) dans deux ans jour pour jour, rembourser ces obligations à raison de 114 $ pour chaque 100 $ d'obligations.

   a) Est-il rentable pour Bulles inc. de vendre des obligations pour rembourser son emprunt?

   b) Quelle est la valeur actuelle des bénéfices ou des pertes qui résulteraient du remboursement de l'emprunt bancaire et de la vente des obligations dans ces conditions?

2. Il y a un an, Georges et Louise ont créé une entreprise d'embouteillage de vinaigre appelée GLEV.

   a) Georges et Louise ont investi 50 000 $ de leur poche dans l'entreprise.

   b) Ils ont acheté du matériel d'une valeur de 30 000 $, ainsi qu'un stock de bouteilles et de vinaigre d'une valeur de 15 000 $.

   c) Ils ont engagé un employé à qui ils versent un salaire de 20 000 $ par année.

   d) Le chiffre d'affaires de GLEV est de 100 000 $ pour l'année.

   e) Georges a quitté son emploi de 30 000 $ pour consacrer tout son temps à GLEV.

   f) Louise a conservé son emploi à 30 $ l'heure, mais elle a renoncé à 10 heures de loisirs par semaine (depuis 50 semaines) pour les consacrer à GLEV.

   g) Les déboursés de GLEV (sans compter le salaire de l'employé) s'élevaient à 10 000 $ pour l'année.

   h) À la fin de l'année, la valeur des stocks était de 20 000 $.

   i) À la fin de l'année, la valeur de marché du matériel était de 28 000 $.

   j) Le comptable de GLEV a amorti le matériel sur une période de cinq ans.

   k) Le taux d'intérêt bancaire est de 5 % par année.

      i) Reconstituez l'état des résultats de GLEV tel qu'il a été établi par le comptable.

      ii) Reconstituez l'état des résultats de GLEV à partir du coût d'opportunité.

      iii) Quel est le profit économique de GLEV?

3. Vous pouvez établir votre déclaration de revenus de trois façons: avec un ordinateur personnel et un logiciel d'impôts, avec une calculette ou à la main, avec une feuille de papier et un crayon. Avec l'ordinateur, la tâche sera terminée en 1 heure; avec la calculette, en 12 heures; et à la main, en deux jours. L'ordinateur personnel et le logiciel coûtent 1000 $, la calculette se vend 10 $, la feuille de papier et le crayon valent 1 $.

   a) Laquelle de ces méthodes est techniquement efficiente?

   b) Si votre salaire est de 5 $ l'heure, laquelle de ces trois méthodes est économiquement efficiente?

   c) Si votre salaire est de 50 $ l'heure, laquelle de ces trois méthodes est économiquement efficiente?

   d) Si votre salaire est de 500 $ l'heure, laquelle de ces trois méthodes est économiquement efficiente?

# 10

# La production et les coûts

**Objectifs
du chapitre**

- Expliquer les contraintes qui limitent les profits
  que peuvent réaliser les entreprises
- Expliquer la relation entre la production et les
  coûts d'une entreprise
- Construire les courbes de coût à court terme
  d'une entreprise
- Montrer comment les coûts varient en fonction
  de la taille des installations de production
- Construire la courbe de coût moyen à long terme
  d'une entreprise

**E**n affaires, la taille d'une entreprise n'est pas nécessairement synonyme de réussite. Si certaines sociétés, comme la Compagnie de la Baie d'Hudson, ont résisté au temps tout en continuant à croître, la plupart des géants des années 1950 ont disparu. Mais il ne faut pas croire que les petites entreprises ont plus de chances de survie ; des millions d'entre elles ferment leurs portes chaque année. Il suffit pour s'en convaincre de consulter les pages jaunes des restaurants et des boutiques de mode de l'*an dernier.*

## La survie des plus aptes

Que doivent faire les entreprises pour survivre ? ♦ À première vue, le casse-croûte du coin ne ressemble en rien à la gigantesque multinationale qui fabrique des produits de haute technologie. Pourtant, quelles que soient leur taille et la nature de leur production, toutes les entreprises doivent prendre les mêmes décisions : quelles quantités de biens produiront-elles et de quelle manière ? Comment les entreprises prennent-elles ces décisions ? ♦ La capacité de production de la plupart des fabricants d'automobiles d'Amérique du Nord est bien supérieure à leurs ventes. Pourquoi ces entreprises n'utilisent-elles pas à plein rendement leurs biens d'équipement, souvent très coûteux ? La capacité de production de nombreux producteurs d'électricité d'Amérique du Nord ne suffit pas pour répondre à la demande durant les périodes de pointe ; ils doivent alors acheter de l'électricité à d'autres producteurs. Pourquoi ces entreprises ne se dotent-elles pas d'installations de production plus importantes afin de pouvoir alimenter elles-mêmes leur marché ?

◗ Dans ce chapitre, nous allons répondre à ces questions. Pour ce faire, nous nous pencherons sur les décisions économiques d'une petite entreprise fictive spécialisée dans la production de chandails, Maille Maille inc., exploitée par son propriétaire, Sylvain. En étudiant les problèmes économiques de Maille Maille et la manière dont son propriétaire les résout, nous comprendrons mieux les principaux problèmes auxquels doivent faire face toutes les entreprises — les petites comme les grandes.

# Les objectifs et les contraintes de l'entreprise

POUR COMPRENDRE LE COMPORTEMENT DES entreprises et être en mesure de le prédire, voyons d'abord quels sont leurs objectifs — ce qu'elles tentent de réaliser.

## Objectif premier : la maximisation du profit

Les entreprises individuelles et les entrepreneurs qui les exploitent poursuivent divers objectifs. Si vous demandez à un groupe d'entrepreneurs quels sont leurs objectifs, ils vous donneront des réponses très différentes ; certains vous parleront de la qualité de leur produit, d'autres de la croissance de leur entreprise ou de leur part du marché, et d'autres encore, de la satisfaction de leurs employés. Tous ces objectifs sont légitimes, certes, mais aucun n'est fondamental. En fait, ce ne sont là que des moyens de réaliser le profit le plus élevé possible, d'atteindre l'objectif premier : la *maximisation du profit.*

L'entreprise que nous allons étudier n'a qu'un seul objectif, la maximisation du profit. Une telle entreprise s'efforce d'utiliser ses ressources limitées de façon efficiente. Dans un environnement concurrentiel, l'entreprise qui maximise son profit est celle qui a le plus de chances de survivre et d'éviter d'être avalée par une autre entreprise.

Deux types de contraintes limitent le profit que peut réaliser une entreprise :

■ les contraintes de marché,

■ les contraintes techniques.

## Les contraintes de marché

Les contraintes de marché d'une entreprise sont les conditions d'achat de ses facteurs de production et les conditions de vente de sa production. Du côté des ventes, la demande de tout produit ou service est limitée, et les gens n'en achèteront davantage qu'à des prix moindres. Du côté des facteurs de production, les gens n'en possèdent qu'une quantité limitée, et ils n'en fourniront davantage qu'à des prix plus élevés.

Nous reviendrons à ces contraintes de marché auxquelles font face les entreprises dans les chapitres 11 à 16. L'entreprise que nous étudions dans ce chapitre, Maille Maille inc., est trop petite pour pouvoir influer sur le prix de vente des chandails ou sur le prix d'achat des facteurs de production. Pour ce genre d'entreprise, les contraintes de marché sont prédéterminées.

## Les contraintes techniques

Les contraintes techniques d'une entreprise sont les limites de la quantité de biens ou de services qui peut être produite avec une quantité donnée de facteurs de production. Pour maximiser son profit, l'entreprise choisit une méthode de production *techniquement efficiente.* Elle utilise les facteurs de production nécessaires pour atteindre un niveau de production donné. De même, elle ne gaspille pas ses ressources. Mais elle doit aussi choisir une technique *économiquement efficiente,* c'est-à-dire une technique qui permet d'obtenir un niveau de production donné au plus bas coût possible. (Voir le chapitre 9, p. 199-201)

De plus, les diverses possibilités qui s'offrent à l'entreprise dépendent de l'horizon temporel en fonction duquel elle prend ses décisions. L'entreprise qui veut modifier son niveau de production demain a évidemment moins de possibilités que celle qui veut le modifier dans un an. En étudiant comment la technologie d'une entreprise limite ses possibilités d'action, nous distinguerons donc deux laps de temps — le court terme et le long terme.

## Le court terme et le long terme

Le **court terme** est le laps de temps durant lequel certains facteurs de production restent fixes tandis que d'autres sont variables. Le **long terme** est une période suffisamment longue pour que les quantités de tous les facteurs de production puissent être modifiées. On appelle *facteurs de production variables* les facteurs de production dont les quantités sont variables à court terme, et *facteurs de production fixes* ceux dont les quantités ne peuvent varier à court terme.

Il est impossible de déterminer dans l'absolu à quelles durées correspondent le court terme et le long terme ; ces durées varient selon les situations. Dans certains cas — un service de buanderie ou de photocopie par exemple —, on peut louer de nouveaux locaux et y installer rapidement de nouvelles machines ; le court terme sera alors d'un ou deux mois. Par contre, pour une compagnie d'électricité ou une compagnie ferroviaire, le court terme peut représenter plusieurs années, soit le temps nécessaire pour construire une nouvelle centrale hydroélectrique, ou une nouvelle voie ferrée et de nouveaux trains.

À court terme, Maille Maille a un capital fixe — ses machines à tricoter —, de sorte que, pour modifier sa production à court terme, elle doit modifier la quantité de main-d'œuvre. Pour Maille Maille, les machines à tricoter sont un facteur de production fixe, et la main-d'œuvre, un facteur de production variable. À long terme, par contre, Maille Maille peut modifier la quantité de ces deux facteurs de production que sont les machines à tricoter et la main-d'œuvre.

Examinons d'un peu plus près les contraintes techniques à court terme.

# Les contraintes techniques à court terme

POUR AUGMENTER SA PRODUCTION À COURT TERME, une entreprise doit augmenter la quantité d'un facteur de production variable. Trois notions connexes permettent de décrire l'effet d'une variation de la quantité d'un facteur de production variable :

- le produit total,
- le produit marginal,
- le produit moyen.

## Le produit total

Le **produit total** est la quantité totale produite avec une quantité donnée d'un facteur de production fixe. La *courbe de produit total* représente graphiquement la production maximale possible avec une quantité donnée de capital lorsqu'on fait varier la quantité de main-d'œuvre. On peut aussi décrire la relation entre le produit total et la quantité de main-d'œuvre employée par un tableau qui donne les niveaux de production possibles avec une quantité donnée de capital selon la quantité de main-d'œuvre utilisée.

Le graphique de la figure 10.1 montre la courbe de produit total de Maille Maille. Comme on le voit, s'il n'y a aucune main-d'œuvre, aucun chandail n'est tricoté. Le nombre de chandails tricotés augmente avec la quantité de main-d'œuvre. La courbe de produit total de Maille Maille (*PT*) est construite à partir des données du tableau de la figure 10.1. Les points *a* à *f* de cette courbe correspondent aux lignes *a* à *f* du tableau.

La courbe de produit total est semblable à la *courbe des possibilités de production* (expliquée au chapitre 3). Elle sépare les niveaux de production réalisables des niveaux de production irréalisables. Tous les points situés au-dessous de la courbe, dans la partie orangée, correspondent à des niveaux de production réalisables. Cependant, ils ne sont pas efficients, car ils exigent plus de main-d'œuvre que nécessaire pour atteindre un niveau de production donné. Seuls les points situés *sur* la courbe de produit total sont techniquement efficients.

## Le produit marginal

Le **produit marginal** d'un facteur de production correspond à l'augmentation du produit total que l'on obtient en augmentant d'une unité la quantité de ce facteur de production alors que tous les autres facteurs restent constants. Ainsi, le produit marginal de la main-d'œuvre correspond à l'augmentation du produit total divisée par le nombre de travailleurs supplémentaires, alors que le capital reste constant ; c'est donc l'augmentation du produit

**FIGURE 10.1**
## Le produit total

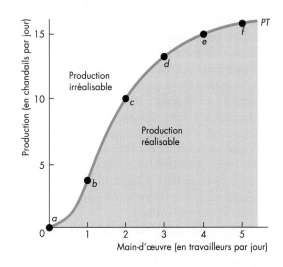

| | Main-d'œuvre (en travailleurs par jour) | Production (en chandails par jour) |
|---|---|---|
| *a* | 0 | 0 |
| *b* | 1 | 4 |
| *c* | 2 | 10 |
| *d* | 3 | 13 |
| *e* | 4 | 15 |
| *f* | 5 | 16 |

Le tableau indique combien de chandails Maille Maille peut produire en utilisant une machine à tricoter et diverses quantités de main-d'œuvre. Par exemple, avec 1 machine à tricoter, 2 travailleurs peuvent produire 10 chandails par jour (ligne *c*). La courbe de produit total, *PT*, repose sur ces données. Les points *a* à *f* situés sur la courbe correspondent aux lignes *a* à *f* du tableau. La courbe de produit total sépare le niveau de production irréalisable du niveau de production réalisable.

total attribuable à l'utilisation d'une unité supplémentaire de main-d'œuvre. Le produit marginal correspond toujours à l'augmentation du produit total divisée par l'augmentation du facteur de production qui a induit cette hausse de production, tous les autres facteurs restant constants.

Le tableau 10.1 présente le calcul du produit marginal de la main-d'œuvre de Maille Maille. Par exemple, quand le nombre de travailleurs passe de 2 à 3, le produit total, qui était de 10 chandails avec 2 travailleurs, passe à 13 chandails. La variation du produit total — 3 chandails — est le produit marginal du troisième travailleur.

Les deux graphiques de la figure 10.2 illustrent la productivité marginale de la main-d'œuvre de Maille Maille. Le graphique (a) reprend la courbe de produit total illustrée à la figure 10.1. Le graphique (b) montre la courbe de produit marginal, *Pm*. Dans le graphique (a), la hauteur de chaque rectangle orangé mesure le produit marginal d'un travailleur supplémentaire ; la pente de la courbe de produit total mesure également le produit marginal. Souvenez-vous que la pente d'une courbe est le ratio de la variation de la quantité mesurée en ordonnée (la production) sur la variation de la quantité mesurée en abscisse (la main-d'œuvre) à mesure qu'on se déplace le long de la courbe. Une unité de main-d'œuvre supplémentaire, qui fait passer le nombre de travailleurs de 2 à 3, entraîne une augmentation de la production, qui passe de 10 à 13 chandails. Ainsi, la pente de l'arc *cd* est égale à 3, une valeur identique à celle du produit marginal que nous venons de calculer.

Nous venons de calculer le produit marginal de la main-d'œuvre lorsque le nombre de travailleurs augmente progressivement. Mais on peut diviser le travail en unités plus petites qu'un jour-personne, par exemple en heures ou même en minutes, ce qui permet d'établir la courbe de

**FIGURE 10.2**

## Le produit marginal

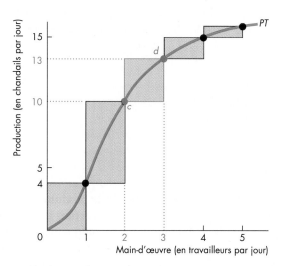

**(a) Produit total**

## TABLEAU 10.1

## Le calcul du produit marginal et du produit moyen

| Main-d'œuvre (en travailleurs par jour) | Production (en chandails par jour) | Produit marginal (en chandails par travailleur) | Produit moyen (en chandails par travailleur) |
|---|---|---|---|
| a | 0 | 0 | |
| | | ........ 4 | |
| b | 1 | 4 | 4,00 |
| | | ........ 6 | |
| c | 2 | 10 | 5,00 |
| | | ........ 3 | |
| d | 3 | 13 | 4,33 |
| | | ........ 2 | |
| e | 4 | 15 | 3,75 |
| | | ........ 1 | |
| f | 5 | 16 | 3,20 |

Le produit marginal d'un facteur de production est la variation du produit total attribuable à une unité supplémentaire de main-d'œuvre. Par exemple, si le nombre de travailleurs passe de 2 à 3 par jour (de la ligne *c* à la ligne *d*), le produit total augmente, passant de 10 à 13 chandails par jour. Le produit marginal attribuable au travailleur supplémentaire est donc de 3 chandails.

Le produit moyen d'un facteur de production correspond au ratio du produit total sur le nombre de travailleurs employés. Par exemple, 3 travailleurs produisent 13 chandails par jour ; le produit moyen de 3 travailleurs est donc de 4,33 chandails par travailleur.

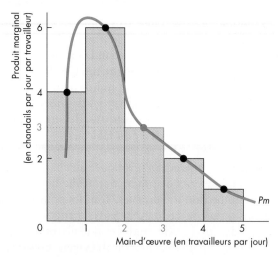

**(b) Produit marginal**

Les rectangles orangés mesurent le produit marginal. Par exemple, si le nombre de travailleurs passe de 2 à 3, le produit marginal correspond à un rectangle au contour rose d'une hauteur de 3 chandails. (Le produit marginal est indiqué au milieu des quantités de main-d'œuvre pour souligner le fait qu'il résulte d'une variation des facteurs de production, qui passent d'un niveau à l'autre.) Plus la courbe de produit total est abrupte (*PT*) dans le graphique (a), plus le produit marginal (*Pm*) est grand dans le graphique (b). Le produit marginal augmente jusqu'à ce qu'il atteigne un niveau maximal (qui, dans cet exemple, est atteint avec un jour-personne), puis il diminue ; on parle alors de produit marginal décroissant.

produit marginal, comme le montre le graphique 10.2(b). La *hauteur* de cette courbe mesure la *pente* de la courbe de produit total à un point donné. Le graphique (a) nous montre que l'augmentation du nombre d'employés, qui passe de 2 à 3, fait augmenter la production, qui passe de 10 à 13 chandails (une augmentation de 3 chandails). Cette augmentation de 3 chandails est représentée sur l'axe vertical du graphique (b) en tant que produit marginal attribuable à un travailleur supplémentaire. Nous avons inscrit ce produit marginal entre le niveau de production de 2 travailleurs et le niveau de production de 3 travailleurs. Remarquez qu'au graphique 10.2(b) le produit marginal atteint son point maximal avec 1 unité de main-d'œuvre, et qu'à ce point le produit marginal est supérieur à 6. Ce point maximal est atteint avec 1 unité de main-d'œuvre, car c'est à ce point que la pente de la courbe de produit total est la plus abrupte.

### Le produit moyen

Le **produit moyen** d'un facteur de production est égal au ratio du produit total sur la quantité utilisée. Le produit moyen nous renseigne dans une certaine mesure sur la productivité d'un facteur de production. Le tableau 10.1

montre le produit moyen de la main-d'œuvre de Maille Maille. Par exemple, 3 travailleurs peuvent tricoter 13 chandails par jour ; par conséquent, le produit moyen des employés est 13 divisé par 3, soit 4,33 chandails par travailleur.

Le graphique de la figure 10.3 illustre le produit moyen des travailleurs de Maille Maille, et montre la relation entre le produit moyen (*PM*) et le produit marginal (*Pm*). Les points *b* à *f* situés sur la courbe de produit moyen correspondent aux mêmes lignes du tableau 10.1. Le produit moyen augmente quand on passe de 1 à 2 travailleurs (sa valeur maximale est au point (*c*), mais diminue ensuite avec un plus grand nombre de travailleurs. Remarquez également que le produit moyen atteint son point maximal lorsqu'il est égal au produit marginal. Autrement dit, la courbe de produit marginal passe par le point maximal de la courbe de produit moyen. Aux niveaux de main-d'œuvre où le produit marginal est supérieur au produit moyen, le produit moyen augmente. Aux niveaux de main-d'œuvre où le produit marginal est inférieur au produit moyen, le produit moyen diminue.

Ces relations entre les courbes de produit moyen et de produit marginal sont un trait caractéristique de la relation entre la valeur moyenne et la valeur marginale de n'importe quelle variable. Prenons un exemple familier.

---

**FIGURE 10.3**

## Le produit moyen

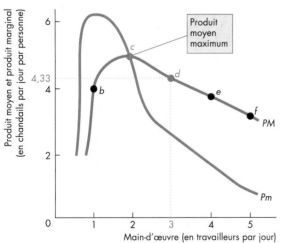

Le graphique illustre le produit moyen de la main-d'œuvre et montre le lien entre le produit moyen et le produit marginal. Avec 1 travailleur par jour, le produit marginal (*Pm*) est supérieur au produit moyen ; par conséquent, le produit moyen augmente. Avec 2 travailleurs par jour, le produit marginal est égal au produit moyen (*PM*) ; par conséquent, le produit moyen atteint son point maximal. Avec plus de 2 travailleurs par jour, le produit marginal est inférieur au produit moyen ; par conséquent, le produit moyen diminue.

### La note marginale et la moyenne pondérée cumulative

Sylvain fréquente un établissement d'enseignement, où il suit un cours par semaine. Le graphique de la figure 10.4 présente ses résultats des cinq derniers semestres. Au premier semestre, Sylvain suit un cours de mathématiques et, dans un système d'évaluation où les notes varient entre 1 et 4, il obtient la note 2. Cette note est sa note marginale. C'est également sa moyenne cumulative (MC) — ou note moyenne. Le semestre suivant, Sylvain suit des cours de français, où il obtient la note 3. Le français est le cours marginal de Sylvain et sa note marginale est 3. Sa MC s'élève à 2,5. Comme sa note marginale est supérieure à sa note moyenne, cette dernière s'en trouve augmentée. Le troisième semestre, Sylvain suit des cours d'économie, où il obtient la note 4, sa nouvelle note marginale. Comme sa note marginale est supérieure à sa MC, sa note moyenne s'en trouve, là encore, augmentée. Le quatrième semestre, Sylvain suit des cours d'histoire, où il obtient la note 3. Comme sa note marginale est égale à sa note moyenne, sa MC reste constante. Le cinquième semestre, Sylvain suit des cours d'anglais et obtient la note 2. Comme sa note marginale, 2, est inférieure à sa MC, qui est de 3, sa MC diminue.

On retrouve cette relation étroite entre valeurs marginale et moyenne dans la relation entre le produit marginal et le produit moyen. La MC de Sylvain augmente lorsque sa note marginale est supérieure à sa MC. Sa MC

## FIGURE 10.4

## La note marginale et la moyenne pondérée cumulative

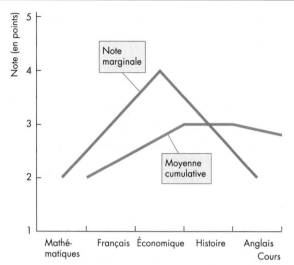

Le premier cours de Sylvain est un cours de mathématiques, où il obtient la note 2. Sa note marginale est 2, et sa MC est aussi 2. Il obtient ensuite un 3 en français, ce qui porte sa MC à 2,5. Puis il obtient un 4 en économique, ce qui porte sa MC à 3. Il obtient ensuite un 3 en histoire, et sa MC reste stable. Finalement, il obtient un 2 en anglais ; cette note marginale est inférieure à sa MC, ce qui la fait baisser.

diminue lorsque sa note marginale est inférieure à sa MC. Sa MC reste constante lorsque sa note marginale est égale à sa MC.

## Les diverses formes des courbes de produit

Revenons à notre étude de la production. Les courbes de produit total, de produit marginal et de produit moyen varient selon les entreprises et les types de biens. Les courbes de produit de Ford sont différentes de celles du casse-croûte du coin, qui, à leur tour, diffèrent de celles de l'usine de chandails de Sylvain. Mais les formes de toutes ces courbes de produit se ressemblent, parce que tous les processus de production présentent les caractéristiques suivantes :

■ une phase initiale de rendements marginaux croissants,

■ des rendements marginaux décroissants à des niveaux de production élevés.

**Les rendements marginaux croissants**    Lorsque le produit marginal d'un travailleur supplémentaire est supérieur au produit marginal du travailleur précédent, on enregistre des **rendements marginaux croissants**. Si

Sylvain n'embauche qu'un seul travailleur, ce dernier devra tout apprendre sur la production des chandails : fonctionnement et réparation des machines à tricoter, emballage, expédition, achats, vérification de la qualité et de la couleur de la laine, etc. Puisqu'il est seul, il doit accomplir lui-même toutes ces tâches. Par contre, si Sylvain embauche un deuxième employé, chacun des travailleurs peut se spécialiser dans certaines des tâches du processus de production. Résultat : la production de deux travailleurs est plus de deux fois supérieure à la production d'un seul. Cela est illustré par le segment de la courbe de produit total, qui se caractérise par des rendements marginaux croissants.

**Les rendements marginaux décroissants**    Une entreprise n'enregistre pas toujours des rendements marginaux *croissants* ; en fait, tous les processus de production finissent par atteindre un point où les rendements marginaux sont *décroissants*. On parle de **rendements marginaux décroissants** lorsque le produit marginal d'un travailleur supplémentaire est inférieur à celui du travailleur précédent. Si Sylvain embauche un troisième travailleur, la production augmente, mais dans une moindre proportion que lorsqu'il a embauché le deuxième travailleur. Dans un processus de production simple, comme celui de Maille Maille, au-delà de deux travailleurs, on ne gagne plus rien à spécialiser et à diviser le travail. Avec un troisième travailleur, l'usine produit une plus grande quantité de chandails, mais les machines sont exploitées aux limites de leur capacité, ou presque. De plus, il arrive souvent que le troisième travailleur n'ait rien à faire, car les machines fonctionnent sans lui. Plus le nombre de travailleurs augmente, plus la production augmente, mais dans des proportions toujours moindres. À ces niveaux d'utilisation du facteur variable, les rendements marginaux sont décroissants. Ce phénomène est si général qu'on l'appelle la **loi des rendements décroissants**. Selon cette loi,

lorsqu'une entreprise augmente la quantité d'un facteur variable, la quantité de facteurs fixes étant constante, le produit marginal du facteur variable finit par diminuer.

Comme le produit marginal finit par diminuer, le produit moyen diminue également. Vous vous rappelez certainement que le produit moyen diminue lorsque le produit marginal est inférieur au produit moyen. Si le produit marginal diminue, il finira par être inférieur au produit moyen, ce qui se traduira par la décroissance du produit moyen.

## À  RETENIR

■ Lorsque le produit marginal est supérieur au produit moyen, le produit moyen augmente ; lorsque le produit marginal est inférieur au produit moyen, le produit moyen diminue ; lorsque le produit marginal et le produit moyen sont égaux, le produit moyen est à son point maximal.

- Au début, lorsque la quantité de main-d'œuvre employée augmente, le produit marginal et le produit moyen peuvent augmenter.

- Si la quantité de main-d'œuvre employée continue d'augmenter, le produit marginal finit par diminuer, conformément à la loi des rendements décroissants.

Pourquoi l'entreprise Maille Maille se préoccupe-t-elle du produit total, du produit marginal et du produit moyen, et pourquoi s'inquiète-t-elle de savoir si le produit moyen et le produit marginal augmentent ou diminuent ? Parce que les courbes de produit influent sur les coûts, et sur leur variation selon la quantité produite.

## Le coût à court terme

POUR PRODUIRE DAVANTAGE À COURT TERME, UNE entreprise doit employer un plus grand nombre de travailleurs et, si elle le fait, ses coûts augmentent. Pour produire davantage, l'entreprise doit supporter des coûts plus élevés. Examinons les coûts de Maille Maille pour voir comment ils varient en fonction du niveau de production.

Maille Maille est une petite entreprise, et nous supposons qu'elle n'a aucune influence sur le prix des facteurs de production. Étant donné le prix des facteurs de production, le coût de production le plus bas possible pour chaque niveau de production de Maille Maille est déterminé par la contrainte technique. Voyons cela de plus près.

### Le coût total

Le **coût total** d'une entreprise est la somme des coûts de tous les facteurs utilisés dans le processus de production. Il comprend le coût de location des locaux et du matériel, les salaires versés aux employés ainsi que le profit normal. Le coût total comprend deux coûts : le coût fixe et le coût variable.

Le **coût fixe** est le coût des facteurs de production fixes. Comme la quantité de facteurs de production fixes ne change pas, le coût fixe ne dépend pas du niveau de production. Ainsi, GM peut modifier sa production d'automobiles sans modifier les sommes engagées dans la publicité, car les coûts publicitaires sont un coût fixe.

Le **coût variable** est le coût des facteurs de production variables. Pour modifier sa production, l'entreprise doit modifier la quantité des facteurs de production variables. Le coût variable est celui qui fluctue avec le niveau de production. Ainsi, pour produire plus d'automobiles, GM doit faire fonctionner plus longtemps sa chaîne de montage et engager un plus grand nombre de travailleurs. Le coût de ce travail est un coût variable.

Le **coût fixe total** est le coût total des facteurs de production fixes. Le **coût variable total** est le coût total des facteurs de production variables. Appelons le coût total *CT* ; le coût fixe total, *CFT* ; et le coût variable total, *CVT*. Le coût total de la production est la somme du coût fixe total et du coût variable total, soit :

$$CT = CFT + CVT.$$

Le tableau 10.2 montre le coût total de Maille Maille et sa décomposition en coût fixe total et en coût variable total. Maille Maille possède un facteur de production fixe : une machine à tricoter. Pour produire davantage de

---

**TABLEAU 10.2**

## Le calcul des coûts d'une entreprise

| Travailleurs (nombre par jour) | Production (en chandails par jour) | Coût fixe total (*CFT*) | Coût variable total (*CVT*) | Coût total (*CT*) | Coût marginal (*Cm*) | Coût fixe moyen (*CFM*) | Coût variable moyen (*CVM*) | Coût total moyen (*CTM*) |
|---|---|---|---|---|---|---|---|---|
| | | (en dollars par jour) | | | | (en dollars par chandail) | | |
| 0 | 0 | 25 | 0 | 25 | | — | — | — |
| | | | | | 6,25 | | | |
| 1 | 4 | 25 | 25 | 50 | | 6,25 | 6,25 | 12,50 |
| | | | | | 4,17 | | | |
| 2 | 10 | 25 | 50 | 75 | | 2,50 | 5,00 | 7,50 |
| | | | | | 8,33 | | | |
| 3 | 13 | 25 | 75 | 100 | | 1,92 | 5,77 | 7,69 |
| | | | | | 12,50 | | | |
| 4 | 15 | 25 | 100 | 125 | | 1,67 | 6,67 | 8,33 |
| | | | | | 25,00 | | | |
| 5 | 16 | 25 | 125 | 150 | | 1,56 | 7,81 | 9,38 |

chandails, Maille Maille doit donc engager davantage de travailleurs ; les deux premières colonnes du tableau montrent combien on peut produire de chandails à chaque niveau d'emploi. C'est la contrainte technique de Maille Maille.

Maille Maille paie 25 $ par jour pour la location d'une machine à tricoter. Ce montant est un coût fixe total. L'entreprise engage des travailleurs au taux salarial de 25 $ par jour et son coût variable total est égal au total de la masse salariale ; si elle emploie 3 travailleurs, son coût variable total est 3 × 25 $, soit 75 $. Le coût total est la somme du coût fixe total et du coût variable total. Par exemple, lorsque Maille Maille emploie 3 travailleurs, son coût total s'élève à 100 $, soit le coût fixe total de 25 $ plus le coût variable total de 75 $.

## Le coût marginal

Le **coût marginal** d'une entreprise est l'augmentation du coût total engendrée par la production d'une unité supplémentaire. On peut donc calculer le coût marginal en divisant l'augmentation du coût total par l'augmentation de la production qui en résulte. Ainsi, lorsque la production passe de 10 à 13 chandails, le coût total passe de 75 $ à 100 $. La variation de la production est de 3 chandails et la variation du coût total est de 25 $. Le coût marginal d'un de ces 3 chandails est donc de 8,33 $ (25 $ ÷ 3).

Remarquez que, lorsque Maille Maille embauche un deuxième travailleur, le coût marginal diminue ; par contre, l'embauche d'un troisième, d'un quatrième et d'un cinquième travailleur, le fait augmenter graduellement. Le coût marginal finit par augmenter, car la production supplémentaire — le produit marginal — de chaque travailleur supplémentaire est de plus en plus faible, conformément à *la loi des rendements décroissants*. Selon cette loi, chaque travailleur supplémentaire augmente la production dans une proportion plus faible que le précédent. Comme la production d'une unité supplémentaire exige de plus en plus de main-d'œuvre supplémentaire, le coût d'une unité supplémentaire (le coût marginal) augmente nécessairement.

## Le coût moyen

Le coût moyen est le coût par unité produite. On distingue trois types de coûts moyens :

1. le coût fixe moyen,
2. le coût variable moyen,
3. le coût total moyen.

Le **coût fixe moyen** (*CFM*) est le coût fixe total par unité produite. Le **coût variable moyen** (*CVM*) est le coût variable total par unité produite. Le **coût total moyen** (*CTM*) est le coût total par unité produite. On calcule ces coûts moyens à partir du coût total de la manière suivante :

$$CT = CFT + CVT.$$

Si nous divisons chaque coût total par la quantité produite (*Q*), nous obtenons :

$$\frac{CT}{Q} = \frac{CFT}{Q} + \frac{CVT}{Q}$$

ou

$$CTM = CFM + CVM.$$

Le coût total moyen est égal à la somme du coût fixe moyen et du coût variable moyen. Le tableau 10.2 présente le calcul du coût total moyen. Ainsi, lorsque la production est de 10 chandails, le coût fixe moyen est de 2,50 $ (25 $ ÷ 10), le coût variable moyen est de 5 $ (50 $ ÷ 10), et le coût total moyen est de 7,50 $ (75 $ ÷ 10). De même, le coût total moyen est égal à la somme du coût fixe moyen (2,50 $) et du coût variable moyen (5 $).

## Les courbes de coût à court terme

Le graphique 10.5(a) présente les coûts à court terme de Maille Maille sous forme de courbes de coût total. Le coût fixe total est un coût constant de 25 $ ; il est représenté dans le graphique par la droite horizontale verte *CFT*. Le coût variable total et le coût total augmentent tous deux en fonction du niveau de production ; ils sont représentés par la courbe de coût variable violette (*CVT*) et par la courbe de coût total bleue (*CT*). L'écart vertical entre ces deux courbes correspond au coût fixe total, comme le montrent les deux flèches. Comme le coût total fixe est un coût constant de 25 $, l'écart entre la courbe de coût variable total violette et la courbe de coût total bleue correspond à un coût constant de 25 $.

Le graphique 10.5(b) présente les courbes de coût moyen. La pente de la courbe de coût fixe moyen verte (*CFM*) est négative. Lorsque la production augmente, le coût fixe reste constant et se répartit sur une production plus importante. Lorsque Maille Maille produit 4 chandails, le coût fixe moyen est de 6,25 $. Lorsque le produit total augmente à 16 chandails, le coût fixe moyen baisse pour passer à 1,56 $.

La courbe de coût total moyen bleue (*CTM*) et la courbe de coût variable moyen violette (*CVM*) ont toutes deux la forme d'un U. L'écart vertical entre la courbe de coût total moyen et la courbe de coût variable moyen est égal au coût fixe moyen, comme le montrent les deux flèches ; il diminue à mesure que la production augmente, car le coût fixe moyen diminue avec l'accroissement de la production.

Le graphique 10.5(b) montre également la courbe de coût marginal ; c'est la courbe rouge *Cm*. Cette courbe a également la forme d'un U. Elle passe à la fois par le

## FIGURE 10.5
## Les coûts à court terme

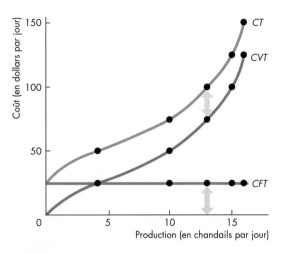

**(a) Coût total**

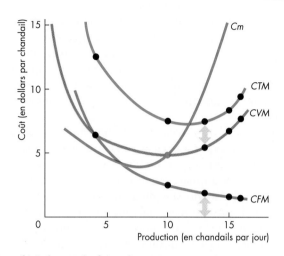

**(b) Coût marginal et coût moyen**

Les coûts à court terme calculés dans le tableau 10.2 sont illustrés par les graphiques. Le graphique (a) illustre les courbes de coût total. Le coût total (*CT*) augmente lorsque la production augmente. Le coût fixe total (*CFT*) est constant ; il est représenté par une ligne horizontale. Le coût variable total (*CVT*) augmente de façon analogue au coût total. L'écart entre la courbe de coût total et la courbe de coût variable total est un coût fixe total, comme le montrent les flèches.

Le graphique (b) illustre les courbes de coût moyen et de coût marginal. Le coût fixe moyen (*CFM*) diminue lorsque la production augmente. La courbe de coût total moyen (*CTM*) et la courbe de coût variable moyen (*CVM*) ont une forme en U. L'écart vertical entre ces deux courbes est égal au coût fixe moyen, comme le montrent les flèches. La courbe de coût marginal (*Cm*) a également une forme en U. Elle croise la courbe de coût variable moyen et la courbe de coût total moyen aux points minimaux de ces courbes.

point minimal de la courbe de coût variable moyen et par le point minimal de la courbe de coût total moyen. Autrement dit, lorsque le coût marginal est inférieur au coût moyen, ce dernier diminue et, lorsque le coût marginal est supérieur au coût moyen, ce dernier augmente. Cette relation vaut à la fois pour la courbe de *CTM* et pour la courbe de *CVM* ; il s'agit là d'un autre exemple de la relation illustrée à la figure 10.4 (les notes de cours de Sylvain).

### Pourquoi la courbe de coût total moyen a-t-elle la forme d'un U ?

Le coût total moyen, *CTM*, est la somme du coût fixe moyen, *CFM*, et du coût variable moyen, *CVM*. Par conséquent, la forme de la courbe *CTM* reflète la forme des courbes de *CFM* et de *CVM*. La forme en U de la courbe de coût total moyen reflète l'influence de deux forces opposées :

- la répartition du coût fixe sur une production plus importante,
- des rendements croissants, puis décroissants.

Lorsque la production augmente, l'entreprise répartit ses coûts fixes sur une production plus importante ; son coût fixe moyen diminue et la pente de la courbe de coût fixe moyen est négative.

Cependant, lorsque la production augmente, on finit par atteindre un niveau de production où les rendements sont décroissants. Autrement dit, pour avoir une unité de produit supplémentaire, il faut embaucher un nombre toujours plus grand de travailleurs. Par conséquent, le coût variable moyen finit par augmenter et la pente de la courbe *CVM* de l'entreprise devient positive.

La forme de la courbe de coût total moyen reflète ces deux effets. Au départ, lorsque la production augmente, le coût fixe moyen et le coût variable moyen diminuent ; par conséquent, le coût total moyen diminue et la pente de la courbe *CTM* est négative. Cependant, au fur et à mesure que la production augmente et que les rendements décroissent, le coût variable moyen augmente. Finalement, le coût variable moyen augmente plus vite que le coût fixe moyen ne diminue ; par conséquent, le coût total moyen augmente et la pente de la courbe *CTM* est positive. Au niveau de production où le coût fixe moyen décroissant équilibre le coût variable moyen croissant, le coût total moyen est constant et il est à son point minimal.

## Les courbes de produit et les courbes de coût

Les courbes de coût d'une entreprise sont déterminées par sa technologie et ses courbes de produit. La figure 10.6 montre les relations entre les courbes de produit et les courbes de coût. La partie supérieure du graphique illustre la courbe de produit moyen et la courbe de produit marginal, comme à la figure 10.3. La partie inférieure du graphique illustre la courbe de coût variable moyen et la courbe de coût marginal, comme au graphique 10.5(b).

Notez que, dans la zone de production où le produit marginal et le produit moyen augmentent, le coût marginal et le coût variable moyen diminuent. Au point maximal du produit marginal, le coût marginal est à son point minimal. Aux niveaux de production situés au-delà de ce point, le produit marginal diminue et le coût marginal augmente. Dans cette zone de production, cependant, le produit moyen continue d'augmenter et le coût variable moyen continue à diminuer. Finalement, on atteint un niveau de production où le produit moyen est à son point maximal, et le coût variable moyen, à son point minimal. À des niveaux de production supérieurs, le produit moyen diminue et le coût variable moyen augmente.

## Le déplacement des courbes de coût

La position des courbes de coût à court terme d'une entreprise est déterminée par sa technologie, décrite par ses courbes de production, et par le prix qu'elle paie pour ses facteurs de production. Si les techniques varient ou si le prix des facteurs de production change, les coûts de l'entreprise varient et ses courbes de coût se déplacent.

Une amélioration technique qui accroît la productivité entraîne le déplacement de la courbe de produit vers le haut et le déplacement de la courbe de coût vers le bas. Ainsi, quand la robotisation a permis d'augmenter la productivité de l'industrie automobile, les courbes de produit de Chrysler, Ford et GM se sont déplacées vers le haut, et leurs courbes de coût, vers le bas. Toutefois, la relation entre leurs courbes de produit et leurs courbes de coût n'a pas changé; elle reste toujours celle qui est illustrée à la figure 10.6.

Une hausse du prix des facteurs de production entraîne l'augmentation des coûts et le déplacement des courbes de coût. Toutefois, le sens du déplacement des courbes dépend du facteur de production. Ainsi, une variation du coût de loyer ou d'une autre composante de coût entraîne le déplacement des courbes de coût fixe (*CFT* et *CFM*) vers le haut, mais ne change pas les courbes de coût variable (*CVM* et *CVT*) et de coût marginal (*Cm*). Une augmentation des salaires ou de toute autre composante de coût *variable* entraîne le déplacement des courbes de coût variable (*CVT* et *CVM*) vers le haut,

**FIGURE   10.6**

## Les courbes de produit et les courbes de coût

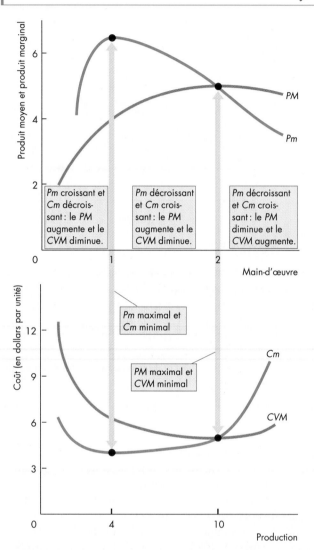

Les courbes de coût d'une entreprise sont liées à ses courbes de produit. Lorsque le produit marginal (*Pm*) augmente, le coût marginal (*Cm*) diminue. Lorsque le produit marginal atteint son point maximal, le coût marginal est à son point minimal. Lorsque le produit moyen augmente, le coût *variable* moyen diminue. Lorsque le produit moyen (*PM*) atteint son point maximal, le coût variable moyen (*CVM*) est à son point minimal. Lorsque le produit marginal diminue, le coût marginal augmente. Lorsque le produit moyen diminue, le coût *variable* moyen augmente.

ainsi que le déplacement de la courbe de coût total (*CT*) et de la courbe de coût marginal (*Cm*) vers le haut, mais les courbes de coût fixe (*CFM* et *CFT*) ne bougent pas.

Nous avons terminé l'étude des coûts à court terme. Le tableau 10.3 résume tous les concepts étudiés.

**TABLEAU  10.3**

## Un petit glossaire des coûts

| Terme | Symbole | Définition | Équation |
|---|---|---|---|
| Coût fixe | | Coût indépendant du niveau de production; coût d'un facteur de production fixe | |
| Coût variable | | Coût qui varie avec le niveau de production; coût d'un facteur de production variable | |
| Coût fixe total | CFT | Coût des facteurs de production fixes | |
| Coût variable total | CVT | Coût des facteurs de production variables | |
| Coût total | CT | Coût de tous les facteurs de production | $CT = CFT + CVT$ |
| Production (produit total) | PT | Production | |
| Coût marginal | Cm | Variation du coût total résultant de la production d'une unité supplémentaire | $Cm = \Delta CT \div \Delta PT$ |
| Coût fixe moyen | CFM | Coût fixe total par unité produite | $CFM = CFT \div PT$ |
| Coût variable moyen | CVM | Coût variable total par unité produite | $CVM = CVT \div PT$ |
| Coût total moyen | CTM | Coût total par unité produite | $CTM = CFM + CVM$ |

### À  R E T E N I R

■ Les courbes de coût à court terme d'une entreprise montrent les relations entre le coût à court terme et le niveau de production.

■ Le coût marginal finit par augmenter à cause des *rendements décroissants,* chaque travailleur supplémentaire contribuant de façon de moins en moins importante à la production.

■ Le coût fixe moyen diminue car, lorsque la production augmente, les coûts fixes sont répartis sur une production plus importante.

■ La courbe de coût total moyen a la forme d'un U, car, lorsque la production augmente, elle combine les effets de la diminution du coût fixe moyen et des rendements qui finissent par décroître.

## La taille des installations et le coût

NOUS AVONS VU COMMENT LE COÛT DE PRODUCTION varie selon le nombre de travailleurs employés dans une fabrique de chandails d'une taille donnée. Nous allons maintenant voir comment le coût de production varie si on modifie à la fois la quantité de main-d'œuvre et la taille des installations. Autrement dit, nous allons étu-dier le coût à long terme d'une entreprise. Le **coût à long terme** est le coût de production de l'entreprise lorsque la quantité de main-d'œuvre et la taille des installations sont économiquement efficientes.

Le comportement des coûts à long terme dépend de la fonction de production de l'entreprise. La **fonction de production** est la relation entre la production optimale et la quantité de tous les facteurs de production utilisés.

### La fonction de production

Le graphique de la figure 10.7 illustre la fonction de pro-duction de Maille Maille. Le tableau présente le produit total pour quatre tailles d'entreprise qui emploient diver-ses quantités de main-d'œuvre, cinq plus précisément. Les chiffres de l'hypothèse 1 sont les mêmes ceux de l'usine de chandails dont nous venons d'étudier le pro-duit à court terme et les courbes de coût. Les autres hypo-thèses supposent que Maille Maille possède 2 machines (hypothèse 2), 3 machines (hypothèse 3) et 4 machines (hypothèse 4). Autrement dit, si Sylvain doublait la taille de ses installations en travaillant avec 2 machines à trico-ter, les diverses quantités de main-d'œuvre décrites en bleu lui permettraient d'obtenir les productions qui figu-rent dans la colonne « Hypothèse 2 » du tableau. De même, les hypothèses 3 et 4 nous donnent les produc-tions qu'il pourrait obtenir avec 3 et 4 machines à tricoter.

Les quatre courbes de produit total du graphique de la figure 10.7 illustrent les données correspondant aux

## FIGURE 10.7
## La fonction de production de Maille Maille : quatre hypothèses

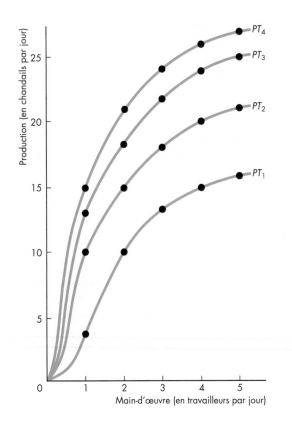

Le tableau présente les données relatives au produit total de Maille Maille pour quatre hypothèses de taille. Ces chiffres sont reproduits sur les courbes de produit total, $PT_1$, $PT_2$, $PT_3$ et $PT_4$. Plus la taille de l'entreprise est grande, plus le produit total est élevé pour n'importe quel nombre de travailleurs employés. Toutefois, chaque courbe de produit total montre un produit marginal décroissant.

| Main-d'œuvre (en travailleurs par jour) | Production (en chandails par jour) | | | |
|---|---|---|---|---|
| | Hypothèse 1 | Hypothèse 2 | Hypothèse 3 | Hypothèse 4 |
| 1 | 4 | 10 | 13 | 15 |
| 2 | 10 | 15 | 18 | 21 |
| 3 | 13 | 18 | 22 | 24 |
| 4 | 15 | 20 | 24 | 26 |
| 5 | 16 | 21 | 25 | 27 |
| **Nombre de machines à tricoter** | 1 | 2 | 3 | 4 |

quatre hypothèses du tableau. Ces quatre courbes ont essentiellement la même forme mais, plus le nombre de machines à tricoter augmente, plus le nombre de chandails tricotés quotidiennement par un nombre donné de travailleurs est grand.

## Les rendements décroissants

L'augmentation de la quantité de facteurs de production que l'on utilise entraîne des rendements décroissants dans les quatre hypothèses. On peut vérifier ce fait en effectuant pour chacune des calculs semblables à ceux que nous avons déjà faits pour l'entreprise qui ne possédait qu'une seule machine à tricoter. Quelle que soit la taille de l'entreprise, si le nombre de travailleurs augmente, son produit marginal finit par diminuer.

### La productivité marginale décroissante du capital

Tout comme nous pouvons calculer le produit marginal du travail pour chacune des hypothèses, nous pouvons calculer le produit marginal du capital pour chaque niveau d'emploi en comparant les diverses tailles hypothétiques. Le *produit marginal du capital* est la variation du produit total que l'on obtient en augmentant d'une unité la quantité de capital utilisée lorsque la quantité de main-d'œuvre reste constante.

Une autre façon de définir la productivité marginale du capital consiste — comme pour la productivité marginale du travail — à diviser la variation du produit total par la variation du capital utilisé lorsque la quantité de main-d'œuvre reste constante. Dans notre exemple, si Maille Maille emploie 3 travailleurs et fait passer de 1 à 2 le nombre de machines à tricoter, la production passe de 13 à 18 chandails par jour. Le produit marginal du capital diminue, comme le produit marginal du travail. Par exemple, avec 3 travailleurs, si Maille Maille augmente le nombre de machines de 2 à 3, la production passe de 18 à 22 chandails par jour. Le produit marginal de la troisième machine correspond à 4 chandails par jour, soit moins que les 5 chandails supplémentaires par jour que permettait de produire la deuxième machine.

La loi des rendements décroissants nous dit quel effet a sur la production de l'entreprise la variation d'*un* facteur de production (main-d'œuvre ou capital) lorsque tous les autres facteurs de production restent constants. Mais quel effet aurait sur la production une variation à la fois de la quantité de main-d'œuvre *et* du volume de capital ?

## Les rendements d'échelle

L'échelle de production varie lorsque l'entreprise modifie dans la même proportion la quantité de tous ses facteurs de production. Par exemple, si Maille Maille emploie 1 travailleur et 1 machine à tricoter, et qu'elle décide de doubler la quantité de chaque facteur, c'est-à-dire d'utiliser 2 travailleurs et 2 machines à tricoter, l'échelle de production de l'entreprise est multipliée par deux. Les **rendements d'échelle** correspondent à l'augmentation de la production qui résulte de l'augmentation de tous les facteurs de production dans une même proportion. Trois types de résultats sont alors possibles :

- des rendements d'échelle constants,
- des rendements d'échelle croissants,
- des rendements d'échelle décroissants.

**Les rendements d'échelle constants**  Lorsque la production augmente dans la même proportion que les facteurs de production, on parle de **rendements d'échelle constants**. Si les rendements d'échelle sont constants et si l'entreprise double tous ses facteurs de production, sa production doublera également. Il y a rendements d'échelle constants lorsqu'on peut reproduire exactement le processus de production initial. Ainsi, General Motors peut doubler sa production de modèles Cavalier en doublant le nombre de ses usines. Elle peut construire des chaînes de production identiques et embaucher un nombre identique de travailleurs. Avec deux chaînes de production identiques, GM produira exactement deux fois plus de voitures.

**Les rendements d'échelle croissants**  Lorsque l'augmentation de la production est proportionnellement supérieure à l'augmentation des facteurs de production, on parle de **rendements d'échelle croissants**. Si les rendements d'échelle sont croissants et si l'entreprise double tous ses facteurs de production, sa production fait plus que doubler. Il y a rendements d'échelle croissants dans les processus de production lorsque l'augmentation de la production permet à une entreprise d'accroître la division du travail et d'utiliser du capital et des travailleurs plus spécialisés. Par exemple, si GM ne produit que 100 voitures par semaine, chaque travailleur et chaque machine doivent pouvoir exécuter plusieurs tâches. Par contre, si elle produit 10 000 voitures par semaine, chaque travailleur et chaque machine peuvent être très spécialisés. Les travailleurs se spécialisent dans un petit nombre de tâches dans lesquelles ils deviennent très compétents. Autrement dit, pour produire 10 000 voitures plutôt que 100, General Motors n'a pas à utiliser 100 fois plus de capitaux et de main-d'œuvre, car elle connaît des rendements d'échelle croissants. Si elle utilisait 100 fois plus de capitaux et de main-d'œuvre, sa production serait supérieure à 10 000 voitures.

**Les rendements d'échelle décroissants**  Lorsque l'augmentation de la production est proportionnellement inférieure à l'augmentation des facteurs de production, on parle de **rendements d'échelle décroissants**. Si les rendements d'échelle sont décroissants et que l'entreprise double tous ses facteurs de production, elle n'arrivera pas à doubler sa production. Il y a des rendements d'échelle

décroissants dans tous les processus de production, bien que, dans certains, ils apparaissent seulement à un niveau de production très élevé. Ces rendements décroissants sont généralement causés par la complexification de la structure organisationnelle et de la gestion de l'entreprise. Plus l'entreprise est grande, plus il y a de paliers dans la pyramide de gestion, et plus les coûts de contrôle des processus de production et de commercialisation sont élevés.

**Les économies d'échelle chez Maille Maille**  Les possibilités de production de Maille Maille, présentées à la figure 10.7, montrent à la fois les rendements d'échelle décroissants et les rendements d'échelle croissants. Si Sylvain utilise une machine à tricoter et emploie un travailleur, son usine produit 4 chandails par jour. S'il double ses facteurs de production, c'est-à-dire s'il emploie 2 machines à tricoter et 2 travailleurs, sa production s'en trouve presque quadruplée, passant à 15 chandails par jour. S'il augmente d'un autre 50 % ses facteurs de production, c'est-à-dire avec 3 machines à tricoter et 3 travailleurs, la production passe à 22 chandails par jour, soit une augmentation de moins de 50 %. Bref, si l'échelle de production double et passe de 1 à 2 unités pour chaque facteur de production, Maille Maille réalise des économies d'échelle. Par contre, le passage de 2 à 3 unités de chacun des facteurs de production entraîne des rendements d'échelle décroissants.

Comme nous allons le voir maintenant, qu'ils soient constants, croissants ou décroissants, les rendements d'échelle ont toujours une incidence sur les coûts à long terme.

## Le coût à court terme et le coût à long terme

Les courbes de coût de Maille Maille illustrées à la figure 10.5 étaient celles de l'entreprise avec une seule machine à tricoter, mais on peut tracer des courbes de coût à court terme pour décrire ce qui se passerait si l'entreprise utilisait 2, 3 ou 4 machines à tricoter. Reprenons les quatre hypothèses présentées à la figure 10.7 et examinons les effets de la taille de Maille Maille sur ses courbes de coût.

Dans la figure 10.8, la courbe de coût total de l'entreprise est $CTM_1$ lorsqu'elle travaille avec 1 machine à tricoter ; $CTM_2$, avec 2 machines à tricoter ; $CTM_3$, avec 3 machines à tricoter ; $CTM_4$, avec 4 machines à tricoter. Dans chacune de ces hypothèses, la courbe de coût total moyen a la même forme en U. Plus l'usine a de machines, plus sa production est importante avec une même quantité de main-d'œuvre ; par conséquent, plus la courbe $CTM$ correspond à un grand nombre de machines, plus elle se déplace vers la droite. Ainsi, si Maille Maille a 1 machine, sa courbe de coût total moyen est $CTM_1$ et il lui en coûte 7,69 $ par chandail pour tricoter 13 chandails par jour. Maille Maille peut également produire

FIGURE 10.8

# La courbe de coût moyen à court terme de Maille Maille : quatre hypothèses

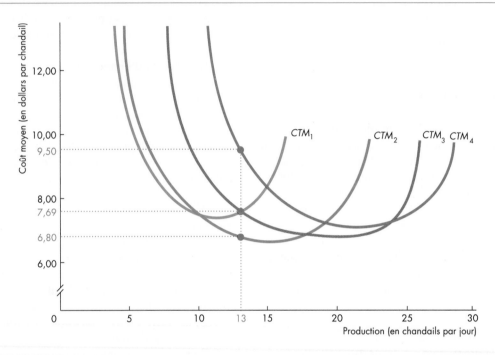

Le graphique illustre les courbes de coût total moyen à court terme de Maille Maille pour quatre hypothèses de taille. Maille Maille peut produire 13 chandails par jour au même coût moyen de 7,69 $ par chandail avec 1 machine à tricoter ($CTM_1$) ou avec 3 machines à tricoter ($CTM_3$). Elle peut produire le même nombre de chandails (13) en utilisant 2 machines à tricoter ($CTM_2$) au coût de 6,80 $ par chandail, ou en utilisant 4 machines ($CTM_4$) au coût de 9,50 $ par chandail. Si Maille Maille veut produire 13 chandails par jour, la méthode de production la moins coûteuse — la méthode de production à long terme — est celle qui utilise 2 machines à tricoter ($CTM_2$).

13 chandails par jour avec 2, 3 ou 4 machines. Avec 2 machines, sa courbe de coût total moyen est $CTM_2$ et le coût total moyen d'un chandail est de 6,80 $. Avec 3 machines, la courbe de coût total moyen est $CTM_3$, et le coût total moyen est de 7,69 $. Avec 4 machines, la courbe de coût total moyen est $CTM_4$, et le coût total d'un chandail est de 9,50 $. Si Maille Maille souhaite produire 13 chandails par jour, la taille d'entreprise économiquement efficiente est de 2 machines. L'hypothèse 2 est celle qui donne le plus bas coût total moyen de production.

## La courbe de coût moyen à long terme

La *courbe de coût moyen à long terme* illustre la relation entre le coût total moyen le plus bas possible et un niveau de production donné lorsque tous les facteurs de production sont variables. C'est cette courbe, *CMLT*, qu'illustre le graphique de la figure 10.9.

La courbe de coût moyen à long terme est construite directement à partir des courbes de coût total moyen à court terme illustrées à la figure 10.8. Comme on le voit, le coût total moyen le plus bas pour les niveaux de production de 10 chandails ou moins par jour correspond à la courbe $CTM_1$. Le coût total moyen le plus bas pour les niveaux de production allant de 10 à 18 chandails par jour correspond à la courbe $CTM_2$. Le coût total moyen le plus bas pour les niveaux de production allant de 18 à 24 chandails par jour correspond à la courbe $CTM_3$. Et, finalement, le coût total moyen le plus bas pour des niveaux de production supérieurs à 24 chandails par jour correspond à la courbe $CTM_4$.

Dans le graphique de la figure 10.9, le segment de chacune des quatre courbes de coût total moyen auquel correspond le plus bas coût total moyen est tracé en bleu foncé. La courbe festonnée composée de ces quatre segments bleu foncé est la courbe de coût moyen à long terme *CMLT*.

FIGURE 10.9

## La courbe de coût moyen à long terme de Maille Maille : quatre hypothèses

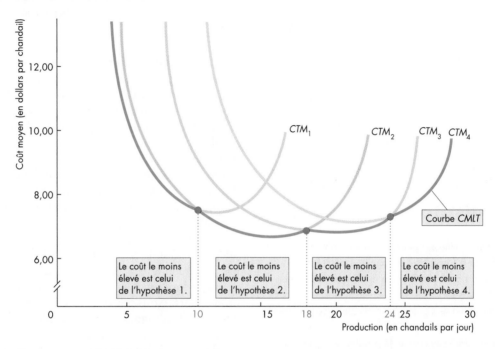

À long terme, Maille Maille peut modifier à la fois la quantité de capital et la quantité de main-d'œuvre qu'elle utilise. La courbe de coût à long terme *CMLT* (en bleu foncé) montre le coût de production le plus bas possible pour chaque niveau de production. Sur la courbe de coût moyen à long terme, Maille Maille produit jusqu'à 10 chandails par jour avec 1 machine à tricoter ; entre 10 et 18 chandails par jour avec 2 machines à tricoter ; entre 18 et 24 chandails par jour avec 3 machines à tricoter ; et plus de 24 chandails par jour avec 4 machines à tricoter. À l'intérieur de chacun de ces quatre segments, Maille Maille modifie sa production en modifiant la quantité de main-d'œuvre qu'elle emploie.

---

Maille Maille se situera sur sa courbe de coût moyen à long terme si elle utilise 1 machine à tricoter pour produire jusqu'à 10 chandails par jour, 2 machines pour produire de 10 à 18 chandails par jour, 3 machines pour produire de 18 à 24 chandails par jour et 4 machines pour produire plus de 24 chandails par jour. À l'intérieur de chacun de ces segments, Maille Maille modifie sa production en utilisant diverses quantités de main-d'œuvre.

### Les économies et les déséconomies d'échelle

Une entreprise réalise des **économies d'échelle** si son coût à long terme diminue quand sa production augmente. S'il y a économies d'échelle, la pente de la courbe *CMLT* est négative. Dans notre exemple, Maille Maille enregistre des économies d'échelle avec une production de 15 chandails ou moins par jour. Une entreprise enre-

gistre des **déséconomies d'échelle** si son coût moyen à long terme augmente quand sa production augmente. S'il y a déséconomies d'échelle, la courbe *CMLT* a une pente positive. Ainsi, Maille Maille enregistre des déséconomies d'échelle quand sa production dépasse 15 chandails par jour.

En général, on peut diviser la taille d'une entreprise en unités plus petites afin d'obtenir une infinité d'hypothèses de taille et donc une infinité de courbes de coût total moyen à court terme (une par hypothèse).

La figure 10.10 illustre ce cas général. Si on considère une infinité d'hypothèses de taille, la courbe de coût moyen à long terme est régulière, et non plus festonnée comme celle de Maille Maille. L'entreprise réalise des économies d'échelle pour les niveaux de production allant jusqu'à $Q_1$. Les niveaux de production supérieurs à $Q_2$ entraînent des déséconomies d'échelle. Pour les niveaux de production situés entre $Q_1$ et $Q_2$, il n'y a ni économies ni déséconomies d'échelle.

**FIGURE 10.10**
# Les économies d'échelle

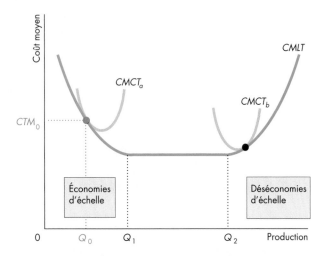

Si le capital peut être modifié par petites unités, on obtient un nombre infini de tailles d'entreprise, et donc une infinité de courbes de coût total moyen à court terme. Chaque courbe de coût total moyen à court terme est tangente à la courbe de coût moyen à long terme en un seul point. Par exemple, la courbe de coût total moyen à court terme ($CMCT_a$) touche la courbe de coût moyen à long terme ($CMLT$) au niveau de production $Q_0$ et au coût total moyen $CTM_0$. Il y a des économies d'échelle pour les niveaux de production allant jusqu'à $Q_1$; les coûts sont constants pour les niveaux de production situés entre $Q_1$ et $Q_2$; il y a déséconomies d'échelle pour des niveaux de production supérieurs à $Q_2$.

Pour chacune des tailles de l'entreprise, il n'y a qu'un seul et unique niveau de production dont le coût est inférieur aux autres. Par exemple, le niveau de production $Q_0$ peut être réalisé au coût le plus bas avec l'hypothèse correspondant à la courbe de coût total moyen à court terme $CMCT_a$. Ce coût minimal est $CTM_0$. Au niveau de production $Q_0$, la courbe de coût total moyen à court terme, $CMCT_a$, est tangente à la courbe de coût moyen à long terme en un seul point. Il en est de même

pour $CMCT_b$. Par conséquent, chaque point situé le long de la courbe de coût moyen à long terme est un point unique situé sur la courbe de coût total moyen à court terme.

Nous venons d'étudier les principes du coût à long terme. Voyons maintenant comment cela nous permet de répondre à certaines questions concernant des entreprises réelles.

**La production d'automobiles et la production d'électricité**   Au début de ce chapitre, nous avions noté que la capacité de production de la plupart des fabricants d'automobiles est bien supérieure à leurs ventes, et nous nous sommes demandé pourquoi ils n'utilisent pas à plein rendement leur coûteux équipements. La figure 10.10 répond à cette question. Les producteurs d'automobiles réalisent des économies d'échelle. Le coût de production le plus bas est atteint sur une courbe de coût total moyen à court terme qui ressemble à $CMCT_a$.

Nous avions également noté que la capacité de production de nombreux producteurs d'électricité ne suffit pas pour répondre à la demande durant les périodes de pointe, ce qui les oblige à acheter de l'électricité à d'autres producteurs. Nous pouvons maintenant comprendre pourquoi ils n'augmentent pas la taille de leurs installations : ils font face à des déséconomies d'échelle. Leurs courbes de coût total moyen à court terme ressemblent à $CMCT_b$. Si les producteurs d'électricité augmentaient la taille de leurs installations, cela ferait augmenter le coût total moyen de leur production normale.

◇   La rubrique «Entre les lignes» (p. 226) montre comment les courbes de coût que nous avons étudiées dans ce chapitre permettent de comprendre les effets d'une innovation récente dans certains hôpitaux de Winnipeg. Vous verrez comment l'adoption de techniques intensives en capital peut influer sur certaines courbes de coût des entreprises du monde réel.

Dans le prochain chapitre, nous étudierons les interactions entre les entreprises et les ménages sur les marchés des biens et services, et nous verrons comment sont déterminés les prix, la production et les profits.

---

# R É S U M É

## Points clés

**Les objectifs et les contraintes de l'entreprise**   Les entreprises visent à maximiser leur profit, compte tenu des contraintes que leur imposent le marché et la technologie. (p. 210)

**Les contraintes techniques à court terme**   La courbe de produit total d'une entreprise délimite les niveaux de production réalisables et les niveaux de production irréalisables. La pente de la courbe de produit total correspond au produit marginal du travail. Au départ, le produit marginal augmente quand la quantité de main-d'œuvre augmente, mais il finit par diminuer.

Le produit moyen, lui aussi, augmente au départ pour finir par diminuer. Le produit moyen augmente lorsque le produit marginal est supérieur au produit moyen, et il diminue lorsque le produit marginal est inférieur au produit moyen. (p. 211-215)

**Le coût à court terme**   Le coût total comprend le coût fixe total et le coût variable total. Lorsque la production augmente, le coût total augmente à cause de l'augmentation du coût variable total. Le coût moyen et le coût marginal varient en fonction de la production de l'entreprise. Le coût fixe moyen diminue lorsque la production augmente. Le coût variable moyen, le coût total moyen et le coût marginal ont des courbes en forme de U. Si le coût marginal est inférieur au coût moyen, le coût moyen diminue; si le coût marginal est supérieur au coût moyen, le coût moyen augmente. Le coût marginal est égal au coût variable moyen lorsqu'il est à son point minimal, et il est égal au coût total moyen lorsqu'il atteint son point maximal. Le coût moyen est lié au produit moyen et le coût marginal est lié au produit marginal. (p. 215-219)

**La taille des installations et le coût**   Le coût à long terme est le coût de la production lorsque tous les facteurs de production (main-d'œuvre et capital) ont atteint leurs niveaux d'efficience économique. Lorsqu'une entreprise augmente tous ses facteurs de production dans la même proportion, elle enregistre des rendements d'échelle. Ces rendements d'échelle peuvent être constants, croissants ou décroissants. À chaque taille d'entreprise correspond un ensemble de courbes de coût et, à chaque niveau de production, une seule taille d'entreprise permet le coût de production le plus bas. Plus la production est importante, plus la taille d'entreprise qui donne le plus bas coût est grande. La courbe de coût à long terme décrit la relation entre le coût total moyen le plus bas et la production lorsque capital et main-d'œuvre sont variables. S'il y a des économies d'échelle, la pente de la courbe de coût moyen à long terme est négative; s'il y a des déséconomies d'échelle, elle est positive. (p. 219-224)

## Figures et tableaux clés

## Mots clés

# Q U E S T I O N S   D E   R É V I S I O N

1. Pourquoi les entreprises cherchent-elles à maximiser leur profit?
2. À quelles contraintes doit faire face l'entreprise qui cherche à maximiser son profit?
3. Qu'est-ce qui distingue le court terme du long terme?
4. Qu'indique la courbe de produit total d'une entreprise?

5. Qu'indique la courbe de produit marginal d'une entreprise?
6. Qu'indique la courbe de produit moyen d'une entreprise?
7. Expliquez la relation entre la courbe de produit total et la courbe de produit marginal d'une entreprise.

# Les courbes de coût d'un hôpital

WINNIPEG FREE PRESS, LE 20 JANVIER 1996

## Préparation des intraveineuses : des robots remplacent les infirmières

PAR BUD ROBERTSON

Un bras robotisé unique en son genre mis au point à Winnipeg pourrait permettre aux hôpitaux du monde entier de réduire leurs coûts tout en améliorant la sécurité du personnel.

Il ne s'agit pas ici d'éliminer des emplois, mais plutôt de faire gagner du temps aux infirmières et aux pharmaciens débordés en leur épargnant la manipulation de médicaments dangereux.

« Il n'existe aucun autre robot de ce type ailleurs dans le monde », a déclaré Harry Schulz, directeur des activités commerciales du Centre de recherche de l'hôpital général Saint-Boniface.

Connu sous le nom de *Automated Pharmacy Admixture System*, ce projet de 2 millions de dollars mis au point par Technology 2000, une filiale commerciale du Centre, permettra d'automatiser entièrement la préparation des doses intraveineuses pour les hôpitaux, tâche qui est actuellement accompli à la main par le personnel infirmier ou par des pharmaciens.

Si tout se déroule comme prévu, le bras robotisé sera installé dans les sept hôpitaux de Winnipeg d'ici à la fin de l'année, de dire M. Schulz, et on le trouvera dès l'an prochain dans neuf centres hospitaliers américains, dont des hôpitaux de Chicago, de Los Angeles et de Boston, qui sous-traitent actuellement la préparation des doses intraveineuses.

Aucune décision définitive n'a encore été prise quant à savoir où sera fabriqué le bras robotisé, mais, selon M. Schulz, comme la majorité de ses composantes sont déjà fabriquées au Manitoba, il est possible qu'une nouvelle usine voie le jour à Winnipeg.

Même si deux ou trois employés suffiront dorénavant pour préparer les 500 000 doses intraveineuses utilisées annuellement par les hôpitaux de Winnipeg, M. Schulz précise que le but visé n'est pas d'éliminer des emplois dans le secteur hospitalier.

« Au contraire, prédit M. Schulz, non seulement ce robot permettra au personnel de consacrer davantage de temps à d'autres tâches comme les soins aux patients mais, quand les commandes se multiplieront, il générera de nouveaux emplois dans l'industrie de la santé. » [...]

Autre avantage, le bras robotisé réduit les risques inhérents à la manipulation de certains produits dangereux, comme ceux qui servent en chimiothérapie du cancer, ajoute M. Schulz.

Cette technique est le fruit des efforts des scientifiques du Centre de recherche de l'hôpital général Saint-Boniface, qui voulaient trouver un moyen plus efficace de remplir les doses de solutions intraveineuses.

■ En 1996, un bras robotisé a été mis au point à Winnipeg au coût de 2 millions de dollars afin d'automatiser complètement la préparation des doses intraveineuses utilisées dans les hôpitaux.

■ Jusque-là, cette tâche était accomplie manuellement par le personnel hospitalier.

■ Avec ce robot, deux ou trois employés suffisent pour préparer les 500 000 doses intraveineuses que les hôpitaux de Winnipeg utilisent chaque année.

■ Ce robot peut également servir à la manipulation d'autres produits dangereux.

# Analyse

## É C O N O M I Q U E

■ Lorsqu'un hôpital remplace la main-d'œuvre par du capital, ses courbes de coût se modifient.

■ En supposant que l'hôpital doive louer à long terme les robots, et qu'il puisse embaucher du personnel infirmier à la semaine, le capital est un facteur de production fixe, la main-d'œuvre, un facteur de production variable.

■ Par conséquent, si un robot remplace de la main-d'œuvre dans un hôpital, les coûts fixes de cet hôpital augmentent, tandis que ses coûts variables diminuent. Mais qu'advient-il du coût total et du coût total moyen ? La réponse dépend de l'échelle de production.

■ Le tableau présente des données (fictives) sur certains coûts d'un hôpital. La colonne 1 donne le nombre d'infirmières employées. La colonne 2 donne le nombre maximal de patients dont elles peuvent s'occuper lorsqu'elles n'ont pas de robot. La colonne 3 donne le nombre de patients dont elles peuvent s'occuper lorsqu'elles disposent de 10 robots.

■ Le graphique de la figure 1 présente deux courbes de produit total construites à partir de ces données. Sans robot, le produit total est $PT_0$. Avec 10 robots, il devient $PT_1$. Lorsque l'hôpital loue des robots, le produit total augmente.

■ Les colonnes 4 et 5 du tableau présentent le coût total lié aux infirmières et aux robots de l'hôpital (sans tenir compte des autres coûts). Il est basé sur les données suivantes : le coût d'une infirmière est de 12 $ l'heure (salaire et avantages sociaux) et le coût de location d'un robot est de 4 $ l'heure.

■ Les colonnes 6 et 7 présentent le coût total moyen de l'hôpital, soit le coût total divisé par le produit total.

■ Le graphique de la figure 2 présente les courbes de coût total moyen de l'hôpital. Sans robots, le coût total moyen correspond à $CTM_0$. Avec 10 robots, il correspond à $CTM_1$.

■ On voit que, quand l'hôpital loue 10 robots, son coût total moyen *augmente* s'il compte moins de 20 patients ; il ne diminue que si l'hôpital compte plus de 20 patients.

■ L'effet de la location de robots sur les coûts dépend donc du niveau de production.

■ Cet exemple ressemble à celui de Maille Maille que nous avons étudié dans ce chapitre.

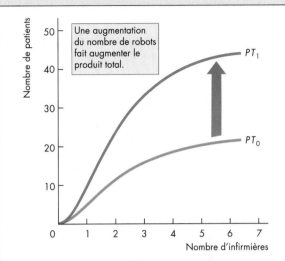

**Figure 1  Le produit total**

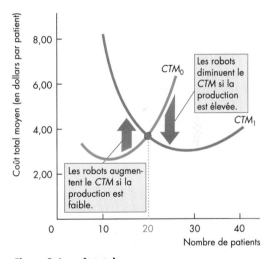

**Figure 2  Le coût total moyen**

| Nombre d'infirmières | Produit total (PT) | | Coût total (CT) | | Coût total moyen (CTM) | |
|---|---|---|---|---|---|---|
| | (nombre de patients) | | (en dollars par heure) | | (en dollars par patient) | |
| | (aucun robot) | (10 robots) | (aucun robot) | (10 robots) | (aucun robot) | (10 robots) |
| (1) | (2) | (3) | (4) | (5) | (6) | (7) |
| 0 | 0 | 0 | 0,00 | 40,00 | — | — |
| 1 | 4 | 8 | 12,00 | 52,00 | 3,00 | 6,50 |
| 2 | 10 | 20 | 24,00 | 64,00 | 2,40 | 3,20 |
| 3 | 14 | 28 | 36,00 | 76,00 | 2,57 | 2,71 |
| 4 | 17 | 34 | 48,00 | 88,00 | 2,82 | 2,59 |
| 5 | 19 | 38 | 60,00 | 100,00 | 3,16 | 2,63 |
| 6 | 20 | 40 | 72,00 | 112,00 | 3,60 | 2,80 |

*Source : Winnipeg Free Press*, 20 janvier 1996

8. Expliquez la relation entre la courbe de produit moyen et la courbe de produit marginal d'une entreprise.

9. Qu'est-ce que la loi des rendements décroissants? Qu'implique cette loi quant à la forme des courbes de produit total, de produit marginal et de produit moyen?

10. Pourquoi le produit marginal d'une entreprise augmente-t-il au départ pour diminuer ensuite?

11. Définissez le coût total, le coût fixe total et le coût variable total. Qu'ont en commun ces trois concepts de coût total?

12. Expliquez comment les trois mesures de coût total varient lorsque le produit total augmente.

13. Définissez le coût marginal. Pourquoi le coût marginal finit-il par augmenter lorsque le produit total augmente?

14. Définissez le coût total moyen, le coût variable moyen et le coût fixe moyen. Qu'ont en commun ces concepts de coût moyen?

15. Expliquez comment les trois concepts de coût moyen varient lorsque le produit total varie.

16. Quelle est la relation entre le coût variable moyen et le coût marginal? entre le coût total moyen et le coût marginal?

17. Quelle est la relation entre la courbe de produit moyen et la courbe de coût variable moyen? entre la courbe de produit marginal et la courbe de coût marginal?

18. Quelle est la relation entre la courbe de coût moyen à long terme et les courbes de coût total moyen à court terme?

19. Quels sont les effets des économies d'échelle et des déséconomies d'échelle sur la forme de la courbe de coût moyen à long terme?

## A N A L Y S E     C R I T I Q U E

1. Lisez attentivement la rubrique «Entre les lignes» (p. 226) et expliquez:
   a) comment varient les courbes de coût d'un hôpital lorsque les infirmières sont remplacées par des robots;
   b) pourquoi le recours à des infirmières plutôt qu'à des robots permet de réduire le coût total moyen à des niveaux de production peu élevés;
   c) pourquoi le recours à des robots plutôt qu'à des infirmières permet de réduire le coût total moyen à des niveaux de production élevés.

2. Si une personne peut peindre une maison en 26 jours, 26 personnes peuvent-elles peindre cette même maison en un seul jour? Expliquez votre réponse. À quoi ressemblent les courbes de produit — courbe de produit moyen et courbe de produit marginal — de ces travaux pour chacune des deux techniques? À quoi ressemblent les courbes de coût — courbes de coût moyen (*CFM, CVM* et *CTM*) et courbe de coût marginal (*Cm*) — de ces travaux pour chacune des deux techniques?

3. Ces dernières années, les compagnies de téléphone ont remplacé la plupart de leurs téléphonistes par des ordinateurs. Quels ont été les effets de ce remplacement sur le coût fixe, le coût variable et le coût total moyen d'un appel téléphonique d'une compagnie de téléphone? Tracez les courbes de coût moyen (*CFM, CVM* et *CTM*) et la courbe de coût marginal (*Cm*). Comparez les courbes de coût moyen et la courbe de coût marginal avant et après ce changement technique.

4. La Chine a produit des copies illégales de disques compacts et de logiciels sur cédérom. Comparez le coût fixe, le coût variable et le coût total moyen de la production d'un disque compact d'un groupe rock en Chine et en Amérique du Nord.

# P R O B L È M E S

1. Le tableau de production totale de Petit bateau inc., une entreprise qui fabrique des bateaux en caoutchouc, est le suivant :

| Main-d'œuvre (en travailleurs par semaine) | Production (en bateaux par semaine) |
|---|---|
| 1 | 1 |
| 2 | 3 |
| 3 | 6 |
| 4 | 10 |
| 5 | 15 |
| 6 | 21 |
| 7 | 26 |
| 8 | 30 |
| 9 | 33 |
| 10 | 35 |

a) Tracez la courbe de produit total.
b) Calculez le produit moyen de la main-d'œuvre et tracez la courbe de produit moyen.
c) Calculez le produit marginal de la main-d'œuvre et tracez la courbe de produit marginal.
d) Quelle est la relation entre le produit moyen et la courbe de produit marginal ?
e) Quelle est la relation entre le produit moyen et le produit marginal lorsque Petit bateau produit plus de 30 bateaux par semaine ? Pourquoi en est-il ainsi ?

2. Supposez maintenant que la main-d'œuvre coûte 400 $ par semaine, que le coût fixe total soit de 1 000 $ par semaine et que le tableau de production totale soit le même qu'au problème n° 1.
a) Calculez le coût total, le coût variable total et le coût fixe total pour chaque niveau de production.
b) Tracez les courbes de coût total, de coût variable total et de coût fixe total.
c) Calculez le coût total moyen le coût fixe moyen, le coût variable moyen et le coût marginal à chaque niveau de production.
d) Tracez les courbes de coût suivantes : coût total moyen, coût variable moyen, coût fixe moyen et coût marginal.

3. Supposez que le coût fixe total passe à 1 100 $ par semaine. Quel sera l'effet de cette augmentation sur les courbes de coût à court terme du problème n° 2 ?

4. Supposez que le coût fixe total reste à 1 100 $ par semaine, mais que le prix de la main-d'œuvre passe à 450 $ par semaine. Reprenez le problème n° 2 en utilisant ces nouveaux coûts.

5. Petit bateau inc. peut acheter une usine supplémentaire. Son plan de production totale pour l'exploitation de deux usines est le suivant :

| Main-d'œuvre (en travailleurs par semaine) | Production (en bateaux par semaine) |
|---|---|
| 1 | 1 |
| 2 | 6 |
| 3 | 12 |
| 4 | 20 |
| 5 | 30 |
| 6 | 42 |
| 7 | 52 |
| 8 | 60 |
| 9 | 66 |
| 10 | 70 |

Le coût fixe total d'exploitation de son usine actuelle est de 1 000 $ par semaine et le coût fixe total d'exploitation de son usine supplémentaire est également de 1 000 $ par semaine. Le taux salarial de la main-d'œuvre est de 400 $ par semaine.
a) Calculez le coût total de chacun des niveaux de production donnés de la nouvelle usine.
b) Calculez le coût total moyen de Petit bateau pour chacun des niveaux de production donnés.
c) Tracez la courbe de coût moyen à long terme de Petit bateau.
d) À partir de quel niveau de production Petit bateau exploiterait-il une usine de manière efficiente ?
e) À partir de quel niveau de production Petit bateau exploiterait-il les deux usines de manière efficiente ?

6. En 1950, les avions qu'utilisait Air Canada pour transporter des passagers entre Toronto et Vancouver volaient à une vitesse de 500 km/h, exigeaient des escales de ravitaillement en carburant et transportaient environ 100 passagers. En 1996, la compagnie utilisait des Boeing 747 (gros-porteurs) dont la vitesse atteignait 1 000 km/h, qui faisaient le trajet sans escales et transportaient plus de 400 passagers.

Supposons que les coûts soient les suivants (tous en dollars de 1996) :

| | 1950 | 1996 |
|---|---|---|
| Taux de location d'un avion | 2 000 $ | 10 000 $ |
| Coût du personnel navigant et autres employés | 20 000 $ | 10 000 $ |
| Coût du carburant | 78 000 $ | 180 000 $ |
| Coût total | 100 000 $ | 200 000 $ |

a) Tracez les courbes de coût moyen (*CFM, CVM* et *CTM*) ainsi que la courbe de coût marginal (*Cm*) par passager transporté de Toronto à Vancouver en 1950, puis en 1996.

b) Comparez les courbes de coût moyen et la courbe de coût marginal de ces deux années.

7. La figure suivante présente les coûts à court terme de la production de chandails de Maille Maille.

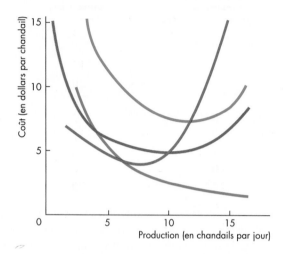

À partir de quel niveau de production :

a) Le coût marginal d'un chandail est-il supérieur au coût total moyen d'un chandail ?

b) Le coût marginal d'un chandail est-il inférieur au coût total moyen d'un chandail ?

c) Le coût marginal d'un chandail est-il supérieur au coût variable moyen d'un chandail ?

d) Le coût marginal d'un chandail est-il inférieur au coût moyen d'un chandail ?

e) Le produit marginal de la main-d'œuvre de Maille Maille augmente-t-il ?

f) Le produit marginal de la main-d'œuvre de Maille Maille diminue-t-il ?

g) Le produit moyen de la main-d'œuvre de Maille Maille augmente-t-il ?

h) Le produit moyen de la main-d'œuvre de Maille Maille diminue-t-il ?

# La concurrence

**Objectifs
du chapitre**

- Définir la concurrence parfaite

- Expliquer comment sont déterminés le prix et la
  production dans une industrie concurrentielle

- Expliquer pourquoi il arrive que les entreprises
  ferment temporairement leurs portes et mettent
  leurs employés à pied

- Expliquer pourquoi des entreprises entrent dans
  une industrie et pourquoi elles la quittent

- Expliquer pourquoi la concurrence parfaite est
  efficiente

# Engorgement chez les garagistes

Lundi matin, huit heures et demie. En pleine heure de pointe, un carambolage de six véhicules paralyse la circulation sur le tronçon d'autoroute le plus fréquenté de la province. Il n'y a heureusement pas de blessés, mais le bilan matériel est lourd : carrosseries défoncées, enjoliveurs cabossés, pneus endommagés et pots d'échappement écrasés jonchent les voies. La course au déblayage commence. Entre-temps, à moins de 10 minutes de l'accident, une bonne cinquantaine d'entreprises de dépannage se mènent une chaude lutte pour l'obtention du contrat de déblaiement d'urgence, et, dans toute la ville, plusieurs centaines de carrossiers et d'ateliers de réparation sont sur un pied d'alerte, prêts à tout pour se tailler une place dans un marché plus qu'encombré. Quel effet la concurrence a-t-elle sur les prix et les profits ? ◆ Que vous vouliez faire réparer votre voiture, changer votre serrure, réparer votre téléviseur, déménager vos meubles, que vous ayez besoin de lunettes ou envie d'une pizza végétarienne livrée à domicile, vous avez le choix entre des dizaines sinon des centaines de fournisseurs. Dans cet environnement férocement concurrentiel, de nouvelles entreprises tentent constamment leur chance, tandis que d'autres renoncent et quittent le marché. ◆ Au Canada, en décembre 1998, plus de 1,2 million de gens étaient sans travail ; 400 000 d'entre eux avaient été licenciés définitivement ou temporairement par des entreprises qui cherchaient à réduire leurs coûts afin d'éviter la faillite. L'économie était en expansion et le nombre total d'emplois, à la hausse. Pourtant, des détaillants, des producteurs de crème glacée, des fabricants d'ordinateurs et des entreprises de presque tous les secteurs de l'économie avaient congédié des travailleurs. Pourquoi les entreprises licencient-elles ainsi une partie de leur personnel ? Pourquoi décident-elles parfois de suspendre temporairement leurs activités et de mettre à pied des travailleurs ? ◆ Ces dernières années, le prix des ordinateurs personnels a connu une dégringolade spectaculaire. Il y a quelques années, un ordinateur relativement lent coûtait 4 000 $ ; aujourd'hui, on peut acheter un ordinateur ultraperformant pour moins de 2 000 $. Que se passe-t-il dans une industrie lorsque le prix d'un produit s'effondre ainsi ? Quels sont les effets d'une telle chute sur les profits de l'entreprise qui produit ce bien ?

◈ La crème glacée, les ordinateurs et la plupart des biens sont produits par plusieurs entreprises qui se font concurrence. Pour étudier les marchés concurrentiels, nous allons construire un modèle de marché où la concurrence est aussi féroce que possible — plus féroce encore que dans les exemples précédents. Nous allons étudier ce qu'on appelle la concurrence parfaite.

# La concurrence parfaite

UN MARCHÉ EST EN SITUATION DE **CONCURRENCE parfaite** lorsque les conditions suivantes sont réunies:

- de nombreuses entreprises vendent le même bien;

- il y a de nombreux acheteurs;

- il n'y a pas de barrière à l'entrée dans l'industrie;

- les entreprises en place ne bénéficient d'aucun avantage particulier par rapport aux entrants potentiels;

- les entreprises et les acheteurs sont parfaitement informés des prix pratiqués par chacune des entreprises du secteur.

Une industrie ne compte de nombreuses entreprises que si la demande du produit est suffisante pour leur permettre un niveau de production où leur coût total moyen s'approche du coût minimal. C'est le cas, par exemple, de la demande mondiale de maïs, de riz et d'autres céréales, qui est de plusieurs milliers de fois supérieure à la quantité que peut produire une seule ferme au coût total moyen minimal.

Si les conditions de la concurrence parfaite sont réunies, aucune entreprise ne peut exercer une influence significative sur le prix de vente de sa production. On dit des producteurs en concurrence parfaite qu'ils sont des preneurs de prix. Un **preneur de prix** est une entreprise qui ne peut influer sur le prix d'un bien ou d'un service.

Les entreprises en concurrence parfaite sont des preneurs de prix essentiellement parce que chacune d'elles ne produit qu'une infime partie de la production totale d'un bien particulier, et parce que les acheteurs sont bien informés des prix pratiqués par les autres entreprises du secteur.

Supposons un instant que vous soyez producteur de blé en Saskatchewan. Vous en cultivez 500 hectares, ce qui, de prime abord, semble considérable. Mais prenons une voiture et roulons vers l'Ouest. Que voyez-vous, à part le fait que, peu à peu, la plaine fait place à un terrain plus accidenté? Du blé, du blé et encore du blé. Des champs de blé qui s'étendent à perte de vue jusqu'au pied des Rocheuses. Tandis que nous roulons, le soleil se couche à l'ouest sur ces millions d'hectares d'épis blonds… et, des heures plus tard, il se lève à l'est sur des millions d'hectares d'épis blonds tout à fait semblables. Et si vous rouliez vers le Manitoba à l'est, ou vers les deux Dakota au sud, ou dans d'autres régions des États-Unis, de l'Argentine, de l'Australie et de l'Ukraine, le paysage serait le même. Vous le savez maintenant, vos 500 magnifiques hectares ne sont qu'une goutte d'eau dans l'océan, ou plutôt une poignée de grains dans une gigantesque montagne de blé.

Votre blé ne présente aucun avantage sur celui de vos concurrents, et tous les acheteurs de blé sont parfaitement au courant des prix du marché. Si tous les autres producteurs vendent leur blé 300 $ la tonne, et que vous en demandez 310 $, pourquoi les acheteurs achèteraient-ils votre production? Ils n'ont qu'à s'adresser à n'importe quel autre producteur pour obtenir tout le blé dont ils ont besoin à 300 $ la tonne. Vous êtes un preneur de prix. Le preneur de prix fait face à une demande parfaitement élastique.

Sur l'ensemble du marché, la demande de blé n'est pas parfaitement élastique. La pente de la courbe de demande du marché est négative, et son élasticité varie selon le degré de substituabilité du blé par d'autres céréales comme l'orge, le seigle, le maïs et le riz. Mais la demande de blé de la ferme A, elle, est parfaitement élastique, puisque le blé de la ferme A est un *substitut parfait* du blé de la ferme B.

Dans la réalité, la concurrence parfaite est très rare, mais plusieurs secteurs industriels s'en approchent suffisamment pour que le modèle de la concurrence parfaite puisse nous aider à comprendre et à prévoir le comportement des entreprises de ces secteurs. Le remorquage d'automobiles, les travaux de carrosserie et de silencieux, l'agriculture, la pêche, la production de pâte à papier, de gobelets en carton ou de sacs en plastique, la vente d'aliments au détail, le développement de photos, l'entretien des pelouses, la plomberie, la peinture, le nettoyage à sec et les services de buanderie sont autant de marchés extrêmement concurrentiels.

## Les profits et les recettes

L'objectif d'une entreprise est de maximiser son profit, soit la somme du profit normal et du profit économique. Le **profit normal** est le rendement que le propriétaire d'une entreprise aurait obtenu s'il avait choisi la meilleure des autres activités possibles. C'est une option à laquelle il a renoncé, un *coût d'opportunité* de l'entreprise qui fait partie de son coût total. Le **profit économique** de l'entreprise est égal à sa recette totale moins son coût total (incluant le profit normal).

La **recette totale** est la valeur des ventes de l'entreprise. On l'obtient en multipliant le prix unitaire du bien ou du service par le nombre d'unités vendues (prix × quantité vendue). La **recette moyenne** correspond à la recette totale divisée par la quantité totale vendue, soit la recette par unité vendue. Comme la recette totale est égale au prix multiplié par la quantité vendue, la recette moyenne (recette totale divisée par la quantité vendue) est égale au prix. La **recette marginale** est la variation de la recette totale divisée par la variation de la quantité. Autrement dit, la recette marginale est l'augmentation de la recette totale pour chaque unité supplémentaire vendue. Or, en situation de concurrence parfaite, le prix reste constant lorsque la quantité vendue varie; la variation de la recette totale pour chaque unité supplémentaire vendue est donc égale au prix. Dans une situation de concurrence parfaite, la recette marginale est donc, comme la recette moyenne, égale au prix.

La figure 11.1 illustre ces concepts de recette avec l'exemple de Maille Maille. Le tableau présente les chiffres obtenus pour trois niveaux de ventes. Comme l'entreprise ne peut influer sur le prix du marché, son prix de vente reste constant ; dans notre exemple, il est toujours de 25 $. Nous savons que la recette totale est égale au prix multiplié par la quantité vendue. Dans ce cas, si Maille Maille vend 9 chandails, sa recette totale est de 225 $ (9 × 25 $). Nous savons que la recette moyenne s'obtient en divisant la recette totale par la quantité vendue ; ici, elle est de 25 $ (225 $ / 9). Enfin, la recette marginale est la variation de la recette totale pour chaque unité supplémentaire vendue. Par exemple, quand le nombre de chandails vendus passe de 8 à 9, la recette totale de Maille Maille passe de 200 $ à 225 $ ; la recette marginale est donc de 25 $. (Notez que le tableau donne la recette marginale *entre* les lignes correspondant aux quantités vendues, ce qui souligne le fait que

la recette marginale résulte d'une *variation* de la quantité vendue.)

Supposons que Maille Maille ne soit qu'un petit fabricant de chandails parmi 1 000 autres, tous identiques. Le graphique 11.1(a) présente les courbes d'offre et de demande pour l'ensemble du marché des chandails. La courbe de demande *D* croise la courbe d'offre *O* au point qui correspond à un prix de 25 $ et à une quantité de 9 000 chandails. Le graphique 11.1(b) présente la courbe de demande de Maille Maille. Comme l'entreprise ne peut influer sur les prix, elle fait face à une demande parfaitement élastique (la ligne horizontale correspondant à 25 $). Ce graphique indique également les recettes moyenne et marginale de Maille Maille. Comme la recette marginale et la recette moyenne sont égales au prix, la courbe de demande de l'entreprise est également sa courbe de recette moyenne (*RM*) et sa courbe de recette marginale (*Rm*). La courbe de recette totale de Maille Maille, *RT* (graphique c), indique la recette totale pour chaque quantité vendue. Par exemple,

---

FIGURE   11.1

# La demande, le prix et la recette en situation de concurrence parfaite

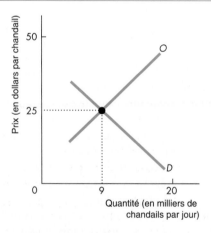

**(a) Marché des chandails**

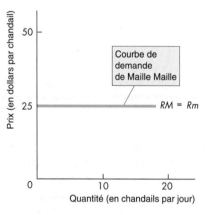

**(b) Demande, recette moyenne et recette marginale de Maille Maille**

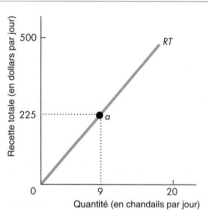

**(c) Recette totale de Maille Maille**

| Quantité vendue (Q) (en chandails par jour) | Prix (P) (en dollars par chandail) | Recette totale (RT = P × Q) (en dollars par jour) | Recette moyenne (RM = RT/Q) (en dollars par chandail) | Recette marginale (Rm = ΔRT/ΔQ) (en dollars par chandail) |
|---|---|---|---|---|
| 8 | 25 | 200 | 25 | |
| | | | | ..........25 |
| 9 | 25 | 225 | 25 | |
| | | | | ..........25 |
| 10 | 25 | 250 | 25 | |

Les courbes d'offre et de demande de l'industrie déterminent le prix du marché. Dans le graphique (a), le prix est de 25 $ le chandail et 9 000 chandails sont achetés et vendus. Dans le graphique (b), Maille Maille fait face à une courbe de demande parfaitement élastique au prix du marché de 25 $ le chandail. Le tableau présente le calcul de la recette totale, de la recette moyenne et de la recette marginale de l'entreprise. Le graphique (b) montre que la courbe de demande de Maille Maille est également la courbe de recette moyenne (*RM*) et la courbe de recette marginale (*Rm*). Le graphique (c) présente la courbe de recette totale (*RT*). Le point *a* correspond à la seconde ligne du tableau.

lorsque Maille Maille vend 9 chandails, la recette totale est de 225 $ (point *a*). Comme chaque chandail supplémentaire que l'on vend rapporte toujours un même montant de 25 $, la courbe de recette totale est une ligne droite à pente positive.

## Les décisions des entreprises en situation de concurrence parfaite

Les entreprises en situation de concurrence parfaite subissent le prix du marché et ont des courbes de recettes semblables à celles que nous venons d'étudier. Ces courbes résument les contraintes du marché auxquelles font face les entreprises en situation concurrentielle.

Ces entreprises doivent également tenir compte de contraintes techniques, qui sont représentées par les courbes de produit (produit total, produit moyen et produit marginal) que nous avons étudiées au chapitre 10. La technologie dont dispose l'entreprise détermine ses coûts, qui sont représentés par les courbes de coût (coût total, coût moyen et coût marginal) que nous avons également étudiées au chapitre 10. L'objectif de l'entreprise concurrentielle est de maximiser son profit, compte tenu des contraintes qui lui sont imposées. Pour atteindre cet objectif, l'entreprise doit prendre quatre décisions essentielles : deux à court terme et deux à long terme.

### Les décisions à court terme
Le court terme est le laps de temps durant lequel chaque entreprise dispose d'une capacité de production déterminée, tandis que le nombre d'entreprises dans l'industrie reste fixe. Toutefois, bien des choses peuvent arriver à court terme. Ainsi, le prix auquel l'entreprise peut vendre sa production peut subir des fluctuations saisonnières ou conjoncturelles.

Même si elle ne peut modifier la taille de ses installations — autrement dit, sa capacité de production —, l'entreprise doit réagir aux fluctuations des prix à court terme. Elle doit décider :

1. si elle produit ou si elle suspend ses activités ;
2. le cas échéant, quelle quantité elle produira.

### Les décisions à long terme
Le long terme est la période nécessaire pour que chaque entreprise puisse modifier la taille de ses installations et décider si elle doit ou non abandonner le marché. Par ailleurs, de nouvelles entreprises peuvent décider d'y tenter leur chance. À long terme, la capacité de production de chaque entreprise peut donc varier, de même que le nombre d'entreprises qui se partagent le marché. À long terme, les entreprises font aussi face à d'autres contraintes. Ainsi, la demande d'un bien peut diminuer de manière permanente, ou encore une innovation technique peut modifier les coûts dans un secteur.

L'entreprise doit réagir à ces changements à long terme. Elle doit décider :

1. si elle augmente ou si elle diminue sa capacité de production ;
2. si elle reste dans l'industrie ou si elle la quitte.

**L'entreprise et l'industrie à court terme et à long terme** Pour étudier une industrie concurrentielle, nous nous pencherons d'abord sur les décisions à court terme d'une entreprise. Puis, nous verrons comment les décisions à court terme de toutes les entreprises d'une industrie concurrentielle interagissent pour déterminer le prix du marché, les quantités produites et le profit économique. Nous passerons ensuite aux effets des décisions à long terme sur le prix du marché, les quantités produites et le profit économique dans cette industrie. Toutes les décisions en cause reposent sur un seul objectif : la maximisation du profit.

## La production qui permet de maximiser le profit

À court terme, une entreprise parfaitement compétitive maximise son profit en choisissant son niveau de production. L'une des façons de déterminer le niveau de production qui maximise le profit consiste à étudier les courbes de recette totale et de coût total d'une entreprise afin de trouver le niveau de production où la recette totale dépasse le coût total du plus grand montant possible. La figure 11.2 nous montre comment procéder dans le cas de Maille Maille. Le tableau donne la recette totale et le coût total de Maille Maille à divers niveaux de production, et le graphique (a) présente les courbes de recette totale et de coût total de Maille Maille. Ces courbes illustrent les données des trois premières colonnes du tableau. La courbe de recette totale (*RT*) est la même que celle du graphique 11.1(c). La courbe de coût total (*CT*) est semblable à celle que nous avons vue au chapitre 10.

Le profit économique est égal à la recette totale moins le coût total. La quatrième colonne du tableau de la figure 11.2 montre le profit économique de Maille Maille et le graphique 11.2(b) illustre sa courbe de profit. Cette courbe indique que Maille Maille réalise un profit économique lorsque sa production se situe entre 4 et 12 chandails par jour. Si elle produit moins de 4 chandails par jour ou plus de 12 chandails par jour, Maille Maille subit une perte. Si la production quotidienne est exactement de 4 chandails ou de 12 chandails, le coût total est égal à la recette totale et le profit économique de Maille Maille est nul. Le *seuil de rentabilité* (ou *point mort*) est le niveau de production où le coût total est égal à la recette totale. Le profit économique de l'entreprise est nul, mais, comme le profit normal fait partie du coût total, au seuil de rentabilité, l'entreprise réalise un profit normal. Autrement dit, au seuil de rentabilité, le propriétaire de l'entreprise réalise un profit égal à celui qu'il aurait réalisé s'il avait choisi de consacrer son temps à la meilleure des autres options qui s'offraient à lui.

---

## FIGURE 11.2
# La recette totale, le coût total et le profit

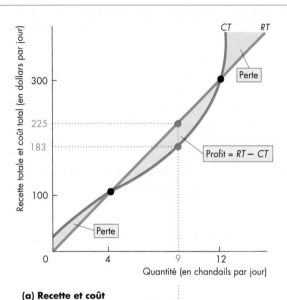

**(a) Recette et coût**

**(b) Profit ou perte**

| Quantité (Q) (en chandails par jour) | Revenu total (RT) (en dollars par jour) | Coût total (CT) (en dollars par jour) | Profit économique (RT – CT) (en dollars par jour) |
|---|---|---|---|
| 0 | 0 | 22 | –22 |
| 1 | 25 | 45 | –20 |
| 2 | 50 | 66 | –16 |
| 3 | 75 | 85 | –10 |
| 4 | 100 | 100 | 0 |
| 5 | 125 | 114 | 11 |
| 6 | 150 | 126 | 24 |
| 7 | 175 | 141 | 34 |
| 8 | 200 | 160 | 40 |
| 9 | 225 | 183 | 42 |
| 10 | 250 | 210 | 40 |
| 11 | 275 | 245 | 30 |
| 12 | 300 | 300 | 0 |
| 13 | 325 | 360 | –35 |

Le tableau présente la recette totale, le coût total et le profit (ou la perte) de Maille Maille à divers niveaux de production. Le graphique (a) montre les courbes de recette totale et de coût total. Le profit correspond à la hauteur de la partie bleue entre ces deux courbes. Maille Maille réalise un profit optimal (42 $ par jour, soit 225 $ – 183 $) si elle produit 9 chandails par jour ; c'est à ce niveau de production que l'écart vertical entre les courbes de recette totale et de coût total est le plus grand. Si la production est exactement de 4 chandails ou de 12 chandails par jour, Maille Maille ne réalise aucun profit. Si la production quotidienne est inférieure à 4 chandails ou supérieure à 12 chandails, Maille Maille essuie une perte. Le graphique (b) de la figure montre la courbe de profit de Maille Maille ; elle atteint son point culminant quand le profit est maximal et qu'elle coupe l'axe horizontal aux points correspondant aux seuils de rentabilité.

---

Observez la relation entre la recette totale, le coût total et les courbes de profit. Le profit économique se mesure par l'écart vertical entre les courbes de recette totale et de coût total. Lorsque la courbe de recette totale du graphique 11.2(a) se trouve au-dessus de la courbe de coût total, entre 4 et 12 chandails, l'entreprise réalise un profit économique et la courbe de profit du graphique 11.2(b) est au-dessus de l'axe horizontal. Au seuil de rentabilité, là où les courbes de coût total et de recette totale se croisent, la courbe de profit coupe l'axe horizontal. La courbe de profit atteint son point optimal lorsque l'écart entre *RT* et *CT* est le plus grand. Dans cet exem-

ple, le profit maximal est réalisé avec une production de 9 chandails par jour. À ce niveau de production, le profit économique de Maille Maille est de 42 $ par jour.

### L'analyse marginale

Une autre façon de déterminer le niveau de production qui permet de maximiser le profit est de recourir à l'*analyse marginale*. Pour ce faire, l'entreprise compare son coût marginal, *Cm,* à sa recette marginale, *Rm.* Si la production augmente, la recette marginale est constante et le coût marginal finit par augmenter. Si la recette marginale est supérieure au coût marginal — si $Rm > Cm$ —, la recette supplémentaire résultant de la vente d'une unité supplémentaire est supérieure au coût supplémentaire engendré par sa production ; dans ce cas, le profit augmente donc lorsque la production augmente. Si la recette marginale est inférieure au coût marginal — si $Rm < Cm$ —, la recette supplémentaire résultant de la vente d'une unité supplémentaire est inférieure au coût supplémentaire engendré par sa production ; dans ce cas, le profit augmente donc lorsque la production *diminue*. Si la recette marginale est égale au coût marginal (si $Rm = Cm$), le profit est optimal. La règle $Rm = Cm$ est un parfait exemple de l'analyse marginale ; voyons si elle nous est utile pour calculer le niveau de production optimal de Maille Maille, notre fabrique de chandails.

Le tableau de la figure 11.3 présente la recette marginale et le coût marginal de Maille Maille. Examinons les données en caractères gras. Si Maille Maille augmente sa production, la faisant passer de 8 à 9 chandails, la recette marginale est de 25 $, et le coût marginal, de 23 $. Comme la recette marginale est supérieure au coût marginal, le profit augmente ; la dernière colonne du tableau montre qu'il passe de 40 $ à 42 $, soit une augmentation de 2 $. Dans le graphique, ce profit attribuable au 9e chandail est représenté par la surface bleu pâle.

Si la production augmente encore, passant de 9 à 10 chandails, la recette marginale est toujours de 25 $, mais le coût marginal, lui, passe à 27 $. La recette marginale étant inférieure au coût marginal, le profit diminue ; la dernière colonne du tableau montre qu'il passe de 42 $ à 40 $. Dans le graphique, cette perte attribuable au 10e chandail est représentée par la surface rose.

Maille Maille maximise son profit en produisant 9 chandails par jour, niveau de production où la recette marginale est égale au coût marginal.

## Le profit à court terme

À court terme, une fois qu'une entreprise a fixé son coût marginal de manière à ce qu'il soit égal à sa recette marginale, et qu'elle a ainsi maximisé son profit, elle peut, selon le cas, réaliser un profit économique, atteindre son seuil de rentabilité (réaliser un profit normal) ou essuyer une perte. Pour déterminer dans quelles conditions elle obtiendra chacun de ces trois résultats, il faut comparer la recette totale et le coût total de l'entreprise, ou encore comparer le prix au coût total moyen. Si le prix est supérieur au coût total moyen, l'entreprise réalise un profit économique. Si le prix est égal au coût total moyen, elle réalise un profit normal. Si le prix est inférieur au coût total moyen, elle essuie une perte. Notons que, dans ce dernier cas, ce sera la plus petite perte possible, car la maximisation du profit entraîne la minimisation des pertes.

Examinons de plus près ces trois cas.

**FIGURE 11.3**

## Le niveau de production qui permet de maximiser le profit ◆

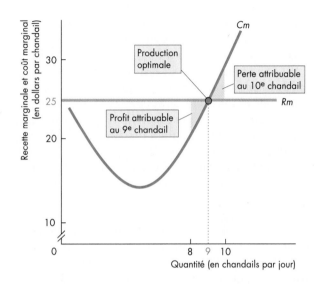

| Quantité (Q) (en chandails par jour) | Recette totale (RT) (en dollars) | Recette marginale (Rm) (en dollars par chandail) | Coût total (CT) (en dollars) | Coût marginal (Cm) (en dollars par chandail) | Profit économique (RT – CT) (en dollars) |
|---|---|---|---|---|---|
| 7 | 175 | | 141 | | 34 |
| | | .......25 | | .......19 | |
| 8 | 200 | | 160 | | 40 |
| | | .......25 | | .......23 | |
| 9 | 225 | | 183 | | 42 |
| | | .......25 | | .......27 | |
| 10 | 250 | | 210 | | 40 |
| | | .......25 | | .......35 | |
| 11 | 275 | ....... | 245 | ....... | 30 |

Un autre moyen de trouver le niveau de production qui permet de maximiser le profit consiste à déterminer le niveau de production où la recette marginale est égale au coût marginal. Le tableau nous apprend que, si la production passe de 8 à 9 chandails par jour, le coût marginal, qui est de 23 $, est inférieur à la recette marginale de 25 $. Si la production passe de 9 à 10 chandails, le coût marginal, qui est de 27 $, est supérieur à la recette marginale de 25 $. Le graphique montre que le coût marginal et la recette marginale sont égaux lorsque Maille Maille produit 9 chandails par jour. Si la recette marginale est supérieure au coût marginal, une augmentation de la production entraîne une augmentation du profit. Si la recette marginale est inférieure au coût marginal, une augmentation de la production entraîne une baisse du profit. Si la recette marginale est égale au coût marginal, le profit est optimal.

**Le profit : trois cas**    La figure 11.4 illustre ces trois cas. Dans le graphique 11.4(a), au niveau de production choisi, le prix est supérieur au coût total moyen (*CTM*) et Maille Maille réalise un profit. Le prix et la recette marginale (*Rm*) sont de 25 $ par chandail, et la production qui maximise le profit est de 9 chandails par jour. La recette totale de Maille Maille est de 225 $ par jour (9 × 25 $). Le coût total moyen est de 20,33 $ par chandail, et le coût total, de 183 $ par jour (9 × 20,33 $) ; le profit de Maille Maille est donc de 42 $ par jour, soit la recette totale moins le coût total (225 $ − 183 $). Le profit économique est aussi égal au profit économique par chandail, soit 4,67 $ (25 $ − 20,33 $), multiplié par le nombre de chandails (4,67 $ × 9 = 42 $). Le rectangle bleu représente ce profit économique. La hauteur de ce rectangle correspond au profit unitaire, soit 4,67 $ par chandail, et sa longueur, à la quantité de chandails produits, soit 9 chandails par jour ; le rectangle bleu correspond donc à 42 $ par jour, le profit économique de Maille Maille.

Dans le graphique 11.4(b), au niveau de production choisi, le prix est égal au coût total moyen et Maille Maille atteint son seuil de rentabilité, réalisant un profit normal et un profit économique nul. Le prix et la recette marginale sont de 20 $ par chandail, et la production optimale, de 8 chandails par jour. Pour ce niveau de production, le coût total moyen est à son minimum.

Dans le graphique 11.4(c), au niveau de production choisi, le prix est inférieur au coût total moyen et Maille Maille subit une perte économique. Le prix et la recette marginale sont de 17 $ par chandail, et la production qui permet de maximiser le profit (et de minimiser les pertes) est de 7 chandails par jour. La recette totale de Maille Maille est de 119 $ par jour (7 × 17 $). Le coût total moyen est de 20,14 $ par chandail, et le coût total, de 141 $ par jour (7 × 20,14 $). La perte économique de Maille Maille est de 22 $ par jour, la recette totale de 119 $ moins le coût total de 141 $. La perte économique est aussi égale à la perte économique par chandail, soit 3,14 $ (20,14 $ − 17 $), multipliée par le nombre de chandails (3,14 $ × 7 = 22 $). Le rectangle rose représente cette perte économique. La hauteur de ce rectangle correspond à la perte économique par chandail, soit 3,14 $, et la longueur, à la quantité de chandails produits, soit 7 par jour ; par conséquent, le rectangle mesure la perte de Maille Maille, soit 22 $ par jour.

### La courbe d'offre à court terme de l'entreprise

La courbe d'offre d'une entreprise en situation de concurrence parfaite montre comment le niveau de production qui permet de maximiser le profit varie lorsque le prix du marché change, tous les autres facteurs étant constants. La figure 11.5 montre comment établir la courbe d'offre entière de Maille Maille. Le graphique 11.5(a) présente ses courbes de coût variable moyen et de coût marginal, et

---

**FIGURE  11.4**
## Le profit : les trois possibilités à court terme

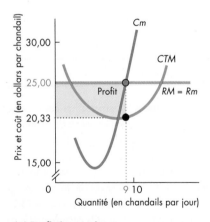

**(a) Profit économique**

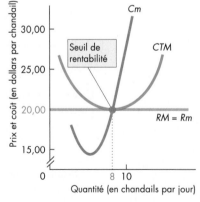

**(b) Profit normal**

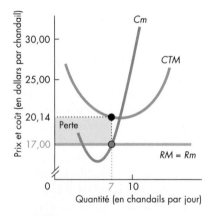

**(c) Perte**

À court terme, l'entreprise peut réaliser un profit, atteindre le seuil de rentabilité (réaliser un profit normal) ou subir une perte. Si le prix du marché est supérieur au coût total moyen pour produire la quantité permettant de réaliser un profit maximum, l'entreprise réalise un profit économique — le rectangle bleu du graphique (a). Si le prix est égal au coût total moyen minimum, l'entreprise atteint son seuil de rentabilité et réalise un profit normal — le graphique (b). Si le prix est inférieur au coût total moyen minimum, l'entreprise subit une perte — le rectangle rose du graphique (c).

## FIGURE 11.5
## La courbe d'offre de Maille Maille

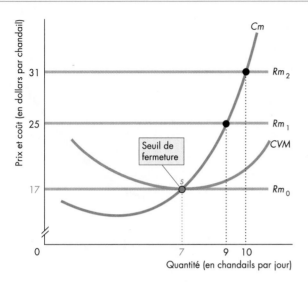

**(a) Coût marginal et coût variable moyen**

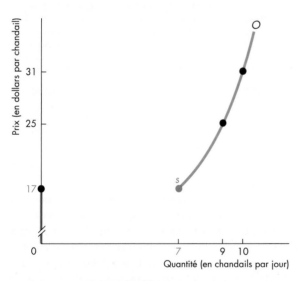

**(b) Courbe d'offre de Maille Maille**

Le graphique (a) montre le niveau de production qui permet à Maille Maille de maximiser son profit. À 25 $ le chandail, Maille Maille produit 9 chandails. À 17 $ le chandail, elle en produit 7 ou n'en produit aucun. À n'importe quel prix inférieur à 17 $ le chandail, Maille Maille ne produit rien. Le seuil de fermeture de Maille Maille est s. Le graphique (b) montre la courbe d'offre de Maille Maille — le nombre de chandails que Maille Maille produira à chaque prix. La courbe d'offre est constituée, d'une part, de la courbe de coût marginal — graphique (a) — pour tous les points qui se situent au-dessus de la courbe de coût variable moyen et, d'autre part, de l'axe vertical pour tous les prix situés sous le coût variable moyen.

le graphique 11.5(b), sa courbe d'offre. Il y a un lien direct entre les courbes de coût marginal et de coût variable moyen et la courbe d'offre. Voyons quel est ce lien.

**La fermeture temporaire de l'entreprise** À court terme, une entreprise ne peut éviter les coûts fixes ; par contre, elle *peut* éviter les coûts variables. Si sa production est nulle, l'entreprise subit une perte égale à son coût fixe total, et pas davantage. Si le prix baisse au-dessous du coût variable moyen, pour maximiser le profit, l'entreprise devra cesser temporairement ses activités, mettre à pied ses employés et ne rien produire. Le **seuil de fermeture** de l'entreprise correspond au niveau de production et au prix où sa recette totale suffit tout juste à couvrir son coût *variable* total. Au seuil de fermeture, l'entreprise subit une perte égale à son coût fixe total. Si elle continuait de produire et qu'elle vendait sa production à un prix inférieur au coût variable moyen, la perte serait supérieure au coût fixe total. Elle ne maximiserait pas son profit et ne minimiserait pas ses pertes. Le graphique 11.5(a) illustre le seuil de fermeture. Si le prix est de 17 $, la courbe de recette marginale est $Rm_0$ et l'entreprise produit 7 chandails par jour au seuil de fermeture s. Si le prix baisse au-dessous de 17 $, l'entreprise cesse ses activités.

**La courbe d'offre à court terme** Si le prix est supérieur au coût variable moyen minimal, Maille Maille maximise son profit en produisant à un niveau où le coût marginal est égal au prix. Nous pouvons déterminer la quantité produite pour chaque prix à partir de la courbe de coût marginal. Au prix de 25 $, la courbe de recette marginale est $Rm_1$, et Maille Maille maximise son profit en produisant 9 chandails. Au prix de 31 $, la courbe de recette marginale est $Rm_2$ et Maille Maille produit 10 chandails.

La courbe d'offre, illustrée au graphique 11.5(b), comprend deux parties. D'abord, aux prix qui excèdent le coût variable moyen minimal, la courbe d'offre est la même que la courbe de coût marginal. Cette courbe est située au-dessus du seuil de fermeture s. Puis, aux prix qui sont inférieurs au coût variable moyen minimal, Maille Maille cesse ses activités et sa production est nulle. Sa courbe d'offre se déplace le long de l'axe vertical. Au prix de 17 $, Maille Maille peut, indifféremment, fermer ses portes ou produire 7 chandails par jour. Dans les deux cas, l'entreprise perd 25 $ par jour.

## La courbe d'offre à court terme de l'industrie

La **courbe d'offre à court terme de l'industrie** montre comment la quantité totale offerte par l'ensemble d'une industrie varie avec le prix du marché lorsque la capacité de production de chaque entreprise et le nombre d'entreprises de cette industrie restent constants. La quantité fournie par l'industrie à un prix donné est la somme des quantités fournies par toutes les entreprises de l'industrie à ce même prix. Pour construire la courbe d'offre, il faut « additionner horizontalement » toutes les courbes d'offre des entreprises individuelles.

Supposons que le marché concurrentiel des chandails soit constitué de 1 000 entreprises identiques à Maille Maille, ayant toutes le même barème d'offre. La figure 11.6 illustre la courbe d'offre de cette industrie. Le tableau présente les quantités offertes par une entreprise et par l'industrie pour chaque prix. À un prix inférieur à 17 $, chaque entreprise cessera ses activités ; l'offre de cette industrie sera donc nulle. Au prix de 17 $, chacune des entreprises peut, indifféremment, fermer ses portes ou produire 7 chandails. Résultat ? Certaines continuent à produire, d'autres cessent leurs activités, et l'offre de l'industrie peut se situer n'importe où entre 0 (si toutes les entreprises ferment leurs portes) et 7 000 (si toutes les entreprises produisent 7 chandails par jour). Par conséquent, au prix de 17 $, la courbe d'offre de l'industrie est horizontale. À un prix supérieur à 17 $, chaque entreprise augmente sa quantité offerte, et la quantité offerte par l'industrie est 1 000 fois supérieure à la quantité offerte par chaque entreprise.

La figure 11.6 présente un barème d'offre sous forme de tableau, accompagné de sa représentation graphique. La quantité offerte par l'industrie est 1 000 fois supérieure à la quantité offerte par chacune des 1 000 entreprises. Au prix de 17 $ le chandail, la production de l'entreprise est soit nulle, soit de 7 chandails par jour (puisqu'à ce prix, les entreprises produisent indifféremment 0 ou 7 chandails) ; par conséquent, la quantité offerte par l'industrie peut aller de 0 à 7 000 chandails. Au prix de 17 $, la courbe d'offre de l'industrie est parfaitement élastique.

## À RETENIR

■ En situation de concurrence parfaite, l'entreprise ne peut influer sur les prix, et sa recette marginale est égale au prix du marché.

■ Si le prix est supérieur au coût variable moyen, l'entreprise maximise son profit en choisissant le niveau de production où son coût marginal est égal à la recette marginale (elle-même égale au prix). Le prix le plus bas auquel l'entreprise continue à produire est égal à son coût variable moyen minimal.

■ À court terme, l'entreprise peut soit réaliser un profit économique, soit atteindre son seuil de rentabilité (ne réaliser aucun profit économique, mais faire un profit normal), ou encore essuyer une perte. Sa perte maximale est égale à son coût fixe total.

## FIGURE 11.6
## La courbe d'offre de l'industrie

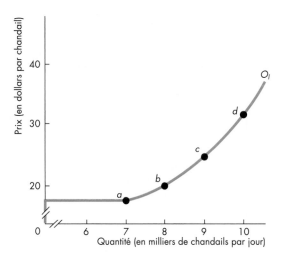

| | Prix (en dollars par chandail) | Quantité produite par Maille Maille (en chandails par jour) | Quantité produite par l'industrie (en chandails par jour) |
|---|---|---|---|
| a | 17 | 0 ou 7 | 0 à 7 000 |
| b | 20 | 8 | 8 000 |
| c | 25 | 9 | 9 000 |
| d | 31 | 10 | 10 000 |

Le barème d'offre de l'industrie est la somme des barèmes d'offre de toutes les entreprises de cette industrie. Une industrie formée de 1 000 entreprises identiques a un barème d'offre similaire à celui de chacune de ces entreprises, à ceci près que la quantité produite est 1 000 fois supérieure (voir le tableau). La courbe d'offre de l'industrie est $O_I$. Les points $a$, $b$, $c$ et $d$ correspondent aux lignes du tableau. Au prix de fermeture de 17 $, chaque entreprise produit 7 chandails par jour ou n'en produit aucun. La courbe d'offre de l'industrie est parfaitement élastique au prix de fermeture.

Jusqu'à présent, nous avons étudié le cas d'une seule entreprise en situation isolée. Nous avons vu que les mesures qu'elle prend pour maximiser son profit dépendent du prix du marché, sur lequel elle n'a aucune influence. Mais comment le prix du marché est-il déterminé ? C'est ce que nous allons maintenant voir.

# La production, le prix et le profit à court terme

POUR DÉTERMINER LE PRIX DU MARCHÉ AINSI QUE la quantité achetée et vendue dans un marché en situation de concurrence parfaite, il faut étudier le marché dans son ensemble, ce qui implique que l'on examine les interactions de l'offre et de la demande dans ce marché. Commençons par voir ce qui se passe dans un marché en concurrence parfaite à court terme.

## L'équilibre concurrentiel à court terme

Le prix du marché et le niveau de production dépendent de l'offre et de la demande qui prévalent dans cette industrie. Le graphique 11.7(a) illustre trois situations possibles d'équilibre concurrentiel à court terme. La courbe d'offre $O$ est semblable à la courbe $O_1$ de la figure 11.6. Si la demande correspond à la courbe $D_1$, le prix d'équilibre est 25 $, et l'industrie produit

9 000 chandails par jour. Si la demande correspond à la courbe $D_2$, le prix est de 20 $, et l'industrie produit 8 000 chandails par jour. Si la demande correspond à la courbe $D_3$, le prix est de 17 $, et l'industrie produit 7 000 chandails par jour.

Le graphique 11.7(b) illustre la situation où se trouve chacune des entreprises dans chacun de ces trois cas. Si la demande correspond à la courbe $D_1$, le prix est de 25 $ par chandail ; chaque entreprise produit 9 chandails par jour et réalise un profit économique (le rectangle bleu pâle). Si la demande correspond à la courbe $D_2$, le prix est de 20 $ par chandail ; chaque entreprise produit 8 chandails par jour et son profit économique est nul (profit normal). Si la demande correspond à la courbe $D_3$, le prix est de 17 $ par chandail ; chaque entreprise produit 7 chandails par jour et subit une perte (le rectangle rose).

Si la courbe de demande se déplace vers la gauche au-delà de $D_3$, le prix reste constant à 17 $ parce que la courbe d'offre de l'industrie est horizontale à ce prix. Certaines entreprises continuent de produire 7 chandails par jour et d'autres cessent leurs activités. Les entreprises ont le choix entre produire 7 chandails par jour ou ne rien produire du tout ; dans l'un ou l'autre cas, elles subissent

---

**FIGURE 11.7**
## L'équilibre à court terme

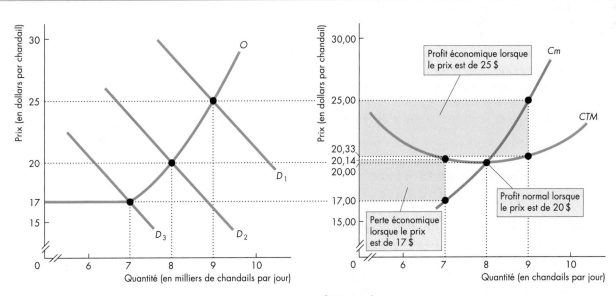

**(a) Industrie**

**(b) Entreprise**

Dans le graphique (a), la courbe d'offre du marché concurrentiel des chandails est $O$. Si la demande correspond à la courbe $D_1$, le prix est de 25 $ et l'industrie produit 9 000 chandails. Si la demande correspond à la courbe $D_2$, le prix est de 20 $ et l'industrie produit 8 000 chandails. Si la demande correspond à la courbe $D_3$,

le prix est de 17 $ et l'industrie produit 7 000 chandails. Comme on le voit au graphique (b), si le prix est de 25 $, chaque entreprise réalise un profit économique ; si le prix est de 20 $, elle atteint son seuil de rentabilité (réalise un profit normal) ; si le prix est de 17 $, elle subit une perte économique.

une perte égale au coût fixe total. Le nombre d'entreprises qui continuent de produire est tout juste suffisant pour satisfaire la demande du marché au prix de 17 $.

À court terme, le nombre d'entreprises et la capacité de production de chaque entreprise ne varient pas ; à long terme, par contre, ces caractéristiques de l'industrie peuvent changer. Par ailleurs, des forces qui se mettent à l'œuvre viennent perturber certaines des situations à court terme que nous venons d'étudier. Voyons quelles sont ces forces qui entrent en action à long terme.

## La production, le prix et le profit à long terme

EN SITUATION D'ÉQUILIBRE À COURT TERME, l'entreprise peut réaliser un profit économique, subir une perte ou atteindre le seuil de rentabilité (réaliser un profit normal). Dans ces trois cas, l'entreprise est en situation d'équilibre à court terme, mais une seule de ces possibilités est compatible avec un équilibre à long terme. Pourquoi ? Afin de répondre à cette question, analysons les forces à l'œuvre dans un marché concurrentiel à long terme.

À long terme, une industrie peut évoluer de deux manières : ou bien le nombre d'entreprises qui se partagent le marché change, ou bien les entreprises modifient la capacité de production de leurs installations. Étudions les effets de ces deux forces dans un marché concurrentiel.

Le nombre d'entreprises d'une industrie change par le jeu des entrées et des sorties. L'*entrée* correspond à l'établissement d'une nouvelle entreprise dans l'industrie, et la *sortie,* à la fermeture d'une entreprise. Les entrées et les sorties sont déterminées par le profit économique et la perte économique, et influent elles-mêmes sur ces profits et pertes. Voyons d'abord comment le profit et la perte économiques provoquent l'entrée et la sortie des entreprises.

### Le profit économique et la perte économique en tant qu'indicateurs

Toute industrie dont les entreprises réalisent des profits économiques attire de nouvelles entrées et toute industrie dont les entreprises subissent des pertes économiques connaît des sorties ; l'industrie dont les entreprises réalisent un profit normal (profit nul) ne suscite ni entrées ni sorties. Le profit et la perte économiques sont donc les signes auxquels réagissent les entreprises lorsqu'elles prennent des décisions d'entrée ou de sortie.

Les profits et pertes temporaires attribuables au seul hasard, un peu comme les gains et les pertes au casino, ne suscitent ni entrées ni sorties. Par contre, la perspective de profits ou de pertes économiques à long terme est déterminante.

L'entrée et la sortie des entreprises influent sur le prix du marché, le niveau de production et le profit économique ; elles ont pour effet immédiat le déplacement de la courbe d'offre de l'industrie. Quand de nouvelles entreprises entrent dans une industrie, la courbe d'offre de cette industrie se déplace vers la droite : l'offre augmente. Quand des entreprises quittent une industrie, la courbe d'offre de l'industrie se déplace vers la gauche : l'offre diminue. Voyons ce qui se produit lorsque de nouvelles entreprises entrent dans une industrie.

### Les effets des entrées

La figure 11.8 illustre les effets des entrées d'entreprises dans une industrie. Supposons que la courbe de demande de chandails soit *D,* et que la courbe d'offre de l'industrie soit $O_A$. Le chandail se vend alors 23 $ l'unité, 7 000 chandails sont produits et les entreprises de cette industrie réalisent un profit économique. Alléchées, de nouvelles entreprises entrent dans cette industrie, ce qui entraîne le déplacement de la courbe d'offre de l'industrie vers la droite, de $O_A$ à $O_0$. Comme l'offre est plus grande et que la demande reste inchangée, le prix du marché baisse, pas-

## FIGURE 11.8
# Les entrées et les sorties

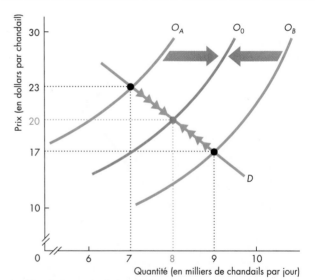

Lorsque de nouvelles entreprises entrent sur le marché des chandails, la courbe d'offre de l'industrie se déplace vers la droite, de $O_A$ à $O_0$. Le prix d'équilibre diminue, passant de 23 $ à 20 $, et la production de l'industrie augmente, passant de 7 000 à 8 000 chandails. Lorsque des entreprises sortent du marché des chandails, la courbe d'offre de l'industrie se déplace vers la gauche, de $O_B$ à $O_0$. Le prix d'équilibre augmente, passant de 17 $ à 20 $, et la production de l'industrie tombe de 9 000 à 8 000 chandails.

sant de 23 $ à 20 $ le chandail, et la quantité produite augmente, passant de 7 000 à 8 000 chandails par jour. Lorsque le prix diminue, Maille Maille, comme toutes les autres entreprises de cette industrie, se déplace le long de sa courbe d'offre et réduit sa production. Cela signifie que, pour chaque entreprise, le niveau de production qui permet de maximiser le profit diminue. En raison de cette baisse de prix et du volume de vente de chaque entreprise, le profit économique diminue. Lorsque le prix tombe à 20 $, le profit économique disparaît et chaque entreprise réalise un profit normal.

Nous pouvons en tirer la conclusion suivante :

L'entrée de nouvelles entreprises dans une industrie provoque une baisse du prix du produit ainsi que des profits de chaque entreprise en activité.

L'industrie des ordinateurs personnels nous fournit un bon exemple de ce processus. Lorsque IBM a lancé ses premiers ordinateurs personnels au début des années 1980, la concurrence était faible, et le prix élevé des ordinateurs personnels a permis à IBM de réaliser de gros profits. Mais, très rapidement, de nouvelles entreprises comme Compaq, NEC, Dell et plusieurs autres sont entrées dans cette industrie et y ont offert des ordinateurs semblables à ceux d'IBM — si semblables, en fait, qu'on les a appelés des « clones ». La vague massive d'entrées qui a déferlé sur le marché des ordinateurs personnels a entraîné le déplacement de la courbe vers la droite, ainsi que la diminution du prix et du profit économique de toutes les entreprises.

Voyons maintenant ce qui se passe lorsqu'une entreprise quitte une industrie.

## Les effets des sorties

La figure 11.8 illustre les effets des sorties d'entreprises sur l'ensemble d'une industrie. Supposons que la demande corresponde à la courbe $D$ et l'offre à la courbe $O_B$, de sorte que le prix du marché est de 17 $, et le niveau de production, de 9 000 chandails. Les entreprises de cette industrie subissent une perte économique. À mesure que certaines entreprises quittent cette industrie, la courbe d'offre se déplace vers la gauche jusqu'à $O_0$. Avec cette diminution de l'offre, le niveau de production diminue, passant de 9 000 à 8 000 chandails, et le prix augmente, passant de 17 $ à 20 $.

Lorsque le prix augmente, Maille Maille, tout comme les autres entreprises de cette industrie, se déplace le long de sa courbe d'offre et son niveau de production augmente. Cela signifie que, dans cette industrie, le niveau de production qui permet de maximiser le profit de chaque entreprise en activité augmente. En raison de ces augmentations du prix et du niveau de vente, la perte économique diminue. Lorsque le prix s'élève à 20 $, la perte économique disparaît et chaque entreprise réalise un profit normal.

Nous pouvons en tirer la conclusion suivante :

Lorsque des entreprises quittent une industrie, le profit des entreprises de cette industrie qui restent en activité augmente.

Massey-Ferguson, un fabricant de matériel agricole dont le principal centre d'exploitation se trouve à Brandford en Ontario, est un bon exemple d'entreprise qui a abandonné un marché. International Harvester en est un autre. Durant plusieurs décennies, tout le monde associait ces deux noms aux tracteurs et aux moissonneuses-batteuses. Mais la concurrence s'est intensifiée dans ce marché et plusieurs entreprises, dont Massey-Ferguson et International Harvester, ont commencé à subir des pertes importantes. Après quelques années, ces entreprises déficitaires se sont résolues à quitter l'industrie, laissant John Deere, de petits fabricants comme AgriMetal, Butler et Houle et diverses entreprises japonaises et européennes se partager le marché.

La sortie de Massey-Ferguson et d'International Harvester a fait baisser la capacité de production totale de l'industrie du matériel agricole, ce qui a permis aux entreprises qui sont restées en place d'atteindre le seuil de rentabilité.

## L'équilibre à long terme

Un marché concurrentiel est en situation d'équilibre à long terme quand les entreprises réalisent un profit normal et que leur profit économique est nul.

Si les entreprises d'une industrie concurrentielle réalisent un profit, de nouvelles entreprises entrent dans ce secteur et la courbe d'offre se déplace vers la droite. Par conséquent, le prix du marché diminue, tout comme le profit économique. Les entreprises continuent d'entrer et le profit économique continue de diminuer tant que les entreprises de l'industrie réalisent un profit économique positif. Les entrées ne cessent qu'une fois que le profit économique a été éliminé, que le profit normal a été atteint, et que les prix et quantités produites cessent de varier.

Lorsque les entreprises d'une industrie concurrentielle subissent une perte économique, certaines entreprises quittent cette industrie, et la courbe d'offre se déplace vers la gauche. Par conséquent, le prix du marché augmente, et la perte économique des entreprises encore en activité dans cette industrie diminue. Tant que l'industrie subit une perte, les entreprises continuent à quitter l'industrie, et la perte économique continue à diminuer. Les sorties ne cessent qu'une fois que la perte économique a été éliminée et qu'un profit normal est réalisé.

Par conséquent, dans une industrie concurrentielle en situation d'équilibre à long terme, aucune entreprise n'entre ni ne sort, et chaque entreprise de l'industrie réalise un profit normal.

Examinons maintenant le deuxième type d'évolution à long terme d'une industrie concurrentielle : la modification de la capacité de production des entreprises en activité.

## La modification de la capacité de production

Une entreprise modifie la taille de ses installations, et donc sa capacité de production, si cela lui permet d'augmenter son profit. La figure 11.9 illustre une situation où Maille Maille peut augmenter son profit en augmentant sa capacité de production. Avec sa capacité actuelle, la courbe de coût marginal de Maille Maille est $Cm_0$ et sa courbe de coût total moyen à court terme est $CMCT_0$. Le prix du marché est de 25 $ le chandail, la courbe de recette marginale de Maille Maille est donc $Rm_0$, et Maille Maille maximise son profit en produisant 6 chandails par jour.

La courbe $CMLT$ représente le coût moyen à long terme de Maille Maille. En augmentant sa capacité de production (avec des machines à tricoter supplémentaires), Maille Maille peut se déplacer le long de sa courbe de coût à long terme. Lorsque l'entreprise augmente sa capacité de production, sa courbe de coût marginal à court terme se déplace vers la droite.

Souvenez-vous que la courbe d'offre à court terme d'une entreprise est liée à sa courbe de coût marginal. Lorsque la courbe de coût marginal de Maille Maille se déplace vers la droite, sa courbe d'offre à court terme en fait autant. Lorsque Maille Maille et les autres entreprises de l'industrie augmentent leur capacité de production, la courbe d'offre de l'industrie à court terme se déplace vers la droite, et le prix du marché diminue. Cette baisse du prix limite le profit que Maille Maille peut tirer de l'augmentation de sa capacité de production.

La figure 11.9 nous montre également la situation d'équilibre concurrentiel à long terme de Maille Maille. Cette situation découle de la baisse du prix du marché à 20 $ le chandail. La recette marginale est $Rm_1$ et Maille Maille maximise son profit en produisant 8 chandails par jour. Dans cette situation, l'entreprise ne peut augmenter son profit en modifiant sa capacité de production. Elle produit au niveau où son coût moyen à long terme est le plus bas possible (point $m$ sur $CMLT$).

Comme son coût moyen à long terme est à son point minimal, Maille Maille n'a aucun intérêt à augmenter ou à diminuer la taille de ses installations, car toute modification de sa capacité de production entraînerait inévitablement une augmentation du coût moyen. Si la figure 11.9 décrivait la situation de toutes les entreprises de l'industrie des chandails, cette industrie serait en situation d'équilibre à long terme. Aucune entreprise n'aurait intérêt à modifier sa capacité de production. De plus, comme chaque entreprise de l'industrie réaliserait un profit économique nul (profit normal), aucune entreprise n'aurait intérêt à entrer dans l'industrie ou à en sortir.

**FIGURE** **11.9**

# La capacité de production et l'équilibre à long terme

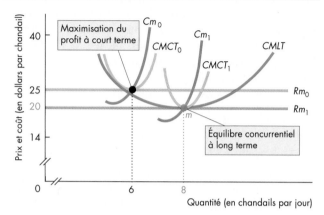

Les courbes $Cm_0$ et $CMCT_0$ représentent le coût marginal et le coût total moyen à court terme de Maille Maille au départ. Le prix du marché est alors de 25 $ par chandail et la recette marginale de Maille Maille est $Rm_0$ ; le niveau de production qui permet à l'entreprise de maximiser son profit à court terme est de 6 chandails par jour. Maille Maille peut augmenter son profit en augmentant sa capacité de production. Si toutes les entreprises de l'industrie des chandails font de même, l'offre à court terme de l'industrie augmente et le prix du marché diminue. En situation d'équilibre à long terme, l'entreprise choisit la capacité de production qui lui permet de minimiser son coût moyen. Dans notre exemple, Maille Maille a opté pour une capacité de production dont le coût marginal est $Cm_1$, et le coût moyen à court terme, $CMCT_1$. Maille Maille se trouve également sur sa courbe de coût moyen à long terme $CMLT$ et produit au point $m$. Sa production est de 8 chandails par jour et son coût total moyen équivaut au prix d'un chandail, soit 20 $.

## À RETENIR

Trois conditions définissent l'équilibre concurrentiel à long terme :

■ Les entreprises maximisent leur profit en produisant au niveau où leur coût marginal est égal à leur recette marginale (le prix du marché).

■ Les profits économiques sont nuls, de sorte qu'aucune entreprise n'a intérêt à entrer dans l'industrie ou à s'en retirer.

■ Les entreprises produisent à un niveau où leur coût moyen à long terme est le plus bas possible, de sorte qu'aucune entreprise n'a intérêt à modifier sa capacité de production.

Nous avons vu comment une perte économique incite des entreprises à sortir de l'industrie, départs qui finissent par éliminer cette perte. Nous avons également vu comment le profit économique incite des entreprises à entrer dans l'industrie, entrées qui finissent par éliminer ce profit. À long terme, le profit normal est atteint. Une industrie concurrentielle est rarement en équilibre à long terme. Cependant, elle tend perpétuellement vers cet équilibre, et les conditions auxquelles elle fait face changent constamment, notamment à cause de l'évolution des préférences et du progrès technologique, les deux facteurs de changement les plus persistants. Voyons comment une industrie concurrentielle s'y adapte.

## L'évolution des préférences et le progrès technologique

LA DEMANDE DE CIGARETTES A BEAUCOUP BAISSÉ depuis que les gens sont mieux informés des effets néfastes du tabac sur la santé. L'arrivée sur le marché de voitures peu coûteuses et l'essor des transports aériens ont entraîné une baisse considérable de la demande de services de transport interurbain par train ou par autobus. L'avènement des appareils électroniques à semi-conducteurs s'est traduit par une importante diminution de la demande de services de réparation pour les téléviseurs et les postes de radio. La fabrication de vêtements peu coûteux de bonne qualité a fait baisser la demande de machines à coudre. Que se passe-t-il dans une industrie concurrentielle quand la demande baisse de façon permanente?

La multiplication des fours à micro-ondes a entraîné une très forte augmentation de la demande d'articles de cuisine en papier, en verre et en plastique ainsi que de pellicule plastique pour les aliments. L'essor démographique et l'accroissement du revenu moyen ont contribué à faire augmenter de façon constante la demande de la plupart des biens et services. Que se passe-t-il dans une industrie concurrentielle lorsque la demande d'un de ses produits connaît une augmentation permanente?

Le progrès technologique fait baisser constamment les coûts de production. Ainsi, les nouvelles biotechnologies ont fait chuter de manière spectaculaire le coût de nombreux aliments et produits pharmaceutiques, et les technologies électroniques ont fait diminuer le coût de production de presque tous les biens et services. Que se passe-t-il dans une industrie concurrentielle lorsque le progrès technologique entraîne la baisse des coûts de production?

Faisons appel à la théorie de la concurrence parfaite pour répondre à ces questions.

### Un changement permanent de la demande

Le graphique (a) de la figure 11.10 illustre la situation d'une industrie qui, au départ, est en situation d'équilibre concurrentiel à long terme. Les courbes $D_0$ et $O_0$ représentent respectivement la demande et l'offre initiales du marché; le prix initial est $P_0$ et le niveau de production initial de l'industrie est $Q_0$. Le graphique (b) de la figure 11.10 illustre la situation d'une entreprise qui, au départ, est en situation d'équilibre à long terme. Cette entreprise produit au point $q_0$ et réalise un profit normal (un profit économique nul).

Supposons maintenant que la demande soit à la baisse et que la courbe de demande se déplace vers la gauche, de $D_0$ à $D_1$, comme le montre le graphique 11.10(a). Le prix tombe à $P_1$ et la quantité produite par l'industrie diminue, passant de $Q_0$ à $Q_1$, ce qui correspond à un déplacement le long de la courbe d'offre à court terme $O_0$. Le graphique 11.10(b) montre la nouvelle situation à laquelle fait face l'entreprise. Le prix est maintenant inférieur au coût total moyen minimal, de sorte que l'entreprise subit une perte économique. Pour réduire autant que possible cette perte, elle ajuste son niveau de production pour que le prix soit égal au coût marginal. Au prix $P_1$, la production de chaque entreprise est $q_1$.

L'industrie est maintenant en situation d'équilibre à court terme, mais pas à long terme. C'est une situation d'équilibre à court terme, car chaque entreprise maximise son profit; mais ce n'est pas une situation d'équilibre à long terme puisque chaque entreprise subit une perte économique — son coût total moyen est supérieur au prix du marché.

Pour certaines entreprises, la perte économique est le signal qu'elles ont intérêt à quitter l'industrie. Ces départs font diminuer l'offre à court terme de l'industrie et la courbe d'offre se déplace vers la gauche. Lorsque l'offre diminue, le prix augmente. Chaque augmentation de prix entraîne une augmentation du niveau de production qui permet de maximiser le profit de l'entreprise. Les entreprises qui restent dans l'industrie augmentent donc leur production; à mesure que le prix augmente, elles se déplacent le long de leur courbe de coût marginal — graphique 11.10(b). Autrement dit, au fur et à mesure que les entreprises quittent le marché, la production totale de l'industrie diminue, mais la production des entreprises qui restent dans l'industrie augmente. Finalement, suffisamment d'entreprises quittent l'industrie pour que la courbe d'offre se déplace vers $O_1$ — graphique 11.10(a). Le prix est alors revenu à son niveau initial, $P_0$. À ce prix, les entreprises qui sont restées dans l'industrie produisent la quantité $q_0$, c'est-à-dire la même quantité qu'elles produisaient avant la baisse de la demande. Comme les entreprises réalisent maintenant un profit normal et un profit économique nul, aucune entreprise n'a intérêt à entrer dans l'industrie ou à en sortir. La courbe d'offre de l'industrie reste au point $O_1$ et la production est de $Q_2$. L'industrie est de nouveau en situation d'équilibre à long terme.

La différence entre l'équilibre à long terme initial et le nouvel équilibre à long terme est que la baisse permanente de la demande a entraîné la diminution du nombre d'entreprises dans l'industrie. Chaque entreprise qui

---

# La baisse de la demande

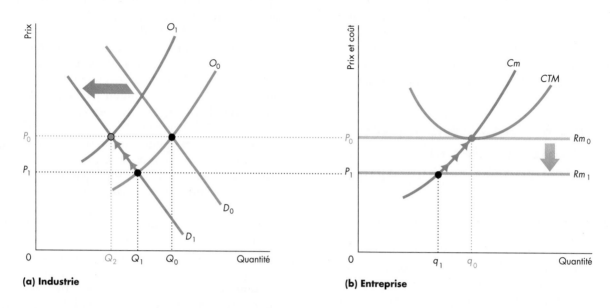

**(a) Industrie**

**(b) Entreprise**

Initialement, l'industrie est en situation d'équilibre concurrentiel à long terme. Le graphique (a) montre la courbe de demande de l'industrie, $D_0$, la courbe d'offre de l'industrie, $O_0$, la quantité d'équilibre, $Q_0$, et le prix du marché, $P_0$. Chaque entreprise vend au prix $P_0$ de sorte que, dans le graphique (b), la courbe de recette marginale est $Rm_0$. Chaque entreprise a une production égale à $q_0$ et réalise un profit normal. La demande diminue de façon permanente, passant de $D_0$ à $D_1$ (graphique a). Le prix d'équilibre tombe à $P_1$, chaque entreprise réduit sa production, qui devient $q_1$ (graphique b), et la production totale de l'industrie tombe à $Q_1$ (graphique a).

Dans cette nouvelle situation, les entreprises subissent des pertes économiques et certaines d'entre elles quittent l'industrie. La courbe d'offre de l'industrie se déplace graduellement vers la gauche, de $O_0$ à $O_1$. Ce déplacement progressif entraîne l'augmentation du prix du marché, qui passe de $P_1$ à $P_0$. Lorsque ce prix est inférieur à $P_0$, les entreprises subissent des pertes économiques et certaines d'entre elles quittent l'industrie. Lorsque le prix revient à $P_0$, chaque entreprise réalise un profit normal. Les entreprises n'ont pas intérêt à quitter l'industrie. Chacune d'elles a un niveau de production correspondant à $q_0$, et la production totale de l'industrie correspond à $Q_2$.

---

est restée en place est à nouveau en situation d'équilibre à long terme; elle a le même niveau de production qu'au départ et elle réalise un profit normal. Durant le passage de l'équilibre initial à un nouvel équilibre, les entreprises qui restent dans l'industrie essuient des pertes.

Nous venons de voir comment une industrie concurrentielle s'adapte à une *baisse* permanente de la demande. Une augmentation permanente de la demande provoque une réaction similaire, mais dans le sens contraire. L'augmentation de la demande engendre une hausse du prix, un profit pour les entreprises en place et de nouvelles entrées. Ces entrées font augmenter l'offre de l'industrie et, finalement, le prix baisse et revient à ce qu'il était au départ.

Dans l'exemple que nous venons d'étudier, le prix est revenu à son niveau initial. Mais ce n'est pas toujours le cas. Comme nous allons le voir maintenant, le prix peut augmenter, diminuer ou rester stable.

## Les économies et les déséconomies externes

La variation du prix d'équilibre à long terme dépend d'économies et de déséconomies externes. Les **économies externes** sont les facteurs sur lesquels l'entreprise n'a aucune influence et qui entraînent la baisse de ses coûts lorsque la production de *l'industrie* augmente. Les **déséconomies externes** sont les facteurs sur lesquels l'entreprise ne peut influer et qui entraînent la hausse de ses coûts lorsque la production de *l'industrie* augmente. S'il n'y a ni économies ni déséconomies externes, les coûts de l'entreprise restent constants lorsque la production de l'industrie varie.

La figure 11.11 illustre trois situations et introduit un nouveau concept, celui de la courbe d'offre à long terme de l'industrie. La **courbe d'offre à long terme de l'industrie** traduit les effets de la variation du prix du

**FIGURE 11.11**
## La variation du prix et des quantités à long terme

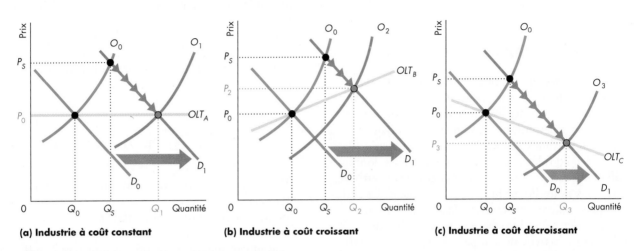

**(a) Industrie à coût constant**  **(b) Industrie à coût croissant**  **(c) Industrie à coût décroissant**

Cette figure illustre les trois possibilités de variation à long terme du prix et de la quantité produite. Quand la demande augmente, passant de $D_0$ à $D_1$, de nouvelles entreprises entrent dans l'industrie et la courbe d'offre totale à court terme passe de $O_0$ à $O_1$. Dans le graphique (a), la courbe d'offre totale à long terme, $OLT_A$, est horizontale; la quantité produite augmente, passant de $Q_0$ à $Q_1$, mais le prix reste constant, soit égal à $P_0$. Dans le graphique (b),

l'offre totale à long terme correspond à la courbe $OLT_B$; le prix s'élève à $P_2$, et la quantité, à $Q_2$. Cette situation survient lorsque l'industrie connaît des déséconomies externes. Dans le graphique (c), la courbe d'offre à long terme est $OLT_C$; le prix diminue, passant à $P_3$, et la quantité monte, passant à $Q_3$. Cette situation survient lorsque l'industrie bénéficie d'économies externes.

---

marché sur la quantité offerte par l'industrie une fois que tous les ajustements possibles ont été faits, y compris les modifications de la capacité de production et du nombre d'entreprises que compte l'industrie.

Le graphique (a) illustre l'exemple que nous venons d'étudier, où il n'y a aucune économie ou déséconomie externes. La courbe d'offre à long terme de l'industrie ($OLT_A$) est parfaitement élastique. Dans ce cas, une augmentation permanente de la demande, qui passe de $D_0$ à $D_1$, n'a aucun effet sur le prix à long terme. L'augmentation de la demande entraîne une hausse temporaire du prix, qui passe à $P_s$, et une augmentation de la quantité à court terme, qui passe de $Q_0$ à $Q_s$. Les entrées font augmenter l'offre à court terme de $O_0$ à $O_1$, ce qui ramène le prix à son niveau initial, $P_0$, et fait monter la quantité à $Q_1$.

Le graphique (b) présente le cas de déséconomies externes. Ici, la pente de la courbe d'offre à long terme de l'industrie ($OLT_B$) est positive. Une augmentation permanente de la demande, qui passe de $D_0$ à $D_1$, fait monter le prix à court terme et à long terme. Comme dans le cas précédent, l'accroissement de la demande entraîne une augmentation temporaire du prix, qui passe à $P_s$, et une augmentation de la quantité à court terme, qui passe de $Q_0$ à $Q_s$. Les entrées font augmenter l'offre à court terme, qui passe de $O_0$ à $O_2$, entraînant la baisse du prix, qui passe à $P_2$, et l'augmentation de la quantité, qui

passe à $Q_2$. $P_2$ est cependant plus élevé que $P_0$, le prix d'équilibre à long terme initial.

Le graphique (c) illustre une situation où il y a des économies externes. La pente de la courbe d'offre à long terme de l'industrie $OLT_C$ est négative. Une augmentation permanente de la demande, qui passe de $D_0$ à $D_1$, fait augmenter le prix à court terme et le fait baisser à long terme. Là encore, l'augmentation de la demande entraîne une augmentation temporaire du prix, qui passe à $P_s$, et une augmentation à court terme de la quantité, qui passe de $Q_0$ à $Q_s$. L'entrée des entreprises entraîne l'augmentation de l'offre à court terme, qui passe de $O_0$ à $O_3$, ce qui fait tomber le prix à $P_3$, et augmenter la quantité, qui passe à $Q_3$.

La croissance des services de support spécialisés dans une industrie en expansion fournit un excellent exemple d'économies externes. Ainsi, l'expansion de l'agriculture à la fin du XIXe siècle et au début du XXe a entraîné la croissance des services offerts aux agriculteurs ainsi que la baisse des coûts agricoles. De nouvelles entreprises se sont spécialisées dans le développement et la commercialisation de machinerie agricole et d'engrais, ce qui a entraîné une baisse des coûts agricoles moyens. Les exploitations agricoles ont bénéficié d'économies externes. Par conséquent, au fur et à mesure que la demande de produits agricoles augmentait, la quantité produite augmentait elle aussi, mais les prix diminuaient.

À long terme, le prix de nombreux produits et services a diminué, non pas à cause des économies externes, mais en raison du progrès technologique. Voyons maintenant quels en sont les effets sur un marché concurrentiel.

## Le progrès technologique

Les industries découvrent sans cesse de nouvelles techniques de production, moins onéreuses. Mais, comme leur utilisation exige des investissements importants (nouvelles installations, nouveau matériel), il faut un certain temps avant que l'ensemble d'une industrie adopte ces méthodes novatrices. Les entreprises dont les installations commencent à être désuètes se convertissent très vite aux nouvelles techniques; en revanche, les entreprises qui viennent de renouveler leurs installations continuent de s'en servir jusqu'à ce que l'évolution des conditions du marché ne leur permette plus de couvrir leurs coûts variables. Même si leurs installations utilisant les anciennes techniques sont encore relativement récentes, elles doivent alors s'en défaire au profit d'installations utilisant les nouvelles techniques.

Les nouvelles techniques permettent aux entreprises de produire à un coût moins élevé. Par conséquent, lorsqu'elles les adoptent, leurs courbes de coût se déplacent vers le bas. Comme leurs coûts sont moins élevés, les entreprises sont prêtes à produire une plus grande quantité à un prix donné. L'offre augmente et la courbe d'offre se déplace vers la droite. Pour une demande donnée, la quantité produite augmente et le prix baisse.

Deux forces sont à l'œuvre dans une industrie qui vit un changement technologique. Les entreprises qui se convertissent aux nouvelles techniques réalisent un profit économique. Par conséquent, des entreprises dotées de ces nouvelles techniques entrent sur le marché. Les entreprises qui s'accrochent à leurs anciennes techniques subissent des pertes économiques et doivent soit quitter l'industrie, soit se moderniser.

À mesure que les entreprises non modernisées disparaissent et que de nouvelles entreprises entrent dans l'industrie, le prix baisse et la quantité produite augmente. Finalement, l'industrie parvient à une nouvelle situation d'équilibre à long terme où toutes les entreprises utilisent la nouvelle technique, produisent au coût moyen à long terme, et réalisent un profit économique nul (profit normal). Comme la concurrence à long terme élimine le profit économique, le progrès technologique n'apporte aux producteurs que des gains temporaires. Par contre, la baisse des prix et l'amélioration des produits qui résultent du progrès technologique représentent des gains permanents pour les consommateurs.

Dans le processus que nous venons de décrire, à court terme, certaines entreprises ont réalisé des profits économiques tandis que d'autres ont essuyé des pertes. Il s'agissait d'une période de transition pour l'ensemble de l'industrie : certaines entreprises se portaient bien, d'autres allaient mal. Souvent, la diffusion d'une nouvelle technique prend des dimensions géographiques : des entreprises en plein essor qui l'utilisent apportent la prospérité à une région jusque-là moins développée, tandis que des régions traditionnellement prospères connaissent un déclin. Parfois, les entreprises à technologie avancée sont situées à l'étranger, alors que l'économie nationale repose sur des entreprises utilisant encore les anciennes techniques.

## À RETENIR

- Une baisse de la demande dans une industrie concurrentielle entraîne une baisse des prix, une perte économique et des départs. Ces sorties engendrent à leur tour une baisse de l'offre de l'industrie, baisse qui se traduit par une hausse de prix. À long terme, suffisamment d'entreprises abandonnent l'industrie pour que celles qui restent en place réalisent un profit normal.

- Une hausse de la demande dans une industrie concurrentielle entraîne une hausse des prix, un profit économique et de nouvelles entrées dans l'industrie. Ces entrées engendrent à leur tour une augmentation de l'offre, augmentation qui se traduit par une baisse de prix. À long terme, suffisamment d'entreprises entrent dans l'industrie pour que le profit économique redevienne nul et que les entreprises réalisent un profit normal.

- L'avènement d'une nouvelle technique entraîne une diminution des coûts, une hausse de l'offre de l'industrie et une baisse des prix. Les entreprises qui utilisent la nouvelle technique réalisent un profit économique et de nouvelles entreprises entrent dans l'industrie. Les entreprises qui utilisent l'ancienne technique subissent une perte économique et quittent cette industrie. À long terme, toutes les entreprises adoptent la nouvelle technique et réalisent un profit normal.

# La concurrence et l'efficience

LES ENTREPRISES D'UNE INDUSTRIE EN SITUATION DE concurrence parfaite produisent-elles les bonnes quantités de produits et de services aux bons prix? La concurrence parfaite est-elle efficiente?

## L'allocation efficiente des ressources

S'il est impossible d'améliorer le sort de quelqu'un sans pénaliser quelqu'un d'autre, on dit qu'il y a **allocation efficiente des ressources**. Par contre, s'il est possible d'améliorer le sort de quelqu'un sans que personne ne soit pénalisé, on dit que l'allocation des ressources n'est pas efficiente. Supposons, par exemple, qu'une école possède un ordinateur que personne n'utilise et n'utilisera jamais. Supposons aussi que les élèves d'une autre école réclament un autre ordinateur. Si l'ordinateur inutilisé de la première école est affecté à la seconde, certains élèves s'en trouveront mieux, et cela, sans que personne ne soit lésé.

Trois conditions doivent être remplies pour que l'allocation des ressources soit efficiente :

1. l'efficience dans la consommation,
2. l'efficience dans la production,
3. l'efficience dans les échanges.

**L'efficience dans la consommation** Si les consommateurs ne peuvent améliorer leur situation — ne peuvent augmenter l'utilité — en réaffectant les sommes dont ils disposent, ils ont atteint l'**efficience dans la consommation**. Nous avons vu que, le long de la courbe de demande d'un ménage, l'utilité est maximisée. Par conséquent, si un ménage se situe sur sa courbe de demande, il a atteint l'efficience dans la consommation.

En l'absence d'*avantages externes*, un marché entier atteint l'efficience dans la consommation à n'importe quel point situé sur la courbe de demande du *marché*. Les **avantages externes** sont les avantages dont bénéficient d'autres personnes que les acheteurs d'un bien. Par exemple, on peut prendre plaisir (utilité) à regarder le magnifique jardin fleuri de la voisine. Celle-ci a pourtant acheté la quantité de plantes qui maximise sa propre utilité, pas la vôtre.

En l'absence d'avantages externes, la courbe de demande du marché mesure la valeur que les consommateurs accordent aux diverses quantités ; le long de la courbe de demande du marché, il leur est impossible d'augmenter leur utilité en réaffectant les sommes dont ils disposent.

**L'efficience dans la production** Si les entreprises ne peuvent réduire le coût de production d'une quantité donnée d'un bien en modifiant les facteurs de production qu'elles utilisent, elles ont atteint l'**efficience dans la production**. Une entreprise atteint l'efficience dans la production à n'importe quel point situé sur sa courbe de coût marginal, ou parallèlement, sur sa courbe d'offre.

En l'absence de *coûts externes*, un marché entier atteint l'efficience dans la production à n'importe quel point situé sur la courbe d'offre du *marché* (ou de l'*industrie*). Les **coûts externes** (à ne pas confondre avec les *déséconomies externes* dont nous venons de parler) sont les coûts qui ne sont pas assumés par le producteur d'un bien ou d'un service, mais par quelqu'un d'autre. Par exemple, une entreprise peut réduire ses propres coûts en polluant l'atmosphère. Le coût de pollution est un coût externe. Les entreprises produisent le niveau de production qui maximise leurs profits, et cela, sans égard au coût de la pollution pour la société ; elles ne considèrent pas ce coût comme une charge à déduire de leurs profits.

En l'absence de coûts externes, la courbe d'offre du marché mesure le coût d'opportunité que doit assumer l'entreprise pour produire diverses quantités de biens ou de services ; le long de la courbe d'offre du marché, les entreprises ne peuvent pas augmenter leur profit. (Lorsque l'efficience dans la production a été atteinte, deux conditions distinctes ont été remplies : 1) *l'efficience technique* — niveau de production optimal pour une quantité donnée de facteurs de production — et 2) *l'efficience économique* — combinaison de facteurs qui engendre les coûts les plus bas possible — voir le chapitre 9, p. 199-201.)

**L'efficience dans les échanges** Si on a tiré tous les gains possibles des échanges, on a atteint l'**efficience dans les échanges**. Pour les consommateurs, les gains à l'échange se mesurent par le **surplus du consommateur**, c'est-à-dire par la valeur que le consommateur accorde à un bien, moins le prix payé pour ce bien. La zone située entre la courbe de demande et le prix payé mesure le surplus du consommateur. (Pour des explications supplémentaires concernant le surplus du consommateur, voir le chapitre 7, p. 159-162.)

Pour les producteurs, les gains à l'échange se mesurent par le **surplus du producteur**, c'est-à-dire la recette totale que tire d'un bien le producteur, moins le coût d'opportunité de la production de ce bien. Le coût d'opportunité est égal au coût marginal, et la courbe de coût marginal d'une entreprise concurrentielle est sa courbe d'offre. Comme le surplus du producteur correspond à la recette moins le coût d'opportunité, il est mesuré par la zone située entre le prix reçu et la courbe d'offre.

L'ensemble des gains provenant des échanges est la somme du surplus du consommateur et du surplus du producteur.

**Une allocation efficiente des ressources** La figure 11.12 illustre une allocation efficiente des ressources. L'efficience dans la consommation est atteinte à tous les points situés sur la courbe de demande $D$. L'efficience dans la production est atteinte à tous les points de la courbe d'offre $O$. L'efficience dans les échanges est atteinte à la quantité $Q^*$ et au prix $P^*$. Dans ce cas, le total du surplus du producteur (triangle bleu) et du surplus du consommateur (triangle vert) est à son optimum.

Pour vérifier si les gains des échanges peuvent être accrus, supposons que la production soit fixée à $Q_0$. Le coût de production d'une unité supplémentaire est $C_0$ et la valeur accordée par le consommateur à une unité supplémentaire est $V_0$. Les producteurs pourraient fournir une plus grande quantité de produits à un prix inférieur à $V_0$. Les consommateurs désirent acheter une plus grande quantité de produits à un prix supérieur à $C_0$. Tout le monde souhaite augmenter les échanges ; les uns

## FIGURE 11.12
## L'allocation efficiente des ressources

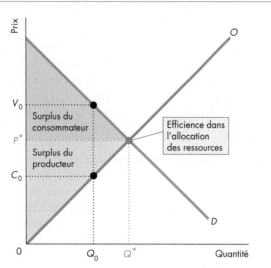

L'allocation efficiente des ressources va de pair avec *l'efficience dans la production* — qui est atteinte lorsque les entreprises se situent sur leurs courbes d'offre —, avec *l'efficience dans la consommation* — qui est atteinte lorsque les consommateurs se situent sur leurs courbes de demande —, et avec *l'efficience dans les échanges* — qui est atteinte lorsque tous les gains provenant des échanges ont été réalisés. L'allocation des ressources est efficiente lorsque la quantité correspond à $Q^*$, et le prix à $P^*$. Le total du surplus du consommateur (zone verte) et du surplus du producteur (zone bleue) est alors à son optimum. Si la production est $Q_0$, les gains des échanges n'ont pas tous été réalisés. Le coût de production d'une unité supplémentaire $C_0$ est inférieur à la valeur que les consommateurs accordent à cette unité, soit $V_0$. Au niveau de production $Q_0$, le total du surplus du consommateur et du surplus du producteur n'est pas à son optimum.

veulent obtenir davantage de surplus du consommateur, et les autres, davantage de surplus du producteur. Si la production était supérieure à $Q^*$, le coût de production d'une unité supplémentaire dépasserait la valeur que lui accordent les consommateurs. À la quantité $Q^*$, et seulement à cette quantité, la valeur qu'accorde le consommateur à la dernière unité achetée est égale à son coût de production, et les gains des échanges sont optimisés.

## L'efficience en situation de concurrence parfaite

La concurrence parfaite permet l'allocation efficiente des ressources lorsqu'il n'y a aucun avantage externe et aucun coût externe. Dans ce cas, tous les avantages dont bénéfi-

cient les acheteurs d'un bien ou d'un service, ainsi que les coûts qui s'y rattachent, sont supportés par le producteur de ce bien. Le prix et la quantité sont déterminés au point d'intersection des courbes de demande et d'offre. Par conséquent, un marché en situation de concurrence parfaite produit la quantité $Q^*$ au prix $P^*$, et l'allocation des ressources est efficiente, comme le montre la figure 11.12.

Adam Smith disait que les marchés concurrentiels sont efficients parce que chaque individu qui y participe est poussé « comme par une main invisible » à atteindre le meilleur résultat économique possible (l'allocation efficiente des ressources), même si ce n'était nullement son intention de départ. La bande dessinée ci-dessous montre cette main invisible à l'œuvre. S'il n'y a pas de demande de crème glacée, mais qu'il y a une demande de parasols, le vendeur de crème glacée quitte temporairement son marché pour entrer dans celui des parasols. Une transaction a lieu dans l'intérêt des deux protagonistes.

*Dessin de M. Twohy; ©1985, The New Yorker Magazine Inc.*

Il y a deux grands obstacles à l'allocation efficiente des ressources :
1. les coûts externes et les avantages externes,
2. les monopoles.

**Les coûts externes et les avantages externes**   La défense nationale, la police, le système judiciaire, l'approvisionnement en eau potable et l'enlèvement des déchets domestiques sont autant d'exemples de biens et services qui présentent des avantages externes considérables. S'ils étaient confiés à un marché concurrentiel, le niveau de production de ces biens et services serait insuffisant. La sidérurgie et l'industrie chimique entraînent la pollution de l'air et de l'eau. En situation de concurrence parfaite, c'est-à-dire si leurs activités n'étaient ni contrôlées ni réglementées, elles produiraient des biens en trop grande quantité — leur prix n'inclurait pas le coût de la pollution pour la société. Comme nous le verrons aux chapitres 19 et 21, l'existence des gouvernements et des politiques gouvernementales s'explique en partie par la nécessité de résoudre les problèmes liés aux coûts et aux avantages externes.

**Les monopoles**   Les monopoles, que nous étudierons au prochain chapitre, baissent le niveau de production sous le niveau concurrentiel afin de faire monter les prix et d'accroître leurs profits. Des politiques gouvernementales (voir chapitre 20) limitent le pouvoir monopolistique.

◆   Nous avons maintenant terminé notre étude de la concurrence parfaite. Le modèle de concurrence décrit dans ce chapitre peut servir à interpréter de nombreux événements du monde actuel ; ainsi, vous trouverez dans la rubrique « Entre les lignes » (p. 252) un exemple intéressant de concurrence dans les centres commerciaux.

De nombreux marchés s'approchent du modèle de concurrence parfaite, mais de nombreux autres en sont très loin. C'est ce que nous verrons aux chapitres 12 et 13, consacrés à l'étude des marchés qui se démarquent du modèle de concurrence parfaite. Dans le prochain chapitre, nous étudierons une structure de marché qui est l'antithèse même de la concurrence parfaite : le monopole. Puis, au chapitre 13, nous étudierons les marchés intermédiaires : la concurrence monopolistique et l'oligopole. Une fois cette étude terminée, nous disposerons d'un ensemble de modèles qui nous permettra d'étudier toutes les situations de marché qui se présentent dans le monde réel.

---

# R É S U M É

## Points clés

**La concurrence parfaite**   Une entreprise en situation de concurrence parfaite n'a pas d'influence sur les prix. Elle maximise son profit en produisant la quantité pour laquelle le prix est égal à son coût marginal. Lorsque le prix est inférieur ou égal au coût variable moyen minimal, elle maximise son profit en cessant temporairement ses activités. La courbe d'offre de l'entreprise est la partie de sa courbe de coût marginal dont la pente est positive et qui est située au-dessus du coût variable moyen minimal. (p. 233-240)

**La production, le prix et le profit à court terme**   L'offre et la demande de l'industrie déterminent le prix du marché. Chaque entreprise accepte le prix du marché et choisit le niveau de production qui maximise son profit. En situation d'équilibre à court terme, l'entreprise peut, selon le cas, réaliser un profit économique, subir une perte économique ou atteindre son seuil de rentabilité. (p. 241-242)

**La production, le prix et le profit à long terme**   Si les entreprises réalisent un profit économique, de nouvelles entreprises entrent dans l'industrie, et les entreprises en place peuvent augmenter leur capacité de production. Si les entreprises subissent une perte économique, certaines quitteront l'industrie, et les entreprises qui restent réduiront peut-être leur capacité de production. Les entrées, les sorties et les modifications de capacité de production entraînent le déplacement de la courbe d'offre à court terme. Les entrées se traduisent par une augmentation de l'offre à court terme, une baisse des prix et une diminution du profit économique. Les sorties se traduisent par une baisse de l'offre à court terme, une hausse des prix et une augmentation du profit économique (diminution de la perte économique). En situation d'équilibre à long terme, le profit économique est nul. Chaque entreprise réalise un profit normal. En situation d'équilibre concurrentiel à long terme, le prix est égal au coût marginal ; le profit économique est nul, il n'y a ni entrées ni sorties et chaque entreprise produit au coût moyen à long terme minimal. (p. 242-245)

**L'évolution des préférences et le progrès technologique**   Dans un marché en situation de concurrence parfaite, une baisse permanente de la demande entraîne une diminution des quantités produites et du nombre

# La concurrence dans les centres commerciaux

## Les faits EN BREF

■ À Calgary, plusieurs centres commerciaux très semblables se font concurrence.

■ Avec 18,6 pieds carrés par personne, la surface marchande de Calgary est très supérieure à la moyenne canadienne de 12,2 pieds carrés, mais elle n'est pas excessive, car les gens des environs sont nombreux à venir magasiner à Calgary.

■ On prévoit qu'aucun nouveau centre commercial ne sera construit au Canada au cours de la prochaine décennie. Comme on en a trop construit dans les années 1980, plusieurs sont maintenant acculés à la fermeture.

■ Les centres commerciaux peuvent accroître leurs profits en ciblant des marchés précis au lieu de se contenter de rénover.

---

CALGARY HERALD, LE 1er JUIN 1996

## La guerre des centres commerciaux

PAR CAROL HOWES

«Les gens de Calgary sont devenus bien volages dans leur histoire d'amour avec les centres d'achats», déclare un concepteur de magasins de détail.

«Calgary n'a pas trop de centres d'achats, mais trop de centres d'achats identiques, poursuit Marcel Proskow, directeur principal de Maxam Design International Inc. S'ils veulent survivre, plusieurs d'entre eux devront se repositionner dans les années qui viennent. Le problème, c'est que trop de nos centres commerciaux se ressemblent en tous points. Ce repositionnement devrait permettre à chacun de se tailler le créneau qui lui manque pour l'instant.

Proskow — qui rentrait de Las Vegas, où il avait pris la parole devant les participants du congrès annuel de l'International Council of Shopping Centres — a expliqué qu'à cause du nombre excessif de projets construits dans les années 80, partout au Canada les centres commerciaux se mènent une lutte féroce et ferment leurs portes à un rythme alarmant.

Mais, si leurs propriétaires envisagent — en plus d'une simple rénovation — de se repositionner et de cibler un marché précis avec un but précis, il leur reste un espoir de survie.

«R, R, R, rénover, remarchandiser et repositionner, c'est le mantra de toute l'industrie des centres d'achats des années 1990», confirme Mike Kehoe, spécialiste de l'immobilier et de la vente au détail chez Fairfield Commercial.

Selon Kehoe, malgré la surabondance apparente de centres commerciaux à Calgary, leur nombre «reste très acceptable». S'il est vrai que la ville offre 18,6 pieds carrés de zone marchande par habitant, comparativement à une moyenne nationale de 12,2 pieds carrés, à Calgary, il faut tenir compte du grand nombre de gens qui viennent de l'extérieur pour y faire leurs achats.

Selon Proskow, dont la toute jeune compagnie se consacre aux centres commerciaux canadiens et américains qui cherchent un second souffle, les propriétaires et les promoteurs de centres commerciaux ont fini par comprendre qu' «il ne suffit pas de bâtir un centre d'achats pour que les acheteurs s'y précipitent...»

Toujours selon Proskow, la plupart des concepts de magasins de détail ne résistent pas plus de sept ans. Pour les centres commerciaux, la tendance actuelle est à une combinaison de magasins et de boutiques de qualité et de commerces phares, avec une composante divertissement. L'idée est de faire en sorte que les consommateurs y passent davantage de temps...

Kehoe ajoute que, selon toute probabilité, une série de nouveaux projets comme ceux qui sont actuellement en construction ne se reverra pas de sitôt. «On ne construira pas d'autres centres commerciaux au Canada pour le reste de la décennie et probablement pas non plus pour une partie de la suivante. Nous avons atteint notre limite.»

# Analyse

## ÉCONOMIQUE

■ La location de locaux à des commerces de détail dans des centres d'achats est une activité hautement concurrentielle.

■ Les propriétaires de centres commerciaux sont des preneurs de prix. S'ils essaient de louer leurs locaux à un prix qui excède le prix du marché, les commerces de détail iront s'installer ailleurs.

■ La figure 1 illustre le marché des locaux de centres commerciaux dans les années 1980 et 1990.

■ La demande de locaux est représentée par la courbe de demande $D$. Au milieu des années 1980, la courbe d'offre était $O_0$. Le loyer d'un pied carré d'espace était $P_0$ et la quantité, $Q_0$.

■ Durant les années 1980, les propriétaires de centres commerciaux, qui prévoyaient une hausse de la demande, ont construit de nouveaux locaux destinés au commerce de

détail. L'offre d'espace commercial a augmenté et la courbe d'offre s'est déplacée vers la droite, de $O_0$ à $O_1$. Le loyer de l'espace commercial est tombé à $P_1$, et la quantité d'espace disponible a monté jusqu'à $Q_1$.

■ La figure 2 montre ce qui se passe dans un centre commercial typique de Calgary : la courbe de coût total moyen est $CTM$, et la courbe de coût marginal $Cm$.

■ Pendant les années 1980, si le loyer d'un pied carré d'espace était $P_0$, la quantité d'espace utilisé était $q_0$ et le centre commercial fonctionnait à pleine capacité.

■ Lorsque le prix est tombé à $P_1$, le propriétaire de centre commercial a réduit la surface commerciale utilisée à $q_1$, car le coût marginal de la rénovation et de l'entretien de l'espace dépassait le prix de location.

■ Malgré tout, le centre commercial de la figure 2 enregistre une perte. Il finira donc par fermer ses portes.

■ Dans la figure 1, à mesure que les centres commerciaux déficitaires quittent le marché, l'offre d'espace diminue, la courbe d'offre se déplace vers la gauche, revenant vers $O_0$, et le prix s'élève progressivement jusqu'à $P_0$. Lorsque cela se produira, les centres commerciaux seront à nouveau utilisés à pleine capacité comme au milieu des années 1980.

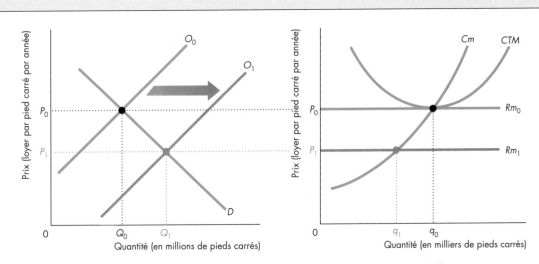

**Figure 1  Le marché**

**Figure 2  Un centre commercial**

d'entreprises dans l'industrie. Une hausse permanente de la demande entraîne une augmentation des quantités produites et du nombre d'entreprises dans l'industrie. Avec l'évolution de la demande, à long terme, le prix peut augmenter (déséconomies externes), baisser (économies externes) ou rester constant (ni économies externes ni déséconomies).

Le progrès technique permet d'augmenter l'offre de l'industrie et, à long terme, le prix du marché diminue et la quantité vendue augmente. (p. 245-248)

**La concurrence et l'efficience** L'allocation des ressources est efficiente lorsque personne ne peut améliorer sa situation sans détériorer celle de quelqu'un d'autre. Une situation de concurrence parfaite est efficiente lorsqu'il n'y a ni coûts externes ni avantages externes. (p. 248-251)

## Figures clés

## Mots clés

# QUESTIONS DE RÉVISION

1. Quelles sont les principales caractéristiques d'une industrie en situation de concurrence parfaite ?
2. Pourquoi une entreprise en situation de concurrence parfaite ne peut-elle pas influer sur le prix de l'industrie ?
3. Énumérez les quatre décisions essentielles que doit prendre une entreprise pour maximiser son profit dans une industrie en concurrence parfaite.
4. Pourquoi la recette marginale est-elle égale au prix dans une industrie en concurrence parfaite ?
5. Quand une entreprise en situation de concurrence parfaite suspend-elle temporairement ses activités de production ?
6. Dans une industrie en concurrence parfaite, quel est le lien entre la courbe d'offre et la courbe de coût marginal ?
7. Dans une industrie en concurrence parfaite, quel est le lien entre la courbe d'offre d'une entreprise et la courbe d'offre à court terme de l'industrie ?
8. Dans quelles conditions les entreprises entreront-elles dans une industrie et dans quelles conditions en sortiront-elles ?
9. Quel effet l'entrée de nouvelles entreprises dans une industrie concurrentielle a-t-elle sur la courbe d'offre à court terme de l'industrie ?
10. Quel effet ces entrées ont-elles sur le prix et la quantité produite ?
11. Quel effet ces entrées ont-elles sur le profit économique ?
12. Quels sont les effets d'une augmentation permanente de la demande sur le prix, sur la quantité vendue, sur le nombre d'entreprises et sur le profit économique ?
13. Quels sont les effets d'une baisse permanente de la demande sur le prix, sur la quantité vendue, sur le nombre d'entreprises et sur le profit économique ?
14. Expliquez ce que sont les économies externes et les déséconomies externes.

15. Dans quelles circonstances une industrie en situation de concurrence parfaite présente-t-elle :
    a) une courbe d'offre à long terme parfaitement élastique ?
    b) une courbe d'offre à long terme à pente positive ?
    c) une courbe d'offre à long terme à pente négative ?
16. Qu'est-ce que l'allocation efficiente des ressources et dans quelles conditions se produit-elle ?

17. Expliquez ce que sont les coûts externes et les avantages externes.

18. Qu'est-ce que l'efficience économique ?

19. Qu'est-ce que l'efficience dans la consommation ?

20. Dans quelles conditions la concurrence parfaite ne permet-elle pas une allocation efficiente des ressources ?

## ANALYSE CRITIQUE

1. Lisez attentivement la rubrique « Entre les lignes » (p. 252), puis répondez aux questions suivantes :
   a) Diriez-vous que l'industrie des centres commerciaux de 1996, telle qu'elle est décrite dans le *Calgary Herald,* est en situation d'équilibre à long terme, qu'elle réalise des profits économiques ou qu'elle subit des pertes économiques ? Qu'est-ce qui vous permet d'en arriver à cette conclusion ?
   b) Pourquoi les centres commerciaux se sont-ils retrouvés dans cette situation ?
   c) À votre avis, que s'est-il passé dans l'industrie des centres commerciaux au cours des années qui ont suivi ? Précisez (nombre de centres commerciaux, prix des loyers et profits économiques).
2. Ces dernières années au Canada, une nouvelle industrie a prospéré dans les zones commerciales à proximité des universités : l'industrie des centres de photocopies. Pourquoi des entreprises comme Kinko sont-elles en plein essor ? Qu'est-ce qui a permis cette augmentation soutenue de la quantité de photocopies ? Le prix a-t-il augmenté ou diminué ? (N'oubliez pas d'utiliser le prix relatif. Au besoin, référez-vous au chapitre 4, p. 67.) En répondant à cette question, pensez aux facteurs qui influent tant sur la demande que sur l'offre et étayez votre réponse à l'aide de graphiques.

3. Les patins à roues alignées sont devenus à la mode et les patins à roulettes n'ont plus la cote. Parallèlement, de nouvelles techniques ont grandement amélioré la qualité des premiers. À votre avis, que s'est-il produit dans l'industrie des patins à roues alignées et dans celle des patins à roulettes en ce qui concerne :
   a) le nombre de producteurs ?
   b) le prix ?
   c) les quantités produites ?
   d) le profit économique ?

Illustrez les tendances de ces quatre variables au cours des années en traçant quatre diagrammes : deux pour ces deux industries, et deux pour deux entreprises typiques de chacune.

## PROBLÈMES

1. Quick Copy est l'un des centres de photocopies qui pullulent près du campus. La figure illustre les courbes de coût de Quick Copy.
   a) Si le prix du marché est de 10 ¢ la photocopie, quel niveau de production permet à Quick Copy de maximiser son profit ?
   b) Calculez le profit de Quick Copy.
   c) S'il n'y avait aucun changement de la technologie ou de la demande, comment le prix et la demande évolueraient-ils à long terme ?

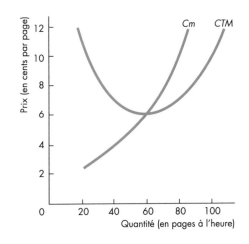

2. Le restaurant de Mario, Puzzo Pizzeria, est un preneur de prix. Ses coûts horaires sont les suivants :

| Production (en pizzas à l'heure) | Coût total (en dollars à l'heure) |
|---|---|
| 0 | 10 |
| 1 | 21 |
| 2 | 30 |
| 3 | 41 |
| 4 | 54 |
| 5 | 79 |
| 6 | 96 |

a) Si les pizzas se vendent 14 $ l'unité, quel niveau de production permet à Mario de maximiser son profit ? Quel est alors son profit économique ?

b) Quel est le seuil de fermeture de Puzzo Pizzeria ?

c) Tracez la courbe d'offre de Puzzo Pizzeria.

d) Quels prix inciteraient Mario à quitter l'industrie de la pizza ?

e) Quels prix inciteraient d'autres entreprises qui ont les mêmes coûts que Puzzo Pizzeria à entrer dans l'industrie ?

f) Quel est le prix d'équilibre à long terme d'une pizza ?

3. Le barème de demande du marché des cassettes est le suivant :

| Prix (en dollars par cassette) | Quantité demandée (en cassettes par semaine) |
|---|---|
| 3,65 | 500 000 |
| 4,40 | 475 000 |
| 5,20 | 450 000 |
| 6,00 | 425 000 |
| 6,80 | 400 000 |
| 7,60 | 375 000 |
| 8,40 | 350 000 |
| 9,20 | 325 000 |
| 10,00 | 300 000 |
| 10,80 | 275 000 |
| 11,60 | 250 000 |
| 12,40 | 225 000 |
| 13,20 | 200 000 |
| 14,00 | 175 000 |
| 14,80 | 150 000 |

Le marché est en situation de concurrence parfaite et chaque entreprise présente la structure de coût suivante :

| Production (en cassettes par semaine) | Coût marginal | Coût variable moyen (en dollars par cassette) | Coût total moyen |
|---|---|---|---|
| 150 | 6,00 | 8,80 | 15,47 |
| 200 | 6,40 | 7,80 | 12,80 |
| 250 | 7,00 | 7,00 | 11,00 |
| 300 | 7,65 | 7,10 | 10,43 |
| 350 | 8,40 | 7,20 | 10,06 |
| 400 | 10,00 | 7,50 | 10,00 |
| 450 | 12,40 | 8,00 | 10,22 |
| 500 | 12,70 | 9,00 | 11,00 |

Si l'industrie compte 1 000 entreprises,

a) quel est le prix du marché ?

b) quelle est la production de l'industrie ?

c) quelle est la production de chaque entreprise ?

d) quel est le profit économique de chaque entreprise ?

e) quel est le seuil de fermeture ?

f) quel est le prix d'équilibre à long terme ?

g) quel est le nombre d'entreprises à long terme ?

4. La demande est exactement la même qu'au problème n° 3 et l'industrie compte toujours 1 000 entreprises, mais les coûts fixes ont augmenté de 980 $.

a) À court terme, quel niveau de production permet aux entreprises de maximiser leurs profits ?

b) À long terme, l'industrie enregistre-t-elle des entrées ou des départs ?

c) Quel est le nouveau prix d'équilibre à long terme ?

d) Dans cette nouvelle situation d'équilibre à long terme, combien y a-t-il d'entreprises dans l'industrie ?

5. Les données relatives au coût sont les mêmes qu'au problème n° 3 et l'industrie compte toujours 1 000 entreprises, mais une baisse du prix des disques compacts se traduit par une chute de la demande de cassettes. Le nouveau barème de demande est le suivant :

| Prix (en dollars par cassette) | Quantité demandée (en cassettes par semaine) |
| --- | --- |
| 2,95 | 500 000 |
| 3,54 | 475 000 |
| 4,13 | 450 000 |
| 4,71 | 425 000 |
| 5,30 | 400 000 |
| 5,89 | 375 000 |
| 6,48 | 350 000 |
| 7,06 | 325 000 |
| 7,65 | 300 000 |
| 8,24 | 275 000 |
| 8,83 | 250 000 |
| 9,41 | 225 000 |
| 10,00 | 200 000 |
| 10,59 | 175 000 |
| 11,18 | 150 000 |

a) À court terme, quel niveau de production permet à chaque entreprise de maximiser son profit ?

b) À long terme, l'industrie enregistre-t-elle des entrées ou des sorties d'entreprises ?

c) Quel est le nouveau prix d'équilibre à long terme ?

d) Dans une situation d'équilibre à long terme, combien l'industrie compte-t-elle d'entreprises ?

6. Pourquoi les prix des calculettes et des magnétoscopes ont-ils tant baissé ?

7. Quels ont été les effets de la croissance démographique mondiale sur le marché du blé et sur la situation individuelle des producteurs agricoles ?

8. Quels ont été les effets de la baisse du taux de natalité au Canada et de l'avènement des couches jetables sur l'industrie des services de lavage de couches ?

9. Le graphique suivant illustre le marché des photocopies en l'absence de coûts externes et d'avantages externes.

a) Quel niveau de production (nombre de copies à l'heure) correspond à une allocation efficiente des ressources ?

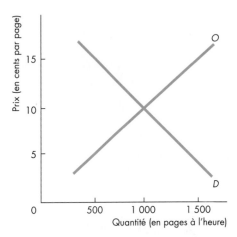

b) Si la production totale de l'industrie est de 500 copies à l'heure, les centres de photocopies sont-ils économiquement efficients ?

c) Supposons que le prix de la photocopie soit de 15 ¢ et que les étudiants en fassent 500 à l'heure, l'efficience dans la consommation est-elle atteinte ?

d) Si l'industrie des photocopies engendrait des coûts externes équivalant à 1 ¢ la page, le niveau de production qui permet une allocation efficiente serait-il plus élevé ou moins élevé que celui d'une industrie qui n'engendre pas de coûts externes ?

## Chapitre 12

# Le monopole

**Objectifs
du chapitre**

- Définir le monopole et en expliquer les causes

- Établir la distinction entre un monopole légal et un monopole naturel

- Expliquer la détermination des prix et des quantités dans un monopole

- Définir la discrimination par les prix et expliquer pourquoi elle fait augmenter le profit

- Comparer la performance de la concurrence à celle du monopole

- Définir les activités de recherche de rentes et en expliquer les causes

- Déterminer dans quelles conditions le monopole est plus efficient que la concurrence

## Une philanthropie intéressée

Nous l'avons répété à maintes reprises dans cet ouvrage, l'objectif des entreprises est de maximiser leur profit. Mais les commerces que vous fréquentez s'efforcent-ils vraiment de réaliser un profit maximal? Regardez autour de vous. Les salons de coiffure consentent des réductions aux étudiants, tandis que les musées, les cinémas et les théâtres leur proposent des billets à prix réduit. Et que penser des compagnies aériennes, par exemple, qui offrent des tarifs réduits aux gens qui achètent leurs billets longtemps d'avance? Les coiffeurs, les directeurs de musée et de théâtre, les exploitants de salles de cinéma et les propriétaires de compagnies aériennes seraient-ils tous des philanthropes insensibles à l'attrait du profit? Sinon, pourquoi se privent-ils de rentrées d'argent substantielles en baissant ainsi leurs prix? ◆ Quand vous achetez de l'électricité, vous ne pouvez pas choisir votre fournisseur, puisqu'il n'y en a qu'un seul. Si vous vivez dans la région de Québec et que vous désirez des services de câblodistribution, vous n'avez qu'une possibilité: vous adresser à Vidéotron. Voilà deux exemples d'entreprises qui, seules sur le marché, contrôlent l'offre d'un bien ou d'un service. Il en va de même pour les fournisseurs de gaz. La situation de ces entreprises est bien différente de celle des entreprises en situation de concurrence parfaite: elles ne sont pas soumises au prix du marché puisqu'elles peuvent fixer elles-mêmes leurs tarifs. Comment ces entreprises se comportent-elles? Comment déterminent-elles leur niveau de production et leur prix de vente? En quoi leur comportement se compare-t-il à celui des entreprises d'un marché en concurrence parfaite? Imposent-elles des prix trop élevés à leurs clients? Font-elles des bénéfices?

◑ Ce chapitre est consacré aux marchés où une entreprise peut influer de manière significative sur l'offre et, par conséquent, sur le prix. Nous y comparerons le comportement d'une telle entreprise avec celui d'une entreprise qui opère dans un marché concurrentiel, et nous verrons ensuite si le monopole est aussi efficient que le marché concurrentiel.

# Les causes du monopole

LE SERVICE TÉLÉPHONIQUE DE BASE AINSI QUE LA distribution du gaz, de l'électricité et de l'eau du robinet sont des monopoles. Un **monopole** est un marché qui produit un bien ou un service pour lequel il n'existe aucun substitut proche, et où le seul fournisseur est protégé contre la concurrence par une barrière qui empêche l'entrée de nouvelles entreprises. Les compagnies de téléphone (service de base), de gaz et de distribution de l'eau sont des monopoles locaux, alors que Microsoft Corporation, le fournisseur de logiciels qui a créé DOS — le système d'exploitation de la plupart des ordinateurs personnels —, est un monopole mondial.

## L'absence de substituts proches

La principale caractéristique du monopole est l'absence de substituts proches. Quand un bien ou un service a un ou plusieurs substituts proches, et même s'il n'y a qu'un seul producteur de ce substitut, l'entreprise qui produit ce bien doit faire face à la concurrence des producteurs actuels ou éventuels de substituts.

L'eau distribuée par une entreprise de services publics est un exemple de produit qui n'a aucun substitut proche. Même si l'eau potable a des substituts proches — les eaux de source et les eaux minérales embouteillées —, l'eau du robinet n'a aucun substitut efficace lorsqu'il s'agit de prendre une douche ou de laver la voiture.

L'innovation et le progrès technologique créent de nouveaux produits. Plusieurs de ces produits sont des substituts de biens et services qui existent déjà, et leur arrivée sur le marché affaiblit les monopoles en place. Ainsi, l'arrivée sur le marché des services de messagerie comme FedEx et UPS, des télécopieurs et de la messagerie électronique a beaucoup affaibli le monopole de la Société canadienne des postes pour la livraison du courrier de première classe. De même, l'arrivée des antennes paraboliques et de la télévision par satellite a considérablement affaibli le monopole des câblodistributeurs locaux. L'évolution des télécommunications a sonné le glas du monopole de la téléphonie ; la concurrence est d'abord venue des fournisseurs de communications interurbaines, puis les compagnies de téléphonie cellulaire ont sapé le monopole des appels locaux.

Dans certains cas, les nouveaux produits ont des substituts si peu efficaces que leur arrivée sur le marché engendre de nouveaux monopoles ; ce fut le cas du Windows de Microsoft. Autres exemples : les monopoles que crée continuellement la recherche pharmaceutique.

## Les barrières à l'entrée

La seconde caractéristique du monopole est l'existence de barrières qui empêchent l'entrée de nouvelles entreprises sur le marché. Les **barrières à l'entrée** sont des obstacles légaux ou naturels qui protègent une entreprise contre l'arrivée sur le marché de concurrents potentiels.

**Les barrières légales à l'entrée**   Les barrières légales à l'entrée entraînent la création de monopoles légaux. Un **monopole légal** est un marché où l'entrée et la concurrence sont restreintes par des concessions, des permis, des brevets, des droits d'auteur, ou encore par le fait qu'une entreprise y détient une part importante d'une ressource clé.

La *concession* est une autorisation qui octroie à une entreprise le droit exclusif de fournir un bien ou un service. Par exemple, la Société canadienne des postes détient le droit exclusif d'expédier du courrier postal de première classe. Autre forme de concession publique, les entreprises installées en bordure des autoroutes jouissent souvent du droit exclusif d'y vendre de l'essence et des aliments.

La *licence* restreint l'accès à certaines activités, professions et industries. Le permis d'exercer certaines professions octroyé par le gouvernement est la forme la plus courante de barrière légale à l'entrée ; il faut être titulaire d'un tel permis pour exercer la médecine, le droit, la dentisterie, l'enseignement, l'architecture, et plusieurs autres professions. Sans engendrer nécessairement des monopoles, l'octroi de licences limite toujours la concurrence.

Le *brevet* est un droit exclusif accordé à l'inventeur d'un produit ou d'un service, et le *droit d'auteur* est un droit exclusif accordé à l'auteur d'une œuvre littéraire, musicale, théâtrale ou artistique. Le brevet et le droit d'auteur sont valables pour une durée limitée, qui varie selon les pays ; au Canada, un brevet est valable pour 20 ans. Le brevet crée un droit de propriété qui empêche que l'invention soit copiée le temps que l'inventeur rentabilise sa découverte — soit en l'exploitant luimême, soit en cédant une licence d'exploitation. L'existence des brevets stimule l'*innovation* (l'utilisation de nouvelles inventions), car elle protège les inventeurs et les incite à dévoiler leurs découvertes.

Dans certaines industries, bien que le gouvernement n'ait pas accordé de monopole légal, une seule entreprise s'est approprié une part importante d'une ressource clé. Ainsi, dans les années 1930, le producteur d'aluminium Alcoa contrôlait une grande partie des sources d'approvisionnement en aluminium. Plus près de nous, la firme sud-africaine DeBeers contrôle près de 95 % de l'offre mondiale de diamants naturels.

**Les barrières naturelles à l'entrée**   Les barrières naturelles à l'entrée créent des monopoles naturels. On parle de **monopole naturel** si une seule entreprise approvisionne l'ensemble du marché à un coût total moyen moindre que celui qui aurait cours avec la coexistence de deux ou de plusieurs entreprises. Cette situation survient lorsque la demande correspond à un niveau de production qui permet des économies d'échelle. La figure 12.1

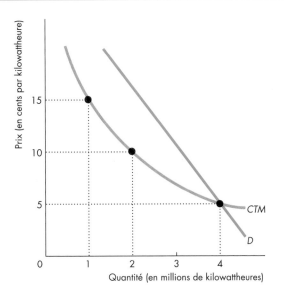

**FIGURE 12.1**
## Un monopole naturel

La courbe de demande d'électricité est *D,* et la courbe de coût total moyen, *CTM.* Il y a économies d'échelle tout le long de la courbe *CTM.* Une entreprise peut produire 4 millions de kilowattheures au coût de 5 ¢ le kilowattheure. Si deux entreprises se partagent cette même production totale, elle coûtera à chacune 10 ¢ le kilowattheure, et si quatre entreprises se la partagent, le coût passera à 15 ¢. Puisqu'une entreprise peut répondre à la demande du marché à un coût moindre que deux ou plusieurs entreprises, ce marché est un monopole naturel.

décrit une telle situation. Ici, *D* est la courbe de demande d'énergie électrique, et *CTM,* la courbe de coût total moyen. Comme le coût total moyen baisse lorsque la production augmente, il y a des économies d'échelle tout le long de la courbe *CTM.* Une entreprise peut produire 4 millions de kilowattheures à 5 ¢ le kilowattheure. À ce prix, la quantité demandée est de 4 millions de kilowattheures. Si le prix était de 5 ¢ le kilowattheure, une seule entreprise pourrait donc à elle seule approvisionner l'ensemble du marché. Si deux entreprises se partageaient le marché, il en coûterait à chacune 10 ¢ le kilowattheure pour produire 4 millions de kilowattheures au total, et si quatre entreprises se partageaient le marché, une production totale de 4 millions de kilowattheures coûterait à chacune 15 ¢ le kilowattheure. Dans une situation comme celle qu'illustre le graphique de la figure 12.1, une seule entreprise peut donc approvisionner l'ensemble du marché à un coût moindre que deux ou plusieurs entreprises. Ainsi, les services publics d'électricité et de gaz sont des monopoles naturels.

Dans le monde réel, la plupart des monopoles, légaux ou naturels, sont réglementés d'une manière ou d'une autre, par le gouvernement ou par des organismes gouvernementaux. Nous étudierons ces réglementations au chapitre 20. Dans le présent chapitre, nous étudierons le monopole en supposant qu'il n'est soumis à aucune réglementation. Nous procéderons ainsi pour deux raisons. D'abord, parce qu'il est plus facile de saisir pourquoi les gouvernements veulent réglementer les monopoles et de comprendre les effets de ces réglementations quand on connaît le comportement d'un monopole non réglementé. D'autre part, parce que, même dans les industries non réglementées où plusieurs entreprises sont en concurrence, bon nombre d'entreprises jouissent d'un pouvoir monopolistique — en raison d'avantages géographiques, par exemple, ou parce que certaines caractéristiques de leur produit sont protégées par des brevets —, et que la théorie du monopole pur nous éclaire sur le comportement de ces entreprises.

Nous analyserons d'abord le comportement d'*un monopole non discriminant,* c'est-à-dire d'un monopole qui écoule toute sa production au même prix. Voyons comment un tel monopole détermine son niveau de production et le prix de vente de son produit.

## Le monopole non discriminant

POUR BIEN COMPRENDRE COMMENT LE MONOPOLEUR détermine son prix de vente et son niveau de production, il faut d'abord établir la relation entre la demande du bien produit par l'entreprise et la recette de cette entreprise.

### La demande et la recette

Comme le marché monopolistique se compose d'une seule entreprise, la courbe de demande de cette entreprise se confond avec la courbe de demande du marché. Prenons comme exemple Coiffure Rébecca, l'unique salon de coiffure de la petite ville de Rivière-à-la-Truite. Le tableau 12.1 présente le barème de demande de cette entreprise. Au prix de 20 $ la coupe de cheveux, Rébecca n'a pas un seul client. Par contre, plus elle baisse ses prix, plus elle vend de coupes de cheveux : par exemple, à 12 $ la coupe, elle fait 4 coupes de cheveux à l'heure (ligne *e*), et à 4 $ la coupe, elle en fait 8 (ligne *i*).

La *recette totale* (*RT*) correspond au prix (*P*) multiplié par la quantité vendue (*Q*). Par exemple, à la ligne *d,* Rébecca fait 3 coupes de cheveux à 14 $ chacune ; la recette totale est donc de 42 $. La *recette marginale* (*Rm*) correspond à la variation de la recette totale (Δ*RT*) résultant de la vente d'une unité supplémentaire. Ainsi, lorsque le prix descend de 18 $ (ligne *b*) à 16 $ (ligne *c*), la quantité vendue passe de 1 à 2 coupes. La recette

---

**TABLEAU 12.1**
## La recette d'un monopole non discriminant

| Prix (P) (en dollars par coupe de cheveux) | Quantité demandée (Q) (en coupes de cheveux) à l'heure | Recette totale (RT = P × Q) (en dollars) | Recette marginale (Rm = ΔRT/ΔQ) (en dollars par coupe de cheveux) |
|---|---|---|---|
| a | 20 | 0 | 0 | |
| b | 18 | 1 | 18 | 18 |
| c | 16 | 2 | 32 | 14 |
| d | 14 | 3 | 42 | 10 |
| e | 12 | 4 | 48 | 6 |
| f | 10 | 5 | 50 | 2 |
| g | 8 | 6 | 48 | −2 |
| h | 6 | 7 | 42 | −6 |
| i | 4 | 8 | 32 | −10 |
| j | 2 | 9 | 18 | −14 |
| k | 0 | 10 | 0 | −18 |

Ce tableau montre le barème de demande de Coiffure Rébecca, avec le nombre de coupes de cheveux à l'heure à divers prix. La recette totale (*RT*) est égale au prix multiplié par la quantité vendue. Ainsi, la ligne *c* nous apprend que, si le prix de la coupe de cheveux est de 16 $, Rébecca vend 2 coupes à l'heure pour une recette totale de 32 $. La recette marginale (*Rm*) correspond à la variation de la recette totale résultant de la vente d'une unité supplémentaire. Par exemple, si le prix de la coupe de cheveux tombe de 16 $ à 14 $, la quantité vendue passe de 2 à 3 coupes, et la recette totale augmente de 10 $. La recette marginale est donc de 10 $. La recette totale augmente à mesure que le prix baisse, et ce, jusqu'à la ligne *f*, qui correspond à 5 coupes à l'heure au prix de 10 $ ; ensuite, elle décroît. Aux niveaux de production où la recette totale augmente, la recette marginale est positive ; aux niveaux de production où la recette totale diminue, la recette marginale est négative.

---

**FIGURE 12.2**
## La demande et la recette marginale d'un monopole non discriminant

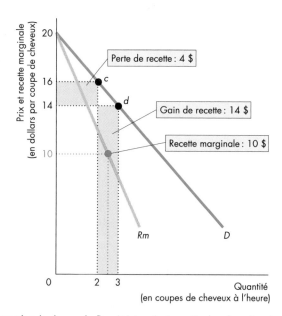

La courbe de demande *D* a été tracée à partir des données du tableau 12.1. Au prix de 16 $ la coupe, Rébecca vend 2 coupes de cheveux à l'heure. Si elle baisse son prix pour le fixer à 14 $, ses ventes passent à 3 coupes à l'heure. La vente de cette troisième coupe lui rapporte un gain de recette de 14 $ (prix de vente de la troisième coupe). Elle entraîne cependant également une perte de recette de 4 $ sur les deux premières coupes (2 $ par coupe de cheveux) qu'elle aurait pu vendre 16 $ chacune. La recette marginale (augmentation de la recette totale) associée à la troisième coupe de cheveux correspond à la différence entre ce gain et cette perte de recette, soit 10 $ dans notre exemple (14 $ − 4 $). La courbe de recette marginale (*Rm*) illustre la recette marginale correspondant à différents niveaux de ventes. La recette marginale est inférieure au prix.

---

totale passe de 18 $ à 32 $, et l'augmentation de la recette totale est de 14 $. Comme la quantité vendue a augmenté de 1 coupe, la recette marginale correspond à la variation de la recette totale, soit 14 $. La recette marginale figure entre les deux lignes pour souligner le fait qu'elle résulte d'une *variation* de la quantité vendue.

La figure 12.2 illustre la courbe de demande de Rébecca (*D*) ; chaque ligne du tableau 12.1 correspond à un point situé sur cette courbe. Par exemple, la ligne *d* du tableau et le point *d* situé sur la courbe de demande (*D*) nous disent que, au prix de 14 $, Rébecca vend 3 coupes de cheveux à l'heure. Cette figure montre également la

courbe de recette marginale de Rébecca (*Rm*) ; notez qu'elle se trouve sous la courbe de demande. Autrement dit, à chaque niveau de production la recette marginale est inférieure au prix. Il en est ainsi parce que, pour pouvoir vendre une unité supplémentaire, le monopoleur doit réduire son prix. Deux effets opposés s'exercent alors sur la recette totale. La baisse de prix entraîne une perte de recette sur les quantités vendues, tandis que l'accroissement de la quantité vendue engendre un gain de recette. Ainsi, au prix de 16 $, Rébecca vend 2 coupes de cheveux (point *c*). Si elle fixe le prix à 14 $, elle vend 3 coupes de cheveux et réalise un gain de recette de 14 $ avec la troisième coupe de cheveux. Mais comme elle vend toutes les coupes de cheveux au même prix, elle reçoit maintenant 14 $ au lieu de 16 $ pour des deux premières, soit 2 $ de moins par coupe. Elle essuie donc une perte de 4 $ sur la recette des deux premières coupes de cheveux, perte qu'elle doit soustraire du gain de recette de 14 $ réalisé sur la troisième. La recette marginale (la différence entre le gain et la perte sur sa recette) est donc de 10 $.

La figure 12.3 illustre la courbe de demande (*D*), la courbe de recette marginale (*Rm*) et la courbe de recette totale (*RT*) de Rébecca, ainsi que les relations entre ces courbes. Là encore, chaque ligne du tableau 12.1 correspond à un point situé sur les courbes. Ainsi, la ligne *d* du tableau et le point *d* des graphiques nous disent que, si Rébecca vend 3 coupes de cheveux au prix de 14 $ chacune — graphique (a) —, sa recette totale est de 42 $ — graphique (b). Remarquez que lorsque la quantité vendue augmente, la recette totale augmente jusqu'à ce qu'elle atteigne 50 $ (point *f*), puis se met à diminuer. Pour bien saisir le comportement de la recette totale, observez les effets de l'augmentation de la quantité vendue sur la recette marginale. Entre 0 et 5 coupes à l'heure, la recette marginale est positive; au-delà de 5, la recette marginale devient négative. Les niveaux de production où la recette marginale est positive sont ceux où la recette totale augmente; les niveaux de production où la recette marginale est négative sont ceux où la recette totale diminue. Lorsque la recette marginale est nulle, la recette totale est à son point maximal.

## La recette et l'élasticité

L'élasticité de la demande est égale à la variation en pourcentage de la quantité demandée, divisée par la variation en pourcentage du prix. La demande d'un bien ou d'un service peut être:
1. élastique,
2. inélastique,
3. à élasticité unitaire.

La demande est *élastique* si une baisse de 1 % du prix fait augmenter la quantité demandée de plus de 1 %. Quand la demande est élastique, l'élasticité de la demande est supérieure à 1. La demande est *inélastique* si une baisse de 1 % du prix fait baisser la quantité demandée de moins de 1 %. Quand la demande est inélastique, l'élasticité de la demande est inférieure à 1. La demande est *à élasticité unitaire* si une baisse de 1 % du prix entraîne une augmentation de la quantité demandée d'exactement 1 %. Quand la demande est *à élasticité unitaire*, l'élasticité de la demande est égale à 1.

L'élasticité de la demande influe sur la variation de la recette totale résultant d'une variation de prix. Une baisse de prix entraîne une hausse de la quantité demandée le long de la courbe de demande de l'entreprise. Mais qu'en est-il de la recette totale? Si la demande est

élastique, la recette totale augmente, car l'augmentation de recette attribuable à l'augmentation des quantités vendues compense largement la perte de recette due à la baisse du prix. Si la demande est inélastique, la recette totale diminue, car l'augmentation de recette attribuable à l'augmentation des quantités vendues ne suffit pas à éponger la perte de recette due à la baisse du prix. Si la demande est à élasticité unitaire, la recette totale reste la même, car l'augmentation de recette attribuable à l'augmentation des quantités vendues équivaut à la perte de recette due à la baisse du prix. (Pour une explication plus détaillée de la relation entre la recette totale et l'élasticité, consultez le chapitre 5, p. 104-105).

La figure 12.3 présente la relation entre la recette marginale, la recette totale et l'élasticité. À mesure que le prix de la coupe de cheveux descend graduellement de 20 $ à 10 $, la quantité demandée passe progressivement de 0 à 5 coupes à l'heure. À tous ces niveaux de production, la recette marginale est positive — graphique (a) — et la recette totale augmente — graphique (b). Et à tous ces niveaux de production, la demande est élastique. Si le prix d'une coupe de cheveux continue à descendre, passant graduellement de 10 $ à 0 $, la quantité demandée augmente, passant progressivement de 5 à 10 coupes de cheveux à l'heure. À partir de ce niveau de production (5 coupes à l'heure), la recette marginale est négative (graphique a) et la recette totale diminue (graphique b). Pour tous ces niveaux de production, la demande de coupes de cheveux est inélastique. Lorsque le prix d'une coupe de cheveux est de 10 $, la recette marginale est nulle et la recette totale est au maximum. À ce niveau de production, la demande de coupes de cheveux est à élasticité unitaire.

**Le monopoleur choisit un niveau de production où la demande est élastique** Cette relation que nous venons d'établir implique que la production d'un monopole qui maximise ses profits ne se situe jamais dans le segment inélastique de sa courbe de demande. Si c'était le cas, la recette marginale serait négative, car chaque unité supplémentaire vendue ferait baisser la recette totale. Dans une telle situation, l'entreprise demande un prix plus élevé et produit une plus petite quantité de biens et services. Comme sa recette totale augmente tandis que son coût total diminue, son profit augmente. Mais quel prix et quel niveau de production choisira le monopoleur pour maximiser ses profits?

## La détermination du prix et du niveau de production

Pour pouvoir déterminer le niveau de production et le prix qui permettent de maximiser le profit d'un monopole, il faut étudier l'effet de la variation du niveau de production sur les recettes et sur les coûts. Un monopole fait face aux mêmes contraintes techniques et aux mêmes

## FIGURE 12.3
# Les courbes de recette d'un monopole non discriminant

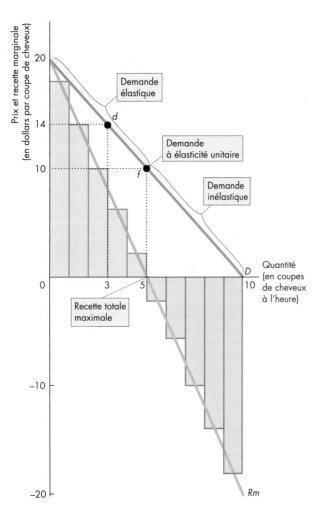

**(a) Courbe de demande et courbe de recette marginale**

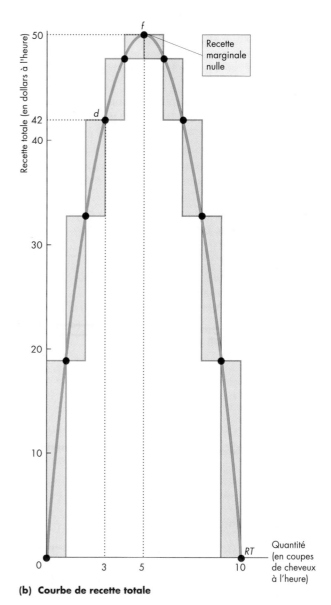

**(b) Courbe de recette totale**

La courbe de demande (D) et la courbe de recette marginale (Rm) du graphique (a), ainsi que la courbe de recette totale (RT) du graphique (b), reposent sur les données du tableau 12.1. Ainsi, au prix de 14 $, Rébecca vend 3 coupes de cheveux à l'heure — point d du graphique (a) — pour une recette totale de 42 $ — point d du graphique (b). Lorsque la production se situe entre 0 et 5 coupes à l'heure, la recette totale augmente et la recette marginale est positive, comme l'indiquent les rectangles bleus. Lorsque

la production se situe entre 5 et 10 coupes de cheveux à l'heure, la recette totale diminue et la recette marginale est négative, comme l'indiquent les rectangles rouges. Aux niveaux de production où la recette marginale est positive, la demande est élastique. Aux niveaux de production où la recette marginale est nulle, la demande est à élasticité unitaire. Au-dessus du niveau de production où la recette marginale est négative, la demande est inélastique.

**TABLEAU 12.2**

## La détermination du prix et du niveau de production d'un monopole

| Prix (P) (en dollars par coupe de cheveux) | Quantité demandée (Q) (en coupes de cheveux à l'heure) | Recette totale (RT = P × Q) (en dollars par heure) | Recette marginale (Rm =ΔRT/ΔQ) (en dollars par coupe de cheveux) | Coût total (CT) (en dollars par heure) | Coût marginal (Cm = ΔCT/ΔQ) (en dollars par coupe de cheveux) | Profit économique (RT – CT) (en dollars par heure) |
|---|---|---|---|---|---|---|
| 20 | 0 | 0 | | 20 | | −20 |
| | | | 18 | | 1 | |
| 18 | 1 | 18 | | 21 | | −3 |
| | | | 14 | | 3 | |
| 16 | 2 | 32 | | 24 | | +8 |
| | | | 10 | | 6 | |
| 14 | 3 | 42 | | 30 | | +12 |
| | | | 6 | | 10 | |
| 12 | 4 | 48 | | 40 | | +8 |
| | | | 2 | | 15 | |
| 10 | 5 | 50 | | 55 | | −5 |

Ce tableau fournit toutes les données nécessaires pour comprendre comment déterminer le prix et le niveau de production qui maximisent le profit total. La recette totale (RT) est égale au prix multiplié par la quantité vendue. Le profit total est égal à la recette totale moins le coût total (CT). Le profit est maximisé au prix de 14 $ la coupe de cheveux, avec la vente de 3 coupes de cheveux à l'heure. La recette totale est de 42 $, le coût total de 30 $ et le profit économique de 12 $ (42 $ − 30 $).

contraintes de coûts qu'une entreprise concurrentielle. Mais, alors que l'entreprise concurrentielle n'a aucune influence sur les prix, le monopole influe sur le prix auquel il peut écouler sa production par la détermination de son niveau de production. Voyons comment.

Le tableau 12.2, qui reprend les recettes de Coiffure Rébecca figurant au tableau 12.1, fournit des données sur ses coûts et son profit économique. Le coût total (CT) augmente lorsque la production augmente, tout comme la recette totale (RT). Le profit économique est égal à la recette totale moins le coût total. Comme on le voit, Rébecca réalise un profit maximal (12 $) lorsqu'elle vend 3 coupes de cheveux à l'heure à 14 $ chacune. Si elle vend 2 coupes à 16 $ chacune ou 4 coupes à 12 $ chacune, son profit économique n'est que de 8 $.

En se reportant aux colonnes de la recette marginale et du coût marginal, on comprend pourquoi un niveau de production de 3 coupes de cheveux permet de maximiser le profit. Quand Rébecca élève sa production de 2 à 3 coupes, sa recette marginale est de 10 $ et son coût marginal est de 6 $; son profit augmente de la différence entre ces deux montants, soit de 4 $ l'heure. Si elle augmente encore son niveau de production, passant de 3 à 4 coupes à l'heure, sa recette marginale est de 6 $ et son coût marginal, de 10 $. Le coût marginal dépasse alors de 4 $ la recette marginale; par conséquent, le profit diminue de 4 $ l'heure. Si la recette marginale est supérieure au coût marginal, le profit augmente avec l'augmentation de la production. Si le coût marginal est

supérieur à la recette marginale, le profit augmente avec la diminution de la production. Lorsque le coût marginal est égal à la recette marginale, le profit est maximisé.

Les données du tableau 12.2 sont illustrées par les graphiques dans la figure 12.4. Le graphique (a) présente la courbe de recette totale (RT) et la courbe de coût total (CT) de Coiffure Rébecca. Le profit économique correspond à l'écart vertical entre RT et CT. Rébecca maximise son profit lorsqu'elle vend 3 coupes à l'heure; son profit économique est alors de 42 $ moins 30 $, soit 12 $. Le graphique (b) illustre le profit économique de Rébecca lorsqu'elle vend 3 coupes de cheveux.

Comme l'entreprise concurrentielle, le monopole maximise son profit en choisissant le niveau de production où la recette marginale est égale au coût marginal. Le graphique 12.4 (b) présente la courbe de demande (D), la courbe de recette marginale (Rm), la courbe de coût marginal (Cm) ainsi que la courbe de coût total moyen (CTM) de Coiffure Rébecca. Rébecca maximise son profit avec 3 coupes de cheveux à l'heure. Dans son cas, cependant, la recette marginale n'est pas égale au prix. Pour fixer le prix, le monopoleur doit donc utiliser la courbe de demande et choisir le prix le plus élevé auquel il peut écouler le niveau de production qui maximise son profit. Pour Rébecca, le prix le plus élevé auquel elle peut vendre 3 coupes de cheveux à l'heure est de 14 $.

Toutes les entreprises maximisent leur profit en produisant au niveau où la recette marginale est égale au coût marginal. Dans le cas d'une entreprise concurrentielle,

FIGURE 12.4

## Le prix et la production d'un monopole

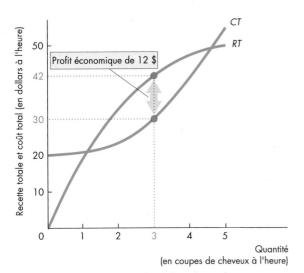

**(a) Courbes de recette totale et de coût total**

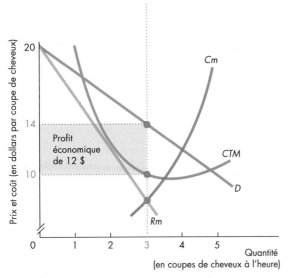

**(b) Courbes de demande, de recette marginale et de coût marginal**

Les deux graphiques de cette figure illustrent les chiffres du tableau 12.2. Dans le graphique (a), le profit économique correspond à l'écart vertical entre la recette totale (*RT*) et le coût total (*CT*) ; il est maximisé avec une production de 3 coupes de cheveux à l'heure. Dans le graphique (b), le profit économique est maximisé lorsque le coût marginal (*Cm*) est égal à la recette marginale (*Rm*). Le prix est déterminé par la courbe de demande (*D*) ; il est de 14 $ la coupe de cheveux. Le profit économique, représenté par le rectangle bleu, est de 12 $, soit le profit par coupe de cheveux (4 $) multiplié par 3 coupes de cheveux.

le prix est égal à la recette marginale, et donc au coût marginal. Dans le cas d'un monopole, le prix est supérieur à la recette marginale et donc au coût marginal.

Les entreprises en situation de monopole choisissent un prix supérieur au coût marginal. Mais cela leur permet-il de réaliser un profit économique ? Dans le cas de Rébecca, avec 3 coupes de cheveux à l'heure, le coût total moyen est de 10 $ (voir la courbe *CTM*) et le prix est de 14 $ (voir la courbe *D*). Le profit par coupe de cheveux est de 4 $ (14 $ moins 10 $). Le rectangle bleu représente le profit économique de Rébecca, qui est égal au profit par coupe de cheveux (4 $) multiplié par le nombre de coupes de cheveux (3), ce qui donne 12 $.

Rébecca réalise un profit économique positif. Mais supposons que le propriétaire du salon que loue Rébecca augmente considérablement le loyer. Si Rébecca doit lui donner 12 $ de plus par heure, son coût fixe horaire augmente de 12 $. Son coût marginal et sa recette marginale restent les mêmes, de sorte que la production qui permet de maximiser son profit reste de 3 coupes de cheveux à l'heure, tandis que le profit économique passe de 12 $ l'heure à zéro. Si Rébecca paye plus que 12 $ de plus par heure pour la location de son salon, elle subit une perte économique. Si cette situation était permanente, Coiffure Rébecca devrait fermer ses portes. Mais comme les entrepreneurs sont très persévérants, parions que Rébecca trouverait un autre salon au loyer moins élevé…

Lorsque les entreprises d'un marché en concurrence parfaite réalisent un profit économique positif, de nouvelles entreprises entrent dans ce marché. Ce n'est pas le cas dans un marché en situation de monopole. Comme les barrières à l'entrée empêchent de nouvelles entreprises d'y entrer, un monopole peut continuer indéfiniment à réaliser un profit économique positif. Et ce profit peut être considérable, comme c'est le cas dans le commerce international des diamants.

---

### À RETENIR

■ Un monopole maximise son profit en choisissant le niveau de production où son coût marginal est égal à sa recette marginale.

■ Au niveau de production qui permet de maximiser le profit, le monopole vend au prix le plus élevé que les consommateurs sont prêts à payer pour la quantité offerte, prix déterminé par la courbe de demande.

■ Comme le prix du monopole est supérieur à la recette marginale, il est également supérieur au coût marginal.

■ Un monopole peut réaliser un profit économique positif même à long terme grâce aux barrières qui empêchent l'entrée de nouvelles entreprises dans l'industrie.

# La discrimination par les prix

LES CINÉMAS ET LES THÉÂTRES OFFRENT SOUVENT aux étudiants et aux personnes âgées des billets à un prix réduit; ils pratiquent ainsi une forme de discrimination par les prix. La **discrimination par les prix** consiste à demander un prix plus élevé à certains consommateurs qu'à d'autres pour un bien identique, ou à demander au même consommateur des prix différents selon la quantité achetée. La discrimination par les prix peut être plus ou moins marquée. Il y aurait *discrimination parfaite par les prix* si une entreprise vendait chaque unité produite à un prix différent, en faisant payer à chaque consommateur le prix le plus élevé qu'il est disposé à payer pour cette unité. Même si on ne connaît pas d'exemple de discrimination parfaite par les prix dans la réalité, cette notion est très utile sur le plan théorique, car elle permet de montrer jusqu'où peut aller la discrimination par les prix.

Il n'y a pas nécessairement *discrimination par les prix* chaque fois qu'il y a *différence* de prix. De nombreux biens se ressemblent beaucoup sans pour autant être parfaitement identiques. Leurs coûts de production diffèrent, ce qui explique qu'ils se vendent à des prix différents. Par exemple, le coût marginal de la production d'électricité varie selon l'heure de la journée; pourtant, même si le kilowattheure se vendait plus cher entre 7 h et 9 h du matin, et entre 16 h et 19 h, il ne s'agirait pas de discrimination par les prix, car la différence de tarif pourrait s'expliquer par des coûts de production plus élevés à ces heures de la journée. Il y a discrimination par les prix lorsqu'on impose des prix différents aux consommateurs pour un bien à cause de la structure de la demande pour ce bien, et non pas parce que ses coûts de production varient.

À première vue, la discrimination par les prix peut sembler en contradiction avec l'objectif de maximisation du profit. Pourquoi les exploitants de salles de cinéma laissent-ils les enfants voir leurs films à moitié prix? Pourquoi les coiffeurs consentent-ils des réductions de prix aux aînés et aux étudiants? Ces réductions ne leur font-elles pas perdre des profits?

En y réfléchissant, nous verrons qu'en réalité la discrimination par les prix permet aux entreprises de réaliser des profits supérieurs à ceux que leur rapporteraient un prix uniforme. Autrement dit, les monopoles ont intérêt à segmenter leur marché en catégories de consommateurs selon les caractéristiques de leur demande, et à leur imposer le prix le plus élevé possible compte tenu de ces caractéristiques. La discrimination par les prix permet à certains consommateurs de payer moins cher tandis que d'autres devront payer plus cher. Mais comment peut-elle permettre d'augmenter la recette totale du monopoleur? C'est ce que nous allons voir.

## La discrimination par les prix et le surplus du consommateur

Les courbes de demande ont une pente négative parce que la valeur que les acheteurs attribuent aux biens décroît quand la consommation augmente. Si toutes les unités de production sont vendues au même prix, les consommateurs en retirent un avantage, que l'on appelle le *surplus du consommateur.* (Vous pourrez vous rafraîchir la mémoire à ce sujet en vous reportant au chapitre 7, p. 159-162). La discrimination par les prix peut être considérée comme une tentative du monopoleur de s'approprier le surplus du consommateur, du moins en partie.

## La discrimination fondée sur la quantité achetée

La discrimination par les prix fondée sur la quantité achetée est une pratique courante qui consiste à imposer le même prix de base à tous les acheteurs, tout en accordant des réductions à ceux qui achètent en grande quantité. Les rabais consentis sur la marchandise en vrac sont un exemple de ce type de discrimination par les prix. Plus la quantité est grande, plus le rabais est important, et plus le prix est bas. La rentabilité de ce type de discrimination par les prix s'explique par le fait que la courbe de demande de chaque acheteur est négative. Notons que certains rabais consentis sur les achats de marchandise en vrac sont attribuables à des coûts de production moins élevés pour des quantités de vrac plus grandes; il ne s'agit pas là de discrimination par les prix.

Pour s'approprier tout le surplus du consommateur jusqu'au dernier dollar, le monopoleur devrait proposer à chaque acheteur un barème de prix individuel fondé sur sa courbe de demande personnelle. Une discrimination par les prix aussi poussée est évidemment impraticable, car les entreprises ne disposent pas de renseignements à ce point précis sur la courbe de demande de chaque consommateur.

## La discrimination fondée sur le type d'acheteur

Les entreprises ne peuvent pas imposer systématiquement un prix différent pour chaque unité qu'elles vendent à chacun de leurs clients; par contre, elles peuvent regrouper leurs clients en catégories. Certaines personnes accordent en effet une valeur plus grande que d'autres à la consommation d'une unité supplémentaire d'un bien. En repérant ces gens et en leur imposant un prix plus élevé, le producteur peut récupérer une partie du surplus du consommateur.

### La discrimination fondée sur les caractéristiques socio-économiques des acheteurs

La discrimination par les prix est souvent fondée sur les différences entre divers groupes de consommateurs : âge, statut socio-économique, etc. Ce type de discrimination par les prix n'est évidemment justifié que si l'élasticité de la demande par rapport au prix du bien diffère selon chaque groupe, comme c'est souvent le cas. Par exemple, la demande de coupes de cheveux des étudiants est plus élastique que celle des gens d'affaires. De même, la demande de transport aérien des vacanciers est plus élastique que celle des voyageurs d'affaires. Voyons comment une compagnie aérienne exploite cette différence en pratiquant la discrimination par les prix.

Global Air détient le monopole d'une destination soleil. Le graphique 12.5 (a) présente la courbe de demande (*D*) et la courbe de recette marginale (*Rm*) des voyages vers cette destination. Elle montre également la courbe de coût marginal (*Cm*) de Global Air. Le coût marginal est constant ; le coût fixe, nul. Global Air est un monopole non discriminant qui maximise son profit en choisissant le niveau de production où la recette marginale est égale au coût marginal. Ce niveau de production est de 10 000 voyages par année. Global Air peut

vendre 10 000 voyages par année au prix de 1 500 $ le voyage. La recette totale de Global Air est de 15 millions de dollars par année, et son coût total, de 10 millions de dollars par année. Son profit économique annuel est donc de 5 millions de dollars par année, comme le montre le rectangle bleu du graphique (a).

Global constate que la majorité de ses clients sont des voyageurs d'affaires. La compagnie sait que sa destination exotique est idéale pour les vacanciers, mais que, pour les attirer en plus grand nombre, elle doit leur proposer un tarif plus bas que 1 500 $. Cependant, si elle baisse ses prix, elle perdra une partie des gains que lui rapportent ses voyageurs d'affaires. L'entreprise décide donc de pratiquer la discrimination par les prix pour ces deux groupes de voyageurs.

Pour Global, la première étape consiste à déterminer la courbe de demande des voyageurs d'affaires et celle des vacanciers. La courbe de demande du marché — graphique 12.5 (a) — correspond à la somme horizontale des courbes de demande de ces deux types de voyageurs (voir le chapitre 7, p. 156-157). Global détermine que la courbe de demande de voyages d'affaires est $D_A$, comme le montre le graphique 12.5 (b), et la courbe de demande de voyages de vacances, $D_V$, comme le montre le graphique 12.5 (c). Avec un prix unique de 1 500 $ le billet, les 10 000 voyages que vend Global se divisent

---

### FIGURE 12.5
## Un prix unique de voyage par avion

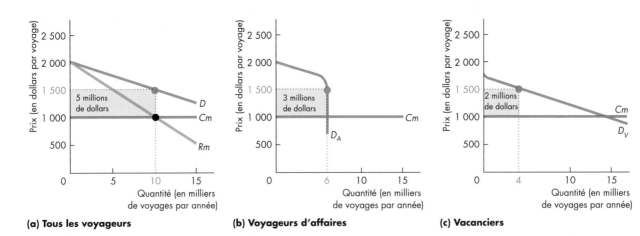

**(a) Tous les voyageurs**     **(b) Voyageurs d'affaires**     **(c) Vacanciers**

Le graphique (a) présente la courbe de demande (*D*), la courbe de recette marginale (*Rm*) et la courbe de coût marginal (*Cm*) d'une destination dont la compagnie aérienne Global détient le monopole. Si elle agit en monopole non discriminant, Global maximise son profit en vendant 10 000 voyages par année au prix de 1 500 $ le voyage. Son profit est de 5 millions de dollars, comme le montre le rectangle bleu du graphique (a). La courbe de demande du graphique (a) est la somme horizontale de la courbe de demande de voyages d'affaires ($D_A$) du graphique (b) et de la courbe de demande de voyage de vacances ($D_V$) du graphique (c). Global vend 6 000 voyages aux voyageurs d'affaires avec un profit de 3 millions de dollars, et 4 000 voyages aux vacanciers avec un profit de 2 millions de dollars.

en 6 000 voyages d'affaires et 4 000 voyages de vacances. À 1 500 $, les voyageurs d'affaires achètent donc plus de voyages que les vacanciers ; mais, à ce prix, la demande de voyages d'affaires est bien moins élastique que celle des voyages de vacances. Lorsque le prix est plus bas que 1 500 $, la demande de voyages d'affaires devient parfaitement inélastique alors que la demande de voyages de vacances devient plus élastique.

## Le profit et la discrimination par les prix

Global suit la règle de la maximisation des profits : choisir le niveau de production où la recette marginale est égale au coût marginal, et fixer le prix au niveau le plus élevé que le consommateur est prêt à payer. Cependant, maintenant qu'elle a divisé son marché en deux, l'entreprise a deux courbes de recette marginale. La courbe de recette marginale pour les voyages d'affaires est $Rm_A$, comme le montre le graphique 12.6 (a), et sa courbe de recette marginale pour les voyages de vacances est $Rm_V$, comme le montre le graphique 12.6 (b).

Le graphique 12.6 (a) montre qu'à 5 000 voyages par année la recette marginale des voyages d'affaires est égale au coût marginal de 1 000 $ ; à cette quantité, les voyageurs d'affaires sont prêts à payer 1 700 $ le voyage, soit 200 $ de plus que le prix actuel. Le graphique 12.6 (b) montre qu'à 7 000 voyages par année la recette marginale des voyages de vacances est égale au coût marginal de 1 000 $. À cette quantité, les vacanciers sont prêts à payer 1 350 $ le voyage, soit 150 $ *de moins* que le prix courant.

Si Global peut imposer un prix de 1 700 $ à ses voyageurs d'affaires et de 1 350 $ aux vacanciers, elle peut faire passer ses ventes de 10 000 à 12 000 voyages par année, et son profit économique de 5 millions à 5,95 millions de dollars par année. Ainsi, les voyageurs d'affaires lui rapporteraient un profit économique de 3,5 millions de dollars par année (700 $ le voyage × 5 000 voyages), profit représenté par le rectangle bleu du graphique 12.6 (a). Quant aux vacanciers, ils généreraient un profit économique de 2,45 millions de dollars par année (350 $ le voyage × 7 000 voyages), profit représenté par le rectangle bleu du graphique 12.6 (b).

---

**FIGURE 12.6**

## La discrimination par les prix

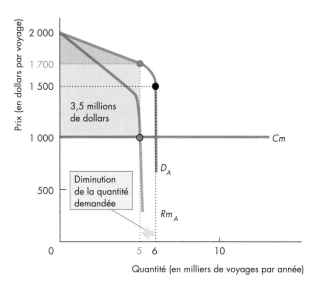

**(a) Voyageurs d'affaires**

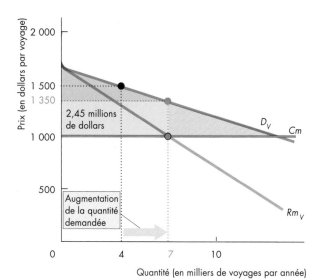

**(b) Vacanciers**

Dans le graphique (a), $Rm_A$ représente la courbe de recette marginale des voyages d'affaires et, dans le graphique (b), $Rm_V$ représente la courbe de recette marginale des voyages de vacances. Global maximise son profit lorsque la recette marginale est égale au coût marginal pour chaque type de voyages. En élevant le tarif affaires à 1 700 $ et en réduisant le tarif vacances à 1 350 $, la compagnie augmente son profit économique. Global vend main-

tenant 5 000 voyages d'affaires avec un profit de 3,5 millions de dollars — le rectangle bleu du graphique (a) — et 7 000 voyages de vacances avec un profit de 2,45 millions de dollars — le rectangle bleu du graphique (b). Son profit passe de 5 millions de dollars sans discrimination par les prix à 5,95 millions de dollars avec discrimination par les prix.

Mais comment Global peut-elle amener ses voyageurs d'affaires à payer 1 700 $ le voyage ? Si elle offre aux vacanciers des tarifs de 1 350 $, ses voyageurs d'affaires seront tentés de se faire passer pour des vacanciers… Pour éviter cela, l'entreprise doit faire preuve d'imagination dans sa tarification.

Global a remarqué que ses voyageurs d'affaires ne réservaient jamais plus de trois semaines à l'avance. Une enquête a révélé qu'ils ne connaissaient jamais la date de leurs voyages plus d'un mois à l'avance, contrairement aux vacanciers, qui, eux, la connaissent toujours au moins un mois à l'avance. Global propose donc une excellente affaire à tous ses clients, sans distinction : le tarif de base est de 1 700 $, mais si le voyageur achète un billet non remboursable un mois avant sa date de départ, il ne le paie que 1 350 $, et bénéficie donc d'un rabais de 350 $. En pratiquant la discrimination par les prix entre ses voyageurs d'affaires et ses vacanciers, Global fait passer ses ventes de 10 000 à 12 000 voyages et accroît son profit de 0,95 million de dollars par année.

### La discrimination parfaite par les prix

Global pourrait faire encore mieux. Certains voyageurs d'affaires sont disposés à payer plus de 1 700 $ le voyage ;

le triangle vert du graphique 12.6 (a) représente ce surplus du consommateur. De plus, la majorité des vacanciers qui paient déjà 1 350 $ le voyage consentiraient à payer un peu plus ; le triangle vert du graphique 12.6 (b) illustre ce surplus du consommateur. D'autre part, certains vacanciers potentiels qui ne veulent pas payer 1 350 $ seraient prêts à débourser 1 000 $ ou même davantage ; ce surplus du consommateur correspond au triangle orange du graphique 12.6 (b).

Global se met à faire preuve de créativité et propose de nombreuses offres spéciales. Elle offre aux voyageurs d'affaires qui paient un surplus des réservations prioritaires et d'autres avantages qui ne modifient pas son coût marginal. De même, elle raffine les restrictions liées à ses tarifs vacances, créant ainsi plusieurs nouvelles catégories tarifaires ; la plus basse est soumise à de nombreuses restrictions, mais elle permet de faire le voyage pour 1 000 $.

Cette nouvelle politique connaît un grand succès. Les ventes finissent par atteindre 20 000 voyages par année : 6 000 voyages d'affaires à des prix variant entre 1 500 $ et près de 2 000 $, et 14 000 voyages de vacances à des prix variant entre 1 000 $ et 1 700 $. Global pratique une discrimination par les prix presque parfaite.

La figure 12.7 montre que, si Global peut pratiquer une discrimination parfaite par les prix, elle récupérera le surplus du consommateur dans son intégralité.

---

**FIGURE 12.7**
# La discrimination parfaite par les prix

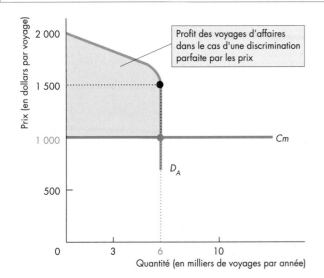

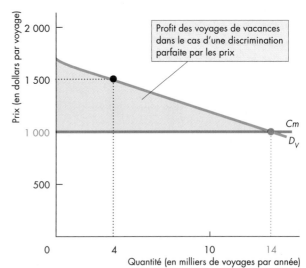

**(a) Voyageurs d'affaires**

**(b) Vacanciers**

En offrant un large éventail de tarifs réduits, de restrictions et d'avantages particuliers, Global tente de pratiquer une discrimination parfaite par les prix. Si elle réussit, elle vendra 6 000 voyages d'affaires et 14 000 voyages de vacances, et elle s'appropriera ainsi la

totalité du surplus du consommateur. Les surfaces bleues sous les deux courbes de demande montrent de quelle manière son profit économique augmentera.

## La discrimination par les prix dans la pratique

Nous venons de voir comment la discrimination par les prix permet d'augmenter les profits. L'offre de Global (tarif normal de 1 700 $ ; tarif 30 jours d'avance de 1 350 $) ne relève pas de la philanthropie, mais de la volonté de maximiser le profit. Le modèle de discrimination par les prix que nous venons d'étudier explique de nombreuses pratiques courantes dans l'établissement des prix, et ce, même pour des entreprises qui ne sont pas de purs monopoles.

Ainsi, dans la réalité comme dans notre modèle, les compagnies aériennes offrent des prix plus bas aux clients qui achètent leur billet à l'avance parce que la demande des voyageurs de dernière minute est généralement moins élastique que celle des vacanciers qui planifient leur voyage longtemps d'avance. La plupart des détaillants font des soldes de temps à autre, réduisant alors leurs prix de façon substantielle. Ces soldes sont une forme de discrimination par les prix. À chaque saison, les nouvelles collections de prêt-à-porter se vendent d'abord à prix fort, mais les commerçants savent parfaitement qu'ils n'écouleront pas tout leur stock à de tels prix ; en fin de saison, ils vendent ce qui reste à prix réduit. Ces détaillants pratiquent la discrimination entre les acheteurs dont la demande est inélastique — ceux qui se veulent à la fine pointe des tendances — et les acheteurs dont la demande est plus élastique — ceux qui se préoccupent davantage du prix que de la dernière mode.

Si la discrimination par les prix permet de réaliser des profits, pourquoi toutes les entreprises ne la pratiquent-elles pas ? Quelles sont les limites de la discrimination par les prix ?

La discrimination par les prix n'est rentable que dans certaines conditions. D'abord, elle n'est applicable qu'aux biens et services qui ne peuvent être revendus ; autrement, les gens bénéficiant d'un rabais achèteraient des biens à bas prix pour les revendre à prix fort aux acheteurs disposés à payer plus cher. C'est pourquoi la discrimination par les prix se pratique dans les marchés de services plutôt que de biens. Il y a une exception cependant : le prêt-à-porter. Dans ce cas, la discrimination par les prix est rentable, car, quand une collection est mise en solde, les bêtes de mode ont acheté depuis longtemps et attendent avec impatience les nouveautés de la saison suivante. Les acheteurs de vêtements en solde ne trouveront donc pas de clients à qui les revendre plus cher.

D'autre part, pour pratiquer une discrimination par les prix efficiente, les monopoleurs doivent repérer des groupes d'acheteurs dont les demandes présentent des élasticités différentes. De plus, les critères de la discrimination ne peuvent aller à l'encontre des lois, de sorte qu'on s'en tient généralement à des critères d'âge, de statut socio-économique, de type d'emploi et de date d'achat.

Malgré ces limites, certaines entreprises parviennent à établir une politique de prix très subtile. Ainsi, Air Canada distingue quatre groupes de passagers pour la plupart de ses vols. Au cours de l'été 1996, pour la seule classe économique, les tarifs de la plupart des vols entre Toronto et Londres se présentaient ainsi :

- 1 645 $ — aucune restriction
- 1 008 $ — achat 7 jours à l'avance
- 958 $ — achat 14 jours à l'avance
- 898 $ — achat 21 jours à l'avance

Cette tarification résulte d'une discrimination par les prix entre différents groupes de clients dont les demandes présentent toutes des élasticités différentes. Il y a fort à parier que ce sont les voyageurs d'affaires de dernière minute — dont la demande est moins élastique — qui payent 1 645 $, et les vacanciers — dont la demande est plus élastique — qui profitent du tarif de 898 $.

---

### À RETENIR

- La discrimination par les prix peut faire augmenter le profit d'un monopole.
- Un monopole qui demanderait à chaque consommateur le prix le plus élevé qu'il est disposé à payer pour chaque unité d'un bien pratiquerait une discrimination parfaite par les prix, car il s'approprierait ainsi la totalité du surplus du consommateur.
- Le plus souvent, la discrimination par les prix prend la forme d'une discrimination entre différents groupes de consommateurs dont la demande présente des élasticités différentes.
- Les acheteurs dont la demande est moins élastique paient plus cher, et ceux dont la demande est plus élastique paient moins cher.
- Le monopole qui pratique la discrimination par les prix a un niveau de production plus élevé que le monopole non discriminant.

*« Ça vous contrarierait de savoir quel prix ridicule m'a coûté ce billet ? »*

Dessin de William Hamilton, *Voodoo Economics*, p. 3. © 1992. Traduction et reproduction autorisées par The Chronicle Publishing Company.

## Le monopole et la concurrence : une comparaison

NOUS AVONS ANALYSÉ DIVERSES INTERACTIONS entre les entreprises et les ménages sur les marchés des biens et des services. Au chapitre 11, nous avons étudié le comportement des entreprises en concurrence parfaite, et la façon dont celles-ci déterminent les prix et les niveaux de production. Et nous venons de voir comment le monopole — discriminant et non discriminant — détermine les prix et les niveaux de production. Comparons maintenant les niveaux de production, les prix de vente et les profits dans ces trois cas.

Pour faire cet exercice, nous allons d'abord imaginer un marché concurrentiel composé de plusieurs entreprises identiques, et nous allons calculer le prix et le niveau de production dans ce marché. Nous supposerons ensuite qu'une entreprise achète toutes les autres et crée ainsi un monopole. Enfin, nous calculerons le prix et le niveau de production de ce monopole, en supposant d'abord que l'entreprise a une politique de prix unique, puis qu'elle décide de pratiquer la discrimination par les prix.

### Le prix et le niveau de production

Reportons-nous au graphique de la figure 12.8 ; D représente la courbe de demande de l'industrie, et O, sa courbe d'offre. Dans une situation de concurrence parfaite, le marché est en équilibre au point d'intersection de la courbe d'offre et de la courbe de demande.

**Avec une concurrence parfaite**   La quantité produite par l'industrie est $Q_C$ et le prix est $P_C$. Chaque entreprise vend au prix $P_C$ et maximise son profit en choisissant le niveau de production où son coût marginal est égal au prix. Comme chaque entreprise ne représente qu'une infime fraction du marché, aucune n'essaie d'influer sur le prix en augmentant ou en diminuant son niveau de production.

**Avec un monopole non discriminant**   Supposons maintenant qu'une entreprise achète tous ces petits producteurs. Elle ne change rien aux méthodes de production ; ses coûts sont donc identiques à ceux des entreprises qu'elle a acquises. Par contre, la nouvelle entreprise peut faire varier le prix en modifiant le niveau de production. Sa courbe de recette marginale est *Rm*. Pour maximiser son profit, la nouvelle entreprise choisit le niveau de production où sa recette marginale est égale à son coût marginal.

Quelle est la courbe de coût marginal du monopole ? Pour répondre à cette question, il nous faut revenir à la

FIGURE  12.8

### Le monopole et la concurrence : une comparaison

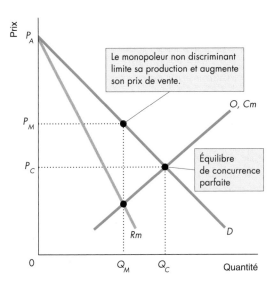

Imaginons un marché concurrentiel dont la courbe de demande est *D*, et la courbe d'offre, *O*. Ce marché est en équilibre lorsque la quantité demandée est égale à la quantité offerte, soit à la quantité $Q_C$ et au prix $P_C$. Si une entreprise achète tous les producteurs de ce marché et vend à prix unique la quantité qui maximise son profit, la recette marginale est *Rm*, et la courbe d'offre du marché concurrentiel (*O*) devient la courbe de coût marginal du monopoleur (*Cm*). Le monopoleur produit la quantité à laquelle la recette marginale est égale au coût marginal. S'il est non discriminant, le monopole produit la quantité $Q_M$ au prix $P_M$. S'il pratique une discrimination parfaite par les prix, il produit la quantité $Q_C$ et vend les unités produites à des prix variant entre $P_A$ et $P_C$.

Le monopole non discriminant limite le niveau de production et augmente le prix. Mais plus il se rapproche d'une discrimination parfaite par les prix, plus son niveau de production se rapproche de celui qui aurait cours dans un marché parfaitement concurrentiel.

relation entre la courbe de coût marginal et la courbe d'offre d'une industrie concurrentielle. La courbe d'offre d'une entreprise concurrentielle correspond au segment de sa courbe de coût marginal situé au-dessus du coût variable moyen minimal. La courbe d'offre de l'industrie concurrentielle (*O*) est également sa courbe de coût marginal (ce qui explique qu'à la figure 12.8 la courbe d'offre s'appelle aussi *Cm*). Quand une seule entreprise achète tous les producteurs d'une industrie, sa courbe de coût marginal se confond donc avec ce qui était la courbe d'offre du marché concurrentiel avant la fusion des entreprises.

Nous avons vu que, en concurrence parfaite, l'équilibre du marché est atteint au point d'intersection de la courbe d'offre et de la courbe de demande ; dans le graphique de la figure 12.8, ce point correspond au prix

$P_C$ et à la quantité $Q_C$. En revanche, le monopole non discriminant maximise son profit en limitant la production à $Q_M$, afin que la recette marginale soit égale au coût marginal. Comme la courbe de recette marginale se situe sous la courbe de demande, la production $Q_M$ sera toujours inférieure à la production $Q_C$. Le monopoleur non discriminant vend au prix le plus élevé auquel il peut écouler le niveau de production $Q_M$; ce prix est $P_M$. Nous venons d'établir une proposition clé :

> Le monopole non discriminant produit moins et impose un prix plus élevé que le marché concurrentiel.

**Avec une discrimination parfaite par les prix**   Si le monopoleur peut pratiquer une discrimination parfaite par les prix, il fixe un prix différent pour chacune des unités vendues et élève son niveau de production à $Q_C$. Le prix le plus élevé est $P_A$, et le prix le plus bas est $P_C$, soit le prix qui aurait cours dans un marché parfaitement concurrentiel. Le prix le plus élevé possible sera $P_A$; au-delà de ce prix, personne ne voudra acheter. Le prix le plus bas possible sera $P_C$, car la courbe de demande d'un monopole qui pratique une discrimination parfaite par les prix se confond avec sa courbe de recette marginale et, aux prix inférieurs à $P_C$, le coût marginal est supérieur à la recette marginale. Nous venons d'établir une seconde proposition clé :

> Plus le monopole se rapproche de la discrimination parfaite par les prix, plus son niveau de production se rapproche de celui qui aurait cours dans un marché concurrentiel.

Nous venons de comparer les niveaux de production et les prix d'un monopole avec ceux d'un marché concurrentiel. Comparons maintenant l'efficience économique de ces deux types de marché.

## L'efficience dans l'allocation des ressources

L'efficience du monopole comparativement à celle de la concurrence dépend de la capacité du monopole à pratiquer la discrimination par les prix. Le monopole non discriminant n'est pas efficient tandis que le monopole parfaitement discriminant l'est. Voyons pourquoi.

**La non-efficience du monopole non discriminant**
La figure 12.9 compare un marché en concurrence parfaite et un monopole non discriminant. S'il y a concurrence parfaite — graphique (a) —, le consommateur paie chaque unité au prix $P_C$. La courbe de demande $D$ révèle le prix maximal qu'il est prêt à débourser pour chaque unité. Ce prix correspond à la valeur qu'accorde le consommateur à ce bien. Le **surplus du consommateur** est la valeur qu'a un bien pour le consommateur moins le prix qu'il le paie réellement. (Vous trouverez au chapitre 7, p. 159-162, des explications détaillées sur la notion de surplus du consommateur.)

Dans le graphique 12.9 (a), le triangle vert représente le surplus du consommateur. Le monopoleur non discriminant — graphique (b) — baisse le niveau de production, qui tombe à $Q_M$, et élève le prix à $P_M$. Le surplus du consommateur, représenté par le triangle vert, est donc réduit. Les consommateurs y perdent : non seulement ils paient plus cher ce qu'ils achètent, mais ils ne peuvent plus en acheter autant.

La perte des consommateurs est-elle égale au gain du monopole ? Autrement dit, les gains des échanges sont-ils les mêmes, mais redistribués autrement ? Le graphique 12.9 (b) montre que non ; la création d'un monopole réduit l'ensemble des gains des échanges. Une partie de la perte des consommateurs va au monopole : la différence entre $P_M$ et $P_C$, multipliée par la quantité vendue, soit $Q_M$. Cette partie du surplus du consommateur — le rectangle bleu — n'est pas une perte sèche pour la société ; elle est simplement redistribuée au profit du monopoleur.

Mais qu'est devenu le reste du surplus du consommateur ? Comme il y a eu une baisse de production, il a tout simplement disparu. Et la perte ne se limite pas à cela. Le triangle gris du graphique 12.9 (b) représente la perte totale découlant de la décision du monopoleur de limiter sa production à $Q_M$. La partie du triangle gris située au-dessus de $P_C$ représente la perte de surplus du consommateur, et la partie au-dessous correspond à une perte pour le producteur, une perte de surplus du producteur. Le **surplus du producteur** correspond à la différence entre sa recette totale et le coût d'opportunité de la production. On l'obtient en faisant la somme des différences entre le prix et le coût de production marginal de chaque unité produite. Dans un marché concurrentiel, le producteur vend toutes les unités produites entre les niveaux $Q_M$ et $Q_C$ au prix $P_C$. La courbe de coût marginal (offre) montre le coût marginal de la production de chaque unité supplémentaire de cette gamme. L'écart vertical entre la courbe de coût marginal et le prix représente le surplus du producteur. Une partie de ce surplus se perd lorsqu'un monopole fixe sa production au-dessous du niveau concurrentiel.

Le triangle gris du graphique mesure la perte totale de surplus du consommateur et du producteur ; c'est ce qu'on appelle la *perte sèche*. La **perte sèche** est la diminution des surplus du consommateur et du producteur qui résulte d'une diminution de la production en deçà de son niveau efficient ; c'est donc une mesure de la non-efficience dans l'allocation des ressources. Cette diminution de la production et cette augmentation du prix entraînent l'appropriation par le monopoleur d'une partie du surplus du consommateur, ainsi que la disparition d'une partie du surplus du producteur et du consommateur. Cette disparition tient à une baisse du niveau de production par rapport à celui qui aurait cours dans une situation de concurrence parfaite.

Habituellement, le niveau de production d'un monopole est bien inférieur à celui où le coût total

FIGURE  12.9
## Le monopole et la non-efficience des ressources ◆

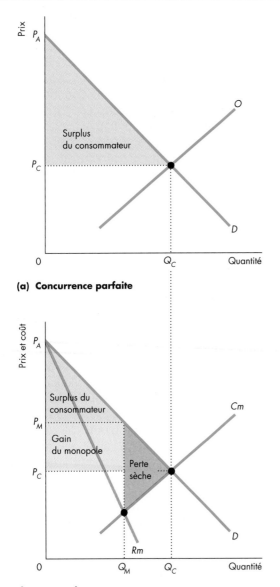

**(a) Concurrence parfaite**

**(b) Monopole**

Dans un marché parfaitement concurrentiel — graphique (a) —, la courbe de demande (*D*) croise la courbe d'offre (*O*), au point correspondant à la quantité $Q_C$ et au prix $P_C$. Le triangle vert représente le surplus du consommateur. En situation d'équilibre à long terme, le profit économique des entreprises est nul et le surplus du consommateur est maximisé. Avec un monopole non discriminant — graphique (b) —, la production est limitée à $Q_M$ et le prix passe à $P_M$. Le triangle vert qui illustre le surplus du consommateur est plus petit. Le monopole s'approprie l'équivalent de la partie représentée par le rectangle bleu, ce qui crée une perte sèche (le triangle gris).

moyen est le plus bas. Le monopole a une capacité beaucoup plus grande que celle qu'il utilise. Et, même s'il arrive qu'un monopole ait un niveau de production tel que le coût total moyen est à son minimum, le consommateur n'a pas l'occasion d'acheter le bien à ce prix; il paye toujours un prix supérieur au coût marginal.

**L'efficience de la discrimination parfaite par les prix**  La perte sèche est nulle si le monopoleur pratique la discrimination parfaite par les prix. Une discrimination parfaite par les prix ramène le niveau de production du monopole à celui qui aurait cours dans un marché concurrentiel. Le prix de la dernière unité vendue est $P_C$; il est donc égal au coût marginal. Le surplus du consommateur est nul, mais la perte sèche, elle aussi, est nulle. Par conséquent, la discrimination parfaite par les prix conduit à une allocation efficiente des ressources. Mais quels sont ses effets sur la redistribution des gains des échanges?

## L'effet de redistribution du monopole

Dans un marché en concurrence parfaite, le surplus du consommateur correspond au triangle vert du graphique 12.9 (a). Comme il n'y a pas de barrière à l'entrée, le profit économique d'une entreprise parfaitement concurrentielle en situation d'équilibre à long terme est nul. Nous venons de voir que la création de monopoles réduit le surplus du consommateur, ce qui entraîne une perte sèche dans le cas d'un monopole non discriminant. Mais comment les surplus se répartissent-ils entre les producteurs et les consommateurs? La réponse est très simple: c'est toujours le monopole qui l'emporte. S'il est non discriminant — graphique 12.9 (b) —, le monopole réalise un gain — rectangle bleu — au détriment des consommateurs, mais il perd une partie de son surplus du producteur — la part de perte sèche qui lui revient. Cette perte réduit son gain. Malgré tout, l'opération a toujours pour résultat un gain net pour le monopole et une perte nette pour le consommateur. Nous savons également que, en raison de cette perte sèche, le consommateur perd plus que le monopoleur ne gagne.

S'il pratique une discrimination parfaite par les prix, le monopole n'engendre pas de perte sèche. Cependant, la redistribution des gains des échanges favorise encore davantage le monopoleur, qui s'approprie alors la totalité du surplus du consommateur, représenté par le triangle vert du graphique 12.9 (a).

Le monopole n'est pas efficient parce qu'il crée une perte sèche. Il impose un coût à la société. Ce coût peut être évité par le démantèlement du monopole et le recours à un nombre considérable de lois et règlements, situation décrite et expliquée au chapitre 20.

■ La création d'un monopole entraîne la redistribution des gains économiques au détriment des consommateurs et au profit du monopoleur.

■ S'il pratique une discrimination parfaite par les prix, le monopoleur produit le même volume qu'une industrie concurrentielle et l'allocation de ses ressources est efficiente. Cependant, il s'approprie la totalité du surplus du consommateur.

■ Si la discrimination par les prix n'est pas parfaite, le monopole fixe sa production en deçà de ce qu'elle serait dans une situation de concurrence parfaite, ce qui engendre une perte sèche. L'allocation des ressources n'est pas efficiente et la perte des consommateurs est supérieure aux gains du monopole.

## La recherche de rentes

On appelle **recherche de rentes** l'ensemble des activités qui visent à réaliser un profit économique en créant un monopole. Le terme «rente» (ou «rente économique») désigne indifféremment le surplus du consommateur, le surplus du producteur et le profit économique. Comme le monopole réalise un profit économique en s'appropriant une partie du surplus du consommateur, on utilise l'expression «recherche de rentes» pour désigner la recherche du profit économique par le monopole.

La recherche de rentes est une activité très rentable et fort répandue. Elle est rentable parce que le monopole peut réaliser un profit économique à long terme. L'entreprise concurrentielle ne peut espérer qu'un profit économique à court terme, car la libre entrée des entreprises dans un marché concurrentiel finit par rendre le profit économique nul. Dans le cas du monopole, les barrières à l'entrée permettent d'éviter que le profit ne disparaisse. Comme le monopole peut réaliser un profit économique à long terme, la tentation est forte d'essayer d'en créer un, c'est-à-dire de rechercher des rentes.

Que font les chercheurs de rentes? Souvent, ils cherchent des droits de monopoles qui existent déjà et tentent de les acquérir à un prix inférieur au profit économique qu'ils génèrent. L'achat de permis d'exploitation de taxis illustre bien ce type d'activité de recherche de rentes. Dans la plupart des villes, l'exploitation des taxis est réglementée; la municipalité plafonne à la fois les tarifs et le nombre de taxis en exploitation. L'exploitation d'un taxi entraîne un profit économique, une rente. Quiconque souhaite exploiter un taxi doit d'abord acheter un droit d'exploitation de quelqu'un qui en détient un. Cependant, l'achat d'un monopole en place ne garantit pas nécessairement des profits économiques, car

tout le monde peut participer à cette recherche de rentes. Paradoxalement, l'activité de recherche de rentes ressemble à la libre concurrence. Dès qu'il existe une possibilité de profit économique, une ou plusieurs nouvelles entreprises tentent d'obtenir ce monopole. La concurrence que se livrent les chercheurs de rentes fait monter le prix du droit de monopole jusqu'à ce que son exploitation ne permette plus de réaliser qu'un profit normal, tout le profit économique réussissant de justesse à compenser le prix d'achat du droit. En d'autres termes, le profit économique — la rente — revient à la première personne qui a acquis le droit et créé le monopole. À Toronto, par exemple, la concurrence a fait monter le prix du droit d'exploitation d'un taxi à plus de 80 000 $, ce qui élimine le profit économique à long terme de l'exploitant. Ce type de recherche de rentes entraîne un transfert de richesses de l'acheteur au vendeur du monopole.

Bien qu'une part importante des activités de recherche de rentes concerne la recherche de droits de monopoles dont l'achat peut être rentable, l'essentiel des efforts vise la création de monopoles. Ce type d'activité de recherche de rentes prend souvent la forme de lobbying et d'autres tentatives d'influencer les pouvoirs politiques. Les entreprises, les associations professionnelles et les syndicats contribuent souvent au financement des partis politiques dans l'espoir de gagner leur soutien et de faire adopter des lois ou des règlements qui leur conféreront un pouvoir de monopole. Les quotas imposés par le gouvernement canadien à l'importation du bœuf sont un exemple de droit de monopole acquis par ce moyen. De tels règlements limitent la production et font monter le prix.

Ce type de recherche de rentes est une activité coûteuse, qui utilise des ressources rares. Les entreprises dépensent des milliards de dollars pour tenter d'orienter indirectement les décisions des fonctionnaires fédéraux, provinciaux et municipaux afin d'obtenir des permis et de faire adopter des lois créant des barrières à l'entrée et établissant des droits de monopoles. Comme tout le monde peut tenter de s'approprier des rentes, la concurrence est féroce entre les acheteurs potentiels de nouveaux droits de monopoles.

Qu'est-ce qui détermine la valeur des ressources qu'on utilise pour obtenir un droit de monopole? La réponse est simple: le profit économique du monopole. Si la valeur des ressources investies dans la création d'un monopole est supérieure au profit économique de ce monopole, il en résultera une perte économique; si elle est inférieure, il y aura un profit économique à réaliser. En l'absence de barrières à l'entrée dans la recherche de rentes, la valeur des ressources investies dans la recherche de rentes est égale au profit économique du monopole.

À cause du coût associé à la recherche de rentes, le monopole impose à la société un coût encore plus lourd que la perte sèche telle que nous l'avons calculée; en effet, pour calculer ce coût social, il faut ajouter à la valeur de la perte sèche la valeur des ressources investies dans la recherche de rentes — soit le profit économique total du monopole —, puisque c'est là la valeur des ressources investies dans la recherche de rentes.

## Les avantages associés au monopole

Jusqu'à présent, notre comparaison entre le monopole et la concurrence parfaite n'est pas à l'avantage du monopole. Mais si les monopoles sont si néfastes, pourquoi les tolérer? Pourquoi ne pas adopter des lois qui les éliminent à jamais? Nous verrons au chapitre 20 qu'un certain nombre de lois visent effectivement à limiter le pouvoir des monopoles et à les réglementer. Mais le monopole n'a pas que des inconvénients. Penchons-nous maintenant sur ses avantages et voyons quelques-unes des raisons qui justifient son existence.

Le monopole peut avoir certains avantages, et ce, essentiellement pour deux raisons:

- les économies d'échelle et de gamme,
- l'incitation à l'innovation.

**Les économies d'échelle et de gamme**   Une entreprise réalise des *économies d'échelle* quand une augmentation de la production d'un produit — bien ou service — entraîne une diminution du coût total moyen de production de ce produit (voir le chapitre 10, p. 223-224). Une entreprise réalise des **économies de gamme** lorsqu'un élargissement de la *gamme des biens ou services qu'elle produit* entraîne une diminution du coût total moyen. Les économies de gamme se produisent lorsque des facteurs de production techniques très spécialisés (et habituellement coûteux) peuvent servir pour plusieurs biens. Par exemple, McDonald's peut produire des hamburgers et des frites à un coût total moyen moindre que ce qu'il en coûterait à deux entreprises de produire les mêmes biens, car chez McDonald's les mêmes installations peuvent servir à la préparation et à l'entreposage à la fois des hamburgers et des frites. Autre exemple: les entreprises qui produisent une vaste gamme de produits peuvent répartir sur plusieurs produits les coûts de l'expertise des spécialistes de la programmation, des concepteurs et des experts en marketing qu'elles embauchent, ce qui diminue d'autant le coût total moyen de production de chacun des produits.

Les grandes entreprises qui contrôlent l'offre et peuvent influer sur les prix — et qui se comportent donc comme le monopole que nous avons étudié — peuvent réaliser des économies d'échelle et de gamme, ce qui n'est pas le cas des petites entreprises concurrentielles. Or, jusqu'ici, notre comparaison entre le monopole et la concurrence n'en tenait pas compte; dans certains cas, les conclusions que nous en avons tirées ne sont donc pas valables. Nous avions en effet supposé que, après avoir acheté toutes les petites entreprises concurrentielles du

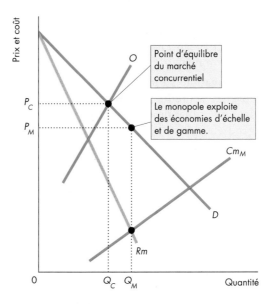

**FIGURE 12.10**

## Quand les économies d'échelle et de gamme rendent le monopole plus efficient que la concurrence

Dans certains secteurs, les économies d'échelle et de gamme sont telles que la courbe de coût marginal du monopoleur ($Cm_M$) se situe au-dessous de la courbe d'offre du marché concurrentiel ($O$). Il est alors possible que la production du monopole non discriminant ($Q_M$) soit plus importante que celle du marché concurrentiel ($Q_C$) et son prix ($P_M$), inférieur au prix concurrentiel ($P_C$).

marché, le monopole utiliserait exactement la même technologie qu'elles, et que ses coûts de production seraient donc les mêmes. Mais si le monopole peut bénéficier d'économies d'échelle et de gamme, sa courbe de coût marginal se situe au-dessous de la courbe d'offre d'un marché concurrentiel composé de milliers de petites entreprises. Ces économies d'échelle et de gamme peuvent être si considérables qu'en fin de compte le monopoleur produit davantage et vend moins cher que ne le feraient les entreprises concurrentielles.

La figure 12.10 illustre cette possibilité. Ici, que le marché soit concurrentiel ou monopolistique, la courbe de demande ($D$) est la même. Dans un marché concurrentiel, la courbe d'offre est $O$, la quantité produite, $Q_C$, et le prix, $P_C$. Avec un monopole qui peut bénéficier d'économies d'échelle et de gamme, la courbe de coût marginal passe à $Cm_M$ et la courbe de recette marginale est $Rm$. Le monopole maximise son profit en produisant la quantité $Q_M$, niveau où la recette marginale est égale au coût marginal. Le prix qui permet de maximiser le profit est $P_M$. S'il utilise des techniques très perfectionnées inabordables pour l'entreprise concurrentielle, le monopole produira davantage et vendra moins cher que celle-ci.

On pourrait trouver de nombreux exemples de marchés où les économies d'échelle peuvent à elles seules créer une situation comme celle qu'illustre la figure 12.10. C'est le cas notamment des services publics — distribution de gaz, d'électricité et d'eau, services de téléphone et collecte des ordures ménagères. De même, dans bien des secteurs — notamment l'industrie brassicole, la production d'électroménagers, la fabrication des produits pharmaceutiques et le raffinage du pétrole —, la somme des économies d'échelle et de gamme permet à un monopole de produire davantage et de vendre moins cher que ne le feraient des entreprises concurrentielles.

## L'incitation à l'innovation

On parle d'innovation lorsqu'on applique pour la première fois de nouvelles connaissances au processus de production. Il peut s'agir d'un nouveau produit, ou encore d'une nouvelle façon de fabriquer à moindre coût un produit qui existe déjà. Selon certains, les grandes entreprises, notamment celles qui disposent d'un pouvoir de monopole, sont plus novatrices que les petites entreprises soumises à la concurrence ; d'autres pensent exactement le contraire. Chose certaine, l'innovation entraîne, du moins temporairement, un certain pouvoir de monopole. L'entreprise qui met au point un nouveau produit ou un nouveau procédé et qui le protège par un brevet obtient le droit exclusif d'exploiter ce produit ou ce procédé pour toute la durée du brevet.

Mais l'octroi d'un droit de monopole, même temporaire, à un inventeur, est-il un incitatif à l'innovation ? Cela se défend, car sans la protection du brevet l'inventeur ne jouirait pas longtemps des fruits de sa découverte. Mais on peut aussi soutenir le contraire : les monopoles peuvent se permettre d'être moins dynamiques que les entreprises concurrentielles, qui doivent constamment chercher à innover pour réduire leurs coûts. Loin de les décourager, le caractère éphémère de l'avantage que leur confère l'innovation les inciterait à innover toujours plus et toujours plus vite.

Une question aussi complexe ne se résout pas à coups d'arguments théoriques ; elle commande une analyse empirique minutieuse. Jusqu'ici, les résultats des nombreuses études sur le sujet ne sont pas très concluants. Certes, ils démontrent que les grandes entreprises font davantage de recherche-développement que les petites. Le hic, c'est qu'on mesure généralement la recherche-développement au volume des ressources investies. Or, ce qui compte, ce ne sont pas les investissements, ce sont les résultats, qui ne sont pas faciles à mesurer. Si l'on se fie à ces deux indicateurs que sont le nombre de brevets déposés et le taux de croissance de la productivité, rien ne prouve que la grande taille de l'entreprise soit garante d'innovation. On sait par contre qu'elle joue un rôle déterminant dans la diffusion du savoir technologique, qui, elle, suit un schéma bien connu. Lorsqu'on invente un nouveau produit ou un nouveau procédé, les grandes entreprises sont toujours les premières à en tirer parti ; l'innovation se répand ensuite dans le reste de l'industrie. En ce sens, il est certain que les grandes entreprises contribuent largement au progrès technologique.

Lorsque nous étudierons les politiques gouvernementales relatives aux monopoles (au chapitre 20), nous verrons que des lois et règlements visent à équilibrer les avantages des monopoles — économies d'échelle et de gamme, et progrès technologique — et leurs inconvénients — pertes sèches et redistribution des gains à leur seul profit.

⬦ Nous venons d'examiner deux modèles de structure de marché : la concurrence parfaite et le monopole. Nous connaissons maintenant les conditions d'une allocation efficiente des ressources en situation de concurrence parfaite, et nous avons pu comparer l'efficience respective de la concurrence et du monopole du point de vue de l'allocation des ressources. La rubrique « Entre les lignes » (p. 278) nous permettra de prendre connaissance d'un cas réel de monopole affaibli par le progrès technologique, le cas de la câblodistribution.

La concurrence parfaite et le monopole pur ne représentent que les extrêmes du marché. Le prochain chapitre est consacré aux structures de marché intermédiaires. Nous y découvrirons que les connaissances acquises grâce à ces deux modèles extrêmes sont d'une pertinence et d'une utilité certaines pour comprendre le comportement des marchés réels.

# L'abolition des barrières à l'entrée

**Les faits**
EN BREF

■ Le Conseil de la radiodiffusion et des télécommunications canadiennes (CRTC) a octroyé à SkyCable inc. de Brandon au Manitoba une licence l'autorisant à exploiter un système de télédistribution multivoie multipoint (SDMM).

■ Le SDMM peut faire tout ce que fait le système par câble, notamment transmettre des signaux audio et vidéo de haute qualité et fournir des services interactifs à deux voies qui permettent un accès ultrarapide à Internet.

■ Le SDMM sans fil utilise des micro-ondes pour la transmission de signaux dirigés vers des récepteurs individuels à usage domestique, à partir de tours situées à une distance d'environ 100 kilomètres les unes des autres.

■ Comme ce système ne nécessite pas d'infrastructure très coûteuse, ses adeptes affirment qu'il deviendra un concurrent sérieux pour la câblodiffusion.

FINANCIAL POST, LE 12 SEPTEMBRE 1996

## La câblodistribution sans câble

PAR BRENDA DALGLISH

La firme SkyCable inc. de Brandon, Manitoba, a annoncé hier le lancement prochain du premier service mondial de «câblodistribution sans câble» ou, plus exactement, de télédistribution sans fil.

En décembre dernier, le Conseil de la radiodiffusion et des télécommunications canadiennes (CRTC) a octroyé à SkyCable une licence l'autorisant à exploiter le premier système de distribution multivoie multipoint (SDMM) au Canada.

Comme le lancement du satellite de radiodiffusion directe au Canada a été retardé, SkyCable deviendra probablement le premier concurrent direct légal de la câblodistribution.

«Nous en sommes actuellement à l'étape des essais, déclare Stuart Craig, président de SkyCable et propriétaire de Craig Broadcasting Systems inc. Le premier transmetteur a été installé et il est à l'œuvre depuis plus d'un mois. Le système fonctionne parfaitement.»

SkyCable prévoit installer au total huit autres transmetteurs pour desservir la majorité des centres urbains du Manitoba.

Selon Craig, on annoncera la date du lancement commercial dans les jours qui viennent.

C'est la compagnie Broadband Networks inc, une firme de communications sans fil de Winnipeg, qui a conçu et mis au point la technologie, le matériel et le réseau qu'utilise le système de SkyCable, précise Craig.

«SkyCable vient d'installer le premier système numérique de distribution multipoint multivoie dans le monde», affirme David Graves, président du conseil d'administration et directeur général de Broadband Networks inc.

«Le SDMM peut faire tout ce que fait le système par câble, y compris transmettre des signaux audio et vidéo de grande qualité et fournir des services interactifs à deux voies qui permettent un accès à Internet, ajoute-t-il.»

La technique sans fil SDMM repose sur la transmission par micro-ondes de signaux dirigés vers des récepteurs individuels à usage domestique, à partir de tours situées à 100 kilomètres environ les unes des autres.

Comme elle n'exige pas des infrastructures très coûteuses, ses adeptes affirment qu'elle sera concurrentielle.

# Analyse

## ÉCONOMIQUE

■ Les câblodistributeurs locaux détenaient le monopole de la transmission des signaux de télévision aux particuliers.

■ La figure 1 illustre un monopole de câblodistribution locale typique. La courbe de demande est *D*, la courbe de recette marginale est *Rm*, la courbe de coût total moyen est *CTM* et la courbe de coût marginal, *Cm*.

■ Grâce à leur monopole, les câblodistributeurs ont pu réaliser d'importants profits.

■ À cause des économies d'échelle, la courbe *CTM* a une pente négative même à son point d'intersection avec la courbe de demande.

■ Avec la technologie du câble, l'industrie de la distribution des signaux de télévision est un *monopole naturel*.

■ Une compagnie de câblodistribution maximise son profit en branchant 100 000 foyers à un tarif mensuel de 30 $. Le rectangle bleu représente le profit économique.

■ Avec le SDMM, les coûts fixes sont bien inférieurs à ceux des compagnies de câblodistribution. La figure 2 montre le comportement du marché dans un contexte de concurrence entre les câblodistributeurs et les fournisseurs de SDMM. Le graphique 2 (a) présente le marché. La courbe de demande est la même qu'à la figure 1.

■ Le graphique 2 (b) présente les courbes de coût de SkyCable. Comme les coûts fixes sont moins élevés, le *CTM* est minimal

lorsque le nombre d'abonnés est plus petit (40 000 dans notre exemple).

■ Avec un tarif d'abonnement mensuel de 30 $, des entreprises comme SkyCable peuvent entrer sur le marché et l'offre augmente. L'offre est *O* lorsque toutes les entreprises intéressées sont entrées sur le marché — graphique 2 (a). Le tarif mensuel est de 18 $, et quatre entreprises desservent chacune 40 000 abonnés.

■ Grâce à la technique du câble, une compagnie devra imposer un tarif mensuel de 20 $ pour atteindre son seuil de rentabilité. Par conséquent, toutes les entreprises utiliseront le SDMM, qui permet un tarif mensuel de 18 $.

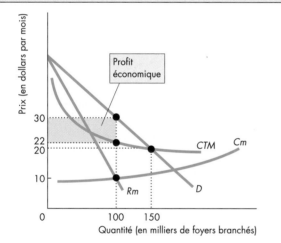

**Figure 1   Le monopole de la câblodistribution**

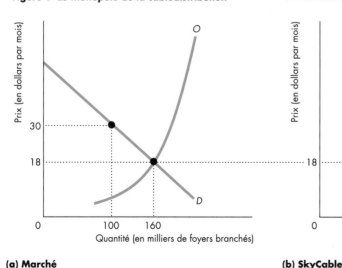

**(a) Marché**

**(b) SkyCable**

**Figure 2   La concurrence dans le domaine de la télévision**

# RÉSUMÉ

## Points clés

**Les causes du monopole**   Le monopole est un marché où il n'y a qu'un seul producteur d'un bien ou service qui n'a pas de proche substitut. Un monopole ne peut exister que s'il y a des barrières légales ou naturelles à l'entrée dans un marché. Les barrières naturelles peuvent être dues aux économies d'échelle. (p. 260-261)

**Le monopole non discriminant**   La courbe de demande d'un monopole correspond à la courbe de demande du marché. Un monopole non discriminant demande le même prix pour chaque unité vendue. Sa recette marginale est inférieure au prix. Les techniques et les coûts d'un monopole se comportent comme ceux de n'importe quel autre type d'entreprise. Le monopole maximise son profit en produisant au niveau où la recette marginale est égale au coût marginal et en imposant aux consommateurs le prix le plus élevé qu'ils sont disposés à payer pour ce produit. Ce prix est toujours supérieur au coût marginal. (p. 261-266)

**La discrimination par les prix**   La discrimination par les prix consiste à imposer un prix plus élevé à certains consommateurs qu'à d'autres pour un même bien ou service, ou à imposer au même consommateur des prix différents selon la quantité achetée. Par cette pratique, le monopoleur cherche à augmenter son profit en s'appropriant le surplus du consommateur. La discrimination parfaite par les prix permet au monopoleur de s'approprier la totalité du surplus du consommateur en imposant un prix différent pour chacune des unités produites — c'est-à-dire le prix le plus élevé que chaque acheteur est prêt à payer pour chaque unité. La discrimination parfaite par les prix permet au monopole d'atteindre le même niveau de production qu'une entreprise en situation de concurrence parfaite. Pour pratiquer la discrimination par les prix, un monopoleur peut segmenter sa clientèle selon l'âge, le statut socio-économique ou d'autres caractéristiques des acheteurs. La discrimination par les prix ne permet au monopoleur d'augmenter son profit que si la demande de ces catégories de consommateurs présente des élasticités différentes, et elle ne peut être pratiquée que pour un produit que l'acheteur ne peut revendre. (p. 267-271)

**Le monopole et la concurrence: une comparaison**   Comparativement à la concurrence parfaite, le monopole non discriminant impose un prix plus élevé et produit moins; par contre, si le monopole pratique une discrimination parfaite par les prix, son niveau de production et le prix de la dernière unité vendue seront les mêmes. Un monopole non discriminant s'approprie le surplus du consommateur et crée une perte sèche. Plus le monopoleur se rapproche de la discrimination parfaite par les prix, moins la perte sèche est importante et plus le profit du monopoleur augmente au détriment du surplus du consommateur. Le monopole impose des coûts qui sont égaux à la perte sèche plus le coût des ressources investies dans la recherche de rentes. Le coût de la recherche de rentes peut être égal au profit économique. Par conséquent, le coût maximal du monopole est égal à la perte sèche plus le profit économique. Dans les industries où les économies d'échelle et de gamme sont considérables, le monopole produit plus et vend moins cher que ne pourraient le faire de nombreuses entreprises concurrentielles. De plus, s'il n'est pas prouvé que le monopole innove davantage que l'industrie concurrentielle, il contribue largement à la diffusion du progrès technologique. (p. 272-277)

## Figures et tableaux clés

## Mots clés

## Q U E S T I O N S   D E   R É V I S I O N

1. Donnez des exemples de monopoles dans votre province.

2. Comment peut-on expliquer l'existence des monopoles?

3. Qu'entend-on par barrières à l'entrée? Donnez des exemples.

4. Qu'est-ce qui différencie le monopole légal et le monopole naturel? Donnez des exemples de chacune de ces structures de marché.

5. Pourquoi un monopole doit-il baisser ses prix pour pouvoir vendre plus?

6. Pourquoi la recette marginale d'un monopole diminue-t-elle lorsque ses ventes augmentent?

7. Pourquoi la recette marginale d'un monopole non discriminant est-elle toujours inférieure au prix?

8. Un monopole non discriminant peut-il choisir un niveau de production qui correspond à la partie inélastique de sa courbe de demande?

9. Expliquez comment le monopole non discriminant détermine son niveau de production et son prix.

10. Comparez le prix et la recette marginale d'un monopole quand son niveau de production lui permet de maximiser son profit.

11. Peut-on dire qu'un monopole réalise toujours un profit économique positif à court terme? Justifiez votre réponse.

12. Un monopole réalise-t-il un profit économique nul à long terme? Justifiez votre réponse.

13. Expliquez ce qu'est la discrimination par les prix. À quelles conditions un monopole peut-il la pratiquer?

14. Expliquez les effets de la discrimination par les prix sur la quantité de produits ou services que vend le monopole et sur son profit.

15. Expliquez pourquoi un monopole non discriminant produit moins que ne le feraient plusieurs entreprises concurrentielles dans le même marché.

16. Le monopole non discriminant est-il aussi efficient que la concurrence?

17. Expliquez ce que sont le surplus du consommateur, le surplus du producteur et la perte sèche.

18. Sur le plan de l'allocation des ressources, le monopole non discriminant est-il plus ou moins efficient que le monopole qui pratique la discrimination parfaite par les prix? Pourquoi?

19. Qu'est-ce que la recherche de rentes?

20. Expliquez ce que sont les économies d'échelle et de gamme. Quels sont leurs effets sur l'efficience de l'allocation des ressources du monopole?

## A N A L Y S E   C R I T I Q U E

1. Lisez attentivement la rubrique « Entre les lignes » (p. 278) et répondez aux questions suivantes:

   a) Quel progrès technologique dans le domaine des télécommunications a permis d'éliminer les barrières à l'entrée et de menacer le monopole naturel qui prévalait dans l'industrie de la câblodistribution?

   b) Que pouvez-vous dire des tarifs et des offres en matière de câblodistribution dans la région où vous habitez? La situation ressemble-t-elle à celle décrite dans l'article ou est-elle différente? Que se passera-t-il dans votre marché local de câblodistribution dans les années qui viennent? Tracez une figure semblable à celle de la p. 279 pour illustrer vos prévisions relatives aux prix, quantités et profits économiques.

   c) Supposons qu'une innovation qui coûte 100 $ et peut être utilisée à domicile vous permette de recevoir et de décoder tous les signaux de télévision. Quels en seront les effets sur la demande, les prix et les profits économiques des compagnies de câblodistribution?

2. Les propriétaires de salles de cinéma font-ils de la philanthropie lorsqu'ils offrent des réductions aux étudiants?

3. Jusqu'à récemment, le gouvernement du Canada octroyait une seule licence d'exploitation par province à une compagnie d'appels téléphoniques interurbains. Aujourd'hui, plusieurs compagnies se font concurrence. Quels ont été les effets de l'entrée dans le marché de ces nouvelles compagnies sur le prix d'un appel interurbain? Sur le nombre d'appels interurbains? Sur l'efficience de l'industrie?

4. Votre compagnie de câblodistribution détient le monopole de ce service. Votre compagnie de téléphone a le monopole du service téléphonique local. Avec l'arrivée de nouvelles techniques, les fournisseurs de services de câblodistribution et de téléphone vont converger. Quels seront les effets de cette convergence sur les prix de ces services?

5. La demande d'un bien qui n'a pas de substituts satisfaisants est inélastique. Qui est le plus susceptible de fournir ce bien, le monopole ou plusieurs entreprises concurrentielles? (Au besoin, consultez le chapitre 5 pour vous rafraîchir la mémoire quant aux types de biens dont la demande est inélastique).

## P R O B L È M E S

1. La figure suivante illustre la situation de l'éditeur du seul journal local d'une collectivité isolée.

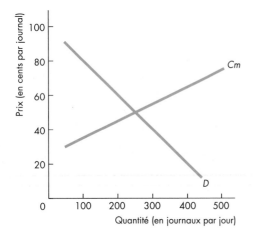

a) Tracez dans le graphique la courbe de recette marginale.
b) Quel niveau de production permettrait de maximiser le profit de l'éditeur?
c) Quel prix devrait demander l'éditeur si son journal était un quotidien?
d) Comparez la recette marginale de l'éditeur au prix demandé pour un journal.
e) Quelle est la recette totale quotidienne de l'éditeur?
f) Au prix demandé, la demande de journaux est-elle élastique ou inélastique? Pourquoi?

2. Imaginez ce qui se passerait si l'allocation des ressources de l'industrie des journaux décrite au problème précédent était efficiente.
a) Combien de journaux seraient imprimés?
b) Quel serait le prix d'un journal?
c) Ombrez la partie du graphique qui correspond au surplus du consommateur. Quelle est la valeur de ce surplus?
d) Ombrez la partie du graphique qui correspond au surplus du producteur.

3. Reportez-vous à l'industrie des journaux du problème n° 1.
a) Quel est le surplus du consommateur?

b) Ombrez la partie du graphique qui représente la perte sèche. Quelle est la valeur de la perte sèche créée par le monopole non discriminant?

4. Source Claire est un monopole non discriminant qui produit de l'eau minérale en bouteilles. Son barème de demande est le suivant:

| Prix (en dollars par bouteille) | Quantité demandée (en bouteilles par mois) |
|---|---|
| 10 | 0 |
| 8 | 1 |
| 6 | 2 |
| 4 | 3 |
| 2 | 4 |
| 0 | 5 |

a) Calculez le barème de recette totale de Source Claire.
b) Calculez son barème de recette marginale.
c) À quel prix l'élasticité de la demande est-elle égale à 1?

5. Le coût total de Source Claire dans le problème n° 4 est le suivant:

| Quantité produite (en bouteilles par mois) | Coût total (en dollars par mois) |
|---|---|
| 0 | 1 |
| 1 | 3 |
| 2 | 7 |
| 3 | 13 |
| 4 | 21 |
| 5 | 31 |

Si Source Claire maximise son profit...

a) Quel est son niveau de production?
b) Quel est le prix demandé?
c) Quel est son coût marginal?
d) Quelle est sa recette marginale?
e) Quel est son profit économique?
f) L'allocation des ressources de Source Claire est-elle efficiente? Justifiez votre réponse.

6. Supposez que Source Claire (voir le problème n° 5) puisse pratiquer une discrimination parfaite par les prix.
   a) Quelle est la production qui permet de maximiser son profit?
   b) Quelle est sa recette totale?
   c) Quel est son profit économique?

7. Quel est le prix maximal qu'un entrepreneur serait prêt à payer à Source Claire pour obtenir le droit d'exploitation de la source d'eau minérale?

8. Vous trouverez ci-dessous deux barèmes de demande de trajets aller-retour entre Montréal et Mexico. On entend par «aller-retour en semaine» le trajet aller et retour en semaine, et dans la même semaine. De même, les «aller-retour de fin de semaine» doivent être faits dans la même fin de semaine. (En semaine, les voyageurs sont plutôt des gens d'affaires et en fin de semaine, des personnes qui se déplacent pour le plaisir.)

| Aller-retour en semaine | | Aller-retour de fin de semaine | |
|---|---|---|---|
| **Prix** (en dollars par aller-retour) | **Quantité demandée** (en milliers d'aller-retour) | **Prix** (en dollars par aller-retour) | **Quantité demandée** (en milliers d'aller-retour) |
| 1 500 | 0 | | |
| 1 250 | 5 | | |
| 1 000 | 10 | 750 | 0 |
| 750 | 15 | 500 | 5 |
| 500 | 15 | 200 | 10 |
| 250 | 15 | 0 | 15 |

Pour la compagnie aérienne, le coût marginal d'un aller-retour est de 500 $. Supposons qu'un monopoleur non discriminant détienne l'exclusivité du trajet Montréal-Mexico. Tracez un graphique qui illustre les éléments suivants:
a) Le prix de vente.
b) Le nombre de voyageurs.
c) Le surplus du consommateur pour les aller-retour en semaine.
d) Le surplus du consommateur pour les aller-retour de fin de semaine.
e) Indiquez si l'allocation des ressources du marché est efficiente. Précisez votre réponse.

9. Supposons que la compagnie aérienne du problème n° 8 pratique la discrimination par les prix entre les aller-retour en semaine et les aller-retour de fin de semaine.
   a) Quel sera le prix d'un aller-retour en semaine?
   b) Quel sera le prix d'un aller-retour de fin de semaine?
   c) Quel sera le surplus du consommateur pour les aller-retour en semaine?
   d) Quel sera le surplus du consommateur pour les aller-retour de fin de semaine?
   e) Indiquez si l'allocation des ressources du marché est efficiente. Précisez votre réponse.

10. Supposons maintenant que la compagnie aérienne du problème n° 8 pratique une discrimination parfaite par les prix.
    a) Calculez le surplus du consommateur des voyageurs?
    b) Calculez la perte sèche créée par la compagnie.

11. Barbara est propriétaire d'un casse-croûte sur le bord de l'autoroute 20. Elle détient un monopole dans sa région. Son barème de demande est le suivant:

| **Prix** (en dollars par repas) | **Quantité demandée** (en repas par semaine) |
|---|---|
| 5,00 | 0 |
| 4,50 | 20 |
| 4,00 | 40 |
| 3,50 | 60 |
| 3,00 | 80 |
| 2,50 | 100 |
| 2,00 | 120 |
| 1,50 | 140 |
| 1,00 | 160 |

Le coût marginal et le coût total moyen de Barbara sont constants et égaux à 2 $ le repas.
a) Si Barbara vend tous ses repas au même prix, quel est ce prix?
b) Quel est le surplus du consommateur de tous les clients qui achètent un repas chez Barbara?
c) Quel est le surplus du producteur?
d) Quelle est la perte sèche?

# 13

# La concurrence
# monopolistique
# et l'oligopole

**Objectifs
du chapitre**

- Définir la concurrence monopolistique et l'oligopole

- Expliquer comment se déterminent le prix et le niveau de production dans les marchés de concurrence monopolistique

- Expliquer pourquoi le prix peut être rigide avec un oligopole

- Expliquer comment le prix et le niveau de production se déterminent dans un marché constitué d'une entreprise dominante et de plusieurs petites entreprises

- Utiliser la théorie des jeux pour faire des prévisions sur les guerres de prix et la concurrence entre un petit nombre d'entreprises

**N**ous recevons chaque semaine une foule de dépliants publicitaires signalant des produits en réduction ou en promotion dans les grandes surfaces des environs. Bons, rabais et autres « offres imbattables » tentent de nous convaincre d'aller magasiner chez Zellers, Wal-Mart, Jean Coutu, Uniprix ou Pharmaprix. L'un se vante d'offrir les meilleurs prix ; l'autre, les meilleures marques ; et l'autre encore, le meilleur rapport qualité-prix. Comment, dans ce type d'environnement concurrentiel, les entreprises fixent-elles leurs prix ? Comment choisissent-elles leurs produits et leur niveau de production ? En quoi les profits de ces entreprises dépendent-ils des stratégies des entreprises concurrentes ? ◆ Jusqu'à tout récemment, une seule entreprise, Intel Corporation, fabriquait toutes les puces électroniques qui alimentent les ordinateurs IBM et autres ordinateurs personnels compatibles. En 1994, le prix des ordinateurs personnels fabriqués avec les puces des 486 et des Pentium de Intel s'est effondré. Pourquoi ? Intel a soudain dû affronter la concurrence de nouveaux fabricants de puces comme Advanced Micro Devices et Cyrix Corp. Le prix du microprocesseur Pentium de Intel, qui était de plus de 1 000 $ à son lancement en 1993, a piqué du nez pour se retrouver sous les 350 $ au printemps 1995. Le prix d'un ordinateur doté d'un processeur Pentium est tombé sous les 2 000 $. Comment la concurrence entre quelques rares fabricants de puces a-t-elle pu entraîner une chute aussi rapide du prix des puces et des ordinateurs ?

## Publicité et guerres de prix

◇ Les théories de la concurrence parfaite et du monopole ne permettent pas d'expliquer les comportements de marché que nous venons de décrire. En situation de concurrence parfaite, chaque entreprise fabrique un produit identique et ne peut influer sur les prix ; il n'est donc pas question de dépliants publicitaires, de bons, de marques meilleures que d'autres ou de guerres de prix. Il en est encore moins question avec un monopole puisque le monopoleur contrôle tout le marché. Pour comprendre pourquoi certaines entreprises se font concurrence à coups de bons, de dépliants publicitaires et de guerre de prix, nous devrons faire appel à des modèles plus complexes que ceux sur lesquels nous nous sommes penchés dans les chapitres précédents.

# La diversité des structures de marché

JUSQU'ICI, NOUS AVONS ÉTUDIÉ DEUX STRUCTURES de marché: la concurrence parfaite et le monopole pur. Dans le premier cas, un grand nombre d'entreprises fabriquent des biens identiques et aucune barrière ne limite l'entrée de nouvelles entreprises sur le marché. Ces entreprises en concurrence parfaite n'ont aucune influence sur les prix de leurs produits et, à long terme, leur profit est toujours nul. À l'opposé, le monopole pur est un marché dont la seule entreprise est protégée par des barrières qui empêchent l'entrée de nouveaux concurrents. Le monopoleur choisit le prix qui lui permet de maximiser son profit et de réaliser un profit économique, même à long terme.

Dans le monde réel, la plupart des marchés ne ressemblent ni à la concurrence parfaite ni au monopole pur; ils se situent quelque part entre ces deux extrêmes. Deux autres modèles permettent d'étudier ces marchés intermédiaires:

1. la concurrence monopolistique,
2. l'oligopole.

La **concurrence monopolistique** est une structure de marché où un grand nombre d'entreprises se font concurrence en proposant des produits comparables, mais pas identiques. Lorsqu'une entreprise fabrique un produit légèrement différent de celui d'une entreprise concurrente, on dit qu'elle pratique une **différenciation du produit**. Grâce à cette différenciation, l'entreprise en situation de concurrence monopolistique jouit d'un certain pouvoir de monopole puisqu'elle est la seule sur le marché à offrir cette version particulière du produit. Ainsi, sur le marché du maïs soufflé pour four à micro-ondes, Nabisco est seule à produire le Planters Premium Select, General Mills a l'exclusivité du Pop Secret; et American Popcorn, celle du Jolly Time. Chacune de ces entreprises détient donc le monopole de sa marque. Les produits différenciés ne sont pas nécessairement objectivement différents. Ainsi, les diverses marques d'acide acétylsalicylique (aspirine) sont toutes identiques sur le plan chimique; seul l'emballage diffère. Pourtant, cette différence superficielle suffit pour que les consommateurs les perçoivent comme des produits différents.

L'**oligopole** est une structure de marché où un petit nombre de producteurs se font concurrence. On pourrait donner des centaines d'exemples d'industries oligopolistiques; mentionnons seulement la production de logiciels, la construction d'avions et le transport aérien international. Dans certaines industries oligopolistiques, les entreprises offrent des produits presque identiques; ainsi, le pétrole et l'essence de Petro-Canada et d'Exxon sont essentiellement les mêmes. Dans d'autres industries, les produits sont très différenciés, comme les Cirrus de Chrysler, les Lumina de Chevrolet et les Taurus de Ford.

Pour déterminer quelle structure de marché décrit le mieux un secteur industriel du monde réel, il faut prendre en considération plusieurs caractéristiques du marché étudié. Entre autres, il faut établir dans quelle mesure il est dominé par un petit nombre d'entreprises. Pour faciliter la mesure de cette caractéristique, les économistes ont mis au point des indices appelés mesures de concentration. Voyons-les de plus près.

## Les mesures de concentration

Pour savoir si un marché s'approche davantage de la concurrence parfaite ou du monopole pur, ou encore pour déterminer où il se situe exactement entre ces deux extrêmes, les économistes ont élaboré deux mesures de concentration industrielle:

■ le ratio de concentration fondé sur quatre entreprises ($RC_4$);
■ l'indice Herfindahl-Hirschman (IHH).

**Le ratio de concentration fondé sur quatre entreprises**   Le **ratio de concentration fondé sur quatre entreprises** ($RC_4$) permet de mesurer la part (en pourcentage) de la valeur des ventes des quatre plus grandes entreprises d'un secteur par rapport aux ventes totales de ce marché. Le ratio de concentration va de presque zéro pour la concurrence parfaite à 100 pour le monopole; c'est la principale mesure utilisée pour évaluer la structure de marché.

Le tableau 13.1 présente deux exemples fictifs du calcul d'un ratio de concentration, l'un ayant trait à la fabrication de pneus et l'autre à l'imprimerie. Dans cet exemple, 14 entreprises se partagent le marché des pneus; comme les quatre plus grandes réalisent 80 % des ventes totales de l'industrie, le ratio de concentration s'élève à 80 %. Par contre, dans l'industrie de l'imprimerie, qui regroupe 1 004 entreprises, les quatre plus grands imprimeurs ne réalisent que 0,5 % des ventes totales; dans ce cas, le ratio de concentration fondé sur quatre entreprises n'est que 0,5 %.

Le ratio de concentration nous informe sur l'état de la concurrence dans un marché. S'il est faible, la concurrence est très vive; s'il est élevé, on est très loin de la concurrence parfaite. Le ratio de concentration d'un monopole est de 100 %, car la plus grande entreprise (et la seule) réalise la totalité des ventes de l'industrie. Le ratio de concentration fondé sur quatre entreprises est un bon indicateur de la probabilité de collusion entre les entreprises d'un oligopole; s'il est supérieur à 60 %, il y aura probablement collusion entre les entreprises, qui se comporteront comme un monopole. Si le ratio est inférieur à 40 %, les entreprises vont probablement se livrer une vive concurrence.

**L'indice Herfindahl-Hirschman**   En additionnant le carré de la part du marché (en pourcentage) de chacune des 50 plus grandes entreprises (ou de toutes les entre-

---

**TABLEAU 13.1**

## Les calculs du ratio de concentration (RC₄)

| Fabricants de pneus | | Imprimeurs | |
|---|---|---|---|
| **Entreprise** | **Chiffre d'affaires** (en millions de dollars) | **Entreprise** | **Chiffre d'affaires** (en millions de dollars) |
| Sommet inc. | 200 | Françoise | 2,5 |
| Apogée inc. | 250 | Norbert | 2,0 |
| Olympe inc. | 150 | Théophile | 1,8 |
| Max inc. | 100 | Jeannette | 1,7 |
| Ventes des quatre plus grandes entreprises | 700 | Ventes des quatre plus grandes entreprises | 8,0 |
| Les 10 autres entreprises | 175 | Les 1 000 autres entreprises | 1 592,0 |
| Ventes de l'industrie | 875 | Ventes de l'industrie | 1 600,0 |

**Ratio de concentration (fondé sur les quatre plus grandes entreprises) :**

Fabricants de pneus : $\dfrac{700}{875} \times 100 = 80\ \%$  Imprimeurs : $\dfrac{8}{1\ 600} \times 100 = 0,5\ \%$

---

prises s'il y en a moins de 50), on obtient l'**indice Herfindahl-Hirschman** (IHH). Ainsi, dans un marché de quatre entreprises où la part de chacune est respectivement de 50 %, 25 %, 15 % et 10 %, on calcule l'indice Herfindahl-Hirschman de la manière suivante :

$$H = 50^2 + 25^2 + 15^2 + 10^2 = 3\ 450.$$

Si chacune des 50 plus grandes entreprises d'un secteur a une part de marché de 0,1 %, l'indice Herfindahl-Hirschman est égal à $0,1^2 \times 50 = 0,5$, et ce secteur est en concurrence parfaite. Si un marché ne compte qu'une entreprise détenant 100 % des parts du marché, l'indice Herfindahl-Hirschman est de $100^2 = 10\ 000$, et il s'agit d'un monopole.

L'indice Herfindahl-Hirschman est un indicateur de pouvoir monopolistique. S'il est inférieur à 1 800, on considère qu'il s'agit d'un marché concurrentiel — au-dessous de 1 000, la concurrence est très vive ; entre 1 000 et 1 800, elle est modérée. Mais, si l'indice Herfindahl-Hirschman est supérieur à 1 800, le marché est très concentré.

Même si l'indice Herfindahl-Hirschman peut mesurer la concentration, il n'a pas remplacé le ratio de concentration fondé sur quatre entreprises. En effet, la plupart des utilisateurs considèrent ce dernier plus précis que l'indice Herfindahl-Hirschman ; de plus, disent-ils, la formule de calcul de l'indice Herfindahl-Hirschman ne découle ni d'une théorie ni d'une observation, et elle est donc arbitraire.

Le tableau 13.2 résume les caractéristiques de la concurrence parfaite, de la concurrence monopolistique, de

l'oligopole et du monopole, avec leurs ratios respectifs de concentration.

### Les limites des mesures de concentration

Bien que le ratio de concentration et l'indice Herfindahl-Hirschman soient des mesures utiles pour déterminer la structure de marché, on doit recourir à d'autres indicateurs pour pallier leurs limites, qui sont essentiellement relatives :

- à l'étendue géographique du marché,
- aux barrières à l'entrée et au taux de roulement des entreprises,
- à la correspondance entre un marché et une industrie.

**L'étendue géographique du marché** Les ratios de concentration sont fondés sur la part de marché des entreprises à l'échelle nationale. Or, si bien des produits se vendent sur un marché national, d'autres se vendent sur un marché régional ou mondial. Par exemple, le marché des journaux est souvent un marché régional et, si le ratio de concentration de ce secteur est assez faible sur le plan national, il est par contre très élevé dans les villes ou les régions. En revanche, le marché de l'automobile est un marché mondial. Bien que les quatre plus grands producteurs canadiens d'automobiles produisent près de 90 % des voitures canadiennes, ils ne représentent qu'un faible pourcentage du marché canadien de

**TABLEAU 13.2**

# Les structures de marché

| Caractéristiques | Concurrence parfaite | Concurrence monopolistique | Oligopole | Monopole |
|---|---|---|---|---|
| Nombre d'entreprises dans l'industrie | Élevé | Élevé | Faible | Une |
| Produit | Identique | Différencié | Soit identique, soit différencié | Aucun proche substitut |
| Barrières à l'entrée | Aucune | Aucune | Économies d'échelle et de gamme | Économies d'échelle et de gamme ou barrières légales |
| Contrôle du prix par l'entreprise | Aucun | Léger | Considérable | Considérable ou réglementé |
| Ratio de concentration | 0 | Faible | Élevé | 100 |
| Exemples | Blé, maïs | Aliments, vêtements | Automobiles, céréales | Service de téléphonie (appels locaux), gaz et électricité |

l'automobile (importations comprises), et un pourcentage encore plus faible du marché mondial.

**Les barrières à l'entrée et le taux de roulement des entreprises**   Le ratio de concentration ne nous donne aucun renseignement sur l'importance des barrières à l'entrée dans un marché. Ainsi, certains secteurs très concentrés n'opposent aucune barrière à l'entrée de nouvelles entreprises, et le taux de roulement y est souvent très élevé. Prenons l'exemple des restaurants. La plupart des petites villes n'en comptent que quelques-uns ; cependant, comme aucune barrière à l'entrée ne s'oppose à l'ouverture de nouveaux restaurants, il y a constamment des ouvertures et des fermetures de restaurants.

Un marché où il y a beaucoup d'entrées et de sorties peut tout de même rester concurrentiel à cause des entrées potentielles ; en d'autres termes, les quelques entreprises d'un tel marché font face à la concurrence potentielle de nombreuses entreprises que rien n'empêche d'entrer.

**Le marché et l'industrie**   Pour calculer les ratios de concentration, Statistique Canada répartit les entreprises canadiennes entre diverses industries à l'aide d'une grille de classification assez rigide. Or, les marchés de produits ne correspondent pas toujours aux industries définies par une telle classification, essentiellement parce que les marchés sont habituellement plus restreints que les industries. Ainsi, l'industrie pharmaceutique, où le ratio de concentration est très faible, se retrouve sur plusieurs

marchés de produits — médicaments et traitements — qui n'ont pratiquement aucun substitut. En réalité, cette industrie à première vue très concurrentielle agit dans de nombreux marchés plus ou moins monopolistiques.

Autre problème : certaines entreprises fabriquent plusieurs produits. Ainsi, Labatt produit de la bière, du lait et de nombreux autres produits ; cette entreprise se retrouve donc sur de nombreux marchés tout à fait distincts. Cependant, pour Statistique Canada, Labatt appartient à l'industrie brassicole.

Finalement, les entreprises passent d'un marché à l'autre selon les occasions de profits qu'ils présentent. De nombreuses entreprises dont la croissance était d'abord assurée par un seul produit se sont ensuite diversifiées et produisent maintenant plusieurs biens et services très différents les uns des autres. Ainsi, la société Canadien Pacifique, à l'origine une simple compagnie ferroviaire, s'est diversifiée et offre aujourd'hui des services hôteliers, des produits forestiers, des produits du pétrole et du charbon, et… des services ferroviaires. Depuis quelques années, les éditeurs de journaux, de magazines et de livres se diversifient rapidement pour offrir des produits multimédia. De même, les banques offrent maintenant des services d'assurance, de placements et de voyage.

Si on pallie leurs principales limites par des analyses de l'étendue du marché, des barrières à l'entrée et de la diversification des entreprises, les ratios de concentration restent des indicateurs fort utiles quant au degré de concentration des industries.

## Les mesures de concentration au Canada

Statistique Canada se sert des données de vente des entreprises pour calculer les ratios de concentration d'un grand nombre d'industries. La figure 13.1 présente quelques-uns des résultats de ces calculs. Comme on le voit, certaines industries, notamment les industries de la finance, du tricot, du commerce de détail, du meuble, du vêtement et des services ont un faible ratio de concentration.

Ces industries sont très concurrentielles. Au sommet, on trouve par contre des industries au ratio de concentration élevé, comme celles des produits du tabac, du pétrole et du charbon, du matériel de transport et des communications. Ces industries sont concurrentielles, mais elles ne comptent qu'un petit nombre d'entreprises dont chacune a une énorme influence sur les prix. On trouve des ratios de concentration modérés dans des secteurs industriels comme le transport et l'alimentation.

## Les structures de marché de l'économie canadienne

Les trois quarts de la valeur des biens et services achetés et vendus au Canada sont échangés sur des marchés concurrentiels — concurrence tantôt parfaite, tantôt monopolistique. Le monopole pur y est rare (moins de 3 % de la valeur des biens et services du Canada), et on

---

**FIGURE 13.1**

## Quelques mesures de concentration de différentes industries au Canada

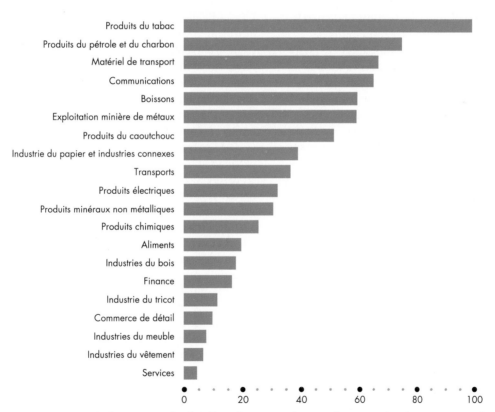

**Ratio de concentration fondé sur les quatre plus grandes entreprises (en pourcentage)**

---

Mesurées par le ratio de concentration fondé sur les quatre plus grandes entreprises, les industries des produits du tabac, des produits du pétrole et du charbon, et du matériel de transport sont très concentrées, alors que les industries des finances, du tricot, du commerce de détail, du meuble, du vêtement et des services sont très concurrentielles. Les industries des produits du caoutchouc, du transport, du papier et industries connexes présentent un niveau de concentration modéré.

*Source :* Statistique Canada

le trouve surtout dans les secteurs des services publics et des transports publics. D'autres marchés, tout aussi rares (encore là à peine 3 % de la valeur des ventes), sont dominés par une ou deux entreprises qui ne sont pas des monopoles ; on les trouve dans le secteur des services publics et des transports publics. L'oligopole, qu'on rencontre principalement dans le secteur manufacturier, représente environ 18 % des ventes.

## La concurrence monopolistique

LA CONCURRENCE MONOPOLISTIQUE APPARAÎT DANS une industrie où :

- un grand nombre d'entreprises se font concurrence ;
- chacune de ces entreprises fabrique un produit différencié, soit un substitut proche mais non parfait, des produits que fabriquent des concurrents ;
- il n'y a pas de barrières à l'entrée ni à la sortie.

Les producteurs de chaussures de sport et de pizzas, les stations d'essence libre-service, les restaurants de quartier et les courtiers immobiliers sont autant d'exemples d'entreprises en situation de concurrence monopolistique. Comme le marché en concurrence parfaite, l'industrie en concurrence monopolistique compte de nombreuses entreprises qui, chacune, fournissent une petite partie de la production totale. Comme il s'agit de *petites* entreprises, aucune ne peut réellement influer sur ce que font les autres. Que l'une change ses prix n'a aucun effet sur le comportement de ses concurrents.

À la différence de la concurrence parfaite, et comme pour le monopole, la pente de la courbe de demande d'une entreprise en situation de concurrence monopolistique est négative, car ses produits sont différenciés. Comme certains consommateurs sont prêts à payer plus cher pour telle ou telle version du produit, lorsque le prix d'une version du produit augmente, la quantité demandée diminue ; mais sans nécessairement tomber à zéro, contrairement à ce qui se passe en concurrence parfaite. Par exemple, les compagnies Adidas, Asics, Diadora, Etonic, Fila, New Balance, Nike, Puma et Reebok fabriquent toutes des chaussures de sport différenciées. Toutes autres choses étant égales, si le prix des chaussures de course Adidas augmente et que celui des autres chaussures reste le même, Adidas vendra moins de chaussures et les autres fabricants en vendront plus. Mais, à moins que l'augmentation ne soit vraiment exorbitante, les chaussures Adidas ne disparaîtront pas. Comme l'entreprise en situation de concurrence monopolistique fait face à une courbe de demande négative, elle maximise son profit en déterminant à la fois son prix et sa production.

Comme dans la concurrence parfaite, et à la différence du monopole, les entreprises en situation de concurrence monopolistique sont libres d'entrer sur le marché et d'en sortir. Par conséquent, une entreprise en concurrence monopolistique ne peut réaliser un profit économique à long terme. S'il y a profit économique, de nouvelles entreprises entrent sur le marché, ce qui entraîne la baisse des prix et finit par éliminer le profit économique. S'il y a perte économique, certaines entreprises quittent l'industrie, ce qui entraîne l'augmentation des prix et des profits et finit par éliminer la perte économique. En situation d'équilibre à long terme, aucune entreprise n'a intérêt à entrer sur le marché ou à en sortir, et le profit économique des entreprises en place est nul.

### Le prix et la production dans la concurrence monopolistique

La figure 13.2 montre comment, dans un marché de concurrence monopolistique, une entreprise détermine son prix de vente et son niveau de production à court terme — graphique (a) — et à long terme — graphique (b).

Voyons d'abord le court terme au graphique 13.2 (a). La courbe de demande $D$ illustre la demande pour le produit dans la version offerte par cette entreprise. Il peut s'agir, par exemple, de la courbe de demande de l'Aspirine Bayer sur le marché des analgésiques, ou encore de la courbe de demande des hamburgers de McDonald sur le marché des hamburgers. La courbe $Rm$ est la courbe de recette marginale associée à la courbe de demande. La figure 13.2 montre également le coût total moyen ($CTM$) et le coût marginal ($Cm$) de l'entreprise. Cette dernière maximise son profit à court terme en produisant au niveau $Q_S$ — où la recette marginale est égale au coût marginal — et au prix $P_S$. Le coût total moyen de l'entreprise est $C_S$ et l'entreprise réalise un profit économique à court terme, représenté par le rectangle bleu.

À court terme, la concurrence monopolistique ressemble au monopole. Les entreprises choisissent le niveau de production où la recette marginale est égale au coût marginal, et demandent le prix que les acheteurs sont prêts à payer pour cette quantité, prix déterminé par la courbe de demande. C'est dans la suite des événements qu'apparaît la principale différence entre le monopole et la concurrence monopolistique.

En concurrence monopolistique, aucun obstacle n'empêche l'entrée sur le marché de nouvelles entreprises alléchées par un profit économique. À mesure que de nouvelles entreprises entrent sur le marché, elles offrent de nouvelles versions du produit. Par conséquent, la demande de chacune des versions diminue. La courbe de demande et la courbe de recette marginale de l'entreprise commencent à se déplacer vers la gauche. À tout moment, l'entreprise maximise son profit à court terme en produisant la quantité où la recette marginale est égale au coût marginal, au prix que les acheteurs sont prêts à payer pour cette quantité. Mais, à mesure que la courbe de demande se déplace vers la gauche, la quantité qui permet de maximiser le profit diminue, tout comme le prix.

Le graphique 13.2 (b) illustre la situation d'équilibre à long terme. L'entreprise produit alors la quantité $Q_L$ qu'elle vend au prix $P_L$, et son profit économique est nul. Les entreprises n'ont aucun intérêt à entrer dans cette industrie ou à en sortir.

**La capacité excédentaire** La *capacité* de production d'une entreprise correspond au niveau de production où le coût total moyen est à son minimum. Ce niveau de production correspond au point le plus bas de la courbe $CTM$ en forme de U, soit $Q_C$ dans le graphique 13.2 (b). Dans une situation de concurrence monopolistique, à long terme, les entreprises ont toujours des *capacités excédentaires*. Dans le graphique 13.2 (b), l'entreprise produit la quantité $Q_L$ et sa capacité excédentaire est $Q_C$ moins $Q_L$. Autrement dit, les entreprises produisent moins que la quantité qui leur permettrait de produire au coût total moyen le plus bas. Le consommateur paie donc un prix plus élevé que le coût total moyen minimal. En effet, la courbe de demande du produit dans la version proposée par l'entreprise a une pente négative. C'est la différencia-

tion des produits qui fait que la courbe de demande est négative, car alors le produit d'une entreprise n'est pas un substitut parfait du produit d'une autre entreprise. La différenciation des produits est responsable de la capacité de production excédentaire.

Les exemples de capacité excédentaire foisonnent sur les marchés de concurrence monopolistique. À moins que leurs prix soient exceptionnellement bas, les restaurants de quartier ont toujours quelques tables libres; on peut se faire livrer une pizza en moins de 30 minutes; les pompes des stations d'essence sont rarement toutes occupées; nous ne cherchons jamais bien longtemps un courtier en immeubles prêt à nous aider.

## L'efficience de la concurrence monopolistique

Nous avons constaté que, dans certaines conditions, la concurrence parfaite permet une allocation efficiente des ressources; pour atteindre cette efficience, il faut notamment que le prix soit égal au coût marginal. (Rappelons que le prix mesure la valeur qu'accorde

---

**FIGURE 13.2**

# La concurrence monopolistique

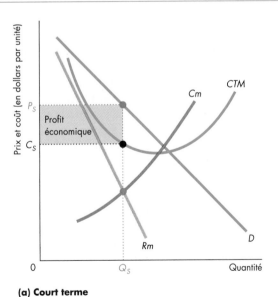

**(a) Court terme**

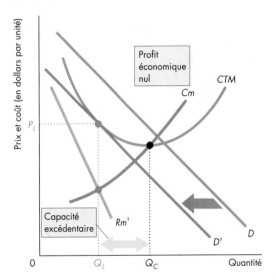

**(b) Long terme**

Le profit est maximisé lorsque la recette marginale est égale au coût marginal. Le graphique (a) montre les résultats à court terme. Le profit est maximisé lorsque la quantité $Q_S$ se vend au prix $P_S$. Le coût total moyen est $C_S$ et l'entreprise réalise un profit économique (rectangle bleu). À long terme, le profit économique suscite l'entrée de nouvelles entreprises sur le marché.

Le graphique (b) illustre le résultat à long terme. L'entrée sur le marché de nouvelles entreprises fait baisser la demande, et les

courbes de demande et de recette marginale de l'entreprise — comme celles de ses concurrents — se déplacent vers la gauche. Une fois que la courbe de demande est passée de $D$ à $D'$, la courbe de recette marginale est $Rm'$ et l'entreprise est en situation d'équilibre à long terme. La production qui permet de maximiser le profit est $Q_L$, le prix est $P_L$ et le profit économique est nul. Comme le niveau de production de l'entreprise est inférieur à sa capacité $Q_C$, sa capacité est excédentaire.

les consommateurs à la dernière unité produite, tandis que le coût marginal mesure le coût d'opportunité de cette dernière unité.) Nous savons aussi que le monopole n'est pas efficient, car il limite la production à un niveau inférieur à celui où le prix est égal au coût marginal. Comme nous venons de le voir, la concurrence monopolistique et le monopole ont cette caractéristique en commun. Nous venons aussi de constater que, même si la concurrence monopolistique ne permet pas de réaliser des profits à long terme, elle se caractérise par des niveaux de production où le prix est supérieur au coût marginal, même si à long terme il est égal au coût total moyen.

Étant donné que le prix est supérieur au coût marginal dans la concurrence monopolistique, cette structure de marché, comme le monopole, entraîne la non-efficience dans l'allocation des ressources. Le coût marginal de la production d'une unité supplémentaire est inférieur à l'avantage marginal qu'en retire le consommateur, avantage marginal qui se mesure au prix que l'acheteur est disposé à payer. Cependant, dans le cas de la concurrence monopolistique, la non-efficience découle de la différenciation du produit, dont il existe plusieurs versions. Le consommateur valorise la variété, mais celle-ci n'est possible que si les entreprises offrent des produits différents. Nous devons donc tenir compte de l'avantage que représente la plus grande variété de produits sur un marché en concurrence monopolistique dans notre appréciation de sa non-efficience dans l'allocation des ressources.

## L'innovation dans les produits

L'innovation dans les produits est un autre avantage de la concurrence monopolistique. En effet, les entreprises en situation de concurrence monopolistique cherchent constamment à lancer sur le marché de nouveaux produits susceptibles de leur conférer une longueur d'avance sur leurs concurrents. Quand une entreprise lance un produit qui se démarque des produits existants par son caractère novateur, la pente de sa courbe de demande s'accentue, ce qui lui permet d'augmenter son prix. Mais, à long terme, d'autres entreprises s'établiront dans le même créneau et feront disparaître l'avantage concurrentiel initial de l'entreprise novatrice.

## Les coûts de marketing

Un pourcentage de plus en plus important du prix des produits sert à couvrir leurs coûts de marketing; pensons, par exemple, à certains centres commerciaux où les boutiques, les jardins intérieurs et les chutes d'eau sont dignes d'un décor de cinéma… Et ce n'est pas tout: il y a aussi le coût des catalogues de papier glacé, des brochures et des dépliants publicitaires, des emballages de luxe, des annonces dans les médias électroniques et la presse écrite, sans compter les salaires, les billets d'avion et les notes d'hôtel des représentants…

Les entreprises en situation de concurrence monopolistique doivent engager tous ces frais pour différencier leurs produits de ceux de leurs concurrents. Car si cette différenciation se réalise en partie par la conception et le lancement de produits vraiment différents de ceux des concurrents, elle consiste aussi à tenter de convaincre les consommateurs — principalement par le marketing et la publicité — que des produits similaires sont différents. Nike et Reebok fabriquent des chaussures de sport similaires, Molson et Labatt fabriquent des bières similaires, mais ces firmes concurrentes n'en dépensent pas moins des millions de dollars pour établir et maintenir leur image de marque et se tailler des niches dans des marchés où la concurrence est féroce. Notons que leur objectif n'est pas d'informer le consommateur des petites différences que présentent leurs chaussures ou leurs bières respectives, mais de l'amener à croire que les caractéristiques de leurs produits pourront satisfaire d'autres besoins et rendre sa vie plus excitante.

À cause des frais de marketing, les coûts des entreprises en concurrence monopolistique sont supérieurs à ceux des entreprises concurrentielles ou des monopoles, qui n'ont pas à supporter ce genre de frais. Dans la mesure où les frais de marketing permettent d'offrir aux consommateurs des services qu'ils valorisent et de l'information sur la nature précise de la différenciation des produits, on peut dire qu'ils sont utiles au consommateur et qu'ils lui permettent de faire un choix plus éclairé. Mais il faut toujours évaluer le coût d'opportunité de ces services et de cette information supplémentaire par rapport au gain réel qu'en retire le consommateur.

En définitive, il est difficile de porter un jugement catégorique sur l'efficience de la concurrence monopolistique en matière d'allocation des ressources. Dans certains cas, il semble que les gains résultant de la diversité des produits offerts soient nettement supérieurs à la somme des frais de marketing et des coûts de capacité excédentaire. L'extraordinaire variété de livres et de magazines, de vêtements, d'aliments et de boissons qu'on trouve sur le marché en est un exemple. Les avantages de la coexistence des produits pharmaceutiques de marque et des produits génériques identiques sont beaucoup moins évidents. Pourtant, certains consommateurs préfèrent payer plus cher les produits des grandes marques plutôt que d'acheter des produits génériques.

## À RETENIR

■ En situation de concurrence monopolistique, de nombreuses entreprises se font concurrence, mais, comme elles proposent des produits différenciés, leur courbe de demande individuelle a une pente négative.

- En situation d'équilibre à court terme, les entreprises peuvent réaliser un profit économique.

- Le profit économique stimule l'entrée. À long terme, les entreprises réalisent un profit économique nul, c'est-à-dire un profit normal.

- En situation d'équilibre à long terme, le prix est égal au coût total moyen mais supérieur au coût marginal, et la quantité produite est inférieure à celle qui permet de réduire au minimum le coût total moyen.

- Le coût de la concurrence monopolistique est une capacité excédentaire et un niveau de production qui correspondent à un coût total moyen plus élevé que le coût total moyen minimal possible. De plus, ces coûts peuvent être gonflés par des coûts de marketing et de publicité. Par contre, le consommateur y gagne une grande variété de produits et une information utile.

Nous venons de voir que la concurrence monopolistique est un mélange de monopole et de concurrence. Comme dans le monopole, chaque entreprise fixe son prix, et sa courbe de demande est négative. Cependant, en situation de concurrence parfaite, le profit économique favorise l'entrée d'autres entreprises, de sorte que, en situation d'équilibre à long terme, les profits économiques sont réduits et les entreprises réalisent un profit normal.

L'oligopole, sur lequel nous allons maintenant nous pencher, est fondamentalement différent des autres types de marché, car chaque entreprise doit tenir compte de l'incidence de ses décisions sur les autres entreprises.

## L'oligopole

L'OLIGOPOLE EST UN MARCHÉ DOMINÉ PAR UN nombre restreint de producteurs qui se livrent concurrence. Les ventes de chaque producteur varient en fonction du prix qu'il propose et des ventes de ses concurrents. Pour décider de sa conduite, chaque entreprise doit tenir compte des effets de ses propres décisions sur celles de ses concurrents.

Pour comprendre cette interaction entre les prix et les ventes, supposons que vous exploitiez l'une des trois stations d'essence d'une petite ville. Si vous baissez vos prix et que vos deux concurrents ne vous imitent pas, vos ventes vont augmenter et les leurs vont diminuer. Selon toutes probabilités, vos concurrents vont donc préférer baisser leurs prix eux aussi. S'ils le font, vos ventes et vos profits vont diminuer. Par conséquent, avant de décider de baisser vos prix, vous essayerez de prévoir comment vos concurrents vont réagir et de calculer l'incidence de leur réaction sur votre propre profit.

À défaut d'une théorie générale pour expliquer les divers comportements observés dans les oligopoles, on a élaboré plusieurs modèles qui permettent de comprendre comment on y détermine les prix et les niveaux de pro-

duction. Ces modèles se divisent en deux catégories : les modèles traditionnels et les modèles de la théorie de jeux. Examinons-les de plus près.

## Le modèle de courbe de demande coudée

Le modèle de courbe de demande coudée est un modèle d'oligopole fondé sur les attentes de chaque entreprise quant aux réactions d'un ou de plusieurs de ses concurrents en réponse à ses actions. L'entrepreneur peut se dire, par exemple :

- si j'augmente mon prix, les autres ne me suivront pas ;

- si je baisse mon prix, les autres feront de même.

La courbe de demande $D$ illustrée à la figure 13.3 reflète ces attentes. Coudée au prix du marché ($P$), elle est relativement élastique au-dessus ; ce tracé reflète le raisonnement de l'entrepreneur qui se dit : si je relève

### FIGURE 13.3
## Le modèle de courbe de demande coudée

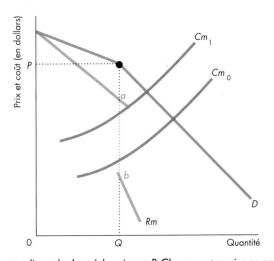

Dans un oligopole donné, le prix est P. Chaque entreprise se croit en présence de la courbe de demande D. Aux prix supérieurs à P, la demande est très élastique, car chaque entreprise suppose que son augmentation de prix n'entraînera pas une augmentation de prix similaire chez ses concurrents. Aux prix situés au-dessous de P, la demande est moins élastique, car l'entreprise suppose que sa baisse de prix sera suivie. Comme la courbe de demande est coudée, la pente de la courbe de recette marginale Rm est discontinue, ce qui crée l'écart ab. Le profit est maximisé par une production Q. La courbe de coût marginal croise ab — l'écart qui découle de la discontinuité de la courbe de recette marginale. Les variations du coût marginal dans l'écart ab ne modifient ni le prix ni la quantité.

mon prix au-dessus de *P*, il sera supérieur à celui des autres entreprises et la quantité demandée diminuera considérablement. Aux prix inférieurs à *P*, la courbe de demande est moins élastique ; ce tracé reflète le raisonnement de l'entrepreneur qui se dit : si je descends mon prix sous le prix du marché, mes concurrents baisseront également le leur, et la quantité demandée de mon produit augmentera relativement peu.

Le coude de la courbe de demande crée une discontinuité dans la courbe de recette marginale (*Rm*). Pour maximiser le profit, l'entreprise produit la quantité où le coût marginal est égal à la recette marginale. Toutefois, ce niveau de production *Q* correspond à l'endroit où la courbe de coût marginal croise l'écart *ab* de la courbe de recette marginale. Tant que le coût marginal reste entre *a* et *b*, comme le montrent les courbes de coût marginal $Cm_0$ et $Cm_1$ à la figure 13.3, l'entreprise ne changera ni son prix ni son niveau de production ; par contre, elle le fera si le coût marginal sort de l'écart *ab*.

Le modèle de courbe de demande coudée permet donc de prévoir que le prix et le niveau de production resteront les mêmes si la variation du coût est minime, mais qu'ils changeront si elle est importante. Autrement dit, le prix sera rigide. Cependant, le modèle de courbe de demande coudée présente deux problèmes :

1. il ne nous dit pas comment le prix *P* est déterminé ;

2. il ne nous dit pas ce qui se passe lorsque l'entreprise découvre que ses attentes sur la courbe de demande ne correspondent pas à la réalité.

Supposons, par exemple, que le coût marginal d'une entreprise augmente suffisamment pour l'inciter à hausser son prix, et que cette même augmentation du coût marginal incite toutes les entreprises à hausser leur prix en même temps, toutes supposant, à tort, que leurs concurrents ne suivront pas. Comme leurs attentes ne correspondent pas à la réalité, ni la courbe de recette marginale ni la courbe de demande qui les résument (celles du graphique de la figure 13.3, par exemple) ne conviennent pour calculer le prix et le niveau de production permettant maintenant de maximiser les profits. Bref, une entreprise qui fonderait ses décisions sur des attentes erronées ne maximiserait pas ses profits. Elle pourrait donc encourir une perte économique, et même être obligée de quitter l'industrie.

Le modèle de courbe de demande coudée est une tentative pour comprendre comment se déterminent le prix et le niveau de production dans un oligopole composé d'entreprises de taille similaire. Un autre modèle traditionnel illustre l'oligopole constitué par des entreprises de tailles diverses, dont une domine le marché.

## L'oligopole à entreprise dominante

On parle d'oligopole à entreprise dominante lorsqu'une firme, l'entreprise dominante, a un avantage de coût sub-stantiel sur les autres entreprises, et réalise une bonne partie de la production totale de l'industrie. L'entreprise dominante choisit le prix du marché et ses concurrents n'ont aucune influence sur ce prix. La grosse station d'essence ou la grande entreprise de location de vidéos qui dominent le marché dans une ville sont des exemples familiers d'oligopole à entreprise dominante.

Pour voir comment fonctionne un oligopole à entreprise dominante, supposons que 11 entreprises exploitent des stations d'essence dans une ville. Super-E est l'entreprise dominante dans ce marché, où les ventes de chacune des autres petites entreprises représentent 5 % de la totalité des ventes d'essence.

La figure 13.4 présente le marché de l'essence dans cette ville. Dans le graphique (a), la courbe de demande *D* montre que le prix influe sur la demande totale d'essence dans cette ville. La courbe d'offre $O_{10}$ est la courbe d'offre des 10 petites entreprises qui n'ont aucune influence sur le prix.

Le graphique 13.4 (b) présente la situation de Super-E, l'entreprise dominante. La courbe de coût marginal de Super-E est *Cm* et la courbe de demande d'essence, $D_N$. On peut déterminer cette courbe en calculant la valeur de la demande excédentaire qui provient du reste du marché. Elle illustre la différence entre la demande et l'offre dans le reste du marché à chaque prix. Ainsi, à 1 $ le litre, dans le graphique (a), l'écart *ab* mesure la demande excédentaire du reste du marché. Dans le graphique (b), ce même écart *ab* au prix de 1 $ le litre nous fournit un point *b* situé sur la courbe de demande de Super-E, $D_N$.

Si Super-E vendait de l'essence sur un marché urbain en concurrence parfaite, elle devrait l'offrir au prix que donne sa courbe de coût marginal. Le marché urbain serait en équilibre au point d'intersection de la courbe de coût marginal et de la courbe de demande de Super-E. Mais, dans notre exemple, Super-E peut faire mieux. Comme elle contrôle 50 % du marché de l'essence de la ville, elle peut diminuer ses ventes en réduisant la quantité d'essence disponible et en augmentant son prix.

Pour maximiser son profit, Super-E se comporte comme un monopole, mais un monopole qui accepterait de ne s'intéresser qu'à la demande que les autres firmes ne peuvent satisfaire. La demande de Super-E correspond à la courbe de demande excédentaire $D_N$. Pour se comporter comme un monopole, Super-E doit calculer sa recette marginale et trouver sa courbe de recette marginale — *Rm* dans le graphique 13.4 (b). Cette courbe montre le revenu excédentaire de Super-E sur la vente d'un litre d'essence supplémentaire. Pour maximiser son profit, Super-E vend la quantité où sa recette marginale est égale à son coût marginal, soit 10 000 L au prix de 1 $ le litre. Ce prix et cette quantité permettent à Super-E de réaliser le plus grand profit possible. Les 10 petites entreprises n'ont pas d'influence sur le prix, de sorte qu'elles acceptent le prix de 1 $ le litre et agissent de manière concurrentielle. La demande d'essence de la ville

**FIGURE 13.4**

## L'oligopole à entreprise dominante

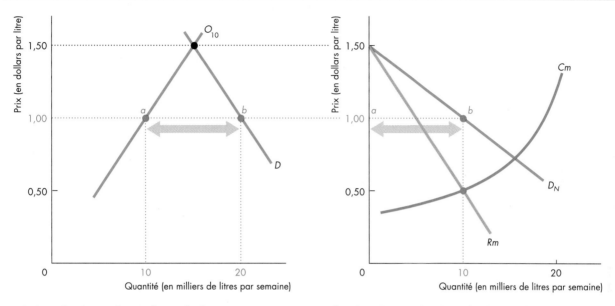

**(a) Dix petites entreprises et demande d'essence**

**(b) Détermination du prix et du niveau de production de Super-E**

Dans le graphique (a), la courbe de demande de l'essence d'une ville est $D$. Dix petites entreprises concurrentes ont, ensemble, une courbe d'offre $O_{10}$. Mais il y a aussi une grande entreprise, Super-E, représentée par le graphique (b). Super-E fait face à la courbe de demande $D_N$, soit la demande de marché $D$ moins l'offre des 10 autres entreprises ($O_{10}$) — c'est-à-dire la demande que ne comblent pas les 10 autres petites entreprises. La recette

marginale de Super-E est représentée par $Rm$ et son coût marginal, par $Cm$. Super-E choisit le niveau de production qui maximise son profit et où son coût marginal, $Cm$, est égal à sa recette marginale, $Rm$. Ce niveau de production est de 10 000 L, quantité que Super-E peut vendre à 1 $ le litre. Les 10 autres entreprises acceptent ce prix et vendent, au total, 10 000 L par semaine, soit chacune 1 000 L par semaine.

à 1 $ le litre est de 20 000 L, comme le montre le graphique 13.4 (a). Super-E vend 10 000 L et les 10 autres petites entreprises vendent les autres 10 000 L, à raison de 1 000 L chacune.

---

### À RETENIR

- Une entreprise convaincue que, si elle baisse son prix, les autres entreprises baisseront également le leur, mais que, si elle l'augmente, les autres ne suivront pas, aura une courbe de demande coudée au niveau de production et au prix du marché, et une courbe de recette marginale discontinue.

- Si une entreprise fait face à une courbe de demande coudée, son prix est rigide.

- Si une entreprise domine le marché parce que ses coûts sont inférieurs à ceux des autres entreprises, elle se comporte en monopole et choisit son prix.

- Les autres entreprises acceptent le prix de l'entreprise dominante et agissent comme si elles étaient en situation de concurrence parfaite.

Le modèle d'oligopole à entreprise dominante s'applique aux marchés où un producteur a un avantage de coût sur les autres entreprises. Cependant, il n'explique pas pourquoi l'entreprise dominante détient cet avantage, ni ce qui se passe si certaines des entreprises plus petites acquièrent la même technologie et arrivent aux mêmes coûts qu'elle. De plus, il ne permet pas de prédire les prix et les quantités sur des marchés où les entreprises sont de taille équivalente. Le modèle de courbe de demande coudée s'applique à ce cas, mais, nous l'avons vu, il a des lacunes.

La faiblesse des théories traditionnelles sur l'oligopole et les frustrations qu'elles engendrent ont conduit à l'élaboration de nouveaux modèles d'oligopole fondés sur la théorie des jeux.

# La théorie des jeux

LA **THÉORIE DES JEUX** EST UNE MÉTHODE D'ANALYSE des *interactions stratégiques*. On dit qu'il y a interaction stratégique si tous les agents sont conscients de leur interdépendance et que chacun d'eux prend ses décisions en tenant compte du comportement anticipé des autres agents. Conçue en 1937, la théorie des jeux a connu ses premiers développements importants en 1944, grâce aux travaux de John von Neumann et d'Oskar Morgenstern. En ce moment, ce domaine de recherche est en effervescence.

La théorie des jeux propose une méthode générale d'analyse des situations d'interactions stratégiques qui peut s'appliquer à toutes sortes de jeux, qu'il s'agisse de simples jeux de société, de rivalités politiques et sociales ou de phénomènes économiques comme l'oligopole. Commençons l'étude de cette théorie et de ses applications à l'analyse du comportement des entreprises par une description du cadre général d'une situation de jeu.

## Les jeux : ce qu'ils ont en commun

Qu'est-ce qu'un jeu ? À première vue, cette question peut sembler absurde, car il existe d'innombrables jeux de toutes natures. Qu'ont en commun les jeux de balle, les jeux de salon, les jeux de hasard, les jeux d'adresse, etc. ? Nous répondrons à cette question en nous intéressant aux caractéristiques pertinentes à la théorie des jeux et à l'analyse de l'oligopole en tant que jeu. De ce point de vue, tous les jeux ont trois choses en commun :

■ des règles ;

■ des stratégies envisageables ;

■ des gains.

Voyons comment ces caractéristiques s'articulent dans le jeu que nous appelons « le dilemme du prisonnier ». Le dilemme du prisonnier, qui reproduit certains éléments de base de la situation d'oligopole, illustre bien tant l'application de la théorie des jeux que la façon dont elle permet de prédire le comportement des joueurs.

## Le dilemme du prisonnier

Alain et Bernard ont été pris en flagrant délit de vol de voiture et ne peuvent guère nier leur culpabilité. Les accusés vont tous deux être condamnés à deux ans de prison. Au cours des interrogatoires, le procureur de la couronne se met à soupçonner les deux lascars d'être également les auteurs d'un vol de banque de plusieurs millions de dollars commis quelques mois plus tôt. Mais ce n'est qu'un soupçon et, à défaut de preuve, il ne pour-

ra obtenir leur condamnation… à moins qu'un des deux voleurs ne passe aux aveux. Le procureur de la couronne leur propose donc un jeu dont voici les règles.

**Les règles du jeu**    Les prisonniers — les joueurs — sont enfermés dans des pièces séparées et ne peuvent communiquer entre eux. On annonce à Bernard comme à Alain qu'ils sont soupçonnés du vol de banque et chaque homme est placé devant la situation suivante :

■ si lui et son complice avouent ce crime, chacun d'eux écopera d'une peine de trois ans de prison ;

■ s'il est le seul à avouer, il s'en tirera avec une peine de un an seulement, tandis que son complice écopera d'une peine de dix ans ;

■ si aucun des deux complices n'avoue, le procureur ne pourra pas prouver le vol de banque, et ils seront tous deux condamnés à deux ans de prison pour le vol de la voiture.

**Les stratégies**    Dans la théorie des jeux comme dans la réalité, on appelle **stratégies** les possibilités d'action de chaque joueur. Dans notre jeu du dilemme du prisonnier, les stratégies sont simples puisque chaque prisonnier ne peut faire que deux choses :

1. avouer le vol de banque ;
2. nier le vol de banque.

**Les gains**    Comme il n'y a que deux joueurs, chacun ne pouvant recourir qu'à deux stratégies, il existe quatre possibilités :

1. aucun des deux n'avoue ;
2. ils avouent tous les deux ;
3. Alain avoue et Bernard nie ;
4. Bernard avoue et Alain nie.

Chaque prisonnier peut savoir exactement ce qui va lui arriver, quel sera son *gain*, dans chacune de ces quatre situations. On peut résumer dans un tableau les gains de chaque joueur pour chacune de ses possibilités d'action, et les gains qui découlent de chacune des possibilités d'action de l'autre joueur ; c'est ce qu'on appelle la **matrice de gains**.

Le tableau 13.3 présente la matrice de gains d'Alain et de Bernard. Les quatre cases résument les gains des deux prisonniers dans chacune des quatre situations possibles, avec un triangle rose pour Alain et un triangle bleu pour Bernard. Si les deux prisonniers avouent le vol de banque (case supérieure gauche), ils écopent tous deux de trois ans de prison. Si Bernard avoue et qu'Alain nie (case supérieure droite), Alain écope de dix ans de prison et Bernard, d'un an. Si Alain avoue et que Bernard nie (case inférieure gauche), Alain écope d'un an de prison et Bernard, de dix ans. Enfin, s'ils nient tous les deux (en bas à droite), ni l'un ni l'autre ne peut être condamné pour le vol de banque, mais ils seront tous deux condamnés pour vol de voiture et tous deux passeront deux ans derrière les barreaux.

# La matrice de gains du dilemme du prisonnier

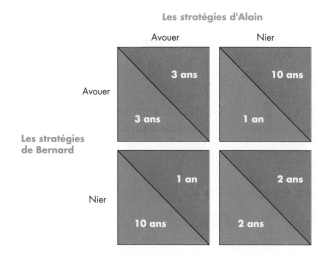

**Les stratégies d'Alain**

|  | Avouer | Nier |
|---|---|---|
| **Avouer** | 3 ans / 3 ans | 10 ans / 1 an |
| **Nier** | 1 an / 10 ans | 2 ans / 2 ans |

**Les stratégies de Bernard**

Chaque case montre les gains respectifs des deux joueurs, Alain (triangle rose) et Bernard (triangle bleu), pour chaque série de deux décisions. Dans chaque case, le triangle rose indique le gain d'Alain et le triangle bleu, celui de Bernard. Par exemple, si tous deux avouent, les gains sont indiqués dans la case supérieure gauche. L'équilibre du jeu est atteint pour les deux joueurs lorsque tous deux avouent et que chacun d'eux écope d'une peine de trois ans de prison.

## L'équilibre du jeu

L'équilibre du jeu se produit lorsque le joueur A choisit la meilleure possibilité d'action compte tenu de la décision du joueur B, et que le joueur B choisit la meilleure possibilité d'action compte tenu de la décision du joueur A. Dans le dilemme du prisonnier, l'équilibre est atteint quand Alain prend la meilleure décision possible compte tenu de la décision de Bernard, et que Bernard prend la meilleure décision possible compte tenu de la décision d'Alain. Voyons quel est cet équilibre dans le dilemme du prisonnier.

Envisageons la situation du point de vue d'Alain. Alain se rend compte que son gain dépend de la décision que prendra Bernard. Si ce dernier avoue, Alain a intérêt à avouer également, car sa peine sera alors de trois ans de prison au lieu de dix. Et, même si Bernard n'avoue pas, Alain a encore intérêt à avouer, car il écopera alors d'un an au lieu de deux. Quelle que soit la décision de Bernard, Alain a intérêt à avouer.

Du point de vue de Bernard, le problème se pose de la même manière. Si Alain avoue, Bernard écopera de dix ans de prison s'il n'avoue pas et de trois ans s'il avoue. Par conséquent, si Alain avoue, Bernard a intérêt à avouer

aussi. Et, si Alain n'avoue pas, Bernard écopera d'un an de prison au lieu de deux si lui-même avoue. Là encore, Bernard a intérêt à avouer. Indépendamment de la décision d'Alain, la meilleure décision que peut prendre Bernard est d'avouer.

Chaque prisonnier sait que, peu importe ce que fera l'autre, la meilleure chose à faire est d'avouer. Comme c'est la meilleure décision pour chaque joueur, chacun d'eux avouera et écopera de trois ans de prison. Quant au procureur de la couronne, il aura élucidé le vol de banque. C'est ce que l'on appelle l'équilibre du jeu.

**L'équilibre de Nash** L'équilibre que nous venons de décrire — celui qui est atteint lorsque chaque joueur prend la meilleure décision possible compte tenu de la décision de l'autre joueur — s'appelle l'**équilibre de Nash**. La théorie qui s'y rapporte a été proposée pour la première fois par John Nash de la Princeton University, récipiendaire du prix Nobel de sciences économiques en 1994.

Le dilemme du prisonnier présente, en outre, un type particulier d'équilibre de Nash : l'**équilibre en stratégies dominantes**. Un joueur dispose d'une stratégie dominante si l'une des stratégies qui s'offrent à lui est la meilleure, quelle que soit la décision de l'autre joueur. Il y a équilibre en stratégies dominantes si chaque joueur dispose ainsi d'une stratégie dominante. Dans le dilemme du prisonnier, quelle que soit la décision de Bernard, Alain a intérêt à avouer et, quelle que soit la décision d'Alain, Bernard a intérêt à avouer.

**Le dilemme** Maintenant que vous avez trouvé la solution au dilemme du prisonnier, vous comprendrez mieux la nature de ce dilemme. Chacun des prisonniers se retrouve devant un dilemme lorsqu'il soupèse les conséquences de son silence ou de son aveu. Chacun sait que, si ni l'un ni l'autre n'avoue le vol de banque, ils n'écoperont que de deux ans de prison pour vol de voiture, mais ni l'un ni l'autre ne sait si son complice passera aux aveux. Chacun sait que, si son complice avoue tandis que lui-même se tait, il écopera d'une peine de dix ans tandis que l'autre en sera quitte pour un an de prison. Chacun d'eux se pose donc la question suivante : « Dois-je nier le vol de banque et me fier à mon complice pour qu'il fasse de même et que nous nous en tirions tous deux avec deux ans de prison ? Ou au contraire dois-je avouer dans l'espoir de n'écoper que d'un an si mon complice n'avoue pas, tout en sachant que, s'il avoue, nous écoperons tous deux de trois ans de prison ? » Pour résoudre ce dilemme, il faut découvrir l'équilibre de ce jeu.

**Un résultat insatisfaisant** Du point de vue des prisonniers, l'équilibre du jeu n'est pas la meilleure issue possible, car alors tous deux avouent. Or, si aucun d'eux n'avoue, leur peine ne sera que de deux ans. Peuvent-ils arriver autrement à ce résultat, qui est évidemment plus satisfaisant que l'équilibre ? Apparemment non, car ils ne peuvent pas communiquer entre eux. Par contre, chacun peut essayer de se mettre dans la peau de son complice pour déterminer la stratégie dominante de l'autre. Le dilemme de nos prisonniers est bien réel. Chacun sait qu'il s'en sortira avec une peine de deux ans s'il peut compter sur l'autre — c'est-à-dire si ni l'un ni l'autre n'avoue. Mais chacun sait aussi que l'autre a plutôt intérêt à avouer. Tous deux finissent donc par avouer, avec un résultat insatisfaisant pour l'un comme pour l'autre.

Voyons maintenant comment ces notions peuvent s'appliquer à des entreprises en situation d'oligopole.

## Le jeu de l'oligopole

LA MEILLEURE FAÇON D'ÉTUDIER LE FONCTIONNEMENT d'un jeu d'oligopole est de se pencher sur un cas particulier d'oligopole, le duopole. Un **duopole** est une structure de marché où deux producteurs d'un bien se font concurrence. Il y a bien quelques cas de duopoles nationaux et internationaux, mais la plupart sont des duopoles locaux. Dans certaines localités, par exemple, on trouve deux producteurs de lait, deux journaux locaux, deux compagnies de taxi et deux entreprises de location d'automobiles. Cela dit, nous n'étudierons pas le duopole pour son caractère « réaliste », mais parce que, tout en présentant les caractéristiques de l'oligopole, il est plus facile à analyser et à comprendre.

Pour étudier un jeu de duopole, nous allons construire un modèle d'industrie de duopole[1]. Supposons qu'il n'y ait que deux entreprises, Électruc et Apparélec, qui fabriquent un type particulier d'appareillage électrique, par exemple un commutateur industriel. Notre objectif est de prédire leur prix de vente et leur niveau de production. Nous allons imaginer le jeu de duopole auquel pourraient se livrer ces deux entreprises; pour cela, nous devons d'abord définir les stratégies des joueurs ainsi que leur matrice de gains.

Supposons, par exemple, que ces deux entreprises parviennent à une entente. La **collusion** est une entente secrète — car elle est illégale au Canada comme dans beaucoup de pays — entre deux ou plusieurs producteurs en vue de limiter leur production pour faire monter les prix et augmenter les profits. Les entreprises qui concluent un accord de prix ou de partage du marché forment un **cartel.** Chacune des entreprises membre d'un cartel a le choix entre deux stratégies :

■ se conformer à l'entente ;

■ tricher.

Dans le premier cas, l'entreprise respecte tous les termes de l'entente qui la lie aux autres membres du cartel.

Dans le second cas, elle rompt l'entente à son propre profit et aux dépens de l'autre entreprise.

Comme chaque entreprise a le choix entre deux stratégies, quatre situations peuvent survenir dans le duopole que nous avons imaginé :

1. les deux entreprises se conforment à l'entente ;
2. les deux entreprises trichent ;
3. Électruc se conforme à l'entente, tandis qu'Apparélec triche ;
4. Apparélec se conforme à l'entente, tandis qu'Électruc triche.

Calculons le gain des entreprises dans chaque cas. Pour ce faire, examinons d'abord les coûts et la demande de l'industrie.

### Les coûts et la demande

Les coûts de production des commutateurs sont les mêmes pour Électruc et Apparélec. Le graphique 13.5 (a) montre la courbe de coût total moyen ($CTM$) et la courbe de coût marginal ($Cm$) de chaque entreprise. Le graphique 13.5 (b) présente la courbe de demande du marché des commutateurs ($D$). Comme les deux entreprises fabriquent deux produits identiques, le produit de l'une est un substitut parfait du produit de l'autre et inversement. Leur prix de vente est donc identique. La demande varie selon ce prix : plus il est élevé, plus la quantité demandée est faible.

Notez qu'il n'y a de place dans cette industrie que pour deux entreprises. En effet, l'*échelle efficiente minimale* de production de chacune des deux entreprises est de 3 000 commutateurs par semaine ; selon cette échelle, le prix est égal au coût total moyen de production et la demande totale est de 6 000 commutateurs par semaine. S'il y avait trois entreprises dans cette industrie, l'une d'elles au moins subirait une perte économique et devrait en sortir. Le nombre d'entreprises d'une industrie varie donc en fonction de la relation entre le coût et la quantité demandée.

Dans notre industrie imaginaire, le coût et la demande ont été fixés de manière à permettre à deux entreprises de survivre à long terme. Dans un oligopole — et donc dans un duopole — du monde réel, on peut voir se dresser des barrières à l'entrée ; il peut s'agir d'économies d'échelle comme dans le modèle que nous étudions ici, ou de barrières d'une autre nature (comme nous l'avons vu au chapitre 12, p. 260-261).

### La collusion comme instrument de maximisation du profit

Calculons d'abord les gains des deux entreprises qui se sont entendues pour maximiser leur profit total en agissant comme un monopole. Les calculs qu'effectueront

---

[1] Bien qu'il s'inspire d'un cas réel, connu sous le nom de « incroyable conspiration électrique », ce modèle n'est qu'un modèle et non la description d'un événement réel historique.

### FIGURE 13.5
# Les coûts et la demande

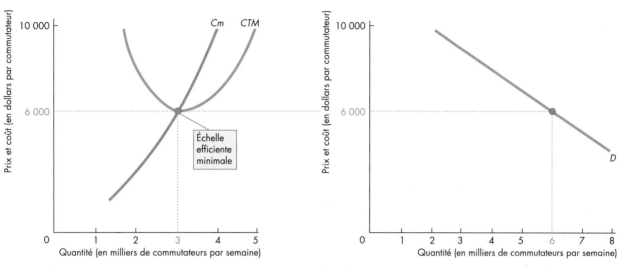

**(a) Entreprise**

**(b) Industrie**

Le graphique (a) montre les coûts d'Électruc et d'Apparélec, les deux fabricants de commutateurs industriels. Leurs coûts de production sont les mêmes. Pour chaque entreprise, la courbe *CTM* représente la courbe de coût total moyen et la courbe *Cm*, la courbe de coût marginal. Dans chaque cas, l'échelle efficiente mini-

male est de 3 000 commutateurs par semaine au coût total moyen de 6 000 $ l'unité. Le graphique (b) montre la courbe de demande totale. Au prix unitaire de 6 000 $, la demande est de 6 000 commutateurs par semaine. Il n'y a de place que pour deux entreprises sur ce marché.

---

ces deux entreprises pour maximiser leur profit sont exactement les mêmes que ceux d'un monopoleur (voir chapitre 12, p. 263-266). La seule différence réside dans le fait que les duopoles doivent s'entendre sur leurs niveaux de production respectifs.

La figure 13.6 illustre le prix et le niveau de production qui permettent de maximiser le profit des deux entreprises. Le graphique (a) présente la situation de chaque entreprise et le graphique (b), celle de l'industrie. La courbe *Rm* représente la courbe de recette marginale de l'industrie. La courbe $Cm_1$ est la courbe de coût marginal de l'industrie ; on la construit en additionnant horizontalement les courbes de coût marginal des deux entreprises. Autrement dit, à chaque niveau de coût marginal, la production de l'industrie est le double de celle de chaque entreprise. Par conséquent, la courbe $Cm_1$ du graphique (b) est deux fois plus à droite que la courbe *Cm* du graphique (a).

Pour maximiser leurs profits, les deux entreprises consentent à limiter leur production au niveau où le coût marginal de l'industrie est égal à la recette marginale. Comme le montre le graphique (b), ce niveau de production est de 4 000 commutateurs par semaine. Le prix le plus élevé auquel les 4 000 commutateurs peuvent être vendus est 9 000 $ l'unité. Supposons qu'Électruc et

Apparélec consentent à se partager le marché à égalité de manière à ce que chaque entreprise produise 2 000 commutateurs par semaine. Le coût total moyen de production (*CTM*) de 2 000 commutateurs par semaine est de 8 000 $ ; par conséquent, le profit par unité est de 1 000 $ et le profit économique, de 2 millions de dollars (2 000 commutateurs × 1 000 $ par unité). Le rectangle bleu du graphique 13.6 (a) représente le profit économique de chacune des entreprises.

Nous venons de décrire une issue possible du jeu de duopole : les deux entreprises coordonnent leurs activités pour maximiser leur profit et se partager le marché. Du point de vue de l'industrie, cette solution est identique à celle d'un monopole. Le profit économique d'un monopole est le profit total maximal que peuvent réaliser des duopoles entre lesquels il y a collusion.

## L'incitation à tricher

Chacune des entreprises du duopole a intérêt à ne pas respecter l'entente, car le prix du commutateur (9 000 $) est supérieur au coût marginal. Par conséquent, si l'une des entreprises vendait ne serait-ce qu'une unité supplémentaire au prix de 9 000 $ son profit augmen-

## FIGURE 13.6
# La collusion et le profit de monopole

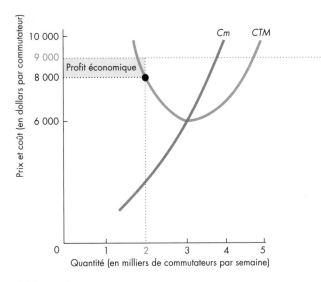

**(a) Entreprise**

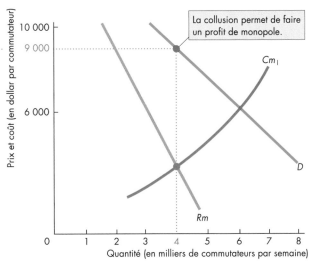

**(b) Industrie**

La collusion permet à Électruc et à Apparélec de se comporter comme un monopole et de maximiser conjointement leur profit. Les entreprises établissent tout d'abord la courbe de coût marginal $Cm_I$ — graphique (b) —, qui est la somme horizontale des courbes de coût marginal des deux entreprises $Cm$ — graphique (a). Ensuite, elles calculent la recette marginale de l'industrie, $Rm$, puis le niveau de production où la recette marginale est égale au coût marginal (4 000 commutateurs par semaine). Elles

consentent ensuite à vendre cette quantité au prix de 9 000 $, le prix de demande des 4 000 commutateurs.

Chaque entreprise a les mêmes coûts, chacune d'elles fabrique donc la moitié de la production totale, soit 2 000 commutateurs par semaine. Le coût total moyen est 8 000 $ l'unité. Par conséquent, chaque entreprise réalise un profit économique de 2 millions de dollars (le rectangle bleu), c'est-à-dire 2 000 commutateurs multipliés par 1 000 $ de profit par unité.

---

terait. Comme les deux entreprises ont intérêt à tricher, deux situations autres que le respect de l'entente peuvent survenir :

■ une des deux entreprises triche ;

■ les deux entreprises trichent.

**Une seule entreprise triche**   Que se passe-t-il si l'une des deux entreprises ne respecte pas les termes de l'entente ? Quel profit supplémentaire réalisera-t-elle ? Quelle sera la répercussion sur le profit de l'entreprise qui respecte l'entente ?

Il y a plusieurs façons de tricher. Nous nous contenterons ici d'en étudier une seule. Supposons qu'Électruc réussisse à convaincre Apparélec que la demande de l'industrie a baissé et qu'elle ne peut vendre sa part de production au prix convenu. Elle avertit Apparélec qu'elle prévoit baisser son prix afin de réussir à vendre comme prévu 2 000 commutateurs par semaine. Comme les deux entreprises offrent un produit pratiquement identique, Apparélec n'a pas le choix : elle doit aussi baisser son prix.

En fait, la demande n'a pas du tout baissé et le prix moins élevé que propose Électruc est exactement le prix qui lui permettrait de vendre la quantité supplémentaire de commutateurs qu'elle se propose de produire. L'entreprise Apparélec, elle, baisse son prix comme Électruc, mais maintient sa production au niveau convenu au départ.

La figure 13.7 illustre les conséquences de la stratégie d'Électruc. Le graphique (a) montre la situation d'Apparélec (qui respecte l'entente) ; le graphique (b), celle d'Électruc (qui triche) ; le graphique (c) montre la situation de l'ensemble de l'industrie.

Supposons qu'Électruc décide de faire passer sa production de 2 000 à 3 000 unités par semaine, le niveau de production où le coût total moyen est à son minimum. Elle sait que, si Apparélec continue à respecter l'entente et ne produit que 2 000 unités par semaine, la production totale sera de 5 000 unités par semaine et que, compte tenu de la demande illustrée au graphique (c), le prix du commutateur descendra de 9 000 $ à 7 500 $ l'unité.

FIGURE 13.7

# Une entreprise triche

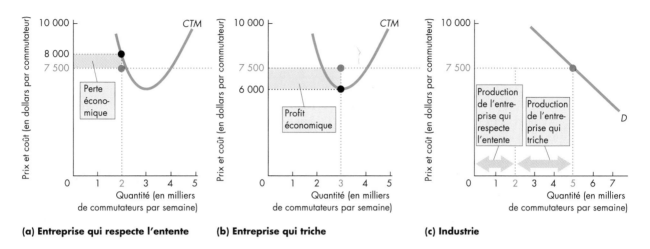

**(a) Entreprise qui respecte l'entente**   **(b) Entreprise qui triche**   **(c) Industrie**

Le graphique (a) illustre la situation de l'entreprise qui respecte les termes de l'entente et produit donc 2 000 commutateurs par semaine. Le graphique (b) illustre la situation de l'entreprise qui triche en élevant sa production hebdomadaire à 3 000 commutateurs. Compte tenu de la courbe de demande du marché, illustrée au graphique (c), une production totale de 5 000 unités par semaine fait descendre le prix du marché de 9 000 $ à 7 500 $.

À ce prix, l'entreprise qui respecte l'entente — graphique (a) — subit une perte économique de 1 million de dollars (500 $ × 2 000 unités) représentée par le rectangle rose. Par contre, l'entreprise qui triche — graphique (b) — réalise un profit économique de 4,5 millions de dollars (1 500 $ × 3 000 unités) représenté par le rectangle bleu.

Apparélec continue de produire 2 000 commutateurs par semaine à 8 000 $ le commutateur et perd 500 $ l'unité, soit 1 million de dollars par semaine — rectangle rose du graphique (a). De son côté, Électruc fabrique 3 000 commutateurs par semaine au coût total moyen de 6 000 $ l'unité. Au prix de 7 500 $ l'unité, Électruc fait un profit de 1 500 $ par unité et réalise donc un profit économique de 4,5 millions de dollars — rectangle bleu du graphique (b).

Nous venons d'analyser la deuxième issue possible du jeu de duopole : l'une des entreprises ne respecte pas l'entente conclue avec sa partenaire. Dans ce cas, le niveau de production du duopole est plus élevé que celui qui aurait cours dans un monopole et le prix du marché, inférieur. Le profit économique total réalisé par le duopole est, lui aussi, moins élevé que celui qui aurait cours dans un monopole, et donc que celui réalisé lorsque les deux entreprises respectaient l'entente. Mais les conséquences de cette baisse ne sont pas ressenties également dans les deux firmes. Électruc (qui triche) réalise un profit économique de 4,5 millions de dollars et Apparélec (qui respecte l'entente) subit une perte de 1 million de dollars. Le duopole réalise un profit économique de 3,5 millions de dollars, soit 0,5 million de dollars de moins que le profit économique que réaliserait un mono-

pole. Électruc réalise un profit plus élevé que si elle respectait l'entente et Apparélec subit une perte économique.

Nous venons de voir ce qui se passe si Électruc triche tandis qu'Apparélec respecte l'entente. Le résultat global serait le même si c'était Apparélec qui trichait et Électruc qui respectait l'entente. Le profit et le prix du duopole seraient les mêmes, à la différence près que ce serait Apparélec (l'entreprise tricheuse) qui réaliserait un profit économique et Électruc (l'entreprise qui respecte l'entente) qui subirait une perte économique de 1 million de dollars.

Voyons maintenant ce qui se passerait si les deux entreprises trichaient.

**Les deux entreprises trichent** Supposons maintenant que les deux entreprises trichent de la même façon qu'Électruc dans l'exemple précédent. Chacune dit à l'autre qu'elle ne peut écouler sa production au prix courant et qu'elle prévoit baisser le prix. Comme les deux entreprises trichent, elles vont proposer tour à tour des prix de plus en plus bas. Tant que le prix est supérieur au coût marginal, chacune des entreprises a intérêt à augmenter sa production, c'est-à-dire à ne pas respecter l'entente. Ce n'est que lorsque le prix est égal au coût marginal — 6 000 $ — qu'elle cesse d'avoir intérêt à tricher. À ce niveau de production, le prix est égal non seulement au coût marginal, mais aussi au coût total moyen minimal. Si le prix est inférieur à 6 000 $, chacune des deux entreprises subit une perte économique. À 6 000 $, chacune couvre tous ses coûts et réalise un profit nul (profit normal). De plus, à ce prix, chacune souhaite produire 3 000 commutateurs par semaine afin que la production du duopole soit de 6 000 unités par semaine, production qui, compte tenu de la demande, pourra se vendre au prix unitaire de 6 000 $.

La figure 13.8 illustre cette situation. Le graphique (a) montre que chaque entreprise produit 3 000 commutateurs par semaine et, à ce niveau de production, le coût total moyen est à son minimum (6 000 $ l'unité). L'ensemble du marché — graphique (b) —, est en équilibre au point où la ligne de demande (D) croise la courbe de coût marginal de l'industrie, qui est la somme horizontale des courbes de coût marginal des deux entreprises. Chacune d'elles a baissé son prix et augmenté sa produc-

tion autant qu'elle le pouvait pour tenter d'obtenir un avantage sur l'autre sans subir de perte économique.

Nous venons de voir la troisième issue possible du jeu de duopole. Les deux entreprises trichent et chacune produit 3 000 commutateurs par semaine au prix de 6 000 $ l'unité. Chacune d'elles réalise un profit économique nul.

## La matrice de gains

Maintenant que nous connaissons les stratégies et les gains possibles dans un jeu de duopole, nous pouvons construire la matrice de gains et déterminer l'équilibre du jeu.

Le tableau 13.4 représente une matrice de gains construite exactement comme celle du dilemme du prisonnier au tableau 13.3. Chaque case nous renseigne sur le gain — profit ou perte — des deux entreprises, Électruc et Apparélec. (Dans le dilemme du prisonnier, tous les gains étaient des pertes.)

---

**FIGURE 13.8**

# Les deux entreprises trichent

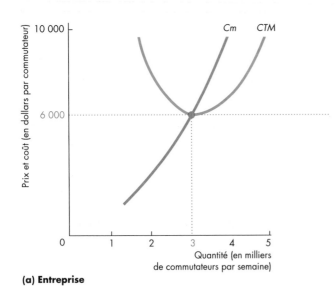

**(a) Entreprise**

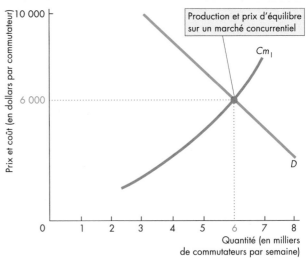

**(b) Industrie**

Si les deux entreprises trichent en augmentant toutes deux leur production et en baissant leur prix, l'entente qu'elles ont conclue n'a plus aucun effet. La rupture de l'entente s'arrête cependant au point d'équilibre concurrentiel. En effet, aucune des deux entreprises ne veut descendre son prix au-dessous de 6 000 $ (coût total moyen minimal), car cela entraînerait une perte économique. Le graphique (a) illustre la situation à laquelle font face les deux entreprises. À 6 000 $ l'unité, le niveau de production qui permet de réaliser un profit économique est de 3 000 commutateurs par

semaine. À ce niveau, le prix est égal au coût marginal ainsi qu'au coût total moyen. Le profit économique est nul. Le graphique (b) illustre la situation d'ensemble de l'industrie. La courbe de coût marginal de l'industrie — $Cm_1$, soit la somme horizontale des courbes de coût marginal (Cm) de chaque entreprise — croise la courbe de demande au point qui correspond à 6 000 commutateurs par semaine au prix unitaire de 6 000 $. Ce niveau de production et ce prix sont ceux qui auraient cours sur un marché concurrentiel.

**TABLEAU 13.4**

## La matrice de gains du duopole

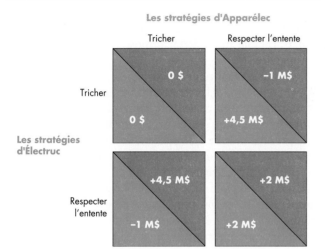

Chacune des cases illustre les gains de chaque entreprise pour chaque paire de décisions possible. Par exemple, si les deux entreprises respectent leur entente, les gains sont enregistrés dans la case inférieure droite. Le triangle rose représente les gains d'Apparélec, et le triangle bleu, ceux d'Électruc. Lorsque les deux entreprises trichent, nous avons affaire à un équilibre de Nash.

Nous savons que, si les deux entreprises trichent (case supérieure gauche), elles produiront autant que si elles étaient en concurrence parfaite ; leur profit économique sera donc nul. Si toutes deux respectent l'entente (case inférieure droite), leur profit total sera celui d'un monopole, soit 2 millions de dollars. La case supérieure droite et la case inférieure gauche montrent ce qui se passe si une entreprise triche et que l'autre respecte l'entente. Celle qui triche réalise un profit économique de 4,5 millions de dollars et l'autre, qui respecte l'entente, subit une perte de 1 million de dollars.

Parfaitement semblable au dilemme du prisonnier, ce jeu de duopole se présente en fait comme le dilemme du duopole.

### Le dilemme du duopole

Nous comprenons maintenant pourquoi les entreprises d'un duopole font face à un dilemme. Lorsqu'il y a collusion, les entreprises limitent leur production de manière à ce que leur recette marginale totale soit égale à leur coût marginal total, puis fixent le prix le plus élevé auquel elles peuvent vendre leur production, prix qui est supérieur au coût marginal. Dans ce cas, chaque entreprise sait que, si elle triche et qu'elle augmente sa production, sa recette

sera supérieure au coût et son profit augmentera, et ce, même si le prix courant est plus bas que le prix fixé par l'entente. Sachant cela, chacune des entreprises est tentée de tricher. Son dilemme est le même que le dilemme du prisonnier. Si elle pouvait être sûre que sa complice ne triche pas, elle s'en tiendrait à l'entente qui maximise leur profit respectif, et donc leur profit total. Mais le fait que chaque entreprise a intérêt à tricher les pousse toutes deux à le faire. On peut d'ailleurs vérifier que ce sera bien là l'issue du dilemme des deux entreprises complices en cherchant où se situe l'équilibre de marché du duopole.

### L'équilibre de marché du duopole

Pour déterminer où se situe l'équilibre dans l'exemple qui nous intéresse, considérons la situation du point de vue d'Apparélec. Son raisonnement est le suivant : « Supposons qu'Électruc triche. Si nous respectons l'entente, non seulement notre profit économique sera nul, mais nous essuierons une perte de 1 million de dollars. Par contre, si nous trichons, nous risquons au pire de réaliser un profit économique nul, ce qui est préférable à une perte. J'ai intérêt à tricher, d'autant plus que, si nous trichons et qu'Électruc respecte l'entente, nous réaliserons un profit économique de 4,5 millions de dollars, au lieu de 2 millions de dollars. Donc, qu'Électruc triche ou non, j'ai intérêt à tricher. » La stratégie dominante d'Apparélec est donc de tricher.

Électruc aboutit de son côté à la même conclusion. Par conséquent, les deux entreprises vont tricher. L'équilibre de ce jeu est atteint lorsque les deux entreprises ne respectent pas l'entente ; bien qu'elles soient seules dans leur industrie, le prix et la quantité d'équilibre sont les mêmes que dans une industrie concurrentielle. Chaque entreprise réalise un profit économique nul.

Nous venons d'analyser ce qui se passe s'il y a collusion entre deux entreprises, mais le raisonnement serait le même pour trois ou quatre entreprises, ou davantage (seul le nombre d'opérations serait différent). Autrement dit, la théorie des jeux s'applique à tous les types d'oligopoles, et pas seulement aux duopoles. Dans le cas de l'oligopole, l'analyse est beaucoup plus complexe, mais le même raisonnement s'applique.

### Les jeux répétés

Le premier jeu que nous avons étudié, le dilemme du prisonnier, ne se jouait qu'une seule fois ; les prisonniers n'avaient pas la possibilité d'observer l'issue du jeu et de jouer de nouveau. Le jeu de duopole que nous avons décrit ne se jouait qu'une fois lui aussi. Dans le monde réel, par contre, les entreprises d'un duopole ont constamment la possibilité de rejouer les unes contre les autres, et peuvent donc apprendre à coopérer pour rendre leur collusion plus efficiente.

Lorsque le même jeu est répété indéfiniment, l'un des joueurs a la possibilité de « punir » l'autre de son « mauvais » comportement. Si Électruc triche une semaine, Apparélec peut décider de tricher la semaine suivante ; inversement, si Apparélec triche une semaine, Électruc trichera peut-être la semaine suivante. Sachant cela, avant de décider de tricher une semaine, Apparélec songera donc aux répercussions de cette décision sur le comportement d'Électruc la semaine suivante.

Où se situe l'équilibre dans cette version plus subtile du jeu du dilemme du prisonnier, où le jeu se répète indéfiniment ? Plusieurs réponses sont possibles. Il peut s'agir, là encore, de l'équilibre de Nash : les deux joueurs trichent, et chacun réalise indéfiniment un profit nul. En effet, aucun d'eux n'a intérêt à cesser unilatéralement de tricher ; s'il le faisait, il subirait une perte tandis que l'autre réaliserait un profit. Le prix et la quantité restent donc les mêmes qu'en concurrence parfaite.

Cependant, un autre équilibre est possible : les entreprises peuvent réaliser le profit de monopole et se le partager. Comment un duopole peut-il atteindre cet équilibre ? Pourquoi les entreprises n'ont-elles pas toujours intérêt à tricher ? Parce qu'en rejouant indéfiniment le dilemme du prisonnier, les joueurs acquièrent un éventail plus large de stratégies. Chacun d'eux peut punir l'autre de ses tricheries.

Ainsi, l'entreprise en duopole peut adopter une *stratégie de coup pour coup* : si sa partenaire a respecté l'entente la période précédente, elle-même la respecte la période suivante ; si l'autre a triché, elle triche à son tour. C'est la punition la plus légère qu'elle peut infliger, la plus lourde consistant à imposer à l'autre joueur une stratégie de déclic : coopérer s'il coopère, sinon adopter indéfiniment la stratégie de l'équilibre de Nash. Si la stratégie de coup pour coup est la punition la plus légère, et l'équilibre de Nash, la plus sévère, il existe bien entendu des mesures punitives intermédiaires. Par exemple, si un joueur ne respecte pas l'entente, l'autre joueur peut le punir en refusant de coopérer pendant un certain nombre de périodes.

Dans le jeu de duopole auquel se livrent Électruc et Apparélec, la stratégie de coup pour coup incite les deux entreprises à coopérer et à réaliser un profit de monopole. Voyons pourquoi.

Si les deux entreprises respectent leur entente durant la première période, elles réaliseront un profit économique de 2 millions de dollars chacune. Supposons qu'Électruc envisage de tricher durant la deuxième période, ce qui lui rapporterait un profit de 4,5 millions de dollars et infligerait une perte de 1 million de dollars à Apparélec. Que se passe-t-il ? En additionnant les profits des deux périodes de jeu, Électruc gagne davantage qu'Apparélec (6,5 millions de dollars comparativement à 4 millions de dollars si elle ne triche pas). Mais, la période suivante, Apparélec riposte en trichant à son tour. Si les deux entreprises trichent, chacune réalise un profit économique nul durant la troisième période ; si

Électruc respecte l'entente pour inciter Apparélec à en faire autant au cours de la quatrième période, Apparélec réalise un profit de 4,5 millions de dollars et Électruc subit une perte de 1 million de dollars. Il suffit d'additionner les profits réalisés au cours des quatre périodes pour constater qu'Électruc aurait réalisé un profit plus élevé en respectant l'entente : son profit aurait alors été de 8 millions de dollars plutôt que de 5,5 millions de dollars, car elle aurait évité la riposte coup pour coup d'Apparélec.

Ce qui est vrai pour Électruc l'est aussi pour Apparélec. Comme les deux entreprises réalisent un profit plus élevé en respectant leur entente, toutes deux adoptent cette stratégie ; le prix, la quantité produite et le profit sont ceux qui auraient cours dans un monopole. Chacune des entreprises réagit rationnellement devant la perspective des représailles qu'entraînerait une tricherie de sa part, ce qui établit un **équilibre coopératif**. Toutefois, pour que cette stratégie fonctionne, la menace doit être réelle : autrement dit, chaque entreprise doit être convaincue que l'autre a intérêt à réagir « coup pour coup ». Cette réaction est d'ailleurs plausible car, si l'une des deux entreprises triche, l'autre n'a évidemment pas intérêt à continuer de respecter l'entente. La menace de représailles pour la période suivante est donc réelle et c'est ce qui permet à l'industrie de maintenir un équilibre de monopole.

Dans le monde réel, le fait qu'un cartel adopte une stratégie de jeu unique ou de jeux répétés dépend essentiellement du nombre de joueurs et de la facilité avec laquelle il est possible de détecter et de punir le non-respect de l'entente. Ainsi, la réglementation limite à deux joueurs — un dans chaque zone — le marché de la téléphonie cellulaire, et le prix élevé de ces services peut être attribué à des jeux répétés entre ces deux joueurs. Plus le nombre de joueurs est grand, moins il est facile d'atteindre un équilibre de monopole.

---

### À RETENIR

- Une collusion visant à limiter la production et à augmenter le prix crée un jeu semblable à celui du dilemme du prisonnier.

- Comme le prix est supérieur au coût marginal, chaque entreprise peut augmenter son profit aux dépens de l'autre en ne respectant pas l'entente et en augmentant le niveau de production.

- Si le jeu n'est joué qu'une seule fois, l'entente n'a aucun effet puisque, pour atteindre l'équilibre, chaque entreprise adopte la stratégie de tricher.

- Si le jeu se répète indéfiniment, il permet d'exercer une menace de représailles — en adoptant une stratégie de coup pour coup, par exemple — afin de faire respecter l'entente.

## La théorie des jeux et les guerres de prix

La théorie de la détermination du prix et du niveau de production dans un duopole peut nous aider à comprendre le comportement des entreprises dans les marchés réels, et en particulier les guerres de prix. Certaines guerres de prix ressemblent à une stratégie de coup pour coup. Comme on l'a vu, si une stratégie de coup pour coup est en place, les entreprises ont intérêt à respecter le prix de monopole. Cependant, les fluctuations de la demande font varier le prix et, lorsque le prix baisse, l'une des entreprises peut croire que l'autre a rompu l'accord. Éclate alors une guerre de prix qui durera jusqu'à ce que chaque entreprise soit convaincue que l'autre est de nouveau prête à coopérer. Le marché sera donc marqué par des cycles successifs de guerre de prix et de collusion. Ce mécanisme peut expliquer l'évolution du prix et de la production de l'industrie pétrolière.

Certaines guerres de prix sont déclenchées par l'entrée d'un petit nombre d'entreprises dans un marché qui a été un monopole. Même si l'industrie ne compte que peu d'entreprises, celles-ci sont placées devant le dilemme du prisonnier et elles ne peuvent réagir à la baisse de prix par des représailles efficaces. L'évolution du prix et du niveau de production de l'industrie des puces électroniques durant les années 1994 et 1995 peut s'expliquer ainsi. Jusqu'en 1994, le marché des semi-conducteurs était dominé par une entreprise, Intel Corporation, qui pouvait maximiser son profit en produisant au niveau où son coût marginal était égal à sa recette marginale ; le prix des puces était fixé de manière à ce que la quantité demandée soit égale à la quantité produite. En 1994 et 1995, l'entrée de quelques nouvelles entreprises a transformé l'industrie en oligopole. Si toutes les entreprises de l'industrie avaient maintenu le prix d'Intel et s'étaient partagé le marché, elles auraient pu, ensemble, réaliser un profit économique égal à celui d'Intel lorsque la firme était encore un monopole. Mais ces entreprises étaient placées devant le dilemme du prisonnier et les prix ont donc baissé au niveau concurrentiel.

## L'incroyable conspiration électrique

Comme les collusions sur la fixation des prix sont illégales au Canada et aux États-Unis. les tractations auxquelles elles donnent lieu doivent se faire en secret. Résultat : nous n'en apprenons l'existence que lorsqu'elles sont mises au jour par l'appareil judiciaire.

« L'incroyable conspiration électrique[2] » est une célèbre entente de fixation de prix à laquelle ont par-ticipé dans les années 1950 une trentaine d'entreprises américaines. Pendant presque toute une décennie, près de 30 producteurs de matériel électrique, dont des géants comme General Electric et Westinghouse, se sont entendus pour fixer « les prix de toutes sortes d'articles, allant des isolateurs à deux dollars aux gigantesques turbo-génératrices de plusieurs millions de dollars[3] ».

Les entreprises qui participaient à cette longue collusion pour fixer les prix du matériel électrique n'étaient pas toujours les mêmes. Ainsi, General Electric s'en retirait parfois pour vendre à un prix inférieur au prix fixé, ce qui entraînait la baisse du prix de marché et du profit total de l'industrie, ainsi que le prévoit le modèle que nous avons étudié.

**La nécessité du secret**  Comme la collusion est illégale, les entreprises qui s'y livrent doivent la garder secrète, ce qui est particulièrement difficile lorsqu'elles présentent des soumissions sur un marché public. Soucieux d'éviter que la collusion entre les entreprises qui avaient déposé des offres pour un marché public soit évidente, les complices de « l'incroyable conspiration électrique » avaient résolu ce problème de façon très originale, par un système de fixation des prix baptisé « les phases de la lune » :

[Ces formules de fixation des prix étaient inscrites sur] des feuilles de papier, chacune contenant une demi-douzaine de colonnes de chiffres... Un groupe de colonnes établissait les consignes de prix des sept fabricants ; toutes les deux semaines (d'où le nom « phases de la lune »), une compagnie différente, identifiée par un code chiffré, passait en première position. Un autre groupe de colonnes apprenait aux autres entreprises, identifiées elles aussi par un numéro de code, combien chacune devait déduire du prix convenu. Ainsi, lorsque c'était au tour du n° 1 (General Electric) de vendre au prix le plus bas, il suffisait à Westinghouse (n° 2) ou à Allis-Chalmers (n° 3) de chercher son code dans le deuxième groupe de colonnes pour connaître la marge à appliquer au plus bas prix, pratiqué par le n° 1. Ensuite, les entreprises 2, 3, etc., ajoutaient ou déduisaient un peu pour faire plus vrai. Rien ne permettait alors de deviner que l'offre la plus intéressante était le fruit d'une collusion[4].

Jusqu'à ce qu'il tombe sur les documents des « phases de la lune », le ministère de la Justice des États-Unis s'est donné beaucoup de mal, toujours en vain, pour prouver la collusion. Formule en main, il lui a été facile d'en démontrer le mécanisme et d'y mettre fin.

[2] Richard A. Smith, « The Incredible Electrical Conspiracy », *Fortune*, 1re partie, avril 1961, p. 132, et 2e partie, mai 1961, p. 161.

[3] James V. Koch, *Industrial organization and Prices*, 2e éd., Englewood Cliffs, N.J., Prentice-Hall, 1980, p. 423.
[4] Richard A. Smith, « The Incredible Electrical Conspiracy », *Fortune*, 2e partie, mai 1961, p. 210. (Notre traduction.)

## D'autres variables stratégiques

Jusqu'à présent, nous ne nous sommes intéressés qu'à un jeu simple, où les entreprises n'envisageaient les deux stratégies possibles — respecter l'entente ou tricher — que pour choisir le prix et le niveau de production. Mais notre méthode d'analyse peut s'appliquer à bien d'autres décisions de l'entreprise. Doit-elle lancer une campagne publicitaire coûteuse? Doit-elle modifier son produit, en améliorer la qualité, sachant que, habituellement, plus la qualité du produit est grande, plus sa production coûte cher? Doit-elle pratiquer une discrimination des prix, et si oui, entre quels groupes et jusqu'à quel point? Doit-elle investir dans de coûteux programmes de recherche-développement (R.-D.) visant à baisser les coûts de production? La théorie des jeux permet d'analyser toutes ces décisions. Mais, pour appliquer la méthode d'analyse que nous venons d'étudier, nous devrons déterminer le gain qui résulte de chaque stratégie pour trouver ensuite l'équilibre du jeu.

Nous allons prendre deux exemples. Le premier est un jeu de R.-D. et le second un jeu d'entrée et de représailles, où une entreprise essaie d'en empêcher d'autres d'entrer sur le marché.

## Un jeu de recherche-développement

Les couches jetables ont été commercialisées pour la première fois en 1966. Dès le début, Procter & Gamble (fabricant de Pampers) et Kimberly-Clark (fabricant de Huggies) dominèrent l'industrie, Procter & Gamble détenant 60 à 70 % des parts du marché et Kimberly-Clark, 25 %. Le marché des couches jetables est férocement concurrentiel. En 1966, le prix de ce nouveau produit devait être compétitif par rapport à celui des couches lavables et réutilisables, et cet avantage concurrentiel initial ne fut obtenu qu'au prix de coûteux investissements en recherche-développement pour mettre au point des machines capables de produire des couches jetables à un coût aussi bas. Cependant, avec le temps, de nombreuses entreprises ont tenté d'entrer sur ce marché et de s'y tailler une place en grugeant les parts des deux leaders, qui se livraient eux-mêmes concurrence afin de maintenir ou d'accroître leurs parts de marché respectives.

Dans l'industrie des couches jetables, toute innovation technique qui permet de réduire ne serait-ce qu'un tant soit peu le coût total moyen de production peut conférer à une entreprise un avantage concurrentiel considérable. Les machines actuelles peuvent produire 3 000 couches à l'heure, soit 10 fois plus qu'il y a 10 ans. L'entreprise qui innove avec une technique de production moins coûteuse que celle de ses concurrentes augmente immédiatement sa part du marché et son profit. Mais la plus modeste réduction de coût exige d'énormes investissements en R.-D., et ce coût de R.-D. diminue d'autant le profit généré par l'accroissement de la part

de marché attribuable à la réduction du coût... Si aucune entreprise de l'industrie ne faisait de recherche-développement, toutes s'en porteraient probablement mieux, mais dès qu'une entreprise s'engage dans une activité de R.-D., toutes les autres sont forcées d'en faire autant.

Les deux grands producteurs de couches jetables font face au dilemme de la recherche-développement, très semblable au dilemme du prisonnier. Bien qu'elles jouent continuellement l'une contre l'autre, leur jeu ressemble davantage à un jeu unique qu'à des jeux répétés, car l'activité de recherche-développement est un processus à long terme. Les investissements en R.-D. se répètent, mais leurs gains sont aléatoires et plutôt rares.

Le tableau 13.5 illustre le jeu de recherche-développement auquel se livrent Procter & Gamble et Kimberly-Clark (chiffres fictifs). Chaque entreprise peut choisir entre deux stratégies: investir 25 millions de dollars par année en R.-D., ou ne rien n'investir en R.-D. Si aucune des entreprises n'investit en R.-D., elles réaliseront un profit total de 100 millions de dollars, dont 30 millions de dollars pour Kimberly-Clark et 70 millions de dollars pour Procter & Gamble (case inférieure droite de la matrice de gains). Si les deux entreprises

---

**TABLEAU   13.5**

## Pampers contre Huggies : un jeu de R.-D.

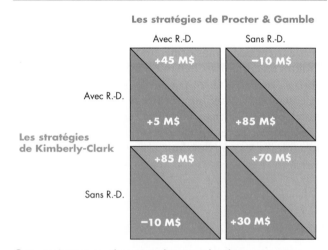

Case supérieure gauche: gains obtenus si les deux entreprises investissent en R.-D. Case inférieure droite: gains obtenus si aucune entreprise n'investit en R.-D. Case supérieure droite et case inférieure gauche: gains obtenus si une seule entreprise investit en R.-D. Le triangle rose représente les gains de Procter & Gamble et le triangle bleu, ceux de Kimberly-Clark. Pour les deux entreprises, l'équilibre en stratégies dominantes de ce jeu consiste à entreprendre de la R.-D. La structure de ce jeu est semblable à celle du jeu du dilemme du prisonnier.

investissent en R.-D., chacune maintient sa part du marché, mais doit déduire de son profit le coût de la R.-D. (case supérieure gauche de la matrice de gains). Si Kimberly-Clark est seule à investir en R.-D., elle gruge une large part du marché de Procter & Gamble et réalise un profit, tandis que Procter & Gamble essuie une perte (case supérieure droite de la matrice de gains). Enfin, si seule Procter & Gamble investit en R.-D., elle gruge une part du marché de Kimberly-Clark et augmente ainsi son profit, tandis que Kimberly-Clark subit une perte (case inférieure gauche).

Connaissant la matrice de gains du tableau 13.5, les deux entreprises cherchent la meilleure stratégie possible. Le raisonnement de Kimberly-Clark est le suivant : « Admettons que Procter & Gamble ne fasse pas de R.-D. Si je n'investis pas de mon côté, je fais un profit de 30 millions de dollars et si j'investis je fais un profit de 85 millions de dollars ; j'ai donc intérêt à investir en R.-D. D'autre part, si Procter & Gamble investit en R.-D. et que je n'investis pas, j'essuie une perte de 10 millions de dollars, alors que si j'investis je fais un profit de 5 millions de dollars. Là encore, j'ai intérêt à investir en R.-D. » Pour Kimberly-Clark, investir en recherche-développement est une stratégie dominante : l'entreprise a intérêt à faire cet investissement *quelle que soit la décision de Procter & Gamble.*

Procter & Gamble suit le même raisonnement : « Si Kimberly-Clark n'investit pas en R.-D., mon profit est de 70 millions de dollars si je n'investit pas, et de 85 millions de dollars si j'investis ; j'ai donc intérêt à investir. Si Kimberly-Clark fait de la R.-D., je fais un profit de 45 millions de dollars si j'en fais aussi tandis que, si je n'en fais pas, je subis une perte de 10 millions de dollars. Là encore, j'ai intérêt à investir en R.-D. » Investir en R.-D. est donc une stratégie dominante pour Procter & Gamble.

Comme la stratégie dominante des deux entreprises est d'investir en R.-D., le jeu atteint l'équilibre de Nash et les deux entreprises mettent sur pied des programmes de R.-D. Leurs profits sont moins élevés que si elles s'entendaient pour ne pas investir en recherche-développement, et atteignaient ainsi l'équilibre coopératif que permet la collusion.

Dans le monde réel, Procter & Gamble et Kimberly-Clark ne sont pas seuls sur le marché. De nombreuses entreprises se partagent une petite part du marché, chacune cherchant à gruger les parts de marché de Procter & Gamble et de Kimberly-Clark. Les investissements en R.-D. de chacune de ces deux entreprises ont donc pour effet non seulement de défendre leurs parts de marché respectives contre les attaques de l'autre, mais aussi de dresser des barrières à l'entrée qui protègent leur part de marché commune. Passons maintenant à l'étude d'un jeu d'entrée et de représailles où une entreprise tente d'en empêcher d'autres d'entrer dans une industrie. Ce type de jeu se joue dans ce que l'on appelle un marché contestable.

## Les marchés contestables

Un **marché contestable** est un type de marché dont l'entrée est absolument libre et la sortie, totalement exempte de coûts, de sorte qu'une entreprise (ou plusieurs) fait face à une concurrence parfaite de la part des entrants *potentiels.* Les routes desservies par les compagnies aériennes et les grandes voies navigables desservies par les compagnies de transport naval sont des exemples de marchés contestables, car même si une (ou plusieurs) entreprise exploite une route aérienne ou une voie navigable particulière, rien n'empêche d'autres entreprises d'entrer sur ces marchés lorsqu'il y a possibilité de profit économique et d'en sortir quand cette possibilité disparaît. Cette menace d'entrée empêche l'entreprise (ou les quelques entreprises) en place de réaliser un profit économique.

Si l'on utilise le ratio de concentration fondé sur quatre entreprises pour déterminer le degré de concurrence, un marché contestable ne semble pas être concurrentiel, mais apparenté plutôt à un oligopole ou à un monopole. Pourtant, le marché contestable se comporte comme un marché en concurrence parfaite. Nous allons voir pourquoi en étudiant un jeu baptisé jeu de l'entrée et des représailles.

## Le jeu de l'entrée et des représailles

Dans notre jeu de l'entrée et des représailles, deux joueurs s'affrontent : SolitAir, la seule entreprise en activité sur une route donnée, et NouvelAir, un entrant potentiel qui réalise un profit normal avec ses activités actuelles. Les stratégies de SolitAir consistent à fixer son prix soit au niveau qui permet au monopole de maximiser son profit ou encore au prix de marché concurrentiel (profit économique nul). Les stratégies de NouvelAir consistent à entrer sur le marché avec un prix légèrement inférieur à celui de SolitAir ou à ne pas y entrer du tout.

Le tableau 13.6 illustre les gains possibles de deux entreprises. Si NouvelAir n'entre pas sur le marché, SolitAir réalise un profit normal en fixant un prix concurrentiel ou un profit de monopole maximal (profit économique positif) en choisissant le prix de monopole. Si NouvelAir entre sur le marché et vend au-dessous du prix de SolitAir, cette dernière subit une perte économique, et cela qu'elle choisisse le prix concurrentiel ou le prix de monopole. En effet, NouvelAir s'empare du marché grâce à son prix plus avantageux, et SolitAir continue de supporter un coût alors que sa recette est nulle. Si SolitAir choisit le prix concurrentiel, NouvelAir réalise un profit normal si elle n'entre pas sur le marché, mais subit une perte économique si elle y entre avec un prix inférieur à celui de SolitAir, c'est-à-dire en fixant un prix inférieur au coût total moyen. Si SolitAir choisit le prix de monopole, NouvelAir réalise un profit économique si elle entre sur le marché, et un profit normal si elle n'y entre pas.

# Pleins FEUX sur les politiques

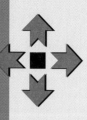

# Le dilemme du prisonnier à la pompe à essence

## Les faits
### EN BREF

■ Jusqu'au milieu des années 90, Irving Oil était le principal détaillant d'essence des provinces Atlantiques, tandis qu'Ultramar Canada n'était encore qu'un petit détaillant dans ce marché.

■ Aujourd'hui, Ultramar est le plus gros détaillant d'essence au Québec, à Terre-Neuve et à l'Île-du-Prince-Édouard, mais vient toujours derrière Irving en Nouvelle-Écosse et au Nouveau-Brunswick.

■ En baissant ses prix, Ultramar a augmenté ses ventes dans les provinces Atlantiques, au Québec et dans la vallée de l'Outaouais ontarien.

■ Ultramar a commencé par réduire de 1 ¢ le prix du litre d'essence dans ses 1 400 stations d'essence, mais une semaine plus tard son prix avait diminué de 12 ¢ le litre à Montréal.

■ Ultramar a déclaré qu'elle fixerait son prix au-dessous des prix de ses concurrents.

■ Ultramar subit une perte dans certaines stations d'essence, mais pour la compagnie il s'agit d'une stratégie à long terme.

■ Ultramar s'apprête à faire de gros investissements dans de nouveaux points de vente sur le marché de l'Est du Canada.

---

FINANCIAL POST, LE 29 JUILLET 1996

## Essence : Ultramar déclenche une guerre de prix

PAR GAVIN WILL

ST. JOHN'S — Les résidents des provinces Atlantiques, du Québec et de la vallée de l'Outaouais en Ontario bénéficient des retombées d'une guerre de prix de l'essence déclenchée par Ultramar Canada, qui mène une vigoureuse campagne d'expansion.

Les premières salves de ce qui s'annonce comme un été favorable aux automobilistes ont été tirées il y a juste une semaine : Ultramar annonçait alors une baisse de 1 ¢ sur le prix du litre d'essence ordinaire dans ses 1 400 stations d'essence.

Depuis, la baisse des prix d'Ultramar a atteint jusqu'à 12 ¢ le litre à Montréal, amenant le prix de l'essence à 50 ¢ le litre. De plus, Ultramar a déclaré qu'elle écraserait tous les concurrents qui oseraient se mesurer à elle.

« Nous sommes déterminés à offrir le plus bas prix de détail, et si nos concurrents essaient de nous imiter, nous baisserons encore nos prix pour battre les leurs » a déclaré le porte-parole d'Ultramar, M. Louis Forget. « Nous subissons des pertes dans certains endroits, mais nous travaillons à long terme — il n'est pas question ici de stratégie à court terme. »

De petit détaillant d'essence dans l'Est du Canada qu'elle était jusqu'à ces dernières années, la compagnie est devenue un joueur important sur ce marché grâce à un ambitieux programme d'acquisitions et d'investissements...

Ultramar est aujourd'hui le plus important distributeur d'essence du Québec, de Terre-Neuve et de l'Île-du-Prince-Édouard, mais reste derrière Irving Oil en Nouvelle-Écosse et au Nouveau-Brunswick.

La décision d'Ultramar de déclencher une guerre de prix semble viser Irving. En effet, selon George Benson, un analyste de l'industrie établi en Floride, la domination du marché par Irving peut avoir incité Ultramar à lancer sa campagne.

« Irving a toujours été un chef de file dans l'Est du Canada, et Ultramar n'est pas prête à s'y résigner, affirme Benson. Ultramar est une compagnie en plein essor, avec un nouveau management, et cette guerre de prix est le signe qu'elle ne continuera pas à laisser Irving faire la loi. » [...]

Relativement à la stratégie d'investissement d'Ultramar, Forget a annoncé la modernisation de 450 dépanneurs ainsi que la création de 50 stations d'essence. De plus, Ultramar prévoit investir 880 millions de dollars dans l'acquisition de stations d'essence supplémentaires et l'expansion de ses réseaux de distribution d'huile à chauffage.

# Analyse

## ÉCONOMIQUE

■ Deux entreprises dominent le marché de l'essence dans les provinces Atlantiques, au Québec et dans la vallée de l'Outaouais ontarien.

■ D'autres entreprises, plus petites, n'ont pas d'influence sur les prix et se comportent comme des entreprises en concurrence parfaite. On peut donc analyser ce marché en utilisant le modèle de duopole.

■ La figure 1 illustre la position d'Ultramar avant la guerre de prix. $D$ représente sa courbe de demande; $Rm$, sa courbe de recette marginale; $Cm$, sa courbe de coût marginal, et $CTM$, sa courbe de coût total moyen.

■ Ultramar a maximisé son profit économique à court terme en vendant la quantité $Q_0$ de litres d'essence par jour (niveau de production où la recette marginale est égale au coût marginal) au prix de 62 ¢ le litre. Le rectangle bleu représente le profit économique maximisé d'Ultramar.

■ La figure 2 illustre la situation que vise Ultramar en déclenchant une guerre de prix contre Irving Oil. En descendant son prix à 50 ¢ le litre, Ultramar augmente son volume de ventes, qui passe à $Q_1$. Mais, à ce niveau de production et à ce prix, elle subit une perte, représentée par le rectangle rose.

■ Il s'agit là d'une stratégie à long terme : Ultramar souhaite s'emparer d'une partie de la demande d'Irving et augmenter ainsi la sienne. À mesure que les concurrents seront évincés, la demande d'Ultramar montera de $D_0$ à $D_1$ et la compagnie pourra finalement relever son prix et vendre encore plus d'essence.

■ Dans la figure 2, Ultramar finit par relever son prix à 62 ¢ le litre et par vendre $Q_2$ litres par jour. Le rectangle bleu représente son profit économique espéré.

■ La figure 3 présente une matrice de gains pour le jeu auquel se livrent Ultramar et Irving Oil. Où se situe l'équilibre de ce jeu ?

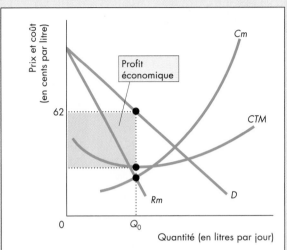

**Figure 1  Avant la guerre de prix**

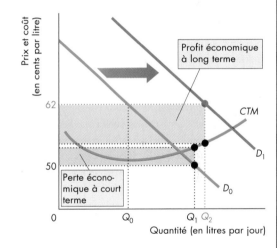

**Figure 2  Après la guerre de prix**

## À vous

### DE VOTER

■ À long terme et à court terme, qui profite d'une guerre de prix comme celle décrite dans cet article ?

■ Le gouvernement devrait-il intervenir pour empêcher cette guerre de prix ?

■ Écrivez une lettre à votre député lui exposant votre point de vue sur ces questions.

**Stratégies d'Ultramar**

|  | Prix maintenu | Prix réduit |
|---|---|---|
| **Prix maintenu** | +50 $ / +200 $ | +350 $ / −100 $ |
| **Prix réduit** | +25 $ / +175 $ | +100 $ / 0 $ |

**Stratégies d'Irving**

**Figure 3  Gains découlant de la guerre de prix**

## TABLEAU 13.6

## SolitAir contre NouvelAir : un jeu d'entrées et de représailles

**Les stratégies de SolitAir**

|  | Prix de monopole | Prix concurrentiel |
|---|---|---|
| **Entre sur le marché et fixe un prix inférieur à celui de SolitAir** | Perte économique / Profit économique | Perte économique / Perte économique |
| **N'entre pas** | Profit de monopole / Profit normal | Profit normal / Profit normal |

**Les stratégies de NouvelAir**

SolitAir est la seule entreprise sur un marché contestable. Si Solit-Air choisit le prix de monopole, NouvelAir pourra réaliser un profit économique en entrant sur ce marché et en vendant à un prix inférieur à celui de SolitAir, ou réaliser un profit normal en n'entrant pas sur ce marché. Par conséquent, si SolitAir choisit le prix de monopole, NouvelAir entrera sur ce marché. Si SolitAir choisit le prix concurrentiel, NouvelAir réalisera un profit normal en n'entrant pas sur ce marché ou subira une perte économique en y entrant. Par conséquent, si SolitAir établit son prix à un niveau concurrentiel, NouvelAir n'entrera pas sur ce marché. Si NouvelAir entre sur ce marché, SolitAir subira une perte économique quel que soit le prix qu'elle a fixé. L'équilibre de Nash de ce jeu est atteint lorsque SolitAir choisit le prix concurrentiel, que NouvelAir n'entre pas sur ce marché et que les deux entreprises réalisent un profit normal.

L'équilibre de Nash de ce jeu est atteint lorsque SolitAir choisit un prix concurrentiel et réalise un profit normal, et que NouvelAir n'entre pas sur ce marché. Si SolitAir choisit le prix de monopole, NouvelAir entrera sur le marché et s'appropriera le marché en vendant à un prix inférieur ; SolitAir subira une perte économique égale au coût fixe total. SolitAir évite ce résultat en maintenant le prix concurrentiel, ce qui empêche NouvelAir d'entrer sur le marché.

**La fixation de prix limite**   La **fixation de prix limite** est la pratique qui consiste à fixer un prix inférieur au prix de monopole et à produire une quantité supérieure à celle où la recette marginale est égale au coût marginal, afin d'empêcher l'entrée d'entreprises sur le marché. Nous avons vu un exemple de fixation de prix limite dans le jeu que nous venons d'étudier, mais cette pra-

tique est plus généralisée. Ainsi, une entreprise peut utiliser la fixation de prix limite pour convaincre des entrants potentiels que ses propres coûts sont si bas qu'elles subiront une perte économique si elles entrent sur ce marché. Reprenons l'exemple de SolitAir et de NouvelAir pour voir comment cela fonctionne.

NouvelAir connaît le prix du marché actuel ; elle ignore quels sont les coûts et le profit de SolitAir, mais peut les connaître par déduction. Supposons que NouvelAir évalue la recette marginale à 50 % du prix ; si le prix est de 100 $, NouvelAir estime que la recette marginale est de 50 $. NouvelAir peut supposer que SolitAir maximise son profit en faisant en sorte que sa recette marginale soit égale à son coût marginal ; en s'appuyant sur cette hypothèse, NouvelAir calcule que le coût marginal de SolitAir est de 50 $. Si le coût marginal est supérieur à ce montant, NouvelAir ne pourra pas soutenir la concurrence de SolitAir, et abandonnera l'idée d'entrer sur le marché ; cependant, s'il est inférieur à 50 $, NouvelAir pourra non seulement entrer sur le marché, mais aussi en chasser SolitAir.

Sachant que NouvelAir (et d'autres entrants potentiels) raisonnent ainsi, SolitAir peut avoir recours à la fixation de prix limite pour envoyer un signal trompeur, mais crédible. Ainsi, elle peut descendre son prix à 80 $ (par exemple) pour faire croire à NouvelAir que son coût marginal n'est que de 40 $ (50 % de 80 $). Plus Nouvel-Air et les autres entrants potentiels croient que le coût marginal de SolitAir est bas, moins ils seront tentés d'entrer sur le marché. Dans certains cas, le recours stratégique à la fixation des prix limite permet à une entreprise (ou à un groupe d'entreprises) de limiter l'entrée et de perpétuer un monopole ou un oligopole de collusion.

◆ La rubrique « Entre les lignes », p. 308, nous donne un autre exemple de la pertinence de la théorie des jeux appliquée à l'oligopole, en l'occurrence à une guerre de prix dans l'industrie de l'essence de l'Est du Canada.

Nous connaissons maintenant les quatre principales structures de marché — la concurrence parfaite, la concurrence monopolistique, l'oligopole et le monopole — et savons comment on y détermine les prix, les niveaux de production, les recettes, les coûts et les profits. L'un des aspects essentiels de notre analyse des marchés des biens et services est le comportement des coûts. Les prix sont déterminés en partie par la technologie disponible, et en partie par le prix des facteurs de production. Nous verrons maintenant comment se déterminent les prix de ces facteurs de production.

Les entreprises décident *comment* produire ; les relations entre les ménages et les entreprises dans les marchés des biens et services déterminent les biens et les services (*quoi* produire) qui doivent être produits. Toutefois, le prix des facteurs déterminés dans les marchés des facteurs de production détermine *qui* achètera les divers biens et services produits.

# RÉSUMÉ

## Points clés

**La diversité des structures de marché** Il y a concurrence monopolistique lorsqu'un grand nombre d'entreprises se font concurrence en offrant des produits légèrement différents. L'oligopole est un marché constitué d'un petit nombre d'entreprises en concurrence ; un tel marché peut être concurrentiel si la faiblesse des barrières à l'entrée permet à de nouvelles entreprises concurrentes d'y pénétrer. Le ratio de concentration fondé sur quatre entreprises et l'indice Herfindahl-Hirschman sont des indicateurs de la puissance du marché. Au Canada, la plupart des industries sont concurrentielles, mais on trouve aussi d'importants éléments oligopolistiques et monopolistiques. (p. 286-290)

**La concurrence monopolistique** Dans les marchés de concurrence monopolistique, les entreprises choisissent leur prix ainsi que leur niveau de production. L'absence de barrière à l'entrée entraîne un profit économique nul à long terme. Toutefois, les entreprises ont une capacité de production excédentaire. La concurrence monopolistique est inefficiente, car le coût marginal est inférieur au prix ; cependant, cette non-efficience doit être évaluée en tenant compte de la grande variété des produits qu'offre ce type de marché. (p. 290-293)

**L'oligopole** Dans un oligopole, les entreprises tiennent compte des effets de leurs propres décisions sur le comportement d'autres entreprises, et des effets des décisions de ces entreprises sur leurs propres profits.

Si les entreprises concurrentes répondent aux baisses de prix, mais non aux hausses, chacune fait face à une courbe de demande coudée et sa courbe de recette marginale est discontinue. Dans l'écart créé par cette discontinuité de la recette marginale, les fluctuations du coût marginal n'ont aucun effet sur le prix ni sur le niveau de production.

Si une seule entreprise domine l'industrie, elle se comporte comme un monopole et choisit le prix qui lui permet de maximiser son profit. Les petites entreprises ne peuvent alors qu'accepter ce prix. (p. 293-295)

**La théorie des jeux** La théorie des jeux est une méthode d'analyse du comportement stratégique. Les joueurs choisissent des stratégies dont les effets combinés entraînent l'équilibre du jeu. Dans un jeu classique, le dilemme du prisonnier, deux prisonniers, chacun agissant dans son propre intérêt, avouent un délit. (p. 296-298)

**Le jeu de l'oligopole** Le jeu de duopole ressemble au jeu du dilemme du prisonnier. Les entreprises peuvent conclure une entente pour réaliser des profits de monopole, mais l'une d'elles peut rompre l'entente et tenter de réaliser de plus gros profits aux dépens de l'autre. Si le jeu n'est joué qu'une seule fois, les deux entreprises trichent. Le niveau de production et le prix sont les mêmes que ceux qui auraient cours sur un marché de concurrence parfaite. Si le jeu est répété, une stratégie de coup pour coup peut inciter les deux entreprises à maintenir un prix de monopole.

La théorie des jeux permet d'étudier la plupart des décisions des entreprises : entrées sur le marché, sorties du marché, investissement en publicité, modification des produits, discrimination par les prix ou investissements en recherche-développement. (p. 298-310)

## Figures et tableaux clés

## Mots clés

## QUESTIONS DE RÉVISION

1. Quelles sont les principales structures de marché et qu'est-ce qui les caractérise ?
2. Comment une entreprise peut-elle différencier ses produits ?
3. Qu'est-ce qu'un ratio de concentration ? Si le ratio de concentration fondé sur quatre entreprises est de 90 %, qu'est-ce que cela signifie ?
4. Qu'est-ce que l'indice Herfindahl-Hirschman ? Que signifie le fait que cet indice soit élevé ?
5. Donnez des exemples d'industries canadiennes dont le ratio de concentration est élevé et d'autres dont le ratio de concentration est faible.
6. Quelle est la valeur du ratio de concentration fondé sur quatre entreprises pour chacune des grandes structures de marché ?
7. Qu'est-ce qui différencie la concurrence monopolistique de la concurrence parfaite ?
8. La concurrence monopolistique est-elle efficiente ? Pourquoi ?
9. Pourquoi la courbe de demande d'un oligopole peut-elle être coudée ? Quels sont les effets d'une courbe de demande coudée sur la recette marginale d'une entreprise ?
10. Dans quels cas le modèle d'entreprise dominante de l'oligopole peut-il être pertinent ?
11. Énumérez les grandes caractéristiques communes à tous les jeux.
12. Qu'est-ce que le dilemme du prisonnier ?
13. Qu'entend-on par équilibre de Nash ?
14. Qu'est-ce qu'un équilibre en stratégies dominantes ?
15. Quelles caractéristiques du duopole permettent de le considérer comme un jeu entre deux entreprises ?
16. Qu'entend-on par jeux répétés ?
17. Expliquer ce qu'est une stratégie de coup pour coup.
18. Qu'est-ce qu'une guerre de prix ? Quel est l'effet d'une guerre de prix sur le profit des entreprises et sur la rentabilité de l'industrie ?
19. Qu'est-ce qu'un marché contestable ? L'indice Herfindahl-Hirschman révélera-t-il l'existence d'un tel marché ? Comment fonctionne un marché contestable ?
20. Qu'est-ce que la fixation de prix limite ? Comment une entreprise peut-elle utiliser la fixation de prix limite pour augmenter son profit économique ?

## ANALYSE CRITIQUE

1. Lisez attentivement la rubrique « Entre les lignes », (p. 308) puis répondez aux questions suivantes :
   a) Quel type de marché décrit le mieux le marché de la vente au détail de l'essence dans les provinces Atlantiques, le Québec et la vallée de l'Outaouais ontarien ?
   b) À part celles que nous avons étudiées dans la rubrique Entre les lignes, quelles stratégies les compagnies Ultramar et Irving Oil auraient-elles pu adopter ? Comment ces autres stratégies auraient-elles modifié la nature du jeu et l'éventail des résultats possibles ? [Suggestion : pensez à ce que font les stations d'essence que vous connaissez pour attirer la clientèle.]
   c) Supposons qu'une crise militaire au Moyen-Orient entraîne une hausse de 100 % du prix mondial du pétrole. Quel effet cet événement aurait-il sur la situation dans l'Est du Canada ?
   d) Supposons que PetroCan construise une station d'essence dans chaque municipalité de l'Est du Canada. Quel serait l'effet de cette décision sur le marché que décrit l'article ? Cette initiative de PetroCan serait-elle sage ?
2. La prochaine fois que vous regarderez la télévision, prêtez attention aux types de produits qui sont annoncés. Comptez le nombre de messages publicitaires consacrés à des entreprises comme : Nike et Reebok, Molson et Labatt, Kodak et autres compagnies semblables, Coke et Pepsi, Apple et IBM, America Online et autres services Internet.
   a) À quel type d'industrie ces entreprises appartiennent-elles ?
   b) Pourquoi ces entreprises dépensent-elles autant en publicité ?
   c) À l'aide de la théorie des jeux, établissez une matrice de gains (hypothétiques) pour le jeu auquel se livrent Nike et Reebok.
   d) Expliquez l'équilibre de ce jeu.
   e) Quel est le résultat de ce jeu entre Nike et Reebok : des gains pour les deux entreprises, des pertes pour les deux entreprises ou des gains pour l'une et des pertes pour l'autre ?
   f) Pourquoi Nike et Reebok se livrent-elles à ce jeu ?
3. Donnez un exemple de marché contestable dans votre ville ou votre province. Expliquez pourquoi il s'agit bien d'un marché contestable. Utilisez l'analyse présentée dans ce chapitre pour expliquer comment se déterminent dans ce marché le prix, la quantité et le profit économique.

# PROBLÈMES

1. Le graphique suivant illustre la situation de Pied léger inc., un fabricant de chaussures de sport.

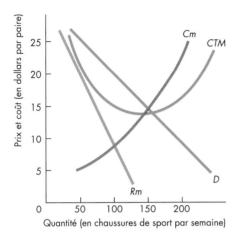

a)   Qualifiez ce marché des chaussures de course.
b)   Quelle quantité de chaussures Pied léger produit-elle?
c)   Quel prix demande-t-elle?
d)   Quel est le profit de Pied léger?

2. Une industrie en concurrence monopolistique vit un équilibre à long terme, comme celui qu'illustre le graphique 13.2 (b). La demande du produit de cette industrie augmente, ce qui fait augmenter la demande de produits de chaque entreprise. En utilisant des graphiques semblables à ceux de la figure 13.2, analysez les effets à long terme et à court terme de cette hausse de la demande sur le prix, le niveau de production et le profit économique.

3. Une autre industrie en concurrence monopolistique qui vit un équilibre à long terme comme l'illustre le graphique 13.2 (b) connaît une forte hausse salariale. En utilisant des graphiques semblables à ceux de la figure 13.2, analysez les effets à court terme et à long terme de cette augmentation des salaires sur le prix, le niveau de production et le profit économique.

4. Une entreprise dont la courbe de demande est coudée connaît une augmentation de son coût variable. Expliquez quel en est l'effet sur le prix, la production et le profit ou la perte économique de cette entreprise.

5. Une industrie constituée par une très grande entreprise et 100 très petites entreprises connaît une augmentation de la demande de son produit. En utilisant le modèle de l'entreprise dominante, expliquez quels en sont les effets sur:
a)   Le prix, la production et le profit économique de la grande entreprise.
b)   Le prix, la production et le profit économique d'une petite entreprise typique.

6. Décrivez le jeu connu sous le nom de dilemme du prisonnier.
a)   Imaginez une situation pour ce jeu.
b)   Construisez la matrice de gains.
c)   Décrivez comment on y obtient l'équilibre de ce jeu.

7. Le jeu suivant se joue à deux joueurs. Une question est posée à chacun d'eux. Ils peuvent y répondre soit en disant la vérité, soit en mentant. Si tous deux disent la vérité, ils recevront chacun 100 $. Si l'un d'eux dit la vérité tandis que l'autre ment, le menteur reçoit 500 $ et le joueur honnête ne reçoit rien. Si les deux mentent, ils reçoivent chacun 50 $.
a)   Décrivez le jeu en parlant des joueurs, des stratégies et des gains.
b)   Construisez la matrice de gains.
c)   Quel est l'équilibre de ce jeu?

8. Deux entreprises, Savonex et Brillo, sont les deux seuls fabricants de savon à lessive sur le marché. Elles conviennent de se partager également le marché. Si les deux entreprises respectent l'entente, elles font un profit de 1 million de dollars chacune. Si l'une des entreprises triche, elle réalise un profit de 1,5 million de dollars, tandis que l'autre subit une perte de 0,5 million de dollars. Aucune des deux n'est en mesure d'observer les actions de l'autre.
a)   Quelle est la meilleure stratégie pour chacune de ces entreprises si elles ne jouent qu'une seule fois?
b)   Quel est le profit économique des deux entreprises si aucune des deux ne respecte l'entente?
c)   Construisez la matrice de gains en supposant que les entreprises ne jouent qu'une seule fois.
d)   S'il n'y a qu'un seul jeu, quel est l'équilibre de ce jeu?
e)   Supposez que ce jeu de duopole se joue indéfiniment et décrivez quelques-unes des stratégies qui s'offrent aux fabricants.

Né en 1946, à Toronto, Craig Riddell est professeur au département d'économique — qu'il a d'ailleurs dirigé — de la University of British Columbia. Il a fait ses études au Collège militaire royal du Canada, puis à la Queen's University, où il a obtenu son Ph. D. en 1977. Il a commencé à enseigner en 1975 à la University of Alberta, pour passer en 1979 à la University of British Columbia. Le professeur Riddell a agi comme conseiller économique auprès de nombreux ministères fédéraux et provinciaux ainsi que de plusieurs organismes internationaux. Il a été coprésident du Forum canadien de recherche sur la situation d'emploi, collaborateur de l'Institut canadien des recherches avancées et président de l'Association canadienne d'économique.

ENTRETIEN AVEC Craig Riddell

Chercheur prolifique, le professeur Riddell a travaillé ces dernières années sur diverses questions relatives à l'économique du travail et aux relations de travail. Nous avons discuté avec lui de ses recherches et, plus largement, du marché du travail au Canada.

**M. Riddell, qu'est-ce qui vous amené à l'économique ?**

J'ai d'abord commencé des études en génie chimique mais, la deuxième année, je me suis inscrit à un cours d'initiation à l'économique. À cette époque, je connaissais très mal cette science sociale que, comme beaucoup de gens, je confondais avec l'administration des affaires et le commerce… L'économique m'a attiré pour diverses raisons. D'abord, à cause de l'importance sociale considérable des questions qu'elle aborde. Pourquoi certains pays sont-ils riches et d'autres pauvres ? Comment les sociétés devraient-elles répartir leurs rares ressources pour permettre aux gens d'atteindre un bien-être optimal ? Qu'est-ce qui provoque les hauts et les bas du cycle économique ? Et ainsi de suite… J'aimais aussi la rigueur analytique de cette discipline, et le fait qu'elle nous donne des d'outils pour aborder ces « grandes questions », ainsi que bien d'autres moins importantes. Et puis, j'étais séduit par sa pertinence politique.

**Ces dernières années, vous avez consacré beaucoup de temps à l'étude du chômage. En quoi ce sujet vous intéresse-t-il?**

D'abord à cause de son importance : le chômage peut conduire à la sous-utilisation du temps et du talent des gens, à la baisse de leurs revenus et à la pauvreté. La persistance d'un taux élevé chômage amène de nombreux observateurs à mettre en cause la capacité du marché du travail de remplir son rôle clé : harmoniser la demande d'emploi des travailleurs et la demande de main-d'œuvre des employeurs. C'est pourquoi le taux de chômage est l'un des indicateurs économiques que nous surveillons le plus attentivement.

**Pourquoi le taux de chômage reste-t-il si élevé au Canada alors qu'il a tellement baissé aux États-Unis ?**
Avant tout, nous devons reconnaître (ou admettre…) que, malgré des recherches assez poussées, nous ne pouvons toujours pas répondre à cette question de façon pleinement satisfaisante. Mais certains éléments importants sont assez clairs. D'abord, il faut distinguer les années 1980 et les années 1990. Au début des années 1980, on a commencé à voir apparaître entre les deux pays un écart de 2 à 3 points, écart qui s'est accru dans les années 1990. Il serait tentant d'attribuer le fait que notre taux de chômage soit plus élevé à une performance économique plus faible que celle des États-Unis — au fait que le taux de croissance de l'économie canadienne n'a pas été rapide et n'a pas permis de créer assez d'emplois. Ça a effectivement été le cas dans les années 1990 — tant la croissance de la production que la croissance de l'emploi ont été beaucoup plus faibles au Canada qu'aux États-Unis. On peut attribuer une bonne partie de cet écart des taux de chômage dans les années 1990 à la lenteur de la croissance économique canadienne, qui semble elle-même largement attribuable à une politique anti-inflationniste beaucoup plus vigoureuse ici qu'aux États-Unis à la fin des années 1980 et au début des années 1990. Mais ce scénario ne semble pas s'appliquer aux années 1980 ; en effet, durant cette décennie, la performance globale de notre économie n'était pas plus mauvaise que celle de l'économie américaine. En fait, dans l'ensemble, la croissance de la production de biens et services comme celle de l'emploi se ressemblaient beaucoup dans nos deux pays. L'écart entre les taux de chômage du Canada et des États-Unis dans les années 1980 s'explique en bonne partie par la manière dont les Canadiens sans emploi ont utilisé leur temps comparativement aux Américains : les travailleurs canadiens sans emploi se sont montrés plus enclins à chercher du travail, et les travailleurs américains sans emploi, à quitter le marché

*L'écart entre les taux de chômage du Canada et des États-Unis dans les années 1980 s'explique en bonne partie par la manière dont les Canadiens sans emploi ont utilisé leur temps comparativement aux Américains [...]*

du travail. Si l'on pouvait comprendre les raisons de cette différence de comportement, on pourrait facilement expliquer les origines de l'écart entre nos taux de chômage.

**En quoi le marché du travail canadien est-il différent du marché du travail américain ?**
Par rapport aux différences marquées que l'on observe entre la plupart des systèmes économiques et des sociétés, le Canada et les États-Unis se ressemblent beaucoup, et ces similarités se retrouvent sur le marché du travail. Nos deux pays ont une main-d'œuvre très scolarisée et qualifiée, et des structures professionnelles et industrielles semblables. Mais nos marchés du travail présentent aussi un certain nombre de différences. Au Canada, les politiques de main-d'œuvre se situent généralement entre le *laisser faire* total à l'américaine et l'approche européenne plus réglementée. Les principaux programmes de soutien du revenu de la population en âge de travailler — l'assurance-emploi et l'assistance sociale — couvrent une partie plus importante de la population et assurent aux chômeurs des revenus plus élevés que leurs équivalents américains.

Une étude comparative récente sur le travail au Canada et aux États-

Unis concluait que les différences de nos marchés du travail et de nos politiques de soutien du revenu exercent une influence réelle sur la production et sur le comportement de nos sociétés — ce sont de « petites différences qui comptent », pour reprendre une expression qui résume les conclusions d'une série d'études.

**Pouvez-vous, à partir de vos propres travaux, nous donner un exemple de ces « petites différences qui comptent » ?**
L'importance relative des syndicats dans ces deux pays au cours des trois dernières décennies en est un bon exemple. Jusqu'au milieu des années 1960, l'évolution de la syndicalisation au Canada et aux États-Unis était très semblable. Or, aujourd'hui, la protection syndicale est deux fois plus importante au Canada qu'aux États-Unis. Autrement dit, un travailleur canadien choisi au hasard dans le secteur public ou dans le secteur privé a deux fois plus de chances d'être protégé par une convention collective qu'un travailleur américain.

On a avancé un certain nombre de raisons pour expliquer le déclin des syndicats aux États-Unis et l'émergence d'un écart substantiel entre les taux de syndicalisation au

Canada et aux États-Unis : 1) l'évolution de la structure économique (déclin de l'emploi dans les manufactures, croissance de l'emploi dans le secteur des services, croissance du travail à temps partiel, croissance des petites entreprises, etc. ; 2) des attitudes différentes face aux syndicats ; 3) une demande accrue de protection syndicale des travailleurs canadiens ; et 4) des lois du travail différentes, notamment à l'égard de la syndicalisation et des conventions collectives ainsi que de l'administration et de l'application de ces lois. Mes travaux sur la syndicalisation au Canada et aux États-Unis ne corroborent pas les trois premières explications ; par contre, ils confirment la quatrième. Les différences relatives aux lois du travail et à leur application sont la principale source de l'écart entre les taux canadiens et américains de syndicalisation.

**Vous avez également étudié l'assurance-emploi. On sait que ce sujet a suscité un grand débat d'orientation de politique qui a débouché sur d'importantes réformes au Canada. Quel rôle a joué la recherche dans ce débat ?**
Voilà un cas qui illustre bien l'évolution actuelle des sciences sociales. En 1971, le Canada avait apporté d'importantes modifications à son programme d'assurance-chômage, entre autres en étendant sensiblement la couverture de ce programme, en offrant des niveaux de prestations accrus et en réduisant les exigences d'admissibilité. À l'époque, on connaissait mal les effets de l'assurance-chômage sur le marché du travail. Depuis, un corpus de recherches substantiel s'est constitué au Canada et à l'étranger. Avec le recul, nous pouvons voir aujourd'hui que certains changements effectués en 1971 n'étaient probablement pas judicieux. Les modifications apportées en 1996

au programme d'assurance-chômage (rebaptisé « assurance-emploi ») découlent de l'accumulation de nouvelles données sur leurs effets probables ; plus que toutes les précédentes, cette réforme s'appuie sur des résultats de recherche.

**À votre avis, quel type de recherche sur le marché du travail pourrait donner les résultats économiques les plus positifs ?**
La recherche internationale comparée, un domaine qui connaît maintenant un certain essor, donnera des résultats intéressants pendant un certain temps. Les politiques et les données institutionnelles relatives au marché du travail diffèrent beaucoup d'un pays à l'autre ; leur étude élargit nos perspectives et nous permet de mieux comprendre leurs répercussions.

Je crois également qu'on peut tirer plusieurs leçons des « expérimentations sociales », c'est-à-dire de situations où la répartition dans un groupe expérimental ou un groupe témoin se fait de manière aléatoire. La science économique restera encore longtemps une science essentiellement non expérimentale, et la répartition aléatoire n'est ni pratique ni possible dans tous les cas. Néanmoins, il existe de nombreuses interventions sur le marché du travail dont les effets sur le comportement peuvent être déterminés avec plus de certitude que ne le permettent actuellement les expérimentations sociales. Les responsables des politiques doivent avoir une vision à long terme ; ils doivent reconnaître que ces expérimentations permettent d'approfondir nos connaissances sur les effets probables des interventions politiques, d'augmenter les chances que les politiques à venir aient les effets désirés et de mieux appréhender leurs conséquences imprévues.

> *L'économique requiert divers types d'habiletés [...] je crois qu'on se trompe en se limitant à des sujets très techniques et analytiques. Il est évidemment indispensable d'avoir une bonne « trousse à outils », mais cela ne suffit pas.*

**Quels sujets conseilleriez-vous à l'étudiant ou à l'étudiante qui veut devenir économiste de nos jours ?**
L'économique requiert divers types d'habiletés, ce qui en fait une profession exigeante mais passionnante. D'une part, il est indispensable d'acquérir des bases solides en mathématiques et en statistiques. J'insisterais sur l'utilité des habiletés empiriques — capacité de manier et d'interpréter des données — parce que je crois que l'économique deviendra de plus en plus une science empirique. D'autre part, il est important de bien connaître les institutions ainsi que les enjeux liés aux politiques. Pour ces raisons, je crois qu'on se trompe en se limitant à des sujets très techniques et analytiques. Il est évidemment indispensable d'avoir une bonne « trousse à outils », mais cela ne suffit pas. Il vaut donc mieux s'exposer à un large éventail de sujets que de se concentrer sur un seul.

# La détermination du prix et l'allocation des facteurs de production

**Objectifs du chapitre**

- Expliquer comment les entreprises déterminent quelles quantités de travail, de capital et de terre elles demanderont sur le marché

- Expliquer comment les ménages déterminent quelles quantités de travail, de capital, de terre et d'esprit d'entreprise ils offriront sur le marché

- Expliquer comment sont déterminés les salaires, les taux d'intérêt, les loyers et le profit normal sur les marchés de facteurs concurrentiels

- Expliquer le concept de rente économique et établir la distinction entre rente économique et valeur de réserve

## Pourquoi travailler ?

**M**ême si c'est votre anniversaire aujourd'hui, vous travaillerez probablement toute la journée. Comme tant de gens, vous vous y résignez parce que vous savez qu'à la fin de la semaine ou du mois vous récolterez le fruit de votre travail sous forme de revenu.

Quant à l'ampleur de ce revenu, elle peut varier considérablement. Pierre Tremblay passe de longues et glaciales journées d'hiver suspendu dans une nacelle au sommet de la tour du Stade olympique à laver des vitres ; en retour de ce travail, il reçoit un revenu de 12 $ l'heure. François Bouchard, lui, reçoit l'équivalent de 4,6 millions de dollars (incluant une Mercedes-Benz) pour trois ans ; son travail consiste à jouer quelques dizaines de matchs de hockey par année. Pendant ce temps, les étudiants qui travaillent chez McDonald's ou dans les champs, gagnent à peine le salaire minimum. Pourquoi les emplois ne sont-ils pas *tous* bien rémunérés ? ♦ Sauf exception, rien n'est plus facile que de dépenser entièrement sa paye ; pourtant, la plupart d'entre nous décidons d'épargner une partie de nos revenus. Mais qu'est-ce qui détermine le montant que nous épargnons et le rendement de nos épargnes ? Comment le rendement de ces épargnes influe-t-il sur leur répartition entre les innombrables industries et activités qui utilisent nos ressources en capital ? ♦ Certains tirent un revenu des terrains qu'ils possèdent, revenu qui varie considérablement selon l'emplacement et la qualité des terrains en question. Le loyer d'un hectare de bonne terre agricole au Manitoba est d'environ 1 000 $ par année, tandis que le loyer annuel des quelques dizaines de mètres carrés où se dresse la Place Ville-Marie à Montréal se monte à plusieurs millions de dollars. Qu'est-ce qui détermine le loyer que les gens sont prêts à payer pour divers types de terrain ? Pourquoi les loyers sont-ils si élevés dans les grandes villes et si bas dans les grandes régions agricoles du pays ?

◖ Dans ce chapitre, nous étudierons les marchés des facteurs de production – travail, capital, terre et esprit d'entreprise. Nous apprendrons aussi comment se déterminent leurs prix et, par conséquent, les revenus des consommateurs.

# Les prix des facteurs de production et les revenus

NOUS L'AVONS VU AU CHAPITRE 1 (P. 18), QUATRE facteurs permettent la production des biens et des services : le *travail*, le *capital*, la *terre* et l'*esprit d'entreprise*. Les propriétaires de ces facteurs de production offrent des *services* de facteurs aux entreprises qui les demandent. Ces services sont des *flux* — des quantités par *unité de temps*.

Les entreprises utilisent les *services* de facteurs de production et, en contrepartie, leurs propriétaires reçoivent des revenus, qui sont déterminés par le prix des services de facteurs, ou *prix des facteurs,* soit le *salaire* du travail, l'*intérêt* du capital, la *rente* (ou loyer) de la terre et des ressources naturelles, et le *profit normal* de l'esprit d'entreprise. En plus des revenus des quatre facteurs de production, un revenu résiduel, le *profit économique* (positif ou négatif), revient aux propriétaires des entreprises.

Les propriétaires des entreprises peuvent également être les fournisseurs d'un ou de plusieurs des quatre facteurs de production. Habituellement, les propriétaires des petites entreprises sont des entrepreneurs, et les propriétaires des grandes sociétés sont des actionnaires. Il arrive aussi — comme chez Algoma Steel inc. — que les employés détiennent une bonne part du capital-actions de l'entreprise.

## Les prix des facteurs et les coûts d'opportunité

Les prix des facteurs sont une source de revenus pour leurs détenteurs, mais, pour les entreprises qui les utilisent, ils représentent un *coût d'opportunité*. Le salaire est le coût d'opportunité du travail ; l'intérêt est le coût d'opportunité du capital ; la rente est le coût d'opportunité de la terre et des ressources naturelles, et le profit normal est le coût d'opportunité de l'esprit d'entreprise. La notion de prix des facteurs comme coût d'opportunité pour les entreprises nous permet de mieux saisir la nature des prix de facteurs de production comme le capital et la terre.

Pourquoi, en effet, l'intérêt est-il le prix du capital ? Pourquoi le prix du capital n'est-il pas le prix de l'équipement lui-même — le prix d'une machine à tricoter pour la fabrique de chandails de Maille Maille, d'un ordinateur pour un conseiller fiscal ou d'une ligne de montage pour GM ? Parce que ce ne sont pas là les coûts d'opportunité de l'*utilisation* du capital, mais les prix auxquels le capital peut être acheté *et vendu* — les prix auxquels une partie du capital peut changer de mains. Le coût d'opportunité de l'*utilisation* du capital est la meilleure possibilité à laquelle on a renoncé ; cette autre possibilité aurait été d'utiliser les fonds consacrés à l'achat du bien d'équipement pour générer des intérêts. Le coût d'opportunité de l'utilisation du capital est donc l'intérêt qu'auraient rapporté ces fonds s'ils n'étaient pas immobilisés par l'achat de capital. Si ces fonds sont empruntés, l'entreprise paiera un intérêt *explicite* au prêteur ; si les fonds lui appartiennent, le coût d'intérêt sera *implicite* — il correspondra à l'intérêt qu'auraient généré ces fonds si l'entreprise les avait utilisés autrement. Il en est de même pour la terre ; le coût d'opportunité de son utilisation est sa rente, et non pas son prix d'achat.

## Vue d'ensemble d'un marché de facteur concurrentiel

Nous allons maintenant voir comment un marché concurrentiel des services d'un facteur de production donné détermine le prix, la quantité utilisée et le revenu de ce facteur.

Notons d'abord qu'il n'y a de marché que pour trois facteurs de production : le travail, le capital et la terre. Le quatrième facteur, l'esprit d'entreprise, est offert et demandé par chaque entrepreneur, qui cherche constamment des possibilités de profit économique. Les entrepreneurs entrent dans les industries où ils peuvent réaliser un profit économique, quittent celles où ils subissent une perte économique et restent dans celles qui réalisent un profit normal. Ils mettent sur pied des entreprises qui créent une demande pour les trois autres facteurs de production.

Cela dit, tâchons de comprendre à l'aide du modèle de l'offre et de la demande quelles forces déterminent le prix et la quantité sur un marché de facteur. La demande d'un facteur de production fluctue selon le prix de ce facteur : la demande de travail fluctue selon le salaire, la demande de capital selon l'intérêt et la demande de terre selon la rente. La loi de la demande s'applique aux facteurs de production exactement comme aux biens et services. Moins le prix d'un facteur est élevé, toutes autres choses étant égales, plus la quantité demandée de ce facteur est forte. La figure 14.1 présente la courbe de demande (*D*) d'un facteur de production.

Comme la demande, l'offre d'un facteur fluctue selon le prix de ce facteur. À une exception près — nous y reviendrons —, la loi de l'offre s'applique aux facteurs de production. Plus le prix d'un facteur est élevé, toutes autres choses étant égales, plus la quantité offerte de ce facteur est grande. La figure 14.1 présente la courbe d'offre (*O*) d'un facteur de production.

Le point d'intersection des courbes de demande et d'offre d'un facteur détermine son prix d'équilibre. Le graphique de la figure 14.1 illustre cet équilibre : *PF* représente le prix du facteur, et *QF,* la quantité utilisée.

Le revenu généré par un facteur de production correspond à son prix multiplié par la quantité utilisée.

FIGURE 14.1
## L'offre et la demande sur un marché de facteur

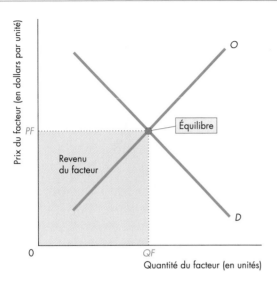

La courbe de demande (*D*) du facteur de production est décroissante et sa courbe d'offre (*O*) est croissante. Au point d'intersection de la courbe d'offre et de la courbe de demande, une quantité *QF* du facteur se vend au prix *PF*. Comme l'illustre la surface en bleu pâle, le revenu du facteur correspond à son prix multiplié par la quantité utilisée.

Dans le graphique, le prix correspond à la distance entre l'origine et *PF*, et la quantité utilisée, à la distance entre l'origine et *QF*. Le revenu généré par le facteur de production est le produit de ces deux distances, la surface en bleu pâle.

Toutes les forces autres que le prix qui s'exercent sur la quantité d'un facteur qu'une entreprise prévoit utiliser entraînent un déplacement de la courbe de demande de ce facteur. Nous reviendrons sur la nature de ces autres forces ; pour le moment, contentons-nous de déterminer les effets d'une fluctuation de la demande d'un facteur sur son prix, sur la quantité utilisée et sur le revenu qu'il génère. Comme le montre le graphique 14.2 (a), une augmentation de la demande d'un facteur entraîne le déplacement de la courbe de demande vers la droite, ce qui entraîne une augmentation du prix et de la quantité utilisée. Si la courbe de demande se déplace de $D_0$ à $D_1$, le prix monte de $PF_0$ à $PF_1$, et la quantité utilisée monte de $QF_0$ à $QF_1$. L'augmentation de la demande d'un facteur entraîne donc une augmentation du revenu généré par ce facteur. Dans le graphique (a), l'augmentation de revenu correspond à la surface en bleu foncé.

Si la demande du facteur diminue, sa courbe de demande se déplace vers la gauche. Le graphique 14.2 (b)

FIGURE 14.2
## Les variations de la demande d'un facteur

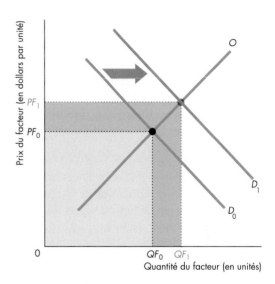

**(a) Augmentation de la demande**

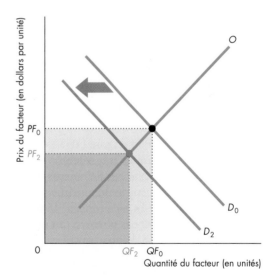

**(b) Diminution de la demande**

Une augmentation de la demande du facteur de production (graphique a) entraîne le déplacement de la courbe de demande vers la droite — de $D_0$ à $D_1$. La quantité utilisée augmente de $QF_0$ à $QF_1$ et le prix, de $PF_0$ à $PF_1$. Le revenu du facteur augmente ; la surface en bleu foncé illustre cette augmentation. Une diminution de la demande d'un facteur de production — de $D_0$ à $D_2$ — entraîne une baisse de la quantité utilisée — de $QF_0$ à $QF_2$ — et une diminution du prix du facteur — de $PF_0$ à $PF_2$. La diminution de la demande entraîne une diminution du revenu du facteur ; la surface en bleu pâle représente cette diminution du revenu.

illustre les effets d'une baisse de la demande. La courbe de demande se déplace vers la gauche, de $D_0$ à $D_2$. Le prix descend de $PF_0$ à $PF_2$; la quantité utilisée, de $QF_0$ à $QF_2$. La diminution de la demande d'un facteur entraîne une diminution du revenu généré par ce facteur. Dans le graphique (b), la diminution de revenu correspond à la surface en bleu pâle.

Dans quelle mesure la variation de la demande d'un facteur entraîne-t-elle une variation du prix et de la quantité utilisée du facteur? Cela dépend de l'élasticité de l'offre. Si la courbe d'offre est très plate (l'offre est élastique), la variation de la quantité utilisée est importante et la variation de prix est faible. Si la courbe d'offre est très abrupte (l'offre est inélastique), la variation du prix est très importante et la variation de la quantité utilisée est faible.

Toute variation de l'offre d'un facteur de production entraîne la variation de son prix et de la quantité utilisée, ainsi que du revenu des détenteurs de ce facteur. S'il s'agit d'une augmentation de l'offre, le prix du facteur baisse et la quantité utilisée augmente; s'il s'agit d'une diminution de l'offre, le prix du facteur monte et la quantité utilisée baisse. Toutefois, que l'offre augmente ou qu'elle diminue, le revenu du facteur dépend toujours de l'élasticité de la demande.

Reportons-nous à la figure 14.3 et voyons ce qui peut se passer quand la quantité utilisée du facteur dont il est question ici tombe de 3 à 2 unités. Au départ, le prix du facteur est de 10 $. Si la courbe de demande du facteur est $D_0$, la baisse de l'offre fait monter son prix, mais le revenu de ses détenteurs diminue. On peut le vérifier en multipliant le prix du facteur par la quantité utilisée. Lorsque 3 unités se vendaient 10 $ chacune, le revenu des offreurs s'élevait à 30 $, et correspondait au rectangle en bleu pâle (20 $) et en rose (10 $). Quand la quantité descend de 3 à 2 unités et que le prix unitaire monte de 10 $ à 14 $, le revenu des détenteurs du facteur diminue de 10 $ (la surface en rose) en même temps qu'il augmente de 8 $ (la surface en bleu foncé). Résultat: une baisse nette de 2 $ du revenu des offreurs, qui est maintenant de 28 $. Dans la zone de prix considérée ici, la demande du facteur est élastique.

Supposons maintenant que la courbe de demande soit $D_1$. Dans ce cas, lorsque la quantité utilisée descend de 3 à 2 unités, le prix monte à 20 $ l'unité, et le revenu des offreurs monte à 40 $. La baisse de la quantité a fait baisser leur revenu de 10 $ (le rectangle rose), mais le prix plus élevé du facteur l'a fait augmenter de 20 $ (rectangle bleu foncé plus rectangle vert). Dans la zone de prix considérée ici, la demande du facteur est inélastique.

Nous venons de voir comment, dans un marché de facteur concurrentiel, l'offre et la demande déterminent le prix, la quantité utilisée et le revenu d'un facteur de production. Dans le reste de ce chapitre, nous approfondirons l'étude des forces qui s'exercent sur l'offre et la demande des facteurs de production. Nous verrons également ce qui détermine l'élasticité de cette offre et de

**FIGURE 14.3**

## Le revenu d'un facteur et l'élasticité de la demande

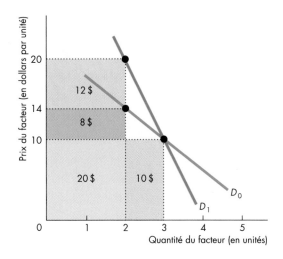

Une baisse de la quantité utilisée d'un facteur de production peut faire baisser ou augmenter le revenu du facteur de production. Si la courbe de demande est $D_0$ (courbe de demande élastique pour les quantités considérées), une réduction de la quantité de 3 à 2 unités fait descendre le revenu du facteur de 30 $ à 28 $. Si la courbe de demande est $D_1$ (courbe de demande inélastique pour les quantités considérées), la même réduction de la quantité de 3 à 2 unités fait monter le revenu du facteur de 30 $ à 40 $.

cette demande. Dans le cas des facteurs de production, les élasticités de l'offre et de la demande prennent une importance considérable à cause de leur influence sur les prix et les revenus des facteurs. Penchons-nous d'abord sur la demande des facteurs de production.

## La demande de facteurs de production

La demande d'un facteur de production, quel qu'il soit, est toujours une **demande dérivée**, en ce sens que les facteurs ne sont pas demandés pour eux-mêmes, mais pour leur contribution à la production de biens et services. La demande dérivée d'une entreprise dépend des contraintes auxquelles elle fait face — contraintes techniques et contraintes du marché. Elle dépend également des objectifs de l'entreprise. Nous étudierons ici le comportement des entreprises dont l'objectif est de maximiser les profits.

## La maximisation du profit

À court terme, les facteurs de production de l'entreprise se classent en deux catégories : les facteurs variables et les facteurs fixes. Dans la plupart des industries, le facteur variable est le travail, et les facteurs fixes sont le capital (usine, machinerie et bâtiments) et la terre. L'entreprise modifie sa production à court terme en modifiant le nombre de travailleurs qu'elle emploie. Elle modifie sa production à long terme en modifiant les quantités de travail, de capital et de terre qu'elle emploie.

L'entreprise qui cherche à maximiser son profit choisit toujours le niveau de production où le coût marginal est égal au revenu marginal, qu'elle soit en situation de concurrence parfaite, de concurrence monopolistique, d'oligopole ou de monopole. Si la production d'une unité supplémentaire ajoute moins au coût total qu'à la recette totale, l'entreprise peut accroître son profit en augmentant son niveau de production. Pour maximiser son profit, elle doit choisir le niveau de production où la dernière unité produite rapporte autant (revenu marginal) que ce qu'elle coûte (coût marginal).

Les conditions favorables à la maximisation du profit peuvent être posées en termes de quantité de chaque facteur de production mobilisé par l'entreprise. Afin de maximiser son profit, l'entreprise mobilise pour chaque facteur de production la quantité où le coût marginal de ce facteur est égal à la valeur du produit marginal qu'il engendre. Examinons ces deux concepts.

**Le coût marginal d'un facteur de production**   Le coût marginal d'un facteur de production correspond à l'augmentation du coût total de l'entreprise qui résulte de l'utilisation d'une unité supplémentaire d'un facteur de production. Pour l'entreprise qui achète ses facteurs de production sur les marchés concurrentiels des facteurs, le coût marginal est le prix courant du facteur. Autrement dit, sur un marché de facteur concurrentiel, chaque entreprise utilise une quantité trop petite de ce facteur pour pouvoir influer sur le prix de chaque unité employée ; elle doit donc payer le prix courant du facteur — salaire du marché pour le travail, intérêt courant pour le capital et rente pour la terre.

**La valeur du produit marginal**   Pour maximiser son profit, l'entreprise doit comparer le coût marginal d'un facteur à la recette marginale générée par ce facteur et que l'on appelle *valeur du produit marginal* (ou, plus rarement, produit marginal en valeur). La **valeur du produit marginal** correspond à l'augmentation de la recette totale résultant de l'utilisation d'une unité supplémentaire d'un facteur production lorsque la quantité de tous les autres facteurs reste constante.

Le concept de *valeur du produit marginal* ressemble un peu au concept de *recette marginale* que nous avons déjà étudié. De fait, ces concepts sont reliés, mais il y a une différence capitale entre les deux. La valeur du produit marginal est l'augmentation de la recette totale qui résulte de l'utilisation d'une unité supplémentaire d'un facteur de production ; la recette marginale est le revenu supplémentaire qui résulte de la vente d'une unité produite supplémentaire.

**La quantité demandée du facteur**   Pour maximiser son profit, l'entreprise mobilise la quantité du facteur qui permet que la valeur du produit marginal du facteur soit égale à son prix. Si la valeur du produit marginal d'un facteur est supérieure à son prix, l'entreprise peut accroître son profit en augmentant la quantité utilisée du facteur. Si la valeur du produit marginal d'un facteur est inférieure à son prix, l'entreprise peut augmenter son profit en diminuant la quantité utilisée du facteur. Par contre, si la valeur du produit marginal d'un facteur est égale à son prix, l'entreprise ne pourrait que réduire son profit en modifiant la quantité utilisée du facteur ; elle a alors maximisé son profit.

Quand le prix d'un facteur fluctue, la quantité demandée fluctue elle aussi. Plus le prix d'un facteur est bas, plus la quantité demandée de ce facteur est importante. Pour illustrer cette notion, prenons l'exemple du travail.

## La demande de travail de l'entreprise

La *fonction de production totale* représente la contrainte technique à court terme de l'entreprise. Le tableau 14.1 présente la fonction de production totale de Lave-auto Pierrot (fonction de production semblable à celle que nous avons étudiée à la figure 10.1, p. 211). Les deux premières colonnes nous donnent le nombre maximal de lavages à l'heure selon le nombre d'employés ; la troisième colonne donne le *produit marginal du travail* — la variation de la quantité produite qui résulte de l'emploi d'un travailleur (unité de travail) supplémentaire.

Pour Pierrot, la contrainte du marché correspond à la courbe de demande de son produit. Si l'entreprise est en situation de monopole, de concurrence monopolistique ou d'oligopole sur le marché du produit (ici, le lavage d'autos), la pente de la courbe de demande de l'entreprise est négative. S'il s'agit d'un marché en concurrence parfaite, l'entreprise n'a pas d'influence sur le prix et sa courbe de demande est parfaitement élastique. Pierrot peut vendre autant de lavages d'autos qu'il le désire au prix de 4 $ le lavage. Sachant cela, nous pouvons calculer la recette totale de Pierrot (quatrième colonne) en multipliant par 4 $ le nombre d'autos lavées à l'heure. Par exemple, si Lave-auto Pierrot lave 9 autos à l'heure (ligne *c*), sa recette totale est de 36 $ à l'heure.

La cinquième colonne du tableau 14.1 donne le résultat du calcul de la valeur du produit marginal du travail — la variation de la recette totale divisée par la variation du nombre de travailleurs employés. Par

**TABLEAU 14.1**

# La valeur du produit marginal de Lave-auto Pierrot

| | Quantité de travail (T) (nombre de travailleurs) | Production (Q) (autos lavées à l'heure) | Produit marginal (Pm = ΔQ/ΔT) (nombre de lavages par travailleur) | Recette totale (RT = P × Q) (en dollars à l'heure) | Valeur du produit marginal (VPm = ΔRT/ΔT) (en dollars par travailleur) |
|---|---|---|---|---|---|
| a | 0 | 0 | | 0 | |
| | | | .................... 5 | | .................... 20 |
| b | 1 | 5 | | 20 | |
| | | | .................... 4 | | .................... 16 |
| c | 2 | 9 | | 36 | |
| | | | .................... 3 | | .................... 12 |
| d | 3 | 12 | | 48 | |
| | | | .................... 2 | | .................... 8 |
| e | 4 | 14 | | 56 | |
| | | | .................... 1 | | .................... 4 |
| f | 5 | 15 | | 60 | |

Pierrot exploite une entreprise en situation de concurrence parfaite et il peut vendre autant de lavages d'autos qu'il le veut à raison de 4 $ le lavage. Pour calculer la valeur du produit marginal, il faut d'abord trouver la recette totale. Si Pierrot emploie un travailleur (ligne b), la production est de 5 lavages à l'heure, et la recette totale, de 20 $. S'il emploie 2 travailleurs (ligne c), la production est de 9 lavages à l'heure et sa recette totale est de 36 $. Avec l'embauche du deuxième travailleur, la recette totale augmente de 16 $ — la valeur du produit marginal du travail est donc de 16 $.

---

exemple, si Pierrot embauche un deuxième travailleur (ligne *c*), la recette totale monte de 20 $ à 36 $; la valeur du produit marginal du travail est donc de 16 $.

Il y a un autre moyen de calculer la valeur du produit marginal du travail. Le produit marginal du travail nous révèle combien de lavages d'autos peut produire un travailleur supplémentaire. La recette marginale nous donne l'augmentation de la recette totale provenant de la vente d'un lavage supplémentaire. Ainsi, un travailleur supplémentaire modifie la recette totale d'un montant égal au produit marginal multiplié par la recette marginale. Autrement dit, la valeur du produit marginal est égale au produit marginal multiplié par la recette marginale. Dans le cas d'une entreprise en situation de concurrence parfaite, la recette marginale est égale au prix; la valeur du produit marginal est donc égale au produit marginal multiplié par le prix du produit.

Pour vérifier si cette méthode fonctionne, utilisons les chiffres du tableau 14.1. Si on multiplie le produit marginal qui résulte de l'embauche d'un second travailleur — c'est-à-dire 4 autos à l'heure — par la recette marginale — 4 $ par auto —, on obtient le même résultat que dans le calcul précédent, soit 16 $.

Si la quantité de travail augmente, la valeur du produit marginal du travail diminue. Lorsque Pierrot embauche le premier travailleur, la valeur du produit marginal du travail est de 20 $. Lorsqu'il engage un deuxième travailleur, la valeur du produit marginal du travail est de 16 $, et elle continue à décliner à mesure que Pierrot embauche des travailleurs supplémentaires.

Ce déclin progressif de la valeur du produit marginal à mesure qu'on embauche des travailleurs supplémentaires est conforme au principe des rendements décroissants étudié au chapitre 10. Avec chaque travailleur supplémentaire, le produit marginal du travail diminue et fait donc baisser la valeur du produit marginal. Comme Lave-auto Pierrot est une entreprise en situation de concurrence parfaite, le prix de chaque lavage d'auto supplémentaire est le même et produit la même recette marginale.

Si Pierrot détenait le monopole du lavage d'autos, il devrait baisser son prix pour en vendre davantage. La valeur du produit marginal du travail diminuerait alors encore plus rapidement qu'en concurrence parfaite. Dans le cas du monopole, la valeur du produit marginal diminuerait à la fois à cause de la diminution de la valeur du produit marginal du travail et à cause de la diminution de la recette marginale.

## La courbe de demande de travail

La figure 14.4 montre comment la courbe de demande de travail dérive de la courbe de valeur du produit marginal. La *courbe de valeur du produit marginal* représente la valeur du produit marginal d'un facteur pour chaque quantité du facteur. Le graphique (a) montre la courbe de valeur du produit marginal des travailleurs engagés par Pierrot. L'abscisse mesure le nombre de travailleurs employés; l'ordonnée mesure la valeur du produit mar-

**FIGURE 14.4**

# La demande de travail de Lave-auto Pierrot

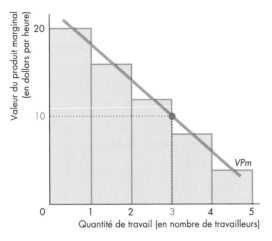

**(a) Valeur du produit marginal**

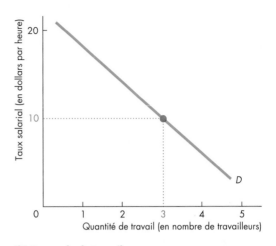

**(b) Demande de travail**

Lave-auto Pierrot est en situation de concurrence parfaite, et Pierrot peut vendre n'importe quelle quantité de lavages d'autos à raison de 4 $ le lavage. Les rectangles bleus du graphique (a) représentent la valeur du produit marginal du travail de l'entreprise ; ils illustrent les chiffres du tableau 14.1. La ligne orange représente la courbe de valeur du produit marginal du travail de

l'entreprise. Le graphique (b) montre la courbe de demande de travail de Pierrot, courbe identique à la courbe de valeur du produit marginal. Pierrot demande la quantité de travail où le taux salarial — le coût marginal du travail — est égal à la valeur du produit marginal du travail.

---

ginal du travail. Les rectangles bleus montrent l'évolution de la valeur du produit marginal du travail au fur et à mesure que Pierrot embauche des travailleurs supplémentaires. Ces rectangles correspondent aux chiffres du tableau 14.1. La courbe *VPm* est la courbe de valeur du produit marginal de Pierrot.

La courbe de demande de travail de l'entreprise dérive de la courbe de valeur du produit marginal. Le graphique 14.4 (b) nous montre la courbe de demande de travail de Pierrot (*D*). L'abscisse mesure le nombre de travailleurs employés — le même qu'au graphique (a). L'axe vertical mesure le salaire horaire en dollars. La courbe de demande de travail est exactement la même que la courbe de valeur du produit marginal de l'entreprise. Ainsi, lorsque Pierrot emploie 3 travailleurs par heure, la valeur de son produit marginal est de 10 $ l'heure, comme dans le graphique 14.4 (a), et, au taux salarial de 10 $ l'heure, Pierrot engage 3 travailleurs à l'heure, comme dans le graphique 14.4 (b).

Pourquoi la courbe de demande de travail est-elle identique à la courbe de valeur du produit marginal ? Parce que l'entreprise emploie le nombre de travailleurs qui lui permet de maximiser son profit. Si le coût d'embauche d'un travailleur supplémentaire — le taux salarial — est inférieur à la recette supplémentaire que génère son travail — la valeur du produit marginal —, l'entreprise peut accroître son profit en employant un

travailleur supplémentaire. Inversement, si le coût d'embauche d'un travailleur supplémentaire est supérieur à la recette supplémentaire qu'il génère — si le taux salarial est supérieur à la valeur du produit marginal —, l'entreprise peut accroître son profit en employant un travailleur de moins. Par contre, si le coût d'embauche d'un travailleur supplémentaire est égal à la recette additionnelle qu'il génère — le taux salarial est égal à la valeur du produit marginal —, l'entreprise ne peut plus augmenter son profit en variant le nombre de travailleurs qu'elle emploie. L'entreprise réalise alors un profit maximal ; cela se produit lorsque le taux salarial est égal à la valeur du produit marginal du travail. Par conséquent, la demande de travail de l'entreprise est telle que le taux salarial est égal à la valeur du produit marginal du travail.

Vous trouverez au tableau 14.2 un mini-glossaire des termes relatifs aux marchés des facteurs de production.

## Les deux conditions de la maximisation du profit

Lorsque nous avons étudié les choix des entreprises, nous avons découvert qu'une entreprise maximise son profit en choisissant le niveau de production où sa recette marginale est égale à son coût marginal. Nous venons de voir une autre condition de la maximisation du profit :

TABLEAU 14.2
## Mini-glossaire des termes relatifs aux marchés des facteurs de production

| Facteurs de production | Travail, capital, terre et esprit d'entreprise |
|---|---|
| Prix des facteurs | Salaire (prix du travail), intérêt (prix du capital), loyer ou rente (prix de la terre ou des ressources naturelles), profit normal (prix de l'esprit d'entreprise) |
| Produit marginal | Augmentation de la production résultant de l'emploi d'une unité supplémentaire d'un facteur. Ainsi, le produit marginal du travail est le supplément de production que permet l'emploi d'un travailleur supplémentaire |
| Recette marginale | Supplément de recette totale résultant de la vente d'une unité supplémentaire du produit. |
| Valeur du produit marginal | Supplément de recette totale résultant de l'emploi d'une unité supplémentaire d'un facteur de production. Ainsi, la valeur du produit marginal du travail est le supplément de recette totale de l'entreprise qui résulte de la vente des produits fabriqués par un travailleur supplémentaire. |

TABLEAU 14.3
## Les deux conditions de la maximisation du profit

LES SYMBOLES

| **Produit marginal** | **Pm** |
|---|---|
| **Recette marginale** | **Rm** |
| **Coût marginal** | **Cm** |
| **Valeur du produit marginal** | **VPm** |
| **Prix du facteur** | **PF** |

LES DEUX CONDITIONS DE LA MAXIMISATION DU PROFIT

1.  **Rm = Cm**     2.     **VPm = PF**

L'ÉQUIVALENCE DES CONDITIONS

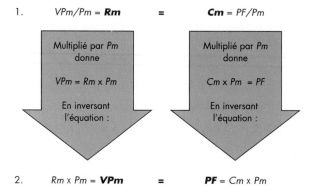

1.  $VPm/Pm = Rm$   =   $Cm = PF/Pm$

Multiplié par $Pm$ donne

$VPm = Rm \times Pm$

En inversant l'équation :

Multiplié par $Pm$ donne

$Cm \times Pm = PF$

En inversant l'équation :

2.  $Rm \times Pm = VPm$   =   $PF = Cm \times Pm$

Les deux conditions de la maximisation du profit sont : une recette marginale ($Rm$) égale au coût marginal ($Cm$) et une valeur du produit marginal ($VPm$) égale au prix du facteur ($PF$). Les deux conditions de la maximisation du profit sont équivalentes, puisque la valeur du produit marginal ($VPm$) est égale à la recette marginale ($Rm$) multipliée par le produit marginal ($Pm$), et que le prix du facteur ($PF$) est égal au coût marginal ($Cm$) multiplié par le produit marginal ($Pm$).

la valeur du produit marginal d'un facteur doit être égale au prix du facteur. Comme le montre le tableau 14.3, ces deux conditions sont équivalentes. Lorsqu'une entreprise produit la quantité de biens et services qui maximise son profit, sa recette marginale est égale au coût marginal, et les contraintes — contraintes techniques et contraintes de marché — sont telles qu'elle emploie le nombre de travailleurs qui permet à la valeur du produit marginal d'être égale au taux salarial.

Nous venons d'énoncer la loi de la demande sur le marché du travail ; nous avons vu que les principes qui valent pour la demande de biens et services valent également pour le marché du travail. La courbe de demande de travail a une pente négative. Toutes autres choses étant égales, moins le taux salarial (prix du travail) est élevé, plus la quantité demandée de travail est forte. Passons maintenant à l'étude des facteurs qui influent sur la demande de travail et qui entraînent un déplacement de la courbe de demande de travail.

## Les variations de la demande de travail

La position de la courbe de demande de travail d'une entreprise varie en fonction de trois facteurs :

1. le prix du produit de l'entreprise,
2. les prix des autres facteurs de production,
3. la technologie.

Toutes autres choses étant égales, plus le prix du produit de l'entreprise est élevé, plus la demande de travail est forte. Le prix de vente influe sur la demande de travail à cause de l'effet qu'il exerce sur la valeur du produit marginal. Une hausse du prix du produit de l'entreprise fait augmenter la recette marginale, ce qui par ricochet se traduit par une augmentation de la valeur du produit marginal du travail. Toute fluctuation du prix du produit modifie donc la courbe de demande de travail. Lorsque le prix du produit augmente, la demande de travail augmente aussi.

Les deux autres facteurs qui ont une incidence sur la demande de travail agissent à long terme plutôt qu'à court terme. La *demande de travail à court terme* traduit la relation entre le taux salarial et la demande de travail lorsque le capital de l'entreprise est fixe et que le travail est le seul facteur variable. La *demande de travail à long terme* traduit la relation entre le taux salarial et la demande de travail lorsque tous les facteurs de production de l'entreprise sont variables. Toute variation du prix relatif d'un facteur — comme le prix relatif du travail par rapport au capital — entraîne le remplacement du facteur qui est devenu plus cher par le facteur moins cher. Ainsi, si le coût d'utilisation du capital baisse par rapport au coût d'utilisation du travail, l'entreprise remplace le capital par le travail en augmentant sa demande de capital et en réduisant sa demande de main-d'œuvre.

Enfin, toute innovation technique qui a un effet sur la valeur du produit marginal influe également sur la demande de travail. Par exemple, la mise au point de téléphones électroniques à mémoire et de nombreuses autres innovations ont entraîné la diminution du produit marginal des téléphonistes et ont donc fait baisser la demande de téléphonistes. Ces mêmes innovations ont fait augmenter le produit marginal des ingénieurs en téléphonie et, donc, la demande d'ingénieurs en téléphonie. Là encore, ces effets se font sentir à long terme, lorsque l'entreprise adapte tous ses facteurs et intègre de nouvelles techniques dans son processus de production. Le tableau 14.4 résume les forces qui peuvent influer sur la demande de travail d'une entreprise.

Nous avons vu à la figure 14.2 les effets d'une variation de la courbe de demande d'un facteur. Nous pouvons maintenant dire pourquoi la courbe de demande de travail se déplace. Ainsi, au graphique 14.2 (a), la hausse du prix du produit de l'entreprise, l'augmentation du prix du capital ou encore la mise au point d'une nouvelle technique qui fait augmenter le produit marginal du travail entraînent le déplacement de la courbe de demande de travail de $D_0$ à $D_1$. Inversement, au graphique 14.2 (b), la baisse du prix du produit de l'entreprise, la diminution du prix du capital ou la mise au point d'une nouvelle technique qui fait baisser le produit marginal du travail entraînent le déplacement de la courbe de demande de travail de $D_0$ à $D_2$.

---

**TABLEAU   14.4**

## La demande de travail d'une entreprise

### LA LOI DE LA DEMANDE

La quantité demandée de travail d'une entreprise

| *baisse quand…* | *augmente quand…* |
|---|---|
| ■ le taux salarial augmente. | ■ le taux salarial diminue. |

### LES FLUCTUATION DE LA DEMANDE

La demande de travail d'une entreprise

| *baisse quand…* | *augmente quand…* |
|---|---|
| ■ le prix du produit de l'entreprise baisse; | ■ le prix du produit de l'entreprise augmente; |
| ■ le prix des autres facteurs de production baisse; | ■ le prix des autres facteurs de production augmente; |
| ■ une innovation technique fait baisser le produit marginal du travail. | ■ une innovation technique fait augmenter le produit marginal du travail. |

## La demande de travail du marché

Nous n'avons étudié jusqu'à présent que la demande de travail d'une seule entreprise. Penchons-nous maintenant sur la demande du marché. La demande d'un facteur du marché correspond à la demande totale de ce facteur par toutes les entreprises. Par conséquent, la courbe de demande de travail du marché est semblable à la courbe de demande d'un bien ou d'un service du marché. La courbe de demande d'un bien du marché est la somme des demandes de ce bien par l'ensemble des ménages considérés, et ce, pour chaque prix. La courbe de demande totale du marché est la somme des demandes de travail de toutes les entreprises, et ce, pour chaque taux salarial différent.

## L'élasticité de la demande de travail

L'élasticité de la demande de travail mesure la sensibilité de la demande de travail aux variations du taux salarial. On calcule cette élasticité de la même façon que l'élasticité de la demande d'un bien ou d'un service par rapport au prix. L'élasticité de la demande de travail est donc égale au rapport entre le pourcentage de variation de la quantité demandée et le pourcentage de variation du taux salarial.

La demande de travail est moins élastique à court terme (puisque seul le travail peut être modifié) qu'à long terme (puisque le travail et les autres facteurs peuvent être modifiés). L'élasticité de la demande de travail varie en fonction:

- de la proportion de main-d'œuvre utilisée dans le processus de production;
- de la rapidité à laquelle le produit marginal du travail diminue;
- de l'élasticité de la demande du produit;
- des possibilités de substitution du capital au travail.

**La proportion de main-d'œuvre utilisée** Un processus de production à forte proportion de main-d'œuvre utilise un grand nombre d'employés et peu de capital, et son ratio travail-capital est élevé. La construction domiciliaire en est un exemple. Plus le ratio travail-capital est élevé, plus la demande de travailleurs est élastique, toutes autres choses étant égales. Voyons pourquoi.

Si les salaires représentent 90 % de l'ensemble des coûts des entreprises d'une industrie, une augmentation de 10 % du taux salarial fera augmenter le coût total de 9 %. Les entreprises seront très touchées par une variation du coût total aussi importante. Si le taux salarial augmente, les entreprises d'une telle industrie réduiront la quantité demandée de main-d'œuvre. Par contre, dans une industrie où les salaires ne représentent que 10 % du coût total, une augmentation de 10 % du taux salarial ne fera augmenter le coût total que de 1 % et les entreprises seront moins touchées par cette augmentation de coût. Si le taux salarial augmente, elles ne diminueront que légèrement leur quantité demandée de main-d'œuvre.

**La rapidité à laquelle le produit marginal diminue** Plus le produit marginal du travail diminue rapidement, moins la demande de travail est élastique, toutes autres choses étant égales. Dans le cas de certaines activités, le produit marginal diminue rapidement. Ainsi, le produit marginal d'un premier conducteur d'autobus est élevé, mais le produit marginal d'un deuxième conducteur pour le même autobus est presque nul. Pour d'autres activités, le produit marginal diminue lentement. Ainsi, le fait d'embaucher un deuxième laveur de vitres fait presque doubler le nombre de vitres lavées en une heure — le produit marginal du deuxième laveur de vitres est presque identique à celui du premier.

**L'élasticité de la demande du produit** Plus la demande d'un produit est élastique, plus l'élasticité de la demande des facteurs de production utilisés pour fabriquer ce produit est forte. Pour comprendre, pensez à ce qui se produit quand le taux salarial augmente: toute augmentation du taux salarial entraîne la hausse du coût marginal et la diminution de l'offre de ce produit. Cette diminution de l'offre fait monter le prix et baisser la quantité demandée du produit ainsi que des facteurs utilisés pour le produire. Plus l'élasticité de la demande du produit est grande, plus la baisse de la quantité demandée du produit est grande et plus la quantité des facteurs de production utilisés pour le produire diminue.

**Les possibilités de substitution du capital au travail** Les possibilités de substitution du capital au travail ont une incidence sur l'élasticité de la demande de travail à long terme, et non sur la demande à court terme. À court terme, le capital est fixe. À long terme, le capital peut varier; or, plus il est facile de substituer le capital au travail dans le processus de production, plus la demande de travail sera élastique à long terme. Ainsi, il peut être relativement facile de remplacer les ouvriers d'une chaîne de montage d'automobiles par des robots, ou de remplacer les vendangeurs par des machines. Par contre, il peut être difficile (quoique pas impossible...) de remplacer des journalistes, des responsables de prêts bancaires et des enseignants par des robots. Plus il est facile de substituer du capital au travail, plus la demande de travail à long terme de l'entreprise est élastique.

---

## À RETENIR

- L'entreprise emploie le nombre de travailleurs qui lui permet de maximiser son profit.
- Le profit est maximisé si la valeur du produit marginal du travail est égale au taux salarial.
- La courbe de valeur du produit marginal du travail est la courbe de demande de travail de l'entreprise. Moins le taux salarial est élevé, plus la quantité demandée de travail est grande.
- L'élasticité à court terme de la demande de travail varie en fonction de l'importance du facteur travail dans la production, de la rapidité de la diminution du produit marginal et de l'élasticité de la demande du produit.
- L'élasticité à long terme de la demande de travail varie en fonction de ces trois conditions, ainsi que du degré de substituabilité du capital au travail.

---

# L'offre de facteurs de production

LES MÉNAGES DÉTERMINENT L'OFFRE DE FACTEURS de production. En effet, ils répartissent leurs facteurs de production entre les activités qu'ils trouvent les plus intéressantes. L'offre d'un facteur dépend du prix de ce facteur. Habituellement, plus le prix d'un facteur de production est élevé, plus la quantité offerte est importante. Cependant, l'offre de travail peut faire exception à cette règle; elle peut baisser lorsque le salaire augmente, et ce, à cause de la structure des préférences des consommateurs relativement aux loisirs.

Étudions maintenant les décisions des ménages en matière d'offre de facteurs de production, en commençant par l'offre de travail.

## L'offre de travail

Les ménages décident du nombre d'heures de travail par semaine qu'ils fourniront. Le temps dont ils disposent se répartit entre deux types d'activités :
1. les activités de marché,
2. les activités hors marché.

Les **activités de marché** des ménages se résument essentiellement au travail rémunéré. Les **activités hors marché** regroupent toutes les autres activités, c'est-à-dire les loisirs et toutes les activités productives hors marché — l'éducation et la formation, le magasinage, la cuisine et les autres activités domestiques. Les activités de marché donnent aux ménages un rendement immédiat sous forme de revenu. Les activités hors marché leur donnent un rendement sous forme de biens et services produits à la maison, d'augmentation des revenus futurs ou encore sous forme de loisirs, qui, parce qu'ils ont une importance en soi aux yeux des ménages, sont une sorte de bien.

Lorsqu'ils décident du temps à consacrer à leurs diverses activités, les ménages doivent évaluer la satisfaction qu'ils retireront de chacune. Voyons quelle est l'influence du taux salarial sur la répartition du temps des ménages et sur leur offre de travail.

**Les salaires et l'offre de travail**  Pour que les ménages offrent leurs services sur le marché, il faut que les salaires proposés soient suffisamment élevés. En effet, les activités hors marché ont une valeur pour eux, soit parce qu'elles leur permettent de produire directement des biens et services utiles, soit parce qu'ils les considèrent comme des loisirs. Pour inciter un ménage à offrir ses services sur le marché, il faut qu'on lui propose un salaire horaire au moins égal à la valeur qu'il accorde à une heure d'activités hors marché. Ce taux salarial minimal qu'un ménage exige pour offrir du travail sur le marché s'appelle **salaire de réserve**. En deçà du salaire de réserve, les ménages n'offriront pas leurs services sur le marché ; ils ne le feront que si le salaire offert est égal au salaire de réserve. Si le salaire proposé est supérieur au salaire de réserve, les ménages modifieront la quantité de services qu'ils offrent. Une augmentation du taux salarial exerce deux effets contraires sur l'offre de travail : un effet de substitution et un effet de revenu.

**L'effet de substitution**  Toutes autres choses étant égales, plus le taux salarial est élevé, plus les gens limitent leurs activités hors marché pour se consacrer aux activités de marché. Supposons, par exemple, que le prix courant des services de blanchisserie soit de 10 $ l'heure. Si le taux salarial qu'on leur propose est inférieur à 10 $ l'heure, les ménages préféreront assurer eux-mêmes leurs services de blanchisserie — une activité hors marché. Par contre, si le taux salarial offert est supérieur à 10 $ l'heure, les ménages auront intérêt à consacrer davantage de temps au travail rémunéré et à utiliser une partie de leurs revenus à l'achat de services de blanchisserie. Un taux salarial plus élevé entraîne donc le remplacement d'activités hors marché par des activités de marché.

**L'effet de revenu**  Plus le taux salarial du ménage est élevé, plus son revenu est important. Or, toutes autres choses étant égales, un revenu plus élevé entraîne l'augmentation de la demande de la plupart des biens et services, et notamment des loisirs. Comme l'augmentation du revenu fait augmenter la demande de loisirs, elle entraîne la réduction du temps consacré par les ménages aux activités de marché et, par conséquent, la diminution de leur offre de travail.

**La courbe d'offre du travail atypique**  L'effet de revenu et l'effet de substitution exercent donc des effets contraires sur l'offre de travail des ménages. Plus le taux salarial est élevé, plus la quantité offerte de travail des ménages est forte en raison de l'effet de substitution ; cependant, l'effet de revenu, lui, entraîne une diminution de la quantité offerte de travail. Lorsque le taux salarial est bas, l'effet de substitution est plus important que l'effet de revenu. Par contre, s'il augmente, il atteint un seuil où ces deux effets se compensent ; la hausse du taux salarial n'a alors aucun effet sur l'offre de travail. Si le taux salarial augmente au-delà de ce seuil, l'effet de revenu prend le pas sur l'effet de substitution et l'offre de travail diminue. Autrement dit, la pente de la courbe d'offre de travail du ménage n'est pas positive sur toute sa longueur ; à partir d'un certain seuil de salaire, elle se replie vers l'axe des ordonnées. C'est pourquoi on la qualifie de *courbe d'offre atypique*.

Les trois graphiques 14.5 (a) illustrent les courbes d'offre de travail individuelles de trois ménages (*A*, *B* et *C*). Chacun de ces ménages a un salaire de réserve différent, et chacune de leurs courbes d'offre de travail a une pente atypique.

**L'offre du marché**  L'offre de travail du marché est la somme des offres de travail de tous les ménages. La courbe d'offre totale est la somme horizontale des courbes d'offre individuelles des ménages. Le graphique 14.5 (b) montre la courbe d'offre du marché ($O_M$) tracée à partir des trois courbes d'offre individuelles ($O_A$, $O_B$, $O_C$) du graphique 14.5 (a). Lorsque le salaire horaire est inférieur à 1 $, les trois ménages se consacrent entièrement à des activités hors marché comme la lessive et la cuisine, et ne se livrent à aucune activité de travail rémunéré. Le ménage le plus disposé à offrir ses services sur le marché du travail a un salaire de réserve de 1 $. Lorsque le taux salarial horaire passe de 1 $ à 4 $, le

> **FIGURE 14.5**
> # L'offre de travail

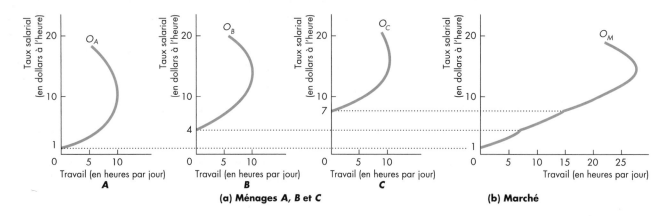

Les graphiques 14.5 (a) présentent les courbes d'offre de travail respectives de trois ménages ($O_A$, $O_B$ et $O_C$). Chacun de ces ménages a un salaire de réserve différent, en deçà duquel il n'offre aucun travail sur le marché. Une fois son salaire de réserve dépassé, l'offre de travail de chaque ménage augmente avec le salaire proposé et ce jusqu'à ce qu'il atteigne un maximum. Une fois que ce maximum est atteint, même si le salaire offert continue à monter, l'offre de travail commence à diminuer. Chaque courbe d'offre de ménage finit par revenir vers l'ordonnée.

Le graphique 14.5 (b) montre comment, en additionnant les offres de travail des ménages pour chaque taux salarial, nous pouvons tracer la courbe d'offre du marché du travail ($O_M$), courbe qui présente un long segment croissant avant de se replier vers l'axe des ordonnées.

---

ménage *A* consacre davantage de temps aux activités de travail rémunéré. Le salaire de réserve du ménage *B* est de 4 $ l'heure ; par conséquent, lorsque le salaire horaire s'élève au-dessus de 4 $, l'offre de travail sur le marché est la somme des offres de travail du ménage *A* et du ménage *B*. Lorsque le taux horaire atteint 7 $, le ménage *C* commence à offrir ses services sur le marché. Lorsque le taux salarial horaire est supérieur à 7 $, l'offre sur le marché est égale à la somme des offres de travail des trois ménages.

Remarquez que la courbe d'offre totale de travail $O_M$ finit par se replier vers l'axe des ordonnées comme les trois courbes d'offre individuelles des ménages *A*, *B* et *C*. Mais la courbe d'offre du marché présente un segment croissant plus long que celui des courbes d'offre individuelles. Ce phénomène s'explique par le fait que les ménages n'ont pas tous le même salaire de réserve. Au fur et à mesure que le salaire augmente, de nouveaux ménages atteignent leur salaire de réserve et commencent à offrir leurs services sur le marché du travail.

### L'offre de travail aux entreprises individuelles
Nous venons d'étudier les décisions individuelles des ménages en matière d'offre de travail et nous avons vu comment ces décisions constituent l'offre totale du marché. Mais comment se détermine l'offre de travail de chaque entreprise ? La réponse à cette question dépend du niveau de concurrence du marché du travail. Dans un marché du travail parfaitement concurrentiel (comme celui que nous étudions ici), chaque entreprise fait face à une offre de travail parfaitement élastique. Autrement dit, chaque entreprise peut employer n'importe quelle quantité de travail à condition d'offrir le taux salarial en vigueur sur le marché, car chaque entreprise représente une part trop faible du marché total pour influer sur le taux salarial.

---

## À RETENIR

- La courbe d'offre de travail se replie vers l'axe des ordonnées.
- La courbe d'offre du marché est la somme des courbes d'offre des ménages individuels et sa pente est positive.
- Dans un marché du travail parfaitement concurrentiel, la courbe d'offre de chaque entreprise est parfaitement élastique.

---

## L'offre de capital

L'offre de capital n'est pas déterminée d'une manière aussi directe et immédiate que l'offre de travail, mais par les décisions des ménages relativement à l'épargne. Si les ménages offraient le capital aussi directement qu'ils offrent le travail, ils posséderaient tous les bâtiments, toutes les machines et tous les équipements, et ils les loueraient aux entreprises. En réalité, les entreprises possèdent la majorité du capital qu'elles se « louent » à elles-mêmes. Les ménages fournissent les fonds, ce qu'on appelle le *capital financier*, que les entreprises utilisent pour acheter le capital. Les ménages prêtent ces fonds en achetant les actions et les obligations des entreprises, et en déposant leur argent dans des banques, qui le prêtent aux entreprises. Les ménages prêtent également aux entreprises sous forme de bénéfices non répartis — c'est-à-dire de profits qui n'ont pas été versés aux propriétaires des entreprises, leurs actionnaires.

La somme de capital que les entreprises peuvent acquérir et utiliser dépend de la quantité totale de capital financier. Cette quantité est un *stock* — une quantité de capital à un moment donné. L'importance du capital financier dépend de l'importance des actifs financiers accumulés par les ménages les années précédentes. L'épargne est un *flux* — une quantité de capital par année — qui s'ajoute au capital financier.

L'épargne des ménages dépend principalement de deux facteurs :

■ le revenu courant et le revenu futur,

■ le taux d'intérêt.

**Le revenu courant et le revenu futur** Les ménages dont le revenu courant est inférieur au revenu futur épargnent peu, et peuvent même s'endetter. À l'inverse, les ménages dont le revenu courant est largement supérieur au revenu futur épargnent afin de s'assurer que, dans l'avenir, ils pourront consommer davantage que ce que leur revenu diminué leur permettrait. Le rapport entre le revenu courant et le revenu futur d'un ménage dépend surtout d'où en est le ménage dans son cycle de vie. De manière générale, le revenu actuel des jeunes ménages est inférieur au revenu qu'ils peuvent espérer, tandis que les ménages dans la force de l'âge ont au contraire un revenu courant supérieur à celui qu'ils auront dans leurs vieux jours. Les jeunes ménages ont donc souvent des épargnes négatives et les ménages plus âgés, des épargnes positives. Les jeunes ménages s'endettent (en recourant au crédit à la consommation) pour acheter des biens durables et consommer davantage que ne le leur permet leur seul revenu courant ; les ménages plus âgés, eux, épargnent et accumulent des actifs (notamment sous forme de régimes de retraite et d'assurance-vie) en prévision de leur retraite.

**Le taux d'intérêt** Le taux d'intérêt est le coût d'opportunité de la consommation d'un bien durant l'année en cours plutôt que l'année suivante. Si le taux d'intérêt est de 10 % par année, une consommation d'une valeur de 100 $ durant l'année en cours équivaut à une consommation d'une valeur de 110 $ l'année suivante. Une consommation d'une valeur de 100 $ durant l'année en cours plutôt que l'année suivante se traduit par une réduction de 10 $ ou 10 % de la consommation. Inver-

sement, 100 $ épargnés (non consommés) dans l'année courante permettent une consommation de 110 $ l'année suivante, soit une augmentation nette de la consommation de 10 $ ou 10 %.

Toutes autres choses étant égales, plus le taux d'intérêt est élevé, plus le montant de l'épargne est élevé et plus l'offre de capital est importante. Si le taux d'intérêt est élevé, les gens ont intérêt à réduire leur consommation pour en profiter et épargner davantage. Par contre, l'incitation à réduire leur consommation pour épargner sera faible si le taux d'intérêt est bas.

## La courbe d'offre de capital

L'offre de capital sur le marché correspond à la somme des offres de capital de tous les ménages. La courbe d'offre de capital du marché illustre les effets de la variation du taux d'intérêt sur l'offre de capital. À court terme, l'offre de capital est inélastique, et parfois même parfaitement inélastique. La courbe d'offre verticale *OCT* du graphique de la figure 14.6 illustre ce cas. Cette inélasticité à court terme s'explique par la difficulté des ménages à modifier

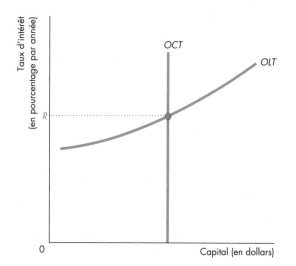

**FIGURE 14.6**

## L'offre de capital à court terme et à long terme

L'offre de capital à long terme (*courbe OLT*) est très élastique. Lorsque le taux d'intérêt est supérieur à *R*, les ménages épargnent davantage, ce qui fait augmenter l'offre totale de capital. Si le taux d'intérêt est inférieur à *R*, les ménages épargnent moins, ce qui fait baisser l'offre totale de capital. L'offre de capital est parfaitement inélastique à court terme (comme l'illustre la courbe *OCT*) ; quel que soit le taux d'intérêt, une fois le capital placé, il est très difficile d'en faire varier rapidement la quantité.

rapidement leurs plans de consommation pour réagir immédiatement aux variations du taux d'intérêt. Mais, s'ils ont le temps d'opérer les substitutions nécessaires, ils réagissent à ces variations. L'offre de capital à long terme est donc beaucoup plus élastique, comme le montre la courbe d'offre *OLT* du graphique de la figure 14.6.

**L'offre de capital à l'entreprise**   À court terme, l'entreprise peut modifier sa consommation de travail, mais pas sa consommation de capital. À court terme, l'offre de capital à l'entreprise est donc fixe. Le capital comprend un ensemble précis de biens immobilisés; l'usine d'automobiles est équipée d'une chaîne de montage, la blanchisserie dispose d'un certain nombre de machines à laver et de sécheuses, et le centre de photocopies possède une certaine quantité de photocopieuses et d'autres machines. Il n'est pas facile de se défaire de ces éléments du capital ou d'en acheter d'autres du jour au lendemain.

À long terme, l'entreprise peut modifier tous ses facteurs de production, le capital comme le travail. Sur un marché concurrentiel, l'entreprise peut obtenir tout le capital dont elle a besoin au taux d'intérêt qui est en vigueur. Son offre de capital à long terme est donc parfaitement élastique.

Terminons notre analyse de l'offre de facteurs de production en examinant l'offre de ce facteur de production qu'on appelle *terre*.

## L'offre de terrain

Le terme terre désigne le sol, c'est-à-dire les terrains à bâtir et à cultiver, et plus généralement l'ensemble des ressources naturelles. L'offre totale de terre est fixe; aucune décision humaine ne peut la faire varier. Les ménages peuvent modifier la quantité de terrain qu'ils possèdent; mais, chaque fois qu'un ménage achète un terrain, c'est qu'un autre le lui vend. Au total, l'offre d'un type de terrain particulier dans une région donnée est donc fixe et ne dépend pas des décisions des agents économiques. Autrement dit, l'offre de chaque lopin de terre est parfaitement inélastique, comme le montre le graphique de la figure 14.7. Quel que soit le loyer (ou rente) de la Place Ville-Marie, la surface de terrain qu'elle occupe correspond à un nombre fixe de mètres carrés.

Les terrains les plus chers peuvent être exploités plus intensivement que les terrains moins coûteux. On peut par exemple y construire de très hauts immeubles. Il faut évidemment recourir au capital, un autre facteur de production, pour exploiter intensivement le sol. Mais, si élevés soient-ils, les investissements en capital ne peuvent faire augmenter l'offre de terrain proprement dite; par contre, ils peuvent permettre d'augmenter la productivité du terrain. Un prix de terrain à la hausse incite à trouver des moyens d'augmenter sa productivité. Nous traiterons ces sujets de manière plus approfondie dans la rubrique « L'évolution de nos connaissances » (p. 342).

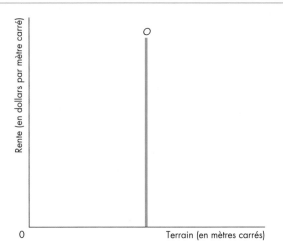

**FIGURE   14.7**

## L'offre de terrain

Pour un lopin de terre donné, l'offre est parfaitement inélastique. Quelle que soit la rente foncière, le marché ne peut offrir plus de surface de terrain qu'il n'en existe.

Bien que l'offre de chaque type de terrain soit fixe et que l'offre totale soit parfaitement inélastique, individuellement, chaque entreprise du marché foncier concurrentiel doit faire face à une offre de terrains parfaitement élastique. Par exemple, la rue Sainte-Catherine à Montréal occupe une surface de sol fixe, mais la boutique de vêtements de loisirs Eddie Bauer pourrait louer un peu d'espace au grand magasin La Baie. Chaque entreprise peut louer la surface de terrain qui l'intéresse à condition de payer le loyer du marché. C'est pourquoi le marché foncier est très concurrentiel. Comme sur les marchés des autres facteurs de production, les entreprises n'y exercent aucune influence sur les prix.

### À  RETENIR

- L'offre de capital est déterminée par les décisions des ménages en matière d'épargne.

- Toutes autres choses étant égales, plus le taux d'intérêt est élevé, plus la quantité offerte de capital est forte. À court terme, l'offre de capital à chaque entreprise est inélastique; à long terme, elle est parfaitement élastique.

- L'offre de terre est fixe et parfaitement inélastique, mais individuellement les entreprises font face à une offre de terrain élastique.

Nous venons de voir comment sur les marchés des facteurs l'offre et la demande déterminent les revenus. Nous avons étudié les influences qui s'exercent sur la demande et l'offre de facteurs de production. Utilisons maintenant ces connaissances pour expliquer pourquoi certains facteurs de production génèrent des revenus élevés, et d'autres, des revenus faibles. Voyons aussi ce que l'on entend par rente économique et par valeur de réserve.

## Les revenus, la rente économique et la valeur de réserve

NOUS AVONS VU AU DÉBUT DE CE CHAPITRE — AUX figures 14.1, 14.2 et 14.3 — que le prix et la quantité utilisée d'un facteur de production sont déterminés par l'interaction de l'offre et de la demande. Nous avons vu également que la demande est déterminée par la productivité marginale et l'offre par les ressources disponibles et par les choix des ménages quant à leur utilisation. L'interaction de l'offre et de la demande sur les marchés des facteurs détermine qui recevra un revenu élevé et qui recevra un revenu faible.

### Les revenus élevés et les revenus faibles

Pourquoi une vedette de basket-ball gagne-t-elle un revenu aussi élevé? Parce que la valeur de son produit marginal est très élevée — ce que traduit la demande de ses services — et que peu de gens ont les qualités requises pour ce type d'emploi — ce que traduit l'offre. Dans ce marché, l'équilibre s'établit à un niveau où le taux salarial est élevé, et la quantité employée, minime.

Pourquoi les emplois chez McDonald's offrent-ils des salaires si bas? Parce que la valeur de leur produit marginal est faible — ce que reflète la demande — et que de nombreux ménages peuvent et désirent offrir ce type de services sur le marché. Dans ce marché, l'équilibre s'établit à un niveau où le taux salarial est faible et la quantité employée, très élevée.

Si la demande de vedettes de basket-ball augmente, leur revenu augmentera considérablement et le nombre de vedettes de basket-ball restera sensiblement le même. Si la demande de travailleurs augmente chez McDonald's, le nombre d'employés augmentera considérablement et le taux salarial ne changera pratiquement pas.

La demande pour un terrain donné est déterminée par la valeur de son produit marginal, valeur qui dépend à son tour des utilisations que peut avoir ce terrain. Dans le quartier commercial du centre-ville de Vancouver, par exemple, la valeur du produit marginal est élevée, car la forte concentration de la population en fait un endroit privilégié pour le commerce.

Le loyer d'un terrain dépend entièrement de la valeur de son produit marginal — la courbe de demande. Si cette courbe de demande se déplace vers la gauche, le loyer baisse. La superficie — quantité — de terre offerte, elle, reste constante.

Le café coûte-t-il cher à Vancouver parce que les loyers y sont élevés, ou les loyers de Vancouver sont-ils élevés parce que les Vancouvérois sont prêts à payer un prix élevé pour le café? Si vous posiez cette question au directeur financier de McDonald's, il vous répondrait probablement que le café de son restaurant du centre-ville coûte cher parce que le loyer de cet établissement est élevé. Mais cette réponse manque de précision. En réalité, le loyer est élevé au centre-ville parce que la valeur du produit marginal du terrain y est élevée. Autrement dit, le loyer d'un terrain à Vancouver est déterminé par la demande pour ce terrain et, par ricochet, par la valeur du produit marginal de ce terrain. Cette valeur est élevée parce qu'il y a toujours quelqu'un qui est disposé à payer un loyer élevé pour utiliser ce terrain.

On peut approfondir la question de la détermination des revenus en apprenant à faire la distinction entre la rente économique et la valeur de réserve.

### La rente économique et la valeur de réserve

Le revenu total d'un facteur de production est la somme de sa rente économique et de sa valeur de réserve. On appelle **valeur de réserve** le niveau de revenu requis pour entraîner l'offre d'un facteur de production. La *valeur de réserve* est le coût d'opportunité de l'utilisation d'un facteur de production — la valeur de ce facteur dans la meilleure utilisation possible à laquelle on a renoncé. La **rente économique** est le surplus de revenu que reçoivent les détenteurs d'un facteur de production par rapport au montant minimal qu'ils requièrent pour offrir ce facteur sur le marché, soit sa valeur de réserve. Tout facteur de production peut générer une rente économique.

Le graphique de la figure 14.8 illustre les concepts de rente économique et de valeur de réserve. Il représente le marché d'un facteur de production, peu importe lequel — travail, capital, terre ou esprit d'entreprise. La courbe de demande de ce facteur de production est $D$, et sa courbe d'offre, $O$. Le prix de ce facteur est $PF$, et la quantité utilisée, $QF$. Le revenu du facteur correspond à la somme du triangle jaune et du triangle vert : le triangle jaune situé au-dessous de la courbe d'offre mesure la valeur de réserve du facteur, et le triangle vert situé au-dessous du prix du facteur, mais au-dessus de la courbe d'offre, représente la rente économique.

Pour comprendre pourquoi la partie située sous la courbe d'offre mesure la valeur de réserve, il faut se souvenir qu'une courbe d'offre peut être interprétée de deux manières : on peut dire qu'elle illustre la quantité offerte d'un facteur à divers prix, mais aussi qu'elle illustre le

## FIGURE 14.8

## La rente économique et la valeur de réserve

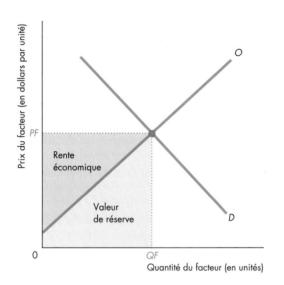

Le revenu total d'un facteur de production est constitué de sa rente économique et de sa valeur de réserve. La valeur de réserve correspond au triangle jaune situé sous la courbe d'offre et la rente économique correspond au triangle vert situé au-dessus de la courbe d'offre et sous le prix du facteur.

prix minimal auquel les détenteurs d'un facteur acceptent d'en offrir une quantité donnée sur le marché. Si les offreurs ne reçoivent que le montant minimal requis pour les inciter à offrir chaque unité du facteur de production, le prix sera différent pour chaque unité. Comme ces prix tracent la courbe d'offre, le revenu généré ne correspondra qu'à la valeur de réserve — c'est-à-dire au rectangle jaune dans le graphique de la figure 14.8.

Le concept de rente économique ressemble au concept de surplus du consommateur que nous avons étudié au chapitre 7 (p. 159-162). On se souvient que le surplus du consommateur est la différence entre le prix que le ménage paie réellement pour un bien et le prix maximal qu'il serait disposé à payer pour ce bien, tel que déterminé par la courbe de demande. De la même façon, la rente économique est la différence entre le prix qu'un ménage reçoit réellement pour un facteur de production et le prix minimal auquel il consentirait à offrir sur le marché une quantité donnée de ce facteur.

L'importance de la part du revenu d'un facteur qui est une rente économique dépend de l'élasticité de l'offre. Si l'offre d'un facteur de production est parfaitement inélastique, son revenu entier est une rente économique.

Ainsi, la majeure partie du revenu de Céline Dion ou de Pearl Jam est une rente économique. Par contre, la majeure partie du revenu d'une gardienne d'enfant est une valeur de réserve. En général, la courbe d'offre d'un facteur de production n'est ni parfaitement élastique ni parfaitement inélastique et — comme l'illustre la figure 14.8 —, le revenu du facteur est en partie une rente économique, et en partie une valeur de réserve.

La figure 14.9 illustre ces trois possibilités. Le graphique 14.9 (a) représente le marché foncier dans un périmètre donné du centre-ville d'une grande cité nord-américaine. Au total, les terrains de ce périmètre mesurent $Q$ mètres carrés. La courbe d'offre de terrains est donc verticale, c'est-à-dire parfaitement inélastique. Quel que soit le loyer offert aux propriétaires de ces terrains, ils ne peuvent ni augmenter ni diminuer l'offre.

Supposons que la courbe de demande du graphique (a) de la figure 14.9 représente la valeur du produit marginal de ce périmètre particulier. Le loyer est alors $L$. La surface verte de la figure représente le revenu locatif que rapportent ces terrains à leurs propriétaires. C'est ce que l'on appelle la *rente économique*.

Le graphique 14.9 (b) illustre le marché d'un facteur de production dont l'offre est parfaitement élastique. Il pourrait s'agir, par exemple, du marché de la main-d'œuvre non qualifiée dans un pays pauvre comme l'Inde ou la Chine; ces pays connaissent un important exode de leur population rurale, qui est prête à travailler dans les villes au taux salarial courant ($S$ dans notre exemple). Dans ces cas, l'offre de travail est parfaitement élastique. Le revenu de ces travailleurs compense exactement la valeur de réserve de leur travail; ils ne reçoivent aucune rente économique.

Le graphique 14.9 (c) illustre le marché des chanteurs de rock. Pour inciter les chanteurs de rock à donner de nombreux concerts, il faut leur offrir un revenu élevé — la courbe d'offre des chanteurs de rock a une pente positive. Dans cette figure, la courbe de demande — qui mesure la valeur du produit marginal du chanteur de rock — est $D$. L'équilibre est atteint lorsque les chanteurs de rock reçoivent un salaire $S$ et chantent à $Q$ concerts. La zone verte située au-dessus de la courbe d'offre représente la rente économique des chanteurs de rock, et la partie jaune située au-dessous de la courbe d'offre, leur valeur de réserve. Si l'on n'offre pas aux chanteurs de rock un montant au moins égal à leur valeur de réserve, ils se retireront du marché des concerts pour se consacrer à d'autres activités, comme l'enregistrement de disques ou l'enseignement du chant.

◇ Nous avons vu comment l'offre et la demande déterminent les prix et les revenus des facteurs de production. Nous avons également étudié les effets de l'évolution de la demande et de l'offre sur les prix et les revenus des facteurs de production, ainsi que le rôle crucial de la valeur du produit marginal d'un facteur. Enfin, nous avons établi la distinction entre la rente économique et la valeur de réserve. Comme nous le verrons dans la rubrique « Entre les lignes » (p. 336), la rente économique a une importance primordiale lorsque les salaires sont très élevés, comme c'est le cas pour les vedettes du cinéma ou du sport.

Au prochain chapitre, nous approfondirons notre étude des marchés du travail et nous expliquerons les différences de taux salarial entre la main-d'œuvre non qualifiée et la main-d'œuvre qualifiée, et entre les hommes et les femmes.

---

**FIGURE 14.9**

## La rente économique et l'élasticité de l'offre

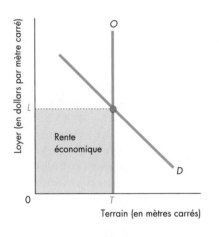

**(a) La totalité du revenu est une rente économique.**

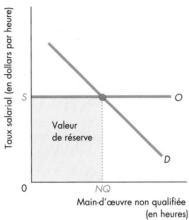

**(b) La totalité du revenu est la valeur de réserve.**

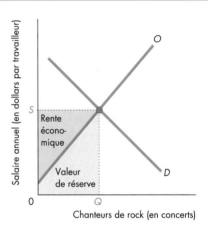

**(c) Cas intermédiaire**

Si, comme au graphique (a), l'offre d'un facteur de production est parfaitement inélastique — la courbe d'offre est verticale —, la totalité du revenu de ce facteur est une rente économique. Si, comme au graphique (b), l'offre d'un facteur de production est parfaitement élastique, la totalité du revenu de ce facteur correspond à sa valeur de réserve. Si, comme au graphique (c), la pente de la courbe d'offre d'un facteur est positive, une partie du revenu de ce facteur est une rente économique et une autre partie correspond à sa valeur de réserve. Le graphique (a) illustre le cas de la terre, le graphique (b) illustre le cas de la main-d'œuvre non qualifiée dans un pays pauvre et le graphique (c) illustre le cas des chanteurs de rock.

# LES RENTES et la valeur de réserve sur la glace

## Les faits
### EN BREF

## L'escalade des salaires préoccupe toujours les directeurs de la LNH

PAR ALAN ADAMS

Deux des principaux protagonistes de la guerre des salaires qui a secoué la Ligue nationale de hockey l'an dernier déclarent que le lock-out de 105 jours n'a pas ralenti l'escalade des salaires, qui demeure toujours préoccupante.

Le directeur général du club de Boston, Harry Sinden, et son homologue d'Edmonton, Glen Sather, ont déclaré que les salaires continuaient d'augmenter trop rapidement et qu'ils doutent que leurs collègues parviennent à freiner cette escalade.

« Il est évident que ce qui s'est passé l'an dernier n'a rien changé, de dire Sather. L'augmentation des salaires est devenue impossible à stopper. »

De son côté, Sinden dit craindre que, lors des prochaines négociations, les autres directeurs généraux ne s'appuient pas sur les concessions arrachées aux joueurs durant le lock-out. « Les salaires augmentent toujours au même rythme, sinon plus vite (que l'an dernier). »

Il y a un an à peine, les propriétaires décidaient de mettre un frein à l'escalade des salaires. En acceptant de mettre fin au lock-out, ils avaient obtenu des joueurs des concessions qui allaient dans ce sens, notamment l'abandon de certains droits d'arbitrage, l'imposition de limites salariales à certains agents libres et le plafonnement du salaire des nouvelles recrues.

« Rien n'indique que nous ayions su profiter de ces gains », déplore M. Sinden.

L'an dernier, le salaire moyen des joueurs s'élevait à 730 000 $ ; cette année, en raison de certaines acquisitions récentes, il sera de plus de 800 000 $.

Avant de céder le contrat de Sergei Zubov à Pittsburg, les Rangers de New York ont augmenté son salaire, qui est passé de 275 000 $ à 1,6 million de dollars américains, une augmentation de 482 %.

Le club de St. Louis a signé avec l'agent libre Shayne Corson un contrat qui lui assure un salaire de 2,395 millions, soit une augmentation de 286 % par rapport aux 850 000 $ canadiens que gagnait Corson l'an dernier avec l'équipe d'Edmonton. Par la suite, les Blues ont donné à Dale Hawerchuk 2,5 millions de dollars américains pour la saison — une hausse de 89 % par rapport à son salaire de l'an dernier à Buffalo.

Sinden lui-même a accordé des augmentations de trois chiffres à certains joueurs des Bruins, comme Ted Donato (525 000 $, une augmentation de 200 %), Kevin Stevens (2,92 millions de dollars, une augmentation de 123 %) et Cam Neely (2,5 millions de dollars, une augmentation de 150 %). [...]

Cependant, tout le monde ne profite pas de cette situation. Des joueurs vedettes comme Trevor Linden, Curtis Joseph et Theo Fleury sont toujours sans emploi, ainsi que des joueurs chevronnés comme Peter Zezel et Ron Tugnutt.

Trois semaines avant le début de la saison, la question des salaires est loin d'être réglée à la LNH.

■ Le salaire moyen des joueurs de la LNH pour la saison de 1994-1995 s'élevait à 730 000 $. Durant la saison de 1995-1996, il a atteint plus de 800 000 $.

■ Les directeurs généraux Harry Sinden de Boston et Glen Sather d'Edmonton déclarent que les salaires des joueurs augmentent trop rapidement, et que les directeurs généraux n'arrivent pas à freiner l'escalade.

■ Les Rangers de New York ont augmenté de 482 % le salaire de Sergei Zubov, qui est passé de 275 000 $ à 1,6 million de dollars américains.

■ Le club de St. Louis verse 2,395 millions de dollars américains par année à Shayne Corson, une hausse de près de 286 % par rapport au salaire de 850 000 $ canadiens qu'il recevait précédemment avec l'équipe d'Edmonton.

■ Les Blues payent Dale Hawerchuk 2,5 millions de dollars américains, soit une hausse de 89 % par rapport au salaire qu'on lui versait à Buffalo.

■ Sinden a offert des augmentations de trois chiffres à Ted Donato (200 %, pour un salaire de 525 000 $), à Kevin Stevens (123 %, pour un salaire de 2,92 millions de dollars) et à Cam Neely (150 %, pour un salaire de 2,5 millions de dollars).

# Analyse

## ÉCONOMIQUE

■ La valeur du produit marginal des joueurs de la qualité de Shayne Corson, Dale Hawerchuk et Cam Neely est considérable.

■ Ces joueurs remplissent les stades et engendrent d'énormes recettes pour leurs clubs.

■ L'offre de joueurs de hockey de haut calibre est limitée. Lorsque le taux salarial est inférieur au salaire minimum en vigueur dans l'industrie, personne ne veut travailler ni s'entraîner pour disputer des matchs de hockey d'un tel niveau. L'offre est nulle.

■ À un taux salarial égal qui correspond au salaire moyen en vigueur dans l'industrie, de nombreux joueurs acceptent de travailler, c'est-à-dire de s'entraîner et de disputer des matchs de hockey de haut biveau. Mais peu d'entre eux sont de taille à affronter des joueurs comme Corson, Hawerchuk ou Neely.

■ Même si les salaires augmentent de façon vertigineuse, le nombre de joueurs de haut calibre n'augmente pas. L'offre est inélastique.

■ La courbe d'offre $O$ du graphique de la figure 1 illustre l'offre de joueurs de hockey de haut calibre. Le taux salarial moyen sur le marché est $a$. À mesure que le taux salarial augmente au-dessus de ce taux, l'offre de joueurs de haut calibre augmente, mais seulement jusqu'à une quantité maximale $Q_0$. Au-delà de cette quantité, on ne trouve plus de joueurs suffisamment qualifiés.

■ La demande d'athlètes de haut calibre (courbe $D$) est déterminée par la valeur de leur produit marginal.

■ Sur le marché de joueurs vedettes de hockey, l'équilibre est atteint au taux salarial de 800 000 $ par année (en moyenne).

■ La majeure partie de ce revenu correspond à la *rente économique* (zone verte). Le reste (zone jaune) est la *valeur de réserve*.

■ La figure 2 illustre la situation à laquelle fait face un club de hockey. Son offre de joueurs de haut calibre sera parfaitement élastique, comme le montre la courbe $O_i$. La courbe de demande du club est $D_i$ et le club engage la quantité $Q_i$ de joueurs vedettes.

■ Si les clubs pouvaient conclure une entente collusoire, ils pourraient peut-être empêcher les salaires des joueurs de monter, mais la concurrence à laquelle ils se livrent pour obtenir les meilleurs joueurs les amènent à payer le salaire du marché.

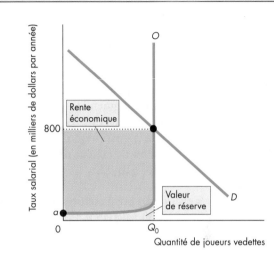

**Figure 1   Le marché des joueurs de hockey vedettes**

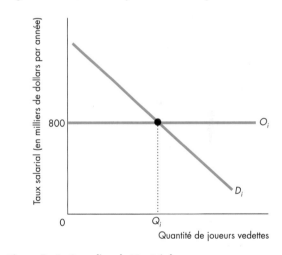

**Figure 2   Le Canadien de Montréal**

# RÉSUMÉ

## Points clés

**Les prix des facteurs de production et les revenus**
Les prix des facteurs de production sont déterminés par l'offre et la demande de facteurs. Les prix des facteurs et les quantités utilisées déterminent les revenus qu'ils génèrent. Toute augmentation de la demande d'un facteur de production entraîne l'augmentation de son prix et du revenu qu'il génère. Une augmentation de l'offre d'un facteur de production entraîne une baisse de son prix et une augmentation de la quantité utilisée. L'effet d'une telle hausse sur le revenu du facteur dépend de l'élasticité de la demande. (p. 320-322)

**La demande de facteurs de production**  L'entreprise maximise son profit en employant la quantité d'un facteur de production à laquelle la valeur du produit marginal du facteur est égale à son prix. Les entreprises peuvent modifier le nombre d'employés qu'elles emploient à court terme et à long terme, mais ne peuvent modifier la quantité de capital utilisé qu'à long terme. À court terme, l'élasticité de la demande de travail sur le marché dépend de la quantité de main-d'œuvre engagée dans le processus de production, de la rapidité à laquelle le produit marginal du travail diminue et de l'élasticité de la demande du produit de l'entreprise. L'élasticité à long terme de la demande de travail dépend de ces trois conditions, ainsi que de la facilité avec laquelle le capital peut être substitué au travail. (p. 322-328)

**L'offre de facteurs de production**  Lorsqu'ils décident du temps qu'ils consacreront aux activités de marché, les ménages comparent le taux salarial qu'ils pourraient gagner à la valeur du temps qu'ils pourraient consacrer à des activités hors marché. Si le salaire est supérieur au salaire de réserve du ménage, l'offre de travail augmente tant que l'effet de substitution du taux salarial plus élevé est supérieur à l'effet de revenu. Si le taux salarial continue à monter, l'effet de revenu prend le pas sur l'effet de substitution et l'offre de travail des ménages diminue. Les ménages fournissent le capital par le biais de l'épargne, et les entreprises utilisent le capital financier pour acheter le capital physique. L'épargne et la quantité de capital utilisée augmentent en fonction de la hausse du taux d'intérêt. L'offre de capital à une entreprise individuelle est très inélastique à court terme, mais très élastique à long terme. L'offre de terre est fixe et indépendante de sa rente. Toutefois, individuellement, l'entreprise fait face à une offre de terre élastique. (p. 328-333)

**Les revenus, la rente économique et la valeur de réserve**  Le prix d'un facteur est élevé si la valeur de son produit marginal est élevée et que l'offre est faible. Le prix d'un facteur est bas si la valeur de son produit marginal est faible et que l'offre est forte. La part du revenu d'un facteur correspondant au minimum nécessaire pour inciter son détenteur à offrir ce facteur sur le marché est la valeur de réserve ; la partie du revenu qui excède cette valeur de réserve est la rente économique. La valeur de réserve correspond au coût d'opportunité. Si l'offre d'un facteur est parfaitement inélastique, la totalité de son revenu est une rente économique ; si l'offre est parfaitement élastique, le revenu total ne correspond qu'à la valeur de réserve. En général, la courbe d'offre d'un facteur est croissante ; une partie de son revenu (au-dessous de la courbe d'offre) correspond alors à la valeur de réserve, et l'autre partie (au-dessus de la courbe d'offre mais au-dessous du prix du facteur) correspond à la rente économique. (p. 333-335).

## Figures et tableaux clés

## Mots clés

# Q U E S T I O N S   D E   R É V I S I O N

1. Dites ce qu'il advient du prix et du revenu d'un facteur de production dans les cas suivants :
   a) La demande du facteur augmente.
   b) L'offre du facteur augmente.
   c) La demande du facteur baisse.
   d) L'offre du facteur baisse.

2. Expliquez pourquoi l'effet d'une variation de l'offre d'un facteur de production sur le revenu du facteur dépend de l'élasticité de sa demande.

3. Définissez la valeur du produit marginal et faites la distinction entre la valeur du produit marginal et la recette marginale.

4. Pourquoi la valeur du produit marginal d'un facteur de production diminue-t-elle lorsque la quantité utilisée augmente ?

5. Quel est le rapport entre la courbe de demande et la courbe de valeur du produit marginal d'un facteur de production ? Justifiez votre réponse.

6. Démontrez que la condition de la maximisation du profit sur le marché du produit — égalité du coût marginal et de la recette marginale — équivaut à la condition de maximisation du profit sur le marché du facteur de production — égalité de la valeur du produit marginal et du coût marginal du facteur (le coût marginal du facteur étant égal au prix du facteur si le marché du facteur est parfaitement concurrentiel).

7. Quelles sont les principales variables qui influent sur la demande d'un facteur de production, c'est-à-dire qui modifient sa courbe de demande ?

8. Qu'est-ce qui détermine l'élasticité à court terme et l'élasticité à long terme de la demande de travail ?

9. Qu'est-ce qui détermine l'offre de travail ?

10. Pourquoi la courbe d'offre de travail se replie-t-elle vers l'axe des ordonnées à partir d'un certain taux salarial ?

11. De quoi dépend l'offre de capital ?

12. Expliquez pourquoi les travailleurs des restaurants McDonald's reçoivent des salaires aussi peu élevés.

13. Qu'est-ce qui détermine l'offre de capital ?

14. Expliquez pourquoi l'offre de capital est plus élastique à long terme qu'à court terme.

15. Expliquez pourquoi la rente d'un lot de terrain est déterminée par la valeur de son produit marginal.

16. Qu'entend-on par rente économique et par valeur de réserve ? Qu'est-ce qui différencie ces deux éléments du revenu ?

17. Supposons que l'offre d'un facteur de production soit parfaitement inélastique. Quels sont les effets d'une diminution de la valeur du produit marginal de ce facteur sur le prix, la quantité utilisée, le revenu, la valeur de réserve et la rente économique ?

# A N A L Y S E   C R I T I Q U E

1. Lisez attentivement la rubrique « Entre les lignes » (p. 336) et répondez aux questions suivantes :
   a) Pourquoi la valeur du produit marginal des meilleurs joueurs de hockey est-elle élevée ?
   b) Pourquoi les propriétaires de clubs ne peuvent-ils pas se contenter de payer aux joueurs un salaire égal à leur valeur de réserve ?
   c) Supposons qu'on frappe le revenu des vedettes du sport d'un impôt spécial. À part les protestations que soulèverait cette mesure, quel effet cet impôt aurait-il sur le taux salarial payé par les clubs et sur le salaire net des joueurs ?

2. Pourquoi les étudiants qui travaillent chez McDonald's gagnent-ils moins que Michael Jordan ?

3. Pourquoi un mètre carré de terrain au centre-ville de Montréal coûte-t-il plus cher qu'un mètre carré de terre agricole au Manitoba ?

4. Pourquoi les gens protestent-ils lorsqu'on utilise les terres agricoles situées à la périphérie des villes pour construire des maisons de banlieue ?

5. Au hockey, au football ou au baseball, c'est toute l'équipe qui remporte une victoire. Comment expliquer alors que les membres d'une équipe ne reçoivent pas tous le même salaire ?

6. De quelle information a-t-on besoin pour calculer la rente économique que reçoit Micheal Jordan ?

7. Lors des jeux olympiques d'Atlanta, Singapour a versé près de 1 million de dollars à chacun de ses médaillés d'or, tandis que l'Australie leur a donné 25 000 $ seulement, et le Canada, pas un sou. À votre avis, qu'est-ce qui détermine quelle somme d'argent les gouvernements du monde entier sont prêts à verser à leurs médaillés d'or ?

## PROBLÈMES

1. La figure suivante illustre le marché des ramasseurs de bleuets :

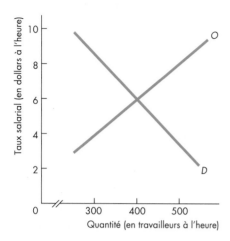

a) Quel est le taux salarial des ramasseurs de bleuets ?

b) Combien engage-t-on de ramasseurs de bleuets ?

c) Quel est le revenu des ramasseurs de bleuets ?

d) Quelle est la valeur du produit marginal des ramasseurs de bleuets ?

e) Si le prix du casseau de bleuets est de 1 $, quel est le produit marginal du dernier ramasseur embauché ?

2. Reprenez le problème n° 1 et dessinez sur la figure :
   a) la rente économique des ramasseurs de bleuets ;
   b) la valeur de réserve des ramasseurs de bleuets.

3. Reprenez le problème n° 1 en supposant que la demande de ramasseurs de bleuets augmente de 100 ramasseurs par jour, et répondez aux questions suivantes :
   a) Quelle est l'augmentation du taux salarial payé aux ramasseurs de bleuets ?
   b) Combien de ramasseurs supplémentaires ont été employés ?
   c) Quel est le revenu total des ramasseurs de bleuets ?
   d) Quelle est la rente économique des ramasseurs de bleuets ?
   e) Quelle est la valeur de réserve des ramasseurs de bleuets ?

4. Valérie est propriétaire d'une poissonnerie. Elle emploie des étudiants pour trier et emballer les poissons. Les étudiants peuvent emballer la quantité de poissons suivante à l'heure :

| Nombre d'étudiants | Quantité de poisson (en kilogrammes) |
|---|---|
| 1 | 20 |
| 2 | 50 |
| 3 | 90 |
| 4 | 120 |
| 5 | 145 |
| 6 | 165 |
| 7 | 180 |
| 8 | 190 |

a) Tracez les courbes de produit marginal et de produit moyen de chaque étudiant.

b) Tracez les courbes de la valeur du produit marginal et moyen en supposant que Valérie vende son poisson 50 ¢ le kilogramme.

c) Tracez la courbe de demande de travail de Valérie.

d) Si toutes les autres poissonneries de la région paient leurs emballeurs de poisson 7,50 $ l'heure, combien d'étudiants emploiera Valérie ?

5. Reprenez le problème n° 4 en supposant que le prix du poisson descend à 33,33 ¢ le kilogramme et que le salaire des emballeurs reste le même. Dites quels sont les effets de cette diminution du prix sur :
   a) les courbes de produit marginal et de produit moyen de Valérie ;
   b) les courbes de valeur du produit marginal et du produit moyen de Valérie ;
   c) la courbe de demande de travail de Valérie ;
   d) le nombre d'étudiants employés par Valérie.

6. Reprenez le problème n° 4 en supposant que le salaire des emballeurs de poisson passe à 10 $ l'heure tandis que le prix du poisson reste le même, soit 50 ¢ le kilogramme.
   a) Quels sont les effets de l'augmentation du prix du poisson sur les courbes de valeur du produit marginal et du produit moyen ?
   b) Quels sont ses effets sur la courbe de demande de Valérie ?
   c) Combien d'étudiants Valérie engage-t-elle alors ?

7. À partir de l'information fournie au problème n° 4, calculez la recette marginale de Valérie, son coût marginal, la valeur du produit marginal du travail et le coût marginal du travail. Démontrez que, si Valérie maximise son profit, son coût marginal de production est égal à sa recette marginale, et que la valeur du produit marginal du travail est égale au coût marginal du travail.

8. Dans une ville isolée de la forêt amazonienne, toutes les personnes qui sont sur le marché du travail sont employées par l'une ou l'autre des nombreuses entreprises de coupe forestière de la région. Le marché des bûcherons est parfaitement concurrentiel. L'offre de travail de la région est la suivante :

| Taux salarial (en cruzeiros à l'heure) | Quantité de travail offerte (en heures) |
|---|---|
| 200 | 120 |
| 300 | 160 |
| 400 | 200 |
| 500 | 240 |
| 600 | 280 |
| 700 | 320 |
| 800 | 360 |

La demande de travail du marché de l'ensemble des entreprises de la ville est la suivante :

| Taux salarial (en cruzeiros à l'heure) | Demande de travail (en heures) |
|---|---|
| 200 | 400 |
| 300 | 360 |
| 400 | 320 |
| 500 | 280 |
| 600 | 240 |
| 700 | 200 |
| 800 | 160 |

a) Quel est le taux salarial à l'équilibre concurrentiel et la quantité de travail utilisée ?

b) Quel est le revenu total du travail ?

c) Quelles sont les parts respectives de la rente économique et de la valeur de réserve dans ce revenu total ? (Pour répondre à cette question, vous devrez tracer les courbes d'offre et de demande et illustrer par un graphique la rente économique et la valeur de réserve, de la même manière que dans la figure 14.8.)

« *Les hommes, comme les animaux, se multiplient naturellement d'une manière proportionnelle à leurs moyens de subsistance.* »

ADAM SMITH, *LA RICHESSE DES NATIONS* (traduction libre)

# Pénurie de ressources ?

**LES QUESTIONS ET LES IDÉES**

Y a-t-il une limite à la croissance économique, ou pouvons-nous espérer que la production et la population continuent à croître indéfiniment ? En 1798, Thomas Malthus donne à ces questions une réponse qui allait se révéler des plus influentes. Selon Malthus, sans limitation, la population connaîtrait une progression géométrique (1, 2, 4, 8, 16, etc.) et sa croissance serait donc plus rapide que celle des moyens de subsistance, dont la progression serait arithmétique (1, 2, 3, 4, 5, etc.). Selon Malthus, des désastres périodiques comme les guerres, les famines et les épidémies avaient pour fonction d'empêcher que la surpopulation épuise les ressources disponibles, et seul un resserrement du code moral pourrait enrayer de tels fléaux.

Avec les progrès de l'industrialisation au XIXᵉ siècle, les idées de Malthus finirent par être appliquées à toutes les ressources naturelles, et plus particulièrement aux ressources épuisables. Selon l'écologiste Paul Ehrlich, malthusien des temps modernes, l'humanité est assise sur une « bombe démographique » et le gouvernement doit limiter la croissance démographique ainsi que la quantité annuelle des ressources utilisées.

En 1931, Harold Hotelling a élaboré une théorie sur les ressources naturelles et émis des prédictions différentes de celles de Malthus. Selon le principe d'Hotelling, le prix relatif d'une ressource naturelle épuisable augmentera constamment, ce qui entraînera une diminution de la quantité utilisée ainsi qu'une augmentation du recours à des ressources de substitution.

Ces dernières années, un économiste contemporain, Julian Simon, a mis en cause à la fois le pessimisme malthusien et le principe d'Hotelling. Pour lui, les *gens* sont les « ressources ultimes » et, affirme-t-il, la croissance démographique *réduit* les contraintes exercées sur les ressources naturelles. Une population plus importante comprend un plus grand nombre d'individus imaginatifs, capables de trouver des manières plus efficientes d'utiliser les ressources rares. Au fur et à mesure que ces solutions émergent, le prix des ressources épuisables diminue. En 1980, Simon a même parié avec Ehrlich que le prix de cinq métaux — le cuivre, le chrome, le nickel, l'étain et le tungstène — allait baisser au cours des années 1980, et il a gagné son pari !

**HIER...** QU'IL S'AGISSE d'une terre agricole, d'une ressource naturelle épuisable ou de la Place Jacques-Cartier un jour de marché, qu'on soit en 1999 ou en 1927 comme sur cette photo, il y a une limite à ce qui est disponible, et nous tentons constamment de repousser cette limite. Selon les économistes, la congestion des centres urbains est le résultat de la valeur associée au fait de travailler au centre-ville par rapport au coût. Ils considèrent que le mécanisme des prix — qui entraîne l'augmentation du prix des matières premières et des loyers — est un moyen de répartir et de rationner les ressources naturelles limitées. Les malthusiens, eux, croient que la congestion urbaine est la conséquence de la pression démographique, et que le contrôle démographique est la solution.

*À Tokyo, l'espace est tellement rare que, dans certains quartiers résidentiels, une place de stationnement coûte 1 700 $ par mois. Pour économiser cet espace coûteux — et pour réduire les frais liés à la possession d'une automobile et stimuler ainsi les ventes d'automobiles — Honda, Nissan et Toyota, trois des plus grands fabricants d'automobiles du Japon, ont mis au point une « machine à stationnement » qui permet à deux automobiles d'occuper l'espace d'une seule. La plus simple de ces machines coûte 10 000 $, soit moins que six mois de stationnement.*

HUNT.

Thomas Robert Malthus

## LES ÉCONOMISTES THOMAS ROBERT MALTHUS ET HAROLD HOTELLING

Pasteur anglican et professeur, Thomas Robert Malthus (1766-1834) était un spécialiste en sciences sociales très influent. Dans son *Essai sur le principe de population*, publié en 1798 et qui connut un vif succès, il affirme que la population croît plus rapidement que les ressources naturelles et, en particulier, que la nourriture disponible. Selon les malthusiens des temps modernes, cette idée fondamentale est juste et s'applique à toutes les ressources naturelles.

Les travaux les plus poussés en matière d'économie des ressources naturelles restent ceux d'Harold Hotelling (1895-1973). Hotelling fut journaliste, enseignant et mathématicien-conseil avant de devenir professeur d'économie à la Colombia University. Il a expliqué comment le mécanisme des prix permet de répartir les ressources épuisables en les rendant de plus en plus coûteuses. Leur prix plus élevé stimule le développement de nouvelles technologies, la découverte de nouvelles sources d'approvisionnement et la mise au point de substituts.

Harold Hotelling

L'ÉVOLUTION DE NOS CONNAISSANCES

# Le marché du travail

**Objectifs du chapitre**

- Expliquer pourquoi les travailleurs qualifiés gagnent davantage, en moyenne, que les travailleurs non qualifiés

- Expliquer pourquoi les diplômés des universités et des collèges gagnent davantage que les diplômés du secondaire

- Expliquer pourquoi les travailleurs syndiqués gagnent plus que les non-syndiqués

- Expliquer pourquoi, en moyenne, les hommes gagnent plus que les femmes

- Prévoir les effets des lois sur l'équité salariale

La vie d'étudiant n'est pas toujours une partie de plaisir. Examens, interrogations, lectures... Le jeu en vaut-il vraiment la chandelle? Plus précisément, l'instruction est-elle garante d'un meilleur salaire? Ce salaire sera-t-il suffisant pour compenser le coût des études, c'est-à-dire non seulement les frais de scolarité et de subsistance, mais aussi le manque à gagner? (Après tout, vous pourriez être en train de faire de l'argent au lieu de potasser ce cours d'économie.) ◆ Bon nombre de travailleurs et de travailleuses sont membres d'un syndicat. En général, pour des emplois comparables, les syndiqués gagnent plus que les non-syndiqués. Pourquoi? ◆ Les écarts salariaux entre les hommes et les femmes sont flagrants et persistants. Évidemment, il y a des exceptions, mais, en moyenne, les salaires des hommes dépassent de près du tiers les salaires des femmes. Pourquoi les femmes gagnent-elles moins que les hommes? Ces écarts salariaux sont-ils imputables à la discrimination, à un ensemble de facteurs économiques ou à une combinaison des deux? ◆ Les lois sur l'équité en emploi ont entraîné la mise en œuvre de politiques et de programmes visant à assurer l'égalité des salaires pour des emplois comparables, indépendamment des salaires qui ont cours sur le marché. Ces mesures peuvent-elles améliorer la situation économique des femmes?

## À la sueur de son front

◻ Dans ce chapitre, nous répondrons à ces questions en étudiant le fonctionnement des marchés du travail. Nous utiliserons un modèle de marché du travail concurrentiel comme celui du chapitre 14 pour analyser les effets de la scolarisation et de la formation professionnelle sur les salaires. Nous nous pencherons ensuite sur les écarts salariaux entre syndiqués et non-syndiqués, puis entre hommes et femmes, et nous analyserons les effets des lois sur l'équité salariale.

# Les différences de qualification

NOUS AVONS TOUS DES COMPÉTENCES, MAIS LA valeur que reconnaît le marché à divers types de compétences varie considérablement, ce qui donne lieu à d'importants écarts salariaux. Ainsi, le commis d'un cabinet juridique et l'assistante en salle d'opération gagnent dix fois moins que leurs patrons avocats et chirurgiens. Comme nous allons le voir, on peut expliquer les écarts salariaux fondés sur des différences de scolarisation et de formation professionnelle à l'aide d'un modèle de marché du travail concurrentiel. Dans le monde réel, les différences de scolarisation et de formation professionnelle sont multiples ; par souci de clarté, notre modèle économique, lui, ne compte que deux types de main-d'œuvre : des travailleurs qualifiés et des travailleurs non qualifiés. Nous étudierons l'offre et la demande de ces deux types de main-d'œuvre afin d'expliquer pourquoi leurs salaires diffèrent. Commençons par la demande.

## La demande de main-d'œuvre qualifiée et non qualifiée

Un travailleur qualifié peut accomplir plusieurs tâches dont ne pourrait s'acquitter un travailleur non qualifié, du moins pas de manière satisfaisante ; on ne songe pas à demander à quelqu'un n'ayant ni formation ni expérience de pratiquer une intervention chirurgicale ou de piloter un avion. Comme les travailleurs qualifiés peuvent exécuter des tâches plus complexes, la valeur de leur produit marginal est supérieure à celle des travailleurs non qualifiés. Comme nous l'avons vu au chapitre 14, la courbe de demande de travail dérive de la courbe de valeur du produit marginal.

Le graphique (a) de la figure 15.1 permet de comparer les courbes de demande d'une main-d'œuvre qualifiée et d'une main-d'œuvre non qualifiée. On constate que, à n'importe quel niveau d'emploi, les entreprises sont prêtes à payer un salaire plus élevé aux travailleurs qualifiés qu'aux travailleurs non qualifiés. L'écart salarial entre ces deux catégories de travailleurs est égal à la différence entre la valeur du produit marginal d'un nombre

---

**FIGURE 15.1**

## Les différences de qualification

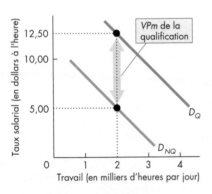

**(a) Demande de main-d'œuvre qualifiée et non qualifiée**

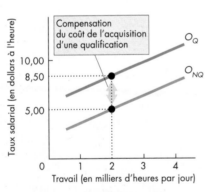

**(b) Offre de main-d'œuvre qualifiée et non qualifiée**

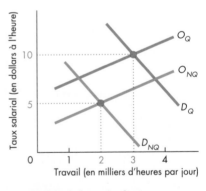

**(c) Marchés de la main-d'œuvre qualifiée et de la main-d'œuvre non qualifiée**

Le graphique (a) illustre la valeur du produit marginal de la qualification. La courbe de demande $D_{NQ}$ découle de la valeur du produit marginal des travailleurs non qualifiés. La valeur du produit marginal des travailleurs qualifiés est supérieure à celle des travailleurs non qualifiés ; la courbe de demande de main-d'œuvre qualifiée ($D_Q$) se situe donc à droite de la courbe de demande de main-d'œuvre non qualifiée ($D_{NQ}$). L'écart vertical entre ces deux courbes correspond à la valeur du produit marginal de l'acquisition d'une qualification supplémentaire (études ou formation professionnelle).

Le graphique (b) illustre les effets du coût de l'acquisition d'une qualification sur les courbes d'offre de travail. L'écart vertical

entre la courbe d'offre des travailleurs non qualifiés ($O_{NQ}$) et la courbe d'offre des travailleurs qualifiés ($O_Q$) représente la compensation du coût de l'acquisition d'une qualification.

Le graphique (c) présente les niveaux d'emploi et l'écart salarial entre la main-d'œuvre qualifiée et non qualifiée à l'équilibre. Les travailleurs non qualifiés fournissent 2 000 heures de travail à 5 $ l'heure et les travailleurs qualifiés fournissent 3 000 heures de travail à 10 $ l'heure. Le salaire des travailleurs qualifiés est toujours supérieur à celui des travailleurs non qualifiés.

donné de travailleurs qualifiés et de travailleurs non qualifiés. Cette différence représente donc la valeur du produit marginal de la qualification professionnelle. Ainsi, pour un niveau d'emploi de 2 000 heures de travail, les entreprises sont disposées à payer les services d'un travailleur qualifié 12,50 $ l'heure, et ceux d'un travailleur non qualifié 5 $ l'heure seulement. La différence est la valeur du produit marginal de ces deux travailleurs, soit 7,50 $ l'heure. La valeur du produit marginal de la qualification est donc de 7,50 $ l'heure.

### L'offre de travailleurs qualifiés et de travailleurs non qualifiés

Acquérir une qualification coûte cher. Qui plus est, le travailleur doit généralement payer sa formation avant de bénéficier d'un salaire plus élevé. On sait, par exemple, que des études collégiales et universitaires permettent souvent d'accéder à des postes mieux rémunérés, mais il faut d'abord obtenir le diplôme pour bénéficier d'une rémunération supérieure. L'acquisition d'une qualification professionnelle est donc un investissement. Plus précisément, nous dirons qu'il s'agit d'un investissement en capital humain, le **capital humain** d'une personne étant la somme de ses connaissances et qualifications.

Le coût d'opportunité de l'acquisition d'une qualification comprend les dépenses — frais de scolarité, coût des manuels, frais d'hébergement et de subsistance, etc. —, mais aussi le manque à gagner. Pour l'étudiant à temps plein, le manque à gagner correspond au salaire qu'il gagnerait s'il travaillait à temps plein. Les travailleurs qui reçoivent une formation en cours d'emploi sont généralement rémunérés, mais moins que leurs collègues qui accomplissent les mêmes tâches sans suivre de formation. Dans ce cas, le coût d'opportunité de l'acquisition de la qualification professionnelle correspond à la différence entre le salaire du travailleur ordinaire et celui du travailleur en formation.

**Les courbes d'offre de travailleurs qualifiés et non qualifiés** Le graphique 15.1 (b) montre les courbes d'offre de travailleurs qualifiés ($O_Q$) et non qualifiés ($O_{NQ}$). La position respective de ces courbes permet de mesurer le coût associé à l'acquisition de la qualification professionnelle.

La courbe d'offre de travailleurs qualifiés se situe au-dessus de la courbe de travailleurs non qualifiés; l'écart vertical entre ces deux courbes d'offre représente le supplément de salaire qui compense le coût associé à l'acquisition de la formation professionnelle. Supposons que la main-d'œuvre non qualifiée fournisse 2 000 heures de travail par jour à raison de 5 $ l'heure; ce taux salarial représente simplement le montant versé pour le temps consacré au travail. Cependant, pour inciter les travailleurs qualifiés à fournir 2 000 heures de travail, les entreprises doivent leur verser un salaire horaire de 8,50 $. Le taux salarial des

travailleurs qualifiés est supérieur à celui des travailleurs non qualifiés, car il doit compenser non seulement le temps qu'ils consacrent à leur travail, mais aussi le temps et l'argent qu'ils ont investis dans leur formation.

### Le taux salarial des travailleurs qualifiés et non qualifiés

Pour mesurer l'écart salarial entre les travailleurs qualifiés et non qualifiés, il faut tenir compte des effets de la formation sur l'offre et sur la demande de travail.

Le graphique 15.1 (c) présente les courbes de demande et d'offre de la main-d'œuvre qualifiée et non qualifiée; ce sont exactement les mêmes que celles des graphiques (a) et (b). Sur le marché des travailleurs non qualifiés, l'équilibre est atteint au point d'intersection des courbes d'offre et de demande de travailleurs non qualifiés. Le taux salarial horaire d'équilibre est de 5 $, et les travailleurs non qualifiés fournissent 2 000 heures de travail. Sur le marché des travailleurs qualifiés, l'équilibre est atteint au point d'intersection des courbes d'offre et de demande de travailleurs qualifiés. Le salaire horaire d'équilibre est de 10 $, et les travailleurs qualifiés fournissent 3 000 heures de travail.

Comme le montre le graphique 15.1 (c), le salaire d'équilibre des travailleurs qualifiés est supérieur à celui des travailleurs non qualifiés, et ce pour deux raisons : d'une part, la valeur du produit marginal de la main-d'œuvre qualifiée est supérieure à celle de la main-d'œuvre non qualifiée et, de ce fait, à un taux salarial donné, la demande de main-d'œuvre qualifiée est supérieure à la demande de main-d'œuvre non qualifiée. D'autre part, l'acquisition d'une formation est coûteuse, de sorte que, pour un taux salarial donné, l'offre de travailleurs qualifiés est inférieure à l'offre de travailleurs non qualifiés. L'écart entre les salaires (dans ce cas, 5 $ par heure) varie en fonction de la valeur du produit marginal de cette qualification et du coût associé à son acquisition. Plus la valeur du produit marginal de la formation est élevée, plus l'écart vertical entre la courbe de demande des travailleurs qualifiés et celle des travailleurs non qualifiés est important. Plus la formation est coûteuse, plus l'écart vertical entre la courbe d'offre de main-d'œuvre qualifiée et celle de la main-d'œuvre non qualifiée est important. L'écart salarial entre la main-d'œuvre qualifiée et non qualifiée est donc d'autant plus important que la valeur du produit marginal de la qualification professionnelle est élevée, et que l'acquisition de cette qualification est coûteuse.

### La scolarité et la formation professionnelle sont-elles un bon investissement ?

Les différences de scolarisation et de formation professionnelle engendrent des écarts salariaux importants qui persistent tout au long de la vie professionnelle. La figure 15.2 nous donne une idée de ces différences en mettant en évidence deux de leurs principales causes. Toutes autres choses étant égales, plus le niveau de scolarisation d'un travailleur est élevé, plus son salaire sera élevé. Par ailleurs, quel que soit le niveau de scolarisation, le salaire augmente avec l'âge, ce qu'on peut expliquer par le fait que l'âge est corrélé avec l'expérience et le niveau de formation en cours d'emploi. Les revenus augmentent donc avec l'âge, du moins jusqu'à la cinquantaine.

La figure 15.2 montre que les études secondaires, postsecondaires et universitaires permettent d'obtenir des revenus plus élevés. Mais le supplément de rémunération qu'apportent les diplômes compense-t-il vraiment leur coût? La réponse est oui. Le plus souvent, un diplôme postsecondaire est un investissement rentable, l'un des plus rentables même, puisque, en tenant compte de l'inflation, son rendement est de l'ordre de 5 % à 10 %.

Si la formation et l'expérience les expliquent en partie, les écarts salariaux ont aussi d'autres causes. Nous allons maintenant voir que les syndicats jouent un rôle

important dans la détermination des salaires, ce qui explique pourquoi, en moyenne, les salaires des syndiqués sont supérieurs à ceux des non-syndiqués.

## Les écarts de salaire entre syndiqués et non-syndiqués

UNE PARTIE DES ÉCARTS SALARIAUX DÉCOULENT DE l'existence de monopoles sur les marchés du travail, monopoles créés le plus souvent par les syndicats. Un **syndicat** est un regroupement de travailleurs qui s'organisent pour obtenir de meilleurs salaires et de meilleures conditions de travail. Le syndicat se comporte sur le marché du travail comme le monopoleur sur le marché des produits : il cherche à limiter la concurrence et, par conséquent, il fait monter le prix de la main-d'œuvre.

On distingue deux grandes catégories de syndicats : les syndicats de métier et les syndicats industriels. Un **syndicat de métier** est un regroupement de travailleurs dont les compétences sont sensiblement les mêmes, mais qui travaillent dans des entreprises, des industries et des régions géographiques différentes ; on pense par exemple au syndicat des charpentiers et menuisiers. Un **syndicat industriel** est un regroupement de travailleurs d'une même entreprise ou d'une même industrie, mais qui ont des compétences diverses et exercent divers métiers ; le Syndicat des travailleurs et travailleuses unis de l'alimentation et du commerce (TUAC) en est un exemple.

Une centrale syndicale est un regroupement de syndicats. La centrale syndicale la plus importante au pays est le Congrès du travail du Canada (CTC), qui représente les trois cinquièmes des syndiqués canadiens. Le CTC a été créé en 1956 par la fusion de deux organisations de travailleurs, le Congrès des métiers et du travail du Canada (CMTC) — un regroupement de syndicats de métier fondé en 1883 —, et le Congrès canadien du travail — un regroupement de syndicats industriels fondé en 1940. Au Québec, la plupart des syndicats sont regroupés dans deux grandes fédérations, la Fédération des travailleurs du Québec (FTQ), elle-même affiliée au CTC, et la Confédération des syndicats nationaux (CSN). Les fédérations représentent les travailleurs syndiqués au niveau national, auprès des médias et dans l'arène politique.

Le nombre de membres varie beaucoup d'un syndicat à l'autre. Les syndicats industriels sont ceux qui comptent le plus grand nombre de membres ; pour des raisons évidentes, les syndicats de métier en comptent un moins grand nombre. La figure 15.3 montre l'importance numérique relative des six plus grands syndicats du Canada. Le taux de syndicalisation a atteint son apogée en 1983, alors que 40 % de la population active canadienne était syndiquée ; ce pourcentage a légèrement

---

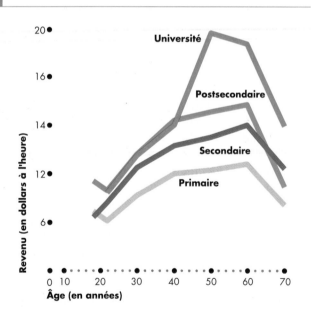

**FIGURE  15.2**

## La scolarité et les salaires

Ce graphique montre les salaires moyens des travailleurs selon l'âge et la scolarité. On constate que le revenu augmente avec la scolarité et également avec l'âge, mais seulement jusqu'au milieu de la cinquantaine. Ensuite, il diminue. Ces écarts salariaux sont éloquents quant à l'importance de l'expérience et de la formation.

*Source :* Statistique Canada, *Enquête sur les finances des consommateurs,* 1993.*

*Cette analyse repose sur les microdonnées recueillies par Statistique Canada. Tous les calculs relatifs à ces microdonnées ont été effectués par Audrey J. Bowlus de la University of Western Ontario ; les auteurs assument l'entière responsabilité de l'utilisation et de l'interprétation de ces données.

diminué depuis. Notons toutefois que les syndicats n'ont pas tous évolué au même rythme : certains ont vu le nombre de leurs membres chuter de façon spectaculaire, tandis que d'autres, en particulier ceux du secteur public, ont pris de plus en plus d'importance.

Dans certaines entreprises ou usines, par entente, tous les travailleurs doivent obligatoirement être membres du syndicat ; ce type d'organisation où seuls des membres du syndicat peuvent être embauchés par l'entreprise s'appelle un *atelier fermé*. Dans d'autres entreprises, c'est le syndicat qui négocie les conditions d'emploi, mais les travailleurs ne sont pas forcés d'y adhérer ; dans une telle situation d'*exclusivité syndicale*, on applique alors la *formule Rand*. La **formule Rand** est un règlement (adopté en 1945 à la suite d'une décision rendue par le juge Ivan Rand de la Cour suprême) qui oblige tous les travailleurs de l'entreprise, syndiqués ou non, à payer la cotisation syndicale.

Les syndicats négocient les salaires et autres conditions d'emploi avec les employeurs ou leurs représentants lors de **négociations collectives**. Dans ces négociations, les principales armes des syndicats et des employeurs sont, respectivement, la grève et le lock-out. Les travailleurs déclenchent une *grève* quand ils refusent de travailler dans les conditions de travail qu'offre l'employeur, et l'entreprise se met en *lock-out* lorsqu'elle refuse de continuer à faire travailler et à payer ses employés pour les contraindre à accepter certaines conditions de travail. Chaque partie brandit la menace de grève ou de lock-out, selon le cas, pour tenter d'obtenir l'accord qui lui est le plus favorable. Si les deux parties ne parviennent pas à s'entendre sur les salaires et les conditions de travail, elles peuvent soumettre leurs différends à un arbitrage exécutoire. L'*arbitrage exécutoire* est un mode de règlement des litiges qui consiste à s'en remettre, d'un commun accord, à une tierce partie, l'arbitre, pour déterminer les salaires et autres conditions de travail au nom des deux parties en cause. Vous trouverez un mini-glossaire des termes syndicaux au tableau 15.1.

Bien que les associations et les corporations professionnelles ne soient pas des syndicats devant la loi, elles jouent souvent un rôle similaire. Une *corporation professionnelle* est un regroupement de professionnels — avocats, dentistes, médecins, etc. — qui contrôlent l'entrée dans leur profession et accordent des permis d'exercice aux professionnels après s'être assuré qu'ils ont les compétences et les diplômes requis. Les corporations professionnelles influent sur la rémunération et les autres conditions de travail de leurs membres. L'Ordre des notaires du Québec, par exemple, est une corporation professionnelle.

**FIGURE 15.3**
## Les principaux syndicats

Syndicat canadien de la Fonction publique

Fédération des travailleurs du Québec

Syndicat national des employés et employées généraux du secteur public

Confédération des syndicats nationaux

Syndicat des travailleurs unis de l'automobile, de l'aérospatiale, du transport et autres travailleurs et travailleuses du Canada

Union nationale des travailleurs et travailleuses unis de l'alimentation et du commerce

Métallurgistes unis d'Amérique

Alliance de la Fonction publique du Canada

Centrale des enseignants du Québec

**Syndicats**

0    100    200    300    400    500

**Membres (en milliers)**

Les bandes orangées représentent les syndicats canadiens qui comptent le plus grand nombre de membres. Les bandes bleues représentent les trois grandes centrales québécoises.

Sources : *Répertoire des organisations des travailleurs et travailleuses au Canada*, Bureau de renseignements sur le travail, 1997 et *Le Québec statistique*, Gouvernement du Québec, 1995.

## Les objectifs et les contraintes des syndicats

Les syndicats poursuivent trois grands objectifs au nom de leurs membres :

1. l'obtention de meilleures conditions salariales,
2. l'amélioration des conditions de travail,
3. l'amélioration des perspectives d'emploi.

Chacun de ces objectifs a de multiples facettes. Ainsi, lorsqu'un syndicat cherche à améliorer les conditions salariales de ses membres, il intervient sur plusieurs fronts : taux salarial, avantages sociaux, rentes de retraite, indemnités de vacances, etc. L'amélioration des conditions de travail peut passer, par exemple, par un renforcement des

**TABLEAU 15.1**

## Mini-glossaire des termes syndicaux

| | |
|---|---|
| Syndicat | Regroupement de travailleurs qui s'organisent pour obtenir de meilleurs salaires et, de manière générale, de meilleures conditions de travail |
| CTC | Congrès du travail du Canada ; fédération de syndicats formée en 1956 par la fusion du Congrès des métiers et du travail du Canada (CMTC) et du Congrès canadien du travail (CCT) ; représente la main-d'œuvre syndiquée auprès des médias et dans l'arène politique |
| FTQ | Fédération des travailleurs du Québec ; la plus grande fédération de syndicats au Québec |
| Syndicat de métier | Regroupement de travailleurs qui ont tous plus ou moins les mêmes compétences, et qui travaillent dans des entreprises et des industries différentes |
| Syndicat industriel | Regroupement de travailleurs qui ont des compétences différentes et exercent des métiers différents, mais qui travaillent pour une même entreprise ou dans une même industrie |
| Atelier fermé | Lieu de travail où seuls les membres du syndicat peuvent être embauchés |
| Exclusivité syndicale | Clause qui oblige tous les travailleurs d'une même entreprise à faire partie du syndicat en place |
| Formule Rand | Règlement instauré en 1945 à la suite d'une décision du juge Ivan Rand, et qui oblige tous les travailleurs, syndiqués ou non, à payer une cotisation syndicale |
| Négociations collectives | Négociations entre le représentant de l'employeur et le syndicat au sujet des salaires et des autres conditions de travail |
| Grève | Refus d'un groupe de travailleurs de poursuivre le travail dans les conditions qui prévalent |
| Lock-out | Refus de l'entreprise de continuer à faire travailler ses employés |
| Arbitrage exécutoire | Détermination des conditions salariales et autres conditions de travail par un tiers (arbitre) accepté par les deux parties |

normes de santé et de sécurité au travail, ou par une amélioration du cadre de travail. Enfin, pour améliorer les perspectives d'emploi, les syndicats peuvent, notamment, tenter d'obtenir pour leurs membres une plus grande sécurité d'emploi ainsi que de meilleures possibilités de promotion ou de reclassement professionnel.

Dans la poursuite de ces objectifs, les syndicats sont soumis aux contraintes de l'offre et de la demande sur le marché du travail. En ce qui concerne l'offre, les possibilités d'action des syndicats dépendent de leur capacité à empêcher les travailleurs non syndiqués d'offrir leurs services sur le même marché. Plus il regroupe une importante proportion de la main-d'œuvre, plus le syndicat est puissant ; ainsi, les syndicats de la construction exercent une influence considérable sur l'offre de main-d'œuvre dans cette industrie, car ils déterminent les conditions d'apprentissage qui permettent d'obtenir la qualification nécessaire pour exercer les métiers d'électricien, de plâtrier ou de menuisier. De façon analogue, les associations professionnelles de dentistes et de médecins restreignent l'offre de dentistes et de médecins sur le marché en imposant des examens d'entrée à la profession et en limitant les inscriptions aux programmes de formation menant à un diplôme.

En ce qui concerne la demande, les syndicats peuvent difficilement obliger les entreprises à employer davantage de main-d'œuvre qu'elles n'en ont besoin pour maximiser leurs profits. Tout ce qui contribue à la hausse des salaires et, par conséquent, des coûts de main-d'œuvre entraîne forcément une baisse de la demande de main-d'œuvre.

Voyons maintenant comment un syndicat intervient dans un marché du travail concurrentiel.

### Les syndicats dans un marché du travail concurrentiel

Dans un marché du travail concurrentiel, le syndicat cherchera à augmenter les salaires et autres formes de rémunération de ses membres tout en limitant le chômage et les pertes d'emplois ; pour y parvenir, il tentera de faire augmenter la demande des travailleurs syndiqués qu'il représente.

La figure 15.4 présente un marché du travail concurrentiel, où la courbe de demande est $D_C$ et la courbe d'offre, $O_C$. En l'absence de syndicat, le salaire d'équilibre est de 4 $ l'heure et, à ce taux, le nombre d'heures travaillées est de 100 heures. Supposons maintenant

FIGURE **15.4**

## Un syndicat dans un marché du travail concurrentiel

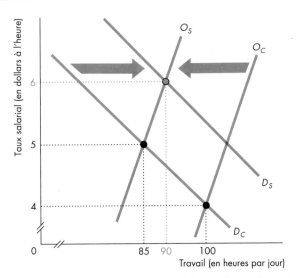

Dans un marché du travail concurrentiel, la courbe de demande est $D_C$, la courbe d'offre, $O_C$, et l'équilibre concurrentiel est atteint au taux salarial horaire de 4 $ pour 100 heures de travail par jour. En maintenant l'offre de travail sous son niveau concurrentiel, le syndicat provoque un déplacement de la courbe d'offre vers $O_S$. S'il ne prend aucune autre mesure, le taux salarial horaire passe à 5 $, mais le nombre d'heures de travail fournies tombe à 85 heures. Cependant, si le syndicat peut faire augmenter la demande de travail (en faisant augmenter la demande des produits fabriqués par les syndiqués ou le prix de la main-d'œuvre qui leur est substituable) et déplacer ainsi la courbe de demande vers $D_S$, il peut faire monter le taux salarial horaire à 6 $ et la quantité de travail fournie à 90 heures.

qu'un syndicat se forme et qu'il parvienne à maintenir artificiellement l'offre de travail sous son niveau concurrentiel, soit à $O_S$. Si le syndicat ne prend aucune autre mesure, le nombre d'heures travaillées tombera à 85 heures et le taux salarial s'élèvera à 5 $ l'heure.

### Comment les syndicats tentent de modifier la demande de main-d'œuvre

S'il ne prend aucune mesure susceptible d'entraîner le déplacement de la courbe de demande de travailleurs qu'il représente, le syndicat doit accepter le fait que le seul moyen d'obtenir un taux salarial plus élevé est de réduire l'emploi. Parce qu'il connaît l'importance de la courbe de demande de travailleurs, le syndicat s'efforce de rendre moins élastique la demande de travailleurs qu'il représente, et de la faire augmenter. Si le syndicat

parvient à rendre la demande de main-d'œuvre moins élastique, il peut faire augmenter le taux salarial sans entraîner trop de pertes d'emplois. Et, s'il réussit à faire augmenter la demande de main-d'œuvre, il peut même réussir à augmenter à la fois le taux salarial et les perspectives d'emploi de ses membres.

Les syndicats peuvent modifier la demande de travailleurs qu'ils représentent de plusieurs façons :

- en augmentant le produit marginal de leurs membres ;
- en favorisant les restrictions à l'importation ;
- en appuyant les lois sur le salaire minimum ;
- en appuyant les lois qui restreignent l'immigration ;
- en augmentant la demande des biens et services produits par leurs membres.

En misant sur des programmes et des activités de formation et d'apprentissage, ainsi que sur la certification professionnelle, les syndicats tentent d'augmenter le produit marginal de leurs membres, ce qui, par ricochet, fait augmenter la demande de travailleurs qu'ils représentent.

Pour ce qui est de l'appui des syndicats aux restrictions à l'importation, le soutien qu'a apporté le Syndicat des travailleurs unis de l'automobile, de l'aérospatiale, du transport et autres travailleurs et travailleuses du Canada aux restrictions à l'importation de voitures étrangères est un des meilleurs exemples. La réduction du nombre de véhicules fabriqués à l'étranger et vendus au Canada fait augmenter la demande d'automobiles fabriquées au Canada et, par conséquent, la demande de main-d'œuvre syndiquée.

Les syndicats appuient les lois sur le salaire minimum afin d'augmenter le coût de l'emploi de main-d'œuvre non qualifiée. Une hausse du taux salarial de la main-d'œuvre non qualifiée fait baisser la quantité demandée de cette main-d'œuvre et fait augmenter la demande de main-d'œuvre qualifiée syndiquée, qui devient alors un substitut de la main-d'œuvre non qualifiée.

Les restrictions à l'immigration entraînent une baisse de l'offre de travailleurs non qualifiés et une augmentation de leur taux salarial, ce qui a pour effet d'augmenter la demande de travailleurs qualifiés syndiqués.

Comme la demande de main-d'œuvre est une demande dérivée, toute augmentation de la demande du bien ou du service produit par l'entreprise syndiquée fait augmenter sa demande de travail. Les industries du textile et de l'automobile offrent les meilleurs exemples des efforts déployés en ce sens par les syndicats ; le syndicat des travailleurs du vêtement et le Syndicat des travailleurs unis de l'automobile, de l'aérospatiale, du transport et autres travailleurs et travailleuses du Canada exhortent les consommateurs à n'acheter que des vêtements et des automobiles fabriqués par des travailleurs syndiqués.

La figure 15.4 illustre les effets d'une augmentation de la demande d'une main-d'œuvre constituée de travailleurs syndiqués. Si, de surcroît, le syndicat peut prendre des mesures qui font elles aussi augmenter la demande de travail, la portant à $D_S$, il peut obtenir une augmentation du taux salarial encore plus importante, et cela en perdant moins d'emplois. Ainsi, s'il maintient l'offre de travail à $O_S$, le syndicat fait monter le salaire horaire de ses membres de 4 $ à 6 $, en réduisant la quantité d'heures travaillées (90 heures) de 10 heures seulement.

Comme le syndicat limite l'offre de travail sur le marché où il intervient, les travailleurs qui ne peuvent y obtenir un emploi syndiqué doivent chercher du travail ailleurs. Cette augmentation de l'offre sur les marchés de la main-d'œuvre non syndiquée y entraîne une baisse du taux salarial, ce qui accroît l'écart entre les salaires de la main-d'œuvre syndiquée et non syndiquée. Mais, à leur tour, les faibles salaires de la main-d'œuvre non syndiquée font baisser la demande de main-d'œuvre syndiquée, ce qui a pour effet de limiter les augmentations de salaire que peuvent obtenir les syndicats. C'est pourquoi les syndicats appuient vigoureusement les lois sur le salaire minimum qui, en empêchant les salaires des non-syndiqués de descendre sous un certain seuil, limitent l'incitation à employer de la main-d'œuvre non syndiquée.

Voyons maintenant ce qui se passe lorsque l'employeur exerce une influence considérable sur le marché du travail.

## Le monopsone

Un **monopsone** est un marché qui ne compte qu'un seul acheteur. Depuis un siècle, avec l'essor de la production à grande échelle — notamment dans les secteurs de l'exploitation charbonnière, de la sidérurgie, du textile, de l'automobile et des pâtes et papiers —, il n'est pas rare qu'une seule entreprise emploie un fort pourcentage de la population active d'une ville ou d'une région. On dit alors que le marché du travail de cette ville ou de cette région est un monopsone.

Les monopsones peuvent réaliser des profits plus importants que les entreprises qui doivent affronter la concurrence sur le marché de la main-d'œuvre. La figure 15.5 illustre le fonctionnement d'un monopsone. La courbe de valeur du produit marginal du monopsone, *VPm*, représente la recette supplémentaire engendrée par la vente du bien ou du service fabriqué durant la dernière heure de travail utilisée. La courbe *O*, qui représente la courbe d'offre de travail, nous donne le nombre d'heures de travail que fournit la main-d'œuvre en fonction du taux salarial (et, de façon équivalente, le salaire minimal acceptable pour chaque nombre d'heures de travail).

Lorsqu'ils décident du nombre de travailleurs à employer, les employeurs savent qu'ils doivent payer des salaires plus élevés s'ils veulent engager un grand nombre de travailleurs, et que, inversement, s'ils en engagent moins, ils pourront offrir des salaires moindres. Les monopsones en tiennent compte dans leur calcul du coût marginal du travail, représenté à la figure 15.5 par la courbe *CmT*. La relation entre la courbe du coût margi-

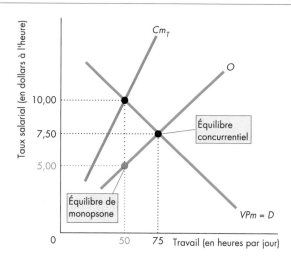

**FIGURE   15.5**

## Un monopsone sur le marché du travail

Le monopsone est une structure de marché où il n'y a qu'un seul acheteur. La courbe de valeur du produit marginal d'un employeur en situation de monopsone est *VPm* et sa courbe d'offre correspond à *O*. La courbe de coût marginal du travail est *CmT*. Le profit est maximisé lorsque le coût marginal du travail est égal à la valeur du produit marginal. Le monopsone engage des travailleurs pour 50 heures de travail et paie le salaire horaire le plus bas que les travailleurs sont disposés à accepter pour ce nombre d'heures de travail, soit 5 $.

nal du travail et la courbe d'offre est identique à la relation entre les courbes de coût marginal et de coût total moyen (voir le chapitre 10). En effet, la courbe d'offre représente pour l'entreprise la courbe du coût total moyen du travail. Ainsi, dans la figure 15.5, l'entreprise peut utiliser 50 heures de travail à 5 $ l'heure, de sorte que son coût total moyen est de 5 $ l'heure. Le coût total du travail est donc de 250 $ par jour (5 $ l'heure × 50 heures). Supposons maintenant que l'entreprise utilise un peu moins de 50 heures de travail par jour, disons 49 heures. Le taux salarial auquel l'entreprise peut se procurer 49 heures par jour correspond à un peu moins que 4,90 $, et le coût total du travail de l'entreprise n'est plus que de 240 $. Si l'entreprise utilise une 50ᵉ heure de travail, le coût total du travail augmente de 10 $, passant de 240 $ à 250 $. La courbe *CmT* montre que le coût marginal qui correspond à l'utilisation d'une 50ᵉ heure de travail est de 10 $.

L'entreprise maximise son profit lorsque le nombre d'heures de travail utilisées permet au coût marginal du travail d'être égal à la valeur du produit marginal du travail. Autrement dit, le coût du dernier travailleur embauché doit être égal au supplément de recette totale que procure son travail. Dans l'exemple de la figure 15.5, la quantité optimale de travail est de 50 heures. Quel est le taux salarial payé par le monopsone ? Comme le montre la courbe d'offre de travail, pour que les travailleurs fournissent 50 heures de travail par jour, l'employeur doit leur verser un salaire horaire de 5 $. Toutefois, la valeur du produit marginal est de 10 $ l'heure, ce qui signifie que l'entreprise réalise un profit économique de 5 $ l'heure sur la dernière heure de travail fournie. Chaque travailleur reçoit 5 $ l'heure.

Comparons ce résultat à celui d'un marché du travail concurrentiel. Si le marché du travail représenté à la figure 15.5 était concurrentiel, l'équilibre serait atteint au point d'intersection de la courbe de demande et de la courbe d'offre. Le taux salarial serait alors de 7,50 $ l'heure et 75 heures de travail seraient utilisées. Comparativement au marché du travail concurrentiel, le monopsone fait donc baisser à la fois le taux salarial et le niveau d'emploi.

La capacité d'un monopsone de faire baisser le taux salarial ainsi que le niveau d'emploi et de réaliser un profit économique dépend de l'élasticité de l'offre de travail ; plus l'offre est élastique, moins le monopsone pourra faire baisser les salaires et le niveau d'emploi, et moins il pourra réaliser un profit économique.

**Les quasi-monopsones**   En raison du faible coût des transports, les monopsones purs sont rares ; la plupart des travailleurs peuvent se déplacer aisément pour se rendre à leur travail, de sorte qu'ils ne dépendent pas d'un seul employeur. Cependant, certaines entreprises sont des quasi-monopsones : autrement dit, elle font face à une courbe d'offre de travail à pente positive et leur coût marginal du travail est supérieur à leur taux salarial. On trouve les quasi-monopsones dans les communautés isolées où une seule entreprise est le principal employeur. Mais habituellement il y a aussi un syndicat ; les taux salariaux et le niveau d'emploi sont alors le résultat du rapport de force entre le syndicat et l'entreprise. Voyons quelle est l'interaction entre les syndicats et les monopsones.

**Les monopsones et les syndicats**   Lorsque nous avons étudié les monopoles au chapitre 12, nous avons vu que, dans un marché où il n'y a qu'un seul offreur, celui-ci peut déterminer le prix de son produit. Nous venons de voir que, dans un monopsone (marché à un seul acheteur), l'acheteur détermine les prix. Supposons maintenant que les travailleurs forment un syndicat dans un marché du travail en situation de monopsone. Nous savons que le syndicat fonctionne comme un monopole, car il contrôle l'offre de travail et est le seul offreur de travail sur le marché. Lorsqu'un syndicat (l'offreur monopolistique) traite avec un acheteur en situation de monopsone, on parle de *monopole bilatéral*. Dans un **monopole bilatéral**, le taux salarial est déterminé par voie de négociations entre les deux parties. Examinons d'un peu plus près le processus de négociation.

Rappelons-le, si le monopsone illustré à la figure 15.5 faisait face à une offre de travail inorganisée et était donc libre de déterminer le taux salarial et le niveau d'emploi, il choisirait de verser 5 $ l'heure à ses travailleurs, qui lui fourniraient en échange 50 heures de travail. Supposons maintenant que ces travailleurs forment un syndicat et que ce syndicat puisse déclencher une grève, le cas échéant. Supposons aussi que le syndicat accepte de maintenir les 50 heures de travail, mais veuille obtenir le taux salarial le plus élevé que l'entreprise est prête à accepter. Ce taux est de 10 $ l'heure, soit la valeur du produit marginal du travail. Le syndicat ne parviendrait probablement pas à obtenir un taux salarial horaire de 10 $, mais l'entreprise ne s'entêterait probablement pas non plus à n'offrir que 5 $ l'heure. Le monopsone et le syndicat s'engageraient plutôt dans une négociation au terme de laquelle le taux salarial horaire se situerait quelque part entre 5 $ l'heure (le minimum que peut offrir l'entreprise) et 10 $ l'heure (le maximum que peut obtenir le syndicat).

L'issue d'une telle négociation dépend des coûts que chaque partie peut imposer à l'autre s'il n'y a pas entente. L'entreprise peut mettre les travailleurs en lock-out, et les travailleurs peuvent paralyser l'entreprise en déclenchant une grève. Chacune des deux parties connaît la force de l'autre, et sait ce qu'elle risque de perdre si elle ne satisfait pas à ses exigences. Si les deux parties sont d'égale force et en sont conscientes, elles couperont la poire en deux et fixeront le taux salarial horaire à 7,50 $. Par contre, si l'une des parties est plus puissante que l'autre, et que les deux parties le savent, le salaire convenu à l'issue de la négociation favorisera la partie en position de force. Si c'est l'entreprise, le taux salarial horaire se situera entre 5 $ et 7,50 $, et, si c'est le syndicat, il se situera entre 7,50 $ et 10 $. Habituellement, le syndicat et l'employeur parviennent à s'entendre sans recourir à la grève ou au lock-out, leur éventualité suffisant pour inciter les deux parties à s'entendre. Généralement, il n'y a grève ou lock-out que si l'une des parties évalue mal les concessions que l'autre est prête à faire.

Comme nous allons le voir maintenant, la situation de monopsone a des répercussions intéressantes sur les effets des lois relatives au salaire minimum.

## Le monopsone et le salaire minimum

On sait que, sur un marché du travail concurrentiel, un salaire minimum supérieur au salaire d'équilibre fait baisser le niveau d'emploi (voir le chapitre 6, p. 124-125). Dans un monopsone, un salaire minimum peut faire *augmenter* à la fois le taux salarial et le niveau d'emploi.

Pour comprendre ce phénomène, prenons l'exemple du monopsone illustré à la figure 15.6. L'entreprise verse 5 $ l'heure à ses employés, qui lui fournissent en échange 50 heures de travail. Supposons maintenant que le gouvernement adopte une loi interdisant aux employeurs

## FIGURE 15.6
## Le salaire minimum dans un monopsone

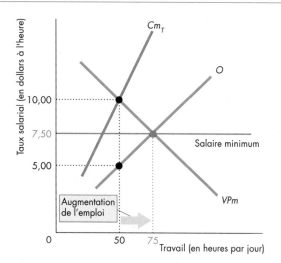

Dans un marché du travail en situation de monopsone, le taux salarial horaire est de 5 $ pour 50 heures de travail par jour. Lorsque la loi sur le salaire minimum fait augmenter le salaire horaire à 7,50 $ l'heure, le nombre d'heures utilisées passe à 75 heures.

d'embaucher de la main-d'œuvre à un salaire horaire inférieur à 7,50 $. À ce taux salarial, le monopsone fait face à une offre de travail parfaitement élastique, et ce, jusqu'à 75 heures par jour (pour obtenir des travailleurs plus de 75 heures de travail par jour, l'employeur devra proposer un salaire supérieur). Comme le salaire horaire reste le même (7,50 $) tant que le nombre d'heures de travail n'excède pas 75 heures par jour, le coût marginal du travail est de 7,50 $ l'heure pour 75 heures de travail comme pour 50 heures. On sait que, pour maximiser son profit, l'entreprise doit choisir le nombre d'heures de travail où le coût marginal du travail est égal à la valeur de son produit marginal. Pour maximiser son profit, le monopsone versera donc 7,50 $ l'heure aux travailleurs qu'il emploie, et ce, pour 75 heures de travail.

Dans cet exemple, la fixation du salaire minimum à 7,50 $ l'heure a eu pour effet de rendre l'offre de travail parfaitement élastique, et d'assurer l'égalité entre le coût marginal du travail et le taux salarial jusqu'à concurrence de 75 heures de travail par jour. Par contre, la loi n'a eu aucun effet sur la courbe d'offre de travail ni sur le coût marginal du travail pour plus de 75 heures de travail par jour. Bref, la nouvelle mesure légale a eu pour effet d'augmenter le salaire horaire de 2,50 $, tout en augmentant de 25 heures par jour le nombre d'heures de travail utilisé par l'entreprise.

## La mesure de l'écart salarial entre syndiqués et non-syndiqués

Nous savons maintenant que les syndicats exercent une influence sur la rémunération de leurs membres en limitant l'offre de travail et en prenant des mesures pour augmenter la demande de travail. Mais quelle influence peuvent avoir les syndicats sur les écarts salariaux?

En moyenne, le salaire de la main-d'œuvre syndiquée est de 30 % supérieur à celui de la main-d'œuvre non syndiquée. Dans la fonction publique, les taux salariaux des syndiqués et des non-syndiqués sont identiques. Dans les secteurs de la fabrication, du transport, des communications et autres services — commerce, finance, assurance, immobilier, etc. —, la différence varie entre 5 % et 21 %. Dans le secteur primaire, la différence est de 30 %. Par contre, dans les secteurs de la construction et des services communautaires, commerciaux et personnels, la différence varie entre 40 % et 47 %.

Cela dit, les écarts salariaux entre la main-d'œuvre syndiquée et non syndiquée ne donnent pas la vraie mesure de l'influence des syndicats. Dans certains secteurs, si les syndiqués gagnent plus que les non-syndiqués, c'est qu'ils exercent des métiers exigeant des qualifications que n'ont généralement pas les non-syndiqués. Autrement dit, même s'ils n'étaient pas syndiqués, ces travailleurs qualifiés gagneraient davantage que leurs collègues non qualifiés. Pour mesurer l'influence des syndicats, il faut comparer les salaires des syndiqués à ceux des non-syndiqués qui exercent à peu près le même métier. En tenant compte des différences de qualification et des autres facteurs susceptibles d'influer sur les salaires, l'écart salarial réel entre travailleurs syndiqués et non syndiqués varie entre 10 % et 35 %[1].

---

## À RETENIR

- Les écarts salariaux résultant des différences de scolarisation ou de qualification professionnelle s'expliquent par le fait que la valeur du produit marginal de la main-d'œuvre qualifiée est supérieure à celle de la main-d'œuvre non qualifiée et que l'acquisition d'une formation coûte cher.

- Les syndiqués ont des salaires plus élevés que les non-syndiqués parce que le syndicat peut contrôler l'offre de travail et influer indirectement sur la valeur du produit marginal de ses membres.

---

[1] Chris Robinson, « The Joint Determination of Union Status and Union Wage Effects: Some Tests of Alternative Models », *Journal of Political Economy*, vol. 3 , n° 97, juin 1989, p. 639 à 667.

## Les écarts de salaire entre hommes et femmes

L'OBJECTIF DES PAGES QUI SUIVENT EST DE MONTRER comment utiliser l'analyse économique pour traiter une question très controversée : les écarts salariaux entre les hommes et les femmes. La figure 15.7 nous donne une idée de ce qu'étaient ces écarts en 1991. Au Canada, l'ensemble des travailleuses (à temps plein et à temps partiel) gagnait un salaire moyen équivalant à 61,5 % du salaire moyen de l'ensemble des travailleurs. Le salaire moyen des travailleuses à temps plein équivalait à 69,6 % de celui des travailleurs masculins.

Comment expliquer ces écarts salariaux ? Sont-ils attribuables à une discrimination à l'égard des femmes ou à d'autres facteurs ? Cette question délicate suscite bien des débats.

---

**FIGURE 15.7**

## Les écarts salariaux entre les hommes et les femmes

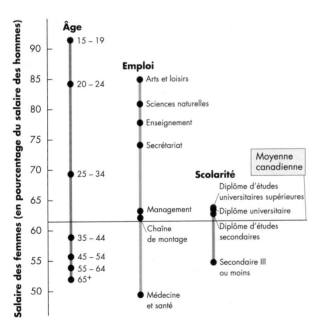

En moyenne, le salaire des femmes représente environ 61,5 % du salaire des hommes. Une grande partie de cet écart s'explique par l'âge — le salaire des jeunes femmes se rapproche davantage de celui des hommes que celui des femmes plus âgées. La différence est également due au fait que les emplois peu rémunérés sont le plus souvent occupés par des femmes. Le niveau de scolarisation joue également un rôle.

*Source* : Statistique Canada, *Les femmes sur le marché du travail*, 1993.

---

Nous n'avons nullement l'intention d'échauffer indûment les esprits, mais cet exposé pourrait susciter chez vous de vives réactions.

Nous allons examiner quatre causes susceptibles d'expliquer les écarts salariaux entre les hommes et les femmes :

- le type d'emploi,
- la discrimination,
- les différences de capital humain,
- les différences de niveau de spécialisation.

### Les différences liées au type d'emploi

Certains écarts salariaux entre les sexes dépendent de ce que les hommes et les femmes remplissent des tâches différentes et que, le plus souvent, les emplois occupés par les hommes sont mieux rémunérés. Cependant, les femmes sont de plus en plus nombreuses dans des secteurs traditionnellement réservés aux hommes, en particulier dans des domaines comme l'architecture, la médecine, l'économie, le droit, la comptabilité et la pharmacologie. Le pourcentage des femmes dans les inscriptions à l'université dans ces disciplines a nettement augmenté, passant de moins de 20 % en 1970 à près de 50 %, et parfois plus, aujourd'hui. On voit de plus en plus de femmes au volant des autobus, dans les forces policières et dans la construction, emplois traditionnellement réservés aux hommes.

Cependant, dans bien des cas, les femmes gagnent moins que les hommes, même lorsqu'elles font essentiellement le même travail. L'une des explications possibles de ce fait est la discrimination à l'égard des femmes. Voyons quels sont les effets de cette discrimination sur les taux salariaux.

### La discrimination

Pour mieux comprendre l'effet de la discrimination sur les salaires, nous allons étudier l'exemple du marché des conseillers et des conseillères en placements. Supposons que l'on divise ces professionnels en deux groupes, l'un composé uniquement d'hommes et l'autre uniquement de femmes, qui ont les mêmes qualifications. Le graphique 15.8 (a) illustre la courbe d'offre de main-d'œuvre féminine, $O_F$, et le graphique 15.8 (b), celle de la main-d'œuvre masculine, $O_H$ ; ces deux courbes d'offre sont identiques. La valeur du produit marginal des conseillers en placements, hommes ou femmes, est également identique, comme le montrent les deux courbes de *VPm* des graphiques 15.8 (a) et 15.8 (b). (Leurs recettes correspondent aux frais acquittés par les clients en échange de conseils en placements.)

Supposons que, dans ce marché, personne n'entretienne de préjugés liés au sexe. Le marché de la main-

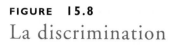

FIGURE 15.8

## La discrimination

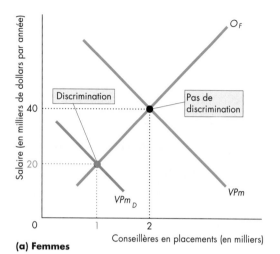

**(a) Femmes**

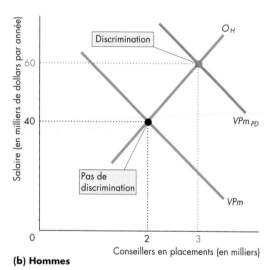

**(b) Hommes**

En l'absence de discrimination, le salaire annuel est de 40 000 $ et on embauche 2 000 conseillers et 2 000 conseillères. Si les femmes sont victimes de discrimination, la courbe de valeur du produit marginal est $VPm_D$ dans le graphique (a) et $VPm_{PD}$ dans le graphique (b). Le salaire des femmes tombe à 20 000 $ par année et on n'embauche que 1 000 femmes. Le salaire des hommes s'élève à 60 000 $ par année et on embauche 3 000 hommes.

d'œuvre féminine compte alors 2 000 conseillères gagnant chacune 40 000 $ par année, et le marché de la main-d'œuvre masculine compte également 2 000 conseillers gagnant eux aussi 40 000 $ par année chacun.

Supposons maintenant que les clients des sociétés de conseils en placements entretiennent des préjugés à l'égard des femmes. Les conseillers, hommes et femmes, ont toujours les mêmes qualifications, mais, à cause de leurs préjugés, les clients ne sont pas prêts à payer aussi

cher les conseils des femmes que ceux des hommes. À cause des écarts entre les prix que les clients sont disposés à payer selon le sexe — écarts entièrement dus à leurs préjugés —, la valeur du produit marginal de chacun des groupes sera différente. La compétence des deux groupes est la même, mais, à cause de leurs préjugés, les clients n'accordent pas la même valeur à leur rendement. Supposons que la valeur du produit marginal des femmes victimes de discrimination soit $VPm_D$, (D voulant dire « discrimination ») et la valeur du produit marginal des hommes qui bénéficient de cette discrimination soit $VPm_{PD}$, (PD signifiant « privilégiés par la discrimination »). À cause de ces deux courbes de valeurs du produit marginal, les marchés des deux groupes de conseillers en placements commandent maintenant des salaires et des niveaux d'emploi très différents. Les femmes gagnent 20 000 $ par année et leur niveau d'emploi n'est que de 1 000 conseillères. Les hommes, eux, gagnent 60 000 $ par année et leur niveau d'emploi est de 3 000 conseillers. À cause des préjugés des clients, les conseillères ne gagnent qu'un tiers du salaire de leurs collègues masculins et les trois quarts des postes de conseillers sont confiés à des hommes.

L'exemple fictif que nous venons d'étudier montre comment les préjugés peuvent générer des écarts de salaire entre les sexes. Mais ces préjugés sont-ils vraiment la source des écarts salariaux dans le monde réel? Les économistes ne s'entendent pas sur ce point, et certains croient même qu'il n'en est rien. Dans notre exemple, les clients qui veulent obtenir les services de conseillers masculins paient plus cher que ceux qui s'adressent aux conseillères. Cette différence de prix peut avoir pour effet de limiter la discrimination et d'inciter certains clients à acheter des services des femmes malgré leurs préjugés. Cette tendance pourrait être tellement forte qu'elle pourrait éliminer entièrement les effets de la discrimination.

Supposons que, comme c'est le cas dans le secteur manufacturier, les clients d'une entreprise ne rencontrent jamais les travailleurs de cette entreprise. Contrairement à l'exemple que nous venons de voir, les entreprises qui n'embauchent que des hommes n'ont donc aucune possibilité de vendre leur produit plus cher que celles qui embauchent des femmes. Supposez que, en dépit de cela, une industrie manufacturière fasse de la discrimination et n'embauche que des hommes. Une entreprise qui entrerait dans cette industrie et choisirait de n'embaucher que des femmes pourrait mener les entreprises existantes à la faillite, puisqu'elle pourrait payer ses employées à un salaire bien inférieur à celui payé par ses concurrents à leurs employés masculins. Ce raisonnement resterait valable jusqu'au moment où les salaires des hommes et des femmes s'égaliseraient. Par conséquent, dans une industrie concurrentielle, seules les entreprises qui ne pratiquent pas ce type de discrimination peuvent survivre et les salaires des hommes et des femmes doivent être égaux. Ce genre de raisonnement nous fournit les bases d'un test empirique quant à l'existence de discrimination à l'égard des femmes, car les clients qui nourrissent des préjugés à l'égard des femmes devraient payer davantage pour les mêmes services s'ils les achètent des hommes plutôt que des femmes, et les entreprises qui n'engagent pas de femmes devraient faire moins de profit que celles qui ne pratiquent pas de discrimination.

Si l'on peut reconnaître la discrimination lorsqu'elle est présente, il est difficile de la mesurer objectivement. Notre modèle montre que les écarts entre les sexes peuvent s'expliquer par la discrimination; cependant, puisque nous n'avons aucun moyen de mesurer directement cette discrimination, il est impossible de prouver son existence de manière absolument convaincante.

Une autre précision s'impose. Notre modèle de discrimination, comme tous les modèles économiques, est en équilibre, même si cet équilibre n'est pas souhaitable. Le fait qu'un modèle soit en équilibre ne signifie pas qu'une situation réelle soit désirable ou inévitable. La théorie économique fait des prévisions sur ce que les choses seront, et non sur ce qu'elles devraient être. Il est possible de concevoir des politiques favorisant l'équité salariale et de meilleures perspectives d'emploi pour les femmes, mais pour qu'elles donnent les résultats escomptés, ces politiques doivent être fondées sur une analyse économique sérieuse. Lorsqu'il s'agit d'instaurer l'équité, les bonnes intentions ne suffisent pas.

Une autre cause susceptible d'expliquer les écarts salariaux entre hommes et femmes réside dans les différences de capital humain. Voyons maintenant les effets du capital humain sur les salaires.

## Les différences de capital humain

Les salaires compensent en partie le temps que les travailleurs consacrent à leur travail et les coûts qu'ils ont dû assumer pour acquérir leur formation, c'est-à-dire pour acquérir leur capital humain. Toutes autres choses étant égales, plus le capital humain d'un travailleur est important, plus son salaire est élevé. Il est impossible de mesurer avec exactitude le capital humain, mais nous disposons néanmoins de bons indicateurs. Les plus utiles sont:

1. les années de scolarité,
2. les années d'expérience,
3. le nombre d'interruptions de la carrière.

Selon des statistiques récentes, la durée médiane de la scolarité est sensiblement la même pour les deux sexes, soit d'environ 12 ans.

Le nombre d'années d'expérience et celui des interruptions du travail sont reliés. Chez des personnes d'un âge et d'un niveau de scolarité donnés, celles qui ont connu le moins d'interruptions du travail sont habituellement celles qui ont le plus d'années de travail (et donc d'expérience) à leur actif. Les interruptions de travail perturbent le cheminement de carrière et réduisent l'expérience de travail, ralentissent l'accumulation de capital humain et entraînent parfois la dépréciation du capital

humain. Or, autrefois comme aujourd'hui, les interruptions de carrière sont plus fréquentes chez les femmes que chez les hommes; les femmes interrompent leur carrière pour avoir des enfants et les élever. C'est peut-être là une des raisons qui expliquent que le salaire des femmes soit plus bas que celui des hommes. Toutefois, comme les différences de scolarisation entre hommes et femmes, les interruptions de carrière ont tendance à diminuer chez les femmes. Les congés de maternité et les services de garderie permettent à un nombre croissant de femmes de poursuivre leur carrière tout en élevant leurs enfants; elles peuvent ainsi acquérir un capital humain semblable à celui des hommes.

Il semble donc que les différences de capital humain entre les sexes puissent expliquer les écarts salariaux du passé ainsi qu'une partie des écarts salariaux qui persistent; mais, si la tendance se maintient, ces différences devraient se résorber.

Les différences de spécialisation entre les hommes et les femmes sont également susceptibles d'avoir un effet négatif sur les revenus de la main-d'œuvre féminine. Voyons ce qui en est.

## Les niveaux de spécialisation

Les gens se livrent à deux types d'activités productives: ils fournissent des services au marché du travail (activités de marché) et ils accomplissent des tâches liées à la production domestique (activités hors marché). La *production domestique* est la production de biens et services destinés au ménage et non au marché. Ces activités incluent la préparation des repas, les tâches ménagères, les petites réparations, l'éducation, le magasinage et l'organisation de la vie familiale, la planification des vacances et des loisirs par exemple. Avoir des enfants et les élever est également une activité hors marché, l'une des plus importantes.

Nous avons vu au chapitre 3 qu'il est possible de gagner des revenus en se spécialisant dans certaines activités et en échangeant sa production. La spécialisation et les gains de l'échange ne concernent pas les seules activités de marché; les membres des ménages eux aussi se spécialisent et échangent entre eux. Ainsi, il n'est pas rare qu'un des membres du ménage «se spécialise» dans certaines activités comme le magasinage et le nettoyage, tandis que l'autre s'occupe du lavage et des repas. Une spécialisation comme la grossesse incombe aux femmes pour des raisons biologiques, ce qui n'est pas le cas de l'éducation des enfants.

Considérons le cas d'un couple, celui de Sabine et Bernard, qui doit décider de la répartition de son temps entre des activités de marché et des activités hors marché. Bernard pourrait se spécialiser dans les activités de marché, et Sabine, dans les activités hors marché. Ils pourraient aussi inverser les rôles, Sabine se spécialisant dans les activités de marché, et Bernard, dans les activités hors marché. Troisième possibilité: tous deux pourraient diversifier leurs activités en se livrant à la fois à des activités de marché et à des activités hors marché.

La décision de Bernard et Sabine dépend de leurs préférences et du potentiel de revenu de chacun sur le marché. De plus en plus de ménages optent pour la diversification des activités des partenaires. Cependant, dans la plupart des ménages contemporains, l'homme se spécialise encore presque complètement dans les activités de marché, tandis que la femme partage son temps entre le marché du travail et la production domestique. Si Bernard et Sabine adoptent cette dernière solution, il est probable que le potentiel de revenu de Bernard sur le marché du travail sera supérieur à celui de Sabine. Si Sabine consacre tout son temps et son énergie à assurer le bien-être physique et mental de son conjoint, les activités de marché de Bernard seront de meilleure qualité que s'il diversifie ses activités. Si les rôles étaient inversés et que Sabine se consacrait entièrement aux activités de marché, elle pourrait gagner davantage que Bernard.

Les économistes ont tenté de vérifier si le niveau de spécialisation pouvait expliquer les différences salariales entre les sexes; pour ce faire, ils ont comparé les salaires d'hommes et de femmes ayant des niveaux de spécialisation semblables. Si le niveau de spécialisation influe réellement sur le salaire, des hommes et des femmes du même âge, du même niveau de scolarisation et occupant des postes identiques devraient recevoir des salaires différents selon qu'ils sont ou non mariés à une personne spécialisée dans la production domestique. Par ailleurs, des hommes et des femmes ayant le même capital humain à leur actif et occupant des postes similaires, qui vivent seuls et partagent leur temps entre des activités de marché et des activités hors marché devraient recevoir un salaire identique. Pour que les facteurs qui influent sur les activités hors marché soient aussi semblables que possible, les économistes ont étudié deux groupes: un groupe d'hommes qui n'ont jamais été mariés et un groupe de femmes qui n'ont jamais été mariées. Selon les données disponibles, avec un capital humain semblable — scolarisation, expérience de travail, interruptions de carrière —, en moyenne, les salaires de ces deux groupes ne sont pas identiques, bien que l'écart salarial soit plus faible que l'écart salarial moyen entre l'ensemble des hommes et l'ensemble des femmes. Selon certaines estimations, l'écart salarial qui ne peut être attribué aux différences de spécialisation ou de capital humain serait de l'ordre de 5% à 10%. Pour certains économistes, cet écart résulte d'une discrimination à l'égard des femmes, bien qu'il soit difficile de mesurer cette discrimination, et donc de vérifier cette hypothèse.

Comme les marchés du travail ne semblent pas traiter la main-d'œuvre avec équité, les gouvernements doivent intervenir pour modifier les salaires et les niveaux d'emploi déterminés sur ces marchés. À cet égard, la législation sur l'équité salariale peut avoir d'importantes répercussions. Examinons son fonctionnement.

## La législation sur l'équité salariale

LE GOUVERNEMENT FÉDÉRAL ET TOUS LES gouvernements provinciaux ont adopté des lois qui obligent les employeurs à verser un salaire égal pour un travail égal, en évitant toute discrimination fondée sur le sexe[2]. De plus en plus, les spécialistes cherchent des moyens de comparer des emplois qui, bien que différents, exigent des niveaux de qualification similaires. Ces comparaisons ont donné naissance à une notion plus large que la notion de « travail égal »: le « travail d'égale valeur ». Le fait de payer au même salaire des emplois différents que l'on estime avoir une valeur égale s'appelle l'*équité salariale.*

Selon les partisans de la législation sur l'équité salariale, la détermination des salaires doit reposer sur l'analyse des caractéristiques des divers emplois et sur la mesure de leur valeur en fonction de critères objectifs. Mais l'application de cette méthode ne sert pas la cause de ses défenseurs. Voyons pourquoi.

La figure 15.9 illustre deux marchés: celui des opérateurs de tours de forage pétrolier au graphique (a), et celui des infirmières au graphique (b). Les courbes de valeur du produit marginal et de l'offre des opérateurs correspondent respectivement à $VPm_O$ et $O_O$, et celles des infirmières, à $VPm_I$ et $O_I$. Dans un marché concurrentiel en équilibre, le salaire des opérateurs de tours est $S_O$ et celui des infirmières, $S_I$.

Admettons que les compétences requises dans ces deux professions — exigences physiques et mentales, responsabilités et conditions de travail — soient telles qu'on considère ces professions comme d'égale valeur, qu'on estime que le salaire équitable pour ces professions est $S_X$, et qu'on l'impose donc par voie judiciaire. Que va-t-il se passer? D'abord, il y aura une pénurie d'opérateurs de tours de forage. Les compagnies de forage pétrolier, qui ne pourront embaucher la quantité d'opérateurs $O_X$ qu'au taux salarial $S_X$, devront soit réduire leur production, soit construire des tours plus mécanisées et donc plus coûteuses. En outre, le nombre d'infirmières employées diminue car, au taux salarial plus élevé $S_X$, les hôpitaux ne demandent qu'un nombre $D_I$ d'infirmières. Le nombre d'infirmières employées est $O_I$ et la différence entre $O_I$ et $D_I$ correspond au nombre d'infirmières disponibles qui cherchent un emploi. Ces infirmières finiront par accepter des emplois hors de leur profession (qui leur plaisent moins que les emplois d'infirmières), et probablement à un taux salarial inférieur à celui de leur profession.

---

[2] N. Argawal et Jain Harish « Pay Discrimination Against Women in Canada », *International Labour Review*, n° 117, mars-avril 1978, p. 169-178.

### FIGURE 15.9
## À travail d'égale valeur, salaire égal ?

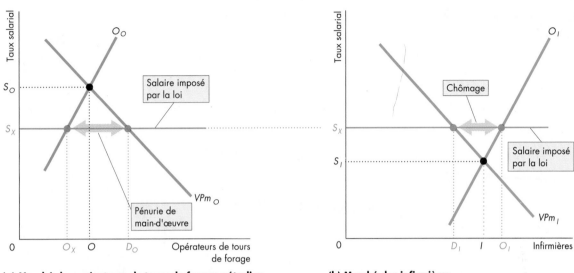

**(a) Marché des opérateurs de tours de forage pétrolier**

**(b) Marché des infirmières**

Le graphique (a) illustre l'offre et la demande d'opérateurs de tours de forage — $O_O$ et $D_O$ — ainsi que la valeur de leur produit marginal — $VPm_O$. Le graphique (b) illustre l'offre et la demande d'infirmières, $O_I$ et $D_I$ ainsi que la valeur de leur produit marginal, $VPm_I$. Le salaire d'équilibre concurrentiel est $S_O$ pour les opérateurs de tours et $S_I$ pour les infirmières. Si, à partir d'une évaluation de ces deux types d'emploi, on conclut qu'ils sont d'égale valeur et qu'on décide de les rémunérer au même salaire $S_X$, il y aura une demande excédentaire de main-d'œuvre sur le marché des opérateurs et une offre excédentaire de main-d'œuvre sur le marché des infirmières. Les producteurs de pétrole chercheront d'autres moyens mécanisés de produire le pétrole (moyens plus coûteux) et les infirmières se chercheront d'autres emplois (emplois qui leur plairont moins et qui seront probablement moins rémunérateurs).

---

Les lois qui imposent d'un salaire égal pour un travail d'égale valeur pourraient avoir des effets pervers coûteux.

### À RETENIR

- Les écarts salariaux entre les hommes et les femmes résultent de différences dans les types d'emplois qu'ils occupent, de la discrimination à l'égard des femmes ainsi que de différences de capital humain et de spécialisation.

- L'égalisation du capital humain et du niveau de spécialisation réduira les écarts salariaux et finira probablement par les éliminer.

- Les lois sur l'équité salariale seules ne peuvent pas éliminer les écarts salariaux.

◇ La rubrique « Entre les lignes » (p. 360) illustre une leçon fondamentale de ce chapitre : la scolarisation est un bon investissement. Au prochain chapitre, nous utiliserons le modèle du marché des facteurs pour étudier les marchés des capitaux et des ressources naturelles.

# Pleins FEUX sur les politiques

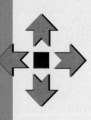

# Investir dans le capital humain

## Les faits
### EN BREF

■ Un sondage sur les Canadiens bien nantis (revenu annuel moyen du ménage de 124 000 $ et valeur moyenne nette de 441 000 $) a été commandé par une entreprise privée.

■ Selon ce sondage, la plupart des Canadiens riches 1) sont des baby-boomers nés à la fin des années 1940 dans des familles moins bien nanties qu'ils le sont eux-mêmes, 2) font partie des ménages à double revenu, 3) détiennent un diplôme universitaire, 4) travaillent fort et 5) ne s'attendent pas à recevoir un héritage important.

■ D'après les répondants, les facteurs qui leur ont permis d'avoir un revenu élevé sont, dans l'ordre : 1) un travail acharné, 2) une scolarité élevée, 3) l'intelligence et 4) la chance.

*TORONTO STAR*, LE 12 OCTOBRE 1995

## Les études universitaires sont rentables, révèle un sondage

PAR ART CHAMBERLAIN

Le chemin de la richesse passe par l'université, affirment les Canadiens bien nantis.

Plus des deux tiers des 10 % de Canadiens dont le revenu familial est le plus élevé au pays détiennent un diplôme universitaire, révèle un sondage réalisé pour le compte du Trust Royal.

Comme à peine 18 % des Canadiens ont un diplôme universitaire, il ne fait aucun doute qu'une scolarisation plus poussée a des retombées positives, conclut Bruce Armstrong, directeur du marketing des Services de gestion de patrimoine.

Le sondage du Trust Royal a été réalisé auprès d'un échantillon de ménages dont le revenu annuel moyen s'élève à 124 000 $, et la valeur moyenne nette (y compris les biens immobiliers), à 441 000 $.

En Ontario, on considère qu'un ménage franchit le seuil de la richesse avec un revenu annuel de 100 000 $ en milieu urbain et de 90 000 $ en milieu rural. Pour les retraités en milieu urbain, ce seuil est franchi avec un revenu annuel de 80 000 $ ou plus.

« Oubliez les gens riches et célèbres à la Robin Leach, déclarait hier M. Armstrong. Loin de vivre dans le luxe et l'oisiveté, ces gens sont des gestionnaires familiaux occupés à concilier les responsabilités de leur vie professionnelle et familiale. »

La plupart de ces ménages sont composés de baby-boomers qui ont un double revenu et de jeunes enfants.

Un travail acharné a été le principal facteur de leur réussite, ont déclaré 83 % des répondants de ce sondage réalisé par Environics Research Group ; suivaient, dans l'ordre, la scolarité, l'intelligence et la chance.

La plupart de ces personnes proviennent d'un milieu socio-économique moins favorisé et peu d'entre eux s'attendent à un héritage important.

À la question « Quel conseil donneriez-vous à ceux qui veulent suivre vos traces ? », 27 % ont répondu : « Instruisez-vous le plus possible. » [...]

# Analyse

## ÉCONOMIQUE

■ La majorité des gens gagnent leur vie en travaillant. Leur revenu dépend de la demande et de l'offre des compétences qu'ils ont à offrir.

■ La figure ci-contre décrit le marché de deux types de main-d'œuvre, l'une à rendement moyen, l'autre à rendement élevé.

■ La demande et l'offre de travailleurs à rendement moyen sont, respectivement, $D_M$ et $O_M$.

■ En situation d'équilibre, le travailleur à rendement moyen gagne 25 $ l'heure et travaille 2 000 heures par année. Les travailleurs de cette catégorie gagnent 50 000 $ par année.

■ Certaines personnes ont un revenu supérieur à la moyenne pour deux raisons : leur rendement est plus élevé que la moyenne et l'offre de ces travailleurs à rendement élevé est limitée.

■ Un rendement supérieur à la moyenne suscite une plus grande demande. La demande de travailleurs à rendement élevé est $D_{RE}$ dans la figure.

■ Un rendement élevé résulte de : 1) la scolarisation 2) l'expérience en cours d'emploi et 3) la motivation.

■ Les gens qui détiennent un diplôme universitaire sont plus scolarisés que les autres.

■ Les personnes en milieu de carrière (baby-boomers de 45 à 50 ans) ont l'expérience de travail la plus pertinente.

■ Les personnes qui viennent d'un milieu défavorisé sont souvent très motivées.

■ La combinaison de ces trois facteurs, plus un élément de chance, a pour résultat un rendement plus élevé et une demande plus importante.

■ Cette combinaison de scolarisation, d'expérience et de motivation est relativement rare, de sorte que l'offre de travailleurs à rendement élevé est limitée. Dans la figure, la courbe d'offre est $O_{RE}$.

■ En situation d'équilibre, le travailleur à rendement élevé gagne 62 $ l'heure et travaille le même nombre d'heures que le travailleur à rendement moyen, soit 2 000 heures. Chaque travailleur de cette catégorie gagne 124 000 $ par année.

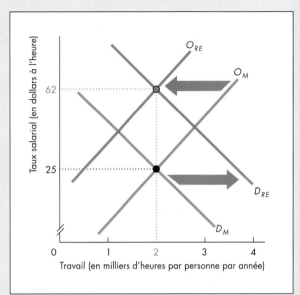

## Si vous

### DEVIEZ VOTER

■ Le fait que la scolarisation a des retombées financières positives signifie-t-il que le gouvernement devrait consacrer un plus grand pourcentage de ses dépenses à l'éducation ?

■ Ce fait signifie-t-il plutôt que le gouvernement devrait consacrer un pourcentage moins grand de ses dépenses à l'éducation et laisser les gens faire leurs propres choix selon les gains qu'ils escomptent ?

■ Voteriez-vous pour que le gouvernement consacre des sommes plus élevées à l'éducation ou, au contraire, pour qu'il diminue ces sommes tout en accordant des réductions d'impôts par le biais de déductions plus importantes pour les dépenses des contribuables en éducation ?

# RÉSUMÉ

## Points clés

**Les différences de qualification**  La valeur du produit marginal de la main-d'œuvre qualifiée est supérieure à la valeur de la main-d'œuvre non qualifiée, mais l'acquisition d'une qualification est coûteuse. Par conséquent, pour les travailleurs qualifiés, la demande est plus élevée et l'offre est moins importante que pour les travailleurs non qualifiés. C'est pourquoi le taux salarial d'équilibre des travailleurs qualifiés est supérieur à celui des travailleurs non qualifiés. Les écarts salariaux reflètent le fait que la valeur du produit marginal des travailleurs qualifiés est plus élevée, de même que les coûts de l'acquisition de la formation. (p. 346-348)

**Les écarts de salaire entre syndiqués et non-syndiqués**  Les syndicats influent sur les salaires en influant sur l'offre de travail. Sur les marchés du travail concurrentiels, les syndicats ne peuvent obtenir des salaires plus élevés sans consentir à une baisse du niveau d'emploi. Les syndicats des industries concurrentielles influent également sur la valeur du produit marginal de leurs membres en appuyant les restrictions à l'importation, le salaire minimum et les mesures visant à limiter l'immigration, ainsi qu'en augmentant la demande de leur produit et la productivité marginale de leurs membres. Dans un monopsone — un marché ne comptant qu'un seul acheteur —, un syndicat peut augmenter le taux salarial sans entraîner de perte d'emplois. Le monopole bilatéral est un marché où le syndicat a le monopole de la vente de travail, et l'employeur, celui de l'achat de travail. Les salaires sont déterminés par voie de négociations entre les deux parties. Dans un monopsone, une loi sur le salaire minimum peut entraîner à la fois l'augmentation du taux salarial et du niveau d'emploi. Dans le monde réel, les syndiqués gagnent entre 10 % et 35 % de plus que les non-syndiqués pour un emploi comparable. (p. 348-354)

**Les écarts de salaire entre hommes et femmes**  Les écarts salariaux entre les hommes et les femmes sont attribuables à des différences dans les types d'emplois, à de la discrimination et à des différences de capital humain et de spécialisation. Le plus souvent, les postes qui commandent une rémunération élevée — dans les domaines du droit et de la médecine, les paliers supérieurs du management, etc. — sont occupés par des hommes. Les femmes sont probablement victimes de discrimination sur les marchés du travail, mais il est difficile de mesurer objectivement cette discrimination. Historiquement, les hommes disposaient d'un capital humain plus élevé que les femmes, mais les écarts liés à la scolari-sation ont été pratiquement éliminés. Traditionnellement, les femmes interrompaient leur carrière plus fréquemment que les hommes et accumulaient donc moins de capital humain ; ces différences fondées sur l'expérience professionnelle, qui ont maintenu le salaire des femmes à un niveau inférieur, sont moins importantes de nos jours. Traditionnellement, la majorité des hommes se spécialisaient surtout dans les activités de marché, tandis que la majorité des femmes se consacraient simultanément à des activités hors marché (production domestique) et à des activités de marché. Les différences liées à la spécialisation sont probablement toujours importantes et risquent de persister. Les études sur l'importance du niveau de spécialisation indiquent qu'il s'agit d'une cause importante de l'écart salarial entre les sexes. (p. 355-358)

**La législation sur l'équité salariale**  Pour déterminer la valeur des divers types d'emplois, les lois sur l'équité salariale fixent les salaires en se fondant sur leurs caractéristiques objectives plutôt que sur ce que le marché est disposé à payer. La détermination des salaires fondée sur le principe de l'équité salariale entraîne une diminution du nombre de travailleurs occupant les postes auxquels le marché accorde une faible valeur et une pénurie de travailleurs occupant des postes auxquels le marché accorde une grande valeur. Par conséquent, tout effort favorisant l'équité salariale pour un travail de valeur égale peut avoir des effets pervers coûteux. (p. 358-359)

## Figures et tableau clés

## Mots clés

## Q U E S T I O N S   D E   R É V I S I O N

1. Qu'entend-on par capital humain ? Comment l'acquiert-on ?
2. Pourquoi la courbe de demande des travailleurs qualifiés se situe-t-elle à droite de la courbe de demande des travailleurs non qualifiés ?
3. Pourquoi la courbe d'offre des travailleurs qualifiés se trouve-t-elle à gauche de la courbe d'offre des travailleurs non qualifiés ?
4. Quelle influence la scolarisation et la formation en cours d'emploi ont-elles sur les salaires ?
5. Pourquoi les travailleurs qualifiés sont-ils payés davantage que les travailleurs non qualifiés ?
6. Qu'est-ce qu'un syndicat ? Quels sont les principaux types de syndicats ?
7. Qu'est-ce qu'une négociation collective ? Quelles sont les principales armes utilisées au cours d'une négociation collective ?
8. Comment un syndicat peut-il influer sur les salaires ?
9. Comment un syndicat peut-il augmenter la demande des travailleurs qu'il représente ?
10. Pourquoi l'élasticité de l'offre de travail influe-t-elle sur le taux salarial que le syndicat peut obtenir pour ses membres ?
11. Qu'est-ce qu'un monopsone ? Où peut-on trouver un monopsone au Canada ?
12. Expliquez pourquoi l'offre de travail d'un monopsone ne correspond pas au coût marginal du travail.
13. Expliquez pourquoi un monopsone maximise son profit en donnant au travailleur un taux salarial inférieur à la valeur du produit marginal de son travail.
14. Dans quels cas l'adoption d'un salaire minimum fait-elle augmenter l'emploi ?
15. Pourquoi la discrimination à l'égard des femmes a-t-elle des répercussions sur la valeur du produit marginal des femmes ?
16. Dans une profession donnée, quel est l'effet de la discrimination fondée sur le sexe sur le taux salarial des femmes et le nombre de femmes engagées ?
17. Qu'est-ce qu'une loi sur l'équité salariale ?
18. Comment fonctionnent les lois sur l'équité salariale et quels sont leurs effets prévisibles ?

## A N A L Y S E   C R I T I Q U E

1. Lisez attentivement la rubrique « Entre les lignes » (p. 360) et répondez aux questions suivantes :
   a) Pourquoi un travailleur détenant un diplôme universitaire gagne-t-il plus qu'un travailleur peu scolarisé ? Quels sont les effets d'une formation universitaire sur la demande et l'offre de main-d'œuvre qualifiée ?
   b) Si les étudiants devaient payer entièrement les frais de scolarité qui s'élèvent actuellement à 20 000 $ par année scolaire environ, quels effets cela aurait-il sur l'offre et la demande de diplômés universitaires ? Quels seraient les effets sur leur taux salarial ?
   c) Si les gouvernements payaient aux citoyens un salaire moyen pour qu'ils aillent à l'université et acquittaient également les frais de scolarité, quels seraient les effets sur l'offre et la demande de diplômés universitaires ? Quels seraient les effets sur leur taux salarial ?

2. En Colombie-Britannique et en Saskatchewan, les gouvernements provinciaux ont réservé les appels d'offres relatifs à certains contrats gouvernementaux aux entreprises syndiquées. À votre avis, quels seront les effets de cette politique sur la demande de main-d'œuvre syndiquée, le taux salarial payé aux travailleurs syndiqués et les coûts qu'auront à assumer les contribuables de ces provinces ?

3. Plusieurs innovations techniques ont entraîné une réduction de la demande de fonctionnaires. Quelles méthodes les syndicats de la fonction publique ont-ils utilisées pour tenter de maintenir la demande des travailleurs syndiqués ?

4. Le nombre de travailleurs syndiqués a connu son apogée en 1983 au Canada. À votre avis, pourquoi les travailleurs sont-ils moins enclins à adhérer à un syndicat aujourd'hui qu'en 1983 ?

5. Au Canada, 60 % du personnel enseignant est composé de femmes, pour seulement 25 % des administrateurs scolaires. Comment expliquer cette situation ? S'agit-il de discrimination à l'égard des femmes, ou est-ce un choix de la part des femmes ?

6. Au niveau universitaire, seulement 7 % des professeurs sont des femmes, pour 50 % des chargés de cours. Environ la moitié des personnes qui s'inscrivent à l'université sont des femmes. Vous attendez-vous à voir beaucoup changer le pourcentage de femmes professeurs au cours des 20 prochaines années ? Pourquoi ?

# PROBLÈMES

1. Le graphique suivant montre l'offre et la demande de travailleurs non qualifiés.

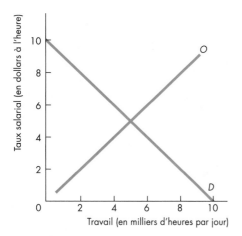

a) Quel est le taux salarial des travailleurs non qualifiés?

b) Quel est le nombre d'heures de travail non qualifiées employées?

2. Les travailleurs du problème n° 1 peuvent recevoir une formation (acquérir une qualification) et leur productivité marginale peut doubler. (Le produit marginal pour chaque niveau d'emploi est le double du produit marginal d'un travailleur non qualifié.) Cependant, la compensation du coût de l'acquisition d'une qualification fait augmenter de 2 $ le salaire qui doit être offert pour attirer les travailleurs qualifiés.

a) Quel est le taux salarial des travailleurs qualifiés?

b) Quel est le nombre d'heures de travail qualifiées employées?

3. Supposons que les travailleurs qualifiés se syndiquent et que le syndicat limite le travail des travailleurs qualifiés à 1 000 heures de travail. Quel est le taux salarial des travailleurs qualifiés? Comment les travailleurs non qualifiés réagiront-ils à cette situation?

4. En reprenant le problème n° 1, supposez que le gouvernement impose un salaire horaire minimum de 6 $ pour les travailleurs non qualifiés.

a) Quel est le salaire payé aux travailleurs non qualifiés?

b) Pour combien d'heures par jour de travail le travailleur non qualifié est-il engagé?

5. Dans une partie isolée du bassin de l'Amazonie, une compagnie aurifère se trouve dans la situation de marché du travail de monopsone.

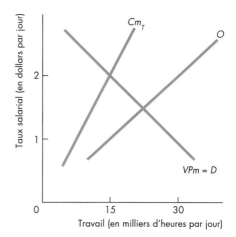

a) Quel est le taux salarial payé par cette compagnie?

b) Pour combien d'heures de travail cette compagnie engagera-t-elle de la main-d'œuvre?

c) Quelle est la valeur du produit marginal de la dernière heure de travail?

d) Comment la compagnie aurifère maximise-t-elle son profit lorsqu'elle ne paie pas ses travailleurs à un taux égal à la valeur de leur produit marginal?

e) Quels seront les effets d'une hausse du prix mondial de l'or sur le taux salarial payé et le nombre de travailleurs embauchés?

6. En reprenant le problème n° 5, supposez que le gouvernement impose un salaire minimum de 1,50 $ par jour.

a) Quel salaire la compagnie aurifère offrira-t-elle?

b) La compagnie aurifère va-t-elle augmenter ou diminuer le nombre de travailleurs employés?

## Chapitre 16

# Les marchés financiers et les marchés des ressources naturelles

**Objectifs du chapitre**

- Décrire la structure des marchés financiers canadiens

- Expliquer comment se déterminent la demande et l'offre de capitaux

- Expliquer comment se déterminent les taux d'intérêt et le cours des actions, et montrer pourquoi le cours des actions fluctue

- Expliquer comment se déterminent les prix des ressources naturelles

- Expliquer comment les marchés déterminent le rythme de consommation des ressources non renouvelables comme le pétrole

## Débâcles et flambées boursières

Le lundi 19 octobre 1987, un vent de panique soufflait sur les bourses de Montréal et de Toronto. Depuis cinq ans, soit depuis août 1982, le cours moyen d'une action ordinaire avait augmenté de 200 %; or, ce jour-là, il venait de chuter de 11,3 % — ce qui diminuait l'avoir boursier des épargnants de plusieurs milliards de dollars. Comment expliquer la période d'expansion de cinq ans qui avait précédé ce krach, et comment expliquer cette soudaine débâcle? ♦ La bourse de Toronto, si importante soit-elle, ne représente qu'une fraction du grand marché nord-américain des capitaux. On sait que l'épargne, par le biais des banques, des compagnies d'assurance et des bourses, sert à financer l'achat de machinerie, d'usines ou d'édifices commerciaux, de voitures, de maisons. Comment le dollar épargné et placé dans un compte bancaire permet-il à la brasserie Labatt d'ouvrir une nouvelle usine d'embouteillage? ♦ Une bonne partie de nos ressources naturelles ne sont pas renouvelables; or, nous les consommons à un rythme effréné. Chaque année, nous brûlons des milliards de mètres cubes de gaz naturel et de pétrole ainsi que des millions de tonnes de charbon. Nous extrayons de la bauxite pour fabriquer de l'aluminium, du minerai de fer et d'autres minéraux pour fabriquer de l'acier. N'allons-nous pas un jour manquer de ces ressources et d'autres ressources naturelles? Qu'est-ce qui détermine leur prix? Le prix des ressources naturelles augmente-t-il pour favoriser leur conservation? Le marché est-il capable à lui seul d'éviter l'épuisement prématuré du stock de ressources naturelles?

♦ Dans ce chapitre, nous étudierons les marchés des capitaux et des ressources naturelles. Nous verrons quels facteurs déterminent le montant de l'épargne et des placements, et ce qui détermine les taux d'intérêt et le cours des actions. Nous verrons également comment les forces du marché encouragent la conservation et favorisent la découverte de ressources naturelles non renouvelables.

# La structure des marchés financiers

LES MARCHÉS FINANCIERS SONT LES CANAUX PAR lesquels l'épargne des ménages est acheminée vers les entreprises. Les entreprises utilisent les ressources financières qu'elles obtiennent sur les marchés des capitaux pour acheter des biens de production. Ces biens de production — édifices, machines, avions, ordinateurs, etc. — sont achetés et vendus ou loués. Mais les marchés où ils s'achètent, se vendent et se louent ne sont pas les marchés de capitaux ; ce sont les marchés des biens et les marchés des facteurs, qui coordonnent les décisions des producteurs et des acheteurs, des propriétaires et des locataires de biens de production. Sur ces marchés, ce sont les forces de l'offre et de la demande — étudiées au chapitre 4 — qui déterminent le prix et la quantité des biens de production.

Les marchés financiers, eux, coordonnent les plans d'épargne des ménages — plans qui déterminent l'offre de capitaux — et les plans de placements des entreprises — plans qui déterminent la demande de capitaux. Le prix du capital, qui s'ajuste de manière à ce que la quantité de capital offerte soit égale à la quantité demandée, est le taux d'intérêt.

## Les flux des marchés financiers

La figure 16.1 illustre les principaux flux des épargnes sur les marchés des capitaux. Les ménages épargnent une partie de leurs revenus et fournissent du *capital financier*. Les entreprises demandent du capital financier, qu'elles utilisent pour acheter du *capital physique*. Au cœur des marchés financiers, on trouve les **intermédiaires financiers**, c'est-à-dire les entreprises qui acceptent les dépôts, consentent des prêts et facilitent les transactions sur les marchés des actions, des obligations et des prêts. Les intermédiaires financiers les plus connus sont les banques à charte et les sociétés de fiducie, mais il y en a d'autres, comme les compagnies de fonds du marché monétaire, les compagnies d'assurance et les sociétés de gestion de fonds de retraite. Les pointillés verts de la figure 16.1 représentent les transactions financières. Les ménages utilisent leur épargne pour acheter des actions ou des obligations émises par les entreprises, et pour faire des dépôts auprès d'intermédiaires financiers qui consentent des prêts aux ménages et aux entreprises.

On distingue trois grands types de marchés de capitaux :

■ les marchés boursiers,
■ les marchés obligataires,
■ les marchés de prêts.

**Les marchés boursiers** Un **marché boursier** est un marché où se négocient les actions des entreprises. Le

## Les flux des marchés financiers

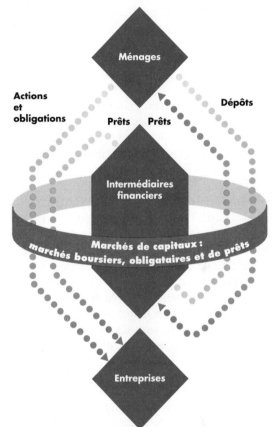

Les ménages fournissent le capital financier aux entreprises, qui l'utilisent pour acheter le capital physique. Les ménages achètent des actions et des obligations, et font des dépôts auprès des intermédiaires financiers. Les intermédiaires financiers prêtent aux ménages et aux entreprises. Les pointillés verts indiquent les flux des marchés.

marché boursier le plus célèbre, le New York Stock Exchange (NYSE), situé dans Wall Street à New York, traite au-delà de 2 000 actions parmi les plus échangées, dont beaucoup de sociétés bien connues comme General Motors, Boeing Aircraft ou Exxon. Le NASDAQ (National Association of Securities Dealers), un autre marché boursier de New York, traite des actions moins souvent échangées que celles inscrites au NYSE. Le Canada compte quatre bourses : celles de Toronto, de Montréal, de l'Alberta et de Vancouver ; dans une journée ordinaire, plus de 20 millions d'actions changent de main à la seule bourse de Toronto. Des grandes villes comme Londres, Paris, Francfort, Tokyo, Hong Kong et d'autres ont depuis fort longtemps leurs bourses, qui se spécialisent dans la négociation d'actions de dizaines de milliers de compagnies étrangères. Depuis quelques années, de nouveaux marchés boursiers sont apparus à Shanghai, Taipei, Bangkok, Séoul ainsi que dans d'autres centres économiques en émergence de l'Asie de l'Est.

Pour acheter ou vendre une action sur un marché boursier, on doit en donner l'ordre à un *courtier* qui, à son tour, place un ordre d'achat ou de vente auprès d'un *spécialiste* des titres que l'on désire échanger. Ce spécialiste, qui travaille sur le *parquet* de la bourse, surveille continuellement la demande et l'offre, et tente de maintenir le prix de l'action au niveau où la quantité demandée est égale à la quantité offerte.

**Les marchés obligataires** Un **marché obligataire** est un marché où se négocient les obligations émises par les entreprises et par le gouvernement. La différence entre une action et une obligation est que l'actionnaire reçoit un dividende périodique qui dépend du profit économique de l'entreprise, tandis que le détenteur d'obligations perçoit un montant fixe périodique appelé coupon (voir le chapitre 9, p. 192-193). Les marchés obligataires, comme les marchés boursiers, se retrouvent dans tous les grands centres financiers. De plus, les obligations sont émises en devises du monde entier. Ainsi, une entreprise située en Indonésie pourrait emprunter en émettant des obligations libellées en dollars américains ou en livres anglaises.

Enfin, si vous désirez acheter ou vendre une obligation, vous devez comme sur les marchés boursiers en donner l'ordre à un courtier qui, de concert avec des spécialistes, maintient un équilibre entre les quantités d'obligations demandées et offertes.

**Les marchés de prêts** Un **marché de prêts** est un marché où les ménages, les entreprises et les intermédiaires financiers prêtent et empruntent. Les intermédiaires financiers assurent le fonctionnement des marchés de prêts et en sont les principaux acteurs. Lorsque vous faites un dépôt dans une banque, vous faites un prêt à la banque, qui utilise les fonds des déposants pour consentir des prêts aux entreprises et aux ménages. Les prêts aux entreprises servent à financer les investissements dans des biens de production et des stocks de matières premières ou de produits finis. Les prêts aux ménages servent à financer l'achat de maisons et de biens de consommation durables.

Penchons-nous d'abord sur le fonctionnement des marchés des capitaux en commençant par étudier la demande de capital.

## La demande de capital

LA DEMANDE DE CAPITAL *FINANCIER* D'UNE entreprise dépend de sa demande de capital *physique*, et le montant qu'elle prévoit emprunter dans un laps de temps donné est déterminé par l'*investissement* qu'elle a planifié.

## Le capital physique et l'investissement

Le capital physique est un *stock* — une quantité de biens fabriqués et accumulés à une date donnée et qui seront utilisés pour produire d'autres biens et services. L'investissement brut est un *flux* — un achat de nouveau capital physique au cours d'une période donnée — qui vient s'ajouter au stock. On peut comparer le capital à l'eau du lac Ontario à une date donnée, et l'investissement brut à l'eau des chutes Niagara qui s'écoule dans le lac Ontario au cours d'une période donnée — afflux d'eau qui vient gonfler les eaux du lac. La dépréciation est également un flux. La **dépréciation** est la quantité de capital existant qui s'épuise durant une période donnée. On peut la comparer à l'eau du lac Ontario qui s'écoule dans le Saint-Laurent dans une période donnée ; ce flux diminue le volume d'eau du lac. On appelle **investissement net** la variation du stock de capital durant une période donnée ; l'investissement net est égal à l'investissement brut moins la dépréciation, comme la variation du volume d'eau dans le lac Ontario est égale au flux qui y entre moins le flux qui s'en écoule.

## Les décisions en matière d'investissement

Pour décider quelle somme investir et quelle somme emprunter, l'entreprise doit décider de l'importance de son stock de capital. Comme la détermination de la quantité de facteurs de production supplémentaires à utiliser, cette décision est guidée par le désir de maximiser les profits.

Lorsqu'une entreprise augmente la quantité de capital utilisé, toutes autres choses étant égales, la valeur du produit marginal du capital finit par diminuer. Pour maximiser son profit, l'entreprise a recours à la règle qui lui dicte d'employer la quantité de capital à laquelle la valeur du produit marginal du capital est égale au prix de l'utilisation du capital. Le prix de l'utilisation du capital est le taux d'intérêt. Par conséquent, une entreprise augmente la quantité de capital utilisé jusqu'à ce que la recette additionnelle générée par l'utilisation d'une unité supplémentaire de capital soit égale au taux d'intérêt.

La meilleure façon de comprendre que le taux d'intérêt est le prix de l'utilisation du capital est de penser à du capital qui est loué. Si l'entreprise loue un ordinateur chez Ordiloc, elle paie un taux de location annuel, taux qui donne à Ordiloc un rendement égal au taux d'intérêt. Si le rendement d'Ordiloc était inférieur au taux d'intérêt, cette firme vendrait ses ordinateurs pour acheter des actions ou des obligations générant un taux d'intérêt plus élevé. Si le rendement d'Ordiloc était plus élevé que le taux d'intérêt, l'entreprise achèterait des ordinateurs supplémentaires et vendrait des actions ou des obligations qui rapportent un taux d'intérêt inférieur au rendement de la location d'ordinateurs.

Cela dit, les entreprises ne louent pas l'essentiel de leur capital; elles achètent des édifices, des usines et de l'équipement qu'elles exploitent ensuite pendant plusieurs années. Pour déterminer quelle quantité de biens de production elle doit acheter, l'entreprise compare le prix à payer maintenant pour ces biens à leur rendement, c'est-à-dire aux recettes marginales qu'ils vont engendrer pendant toute leur durée d'utilisation. Le taux d'intérêt correspond toujours au prix de l'utilisation du capital, même si le capital est acheté plutôt que loué. En effet, pour déterminer la quantité de capital à acheter, l'entreprise doit calculer la valeur actuelle (voir le chapitre 9, p. 193-195) du flux cumulé de recette et la comparer au prix d'achat d'un nouveau bien de production.

### La valeur actuelle nette d'un investissement

Voyons comment une entreprise décide du montant de capital à acheter en calculant la valeur actuelle d'un nouvel ordinateur. Le tableau 16.1 résume les données qui suivent. Thérèse dirige l'entreprise Avantage-Impôts qui aide les contribuables à rédiger leurs déclarations de revenus. Thérèse envisage d'acheter un nouvel ordinateur qui coûte 10 000 $. On suppose que la durée d'utilisation de cet ordinateur est de deux ans, après quoi il aura perdu toute valeur. Thérèse espère que cet ordinateur, qu'elle paiera 10 000 $ aujourd'hui, lui permettra d'accroître son chiffre d'affaires de 5 900 $ pour chacune des deux années qui viennent.

Pour calculer la valeur actuelle, *VA*, de la valeur du produit marginal d'un nouvel ordinateur, Thérèse utilise la formule suivante:

$$VA = \frac{VPm_1}{(1 + r)} + \frac{VPm_2}{(1 + r)^2}$$

Dans ce cas, $VPm_1$ correspond à la valeur du produit marginal reçue par Thérèse à la fin de la première année. En la divisant par $(1 + r)$, on obtient sa valeur actuelle. La $VPm_2$ est la valeur du produit marginal reçue à la fin de la seconde année. On la convertit en valeur réelle en la divisant par $(1 + r)^2$.

Le tableau 16.1 (b) montre la formule de calcul de la valeur actuelle ainsi que le calcul de la valeur actuelle de la valeur du produit marginal d'un ordinateur. Si le taux d'intérêt annuel est de 4 %, la valeur actuelle (*VA*) d'un montant de 5 900 $ perçu dans un an est de 5 900 $ divisé par 1,04 (1 plus le taux d'actualisation de 4 %, soit 0,04), et la valeur actuelle d'un montant de 5 900 $ perçu dans deux ans est de 5 900 $ divisé par $(1,04)^2$. En calculant ces deux valeurs actuelles puis en les additionnant, on obtient la valeur actuelle du flux futur de la valeur du produit marginal, soit 11 128 $.

### La décision d'acheter

Pour savoir si elle a ou non intérêt à acheter l'ordinateur, Thérèse doit comparer la valeur actuelle de ce flux cumulé de recette au prix d'achat de l'ordinateur. Autrement dit, elle doit calculer

---

**TABLEAU 16.1**

## La valeur actuelle nette d'un investissement — le cas d'Avantage-Impôts

**(a) Les données**

| | |
|---|---|
| Prix de l'ordinateur | 10 000 $ |
| Durée d'utilisation de l'ordinateur | 2 ans |
| Recette du produit marginal | 5 900 $ à la fin de chaque année |
| Taux d'intérêt | 4 % par année |

**(b) La valeur actuelle du produit marginal cumulé**

$$
\begin{aligned}
VA &= \frac{VPm_1}{1 + r} + \frac{VPm_2}{(1 + r)^2} \\
&= \frac{5\,900\,\$}{1,04} + \frac{5\,900\,\$}{(1,04)^2} \\
&= 5\,673\,\$ + 5\,455\,\$ \\
&= 11\,128\,\$
\end{aligned}
$$

**(c) La valeur actuelle nette de l'investissement**

$$
\begin{aligned}
VAN &= VA \text{ de la valeur du produit marginal} - \text{Coût de l'ordinateur} \\
&= 11\,128\,\$ - 10\,000\,\$ \\
&= 1\,128\,\$
\end{aligned}
$$

---

la valeur actuelle nette (*VAN*) de l'ordinateur. La **valeur actuelle nette** est la valeur actuelle du flux cumulé de recette que cet investissement devrait engendrer moins son coût. Si la valeur actuelle nette est positive, l'entreprise achète des capitaux supplémentaires. Si la valeur actuelle nette est négative, l'entreprise n'achète pas de capitaux supplémentaires. Le tableau 16.1 (c) nous montre le calcul de la valeur actuelle nette d'un ordinateur de Thérèse. La valeur actuelle nette de cet investissement étant positive (1 128 $), Thérèse a donc intérêt à acheter l'ordinateur.

Thérèse peut acheter n'importe quel nombre d'ordinateurs dont le prix est de 10 000 $ et la durée de deux ans. Cependant, comme tous les autres facteurs de production, la productivité marginale du capital finit par décroître. En effet, plus la quantité de capital utilisée est grande, plus la valeur du produit marginal est faible. Par conséquent, si Thérèse achète un deuxième ou un troisième ordinateur, la valeur du produit marginal de ces ordinateurs décroît progressivement.

Le tableau 16.2 (a) donne la valeur du produit marginal avec un, deux et trois ordinateurs. La valeur du produit marginal avec un seul ordinateur est, comme nous venons de le voir, de 5 900 $ par année. La valeur du produit marginal d'un second ordinateur est de 5 600 $ par année ; celle d'un troisième ordinateur, de 5 300 $ par année. Le tableau 16.2 (b) présente le calcul de la valeur actuelle du flux de la valeur du produit marginal pour chacun des trois ordinateurs.

Nous avons vu que, si le taux d'intérêt est de 4 % par année, la valeur actuelle nette d'un ordinateur est positive. Avec un taux d'intérêt de 4 % par année, la valeur actuelle de la valeur du produit marginal d'un deuxième ordinateur est de 10 562 $, soit 562 $ de plus que son prix ; par conséquent, Thérèse a intérêt à acheter un second ordinateur. Cependant, toujours avec un taux d'intérêt annuel de 4 %, la valeur actuelle de la valeur du produit marginal d'un troisième ordinateur est de 9 996 $, ce qui représente 4 $ de moins que le prix de l'ordinateur. Par conséquent, Thérèse n'a pas intérêt à acheter un troisième ordinateur.

**L'effet d'une variation du taux d'intérêt**   Nous venons de voir que si le taux d'intérêt annuel est de 4 %, Thérèse achète deux ordinateurs et non trois. Supposons maintenant que le taux d'intérêt annuel soit de 8 %. Dans ce cas, la valeur actuelle du premier ordinateur est de 10 521 $ — voir tableau 16.2 (b). Par conséquent, Thérèse a toujours intérêt à acheter un ordinateur, car sa valeur actuelle nette est positive. Par contre, avec un taux d'intérêt annuel de 8 %, la valeur actuelle de la valeur du produit marginal du second ordinateur est de 9 986 $ ; elle est donc moindre que le prix de l'ordinateur (10 000 $). Par conséquent, si le taux d'intérêt annuel est de 8 %, Thérèse a intérêt à n'acheter qu'un seul ordinateur.

Supposons que le taux d'intérêt annuel soit encore plus élevé, 12 %, par exemple. Dans ce cas, la valeur actuelle de la valeur du produit marginal d'un ordinateur est de 9 971 $ — voir le tableau 16.2 (b). À ce taux d'intérêt, Thérèse n'a pas intérêt à acheter un ordinateur.

Ces divers calculs permettent d'établir le barème de demande de capital de l'entreprise Avantage-Impôts, barème qui donne le nombre d'ordinateurs que l'entreprise achète en fonction du taux d'intérêt. Toutes autres choses étant égales, plus le taux d'intérêt augmente, plus la quantité demandée de capital diminue. Plus le taux d'intérêt est élevé, plus la quantité demandée de capital physique est faible. Cependant, pour financer l'achat de capital physique, les entreprises demandent du capital financier. Par conséquent, plus le taux d'intérêt est élevé, moins la quantité demandée de capital financier est élevée.

## La courbe de demande de capital

La quantité de capital demandée par une entreprise varie en fonction de la valeur du produit marginal du capital et du taux d'intérêt. La courbe de demande de capital d'une entreprise montre la relation entre la quantité demandée de capital et le taux d'intérêt, toutes autres choses étant égales. La figure 16.2 illustre la demande d'ordinateurs ($D_E$) de l'entreprise Avantage-Impôts. Les points *a, b* et *c* correspondent aux données de l'exemple précédent. Si le taux d'intérêt annuel est de 12 %, Thérèse n'achète pas d'ordinateur — point *a*. Si le taux d'intérêt annuel est de 8 %, elle achète un ordinateur d'une valeur de 10 000 $ — point *b*. Si le taux d'intérêt annuel est de 4 %, elle achète 2 ordinateurs, pour une valeur de 20 000 $ — point *c*.

---

**TABLEAU   16.2**

## Les décisions d'investissement de l'entreprise — Le cas d'Avantage-Impôts

### (a) Données

| | |
|---|---|
| Prix d'un ordinateur | 10 000 $ |
| Durée d'utilisation d'un ordinateur | 2 ans |

Valeur du produit marginal avec :

| | |
|---|---|
| un premier ordinateur | 5 900 $ par année |
| un deuxième ordinateur | 5 600 $ par année |
| un troisième ordinateur | 5 300 $ par année |

### (b)  Valeur actuelle du produit marginal cumulé

**Si le taux d'intérêt est de 0,04 (4 % par année) :**

avec un ordinateur : $VA = \dfrac{5\ 900\ \$}{1,04} + \dfrac{5\ 900\ \$}{(1,04)^2} = 11\ 128\ \$$

avec deux ordinateurs : $VA = \dfrac{5\ 600\ \$}{1,04} + \dfrac{5\ 600\ \$}{(1,04)^2} = 10\ 562\ \$$

avec trois ordinateurs : $VA = \dfrac{5\ 300\ \$}{1,04} + \dfrac{5\ 300\ \$}{(1,04)^2} = 9\ 996\ \$$

**Si le taux d'intérêt est de 0,08 (8 % par année) :**

avec un ordinateur : $VA = \dfrac{5\ 900\ \$}{1,08} + \dfrac{5\ 900\ \$}{(1,08)^2} = 10\ 521\ \$$

avec deux ordinateurs : $VA = \dfrac{5\ 600\ \$}{1,08} + \dfrac{5\ 600\ \$}{(1,08)^2} = 9\ 986\ \$$

**Si le taux d'intérêt est de 0,12 (12 % par année) :**

avec un ordinateur : $VA = \dfrac{5\ 900\ \$}{1,12} + \dfrac{5\ 900\ \$}{(1,12)^2} = 9\ 971\ \$$

**FIGURE 16.2**

## La demande de capital d'une entreprise

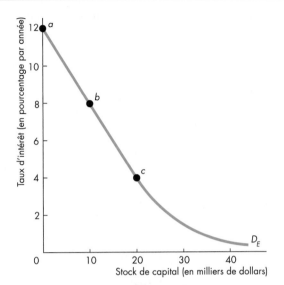

Moins le taux d'intérêt est élevé, plus la quantité demandée de stock de capital est importante. Si le taux d'intérêt annuel est de 12 %, Avantage-Impôts n'achète aucun ordinateur (point *a*). Si le taux d'intérêt annuel est de 8 %, l'entreprise achète un ordinateur d'une valeur de 10 000 $ (point *b*). Si le taux d'intérêt annuel est de 4 %, l'entreprise achète deux ordinateurs, pour une valeur de 20 000 $ (point *c*). Si Avantage-Impôts peut acheter des ordinateurs de différents modèles (fractions d'un ordinateur de 10 000 $), la courbe qui passe par les points *a, b* et *c* est la courbe de demande.

**FIGURE 16.3**

## La demande totale de capital

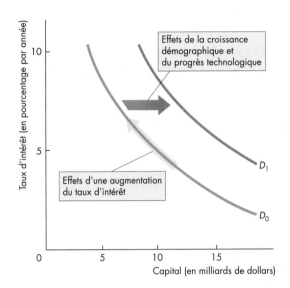

Toutes autres choses étant égales, la quantité demandée de capital diminue lorsque le taux d'intérêt augmente et qu'on se déplace le long de la courbe de demande de capital. L'augmentation de la population et le progrès technologique, par exemple, entraînent l'augmentation de la demande de capital et le déplacement de la courbe de demande vers la droite.

Jusqu'ici, nous n'avons considéré qu'un modèle d'ordinateur, celui qui coûte 10 000 $, mais en pratique Thérèse pourrait choisir un autre modèle, dont la puissance serait une fraction ou un multiple de celle d'un ordinateur de 10 000 $. Par exemple, il pourrait exister un ordinateur de 5 000 $ ayant la moitié de la puissance de celui de 10 000 $, ou encore un ordinateur de 12 500 $ ayant une fois et un quart la puissance de l'ordinateur qui coûte 10 000 $. Si nous considérons tous les modèles d'ordinateurs que Thérèse peut acheter, nous n'obtenons plus seulement trois points — *a*, *b* et *c* —, mais la courbe de demande entière d'Avantage-Impôts — la courbe bleue du graphique de la figure 16.2.

### La courbe de demande totale de capital

La courbe de demande totale de capital correspond à la somme horizontale de toutes les courbes de demande des entreprises. La figure 16.3 présente la courbe de demande du marché qui, comme la courbe de demande de l'entreprise, a une pente négative. Lorsque le taux d'intérêt augmente, toutes autres choses étant égales, la quantité demandée de capital diminue, changement indiqué par un déplacement le long de la courbe $D_0$ dans la figure 16.3.

### Les modifications de la demande de capital

La demande de capital change lorsque les entreprises modifient leurs attentes quant à la valeur du produit marginal de leur capital. Ainsi, Avantage-Impôts et d'autres entreprises peuvent réviser ces attentes à la hausse. Dans ce cas, la quantité de capital ayant une valeur actuelle nette positive augmente avec chaque taux d'intérêt. Par conséquent, la demande de capital augmente. Les deux principaux facteurs qui modifient la valeur du produit marginal du capital et entraînent des variations de la demande de capital sont :

1. la croissance démographique,
2. le progrès technologique.

La croissance démographique entraîne une augmentation régulière de la demande de capital. Le progrès technologique entraîne des fluctuations de la demande de capital ; il fait augmenter la demande de certains types de capital et diminuer la demande d'autres types de capital. Par exemple, l'utilisation de diesels dans le transport ferroviaire a fait baisser la demande des moteurs à vapeur et augmenter celle des diesels, ce qui, finalement, n'a eu que peu d'effet sur la demande totale de capital du secteur ferroviaire. En revanche, l'avènement des ordinateurs de bureau a non seulement fait augmenter la demande de matériel informatique et diminuer la demande de machines à écrire électriques, mais a fait augmenter la demande totale de capital utilisé dans les bureaux. Le déplacement de $D_0$ à $D_1$ de la courbe de demande du graphique de la figure 16.3 illustre les fluctuations de la demande.

---

### À RETENIR

- Les décisions relatives à la maximisation des profits des entreprises déterminent la demande de capital — tant physique que financier.
- La demande de capital varie en fonction de la valeur du produit marginal du capital et du taux d'intérêt.
- Plus le taux d'intérêt est élevé, plus la valeur actuelle du flux futur de la valeur du produit marginal est faible et plus la quantité demandée de capital est faible.
- La demande de capital augmente en fonction de l'accroissement démographique et elle fluctue avec le progrès technique.

## L'offre de capital

LA QUANTITÉ OFFERTE DE CAPITAL RÉSULTE DES décisions d'épargne des ménages. L'épargne est un flux qui est égal à la différence entre le revenu et la consommation. La valeur de marché courante des épargnes d'un ménage ainsi que de tout héritage qu'il a reçu est le **patrimoine** du ménage, patrimoine qui est un *stock*. Le patrimoine des ménages se présente sous forme de capital financier (actions, obligations et dépôts bancaires) et de capital physique (maisons, voitures et autres biens de consommation durables). Les entreprises utilisent le capital financier des ménages pour financer l'achat de capital physique. Sur le plan économique, le patrimoine est donc égal à la valeur du capital physique — la valeur totale du capital physique des ménages et des entreprises.

**Le choix de portefeuille** On appelle *choix de portefeuille* les décisions que les ménages doivent prendre quant à la répartition de leur patrimoine. Dans la langue familière, on appelle souvent « investissement » l'achat de titres, mais l'utilisation de ce terme en analyse économique risque d'engendrer une certaine confusion. Nous réserverons donc le terme « investissement » à l'achat d'un nouveau capital physique et nous lui préférerons l'expression « choix de portefeuille » pour désigner les choix des ménages quant à la répartition de leur richesse (patrimoine) entre divers actifs financiers.

## La décision d'épargne

Les principaux facteurs qui déterminent l'épargne sont :
- le revenu,
- le revenu futur prévu,
- le taux d'intérêt.

**Le revenu** L'épargne est la conversion d'un revenu actuel en consommation future. Habituellement, plus le revenu d'un ménage est élevé, plus sa consommation immédiate et sa consommation prévue sont importantes. Mais, pour augmenter sa consommation *future*, le ménage doit épargner. Toutes autres choses étant égales, plus le revenu du ménage est élevé, plus l'épargne de ce ménage est élevée.

**Le revenu futur prévu** L'objectif principal de l'épargne étant d'augmenter la consommation future, le montant qu'épargne un ménage dépend non seulement de son revenu courant, mais également de son revenu futur prévu. Si le revenu courant d'un ménage est élevé et que son revenu futur prévu est faible, son taux d'épargne est élevé. Par contre, si son revenu courant est faible et que son revenu futur prévu est élevé, son niveau d'épargne sera faible (et peut-être même négatif).

Le revenu courant des jeunes gens (notamment des étudiants) est habituellement faible en comparaison de leur revenu futur prévu. Afin d'équilibrer leur niveau de consommation tout au long de leur vie, ils consomment davantage que leur revenu courant leur permet, et contractent ainsi des dettes. L'épargne de ces consommateurs est négative. Au milieu du cycle de vie, le revenu de la plupart des ménages atteint son apogée, et il en est de même de leur épargne. Après la retraite, les consommateurs dépensent une partie des richesses qu'ils ont accumulées durant leur vie professionnelle.

**Le taux d'intérêt** Un dollar économisé aujourd'hui deviendra demain un dollar gonflé de l'intérêt qu'il aura rapporté. Plus le taux d'intérêt est élevé, plus le montant que rapportera demain le dollar économisé aujourd'hui est élevé. Par conséquent, plus le taux d'intérêt est élevé, plus le coût d'opportunité de la consommation courante est élevé. Le taux d'intérêt exerce deux effets différents sur les décisions d'épargne :

1. un effet de substitution,
2. un effet de revenu.

1. *L'effet de substitution.* Comme un taux d'intérêt élevé permet d'augmenter le rendement futur de l'épargne courante, il augmente le coût d'opportunité de la consommation courante et encourage l'épargne. Il incite les consommateurs à épargner sur leur consommation courante et à profiter du taux d'intérêt élevé. Autrement dit, l'effet de substitution des taux d'intérêt sur l'épargne est positif. Toutes autres choses étant égales, plus le taux d'intérêt est élevé, plus le montant de l'épargne est élevé.

2. *L'effet de revenu.* Une variation du taux d'intérêt a des répercussions sur le revenu futur des ménages. Toutes autres choses étant égales, la consommation d'un ménage augmente parallèlement à l'augmentation de son revenu. Toutefois, une variation du taux d'intérêt aura un effet différent sur le revenu d'un ménage selon qu'il est un créditeur (prêteur) net ou un débiteur (emprunteur) net. Si le ménage est un créditeur net, toute augmentation du taux d'intérêt entraîne l'augmentation du revenu futur — puisque le rendement des actifs du ménage augmente. L'augmentation du taux d'intérêt entraîne donc l'augmentation de la consommation courante et de la consommation future ainsi qu'une diminution de l'épargne. L'effet de revenu s'oppose à l'effet de substitution, et l'épargne peut augmenter ou diminuer selon la force relative des deux effets. Si le ménage est un débiteur net, toute augmentation du taux d'intérêt fait baisser son revenu futur, puisqu'elle augmente le fardeau de la dette contractée par ce ménage, diminuant du même coup la consommation future et la consommation courante. Par conséquent, l'épargne augmente. Dans ce cas, l'effet de revenu d'un taux d'intérêt plus élevé renforce l'effet de substitution.

Pour les ménages qui sont des créditeurs nets, l'effet d'une variation du taux d'intérêt sur l'épargne est ambigu. Par contre, pour les ménages qui sont des débiteurs nets et pour l'ensemble de l'économie, il n'y a aucune ambiguïté : toutes autres choses étant égales, plus le taux d'intérêt est élevé, plus le flux d'épargne dans une période donnée est considérable, et plus le stock de capital financier fourni est important, lui aussi.

### La courbe d'offre de capital

L'offre totale de capital correspond à la somme des épargnes accumulées, c'est-à-dire au patrimoine. La figure 16.4 présente la courbe d'offre de capital, c'est-

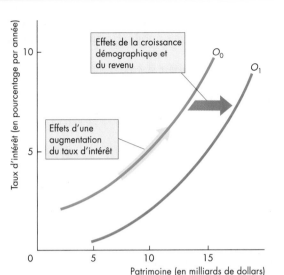

**FIGURE 16.4**
## L'offre de capital

Toutes autres choses étant égales, la quantité offerte de capital augmente à mesure qu'augmente le taux d'intérêt. L'augmentation de la population et la hausse du revenu font monter l'offre de capital et entraînent le déplacement de la courbe d'offre vers la droite.

à-dire la relation entre l'offre de capital et le taux d'intérêt, toutes autres choses étant égales. Une augmentation du taux d'intérêt entraîne une augmentation de la quantité offerte de capital ainsi qu'un déplacement le long de la courbe d'offre, comme le montre la courbe $O_0$. La courbe d'offre est inélastique à court terme, mais probablement très élastique à long terme. Cela est dû au fait que, pour n'importe quelle année donnée, le montant total d'épargne est faible en comparaison de la richesse totale. Par conséquent, même une variation importante du taux d'épargne n'entraîne qu'une faible variation de l'offre de capital.

**Les modifications de l'offre de capital**   La modification de tout facteur — autre que le taux d'intérêt — ayant une incidence sur les plans d'épargne modifie le montant de l'épargne et entraîne le déplacement de la courbe d'offre de capital. Le revenu et sa répartition ainsi que la répartition de la population selon les divers groupes d'âge sont les principaux facteurs qui influent sur l'offre de capital.

Toutes autres choses étant égales, une augmentation du revenu ou de la population entraîne une augmentation de l'offre de capital. De plus, toutes autres choses étant égales, moins la répartition du revenu est uniforme, plus le taux d'épargne est élevé. En effet, les ménages à faible revenu et à moyen revenu ont de faibles taux d'épargne, tandis que les ménages à revenu élevé ont des taux d'épargne élevés ; par conséquent, plus la proportion du revenu total gagné par les ménages à revenu élevé est importante, plus le montant d'épargne est élevé. Enfin, toutes autres choses étant égales, plus la proportion de personnes d'âge moyen est élevée, plus le taux d'épargne est élevé, car un grand nombre de gens dans la quarantaine épargnent pour se constituer un fonds de retraite.

Tout facteur qui fait augmenter l'offre de capital entraîne le déplacement de la courbe d'offre de capital vers la droite, de $O_0$ à $O_1$, comme le montre la figure 16.4.

## À RETENIR

- L'offre de capital dépend des décisions d'épargne des ménages.

- Toutes autres choses étant égales, plus le taux d'intérêt est élevé, plus la quantité offerte de capital est importante.

- L'offre de capital fluctue avec les variations du revenu et de sa répartition, et avec les variations de la population et de sa répartition entre les divers groupes d'âge. La croissance du revenu et la croissance démographique entraînent une augmentation régulière de l'offre de capital.

Maintenant que nous connaissons le fonctionnement de la demande et de l'offre de capital, nous allons voir ce qui détermine les taux d'intérêt et les prix des actifs. Nous pourrons alors répondre à certaines questions posées au début de ce chapitre concernant les marchés boursiers et expliquer les débâcles et les flambées qui se produisent parfois sur les marchés financiers.

## Les taux d'intérêt et le cours des actions

CE SONT LES MARCHÉS FINANCIERS QUI coordonnent les décisions d'épargne des ménages et les plans d'investissement des entreprises. Les taux d'intérêt ainsi que le cours des actions et des obligations s'ajustent de manière à rendre ces plans compatibles. Nous allons voir comment opèrent ces forces et ce qui détermine la valeur boursière d'une entreprise.

### Les deux facettes d'une même réalité

Les taux d'intérêt et le cours des actions (et des obligations) sont deux facettes d'une même réalité. Nous nous pencherons d'abord sur les taux d'intérêt, puis sur le cours des actions (et des obligations), et enfin sur leur relation. On appelle *rendement d'une action* le taux d'intérêt versé que rapporte cette action, soit le dividende de l'action exprimé en pourcentage du cours de l'action. On appelle *rendement d'une obligation* le coupon de cette obligation, exprimé en pourcentage du cours de l'obligation. Pour calculer le rendement d'une action (ou d'une obligation), on divise donc le revenu généré par l'action (ou l'obligation) par son cours. Par exemple, si Avantage-Impôts verse un dividende de 5 $ par action et si le prix de l'action est de 50 $, le rendement de l'action est de 10 % (5 $ divisé par 50 $, exprimé en pourcentage) ; si le dividende d'Avantage-Impôts est de 5 $ et que le prix de l'action de 100 $, le rendement de l'action est de 5 %.

Comme le montrent ces calculs, pour un dividende donné, plus le cours de l'action est élevé, plus son rendement est bas. Ce rapport entre le cours d'une action et son rendement — ou taux d'intérêt — nous permet de voir que les forces du marché déterminent simultanément les taux d'intérêt (rendements), et le cours des actions et obligations. Nous étudierons d'abord l'équilibre du marché financier par le biais des mécanismes de détermination du taux d'intérêt (ou rendement), puis par le biais des mécanismes de détermination de la valeur boursière de l'entreprise.

### Le taux d'intérêt d'équilibre

La figure 16.5 illustre l'équilibre sur le marché financier. L'axe des abscisses mesure la valeur du stock total de capital. Remarquez que cet axe est appelé « stock de capital et richesse », ce qui souligne le fait que la valeur du stock de capital et la valeur de la richesse s'équivalent. L'axe des ordonnées mesure le taux d'intérêt. La courbe de demande est $D$, et la courbe d'offre, $O$. L'équilibre est atteint sur le marché financier lorsque l'offre de capital est égale à la demande de capital. Dans la figure 16.5, cet équilibre est atteint lorsque le taux d'intérêt est de 5 % par année, et que l'offre de capital et la demande de capital sont égales à 10 milliards de dollars.

Les forces du marché qui assurent cet équilibre sont les mêmes que celles que nous avons observées dans les marchés des produits. Lorsque le taux d'intérêt annuel est supérieur à 5 %, la demande de capital financier est inférieure à l'offre. Il y a des fonds excédentaires sur le marché financier et, en raison de la concurrence que se livrent les prêteurs, le taux d'intérêt baisse. La quantité demandée de capital financier augmente à mesure que les entreprises augmentent leurs emprunts et achètent des biens de production supplémentaires. Le taux d'intérêt continue de baisser jusqu'à ce que les prêteurs soient en mesure de prêter tous les fonds qu'ils désirent à ce taux d'intérêt.

Inversement, lorsque le taux d'intérêt annuel est inférieur à 5 %, l'offre de capital financier est inférieure à la demande et il y a pénurie de fonds sur le marché

**FIGURE 16.5**

## L'équilibre sur le marché financier

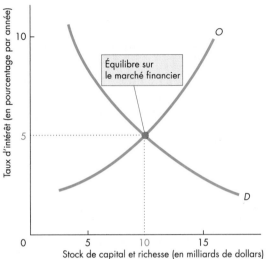

L'équilibre sur le marché financier est atteint lorsque le taux d'intérêt est tel que la demande de capital est égale à l'offre de capital. La courbe de demande est D et la courbe d'offre, O. Ces courbes se croisent au point correspondant au taux d'intérêt de 5 % par année et au stock de capital de 10 milliards de dollars.

financier. Les emprunteurs ne peuvent emprunter tous les fonds dont ils ont besoin et le taux d'intérêt augmente jusqu'à ce que tous les emprunteurs soient satisfaits. Dans les deux cas, le taux d'intérêt finit par atteindre 5 % par année, le taux d'intérêt d'équilibre.

Les institutions qui achètent et vendent des titres sur les marchés financiers — banques, compagnies d'assurance et courtiers en valeurs mobilières — brassent des millions de dollars par jour et maintiennent un équilibre à peu près continu entre la demande et l'offre de capital financier. L'interaction de ces forces concurrentes assure également que le taux d'intérêt soit le même dans l'ensemble du marché financier, d'une région à l'autre et d'un pays à l'autre.

Le taux d'intérêt déterminé à la figure 16.5 est le taux d'intérêt *moyen*. Les taux d'intérêt des divers actifs disponibles se situent autour de cette moyenne, selon le degré de risque qu'ils présentent. Les taux de rendement des actifs à haut risque sont supérieurs à la moyenne, tandis que ceux des actifs très sûrs sont inférieurs à la moyenne. Ainsi, lorsque le taux d'intérêt d'équilibre est de 5 % comme à la figure 16.5, le taux d'intérêt annuel d'un dépôt bancaire (un actif très sûr) pourra être de 3 %, tandis que le taux de rendement annuel d'une action (un actif plus risqué) pourra atteindre 8 %.

Maintenant que nous savons comment se détermine le taux d'intérêt (rendement), passons à l'autre facette, le cours des actions (et obligations), en nous intéressant à la valeur boursière d'une entreprise.

### La valeur boursière d'une entreprise

Qu'est-ce qui détermine le cours d'une action ? Le cours des actions d'une entreprise varie en fonction des dividendes que les investisseurs s'attendent à recevoir ainsi que du coût d'opportunité de l'investisseur, coût égal au taux d'intérêt auquel celui-ci a renoncé. Supposons, par exemple, que l'imprimerie Pronto doive verser un dividende de 10 $ par action chaque année, et que le taux d'intérêt annuel soit de 10 %. Le cours des actions de Pronto sera de 100 $. À ce prix, le rendement prévu de Pronto est de 10 % par année, ce qui correspond au coût d'opportunité de la détention de l'action, soit le taux d'intérêt. Si le cours des actions de Pronto était inférieur à 100 $, le rendement prévu serait supérieur à 10 %. Dans ce cas, les gens achèteraient les actions de Pronto et leur cours augmenterait. Si le cours des actions de Pronto était supérieur à 100 $ l'action, leur rendement prévu serait inférieur à 10 %. Dans ce cas, les gens vendraient les actions de Pronto, et leur cours diminuerait. Ce n'est que lorsque le cours des actions de Pronto est égal à 100 $, et donc que son rendement prévu est de 10 % par année — le même taux que le taux d'intérêt courant —, que les gens n'achètent ni ne vendent aucune action. C'est donc seulement lorsque le prix est de 100 $ qu'il reste constant. Par conséquent, si une entreprise prévoit payer un dividende de 10 $ l'action et que le taux d'intérêt est de 10 % par année, le cours de ses actions sera de 100 $ l'unité. La valeur boursière de cette entreprise est égale au prix d'une action multiplié par le nombre d'actions émises.

Le cours des actions d'une entreprise augmente lorsque le dividende prévu augmente ou que le taux d'intérêt diminue. Par exemple, si Pronto devient plus rentable et prévoit payer un dividende annuel de 20 $ l'action, et si le taux d'intérêt annuel reste à 10 %, le cours des actions de Pronto montera à 200 $ l'action. De même, si Pronto prévoit payer un dividende annuel de 10 $ l'action, mais que le taux d'intérêt annuel tombe à 5 %, le cours des actions de Pronto atteindra 200 $ l'action.

### Le ratio cours-bénéfice

On mesure souvent le rendement d'une action à son ratio cours-bénéfice. Le *ratio cours-bénéfice* est le cours actuel d'une action du capital-actions d'une entreprise divisé par le bénéfice par action au dernier exercice. En mars 1982, le ratio cours-bénéfice moyen des 300 principales actions cotées à la Bourse de Toronto (le TSE 300) s'élevait à 7,6.

Il était de 21,6 en juillet 1987, ce qui était un record, car il est retombé ensuite, pour remonter de nouveau : il se situait aux alentours de 14,84 en janvier 1996, et atteignait un nouveau record à 29,35 en avril 1999.

Qu'est-ce qui détermine le ratio cours-bénéfice ? Pourquoi le ratio cours-bénéfice de la Banque de Montréal n'était-il que de 9,2 en janvier 1996, alors qu'à la même date celui du Toronto Sun était de 29,7 ? Plus le dividende prévu d'une entreprise est élevé, plus le cours actuel de ses actions est élevé. Le dividende prévu dépend du bénéfice futur de l'entreprise. Par conséquent, plus le bénéfice prévu est élevé, plus le dividende prévu l'est aussi, et plus le cours actuel des actions est élevé. Comme le ratio cours-bénéfice d'une entreprise est le ratio entre son cours actuel et son bénéfice actuel, il dépend du rapport entre son bénéfice futur et son bénéfice actuel. Lorsque le bénéfice prévu est élevé par rapport au bénéfice actuel, le ratio cours-bénéfice est élevé. Les fluctuations du ratio cours-bénéfice varient en fonction des fluctuations du rapport entre le bénéfice futur prévu et le bénéfice actuel.

## Le volume de transactions et le cours des actions

Les cours boursiers peuvent varier très rapidement sans que le volume de transactions ne soit très important. Mais, dans d'autres cas, ces variations s'accompagnent d'un volume de transactions considérable. Qu'est-ce qui détermine le volume de transactions ?

Nous avons vu que le cours boursier varie parce que les observateurs révisent constamment leurs prévisions sur les dividendes des entreprises et sur la variation des taux d'intérêt. Supposons que les dividendes prévus augmentent, et que la raison de cette augmentation soit évidente pour tout le monde — tout le monde sait, par exemple, que le profit d'une entreprise va augmenter dans les années à venir. Dans ce cas, le cours des actions de cette entreprise augmentera, mais peu de gens vendront ou achèteront ces actions. Les actionnaires sont satisfaits du rapport entre la rentabilité et le cours de l'action, qui monte jusqu'à ce que le rendement prévu (le nouveau dividende prévu divisé par le nouveau cours) soit égal au taux d'intérêt des autres actifs. Si le cours continue à monter et que le rendement prévu devient inférieur au taux d'intérêt, les actionnaires vendront leurs actions et achèteront d'autres actifs. Leur geste entraînera la baisse du cours des actions jusqu'à ce que le rendement prévu soit égal au taux d'intérêt.

Supposons maintenant que survienne un événement qui influe sur le profit futur de cette entreprise, sans qu'on puisse prédire dans quel sens. Les optimistes prévoient une augmentation des dividendes, et les pessimistes, une baisse. Les optimistes veulent acheter les actions de l'entreprise ; les pessimistes veulent les vendre. Le cours des actions ne changera pas forcément, mais le volume des transactions va augmenter. Cette augmentation du volume des transactions ne résulte donc pas des événements qui ont amené les analystes à modifier leurs prévisions de rentabilité, mais plutôt de ce que les observateurs ne s'entendent pas sur l'interprétation de ces événements. Lorsque le volume de transactions sur un marché boursier est considérable, cela signifie que les prévisions des observateurs divergent.

Lorsque le cours de l'action fluctue beaucoup et que le volume des transactions varie très peu, cela signifie que tous les observateurs s'entendent sur l'évolution de la rentabilité future de l'entreprise. Lorsque le volume de transactions varie beaucoup sans qu'il n'y ait de fluctuation importante du cours de l'action, cela signifie que les indices sont plus difficiles à interpréter, certains observateurs prévoyant une augmentation de la rentabilité, et d'autres, une diminution.

## Les prises de contrôle et les fusions

La théorie des marchés financiers que nous venons d'étudier peut également expliquer les fusions et les prises de contrôle d'entreprises. La **prise de contrôle** est le rachat du capital d'une entreprise par une autre. Les prises de contrôle se produisent lorsque la valeur boursière d'une entreprise est inférieure à la valeur actuelle de son bénéfice prévu. Supposons, par exemple, que la valeur boursière de l'entreprise Avantage-Impôts soit de 120 000 $. Si la valeur actuelle de son bénéfice prévu est de 150 000 $, il sera rentable d'acquérir cette entreprise. Notons que les négociations de prise de contrôle influent toujours sur la valeur boursière de l'entreprise, et que la menace d'une prise de contrôle suffit souvent à la faire varier au point que l'absorption n'est plus rentable.

Cependant, une prise de contrôle peut malgré tout s'effectuer si l'acheteur prévoit que la rentabilité de l'entreprise augmentera après la prise de contrôle. La récente prise de contrôle des épiceries Provigo par le groupe Loblaw illustre cette possibilité. Loblaw, une grande compagnie propriétaire de nombreux magasins en Ontario, a jugé qu'elle pourrait exploiter les magasins Provigo de manière plus rentable que Provigo. Loblaw était donc disposée à offrir pour les actions de Provigo un prix plus élevé que leur valeur marchande courante.

La **fusion** est la mise en commun des avoirs d'au moins deux entreprises pour former une nouvelle société. Les entreprises fusionnent lorsqu'elles considèrent qu'elles peuvent accroître leur valeur boursière en combinant leurs forces, c'est-à-dire en mettant leurs actifs en commun. Ainsi, Tim Hortons et Wendy's (voir le chapitre 9, p. 202-203) ont pu mettre leur savoir-faire en commun et augmenter leurs profits à mesure que leur chaîne d'établissements s'étendait en Amérique du Nord.

## À RETENIR

■ Le taux d'intérêt (ou rendement) est le dividende d'une action (ou le coupon d'une obligation) exprimé en pourcentage du cours de l'action (ou de l'obligation).

■ Le taux d'intérêt d'un dividende (ou d'un coupon) diminue à mesure que le cours des actions (ou des obligations) augmente.

■ Au taux d'intérêt moyen (et au cours des actions ou des obligations), l'offre de capital est égale à la demande de capital.

■ La valeur boursière d'une entreprise varie en fonction de la fluctuation de ses dividendes prévus. Le ratio cours-bénéfice varie en fonction du rapport entre le bénéfice actuel de l'entreprise et ses perspectives de bénéfice.

■ Les prises de contrôle et les fusions se produisent lorsque la valeur boursière courante d'une entreprise est inférieure à la valeur actuelle des bénéfices futurs qu'une autre entreprise espère pouvoir réaliser avec les mêmes actifs.

Les principes que nous venons d'étudier sur les marchés financiers ne s'appliquent pas seulement aux fluctuations des marchés boursiers. Ils nous aident également à comprendre comment fonctionnent les marchés des ressources naturelles.

# Les marchés des ressources naturelles

LES RESSOURCES NATURELLES SONT LES MOYENS DE production qu'offre le milieu physique. On distingue les **ressources naturelles** renouvelables et les ressources naturelles non renouvelables. Les **ressources naturelles non renouvelables** ne peuvent être utilisées qu'une fois; une fois utilisées, elles ne peuvent être remplacées. Le charbon, le gaz naturel et le pétrole — les combustibles hydrocarbonés comme on les appelle — en sont des exemples. Les **ressources naturelles renouvelables** peuvent être utilisées indéfiniment sans que cela compromette forcément les possibilités de consommation future. La terre, la mer, les rivières et les lacs, la pluie, l'air et le soleil sont des ressources naturelles renouvelables, comme les plantes et les animaux. Une saine gestion des ressources naturelles ainsi que des techniques de culture et d'élevage adéquates permettent de remplacer ces ressources naturelles utilisées dans les activités de consommation et de production.

En matière d'économie des ressources naturelles, il est important de distinguer les notions de stock et de flux. Le stock est déterminé par la nature et l'utilisation antérieure de la ressource, tandis que le flux — le taux d'utilisation de la ressource — est déterminé par les préférences des consommateurs. Voyons d'abord ce qui en est du stock.

## L'offre et la demande dans un marché de ressource naturelle

Le stock d'une ressource naturelle est la quantité disponible de cette ressource. Ainsi, le stock de pétrole disponible est le volume total de pétrole qui se trouve sous le sol. Ce volume est fixe et ne dépend pas du prix de la ressource. Son offre est parfaitement inélastique.

Il ne faut pas confondre le stock réel disponible d'une ressource et son volume connu (ou prouvé). La quantité connue d'une ressource naturelle est moins importante que la quantité réellement disponible. La quantité connue d'une ressource naturelle peut augmenter même si cette ressource est utilisée, et cela pour deux raisons. D'abord, des percées technologiques peuvent mener à la découverte de ressources naturelles auparavant inaccessibles. D'autre part, toutes autres choses étant égales, l'augmentation du prix d'une ressource naturelle est un puissant incitatif à poursuivre la recherche de réserves supplémentaires. Ces deux facteurs ont fait doubler les réserves connues de pétrole entre 1970 et 1996; durant cette même période, la quantité de pétrole consommée a dépassé celle des réserves qui étaient connues en 1970.

**La demande relative au stock** Le stock demandé d'une ressource naturelle est déterminé par son taux de rendement prévu — ou taux d'intérêt prévu. En effet, les entreprises achètent des stocks de ressources naturelles comme elles achèteraient des actions, des obligations ou du capital physique, et elles le font évidemment dans l'espoir de réaliser un profit.

Qu'est-ce qui détermine le taux d'intérêt prévu du stock d'une ressource naturelle? Le taux de profit économique disponible associé à l'extraction et à la vente du stock plus le taux de croissance prévu du prix de cette ressource. Si le marché de cette ressource naturelle est concurrentiel, l'activité d'extraction des entreprises ne leur permettra que de réaliser un profit normal; par conséquent, le rendement associé à la détention d'une ressource naturelle est lié uniquement à l'augmentation du prix de cette ressource. Plus le prix d'une ressource naturelle augmente rapidement, plus le rendement associé à la détention de cette ressource est élevé. Comme les entreprises ne connaissent pas l'avenir, elles ne peuvent que faire des prévisions sur ce taux d'intérêt; le taux prévu est égal à l'augmentation prévue du prix de la ressource exprimée en pourcentage.

**L'équilibre du stock** Le marché d'une ressource non renouvelable est en équilibre lorsque le taux de croissance prévu du prix de la ressource est égal au taux de rendement (ou taux d'intérêt) du marché pour d'autres actions et obligations présentant un risque comparable. C'est ce que l'on appelle le **principe de Hotelling**[1]. Pourquoi le prix d'une ressource devrait-il augmenter au même rythme que le taux d'intérêt d'autres actions et obligations présentant un risque comparable? Pour que le rendement d'un stock de ressource naturelle soit égal au taux d'intérêt d'autres actions et obligations qui présentent un risque comparable. À risque égal, les entreprises cherchent à obtenir le taux de rendement le plus élevé possible. Toujours à risque égal, si le taux d'intérêt prévu d'un stock de ressource naturelle est supérieur à celui des actions ou obligations, les entreprises achètent des stocks de cette ressource et vendent des actions et obligations. Inversement, si le taux d'intérêt prévu d'un stock de ressource naturelle est inférieur à celui des actions ou obligations, à risque égal, les entreprises achètent des actions et des obligations et vendent leurs stocks de ressources naturelles.

Le marché d'une ressource non renouvelable est en équilibre une fois que les prix courants et les prix prévus se sont ajustés, de sorte que le taux d'intérêt prévu de cette ressource est égal au taux d'intérêt des actions ou obligations présentant un risque similaire.

L'offre et la demande sur le marché d'un stock de ressources naturelles déterminent le taux d'intérêt associé à la détention de ce stock; autrement dit, elles déterminent le taux de variation prévu du prix futur. Comment détermine-t-on le niveau actuel du prix de la ressource? Pour déterminer le prix d'une ressource non renouvelable, il faut prendre en considération non seulement l'offre et la demande du stock de ressource, mais également la demande des consommateurs de cette ressource.

## Le prix d'une ressource naturelle

Pour déterminer le prix d'une ressource naturelle, nous devons analyser les effets de l'utilisation de la ressource naturelle sur la demande. Nous étudierons ensuite l'équilibre qui résulte de l'interaction entre cette demande et le stock disponible — la demande d'un flux — et la demande liée à la détention de la ressource naturelle — la demande d'un stock.

**La demande relative à l'utilisation d'une ressource naturelle.** Dans le graphique (a) de la figure 16.6, $D$ représente la courbe de demande du flux d'une ressource naturelle utilisée comme bien de production. Cette courbe de demande se détermine comme la courbe de demande de services de tout autre facteur de production. Sur un marché en concurrence parfaite, l'entreprise maximise son profit en utilisant la quantité de ressource

---

[1] Ce principe a été découvert par Harold Hotelling, qui fut le premier à le décrire dans « Economics of Exhaustible Ressources », *Journal of Political Economy*, n° 39, avril 1931, p. 137-175.

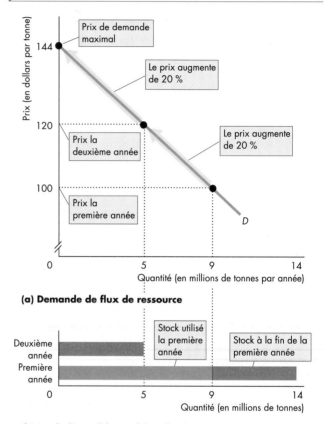

### FIGURE 16.6
## Le marché d'une ressource naturelle non renouvelable

**(a) Demande de flux de ressource**

**(b) Stock disponible au début de chaque année**

Au graphique (a), si le prix est inférieur à 144$ — le prix de demande maximal —, la quantité demandée est positive et moins le prix est élevé, plus la quantité demandée est importante. Au graphique (b), le stock initial de la ressource est de 14 millions de tonnes. Le taux d'intérêt annuel est de 20 %. Le prix courant de 100$ est déterminé par un calcul à rebours à partir du prix de demande maximal. En partant de 100$, le prix augmente de 20 % par année avant d'atteindre le prix de demande maximal au bout de deux ans. La courbe de demande (*D*) nous indique que la quantité demandée (utilisée) durant la première année est de 9 millions de tonnes, et, durant la deuxième année, de 5 millions de tonnes. Le graphique (b) montre que le stock initial de 14 millions de tonnes sera épuisé au bout de deux ans.

naturelle à laquelle la valeur du produit marginal de la ressource est égale à son prix. La valeur du produit marginal de la ressource diminue à mesure que la quantité utilisée augmente; par conséquent, moins son prix est élevé, plus la quantité demandée d'une ressource utilisée comme bien de production est élevée.

Pour toute ressource, il existe un prix tellement élevé que plus personne ne l'achète; c'est ce qu'on appelle le

**prix de demande maximal**. À ce prix, la courbe de demande touche l'axe des prix. Dans le graphique 16.6 (a), le prix de demande maximal est de 144 $ la tonne. Aucune ressource n'est irremplaçable ; si le prix d'une ressource augmente trop, on la remplace par une autre. Rien ne nous oblige à fabriquer des canettes de sodas en aluminium ; on pourrait les remplacer par des contenants en plastique. De même, rien ne nous force à faire fonctionner nos voitures à l'essence plutôt qu'à l'alcool, à l'électricité ou au gaz naturel. Au lieu de chauffer nos maisons au gaz, à l'électricité ou au charbon, nous pourrions utiliser l'énergie solaire ou marémotrice. Les ressources naturelles que nous utilisons en ce moment sont les moins chères à l'heure actuelle ; toutes les autres ressources disponibles sont plus coûteuses. Ainsi, les producteurs de sodas fabriquent leurs canettes en aluminium parce qu'actuellement le prix du plastique est plus élevé que celui de l'aluminium ; mais, si le prix de l'aluminium devient plus élevé que celui du plastique, ils remplaceront les canettes d'aluminium par des bouteilles de plastique.

## Le stock et la consommation d'équilibre

Le prix et le taux de consommation d'une ressource naturelle dépendent de trois facteurs :

1. le taux d'intérêt,
2. la demande de consommation,
3. le stock disponible.

La figure 16.6 montre comment ces trois éléments combinés déterminent le prix et le taux de consommation d'une ressource naturelle. Commençons notre analyse au moment où la ressource naturelle commence à s'épuiser, et procédons à rebours. Une fois la ressource épuisée, la quantité offerte est nulle ; par conséquent, la demande sera également nulle. Le prix de demande maximal est le prix auquel la quantité demandée est nulle. Donc, lorsqu'une ressource arrive à épuisement, elle atteint le prix de demande maximal. Dans la figure 16.6, ce prix est de 144 $ la tonne.

Pour un stock de ressource donné, l'augmentation du prix de cette ressource doit être égale à celle du taux d'intérêt. Cela étant établi, le prix en cours l'année qui précède l'épuisement de la ressource doit être inférieur au prix de demande maximal d'un pourcentage déterminé par le taux d'intérêt. Au graphique 16.6 (a), le taux d'intérêt annuel est de 20 %, le prix courant durant l'année qui précède l'épuisement de la ressource est de 120 $ la tonne ; une augmentation de 20 % l'amène au prix de demande maximal de 144 $ la tonne l'année suivante. Répétons ce calcul. Le prix en cours deux ans avant l'épuisement de la ressource est encore plus bas et, dans notre exemple, il s'élève à 100 $ la tonne. Une augmentation de 20 % porte le prix à 120 $ la tonne l'année suivante et à 144 $ la tonne au bout de deux ans.

On répète ce calcul une année après l'autre jusqu'à ce que la consommation totale — déterminée par la courbe de demande et la séquence de prix que nous avons calculée — entraîne l'épuisement du stock actuel de cette ressource. Dans la figure 16.6, le stock est épuisé en deux ans à peine (cette courte durée de vie nous permet de mieux comprendre ces principes). Le graphique 16.6 (b), qui indique que le stock au début de la première année est de 14 millions de tonnes, nous montre qu'il s'épuise au bout de deux ans. Durant la première année, le prix est de 100 $ la tonne, et le graphique 16.6 (a) nous montre que la quantité utilisée est de 9 millions de tonnes. Le rectangle bleu du graphique 16.6 (b) correspond au stock utilisé durant la première année. La deuxième année, le prix s'élève à 120 $ la tonne et la quantité utilisée est de 5 millions de tonnes, ce qui correspond au rectangle rose du graphique (b). La quantité totale consommée (9 millions de tonnes plus 5 millions de tonnes) épuise les 14 millions de tonnes disponibles au début de la première année. Le prix de cette ressource naturelle est de 100 $ la tonne la première année et augmente de 20 % par année pendant deux ans pour atteindre le prix de demande maximal de 144 $ la tonne, point auquel la ressource naturelle est épuisée. Autrement dit, le taux d'intérêt, la demande des utilisateurs de la ressource naturelle et le stock courant disponible déterminent le prix courant de la ressource et son rythme de consommation.

Plus le taux d'intérêt est élevé, plus le prix actuel de la ressource naturelle est bas. On le comprend aisément si on se rappelle que le prix doit finir par atteindre son maximum. Plus le taux d'intérêt est élevé, plus le prix de la ressource augmente vite, et plus il atteint rapidement son maximum (déterminé par la demande de la ressource) ; par conséquent, le prix actuel de la ressource doit être moins élevé et sa consommation plus rapide.

Plus la valeur du produit marginal de la ressource naturelle est élevée, plus la demande de la ressource est importante — et plus le prix courant de la ressource est élevé. Lorsque la valeur du produit marginal est plus élevée, la courbe de demande de la ressource se situe plus loin à droite et le prix de demande maximal est plus élevé. Un prix courant plus élevé fait baisser la quantité demandée, ce qui permet d'assurer que le stock actuel est égal aux quantités demandées jusqu'à l'épuisement de la ressource.

Plus le stock initial de la ressource naturelle est important, moins son prix courant est élevé. Plus le stock connu est élevé, plus la quantité qui pourra être consommée avant qu'on atteigne le prix de demande maximal est importante. Pour que la quantité utilisée augmente, il faut diminuer le prix de la ressource.

## Les prix prévus et les prix réels

L'équilibre sur le marché d'une ressource naturelle détermine le prix courant de la ressource et le taux de variation prévu de son prix futur. Toutefois, le prix réel suit

---

**FIGURE 16.7**

## Les prix à la baisse d'une ressource naturelle

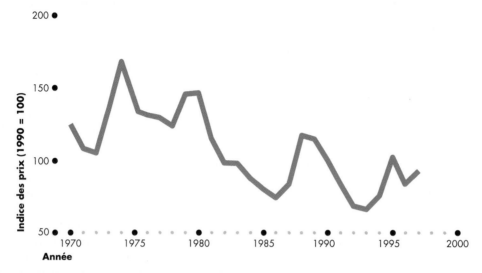

Les prix des métaux (ici une moyenne des prix de l'aluminium, du cuivre, du fer, du minerai de fer, du plomb, du manganèse, du nickel, de l'argent, de l'étain et du zinc) ont affiché une tendance à la baisse au fil du temps ; ils n'ont pas augmenté conformément au principe de Hotelling. Cela s'explique par le progrès technologique qui a fait baisser le coût d'extraction des ressources et grandement accru les réserves connues exploitables.

*Source :* Fonds monétaire international, *Statistiques financières internationales*, Washington, DC (divers numéros).

---

rarement l'évolution prévue. Ainsi, de 1970 à 1994, le prix du pétrole n'a pas connu l'évolution prévue selon le principe de Hotelling. De plus, comme le montre la figure 16.7, le prix des métaux a affiché une tendance à la baisse. Comme vous l'avez vu dans la rubrique « L'évolution de nos connaissances » (p. 342-343), ce phénomène a donné lieu à un pari célèbre entre un « conservationniste » et un économiste. Pourquoi le prix des ressources naturelles fluctue-t-il et pourquoi lui arrive-t-il de baisser au lieu de continuer d'augmenter selon le scénario prévu ?

Le prix d'une ressource naturelle dépend des prévisions sur le cours des événements, et notamment des prévisions sur les taux d'intérêt, la demande prévue de la ressource et le volume du stock connu — qui dépend à son tour des techniques d'extraction et de leur coût. Or, les marchés des ressources naturelles sont constamment bombardés de nouvelles informations — sur le stock d'une ressource ou la mise au point d'une nouvelle technique d'exploitation, par exemple — qui modifient les prévisions et peuvent entraîner une variation brusque, et parfois très importante, du prix de la ressource.

Ces dernières années, de nombreux marchés des ressources naturelles non renouvelables ont subi des variations comparables. Le marché pétrolier en est un excellent exemple. La découverte de nouvelles sources d'approvisionnement et la mise au point de nouvelles techniques d'extraction ont entraîné une augmentation

imprévue des réserves de pétrole connues. D'autre part, la mise au point de moteurs de voitures et d'avions moins énergivores a ralenti la croissance du volume de pétrole que consomment les transports, qui est bien inférieur à celui qu'on prévoyait au début des années 1970. La combinaison de ces facteurs a fait baisser le prix du pétrole. Qui plus est, la fluctuation des taux d'intérêt — à la hausse et à la baisse — a entraîné des fluctuations du prix du pétrole autour de cette tendance à la baisse.

Le niveau de concurrence des marchés est un autre facteur qui influe sur le prix des ressources naturelles en général et du pétrole en particulier. Le marché pétrolier de notre modèle est parfaitement concurrentiel, mais, dans le monde réel, le marché pétrolier mondial a été dominé par le cartel de l'OPEP, un oligopole semblable à celui que nous avons analysé au chapitre 13. Le déclin du pouvoir de l'OPEP a sensiblement contribué à la baisse du prix du pétrole durant les années 1980.

### La conservation et l'épuisement des ressources

La théorie qui explique la formation du prix d'une ressource naturelle et son évolution prévue a des répercussions importantes sur le débat populaire qui entoure l'utilisation des ressources naturelles. De nombreux observateurs craignent que nous utilisions les ressources naturelles non renouvelables à un rythme tel que nous finirons (et cela dans un avenir plus proche que nous ne le pensons) par épuiser des ressources essentielles de matières premières et énergétiques. Ces gens plaident en faveur d'un ralentissement de la consommation des ressources non renouvelables afin de prolonger leur espérance de vie.

Source de débats passionnés, ce sujet soulève des questions économiques auxquelles un modèle de ressource naturelle non renouvelable comme celui que nous venons d'étudier nous permet de répondre.

L'analyse économique du marché d'une ressource naturelle non renouvelable prévoit que, si nous laissons un marché concurrentiel déterminer notre rythme de consommation, l'épuisement de l'entière réserve d'une ressource naturelle viendra rapidement. Toujours selon le modèle économique, ces marchés concurrentiels s'accompagnent automatiquement de programmes de conservation de la ressource, en réponse à l'augmentation régulière du prix. À mesure que les réserves de la ressource s'épuisent, son prix se rapproche du prix de demande maximal — le prix auquel plus personne ne veut consommer cette ressource. D'année en année, à mesure que le prix s'élève, la quantité demandée diminue.

Mais que se passera-t-il le jour où la ressource sera complètement épuisée? Nous ferons face à la rareté, mais pas plus que par le passé. Aucune ressource n'est irremplaçable. Si nous utilisions la ressource épuisée, c'est qu'elle était plus rentable qu'une autre ressource qui aurait pu la remplacer. Ainsi, de nos jours, il est plus rentable de produire de l'électricité à partir du charbon et du pétrole que de l'énergie solaire. Cesser d'utiliser une ressource non renouvelable ne devient rentable que lorsque cette ressource peut être remplacée par un substitut moins onéreux. Cette substitution peut se faire avant que la ressource ne soit épuisée. Autrement dit, l'économie de marché gère l'épuisement des ressources naturelles en faisant constamment augmenter leur prix. Plus le prix est élevé, plus nous limitons notre consommation jusqu'à ce que la quantité demandée finisse par être nulle. Ce qui se produit lorsque les réserves disponibles sont épuisées.

Mais l'économie de marché nous incite-t-elle à utiliser nos ressources rares et non renouvelables de manière efficiente? Sur les marchés des biens et services en concurrence parfaite, les ressources sont réparties de manière efficiente s'il n'y a ni coûts externes ni avantages externes (voir le chapitre 11, p. 248-251). Ce même principe s'applique aux marchés des ressources naturelles. Dans un marché de ressource naturelle non renouvelable parfaitement concurrentiel, si l'utilisation de la ressource n'entraîne aucun effet externe, c'est l'efficience dans l'allocation des ressources qui détermine le rythme de son utilisation. Mais si l'utilisation de la ressource naturelle entraîne des coûts externes, son utilisation efficiente exige un rythme de consommation plus lent que celui déterminé par le marché. Par exemple, si la combustion d'hydrocarbures fait augmenter le taux de gaz carbonique dans l'atmosphère et contribue ainsi au réchauffement de la planète — effet de serre —, le coût d'un changement de climat devrait venir s'ajouter aux coûts directs de l'utilisation du pétrole ou du charbon comme combustibles. Si on tient compte de ces coûts, le rythme d'utilisation efficient de ces ressources devrait être plus lent que le rythme déterminé par le marché. La rubrique « Entre les lignes » (p. 382-383) traite de manière un peu plus approfondie la question des ressources de combustibles non renouvelables.

◆ Nous savons maintenant comment les marchés des facteurs de production gèrent les ressources productives rares que sont le travail, le capital et les ressources naturelles. Nous avons aussi vu ce qui détermine le prix et le revenu de ces facteurs. Les prix et les quantités déterminés sur les marchés des facteurs déterminent à leur tour la répartition des revenus entre les ménages. Et cette répartition des revenus détermine *pour qui* on produit ces biens et services. Mais ce résultat est incertain. Les ménages décident quel type de travail ils feront, combien ils épargneront et ce qu'ils feront de leurs épargnes sans savoir avec certitude quels revenus généreront leurs décisions. Dans le prochain chapitre, nous étudierons de manière plus systématique cette incertitude, ses conséquences et les moyens d'y faire face.

# Pleins
## FEUX
### sur les
### politiques

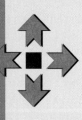

# Une ressource naturelle non renouvelable

■ En 1994-1995, la consom-mation mondiale de pétrole était d'environ 65 millions de barils par jour. Les spécialistes prévoient qu'elle atteindra 86 millions de barils par jour en 2010 et plus de 100 mil-lions de barils par jour en 2020.

■ Les efforts déployés pour promouvoir l'utilisation de sources d'énergie alternatives et l'imposition de fortes taxes sur l'essence ont eu peu d'effets sur la consommation.

■ Aucune pénurie de pétrole brut ni de gaz naturel n'est appréhendée avant 2050 ; il n'existe aucun substitut viable au pétrole, qui reste le carburant privilégié.

■ Les réserves des sables bitumineux de l'Athabasca et les gisements de pétrole lourd de l'Ouest sont suffisamment importants pour desservir le Canada et maintenir le niveau des exportations pendant une bonne partie du siècle prochain.

■ La production de pétrole de l'Ouest canadien et des champs pétrolifères du Moyen-Orient, de Sibérie et d'Amérique du Sud devrait permettre d'éviter une pénurie mondiale de pétrole.

---

CALGARY HERALD, LE 13 MAI 1996

## « Accros » au pétrole, nous ne pouvons plus nous en passer

REUTER

La coûteuse dépendance de notre planète face au pétrole ne donne aucun signe de fléchissement et se maintiendra probablement jusqu'au milieu du siècle prochain, ont affir-mé dimanche des spécialistes de l'énergie, dont un Calgarien.

En dépit des efforts déployés par les groupes environnementaux pour promouvoir l'utilisation d'autres sources d'énergie et malgré l'imposi-tion par le gouvernement de taxes dissuasives sur l'essence, les auto-mobilistes et les usagers industriels sont toujours accros à l'or noir, et, selon toutes prévisions, le seront encore longtemps.

Dimanche dernier à Dubai, un des Émirats arabes unis, M. Hisham Khatib, vice-président du conseil d'administration du Conseil mondial de l'énergie déclarait aux dirigeants de l'indus-trie : « Les politiciens s'emballent à propos des combustibles substituts, mais en fait il n'y aura aucun sub-stitut au pétrole et au gaz avant plusieurs décennies. [...] Pour les 30 à 50 prochaines années, le pé-trole restera la principale source d'énergie.

« Dans les prochaines décennies et vraisemblablement jusqu'en 2050, les ressources mondiales de pétrole brut et de gaz naturel ne devraient pas connaître de pénurie.

[Il n'y aura] aucune alternative viable au pétrole, qui restera le com-bustible privilégié », a ajouté M. Khatib.

Même si la demande d'énergie s'accroît, l'Alberta dispose d'abon-dantes réserves pétrolières qui lui permettent d'y répondre, affirmait dimanche Grant Billing, président de Norcen Energy Ressources Ltd. et ex-président du conseil d'admi-nistration de l'Association cana-dienne des producteurs pétroliers.

M. Billing a précisé que les sables bitumineux de l'Athabasca et les gisements de pétrole lourd de l'Ouest canadien suffiraient large-ment à desservir le Canada et à maintenir le niveau des exporta-tions pendant une bonne partie du siècle prochain.

« Ces ressources, ainsi que la production des champs pétrolifères du Moyen-Orient, de Sibérie et d'Amérique du Sud devraient per-mettre au monde de tenir en échec la pénurie de pétrole que l'on appréhendait il y a quelques années », a déclaré M. Khatib. [...]

Toujours selon M. Khatib, sti-mulée par la croissance économique de la Chine et des pays du Pacifique, la demande maximal — près de 65 millions de barils de pétrole par jour en 1994-1995 — devrait attein-dre 86 millions de barils par jour en 2010 et plus de 100 millions de ba-rils par jour en 2020.

# Analyse

## ÉCONOMIQUE

■ À mesure que l'économie mondiale prend de l'essor, la consommation mondiale de pétrole augmente.

■ Avec cette accélération de la croissance économique, la consommation mondiale de pétrole continuera d'augmenter pendant une bonne partie du XXIᵉ siècle.

■ Le pétrole étant une ressource naturelle non renouvelable, il est prévu que son prix s'élève régulièrement.

■ La figure 1 donne les prix du pétrole entre 1965 et 1997. L'augmentation tendancielle durant cette période est de 1,75 %.

■ Des fluctuations considérables, bien supérieures à l'augmentation tendancielle, ont cependant eu lieu en 1973-1974, et de nouveau en 1979, lorsque l'OPEP (Organisation des pays exportateurs de pétrole) a créé un cartel et fixé un prix de monopole.

■ Cette hausse de prix spectaculaire a stimulé la recherche, entraînant la découverte de nouvelles sources d'approvisionnement en pétrole et l'effondrement du cartel de l'OPEP dans les années 1980. Le prix du pétrole a alors repris le cours prévu par la théorie de l'établissement du prix des ressources naturelles.

■ Nous ne savons pas si des événements comme la création du cartel de l'OPEP se reproduiront, et nous ignorons quelles quantités de pétrole seront découvertes. Or, ces deux facteurs peuvent influer sur le prix du pétrole.

■ Le tableau ci-contre donne des prévisions du prix du pétrole, prévisions qui reposent sur deux hypothèses. La première — la tendance actuelle — suppose que le prix continuera d'augmenter au rythme de 1,75 % par année. L'autre hypothèse suppose une augmentation de 2,5 % par année, chiffre qui se rapproche davantage du taux d'intérêt réel moyen à long terme.

■ Selon l'article du *Calgary Herald*, la consommation mondiale de pétrole devrait s'élever à 86 millions de barils par jour en 2010, et à plus de 100 millions de barils par jour en 2020, mais même là il n'y aura pas de pénurie de pétrole.

■ Nous ne savons pas sur quoi reposent ces prévisions ; cependant, si le prix suit l'évolution prévue par la théorie des prix des ressources naturelles, le pétrole restera probablement un carburant privilégié jusqu'en 2050 ; à partir de là, on commencera à le remplacer par d'autres combustibles.

■ En 2050, selon les prévisions, le prix du pétrole se situera entre 45 $ et 80 $ le baril, soit le prix qui avait cours à la fin des années 1970 et au début des années 1980. À ce prix, il y a un fort incitatif à trouver des combustibles substituts, mais rares sont ceux dont le coût est abordable.

■ En 2100, par contre, le prix du pétrole se situera entre 105 $ et 280 $ le baril et de nombreux combustibles substituts seront rentables, notamment l'électricité produite par l'énergie solaire et marémotrice.

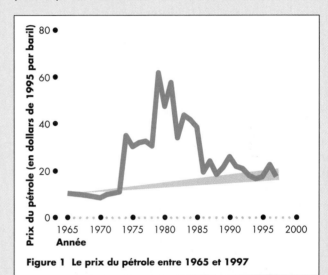

**Figure 1  Le prix du pétrole entre 1965 et 1997**

### Les prévisions du prix du pétrole

| Année | Tendance actuelle | Augmentation de 2,5 % par année |
|---|---|---|
| | (en dollars de 1995 par baril) | |
| 2000 | 18,71 | 24,23 |
| 2010 | 22,25 | 31,01 |
| 2020 | 26,45 | 39,70 |
| 2050 | 44,47 | 83,27 |
| 2100 | 105,68 | 286,21 |

## Si vous

### DEVIEZ VOTER

■ Quelles mesures le gouvernement devrait-il prendre aujourd'hui en prévision d'une pénurie de pétrole ?

■ Le gouvernement devrait-il laisser agir les forces du marché ou intervenir pour réduire la consommation courante ?

■ Quelle est votre position en tant qu'électeur sur cette question ? Justifiez votre réponse.

# RÉSUMÉ

## Points clés

**La structure des marchés financiers** Les marchés financiers déterminent les taux d'intérêt qui coordonnent les plans d'épargne des ménages et les plans d'investissement des entreprises. Les actions des entreprises se négocient sur des marchés boursiers comme les bourses de Toronto et de Montréal. Les obligations des entreprises et des gouvernements se négocient sur les marchés obligataires. Les prêts sont consentis sur les marchés de prêts où les intermédiaires financiers jouent un rôle de premier plan. (p. 367-368)

**La demande de capital** L'objectif de maximisation des profits des entreprises détermine la demande de capital. La demande de capital d'une entreprise est telle que la valeur du produit marginal du capital est égale à son coût d'opportunité, le taux d'intérêt. Toutes autres choses étant égales, plus le taux d'intérêt est bas, plus la valeur actuelle du flux de la valeur du produit marginal futur est importante et plus l'entreprise achète des biens de production. La courbe de demande de capital a une pente négative. La demande de capital varie lorsque les entreprises modifient leurs prévisions relatives à la valeur du produit marginal du capital. La croissance démographique et le progrès technologique sont les deux principaux facteurs qui influent sur les prévisions des entreprises. La croissance démographique entraîne le déplacement continuel de la courbe de demande de capital vers la droite, mais le progrès technologique fait varier le rythme de l'augmentation de la demande de capital. (p. 368-372)

**L'offre de capital** L'offre de capital est déterminée par les décisions d'épargne des ménages. Ces décisions dépendent de leur revenu courant et de leur revenu prévu ainsi que du taux d'intérêt. Toutes autres choses étant égales, à mesure que le taux d'intérêt augmente, la quantité offerte de capital augmente — la courbe d'offre de capital a une pente positive. Les variations touchant la taille et l'âge de la population ainsi que le revenu et sa répartition modifient l'offre de capital et entraînent le déplacement de la courbe d'offre de capital. (p. 372-374)

**Les taux d'intérêt et le cours des actions** Le taux d'intérêt et le cours des actions (ou des obligations) sont deux facettes d'une même réalité. Les taux d'intérêt et les cours des actions (ou des obligations) s'ajustent pour équilibrer l'offre et la demande de capital. Le taux d'intérêt d'actifs particuliers se situe autour du taux moyen, selon le niveau de risque qu'il présente. Le ratio cours-bénéfice indique le cours de l'action de l'entreprise par rapport à son bénéfice à court terme, et il peut être plus ou moins élevé. (p. 374-377)

**Les marchés des ressources naturelles** Le prix d'une ressource naturelle est déterminé par le taux d'intérêt, la valeur du produit marginal de la ressource naturelle et le stock disponible. Le prix d'une ressource naturelle devrait croître à un rythme égal au taux d'intérêt et atteindre le prix de demande maximal lorsque la ressource est épuisée. Le prix réel fluctue constamment selon les nouvelles informations disponibles. Même lorsqu'on prévoit une augmentation du prix, il arrive souvent que le prix réel diminue parce qu'on découvre de nouvelles sources d'approvisionnement ou que la demande de consommation de la ressource diminue. (p. 377-381)

## Figures clés

## Mots clés

## Q U E S T I O N S   D E   R É V I S I O N

1. Décrivez la structure des marchés des capitaux financiers.
2. Quelle est la différence entre le capital financier et le capital physique?
3. Décrivez les principaux flux de fonds sur les marchés financiers.
4. Quelle est la différence entre le marché boursier, le marché obligataire et le marché de prêts?
5. Qu'est-ce que la valeur actuelle nette d'un placement?
6. Quelles sont les principales influences qui s'exercent sur la demande de capital?
7. Pourquoi la quantité de capital demandée par une entreprise augmente-t-elle lorsque le taux d'intérêt diminue?
8. Quels sont les principaux facteurs qui modifient la demande de capital? Comment le font-ils?
9. Quels sont les effets du taux d'intérêt sur le montant de l'épargne et sur l'offre de capital?
10. Comment la structure d'âge de la population influe-t-elle sur l'offre de capital?
11. Quelle est la relation entre le taux d'intérêt et le prix d'une action ou d'une obligation?
12. Comment le taux d'intérêt est-il déterminé?
13. Comment les prix des actions et des obligations sont-ils déterminés?
14. Quelle est la différence entre une prise de contrôle et une fusion?
15. Qu'est-ce qu'une ressource non renouvelable? Donnez des exemples.
16. Quelle est la différence entre le stock et le flux de consommation d'une ressource naturelle non renouvelable?
17. Expliquez ce qui détermine la demande et l'offre d'un stock d'une ressource naturelle non renouvelable.
18. Expliquez ce qui détermine la demande de flux d'une ressource naturelle non renouvelable.
19. Expliquez pourquoi on considère que le prix d'une ressource naturelle non renouvelable devrait augmenter à un taux égal au taux d'intérêt?
20. Qu'est-ce qui détermine le prix d'une ressource naturelle?

## A N A L Y S E   C R I T I Q U E

1. Lisez attentivement la rubrique « Entre les lignes » (p. 382) et répondez aux questions suivantes:
   a) Comment réagirait le prix du pétrole si, au milieu du XXI$^e$ siècle, on n'avait découvert aucune nouvelle réserve de pétrole et s'il n'y avait eu aucune amélioration des techniques d'extraction et de raffinage du pétrole?
   b) Quels seraient les effets d'une forte augmentation du taux de croissance économique de l'Asie sur le marché mondial du pétrole au cours de la première moitié du XXI$^e$ siècle?
   c) Supposons qu'en 2025 une innovation technique permette à peu de frais et sans danger la production d'énergie électrique à partir de l'uranium. Quelles seraient les répercussions de cette nouvelle technique sur les prix de l'uranium, du pétrole et du charbon?
2. En vous aidant de la théorie du prix d'une ressource naturelle non renouvelable, déterminez quels seraient les effets sur le prix du pétrole…
   a) d'une augmentation du taux d'intérêt réel;
   b) de la découverte d'une nouvelle réserve pétrolifère;
   c) d'une innovation technique dans le domaine de la voiture électrique.
3. Imaginez que Greenpeace vous engage pour présenter les arguments économiques en faveur de la conservation des ressources mondiales de cuivre. Faites le meilleur plaidoyer possible en prévoyant les arguments d'un économiste aux vues contraires.
4. Les géologues sont toujours à la recherche de nouveaux gisements minéraux. Récemment, ils ont découvert le plus grand gisement mondial connu de nickel à Terre-Neuve et le plus grand gisement mondial connu de zinc en Australie.
   a) Quels seront les effets de ces découvertes sur les prix du nickel et du zinc?
   b) Quels seront les effets de ces découvertes sur les taux de consommation du nickel et du zinc?
5. Les environnementalistes s'opposent à l'utilisation de combustibles carbonés comme le pétrole et le charbon. Supposons qu'ils réussissent à convaincre tous les pays d'imposer une taxe très élevée sur les combustibles carbonés. Quels seraient les effets de cette taxe sur les prix mondiaux du pétrole et du charbon et sur les cours des actions des compagnies pétrolières et gazières?

# P R O B L È M E S

1. Une entreprise possédait une usine qui valait 100 000 $ à la fin de 1998 Cette usine s'est dépréciée de 10 % en 1999. La même année, l'entreprise a acheté de nouveaux biens d'équipement d'une valeur de 250 000 $. Quelle est la valeur du capital de l'entreprise à la fin de l'année 1999 ? Quel a été son investissement net durant 1999 ?

2. Une fois vos impôts payés, vous gagnez 20 000 $ par année pendant trois ans, et vous dépensez 16 000 $ par année. Combien épargnez-vous annuellement ? Si le taux d'intérêt est de 5 % par année, comment évolue votre patrimoine durant ces trois ans ?

3. Une entreprise envisage d'acheter une nouvelle machine dont la valeur du produit marginal devrait être de 10 000 $ par année pendant cinq ans. Au bout de cinq ans, la machine n'aura aucune valeur de rebut. Le taux d'intérêt annuel est de 10 %.

   a) Quel est le prix maximal que l'entreprise acceptera de payer pour cette machine ?

   b) L'entreprise achètera-t-elle la machine si elle coûte 40 000 $ et que le taux d'intérêt est de 10 % ? Quel est le taux d'intérêt maximal que l'entreprise est prête à payer pour acquérir la machine ?

4. Supposons que l'exploration en Chine révèle l'existence de réserves de gaz naturel plus importantes que l'ensemble des réserves connues de la Chine. Quels en seront les effets sur :

   a) le prix mondial du gaz naturel...
      i) au moment où on annonce cette découverte ?
      ii) au cours des dix années suivantes ?

   b) le rythme de consommation de gaz naturel ?

5. Si le gouvernement augmente l'impôt sur le pétrole et rend la consommation de pétrole plus coûteuse, quels seront les effets de cette augmentation sur :

   a) le prix au moment où la taxe est imposée et durant les dix années suivantes ?

   b) le taux de consommation du pétrole ?

6. Les réserves de zapton, une ressource naturelle non renouvelable, sont pratiquement épuisées ; il n'en reste qu'un stock de 6 millions de tonnes. Le barème des valeurs du produit marginal du zapton est le suivant :

| Quantité utilisée<br>(en millions de tonnes) | Valeur du produit marginal<br>(en dollars par tonne) |
| --- | --- |
| 0 | 16,11 |
| 1 | 14,64 |
| 2 | 13,31 |
| 3 | 12,10 |
| 4 | 11,00 |
| 5 | 10,00 |

   Le taux d'intérêt annuel est de 10 %.

   a) Quel est le prix de demande maximal du zapton ?

   b) Quel est le prix courant du zapton ?

   c) Si le barème des valeurs du produit marginal du zapton reste le même, dans combien d'années les réserves seront-elles épuisées ?

7. Reprenons le problème n° 6 et imaginons qu'on découvre une nouvelle utilisation du zapton qui permet d'augmenter la valeur de son produit marginal.

   a) Le prix de demande maximal du zapton augmente-t-il, diminue-t-il ou reste-t-il le même ?

   b) Le prix courant du zapton augmente-t-il, diminue-t-il ou reste-t-il le même ?

   c) Le nombre d'années qu'il faut pour épuiser le stock de zapton change-t-il ?

8. Les graphiques suivants donnent les prix du charbon, du minerai de fer et du plomb (les prix sont
en dollars de 1990 afin d'éliminer les effets de l'inflation). Quelles tendances suivent ces prix?

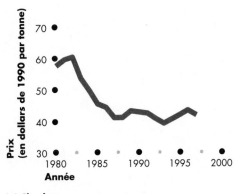

**(a) Charbon**

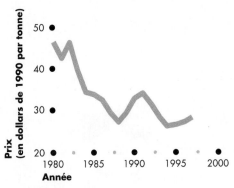

**(b) Minerai de fer**

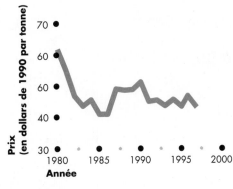

**(c) Plomb**

# 17

# L'incertitude
et l'information

**Objectifs
du chapitre**

- Expliquer comment les gens prennent
  des décisions dont les conséquences sont
  incertaines

- Expliquer pourquoi les gens contractent
  des assurances et comment les compagnies
  d'assurance réalisent un profit

- Expliquer pourquoi les acheteurs font de
  la recherche et les vendeurs de la publicité

- Expliquer comment les marchés fonctionnent
  face à l'information privée

- Expliquer comment la rémunération fondée
  sur le rendement favorise l'effort et le profit

- Expliquer comment les gens utilisent les
  marchés financiers pour réduire le risque

La vie est une loterie. On s'acharne à faire des études, mais qu'est-ce que ça donnera : un emploi intéressant et lucratif ou un emploi routinier et mal payé ? On passe l'été à monter une petite entreprise à laquelle on consacre toute son énergie, mais son revenu sera-t-il suffisant pour payer la prochaine année d'études ? Comment prend-on des décisions quand leurs conséquences sont incertaines ?

## Loteries et « citrons »

♦ On roule doucement, on traverse un carrefour au feu vert et soudainement on voit surgir une voiture ; va-t-elle s'arrêter à temps ? Pour se protéger contre ce genre de risques, on se procure de l'assurance. Mais les compagnies qui vendent de l'assurance font des profits… Pourquoi est-on prêt à se procurer de l'assurance à des prix qui permettent aux compagnies qui nous les vendent de réaliser des profits ? ♦ Acheter une voiture — neuve ou d'occasion — c'est agréable, bien sûr ; mais c'est inquiétant aussi : on pourrait se retrouver avec un « citron » sur les bras ! Et le marché des voitures n'a pas l'exclusivité de ce type de risques ; tous les produits le moindrement complexes peuvent être défectueux. Comment les vendeurs d'automobiles d'occasion peuvent-ils nous convaincre d'acheter ce qui pourrait bien être un citron ? ♦ Les employés ne sont pas tous payés à l'heure. Le salaire des travailleurs et travailleuses du vêtement dépend du nombre de chemises qu'ils confectionnent ; les vendeurs reçoivent un pourcentage du chiffre de leurs ventes ; les joueurs de tennis et les boxeurs sont rémunérés sous forme de bourses. Pourquoi y a-t-il une telle variété de modes de rémunération ? ♦ Bien des gens placent une partie de leur patrimoine à la banque, une autre partie dans des fonds mutuels et répartissent le reste entre des actions et des obligations. Pourquoi les gens ne placent-ils pas tout leur patrimoine là où ils réaliseront le rendement le plus élevé ? Pourquoi est-ce une bonne chose de diversifier ses actifs ?

◐ Dans ce chapitre, nous répondrons à ce type de questions. Pour cela, nous élargirons et enrichirons les modèles de marché les plus abstraits étudiés aux chapitres précédents. Nous verrons d'abord comment les gens prennent leurs décisions quand les conséquences en sont incertaines. Nous constaterons ensuite qu'il est préférable d'avoir des assurances, même si leur prix permet à la compagnie de réaliser un profit. Puis nous expliquerons pourquoi nous utilisons des ressources rares afin de produire et de diffuser de l'information. Enfin, nous examinerons plusieurs transactions courantes sur des marchés où l'incertitude et le coût d'acquisition de l'information jouent un rôle majeur.

# L'incertitude et le risque

BIEN QUE NOUS VIVIONS DANS UN MONDE d'incertitude, nous nous demandons rarement ce qu'est l'incertitude. Cependant, pour comprendre comment nous prenons des décisions et comment nous commerçons, il faut réfléchir un peu sur cette notion. Qu'entend-on exactement par incertitude? Nous vivons aussi dans un monde de risques. Risque est-il synonyme d'incertitude? Commençons donc par définir les notions d'incertitude et de risque.

L'**incertitude** est une situation où plusieurs événements peuvent se produire, sans que nous sachions lesquels se produiront effectivement. Ainsi, les agriculteurs sèment sans la moindre certitude quant au temps qu'il fera jusqu'à la récolte.

En langage courant, le risque est la probabilité de subir une perte (ou toute autre infortune). En langage économique, le **risque** est une situation où plusieurs événements peuvent se produire et où il est possible de calculer leurs *probabilités*. Une *probabilité* est un chiffre compris entre zéro et un qui mesure le nombre de chances qu'un événement donné se produise. Une probabilité de 0 signifie que l'événement ne se produira jamais; une probabilité de 1 signifie qu'il est certain que l'événement se produira; une probabilité de 0,5 signifie qu'il y a une chance sur deux pour que l'événement se produise. Ainsi, quand on joue à pile ou face, on joue avec une probabilité de 0,5; on lance la pièce à de nombreuses reprises, elle retombera aussi souvent du côté pile que du côté face.

Il est parfois possible d'estimer objectivement une probabilité. Ainsi, on estime à 0,5 la probabilité qu'une pièce lancée en l'air tombe du côté face, car on a constaté que, sur plusieurs coups, une pièce tombe aussi souvent du côté pile que du côté face. De même, en étudiant les rapports de police et d'assurance, on peut calculer la probabilité d'avoir un accident d'automobile en 2000 à Montréal et, en divisant le nombre de billets de loterie qu'on achète par le nombre de billets vendus, on peut calculer les probabilités de gagner.

Certaines situations, par contre, ne peuvent être évaluées à partir de probabilités fondées sur l'observation de précédents. Certaines situations ont un caractère unique; le lancement d'un nouveau produit, par exemple. Combien en vendra-t-on d'exemplaires et à quel prix? Comme il s'agit d'un nouveau produit, on ne peut calculer les probabilités en s'appuyant sur un précédent ou sur une loi statistique. Par contre, on peut les estimer en se fondant sur l'expérience accumulée lors du lancement de nouveaux produits *similaires* et sur ses propres appréciations. On parle alors de *probabilités subjectives*.

Que la probabilité d'un événement soit fondée sur des données objectives, subjectives ou même intuitives, elle nous permet d'étudier la façon dont les gens prennent des décisions face à l'incertitude. Voyons d'abord comment ils évaluent le coût du risque.

## La mesure du coût du risque

Toutes autres choses étant égales, certaines personnes sont plus disposées que d'autres à courir des risques; mais, toutes autres choses étant égales, tout le monde préfère en prendre moins que plus. On mesure l'attitude des gens face au risque à partir de leurs courbes et barèmes personnels d'utilité du patrimoine. L'**utilité du patrimoine** est le degré d'utilité qu'une personne accorde à un certain niveau de richesse. Toutes choses étant égales par ailleurs, plus le patrimoine d'une personne est important, plus l'utilité totale est grande. Si un patrimoine plus important donne une plus grande utilité totale, à mesure que la richesse augmente, chaque unité supplémentaire de patrimoine fait augmenter l'utilité totale d'un montant décroissant. Autrement dit, *plus le patrimoine augmente, plus son utilité marginale diminue.*

La figure 17.1 présente le barème et la courbe d'utilité de patrimoine de Tania; les points *a* à *e* situés sur la courbe d'utilité correspondent aux lignes du tableau qui portent les mêmes lettres. On voit, à mesure que le patrimoine de Tania augmente, l'utilité de son patrimoine total augmente également tandis que son utilité marginale diminue. Quand le patrimoine passe de 3 000 $ à 6 000 $, l'utilité totale augmente de 20 unités, mais lorsque la richesse augmente d'un autre 3 000 $ pour s'élever à 9 000 $, l'utilité totale n'augmente que de 10 unités.

Cette courbe d'utilité du patrimoine peut nous servir à mesurer le coût de risque pour Tania; voyons comment elle évalue deux emplois d'été qui présentent des niveaux de risque différents.

Le premier, un emploi de peintre, paie assez pour lui permettre d'économiser 5 000 $ d'ici la fin de l'été. Tania est certaine que cet emploi lui procurera ce revenu; il ne présente aucun risque et, si elle l'accepte, à la fin de l'été son patrimoine sera de 5 000 $. Le deuxième emploi, un poste en télémarketing qui consiste à vendre des abonnements à un magazine, présente des risques. Si elle l'accepte, son patrimoine à la fin de l'été dépendra entièrement du nombre de ventes qu'elle aura conclues. Sera-t-elle une bonne ou une mauvaise télévendeuse? En un été, une bonne vendeuse gagne environ 9 000 $, et une mauvaise, environ 3 000 $. Tania n'a jamais fait de télévente et elle ne sait donc pas si elle a des aptitudes pour ce travail; elle a autant de chances de gagner 3 000 $ que 9 000 $ — une probabilité de 0,5. Que fera Tania? Choisira-t-elle un revenu assuré de 5 000 $ pour des travaux de peinture ou courra-t-elle la chance — une possibilité sur deux, soit 50 % — de gagner 9 000 $ pour le travail de télémarketing, en prenant du même coup le risque de ne faire que 3 000 $?

Dans l'incertitude, nous ne savons pas quelle utilité réelle nous retirerons d'une action donnée, mais nous pouvons calculer l'utilité à laquelle nous nous attendons. L'**utilité escomptée** est l'utilité moyenne de tous les résultats possibles; elle se calcule en pondérant chaque

FIGURE 17.1

## L'utilité du patrimoine

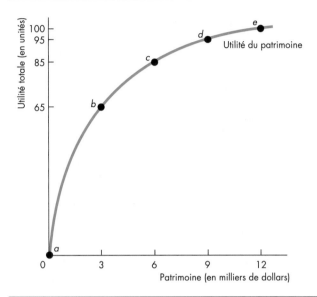

| | Patrimoine (en miliers de dollars) | Utilité totale (en unités) | Utilité marginale (en unités) |
|---|---|---|---|
| a | 0 | 0 | |
| b | 3 | 65 | 65 |
| c | 6 | 85 | 20 |
| d | 9 | 95 | 10 |
| e | 12 | 100 | 5 |

Le tableau présente le barème d'utilité du patrimoine et le graphique illustre la courbe d'utilité du patrimoine de Tania. L'utilité augmente à mesure que le patrimoine s'accroît, mais l'utilité marginale du patrimoine, elle, diminue graduellement.

FIGURE 17.2

## Le choix dans l'incertitude

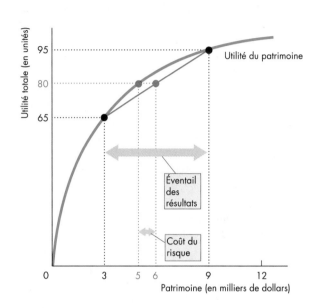

Si le patrimoine de Tania est de 5 000 $ et qu'elle ne court aucun risque, son utilité est de 80 unités. Lorsqu'elle fait face à une probabilité égale (0,5) d'obtenir 9 000 $ avec une utilité de 95 unités ou 3 000 $ avec une utilité de 65 unités, son patrimoine escompté est de 6 000 $. Mais son utilité escomptée est de 80 unités — la même qu'avec 5 000 $ sans incertitude. Face à ces deux possibilités, Tania choisira indifféremment l'une ou l'autre. Les 1 000 $ additionnels de patrimoine escompté compensent alors le risque supplémentaire.

résultat possible par sa probabilité. Ainsi, pour décider quel emploi d'été elle choisira, Tania calcule l'utilité escomptée de l'emploi de peintre et celle de l'emploi en télémarketing. La figure 17.2 montre comment elle procède.

Si elle choisit les travaux de peinture, le patrimoine de Tania s'élèvera à 5 000 $, et son utilité, à 80 unités. Dans ce cas, il n'y a aucune incertitude, et l'utilité escomptée est donc la même que l'utilité réelle, soit 80 unités. Voyons maintenant ce qu'il en est de l'emploi en télémarketing. Si Tania gagne 9 000 $, l'utilité de son patrimoine est de 95 unités; si elle gagne 3 000 $, elle n'est que de 65 unités. Le *patrimoine escompté* de Tania est la moyenne de ces deux résultats, soit 6 000 $ = (9 000 $ × 0,5) + (3 000 $ × 0,5). Cette moyenne est la *moyenne pondérée* par les probabilités de chaque résultat (toutes deux de 0,5 dans ce cas). L'*utilité escomptée* de

Tania est la moyenne pondérée de ces deux utilités totales possibles, soit 80 unités — calculée de la manière suivante : (95 × 0,5) + (65 × 0,5).

Tania choisit l'emploi qui maximise son utilité escomptée. Dans ce cas, les deux possibilités lui donnent la même utilité escomptée, soit 80 unités, de sorte que, d'un point de vue économique, choisir l'un ou l'autre emploi lui est indifférent. Les probabilités qu'elle choisisse l'un ou l'autre emploi sont égales. La différence entre le patrimoine escompté de 6 000 $ associé à l'emploi à haut risque et celui de 5 000 $ associé à l'emploi à faible risque, soit 1 000 $, est juste assez importante pour compenser le risque additionnel qu'il présente pour Tania.

Ces calculs nous permettent d'établir le coût du risque de Tania. Le coût du risque est le montant qu'il faut ajouter au patrimoine escompté pour que l'utilité escomptée soit la même que dans une situation sans risque. Dans le cas de Tania, le coût du risque découlant d'un revenu incertain — qui peut être, au pire, de 3 000 $ et, au mieux, de 9 000 $ — s'élève à 1 000 $.

Si Tania devait choisir entre un emploi de peintre lui assurant un patrimoine de 5 000 $ à la fin de l'été et un emploi en télémarketing offrant le même patrimoine, mais avec une plus grande incertitude, elle choisirait l'emploi de peintre. Pour comprendre comment nous arrivons à cette conclusion, supposons que les bons télévendeurs gagnent 12 000 $ et que les mauvais ne gagnent rien. Le revenu moyen lié au télémarketing reste le même, soit 6 000 $, mais l'éventail des résultats possibles s'élargit. La figure 17.1 montre que Tania obtient 100 unités d'utilité pour un patrimoine de 12 000 $ et 0 unité pour un patrimoine de 0. Dans ce cas, pour Tania, l'utilité escomptée du télémarketing est donc de 50 unités (100 × 0,5) + (0 × 0,5). Comme l'utilité escomptée associée au télémarketing est maintenant inférieure à l'utilité associée aux travaux de peinture, elle choisit ce dernier emploi.

## L'aversion pour le risque et la neutralité face au risque

Il y a une différence cruciale entre Scotty Bowman, l'entraîneur des Red Wings de Detroit, qui favorise le jeu défensif prudent, et Glen Sather, l'ancien entraîneur des Oilers d'Edmonton, qui favorise le jeu offensif et risqué : leur attitude à l'égard du risque. Bowman a une aversion pour le risque que Sather semble ignorer. Comme Scotty Bowman, toutes autres choses étant égales, Tania a de l'aversion pour le risque ; elle préfère les situations qui comportent le moins d'incertitude. La forme de la courbe d'utilité du patrimoine d'une personne nous révèle son attitude face au risque — son degré d'*aversion pour le risque*. Plus l'utilité marginale du patrimoine d'une personne diminue rapidement, moins cette personne est encline à courir des risques, et plus elle éprouve de l'aversion pour le risque. La notion de *neutralité face au risque* nous permet de mieux comprendre ce phénomène. Pour une personne neutre face au risque, le risque n'a aucun coût ; elle ne s'intéresse qu'au patrimoine escompté et n'accorde aucune importance à l'incertitude liée à ses choix.

Le graphique de la figure 17.3 montre la courbe d'utilité du patrimoine d'un individu neutre face au risque : c'est une droite, et l'utilité marginale du patrimoine reste constante. Pour un patrimoine escompté de 6 000 $, l'utilité escomptée par cette personne est de 50 unités quel que soit l'écart entre les résultats possibles qui donnent cette moyenne ; pour elle, une probabilité de 0,5 d'avoir 3 000 $ ou 9 000 $ donne la même utilité escomptée qu'une probabilité de 0,5 d'avoir 0 $ ou 12 000 $, ou encore, puisque l'utilité escomptée est la même, qu'une probabilité de 1 (certitude) d'avoir un

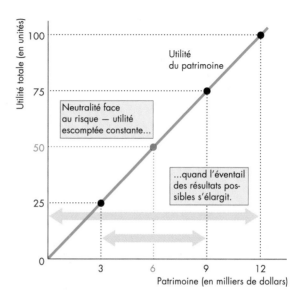

**FIGURE   17.3**

# La neutralité face au risque

L'aversion pour le risque entraîne une utilité marginale du patrimoine décroissante. Une personne (hypothétique) neutre vis-à-vis du risque a une courbe d'utilité du patrimoine linéaire et une utilité marginale du patrimoine constante. Dans le cas d'une personne neutre face au risque, l'utilité escomptée ne dépend pas de l'éventail d'incertitudes et le coût du risque est égal à zéro.

patrimoine de 6 000 $. Dans le monde réel, les gens éprouvent de l'aversion pour le risque et leur courbe d'utilité du patrimoine ressemble à celle de Tania. Mais la neutralité face au risque illustre l'importance et les conséquences de la forme de la courbe d'utilité du patrimoine quant au degré d'aversion pour le risque d'une personne donnée.

## À   R E T E N I R

- Face à des résultats incertains, les gens agissent de manière à maximiser leur utilité escomptée.
- Le coût du risque se mesure au montant qu'il faut ajouter au patrimoine escompté pour donner la même utilité escomptée dans une situation à risque que dans une situation sans risque.
- Le coût du risque dépend du degré d'aversion pour le risque. Plus l'aversion pour le risque est forte, plus le coût du risque est élevé.
- Pour une personne neutre face au risque, le risque n'a pas de coût.

Tout le monde ou presque éprouve une certaine aversion pour le risque. Voyons comment un contrat d'assurance peut nous permettre de le diminuer.

## L'assurance

L'ACHAT D'UNE POLICE D'ASSURANCE EST UN MOYEN de réduire le risque. Comment ? Pourquoi nous procurons-nous de l'assurance ? Comment fonctionne l'assurance ?

### Comment fonctionnent les assurances ?

L'assurance fonctionne en regroupant les risques. Elle n'existe et n'est rentable qu'à cause de l'aversion des gens pour le risque. La probabilité d'être victime d'un accident d'automobile grave est faible, mais pour la victime le coût est considérable. Sur une population suffisamment importante, la proportion de gens accidentés est la probabilité qu'une personne donnée ait un accident. On peut donc chiffrer cette probabilité et, par conséquent, prévoir le coût total des accidents. Une compagnie d'assurance peut regrouper les risques d'une vaste population, puis répartir les coûts liés aux accidents en percevant des primes auprès de tous et en versant des indemnisations aux victimes. Si la compagnie d'assurance fait ses calculs correctement, elle percevra un montant de primes au moins égal à celui qu'elle versera en indemnisations et en frais administratifs.

Un exemple nous permettra de mieux comprendre pourquoi les gens contractent des assurances et pourquoi il est rentable de le faire. Le graphique de la figure 17.4 présente la courbe d'utilité du patrimoine de Daniel, qui possède pour tout patrimoine une automobile d'une valeur de 10 000 $. S'il n'y avait aucun risque d'accident, l'utilité de ce patrimoine serait de 100 unités, mais en fait les possibilités d'avoir un accident d'ici un an sont de l'ordre de 10 % (une probabilité de 0,1). Supposons que Daniel ne contracte aucune assurance. S'il a un accident, son automobile ne vaudra plus rien ; sans assurance, il n'a plus de patrimoine et son utilité tombe à 0. Comme le risque d'avoir un accident est de 0,1, la probabilité de ne pas en avoir est de 0,9. Le patrimoine escompté de Daniel est donc de 9 000 $ (10 000 $ × 0,9 + 0 $ × 0,1) et son utilité escomptée, de 90 unités (100 × 0,9 + 0 × 0,1).

Sa courbe d'utilité du patrimoine montre qu'avec un patrimoine de 7 000 $ Daniel ne peut atteindre ce niveau de 90 unités d'utilité que s'il ne court aucun risque. Autrement dit, pour Daniel, l'utilité d'un patrimoine de 7 000 $ sans risque est la même que celle d'un patrimoine de 10 000 $ avec 10 % de risque d'accident. Si le coût d'une police d'assurance qui lui rembourse la valeur de sa voiture en cas d'accident est inférieur à 3 000 $,

FIGURE 17.4

## Les gains liés à l'assurance

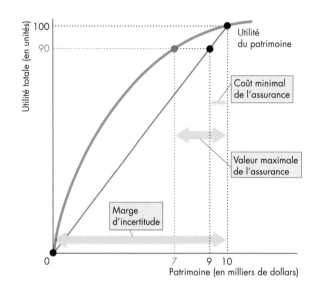

Daniel possède une automobile d'une valeur de 10 000 $ qui lui donne une utilité de 100 unités ; mais il y a une probabilité de 0,1 qu'il soit victime d'un accident qui ôterait toute valeur à sa voiture (patrimoine et utilité nuls). Sans assurance, son utilité escomptée est de 90 unités et il est disposé à payer jusqu'à 3 000 $ d'assurance. Une compagnie d'assurance (sans frais administratifs) peut offrir une police d'assurance à Daniel et à d'autres propriétaires de voitures pour 1 000 $. Il y a possibilité de gain tant pour Daniel que pour la compagnie d'assurance.

Daniel achètera la police. En effet, une telle police lui garantirait un patrimoine de 7 000 $ quoi qu'il arrive, et lui apporterait donc un niveau d'utilité comparable à celui qu'il aurait s'il devait assumer seul le risque d'accident. Daniel demande donc une assurance automobile dont les primes sont inférieures à 3 000 $.

Supposons que, comme Daniel, de nombreuses personnes possèdent une voiture d'une valeur de 10 000 $ avec des risques d'accident de l'ordre de 10 %. Si une compagnie d'assurance consent à verser 10 000 $ à chaque victime d'accident, elle verse 10 000 $ à un dixième de la population, soit une moyenne de 1 000 $ par personne. Ce montant correspond à la prime minimale pour cette police d'assurance ; et il est inférieur au prix que Daniel, à cause de son aversion pour le risque, est prêt à débourser pour cette assurance.

Supposons maintenant que les frais administratifs de la compagnie d'assurance soient de 1 000 $ et que la police d'assurance coûte 2 000 $. La compagnie couvre maintenant tous ses coûts — les montants versés aux assurés pour leurs pertes plus ses frais administratifs. Daniel et tous ses semblables maximiseront leur utilité en se procurant cette assurance.

# L'information

NOUS CONSACRONS UNE GRANDE PARTIE DE NOS rares ressources à nous procurer de l'**information économique**, c'est-à-dire des données sur les prix, les quantités et les caractéristiques des produits et des facteurs de production.

Dans les modèles de concurrence parfaite, de monopole et de concurrence monopolistique, l'information est gratuite. Tout le monde possède l'information nécessaire. Les ménages sont parfaitement informés des prix et des caractéristiques des produits qu'ils achètent et des facteurs de production qu'ils vendent. De même, les entreprises disposent de toute l'information dont elles ont besoin.

Dans le monde réel, par contre, l'information est rare. Si elle ne l'était pas, nous n'aurions pas besoin de consulter des médias comme la SRC ou le *Financial Post,* de magasiner pour dénicher de bonnes affaires ou de frapper à plusieurs portes pour trouver un emploi. On appelle **coût de l'information** le coût d'opportunité de l'information économique — coût de l'acquisition de renseignements sur les prix, les quantités et les caractéristiques de produits — biens et services — et de facteurs de production.

Le fait que de nombreux modèles économiques ne tiennent pas compte des coûts d'information ne signifie pas que ces modèles soient inutiles. Ils donnent un aperçu des forces qui orientent les tendances relatives aux prix et aux quantités sur des périodes suffisamment longues pour qu'on puisse raisonnablement penser que tout le monde a eu amplement le temps de s'informer. Toutefois, pour comprendre comment fonctionnent les marchés au jour le jour, heure après heure, il faut tenir compte des problèmes liés à l'information. Penchons-nous donc sur certains des coûts de l'information.

## La recherche d'information sur les prix

Si plusieurs entreprises vendent les mêmes biens et services, les prix sont variés et les acheteurs cherchent les plus bas. Mais cette recherche prend du temps et coûte cher. Les acheteurs doivent donc comparer le gain qu'ils tireraient d'une recherche plus poussée au coût de cette recherche. Pour ce faire, ils ont recours à la *règle de la recherche optimale* — ou *règle d'arrêt optimal* —, selon laquelle ils doivent:

■ poursuivre la recherche du plus bas prix jusqu'à ce que l'avantage marginal qu'on prévoit tirer de cette recherche soit égal au coût marginal de la recherche;

■ cesser la recherche et acheter lorsque l'avantage marginal anticipé d'un supplément de recherche est inférieur ou égal au coût marginal.

Pour appliquer la règle de la recherche optimale, chaque acheteur choisit son propre prix de réserve. Le **prix de réserve** est le prix le plus élevé que l'acheteur est prêt à payer pour obtenir un bien ou un service. L'acheteur continuera de chercher un prix plus bas si le prix excède de beaucoup le prix de réserve, mais il cessera de chercher et achètera le bien si le prix le moins élevé est inférieur ou égal au prix de réserve. Au prix de réserve de l'acheteur, l'avantage marginal escompté de la recherche est égal à son coût marginal.

La figure 17.5 illustre la règle de la recherche optimale. Supposons que vous ayez décidé d'acheter une Mazda Miata d'occasion. Votre coût de recherche marginal est de *C*$ par vendeur visité, ce qu'illustre la ligne orange horizontale du graphique. Ce coût inclut la valeur de votre temps — le montant que vous auriez pu gagner en travaillant au lieu de magasiner — plus le coût du transport et, éventuellement, des consultations. L'avan-

**FIGURE  17.5**

## La règle de la recherche optimale

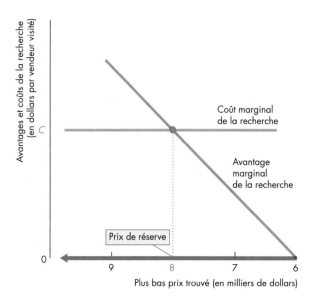

Le coût marginal de la recherche est constant à *C*$. Si le plus bas prix trouvé (mesuré de droite à gauche sur l'axe horizontal) diminue, l'utilité marginale escomptée d'une recherche plus poussée diminue. Le plus bas prix trouvé auquel le coût marginal est égal à l'avantage marginal escompté est le prix de réserve. Selon la règle de la recherche optimale, il faut continuer à chercher jusqu'à ce qu'on trouve un prix égal (ou inférieur) au prix de réserve et acheter à ce prix, le plus bas prix trouvé.

tage marginal que vous procure la visite d'un vendeur supplémentaire dépend du prix le plus avantageux que vous avez trouvé : plus ce prix est bas, plus l'avantage marginal que vous retirerez de la visite d'un autre vendeur sera faible, comme l'illustre la courbe bleue du graphique.

Le prix auquel l'avantage marginal escompté est égal au coût marginal est votre prix de réserve, soit 8 000 $ dans l'exemple de la figure 17.5. Si vous trouvez un prix inférieur à votre prix de réserve, vous cessez de chercher et vous achetez. Si le prix dépasse votre prix de réserve, vous continuez à chercher un prix plus bas. Comme les prix de réserve, les coûts marginaux de recherche diffèrent selon les acheteurs, ce qui explique pourquoi des articles identiques se vendent à des prix très variés.

**L'achat d'une voiture dans la réalité**   Dans le monde réel, les gens qui veulent acheter une auto font face à une situation beaucoup plus complexe que celle décrite par notre modèle, car ils doivent tenir compte de plusieurs facteurs autres que le prix. Ces gens pourraient passer un temps infini à rassembler de l'information ; pourtant, à un moment donné, ils considèrent qu'ils ont assez magasiné et se décident. Notre recherche fictive d'une Miata d'occasion permet de rationaliser leur décision. L'acheteur réel estime que le gain qu'il tirera d'une recherche plus poussée est insuffisant pour justifier la poursuite de la recherche. Dans la réalité, les acheteurs ne se livrent pas à tous les calculs que nous venons de faire — du moins pas explicitement —, mais ces calculs peuvent néanmoins éclairer leur décision. Toutefois, les acheteurs ne sont pas les seuls à générer de l'information. Les vendeurs le font également — sous forme de publicité. Voyons quels sont les effets de cette publicité.

## La publicité

La publicité est partout — à la télévision, à la radio, sur les panneaux publicitaires, dans les journaux, les magazines et Internet — et elle coûte des milliards de dollars. Comment les entreprises déterminent-elles les sommes qu'elles consacrent à la publicité ? La publicité génère-t-elle vraiment de l'information, ou se contente-t-elle de nous convaincre d'acheter des choses dont nous n'avons pas besoin ? Quels sont ses effets sur les prix ?

**La publicité et la maximisation des profits**   La décision d'une entreprise de recourir à la publicité s'inscrit dans une stratégie générale de maximisation des profits. Les entreprises en situation de concurrence parfaite ne font pas de publicité, car tout le monde possède l'information nécessaire. Par contre, les entreprises qui vendent des produits différenciés sur des marchés de concurrence monopolistique ainsi que les entreprises qui se battent pour survivre dans un oligopole font souvent appel à la publicité.

Le volume de publicité des entreprises sur les marchés de concurrence monopolistique est tel que la valeur du produit marginal de la publicité est égale à son coût marginal. Le volume de publicité des entreprises en situation d'oligopole est déterminé par leur jeu ; si celui-ci ressemble au *dilemme du prisonnier*, elles dépenseront possiblement des sommes qui réduisent leurs profits combinés, mais elles ne peuvent se passer de publicité si elles ne veulent pas être éliminées par d'autres entreprises de cette industrie.

**La persuasion et l'information**   La publicité est principalement conçue pour nous persuader que le produit annoncé est le meilleur de sa catégorie. Les publicités de Pepsi, par exemple, nous disent que leur soda est vraiment meilleur que le Coca-Cola, et les publicités de Coca-Cola nous disent que leur soda est vraiment meilleur que le Pepsi. Mais la publicité fait plus que cela : elle nous donne de l'information sur la qualité et le prix d'un bien ou d'un service.

La publicité est-elle d'abord informative ou persuasive ? La réponse varie selon les biens et les types de marchés. Il y a des biens dont on peut évaluer la qualité *avant* de les acheter ; ces *biens de recherche* sont, par exemple, l'essence, les aliments de base et les appareils ménagers. Habituellement, la publicité sur les biens de recherche vise surtout à informer — à nous communiquer des renseignements comme le prix, les caractéristiques et les adresses des fournisseurs. Mais il y a d'autres biens dont la qualité ne peut être évaluée qu'*après* l'achat ; ces *biens d'expérience* sont, par exemple, les parfums, les produits de beauté, les cigarettes et les boissons alcoolisées. Habituellement, la publicité sur ce type de biens vise plutôt à persuader ; elle pousse le consommateur à acheter le produit pour pouvoir juger de sa qualité avoir l'avoir expérimenté.

Comme la publicité porte surtout sur des biens d'expérience, elle est probablement plus souvent persuasive qu'informative. Mais la publicité persuasive n'est pas nécessairement une mauvaise chose pour le consommateur, car elle peut faire baisser les prix.

**La publicité et les prix**   La publicité est coûteuse, mais fait-elle augmenter le prix du bien qui en fait l'objet ? C'est possible. Cependant, on a avancé deux arguments selon lesquels elle peut aussi faire baisser les prix. Selon le premier, la publicité informative *stimule* la concurrence : en informant les consommateurs potentiels sur d'autres sources d'approvisionnement, elle force les entreprises à garder leur prix plus bas, phénomène observé notamment dans le commerce de détail. Selon le deuxième argument, si la publicité permet aux entreprises d'augmenter leur production et de réaliser des économies d'échelle, il est probable qu'elle fasse baisser les prix, à condition que la concurrence empêche l'établissement d'un prix de monopole.

## À RETENIR

- L'information économique comprend les données sur les prix, les quantités et les caractéristiques des produits et des facteurs de production. Ces données sont rares et les gens les utilisent avec parcimonie.

- Les acheteurs à la recherche d'information sur les prix cessent leur recherche lorsqu'ils trouvent un prix inférieur ou égal à leur prix de réserve — prix où l'avantage marginal qu'ils s'attendent à retirer de la poursuite de leur recherche est égal au coût marginal de cette recherche.

- Les vendeurs font de la publicité pour informer les acheteurs potentiels sur le produit ou pour les persuader d'acheter ce produit.

- La publicité peut stimuler la concurrence, et faire monter ou baisser le prix du produit annoncé.

## L'information privée

JUSQU'ICI, NOUS AVONS ÉTUDIÉ DES SITUATIONS OÙ l'information est à la disposition de tous et peut être obtenue moyennant une dépense en ressources. Mais il n'en est pas toujours ainsi. Par exemple, quelqu'un peut disposer de renseignements privilégiés, d'information privée. L'**information privée** est une information dont dispose une personne, et que d'autres ne peuvent se procurer parce qu'elle est trop coûteuse.

L'information privée touche de nombreuses transactions économiques. L'une d'elles se rapporte, par exemple, à la connaissance que vous avez de vos habitudes de conduite automobile; il est évident que vous en savez davantage que votre compagnie d'assurance automobile sur votre degré de prudence au volant. De même, vous en savez bien plus que votre employeur sur les efforts que vous déployez au travail. Et vous savez pertinemment si votre voiture est ou non un citron, ce qu'ignore la personne à qui vous vous apprêtez à la vendre.

L'information privée engendre deux problèmes:

1. l'aléa moral,
2. l'anti-sélection.

Il y a **aléa moral** quand une des parties peut, *une fois l'entente conclue*, agir de manière à en retirer plus d'avantages que l'autre partie et ce, au détriment de celle-ci. Il y a aléa moral parce qu'il est trop coûteux pour la partie lésée de contrôler toutes les actions de la partie avantagée. Ainsi, Jacqueline engage Michelle comme vendeuse et lui verse un salaire fixe quel que soit son volume de vente. Jacqueline fait face à un aléa moral, parce que Michelle pourrait faire le moins d'efforts possible, agis-

sant ainsi à son avantage et réduisant les profits de Jacqueline. C'est pourquoi les vendeurs sont habituellement payés selon leur volume de vente; plus celui-ci est élevé, plus leur revenu l'est aussi.

On appelle **anti-sélection** la tendance des gens à utiliser à leur avantage des renseignements exclusifs qui leur permettent de conclure des ententes qui leur sont favorables, et qui défavorisent donc la partie moins bien informée. Ainsi, si Jacqueline offre aux vendeurs un salaire fixe, elle attirera les paresseux; les vendeurs consciencieux préféreront travailler pour quelqu'un qui les paiera en fonction de leur rendement, ce qui sera plus rentable pour eux. Un contrat de salaire fixe sélectionne dans le mauvais sens — d'où le terme anti-sélection — les candidats qui disposent de renseignements privilégiés (sur leurs habitudes de travail, par exemple), et qui peuvent utiliser cette information dans leur intérêt et au détriment de l'autre partie.

On a conçu divers systèmes pour permettre aux marchés de fonctionner en dépit de l'aléa moral et de l'anti-sélection. Nous venons d'en voir un, le salaire au rendement pour les vendeurs. Nous allons maintenant en voir d'autres, tout en examinant les effets de l'aléa moral et de l'anti-sélection sur trois marchés du monde réel:

- le marché des voitures d'occasion,
- le marché des prêts,
- le marché de l'assurance.

### Le marché des voitures d'occasion

Lorsqu'une personne achète une voiture, elle court le risque d'acheter un «citron». Dans ce cas, la voiture aura moins de valeur pour la personne qui l'a achetée — comme pour tout le monde, d'ailleurs — que si elle était en bon état. Le marché des voitures d'occasion tient-il compte de ce fait en établissant deux prix, soit un prix minime pour les citrons et un prix plus élevé pour les voitures en bon état? La réponse est non. Nous comprendrons mieux pourquoi en étudiant un marché de voitures d'occasion, d'abord dans le cas où il n'y a pas de garantie du vendeur, puis lorsqu'il y en a une.

**Les voitures d'occasion sans garantie**    Pour faciliter la compréhension de cet exposé, nous nous fonderons sur des hypothèses radicales; nous supposerons qu'il n'existe que deux types de voitures, les citrons et les voitures en bon état. Tant pour leur propriétaire actuel que pour leur futur propriétaire, la valeur d'un citron est de 1000 $ et la valeur d'une voiture en bon état est de 5 000 $. Le fait que la voiture soit un citron est une information privée dont dispose le propriétaire de la voiture, qui l'a conduite assez longtemps pour le savoir; les acheteurs ne peuvent savoir s'il s'agit d'un citron qu'*après* avoir acheté la voiture; ils en apprennent alors autant sur la voiture que l'actuel propriétaire. Le vendeur n'offre aucune garantie.

Comme les acheteurs ne peuvent différencier le citron de la voiture en bon état, ils sont disposés à payer un seul et même prix pour une voiture d'occasion. Quel est ce prix ? Les acheteurs sont-ils disposés à payer 5 000 $, la valeur d'une voiture en bon état ? La réponse est non, car ils courent le risque d'acheter un citron qui ne vaut que 1 000 $. Si les acheteurs ne sont pas prêts à payer 5 000 $ pour une voiture d'occasion, le propriétaire d'une voiture en bon état acceptera-t-il de la vendre à un prix moindre ? Non, car pour eux une voiture en bon état vaut 5 000 $ ; ils gardent donc leur auto. Le propriétaire d'un citron, par contre, est prêt à le vendre — pourvu que le prix soit de 1 000 $ ou plus. Mais, se disent les acheteurs, si seuls les propriétaires de citrons sont disposés à vendre leur voiture, toutes les voitures d'occasion disponibles sont donc des citrons, qui ne valent pas plus de 1 000 $. Par conséquent, le marché des voitures d'occasion est un marché de citrons à 1 000 $.

Il y a aléa moral sur le marché des voitures d'occasion sans garantie, puisque les propriétaires possèdent une information privée qu'ils utilisent au détriment des acheteurs. Conséquence ? Seuls les citrons y sont échangés. Le marché des voitures d'occasion sans garantie ne fonctionne pas bien. Tout le monde veut pouvoir acheter et vendre des voitures en bon état, mais personne ne le fait. Comment résoudre ce problème ? En offrant des garanties.

**Les voitures d'occasion garanties**   Si les acheteurs de voitures d'occasion ne sont pas en mesure de faire la différence entre un citron et une voiture en bon état, les vendeurs, eux, le peuvent, car ils connaissent le marché et les voitures (peut-être ont-ils même déjà réparé l'auto en question). Comme ils savent ce qu'ils font, ils peuvent offrir 1 000 $ pour un citron et 5 000 $ pour une voiture en bon état[1]. Mais comment peuvent-ils convaincre les acheteurs qu'il vaut la peine de payer 5 000 $ pour ce qui peut être un citron ? Tout simplement en leur offrant une garantie. Le vendeur signale ainsi le fait que certaines voitures sont en meilleur état que d'autres. Un **signal** est une action prise à l'extérieur d'un marché et qui transmet une information que ce marché peut utiliser ; par exemple, les diplômes universitaires sont des signaux transmis au marché du travail. Dans le cas des voitures d'occasion, les vendeurs se livrent à certaines activités — sur le marché des réparations, par exemple — qui peuvent servir dans le marché des voitures d'occasion. Le vendeur offre une garantie sur chaque bien vendu. Il consent à payer les coûts de réparation de l'automobile au besoin. Les voitures sous garantie sont en bon état ; les voitures sans garantie sont des citrons.

Pourquoi les acheteurs croient-ils ce signal ? Parce que le coût d'un message mensonger est élevé. Un vendeur qui place un citron sous garantie finira par devoir payer le coût des réparations en plus de se faire une mauvaise réputation, tandis que s'il ne garantit que des voitures en bon état il évitera des coûts de réparation et sa réputation n'en sera que meilleure. Si le fait d'envoyer un signal adéquat est rentable, il est logique que les acheteurs se fient à ce signal. Les garanties évitent les problèmes associés aux citrons et permettent au marché des voitures d'occasion d'établir deux prix, un pour les citrons et un pour les voitures en bon état.

## Le marché des prêts

L'information privée joue un rôle capital dans le marché des prêts bancaires. Voyons pourquoi.

Le volume de prêts demandés par les emprunteurs dépend du taux d'intérêt. Plus ce taux est bas, plus la quantité demandée de prêts est grande — la pente de la courbe de demande de prêts est négative. L'offre de prêts par les institutions bancaires et autres sociétés de prêts dépend du coût associé au prêt. Ce coût comprend deux éléments : le coût de l'intérêt déterminé sur le marché des dépôts bancaires (marché où les institutions bancaires empruntent les fonds qu'elles prêtent) et le coût des prêts irrécouvrables (les prêts qui ne sont pas remboursés) — appelé coût pour défaut de paiement. Le coût d'intérêt d'un prêt est le même pour tous les emprunteurs. Le coût pour défaut de paiement d'un prêt varie selon la qualité de l'emprunteur.

Supposons qu'on puisse diviser les emprunteurs en deux catégories : les emprunteurs à faible risque et les emprunteurs à risque élevé. Les emprunteurs à faible risque manquent rarement à leur obligation, et ne le font que pour des raisons de force majeure ; c'est le cas, par exemple, si une entreprise emprunte pour financer un projet qui échoue et se voit incapable de rembourser la banque. Les emprunteurs à risque élevé courent de grands risques avec l'argent qu'ils empruntent et manquent souvent à leur obligation de remboursement. Par exemple, une entreprise peut emprunter pour spéculer sur une prospection minière à risque élevé qui a peu de chances d'être rentable.

Si les institutions bancaires pouvaient diviser les emprunteurs en deux catégories selon les risques qu'ils présentent, elles consentiraient des prêts aux emprunteurs à faible risque à un certain taux d'intérêt et imposeraient un taux d'intérêt plus important aux emprunteurs à risque élevé.

Mais les institutions bancaires ne disposent d'aucun moyen fiable pour établir cette distinction. Par conséquent, elles doivent imposer le même taux d'intérêt aux emprunteurs à faible risque qu'aux emprunteurs à risque élevé. Si elles consentaient à tout le monde des prêts à un taux d'intérêt correspondant à un faible risque,

---

[1] Dans cet exemple, pour simplifier les choses, nous ne tiendrons pas compte des marges bénéficiaires et des coûts d'exploitation des vendeurs. Nous supposerons que ceux-ci achètent les voitures au même prix qu'ils les vendent. De toute façon, les mêmes principes s'appliquent avec ou sans marge bénéficiaire.

elles attireraient de nombreux emprunteurs à risque élevé — anti-sélection — qui, pour la plupart, manqueraient à leur obligation de remboursement, et elles subiraient des pertes économiques. Par contre, si les institutions bancaires ne consentaient que des prêts au taux d'intérêt correspondant à un risque élevé, la plupart des emprunteurs à faible risque, avec qui elles peuvent faire des affaires rentables, ne seraient pas disposés à emprunter.

Face à l'aléa moral et à l'anti-sélection, les institutions bancaires se fient à des *signaux* qui leur permettent de faire la distinction entre les divers types d'emprunteurs et de *rationner* les prêts en accordant un montant inférieur au montant demandé. Ces signaux sont, par exemple, la durée de l'emploi, le fait d'être propriétaire d'une maison, l'état matrimonial, l'âge et le dossier financier.

Le graphique de la figure 17.6 montre le fonctionnement du marché des prêts face à l'aléa moral et à l'anti-sélection. La demande de prêts est $D$ et l'offre, $O$. La courbe d'offre est horizontale — offre parfaitement élastique —, car on suppose que les institutions bancaires ont accès à un gros volume de fonds dont le coût marginal, $r$, est constant. Sans limites de prêts, le taux d'intérêt est $r$ et le volume de prêts, $Q$. Face à l'aléa moral et à l'anti-sélection, les institutions bancaires établissent des limites de prêts fondées sur des signaux et limitent à $L$ le total des prêts qu'elles consentent. Lorsque le taux d'intérêt est $r$, la demande de prêts est excédentaire. Une institution bancaire ne peut augmenter son profit en consentant davantage de prêts parce qu'elle ne sait pas d'avance à quel type d'emprunteur elle a affaire. De plus, comme les signaux utilisés font que les insatisfaits sont davantage des emprunteurs à risque élevé que des emprunteurs à faible risque, les prêts qui dépassent la limite seraient probablement consentis à des emprunteurs à risque élevé (et à coût élevé).

## Le marché de l'assurance

Les compagnies d'assurance font face à un double problème d'aléa moral et d'anti-sélection. Le problème de l'aléa moral se présente ainsi : toute personne assurée contre une perte donnée sera moins susceptible de tout faire pour éviter cette perte qu'une personne qui n'est pas assurée. Par exemple, l'entreprise assurée contre l'incendie sera moins encline à prendre des précautions — installation d'alarmes, extincteurs automatiques, etc. — que l'entreprise qui n'est pas assurée. Le problème d'anti-sélection résulte du fait que les personnes exposées à des risques plus élevés sont plus enclines à s'assurer. Ainsi, une personne qui a des antécédents familiaux de maladie grave sera plus encline à acheter une assurance maladie ou une assurance invalidité qu'une personne dont toute la famille est en parfaite santé.

Les compagnies d'assurance cherchent activement des moyens de contourner les problèmes d'aléa moral et d'anti-sélection pour baisser leurs primes et augmenter

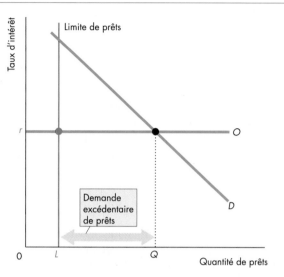

**FIGURE 17.6**

# Le marché des prêts

Si une banque consentait des prêts sur demande au taux d'intérêt courant $r$, elle en accorderait une quantité $Q$, et la majorité de ses emprunteurs présenteraient un risque élevé. Les banques utilisent des signaux pour distinguer les emprunteurs à faible risque des emprunteurs à risque élevé, et elles limitent la quantité des prêts. Rien n'incite les banques à augmenter leurs taux d'intérêt ni à consentir davantage de prêts, car elles attireraient ainsi des emprunteurs à risque élevé.

leur volume de vente. Dans le monde réel, l'industrie de l'assurance a mis au point divers systèmes pour surmonter ou, du moins, réduire le problème de l'information privée. L'exemple de l'assurance automobile nous permettra de voir comment fonctionnent les signaux sur le marché des assurances.

L'un des signaux les plus éloquents que puisse donner un conducteur à une compagnie d'assurance automobile est son dossier de conduite. Supposons que Daniel soit un bon conducteur et n'ait jamais eu d'accident. S'il peut prouver que son dossier de conduite est impeccable depuis assez longtemps, la compagnie d'assurance conviendra qu'il est un bon conducteur. Daniel fera donc tout ce qu'il peut pour acquérir une réputation de bon conducteur, sachant qu'il pourra ainsi obtenir son assurance à bon prix. Sur le marché de l'assurance automobile, le principal signal utilisé pour résoudre le problème d'anti-sélection est la prime de bonne conduite accordée aux conducteurs qui ne demandent pas de remboursement à la compagnie d'assurance.

La clé du succès de cette stratégie réside dans le fait qu'il est difficile et coûteux pour les mauvais conducteurs de prétendre qu'ils en sont de bons. Si tous les conducteurs, bons et mauvais, pouvaient facilement s'établir des dossiers de bonne conduite, un dossier de bonne conduite ne transmettrait aucun renseignement valable et ne serait pas un signal fiable pour l'assureur.

La franchise est un autre moyen utilisé par les compagnies d'assurance pour résoudre le problème d'anti-sélection. La franchise est un montant de perte que l'assuré consent à payer lui-même. Ainsi, la plupart des polices d'assurance font payer à l'assuré les premières centaines de dollars du dommage qu'elles prennent à leur charge. La prime varie considérablement selon le montant de la franchise, car la diminution de la prime n'est pas directement proportionnelle à l'augmentation de la franchise. Les compagnies d'assurance peuvent faire des affaires rentables avec tout le monde en offrant une police avec couverture complète sans franchise selon des modalités plus contraignantes et une police avec franchise aux modalités plus favorables. Les personnes à risque élevé choisissent les polices aux franchises minimes et aux primes élevées; les personnes à faible risque choisissent des polices aux franchises élevées et aux primes bon marché.

L'existence de franchises permet également de diminuer le problème d'aléa moral. Tous les conducteurs — bons ou mauvais — seront plus enclins à la prudence s'ils doivent supporter une partie du coût d'un accident.

---

## À RETENIR

- L'information privée engendre l'aléa moral et l'anti-sélection.

- Sur les marchés des voitures, des prêts et de l'assurance, les garanties, les limites de prêts, les primes de bonne conduite et les franchises visent à réduire au minimum les problèmes liés à l'information privée.

---

# L'information asymétrique sur les marchés du travail

DANS BIEN DES EMPLOIS, LA VALEUR D'UN travailleur dépend de l'effort déployé, et non pas du nombre d'heures de travail. Ainsi, le vendeur qui se démène pour trouver de nouveaux clients et les convaincre d'acheter son produit est plus utile que celui qui prend du bon temps et travaille à peine, le footballeur gonflé à bloc qui s'entraîne sans relâche est plus utile à son équipe que le joueur nonchalant qui s'entraîne à peine et le directeur général qui travaille d'arrache-pied pour mettre au point de nouveaux produits, motiver ses vendeurs et décrocher de nouvelles commandes est plus utile que celui qui prend le bureau pour un lieu de villégiature.

Mais dans tous ces cas (et dans bien d'autres), il est difficile et même impossible pour l'employeur de con-

trôler l'effort déployé par les employés, ceux-ci disposant de plus d'information que lui sur l'effort à fournir. Quand l'information sur l'effort est asymétrique, l'employeur doit recourir à un mode de rémunération qui incite l'employé à prendre les mesures assurant un profit maximal, même s'il n'est pas surveillé. Mais un mode de rémunération efficient doit non seulement maximiser les profits, mais aussi être acceptable pour l'employé.

Nous allons maintenant examiner le fonctionnement des trois modes de rémunération les plus courants qui remplissent ces conditions, soit :

- les commissions de ventes,
- les primes (ou bourses),
- la participation aux bénéfices.

## Les commissions de ventes

Jeanne a inventé un nouvel aspirateur révolutionnaire — l'Avale-poussière — et elle s'apprête à engager du personnel pour vendre son produit. Elle sait qu'un vendeur peut aussi bien déployer d'énormes efforts pour rencontrer des clients potentiels que se montrer d'une extrême nonchalance. Elle sait aussi qu'un vendeur nonchalant pourra être chanceux et tomber par hasard sur quelques clients dont les tapis sont sales et les aspirateurs à bout de souffle, tandis que le vendeur empressé pourra jouer de malchance et obtenir d'aussi piètres résultats qu'un collègue paresseux. Comment Jeanne, qui n'a pas le temps de suivre ses vendeurs à la trace pour contrôler leurs efforts, saura-t-elle si elle a affaire à un vendeur empressé mais malchanceux ou a un vendeur paresseux qui a eu un coup de chance?

La réponse est simple : en offrant un mode de rémunération approprié aux vendeurs. Pour ce faire, Jeanne doit d'abord déterminer les répercussions des efforts des vendeurs sur ses profits.

**Le revenu, l'effort et le hasard** Supposons que le revenu total de Jeanne et celui de chaque vendeur ne dépend que de deux facteurs : l'effort et la chance du vendeur. Dans une situation réelle de vente, l'effort et la chance du vendeur ainsi que les résultats obtenus peuvent varier considérablement. Pour mieux nous concentrer sur les principes en jeu sans nous laisser distraire par les détails, nous supposerons qu'il n'existe que deux niveaux d'effort — « diligence » et « paresse » — et deux niveaux de hasard — « chance » et « malchance ».

Compte tenu de ces données, il n'y a que quatre résultats possibles. La recette des ventes totales que se partageront Jeanne et le vendeur varie selon la combinaison d'effort et de hasard. Le tableau 17.1 montre les ventes réalisées avec chacune des quatre combinaisons possibles. Si le vendeur est paresseux, qu'il soit chanceux ou malchanceux, les ventes totales sont de 50 $. Si le vendeur travaille, les ventes totales sont de 150 $ s'il est

**TABLEAU   17.1**

## La rémunération à la commission

### VENTES, EFFORT ET HASARD

**Effort**

|  |  | Diligence | Paresse |
|---|---|---|---|
| **Hasard** | **Chance** | 150 $ | 50 $ |
|  | **Mal-chance** | 50 $ | 50 $ |

Les probabilités de chance et de malchance sont égales (50 % et 50 %).

### PRÉFÉRENCES DE L'EMPLOYÉ ET AUTRE POSSIBILITÉ D'EMPLOI

La valeur du temps consacré au travail est de 20 $ par jour.
Le revenu que l'employé pourrait espérer d'un autre emploi est de 70 $ par jour.
La valeur du travail est de 70 $ moins 20 $, soit 50 $ par jour.

### MODES DE RÉMUNÉRATION ET RÉSULTATS

**Mode 1:** Le vendeur est payé 50 $ par jour.

**Valeur pour le vendeur**

Si le vendeur travaille:  50 $ − 20 $ = 30 $
Si le vendeur est paresseux:  50 $ − 0 $ = 50 $

**Résultat:** **Le vendeur choisit la paresse.**

| Ventes totales | = | profit | + | revenu du vendeur |
|---|---|---|---|---|
| 50 $ | = | 0 $ | + | 50 $ |

**Mode 2:** **Le vendeur est payé 20 $ par jour plus 51 % de la valeur de la production.**

Si le vendeur travaille:

$$20\$ + 0{,}51 \left( \frac{150\$}{2} + \frac{50\$}{2} \right) - 20\$ = 51{,}00\$$$

Si le vendeur est paresseux:

$$20\$ + 0{,}51\,(50\$) - 0\$ = 45{,}50\$$$

**Résultat:** **Le vendeur choisit de travailler**

| Ventes | = | profit | + | revenu du vendeur |
|---|---|---|---|---|
| 100 $ | = | 29 $ | + | 71 $ |

chanceux, et de 50 $ s'il est malchanceux. Les probabilités de chance et de malchance sont égales (50 % et 50 %). Si le vendeur travaille, les ventes totales sont de 100 $ en moyenne.

Jeanne peut prévoir les résultats des quatre combinaisons du tableau 17.1, mais elle ne peut contrôler les efforts des vendeurs, ni savoir s'ils ont ou non de la chance. Les vendeurs savent s'ils travaillent ou non, mais rien ne les incite à le dire à leur patronne et, de toute façon, même s'ils le faisaient, Jeanne n'aurait aucune raison de les croire.

**Les préférences et les autres possibilités d'emploi des vendeurs**   Les vendeurs ont des préférences dont Jeanne doit tenir compte dans le choix d'un mode de rémunération. Supposons que les vendeurs accordent à la paresse une valeur de 20 $ par jour. Autrement dit, ils préfèrent paresser plutôt que travailler et, pour eux, un jour de travail qui rapporte 20 $ et un jour de paresse qui rapporte 0 $ sont également acceptables. Les vendeurs évaluent le coût du travail à 20 $ par jour et Jeanne doit en tenir compte dans ses calculs.

Les vendeurs ont d'autres possibilités d'emploi. Supposons, par exemple, que ceux qu'emploie Jeanne puissent vendre des encyclopédies plutôt que des aspirateurs. S'ils choisissent les encyclopédies et ne ménagent pas leurs efforts, ils sont assurés d'un revenu de 70 $ par jour. Jeanne doit donc tenir compte de cette autre possibilité d'emploi; si elle veut que ses vendeurs travaillent, elle doit leur offrir une rémunération au moins aussi généreuse, soit 70 $ par jour. Si elle n'offre que 50 $, elle pourra recruter des vendeurs, mais ils se montreront paresseux.

**Deux modes de rémunération possibles**   Jeanne hésite entre deux modes de rémunération pour ses vendeurs. Le premier prévoit un salaire garanti de 50 $ par jour. En réfléchissant sur ce mode de rémunération, Jeanne tient le raisonnement suivant: si un vendeur accepte mon offre et travaille bien, sa journée de travail vaut 30 $ — soit un revenu de 50 $ moins 20 $ pour le coût du travail. Si un vendeur accepte mon offre et se livre à la paresse, sa journée de travail vaut 50 $ puisqu'il n'y a aucun effort à compenser. Cependant, comme un vendeur d'encyclopédies empressé gagne 70 $ par jour, sa journée de travail vaut 50 $, soit un revenu de 70 $ moins 20 $ pour le coût du travail. Pour le vendeur empressé, vendre des aspirateurs pour moi est donc moins lucratif que vendre des encyclopédies. Par contre, le vendeur nonchalant gagnera autant chez moi que s'il travaillait fort pour la compagnie d'encyclopédies. Tout vendeur qui accepterait mon offre se livrerait donc à la paresse. Poursuivant son raisonnement, Jeanne en vient à la conclusion suivante: avec ce mode de rémunération, je ne gagnerai pas un sou, car le vendeur qui paresse ne génèrera que 50 $ par jour, soit exactement le montant que je lui aurai versé pour cette journée de travail.

Le deuxième mode de rémunération prévoit un montant fixe de 20 $ par jour plus une commission de vente égale à 51 % des ventes. Jeanne raisonne ainsi : si le vendeur ne travaille pas, il générera des ventes totales de 50 $ par jour. Je lui verserai 51 % de ce montant — 25,50 $ — plus le montant fixe de 20 $ ; son revenu pour une journée de paresse sera donc de 45,50 $. Comme la vente d'encyclopédies assure au paresseux 50 $ de revenu par jour (70 $ moins le coût du travail de 20 $), aucun paresseux n'acceptera mon offre.

Le montant des ventes d'un vendeur travaillant varie. S'il est chanceux, ses ventes atteindront 150 $ par jour ; sinon, elles seront de 50 $. Avec mon offre, le rendement escompté d'un vendeur qui travaille est de 100 $ par jour $(0,5 \times 150\,\$ + 0,5 \times 50\,\$)$ ; ce vendeur recevra 51 % de ce montant — 51 $ — plus le montant fixe de 20 $, ce qui lui donne un revenu quotidien escompté de 71 $. Si le vendeur choisit de travailler fort, il gagne davantage chez moi qu'à la compagnie d'encyclopédies. Donc, tout vendeur qui accepte mon offre travaillera fort. Poursuivant son raisonnement, Jeanne parvient à la conclusion suivante : mon profit sera de 29 $ par jour par vendeur, soit des ventes de 100 $ par jour par vendeur moins les 71 $ par jour versés à chacun.

Comme le deuxième mode de rémunération est plus rentable tant pour Jeanne que pour les vendeurs travaillants, c'est celui qu'elle choisira. Cet exemple montre pourquoi on rémunère la plupart des vendeurs à la commission plutôt que de leur verser un salaire journalier fixe.

Cependant, ce mode de rémunération ne convient que si l'employeur peut vérifier les résultats individuels de ses employés. Dans certaines situations, cela est impossible ; par contre, on peut observer la performance de l'employé à certains « jeux ». La rémunération peut alors prendre la forme d'une prime (bourse) selon sa performance. Voyons comment fonctionne un tel mode de rémunération.

## Les primes

La rémunération fondée sur le classement n'est pas liée au rendement *absolu* d'un travailleur mais plutôt à son rendement *par rapport à* celui d'autres travailleurs. Ce type de rémunération est courant dans le monde sportif où les joueurs de tennis et les boxeurs, par exemple, reçoivent des bourses ; c'est pourquoi on l'appelle **rémunération selon le classement au tournoi**.

Voyons comment fonctionne ce mode de rémunération en reprenant l'exemple du tableau 17.1, mais en supposant cette fois que l'entreprise compte 10 travailleurs. Comme dans l'exemple précédent, les résultats de chacun varient selon l'effort et le hasard, leurs préférences sont les mêmes et ils ont une autre possibilité d'emploi qui leur assure un revenu net de 50 $ par jour s'ils travaillent bien (70 $ – 20 $ pour le coût du travail). Toujours comme dans l'exemple précédent, le premier mode de rémunération prévoit un salaire fixe de 50 $ par

**TABLEAU 17.2**
## La rémunération selon le classement au tournoi

### VALEUR DE LA PRODUCTION DE CHAQUE VENDEUR

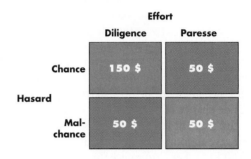

Les probabilités de chance et de malchance sont égales (50 % et 50 %)

L'entreprise compte 10 vendeurs et les résultats individuels sont observables.

### MODES DE RÉMUNÉRATION ET RÉSULTATS

**Mode 1 :**     **Le vendeur est payé 50 $ par jour.**

**Résultat :**     **Chacun des vendeurs choisit la paresse.**

| Ventes totales | = | profit | + | revenu de l'employé |
|---|---|---|---|---|
| 500 $ | = | 0 $ | + | 500 $ |

**Mode 2 :**     **Chaque employé reçoit 45 $ et l'employé le plus productif reçoit une prime de 260 $. En cas d'égalité, les gagnants se partagent la prime.**

**Valeur pour l'employé**

Si l'employé travaille:  $0,5[(1/5) \times (260\,\$) + (45\,\$)] +$
                         $0,5(45\,\$) - 20\,\$$     $= 51\,\$$

Si l'employé paresse:  $45\,\$ - 0\,\$$     $= 45\,\$$

**Résultat :**     **Chaque employé choisit de travailler.**

| Ventes totales | = | profit | + | revenu de l'employé |
|---|---|---|---|---|
| 1000 $ | = | 290 $ | + | 710 $ |

jour et tout travailleur qui accepte cette offre sera incité à la paresse, car l'autre option est de travailler à 70 $ par jour. Ici, la valeur de la production totale de l'entreprise est de 500 $ par jour et, comme ce montant est versé en totalité aux travailleurs, le profit est nul — 0 $.

Le deuxième mode de rémunération prévoit un salaire fixe de 45 $ par jour ainsi qu'une prime de 260 $

au vendeur qui remporte le « tournoi », c'est-à-dire au vendeur le plus productif. Si deux vendeurs gagnent ex-æquo, ils se partageront la prime. Pour illustrer simplement le fonctionnement de ce système, supposons qu'un seul vendeur travaille pendant que les autres flânent ; le travailleur empressé reçoit 305 $ (45 $ plus la prime de 260 $) tandis que les paresseux doivent se contenter du salaire fixe de 45 $. Aucun travailleur qui a l'intention de paresser n'accepte ce mode de rémunération ; les 10 employés travaillent tous dans l'espoir de gagner la prime de 260 $. Comme tous travaillent, leur production dépend entièrement de leur chance. En moyenne, cinq chanceux ont une production quotidienne de 150 $ chacun, et cinq malchanceux ne génèrent que 50 $ chacun (puisque les probabilités de chance et de malchance sont égales). Les cinq chanceux gagnent le « tournoi » et se partagent la prime. Leur revenu journalier total est de 97 $ (45 $ + 52 $, soit 260 $ / 5). Les cinq malchanceux, eux, n'obtiennent que le salaire journalier fixe de 45 $. Un vendeur assidu et empressé a donc 50 % de possibilités d'obtenir un revenu de 97 $, et 50 % de possibilités d'obtenir un revenu de 45 $ ; son revenu moyen escompté est de 71 $ — (0,5 × 97 $) + (0,5 × 45 $) —, soit un dollar de plus que le revenu journalier d'un vendeur d'encyclopédies qui travaille bien. Les ventes totales des 10 travailleurs se montent à 1 000 $ par jour : ceux qui ont de la chance (50 % des cas) génèrent des ventes de 150 $ chacun, et les autres, des ventes de 50 $ chacun. Les ventes totales anticipées s'élèvent donc à 1 000 $ par jour. Pour l'entreprise, le profit — 290 $ — est égal aux ventes totales de 1 000 $ moins les 710 $ (10 × 71 $) versés aux travailleurs. La comparaison des résultats des deux systèmes montre que l'entreprise comme les vendeurs ont intérêt à adopter le deuxième mode de rémunération.

En pratique, l'égalité de résultat est exceptionnelle et il n'y a généralement qu'un seul gagnant, mais ce mode de rémunération atteint son objectif, et cela pour la même raison : si on donne au travailleur un incitatif — la possibilité de remporter une prime —, il estime qu'il a intérêt à travailler, ce qui fait augmenter les recettes de l'entreprise comme son propre revenu.

Le tennis professionnel illustre bien ce mode de rémunération. Si Steffi Graff et Monica Seles étaient payées à l'heure, elles auraient intérêt à faire durer le match de manière à ce que le coût de leur effort pour la dernière heure payée soit égal à leur taux salarial horaire. Résultat : si leur taux salarial était élevé, le match serait long et ennuyeux, et s'il était bas, le match serait bref et probablement tout aussi ennuyeux. La rémunération selon le classement incite chaque partie à tenter de gagner en offrant la meilleure production possible — un match de tennis intéressant et de grande qualité pour lequel le public sera prêt à payer davantage.

On retrouve ce genre de situation dans les grandes sociétés, où le tournoi consiste à gravir les échelons hiérarchiques ; celui ou celle qui grimpe le plus haut gagne la prime. Les écarts entre la rémunération des cadres supérieurs et celle des employés de l'échelon inférieur, et ainsi de suite jusqu'au dernier échelon, créent un environnement concurrentiel semblable à un tournoi de tennis. Le résultat est un niveau moyen d'effort qui, bien que personne ne l'observe ni ne le surveille, est supérieur à ce qu'il serait sans cet incitatif. Le fait de payer le directeur général deux fois plus cher que tous les autres employés incite ces derniers à travailler davantage.

## La participation aux bénéfices

Les modes de rémunération étudiés jusqu'ici exigent qu'on puisse observer le rendement de chaque travailleur ou du moins son classement au « tournoi ». Mais dans bien des cas la valeur de la production repose sur un travail d'équipe, et il est impossible de déterminer la contribution individuelle des membres de l'équipe. La rémunération ne peut alors qu'être fondée sur la production de l'équipe. Le mode de rémunération le plus complet pour le travail d'équipe est la participation aux bénéfices.

Comme l'objectif de toute entreprise est la maximisation des profits, la participation aux bénéfices semble très logique. Alors pourquoi les employés ne sont-ils pas *tous* rémunérés selon ce mode de rémunération ? Parce que si les travailleurs sont nombreux la relation entre l'effort et le profit est trop ténue. En effet, le profit est généré par la productivité totale de *tous* les facteurs de production de l'entreprise.

Par contre, le profit est un bon indicateur de l'efficacité des cadres supérieurs chargés de coordonner les efforts des autres employés afin de maximiser le profit. C'est pourquoi les ententes de participation aux bénéfices font habituellement partie de leur mode de rémunération.

La rémunération de ces employés résulte souvent d'une combinaison des modes que nous venons d'étudier. Ainsi, certains cadres supérieurs reçoivent à la fois un salaire annuel fixe, une prime selon leur classement au « tournoi hiérarchique » et une participation aux bénéfices de l'entreprise.

Nous venons de voir comment des modes de rémunération simples peuvent inciter les employés à travailler fort pour leur entreprise, et cela même s'il est impossible d'observer leurs efforts. S'il est impossible d'observer les actions d'un employé, l'entreprise n'a d'autre choix que de recourir à de tels modes de rémunération. Cependant, dans bien d'autres cas où il *est* possible mais coûteux de surveiller les travailleurs, on peut éviter les coûts en offrant des modes de rémunération comme ceux que nous venons d'étudier.

---

### À  R E T E N I R

- Les modes de rémunération fondés sur la production (commissions de vente ou prime selon le classement au tournoi) ou sur la participation aux bénéfices peuvent inciter l'employé à travailler à la maximisation des profits de l'entreprise, et cela même s'il est impossible de surveiller ses efforts.

■ L'essentiel est de structurer le mode de rémunération de manière à ce que les intérêts de l'employé coïncident avec ceux de l'employeur, autrement dit que l'employé n'améliore son revenu que si son travail permet à l'entreprise de maximiser son profit.

Nous terminerons ce chapitre en voyant comment les marchés financiers peuvent aider les consommateurs confrontés à l'incertitude.

# La gestion du risque sur les marchés financiers

LE RISQUE EST LA PRINCIPALE CARACTÉRISTIQUE DES marchés des actions, des obligations et, en définitive, de tout actif dont le prix fluctue. Les gens font face au risque lié à la fluctuation du prix des actifs en diversifiant leur portefeuille d'actions.

## La diversification diminue le risque

Il va de soi que la diversification diminue le risque : il s'agit en fait de ne pas mettre tous ses œufs dans le même panier. Comment la diversification réduit-elle le risque ? Voyons cela en prenant un exemple.

Supposons que vous ayez le choix entre deux projets risqués, exigeant tous les deux un investissement de 100 000 $. Indépendants l'un de l'autre, les deux projets présentent le même niveau de risque et promettent le même rendement.

Avec chacun de ces projets, vous pouvez soit gagner 50 000 $, soit perdre 25 000 $ ; les possibilités d'arriver à l'un ou l'autre de ces résultats sont identiques (50 %/50 %). Le rendement escompté de chacun des projets est de 12 500 $, soit (50 000 $ × 0,5) – (25 000 $ × 0,5). Comme les deux projets sont indépendants, la réussite ou l'échec de l'un n'influe en aucune façon sur le rendement de l'autre.

**Sans diversification** Supposons que vous mettiez tous vos œufs dans le même panier et que vous investissiez 100 000 $ dans un seul de ces projets. Soit vous gagnerez 50 000 $, soit vous perdrez 25 000 $ ; vos possibilités d'atteindre l'un ou l'autre de ces résultats sont égales (50 %). Même si votre revenu escompté est la moyenne de ces deux revenus — soit 12 500 $, si vous ne pouvez choisir qu'un projet, vous n'obtiendrez jamais un revenu de 12 500 $ ; soit vous gagnerez 50 000 $, soit vous perdrez 25 000 $.

**Avec diversification** Supposons plutôt que vous choisissiez la diversification : vous placez 50 % de votre investissement dans le projet 1 et 50 % dans le projet 2, soit 50 000 $ dans chaque projet. (Quelqu'un d'autre s'occupe de compléter le financement des deux projets.) Vous pourrez maintenant obtenir quatre résultats différents (au lieu de deux, si vous aviez choisi de ne pas vous diversifier) :

1. une perte de 12 500 $ pour chacun des projets, soit un rendement de – 25 000 $.

2. un gain de 25 000 $ pour le projet 1, et une perte de 12 500 $ pour le projet 2, soit un rendement de 12 500 $.

3. une perte de 12 500 $ pour le projet 1 et un gain de 25 000 $ pour le projet 2, soit un rendement de 12 500 $.

4. un gain de 25 000 $ pour chacun des projets, soit un rendement de 50 000 $.

Puisque les deux projets sont indépendants, la réussite de l'un n'a aucune influence sur la réussite de l'autre. Ces quatre résultats sont donc également probables — les possibilités de voir chacun se réaliser sont de 25 %. Vous avez réduit votre chance de gagner 50 000 $, mais vous avez également diminué le risque de perdre 25 000 $. De plus, vous avez augmenté votre chance d'obtenir votre rendement escompté de 12 500 $. En diversifiant votre portefeuille d'actifs, vous avez réduit son niveau de risque tout en maintenant un rendement escompté de 12 500 $.

Si vous éprouvez de l'aversion pour le risque — autrement dit si votre courbe d'utilité du patrimoine ressemble à celle de Tania, que nous avons étudiée au début de ce chapitre —, vous préférerez le portefeuille diversifié, car avec des actifs diversifiés votre utilité escomptée est plus élevée.

Un moyen courant de diversifier son portefeuille consiste à acheter des actions de diverses sociétés. Arrêtons-nous sur le marché où se négocient ces actions.

## Le marché boursier

Le cours des actions est déterminé par l'offre et la demande. Mais, sur le marché boursier, un facteur détermine l'offre et la demande : le cours futur prévu. Si le cours d'une action est plus élevé aujourd'hui que le cours prévu pour demain, les gens vendront leurs actions aujourd'hui ; par contre, si le cours d'une action est inférieur aujourd'hui au cours prévu pour demain, les gens achèteront des actions aujourd'hui. Ces transactions font que le cours d'aujourd'hui est égal au cours de demain et englobe toute l'information pertinente disponible sur les actions. On appelle **marché efficient** un marché où le cours réel englobe toute l'information pertinente disponible.

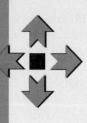

# Pleins
## FEUX
### sur les
### politiques

# La publicité en action

## Les faits
### EN BREF

■ Les agences de publicité produisent des publicités très coûteuses pour les diffuser pendant le match du Super Bowl.

■ Diffuser une publicité télévisée de 30 secondes durant le match du Super Bowl coûte en moyenne 1,1 million de dollars en temps d'antenne, coût auquel s'ajoutent les coûts de production et les honoraires de la célébrité qui prête son image au produit.

■ Il est moins coûteux pour les annonceurs de passer des publicités aux heures de grande écoute pendant toute une semaine que d'acheter une publicité de 30 secondes durant le Super Bowl ; acheter une seule publicité pendant le Super Bowl n'est donc peut-être pas le meilleur moyen d'utiliser un budget de publicité.

■ Par contre, le Super Bowl permet aux annonceurs de s'adresser à un groupe démographique qui, dans certains cas, peut être la cible idéale.

---

MONTREAL GAZETTE, LE 28 JANVIER 1996

## Mieux que le Super Bowl : les pubs du Super Bowl

PAR KEITH MARDER

Quoique que Deion Sanders fasse avec les Cowboys de Dallas qui disputent aujourd'hui le Super Bowl aux Steelers de Pittsburg, demain matin c'est surtout de son apparition aux côtés de Wile E. Coyote dans une pub de Pepsi dont tout le monde parlera.

Oubliez le football, le dimanche du Super Bowl est devenu l'arène d'un autre combat, un combat d'ego entre annonceurs. De nos jours, pendant le match du Super Bowl, le savoir-vivre le plus élémentaire exige qu'on se la ferme — ou bien on se la fera fermer — pendant les pauses, ces secondes privilégiées où les agences de pub se surpassent pour nous offrir les pubs les plus chères de l'année.

Certains commanditaires du match d'aujourd'hui ont dépensé jusqu'à 1,3 million de dollars pour 30 secondes d'antenne, soit 43 333,33 $ la seconde ! Le coût moyen d'une pub télé de 30 secondes pendant le Super Bowl est de 1,1 million de dollars ; il y 30 ans, ces mêmes 30 secondes coûtaient 40 000 $.

Et ce n'est là que le coût de diffusion, n'incluant ni les centaines de milliers de dollars investis dans la production du message ni les millions versés à la célébrité qui prête son image au produit.

« Deux semaines d'un tel battage seraient impensables pour tout autre événement », écrivait dans un bulletin spécialisé Michael Bernacchi de la University of Detroit Mercy, spécialiste des tendances du marketing, et notamment du marketing du Super Bowl.

Mais participer au blitz publicitaire du Super Bowl n'est pas toujours la meilleure façon d'utiliser un budget de publicité, souligne l'acheteur-médias new-yorkais Paul Schulman, Pour le même prix, une compagnie peut acheter trois pubs dans la série *ER*, qui bat des records d'écoute.

Une autre étude a montré que, en 1994, une entreprise pouvait économiser de l'argent en achetant une semaine de pub télé aux heures de grande écoute plutôt qu'une seule pub pendant le Super Bowl — dont le coût moyen était alors de 900 000 $.

« Au lieu d'une pub unique pendant le Super Bowl, vous pourriez acheter une pub par soir pendant les heures de grande écoute », a déclaré le professeur Burton de la University of Oregon. « Mais vous ciblez peut-être la personne qui regarde le Super Bowl. C'est peut-être votre cible démographique. »

# Analyse

## ÉCONOMIQUE

■ Les entreprises qui font de la publicité offrent un produit qui ressemble à celui d'autres entreprises; elles font ce qu'on appelle de la *différenciation de produits*.

■ La différenciation des produits existe sur les marchés en situation de concurrence monopolistique (voir le chapitre 13, p. 290-293) ou d'oligopole (voir le chapitre 13, p. 293-295).

■ La plupart des produits annoncés à la télévision sont des produits différenciés.

■ Les entreprises font de la publicité pour augmenter leur *profit économique*; une fois celui-ci maximisé, elles peuvent dépenser des sommes considérables en publicité.

■ Les figures 1 et 2 montrent comment la publicité peut faire augmenter le profit économique d'une entreprise en situation de concurrence monopolistique, du moins à court terme. (À long terme, dans une situation de concurrence monopolistique, l'entrée de nouvelles entreprises sur le marché fait diminuer le profit économique.)

■ Dans la figure 1, l'entreprise ne fait pas de publicité. Sa courbe de demande est $D_0$, sa courbe de recette marginale, $Rm_0$, sa courbe de coût total moyen, $CTM_0$, et sa courbe de coût marginal, $Cm$.

■ L'entreprise maximise son profit au niveau de production $Q_0$, où la recette marginale est égale au coût marginal et au prix de vente $P_0$. Le rectangle bleu représente le profit économique.

■ Les coûts de publicité sont des coûts fixes. Lorsque l'entreprise achète des annonces télévisées, sa courbe de coût total moyen se déplace vers le haut, jusqu'à $CTM_1$, dans la figure 2.

■ Comme les coûts de publicité sont fixes, le coût marginal ne change pas. Par conséquent, dans la figure 2, la courbe de coût marginal demeure à $Cm$.

■ Une publicité bien ciblée fait augmenter la demande d'un produit, et les courbes de demande et de recette marginale se déplacent vers la droite, vers $D_1$ et $Rm_1$ dans la figure 2.

■ Là encore, l'entreprise maximise son profit en produisant la quantité à laquelle la recette marginale est égale au coût marginal. Dans la figure 2, cette quantité est $Q_1$. Le prix est $P_1$ et le profit économique correspond au rectangle bleu élargi.

■ Dans cet exemple, la publicité fait augmenter le profit économique. Toutefois, le consommateur paie davantage, car le prix du produit est plus élevé.

■ Des dépenses en publicité considérables, comme celles qui sont décrites dans l'article de journal, peuvent se justifier par un calcul du profit comme celui que nous venons d'étudier.

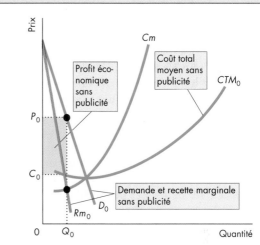

**Figure 1 Sans publicité**

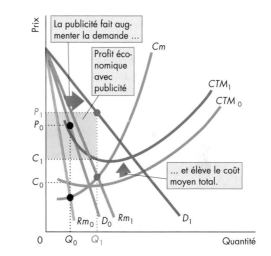

**Figure 2 Avec de la publicité**

## Si vous

### DEVIEZ VOTER

■ Si l'entreprise n'avait pas le droit d'acheter de la publicité pendant le match du Super Bowl, son produit se vendrait moins cher et ses coûts de commercialisation et de fabrication diminueraient.

■ Devant ce fait, certaines personnes voudraient limiter les dépenses de publicité.

■ Supposons que le gouvernement propose une nouvelle loi qui limite ou même qui interdise les dépenses exorbitantes en publicité télévisée. Voteriez-vous en faveur de cette proposition ? Quelle qu'elle soit, justifiez votre réponse.

Sur un marché efficient, il est impossible de prévoir les variations des cours. La raison en est simple : si vous prévoyez que le cours va monter demain, vous achetez aujourd'hui ; par cette action, vous faites monter la demande et donc le cours d'*aujourd'hui*. Évidemment, votre action, celle d'un seul spéculateur, ne fera pas à elle seule une grande différence sur des marchés aussi importants que les bourses de Toronto, Montréal ou New York. Mais si la plupart des spéculateurs espèrent comme vous que le cours sera plus élevé demain et agissent en conséquence aujourd'hui, le cours augmentera alors de manière sensible, et continuera d'augmenter jusqu'à ce qu'il atteigne le cours futur prévu, car c'est seulement à ce cours que les spéculateurs ne voient plus aucun avantage à acheter davantage d'actions aujourd'hui.

Les marchés efficients sont caractérisés par un paradoxe apparent. En effet, ils sont efficients parce que les spéculateurs tentent de réaliser des profits en achetant à un cours peu élevé et en vendant à un prix élevé. Mais l'acte même d'acheter et de vendre pour réaliser un profit fait varier le cours du marché jusqu'à ce qu'il atteigne sa valeur future prévue. Par conséquent, personne, même

ceux qui visent un profit, ne peut compter sur un profit vraiment *prévisible*. Toute possibilité de profit entrevue par les spéculateurs est suivie d'une action qui produit une variation de prix et élimine la possibilité de profit pour d'autres. Même la probabilité d'une attaque intergalactique est envisagée lorsqu'il s'agit de déterminer les cours boursiers, comme le souligne le dessin ci-contre.

Un marché efficient présente donc deux caractéristiques :

1. son prix est égal au cours futur prévu et englobe toute l'information disponible,
2. il n'existe aucune possibilité de profit prévisible.

Ce qu'il faut surtout retenir au sujet d'un marché efficient comme le marché boursier est que toutes les prévisions nécessaires seront faites, et qu'elles influeront sur le prix courant du marché.

**L'instabilité du cours des actions**  Si le cours d'une action est toujours égal à son prix futur prévu, pourquoi le marché boursier est-il si instable ? La réponse s'impose : parce que les prévisions elles-mêmes sont soumises aux fluctuations. Les prévisions dépendent de l'information disponible. À mesure que de nouvelles informations circulent, les spéculateurs boursiers font de nouvelles prévisions sur l'état futur de l'économie et, par ricochet, sur le cours futur des actions. Les nouvelles informations arrivent de manière aléatoire, et les prix varient donc de manière aléatoire.

« *Sapristi ! Et j'imagine que la bourse a déjà réagi à ça aussi...* »

Dessin de Lorenz, © 1996, *The New Yorker Magazine inc.*

◇ Nous venons d'étudier comment les gens font face à l'incertitude, et comment les marchés fonctionnent en présence d'importants problèmes d'information. La rubrique « Entre les lignes » (p. 404) approfondit une des conséquences les plus courantes de l'inexistence d'information complète : l'énorme volume de publicité. Dans les chapitres suivants, nous étudierons certains des problèmes que l'économie de marché a du mal à régler et qui sont à l'origine de l'intervention des gouvernements dans l'économie. Nous verrons comment les politiques et les programmes gouvernementaux peuvent modifier le fonctionnement d'une économie de marché, et nous étudierons leurs conséquences sur la répartition des revenus et de la richesse.

---

# RÉSUMÉ

## Points clés

**L'incertitude et le risque**  Pour décrire l'incertitude et le risque, on a recours à la notion de probabilité (nombre entre zéro et un) afin d'évaluer les possibilités qu'un événement se produise. Les probabilités sont parfois

mesurables et parfois subjectives. L'utilité du patrimoine d'une personne indique son attitude face au risque — son degré d'aversion pour le risque. Plus le patrimoine est important, plus l'utilité est grande ; mais, à mesure que le patrimoine augmente, l'utilité marginale du patrimoine diminue. Face à l'incertitude, les gens choisissent l'action qui maximise l'utilité escomptée. (p. 390-393)

**L'assurance** L'assurance est l'un des principaux moyens de réduire le risque. L'assurance fonctionne par le regroupement des risques; vendre de l'assurance est rentable à cause de l'aversion qu'ont les gens pour le risque. En regroupant les risques, les compagnies d'assurance peuvent réduire le risque pour un coût moindre que le prix que les gens sont prêts à payer pour atteindre ce résultat. (p. 393)

**L'information** Les acheteurs recherchent de l'information sur les prix, c'est-à-dire sur la source d'approvisionnement la moins coûteuse. Ils font appel à la règle de la recherche optimale: ils cessent leur recherche lorsque l'avantage marginal découlant de la recherche est égal au coût marginal de la recherche. Les vendeurs font de la publicité pour persuader les consommateurs d'acheter leur produit ou pour leur offrir de l'information. Une opinion très répandue veut que la publicité fasse monter les prix, mais elle peut aussi stimuler la concurrence ou donner des économies d'échelle qui font baisser les prix. (p. 394-396)

**L'information privée** On appelle information privée des renseignements dont dispose une personne et que d'autres ne peuvent obtenir qu'à un coût très élevé. L'information privée entraîne les problèmes de l'aléa moral — utilisation d'information privée dans l'intérêt de la personne informée et au détriment de la personne non informée — et de l'anti-sélection — propension des gens à choisir leurs contrats à la lumière de l'information privée dont ils disposent afin d'améliorer l'avantage qu'ils en retirent, et ce au détriment de la partie non informée. Les modes de rémunération incitatifs, les garanties et les contrats d'assurance, ainsi que divers signaux permettent aux marchés de surmonter l'aléa moral et l'anti-sélection. (p. 396-399)

**L'information asymétrique sur les marchés du travail** Lorsque l'information sur l'effort est asymétrique, il est indispensable de faire appel à des modes de rémunération qui incitent les employés à travailler de manière à maximiser le profit même sans surveillance. Les principaux modes de rémunération incitatifs sont les commissions de vente, les primes et la participation aux profits. Tous ces modes de rémunération sont efficaces parce qu'ils placent les employés en situation de choisir l'action la plus avantageuse pour eux et pour l'entreprise. (p. 399-403)

**La gestion du risque sur les marchés financiers** On peut réduire le risque en diversifiant les portefeuilles d'actifs, résultat souvent atteint par l'achat d'actions de plusieurs sociétés. Le cours des actions est déterminé par le cours futur prévu de l'action. Les prévisions sur le cours futur s'appuient sur toute l'information pertinente disponible. Si on prévoit une hausse du cours des actions d'une entreprise, les gens achètent ces actions et leur cours monte jusqu'à ce qu'il atteigne le cours prévu. Si on prévoit une baisse du cours des actions d'une entreprise, les gens vendent ces actions et leur cours baisse jusqu'à ce qu'il atteigne le cours prévu. Un marché où le prix est égal au cours prévu est un marché efficient. (p. 403-406)

## Figures et tableaux clés

## Mots clés

## QUESTIONS DE RÉVISION

1. Quelle est la différence entre l'incertitude et le risque?

2. Comment mesure-t-on l'attitude d'une personne face au risque? Cette attitude varie-t-elle d'une personne à l'autre? Comment?

3. Qu'entend-on par l'expression «personne neutre face au risque»? À quoi ressemble la courbe d'utilité du patrimoine d'une telle personne?

4. Qu'est-ce que l'aversion pour le risque? Comment peut-on dire en regardant les courbes d'utilité du

patrimoine de deux personnes laquelle éprouve le plus d'aversion pour le risque?

5. Pourquoi se procure-t-on des assurances? Comment les compagnies d'assurance réalisent-elles leur profit?

6. Pourquoi l'information a-t-elle une valeur?

7. Qu'est-ce qui détermine l'importance de la recherche du plus bas prix?

8. Pourquoi les entreprises font-elles de la publicité?

9. Pourquoi la publicité fait-elle monter les prix? Comment peut-elle les faire baisser?

10. Qu'entend-on par «aléa moral» et par «anti-sélection»? Quels sont les effets de l'aléa moral et de l'anti-sélection sur le fonctionnement des marchés des prêts et des assurances?

11. Qu'est-ce qu'un «citron»? D'où vient le problème posé par les citrons?

12. Expliquez le fonctionnement du marché des voitures d'occasion.

13. Pourquoi les entreprises offrent-elles des garanties?

14. Pourquoi les institutions bancaires limitent-elles le montant total des prêts qu'elles acceptent de consentir?

15. Comment les franchises augmentent-elles l'efficacité de l'assurance et comment permettent-elles aux compagnies d'assurance de distinguer les clients à faible risque des clients à risque élevé?

16. Quels sont les principaux modes de rémunération qui permettent de faire face à l'information asymétrique sur les marchés du travail?

17. Comment une commission de vente peut-elle inciter le vendeur à déployer plus d'efforts?

18. Comment le fait d'attribuer une bourse (prime) au gagnant d'un tournoi peut-il rendre le jeu plus intéressant?

19. Pourquoi les employés ne reçoivent-ils pas tous un pourcentage fixe des bénéfices de leur entreprise?

20. Quel est le moyen le plus courant de diversifier des actifs?

21. Comment la diversification fait-elle baisser le risque?

22. Comment détermine-t-on le cours d'une action? Quel est le rôle du cours futur prévu?

23. Qu'est-ce qu'un marché efficient? Quels types de marchés sont efficients?

## A N A L Y S E   C R I T I Q U E

1. Lisez attentivement la rubrique «Entre les lignes» (p. 404), puis répondez aux questions suivantes:

   a) Pourquoi les entreprises dépensent-elles des sommes exorbitantes pour diffuser leur publicité pendant le match du Super Bowl?

   b) Quelle information les entreprises utilisent-elles pour cibler des clients potentiels?

   c) Pourquoi ne voyons-nous pas beaucoup de publicité à caractère politique pendant le match du Super Bowl?

   d) Comment les entreprises peuvent-elles maximiser leurs profits si elles consacrent des fonds considérables à la publicité? Justifiez votre réponse en utilisant l'analyse économique exposée à la page 405.

2. À votre avis, pourquoi n'existe-t-il aucune assurance pour diminuer le risque de se retrouver cantonné dans un emploi ennuyeux et mal payé? Expliquez pourquoi un tel marché d'assurance ne pourrait pas fonctionner.

3. Bien qu'il n'existe pas d'assurance contre le risque d'acheter un citron, le marché des voitures d'occasion offre certaines protections. Lesquelles? Quels sont les principaux moyens auxquels ce marché a recours pour surmonter le problème des citrons?

4. Vous et votre douce moitié avez décidé de mettre sur pied une compagnie qui vend des services d'entretien paysager. Vous prévoyez engager six employés pour former deux équipes de travail: la vôtre et celle de votre partenaire. Selon vous, quel mode de rémunération permettra à votre compagnie de maximiser son profit?

5. Pourquoi le salaire du président d'une compagnie est-il beaucoup plus élevé que celui du vice-président?

6. La compagnie Merck vient de découvrir un nouveau médicament qui devrait rapporter de gros profits. Décrivez en détail les effets de cette découverte sur le marché boursier et sur le cours des actions de Merck. Pourquoi les gens diversifient-ils leurs actifs plutôt que d'investir tout leur patrimoine dans les actions de Merck?

# P R O B L È M E S

1. La figure suivante montre la courbe d'utilité du patrimoine de Line. On propose à la jeune femme un emploi de vendeuse, où la probabilité de gagner 4 000 $ par mois est la même que la probabilité de ne pas gagner un sou (0,5).

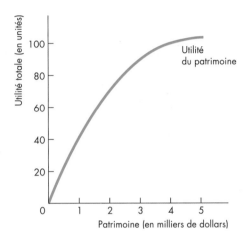

a) Si Line accepte ce travail, quel sera son patrimoine escompté ?

b) Si Line accepte ce travail, quelle sera son utilité escomptée ?

c) Quel revenu assuré (approximativement) une autre entreprise devra-t-elle offrir à Line pour la persuader de ne pas accepter l'emploi risqué ?

2. La figure suivante montre la courbe d'utilité du patrimoine de Colette. On propose à Colette le même type d'emploi de vendeuse qu'à Line (problème n° 1), où la probabilité de gagner 4 000 $ par mois est la même que la probabilité de ne pas gagner un sou (0,5).

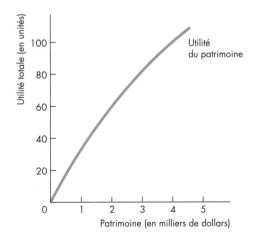

a) Si Colette accepte cet emploi, quel sera son patrimoine escompté ?

b) Si Colette accepte cet emploi, quelle sera son utilité escomptée ?

c) Qui acceptera plus probablement cet emploi, Line ou Colette ? Pourquoi ?

3. Jacques et Suzanne ont les barèmes d'utilité du patrimoine suivants :

| Patrimoine | Utilité de Jacques | Utilité de Suzanne |
|---|---|---|
| 0 | 0 | 0 |
| 100 | 200 | 512 |
| 200 | 300 | 640 |
| 300 | 350 | 672 |
| 400 | 375 | 678 |
| 500 | 387 | 681 |
| 600 | 393 | 683 |
| 700 | 396 | 684 |

Qui éprouve la plus grande aversion pour le risque, Jacques ou Suzanne ?

4. Supposons que Jacques et Suzanne (problème n° 3) possèdent chacun 400 $, et qu'ils envisagent chacun de leur côté un projet commercial qui exige de chacun d'eux un investissement de 400 $. Ils estiment à 0,85 la probabilité que ce projet leur procure un rendement de 600 $ (un profit de 200 $), et à 0,15 la probabilité que le rendement soit plutôt de 200 $ (une perte de 200 $). Lequel des deux se lancera dans ce projet ?

5. Qui de Jacques ou de Suzanne (problème n° 3) est le plus susceptible de se procurer de l'assurance ? Pourquoi ?

# Michael Walker, directeur exécutif

du Fraser Institute — un centre d'études et de recherche en politique économique situé à Vancouver — depuis 1974, est devenu l'un des plus éminents critiques de la politique économique du gouvernement canadien. Auteur prolifique — il a publié une quarantaine d'ouvrages et d'innombrables articles —, il participe régulièrement à des émissions d'affaires publiques à la télévision et à la radio. Michael Walker s'est préparé à son rôle de critique de l'appareil politique par ses passages à la Banque du Canada et au ministère des Finances du Canada. Né en 1945 à Corner Brook (Terre-Neuve), il a fait ses études de premier cycle à la St. Francis Xavier University et ses études supérieures à la University of Western Ontario, où il obtenait son Ph. D. en 1969. Il a enseigné l'économique à la University of Western Ontario, et les statistiques à la Carleton University. Nous nous sommes entretenus avec Michael Walker de ses travaux et du rôle du gouvernement dans l'économie canadienne.

## ENTRETIEN AVEC Michael Walker

**M. Walker, qu'est-ce qui vous amené à l'économique ?**

L'économique m'a attiré parce qu'elle semblait répondre à plusieurs des questions que je me posais durant mes études à Terre-Neuve. Malgré ses nombreux atouts, cette province semble éternellement condamnée à la pauvreté. Depuis que je suis au monde, elle a toujours détenu le triste record du taux de chômage le plus élevé au Canada, et ce malgré tous les efforts du gouvernement pour redresser la situation à grands renforts de programmes de développement industriel et d'injections de capitaux en provenance du continent.

Mais, en définitive, je crois que l'influence de l'un de mes professeurs a été déterminante dans mon orientation professionnelle. Je m'étais inscrit à St. Francis-Xavier avec l'intention de faire des études d'histoire, une discipline qui me fascinait. Mais j'ai trouvé l'économique plus fascinante encore après y avoir été initié par le professeur A. J. Wintermans, qui avait eu une pratique d'économiste très haute en couleur avant de se consacrer à l'enseignement.

**Vous avez commencé votre carrière dans la fonction publique. Qu'est-ce qui vous a fait renoncer à la sécurité qu'offre ce genre d'emploi pour faire la carrière que l'on sait ?**

J'ai d'abord été recruté par la Banque du Canada, qui connaissait mes recherches sur les modèles économétriques à la University of Western Ontario.

J'ai passé quatre ans à la Banque, puis j'ai été recruté par le ministère des Finances pour travailler, au département des politiques, à doter le ministère d'une capacité de modélisation similaire à celle de la Banque. C'est alors que j'ai commencé à me rendre compte que plusieurs décisions clés en matière de politique économique étaient prises non pas pour des raisons techniques visant l'atteinte d'un objectif économique précis, mais plutôt pour des raisons idéologiques ou carrément politiques, leurs répercussions économiques n'étant ni bien comprises ni prises en considération dans le processus décisionnel.

À la longue, ces difficultés m'ont amené à quitter Ottawa pour fonder avec d'autres gens le Fraser Institute, qui a vu le jour en 1974.

**Parlez-nous du Fraser Institute? Comment est-il financé et quelles vues défend-il?**
Le Fraser Institute est un centre de recherche et d'études sans but lucratif dont les activités s'étendent aux deux Amériques et, dans une moindre mesure, à l'Europe et à l'Asie. L'Institut a été fondé pour offrir une perspective non partisane sur la politique économique; c'est pourquoi la fonction de recherche et de publication de l'Institut a été dissociée de sa fonction de financement et de management. Nous avons créé un comité de rédaction constitué d'éminents économistes — où se sont retrouvés au fil du temps les H. G. Johnson, Friedrich Von Hayek, James Buchanan, George Stigler, Michael Parkin, Herbert Grubel et Sir Alan Walters — et qui a même reçu à l'occasion le concours de Milton Friedman et de Gary Becker.

Le Fraser Institute est un organisme exempté d'impôts au Canada et aux États-Unis et il se finance entièrement par les contributions de ses quelque 2 500 sympathisants. Environ 39 % du financement provient des contributions des membres corporatifs et le reste, de celles des membres individuels (13 %) et des fondations (31 %), ainsi que de la vente de ses publications et des intérêts de son fonds de dotation (17 %).

Le Fraser Institute s'est donné pour mission de rappeler constam-

ment aux décideurs et au public le rôle que peuvent jouer les marchés dans la résolution des problèmes économiques. Nous nous percevons un peu comme des physiciens qui rappelleraient aux gens le rôle de la gravité dans la conduite des affaires courantes. En ce sens, les vues que nous «défendons» sont en réalité l'application d'une méthodologie d'économique rigoureuse dans l'évaluation des problèmes du monde réel.

**Vous avez passé la majeure partie de votre vie professionnelle à soutenir que l'appareil gouvernemental est trop lourd, et qu'il crée davantage de problèmes qu'il n'en règle. Quel est l'essentiel de votre argumentation?**
Je crois que l'essentiel de cette argumentation repose sur le fait que le gouvernement ne reconnaît pas le rôle fondamental des marchés dans la société. Friedrich Hayek, un économiste célèbre considéré par beaucoup comme le père de la pensée libérale, nous amène à voir les marchés comme un moyen efficient de traiter l'information considérable dont nous disposons, tant pour utiliser le mieux possible les ressources sociétales que pour répondre aux grandes ques-

tions : que produire, comment, quand et pour qui? Selon Hayek, les prix relatifs sont des signaux clés qui incitent les membres de la société à optimiser leur comportement, en fonction de l'évaluation qu'ils font de leurs compétences et de leurs intérêts, et compte tenu du problème fondamental de la rareté.

Très souvent, les gouvernements court-circuitent ce processus de transfert d'information, de sorte que l'information pertinente qui permettrait aux agents économiques d'ajuster leur comportement ne leur est pas transmise. C'est ce qui se passe par exemple quand le gouvernement impose un plafonnement des loyers ou toute autre forme de contrôle des salaires ou des prix. On peut dire la même chose des quotas à l'importation et, plus généralement, de toute intervention gouvernementale qui altère le flux d'information produit par le marché. Dans le pire des cas, les gouvernements transmettent aux gens des messages erronés, de sorte qu'ils modifient leur comportement, mais en pure perte ou même de manière dommageable — dans le cas, par exemple, de la politique de transfert et de la politique fiscale. Ainsi, à

*Le Fraser Institute s'est donné pour mission de rappeler constamment aux décideurs et au grand public le rôle que peuvent jouer les marchés dans la résolution des problèmes économiques.*

mon avis, il devient de plus en plus évident que l'assurance-chômage est un mécanisme de transfert et un mécanisme fiscal qui incite les gens à adopter des comportements qui ne servent ni leur intérêt ni celui de la société. Il ne fait aucun doute que la façon dont on a géré l'assurance-chômage à Terre-Neuve a eu un effet absolument débilitant et, je crois, inattendu — du moins pour de nombreux défenseurs bien intentionnés de l'assurance-chômage, qui y voyaient une mesure socialement utile.

**Quelle a été, selon vous, l'intervention la plus néfaste du gouvernement canadien ces dernières années ?**

Je dirais que c'est cette politique fiscale qui a le double tort de priver les gens qui déploient des efforts du fruit de ces efforts, pour le transférer à d'autres gens que l'on incite ainsi à ne pas s'engager dans une activité économique utile. Le programme d'assurance-chômage mis en place dans les Maritimes illustre de triste manière l'effet pervers de ce genre de politique. Avant les réforme du système d'assurance-emploi, la moitié des jeunes Terre-Neuviens âgés de 19 ans étaient des prestataires de l'assurance-chômage et, de ce nombre, la moitié avaient moins de 9 années de scolarité. La raison en est évidente: depuis trois générations, on dit aux Terre-Neuviens qu'une des meilleures façons d'avoir un niveau de vie acceptable est d'emprunter la voie de l'assurance-chômage; si dépendre de l'État ne requiert aucune qualification particulière et si c'est le mieux à quoi on puisse aspirer, faire des études devient un simple gaspillage de ressources. Aujourd'hui, nous commençons à prendre conscience des effets dévastateurs de ce type de politique.

**Comment envisagez-vous les décisions relatives à la fourniture de biens collectifs ?**

Il existe indéniablement des biens collectifs, mais il ne faut pas croire qu'on puisse en dresser l'inventaire une fois pour toutes; la liste des biens collectifs évolue selon la technologie disponible. Le contrôle des maladies infectieuses est un bien public et le restera probablement. Par contre, l'idée que les ponts et chaussées sont des biens publics est un vestige de l'époque où la perception des droits d'utilisation pour les automobiles se heurtait à des problèmes techniques. La perception de droits d'utilisation des routes n'a jamais été vraiment problématique, car les taxes sur l'essence sont universelles et proportionnelles à l'utilisation. Bien entendu, les usagers ont toujours dû payer pour se garer au bord des rues. L'utilisation de transducteurs qui permettent de percevoir de manière peu coûteuse les taxes des usagers de la route va sûrement révolutionner le marché des ponts et chaussées, qui seront rayés de la liste des biens collectifs.

Les services d'ordre, de protection contre les incendies et de collecte des ordures présentent certaines caractéristiques qui les assimilent à des biens collectifs, mais cela ne signifie pas pour autant qu'ils doivent être fournis par le secteur public. Déjà, dans certaines collectivités, les gens paient ces services sous forme d'impôts perçus par les gouvernements, qui les donnent ensuite en sous-traitance à des fournisseurs du secteur privé. Cette tendance va s'accentuer.

Nous devons donc rester modestes quand nous prétendons déterminer quels services font partie des « biens collectifs ». Dans la mesure où l'on tient à la soustraire aux lois du marché, la production des biens collectifs ne peut être qu'imparfaite.

**La répartition des revenus vous préoccupe-t-elle ? Souhaitez-vous qu'il y ait une forme de redistribution par le biais de l'impôt sur le revenu ?**

Bien sûr que la répartition des revenus me préoccupe. N'oubliez pas que j'ai choisi l'économique parce que Terre-Neuve n'arrivait pas à rattraper les autres provinces en matière de revenus. J'aimerais que tout le monde jouisse du revenu le plus élevé possible. Le malheur est que si nous

> *[…] l'essentiel de cette argumentation repose sur le fait que le gouvernement ne reconnaît pas le rôle fondamental des marchés dans la société.*

y prenons mal, non seulement nous n'atteindrons pas notre objectif, mais les revenus baisseront.

On peut gonfler les revenus; on peut faire comme si les gouvernements pouvaient constamment augmenter les revenus d'un groupe de la société en réduisant ceux d'autres groupes. Le hic, c'est que cela se retourne contre nous. Les impôts considérables qu'exige cette redistribution incitent les agents économiques à éviter l'activité imposable — à éviter de gagner des revenus élevés. De plus, le transfert « récompense » ceux qui ne gagnent pas des revenus élevés, les incitant ainsi à se contenter de faibles revenus et à y voir un mode de vie socialement acceptable.

En matière de redistribution, je crois que le rôle du gouvernement devrait se limiter à assurer un revenu minimal à ceux et celles qui ont la malchance de souffrir d'une incapacité physique ou mentale qui les empêche de subvenir à leurs besoins, ainsi qu'aux gens victimes de malheurs dont ils ne sont pas responsables.

**Peut-on toujours traiter les effets externes en attribuant des droits de propriété ?**

En principe, oui. Les problèmes pratiques sont de nature technique; ils sont liés au coût de l'application des droits de propriété. Comme pour les biens collectifs, nous sommes en train de découvrir que l'attribution de droits de propriété peut régler bien plus de problèmes liés aux coûts externes que nous l'espérions il y a quelques années encore — des émissions de dioxyde de soufre au massacre des éléphants en passant par la survie des crocodiles, la protection des saumons et la conservation des stocks de morue. (Jetez un coup d'œil aux nombreux textes sur le sujet disponibles sur notre site Web à l'adresse suivante : <www.fraserinstitute.ca/>).

**Selon vous, y a-t-il des pratiques monopolistiques ou anti-concurrentielles que le gouvernement devrait essayer de réguler?**

Non, aucune. Je ne crois pas que les entreprises puissent soutenir un monopole sans intervention gouvernementale; en fait, tous les problèmes de «monopoles» auxquels je peux penser résultent de l'octroi par le gouvernement à certaines entreprises d'un droit exclusif pour la production de certains biens et services — je pense aux services de téléphone, de télévision, d'électricité, etc.

À une certaine époque, nous pensions qu'il s'agissait là de «monopoles naturels», mais nous avons découvert depuis que tout service, quel qu'il soit, a des substituts à condition de laisser libre cours aux incitatifs du marché. Les coûts élevés des appels interurbains ont entraîné l'utilisation des satellites pour concurrencer les systèmes de lignes terrestres qui, à leur tour, ont eu recours à la fibre de verre pour réduire le coût par appel. Les compagnies ferroviaires et les compagnies de pipelines sont soumises à la concurrence des compagnies de camionnage.

Même si les marchés sont lents à s'ajuster et permettent entre-temps à leurs propriétaires d'empocher des profits anormaux, ils transmettent des signaux qui finissent par provoquer une réaction concurrentielle. Il pourrait sembler logique de réglementer les monopoles durant la transition, mais ce serait présumer qu'une telle réglementation se fera dans l'intérêt du consommateur. Or, toutes les données accumulées au cours des 50 dernières années — et leur volume est assez considérable — indiquent que ces réglementations engendrent elles-mêmes des problèmes et se traduisent souvent par des hausses de coût.

**Dans quel but le Fraser Institute publie-t-il tous les ans une estimation du jour de l'année où les Canadiens ont fini de s'acquitter de leurs impôts? Quel est l'objectif de cette publication?**

Le calcul du premier jour libre de taxes et la publication de l'ouvrage *Tax Facts* sur lequel il repose est de faire en sorte que les Canadiens sachent jusqu'à quel point tous les paliers de gouvernement les empêchent d'utiliser leurs revenus selon leurs propres priorités. C'est en quelque sorte l'équivalent de l'indice des prix à la consommation; nous calculons le coût total de l'État et nous mettons cette information à la portée de tous. Le premier jour libre de taxes est une des rares mesures macroéconomiques faciles à retenir pour les Canadiens : ils doivent travailler presque six mois pour pouvoir acquitter la totalité de leurs impôts annuels.

**Bien des jeunes voudraient participer au débat sur les politiques gouvernementales. Quelle est la meilleure façon pour eux de le faire?**

Je leur dirais de s'engager dans notre programme pour étudiants. Nous accueillons régulièrement des séminaires sur les politiques gouvernementales, et nous tenons une série de colloques sur le leadership étudiant. De plus, nous embauchons des stagiaires durant l'été, nous publions le *Canadian Student Review* où paraissent des articles d'étudiants sur les politiques gouvernementales et le *Fraser Forum* fait également une place aux vues des jeunes. Bon nombre de nos «diplômés» travaillent maintenant pour le gouvernement fédéral et les gouvernements provinciaux, où ils peuvent contribuer directement à l'élaboration des politiques gouvernementales.

Les étudiants peuvent aussi écrire à leurs élus mais, pour que cela porte fruit, ils doivent exposer des faits et bien étayer leur point de vue; notre programme étudiant ainsi que notre site Web — où ils trouveront une somme considérable de données — les aideront à le faire, quelles que soient leurs opinions.

# Les lacunes du marché et les choix publics

**Objectifs
du chapitre**

- Décrire la structure et la taille du secteur public et parapublic de l'économie canadienne

- Expliquer comment les lacunes du marché et l'iniquité peuvent justifier l'intervention de l'État dans la vie économique

- Définir les concepts de biens collectifs et de biens privés, et expliquer le problème du resquilleur

- Expliquer comment se détermine la quantité de biens collectifs

- Expliquer pourquoi la majeure partie des recettes publiques provient des impôts sur le revenu et pourquoi certains biens sont plus taxés que d'autres

# L'État : maladie ou remède ?

En 1998, le secteur public et parapublic — gouvernement fédéral, gouvernements provinciaux, administrations municipales et organismes parapublics — employait 2,6 millions de personnes et dépensait près de 40 ¢ de chaque dollar gagné par les Canadiens. Tous ces fonctionnaires et toutes ces dépenses sont-ils vraiment utiles ? Où est le problème ? L'appareil étatique est-il trop lourd, comme l'affirment les conservateurs ? Ou, au contraire, malgré sa taille considérable, est-il encore trop petit pour faire tout ce qu'il a à faire ? L'État doit-il intervenir davantage dans la vie économique, comme le réclament les partis de gauche ? ◆ L'État intervient dans de multiples aspects de nos vies. Il est là dès notre naissance, puisqu'il subventionne les hôpitaux et la formation des médecins et des infirmières. Il nous accompagne durant toute notre scolarité en finançant les écoles, les collèges et les universités, ainsi que la formation des enseignants. Il nous escorte tout au long de notre vie active, avec l'impôt sur le revenu, la réglementation de nos conditions de travail et les prestations d'assurance-emploi. À l'heure de la retraite, il nous verse une modeste pension et, quand sonne l'heure de notre mort, il taxe les biens que nous léguons. L'État nous fournit également des services, notamment le maintien de l'ordre et la défense nationale. Cela dit, il ne prend pas toutes les décisions pour nous. Ainsi, c'est à nous que revient de décider quel métier nous exercerons, quelle part de notre revenu nous épargnerons et à quoi nous dépenserons le reste. Pourquoi l'État intervient-il dans certains domaines plutôt que dans d'autres ? ◆ Presque tout le monde se plaint — des mères monoparentales à faible revenu aux contribuables les plus riches — de la qualité des services gouvernementaux. Pourquoi la fonction publique est-elle si impopulaire ? Et comment détermine-t-on la quantité des services publics fournis à la population ?

◗ Dans ce chapitre et dans les trois suivants, nous étudierons l'interaction de l'État et des marchés. Nous décrirons d'abord le secteur public, puis nous expliquerons pourquoi, sans intervention de l'État, l'économie de marché ne permet pas une répartition efficiente des ressources. Nous verrons ensuite ce qui détermine l'importance de l'État.

# Le secteur public

LE SECTEUR PUBLIC DE L'ÉCONOMIE CANADIENNE EST constitué de plus de 4 000 organismes publics et parapublics, certains de taille très modeste, comme les municipalités rurales et d'autres de taille considérable, comme le gouvernement fédéral et les gouvernements des provinces les plus populeuses. Les dépenses totales du secteur public canadien représentent plus de 40 % du revenu total au Canada ; ce secteur compte pour 18 % des emplois au pays.

Au Canada, le secteur public relève de trois paliers de gouvernement — le fédéral, le provincial et le municipal —, eux-mêmes divisés en ministères et en services.

Les ministères fédéraux les plus importants sont le ministère de la Défense nationale, les ministères du Développement des ressources humaines et de la Citoyenneté et de l'Immigration, le ministère du Revenu, le ministère des Transports et le ministère de la Justice. De plus, de nombreux domaines d'activité dépendent intimement du secteur public (services d'urgence, universités, etc.) ; on les regroupe souvent sous le terme de secteur parapublic.

## L'évolution de la taille et du rôle de l'État

Comme le montre le graphique (a) de la figure 18.1, la part relative du secteur public dans l'économie a augmenté au fil des ans. En 1970, les dépenses des

**FIGURE 18.1**
## La taille de l'État

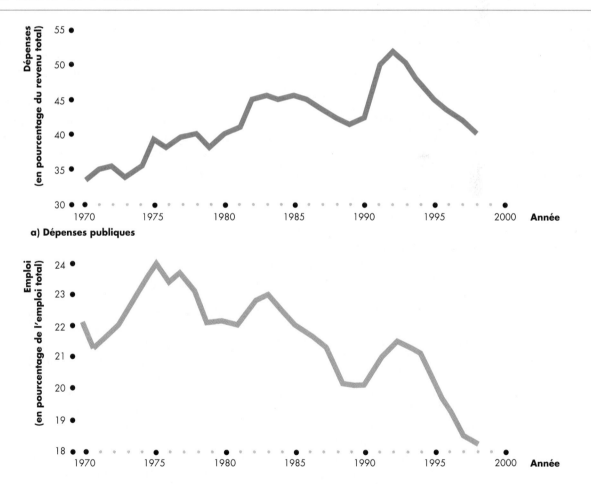

**a) Dépenses publiques**

**b) Emploi dans le secteur public**

Les dépenses publiques au Canada ont considérablement augmenté entre 1970, où elles représentaient 34 % du revenu total, et 1992, où elles atteignaient 50 % du revenu total, un sommet. En 1998, elles avaient diminué et ne représentaient plus que 40 % du revenu total. L'emploi dans le secteur public a atteint un sommet de 24 % des emplois en 1975 pour décliner ensuite ; en 1998, il n'était plus que de 18 %.

*Source* : Statistique Canada, disque *CANSIM*

administrations publiques ne représentaient que 34 % du revenu total. Elles ont augmenté graduellement jusqu'en 1992, passant à 50 % du revenu total. En 1998, elles ne représentaient plus que 40 % du revenu total. Comme le montre le graphique 18.1 (b), l'emploi dans le secteur public a atteint un sommet en 1975, avec 24 % des emplois au Canada ; depuis, il a considérablement diminué et ne représentait plus que 18 % des emplois au pays en 1998.

À elle seule, cette évolution des dépenses publiques et de l'emploi dans le secteur public ne rend pas compte du rôle de l'État dans l'économie canadienne. Il faut aussi tenir compte de l'activité législative et réglementaire, et de ses effets sur les choix économiques des ménages et des entreprises. Nous reviendrons sur ce point au chapitre 20, où nous étudierons les lois et la réglementation anti-monopoles.

Pourquoi le secteur public joue-t-il un rôle de plus en plus actif dans l'économie canadienne ? Et comment se fait-il que, par ailleurs, le pourcentage de la population active employée dans le secteur public ait diminué ? Nous répondrons à ces questions et à plusieurs autres questions relatives à l'État un peu plus loin dans ce chapitre, ainsi que dans les trois suivants. Mais penchons-nous d'abord sur le rôle de l'État dans l'économie.

## La théorie économique du secteur public

NOUS AVONS TOUS DES OPINIONS, PARFOIS TRÈS arrêtées, sur les grandes questions politiques de l'heure. Mais en tant qu'étudiants en économique, votre objectif est de comprendre, d'expliquer et de prévoir les décisions économiques des gouvernements. Il est difficile de faire complètement abstraction de ses opinions politiques, mais, pour bien comprendre les comportements politiques, il faut établir clairement la distinction entre une analyse positive et une analyse normative. Même si nous avons déjà expliqué cette distinction au chapitre 1 (p. 11-12), il convient de la rappeler ici, car elle est déterminante dans l'analyse économique des comportements politiques.

### L'analyse positive et l'analyse normative

Lorsqu'on se livre à l'analyse économique du secteur public, on peut adopter une approche *positive* ou une approche *normative*. L'analyse positive tente d'expliquer les causes et les effets des choix économiques des gouvernements, tandis que l'analyse normative vise à évaluer la pertinence de ces décisions et à faire des recommandations de politique économique. Le but de l'analyse positive est de *comprendre ce qui est* ; celui de l'analyse normative, *de déterminer ce qui devrait être*. Les outils analytiques sont essentiellement les mêmes dans les deux cas, mais ils sont utilisés différemment.

Dans ce chapitre, nous adopterons une approche positive ; autrement dit, nous chercherons à comprendre les causes et les effets des interventions de l'État dans la vie économique canadienne à l'heure actuelle. Nous ne chercherons donc pas à juger de la pertinence d'une ligne de conduite particulière, ni à plaider pour ou contre une politique ou une autre.

Le rôle économique de l'État découle en partie du fait qu'une économie de marché non réglementée ne permet pas l'*allocation efficiente des ressources*. On parle de **lacune du marché** quand l'économie de marché produit certains biens et services en quantités excessives, et d'autres en quantités insuffisantes. Dans l'un et l'autre cas, le coût marginal social de chaque produit — bien ou service — n'est pas égal à son avantage marginal. Il est alors possible, en modifiant l'allocation des ressources, d'améliorer le sort de certaines personnes sans nuire à quiconque. Certaines interventions de l'État visent donc à modifier la production du marché afin de pallier des lacunes.

Autre raison pour l'État d'intervenir dans la vie économique : l'économie de marché non réglementée ne permet pas d'établir ce que la plupart des gens considèrent être une *répartition équitable des revenus*. Certaines interventions étatiques tentent donc de modifier les résultats de l'économie de marché par une redistribution du revenu et de la richesse, parfois en prenant aux riches pour donner aux pauvres, parfois en redistribuant revenu et richesse entre les riches, et d'autres fois encore en prenant aux pauvres pour donner aux riches.

Les lacunes du marché et l'iniquité découlent de quatre grands facteurs :
- les biens collectifs,
- l'inégalité économique,
- le monopole,
- les effets externes.

### Les biens collectifs

Un **bien collectif** est un bien ou un service que tout le monde peut consommer et dont on ne peut priver personne. La caractéristique première d'un bien collectif est ce qu'on appelle la **non-rivalité d'usage** : autrement dit, pour un niveau donné de production, le fait qu'une personne consomme ce bien n'empêche personne d'autre de le consommer. Une émission de télévision, par exemple, est un bien qui n'entraîne pas de rivalité d'usage. D'autres biens, par contre, entraînent une **rivalité d'usage** : pour un niveau donné de production, le fait qu'une personne consomme un de ces biens empêche quelqu'un d'autre de le consommer, ou l'oblige à en consommer moins. Un hot dog, par exemple, est un bien qui entraîne une rivalité d'usage.

La deuxième caractéristique d'un bien collectif est qu'il est impossible d'en priver quiconque. Un **bien d'usage non exclusif** est un bien qu'on ne peut empêcher personne de consommer sans que cela entraîne des coûts exorbitants. La défense nationale, par exemple, est un bien d'usage non exclusif: la défense nationale protège tout le monde, et il est quasi impossible de priver quelqu'un de cette protection. On parle de **bien d'usage exclusif** s'il est possible de permettre à certaines personnes de le consommer tout en empêchant d'autres personnes de le faire. Ainsi, la télévision par câble ou par satellite est un bien d'usage exclusif, car les distributeurs peuvent faire en sorte que seuls leurs abonnés reçoivent les émissions qu'ils diffusent.

La figure 18.2 établit un classement des biens selon ces deux caractéristiques, et donne des exemples de biens pour chaque catégorie. Les biens du coin inférieur droit sont des biens collectifs *purs*. Les services de garde des phares en étaient l'exemple traditionnel, mais aujourd'hui la défense nationale serait un exemple plus approprié: le fait qu'elle protège certaines personnes ne diminue en rien la protection dont bénéficient les autres — la défense nationale est un bien qui n'entraîne pas de rivalité d'usage. Et comme l'armée ne peut généralement pas choisir les personnes qui jouiront de sa protection pour en exclure d'autres, c'est un bien d'usage non exclusif.

De nombreux biens, sans être des biens collectifs purs, ont un caractère public; c'est le cas, par exemple, du système routier. Une autoroute est un bien qui n'entraîne pas de rivalité d'usage… jusqu'à ce qu'elle se congestionne. Une voiture de plus sur une autoroute peu fréquentée ne diminue pas le service offert aux autres automobilistes. Par contre, si l'autoroute est congestionnée, tout véhicule supplémentaire réduit la qualité du service offert aux autres — l'autoroute entraîne alors une rivalité d'usage comme un bien privé, et cela d'autant plus qu'il est possible d'en exclure certains usagers par l'imposition de péages. Autre exemple de bien collectif qui a un caractère privé: les poissons marins. Ce sont des biens à rivalité d'usage, car le poisson pêché par quelqu'un n'est plus disponible pour quelqu'un d'autre, mais ce sont aussi des biens d'usage non exclusif, car il est difficile (du moins hors des eaux territoriales d'un pays) d'empêcher quiconque de les pêcher.

Les biens collectifs posent ce que l'on appelle le *problème du resquilleur*. Le **resquilleur** est une personne qui consomme un bien ou un service sans payer. En effet, comme la quantité d'un bien collectif dont une personne bénéficie n'a aucun rapport avec le prix qu'elle paie pour ce bien, personne n'a intérêt à payer pour obtenir ce qu'on peut se procurer sans débourser un sou. Nous verrons plus loin dans ce chapitre comment l'État peut faire face au problème du resquilleur. Mais terminons d'abord notre inventaire des divers types d'intervention étatique dans la vie économique.

## L'inégalité économique

L'économie de marché engendre l'inégalité des revenus. Ce fait tient à ce que bien des gens possèdent peu de

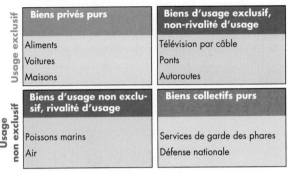

**FIGURE 18.2**

## Les biens collectifs et les biens privés

Le bien collectif pur (en bas, à droite) est un bien qui n'entraîne pas de rivalité d'usage et qu'on ne peut empêcher personne de consommer. Les biens collectifs purs posent le problème du resquilleur. Le bien privé pur (en haut, à gauche) entraîne une rivalité d'usage et on peut facilement empêcher certaines personnes d'en jouir. Certains biens d'usage non exclusif entraînent une rivalité d'usage (en bas, à gauche); d'autres sont des biens d'usage exclusif qui n'entraînent aucune rivalité d'usage (en haut, à droite).

*Source*: adapté de l'ouvrage de E. S. Savas: *Privatizing the Public Sector*, Chatham, New Jersey, Chatham House Publishers, 1982, p. 34.

ressources ou des ressources qui se vendent à bas prix. De plus, dans une économie de marché, on ne peut pas s'assurer contre la malchance qui touche l'évolution de son revenu. L'inégalité entraîne deux types de problèmes. Premièrement, elle crée une situation que la plupart des gens jugent injuste. Deuxièmement, elle provoque une agitation sociale et politique qui peut augmenter le taux de criminalité et, dans certains cas, mener à l'insurrection politique et à la révolution.

Pour réduire l'inégalité, les gouvernements ont recours à la redistribution des revenus. Ils imposent les revenus de certains et versent des prestations à d'autres. Mais la redistribution des revenus par l'État ne se fait pas toujours au profit des plus pauvres: la création de monopoles et de cartels découlant de l'intervention de l'État finit souvent par drainer les revenus des plus pauvres (et des gens à revenu moyen) vers les plus riches. Nous reviendrons au chapitre 19 sur l'inégalité économique et les tentatives des gouvernements pour la corriger.

## Le monopole

La *recherche de rentes* et le *monopole* empêchent l'allocation efficiente des ressources. Toutes les entreprises tentent de maximiser leur profit; s'il y a monopole, il est généralement possible d'augmenter le profit en limitant la production et en majorant les prix. Ainsi, lorsque Bell Canada avait le monopole des services d'appels interurbains, ces services étaient bien moins nombreux et leur prix, beaucoup plus élevé.

Bien que quelques monopoles résultent de barrières légales à l'entrée — barrières créées par les gouvernements —, l'État intervient surtout pour réglementer les monopoles et pour faire appliquer la législation interdisant la formation de cartels et favorisant la concurrence. Nous étudierons ces lois et règlements au chapitre 20.

### Les effets externes

On appelle **effets externes** les avantages et les coûts générés par une activité économique et qui retombent sur des gens étrangers à cette activité. Ainsi, une usine de produits chimiques qui rejette des fumées dans l'atmosphère, même si elle respecte les limites légales, impose un coût à l'ensemble de la population avoisinante, qui respire un air moins propre. Les responsables d'une activité qui génère des coûts ou des avantages externes ne tiennent généralement pas compte de ces coûts. Ainsi, notre usine de produits chimiques ne tient pas compte de l'effet de ses émissions sur la population. De même, l'horticulteur amateur qui cultive un magnifique jardin le fait pour le plaisir qu'il en retire et non pour l'avantage externe qu'il procure à son entourage. Nous reviendrons au chapitre 21 sur les effets externes et sur la façon dont l'État et les marchés y réagissent.

Avant d'examiner un à un les problèmes qui entraînent l'intervention des gouvernements, arrêtons-nous sur ce lieu d'où ils interviennent : le « marché politique ».

## Les choix publics et le marché politique

LE SECTEUR PUBLIC EST UN ORGANISME COMPLEXE constitué de millions de gens ayant chacun leurs objectifs économiques propres ; ses choix politiques sont le résultat des décisions que prennent tous ces gens. Pour analyser ces choix, les économistes ont élaboré, parallèlement aux théories des marchés de produits, une théorie du marché politique : la *théorie des choix publics*.

Selon cette théorie, les intervenants du marché politique sont :

■ les électeurs,
■ les politiciens,
■ les fonctionnaires.

La figure 18.3 illustre les choix et les interactions de ces intervenants. Voyons-les un à un.

### Les électeurs

Les électeurs sont les consommateurs du produit de l'activité politique. Sur les marchés des biens et services, les consommateurs expriment la demande en achetant ou en n'achetant pas les produits ou services qui leur sont offerts. Sur le marché politique, ils expriment la demande par leurs votes, par leurs contributions aux caisses électorales et par le lobbying.

Selon les modèles économiques de la théorie des choix publics, les électeurs appuient les mesures qu'ils jugent à leur avantage et s'opposent à celles qui leur sem-

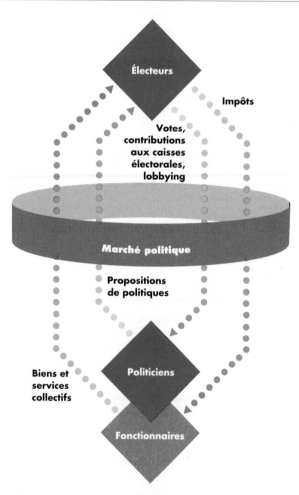

> **FIGURE 18.3**
> ## Le marché politique

Les électeurs expriment leurs exigences en votant, en contribuant aux caisses électorales et en faisant du lobbying. Les politiciens proposent des politiques susceptibles de rallier la majorité de l'électorat. Les fonctionnaires tentent de maximiser les budgets de leurs administrations. Si les électeurs sont bien informés, l'équilibre politique est efficient. Si les électeurs sont mal informés et irrationnels, la quantité de biens et services collectifs excède le niveau efficient.

blent désavantageuses. Quant aux politiques dont ils n'attendent ni bien ni mal, elles les laissent indifférents ; sans les appuyer, ils ne s'y opposent pas. Les choix des électeurs sont guidés par des *perceptions* plutôt que par des faits.

## Les politiciens

Les politiciens sont des administrateurs et des législateurs élus à un poste de direction — premier ministre du pays ou d'une province, maire d'une municipalité — ou à titre de représentants — députés fédéraux ou provinciaux, conseillers municipaux.

Les modèles économiques relatifs aux choix publics supposent que l'objectif d'un politicien est de se faire élire et de rester en poste. Les votes sont aux politiciens ce que les dollars sont aux entreprises. Pour obtenir suffisamment de votes, les politiciens forment des coalitions — les partis politiques. Les partis politiques élaborent des propositions susceptibles, espèrent-ils, de rallier les suffrages de la majorité de l'électorat.

## Les fonctionnaires

Les **fonctionnaires** sont les employés des ministères fédéraux et provinciaux et des administrations municipales et autres. Les politiciens recrutent les hauts fonctionnaires, qui engagent à leur tour les fonctionnaires des échelons inférieurs.

Les modèles économiques relatifs aux choix publics postulent que les fonctionnaires cherchent à maximiser leur propre utilité. Pour ce faire, ils s'efforcent de maximiser le budget de leur organisme. Plus le budget d'un organisme gouvernemental est important, plus le prestige de son dirigeant est grand, et plus il y a de possibilités de promotion pour les employés subalternes. Tous les fonctionnaires ont donc intérêt à maximiser le budget de leur organisme. Pour y parvenir, ils élaborent des programmes qui, espèrent-ils, sauront satisfaire les politiciens et, le cas échéant, ils aident ceux-ci à « vendre » ces programmes aux électeurs.

## L'équilibre politique

Les électeurs, les politiciens et les fonctionnaires prennent les décisions économiques qui favorisent l'atteinte de leurs objectifs. Mais chacun de ces groupes fait face à deux types de contraintes : les préférences des autres groupes et les contraintes techniques. Le résultat des choix des électeurs, des politiciens et des fonctionnaires est l'**équilibre politique,** situation où les choix des électeurs, des politiciens et des fonctionnaires convergent, et où aucun des trois groupes ne peut améliorer son sort en prenant des décisions différentes.

Les caractéristiques de l'équilibre politique sont similaires à celles de l'équilibre des marchés des produits, où les acheteurs maximisent leur utilité et où les vendeurs maximisent leurs profits. Mais l'équilibre politique peut être non efficient. Autrement dit, il peut y avoir des *lacunes de marché.* L'intervention de l'État a pour principal objectif de pallier ces lacunes. Mais, ce faisant, il est possible que lui-même ne soit pas efficient. On parle alors des *lacunes de l'État.* Nous allons voir comment les interventions étatiques peuvent être tantôt efficientes et tantôt non efficientes, en nous penchant d'abord sur la production des biens collectifs.

Voyons comment l'interaction des électeurs, des politiciens et des fonctionnaires détermine la quantité de biens collectifs à produire.

## Les biens collectifs

POURQUOI LE SECTEUR PUBLIC FOURNIT-IL CERTAINS biens et services comme la défense nationale, la protection de l'environnement, les soins de santé, la justice, l'éducation et les autoroutes ? Pourquoi ne laisse-t-on pas les entreprises privées produire ces biens et services, et les vendre sur le marché ? Pourquoi, par exemple, n'achetons-nous pas des services de protection de l'environnement auprès d'une entreprise privée qui chercherait à attirer les dollars des consommateurs exactement comme le font Tim Hortons et Coca-Cola ? La réponse à ces questions se résume en quatre mots : le problème du resquilleur.

### Le problème du resquilleur

Supposons que des scientifiques aient mis au point une technique permettant de réduire efficacement les émissions de soufre dans l'atmosphère, ce qui pourrait mettre un terme au problème des pluies acides. Imaginons que cette technique exige l'installation de satellites capables de détecter les précipitations acides. Un seul de ces satellites peut accomplir une partie du travail, mais plus ils sont nombreux, plus le niveau de sécurité est élevé.

Ces satellites de détection coûtent cher, et leur production exige des ressources qui pourraient être consacrées à la production d'autres biens et services. Par conséquent, plus on lance de satellites de détection, plus leur coût marginal est élevé.

Notre tâche consiste d'abord à calculer combien il faut de satellites de détection pour atteindre l'efficience dans l'allocation des ressources. Nous verrons ensuite que le secteur privé ne peut atteindre cette efficience, et que cette lacune du marché découle du problème du resquilleur.

### Une analyse avantages-coûts

Les avantages que procure un système de détection des pluies acides dépendent des préférences des consommateurs. Ils correspondent à la *valeur* de ses services. La valeur qu'une personne accorde à un bien *privé* correspond au montant maximal qu'elle est disposée à payer pour une unité supplémentaire de ce bien, valeur que nous indique sa courbe de demande. De même, la valeur qu'une personne attribue à un bien public correspond au montant maximal qu'elle est prête à payer pour une unité supplémentaire de ce bien.

On peut calculer la valeur qu'une personne accorde à une unité supplémentaire d'un bien collectif à l'aide d'un barème d'avantage total. L'**avantage total** est la valeur totale qu'une personne attribue à la consommation d'un bien collectif. Plus la quantité fournie est importante, plus l'avantage total est grand. L'**avantage marginal** est le supplément d'avantage total que procure la consommation d'une unité supplémentaire du bien.

La figure 18.4 illustre l'avantage marginal que procurent des satellites de détection des pluies acides dans une économie imaginaire qui ne compte que deux membres, Lise et Maxime. Les graphiques 18.4 (a) et 18.4 (b) illustrent les courbes des avantages marginaux de Lise et Maxime, soit $Am_L$ et $Am_M$. Comme c'est le cas pour l'utilité marginale d'un bien privé, l'avantage marginal d'un bien collectif diminue à mesure que la quantité du bien augmente. Pour Lise, l'avantage marginal du premier satellite de détection vaut 80 $, et l'avantage marginal du deuxième, 60 $. L'installation d'un cinquième satellite ne lui procure aucun avantage supplémentaire. Pour Maxime, l'avantage marginal du premier satellite de détection est de 50 $, celui du deuxième est de 40 $. Le cinquième satellite lui procure un avantage marginal d'une valeur de 10 $ seulement.

Le graphique 18.4 (c) présente la courbe d'avantage marginal pour l'ensemble de l'économie, $Am$ — dont Lise et Maxime forment toute la population. La courbe d'avantage marginal d'un bien collectif d'une personne considérée isolément est similaire à la courbe de demande d'un bien privé. Par contre, la courbe d'avantage marginal de l'ensemble de l'économie est différente d'une courbe de demande de marché pour un bien privé. On trace la courbe de demande totale d'un bien privé en additionnant les quantités demandées par tous les consommateurs à chacun des prix possibles. Autrement dit, on additionne *horizontalement* les courbes de demande individuelles. Par contre, pour tracer la courbe d'avantage marginal d'un bien collectif pour l'économie dans son ensemble, il faut additionner les avantages marginaux de tous les consommateurs (ici, Lise et Maxime) pour chaque *quantité* possible. Il faut donc additionner *verticalement* les courbes individuelles d'avantage marginal. Le graphique 18.4 (c) présente la courbe d'avantage marginal de l'ensemble de l'économie, $Am$.

Dans la réalité, une économie de deux personnes ne s'offrirait sûrement pas le moindre satellite de détection, car le coût total dépasserait de loin l'avantage total. Mais une population de 25 millions de personnes pourrait le faire. Pour déterminer la quantité efficiente de satellites, on doit tenir compte tant du coût que de l'avantage. Le

**FIGURE 18.4**

## Les avantages d'un bien collectif

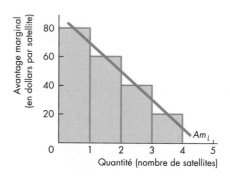

**(a) Avantage marginal de Lise**

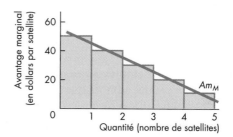

**(b) Avantage marginal de Maxime**

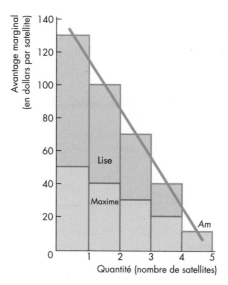

**(c) Avantage marginal pour l'ensemble de l'économie**

L'avantage marginal de chaque quantité du bien collectif pour l'ensemble de l'économie correspond à la somme des avantages marginaux individuels. $Am_L$ représente la courbe d'avantage marginal de Lise; $Am_M$ celle de Maxime; et $Am$, celle de l'ensemble de l'économie.

coût de production d'un satellite de détection varie selon la technologie employée et le prix des facteurs de production utilisés. C'est un coût d'opportunité qui se calcule comme on l'a fait au chapitre 10 pour le coût de production des chandails de Maille Maille. La quantité efficiente est celle qui permet de maximiser l'avantage net — soit l'avantage total moins le coût total.

La figure 18.5 illustre la quantité efficiente de satellites. Les deuxième et troisième colonnes du tableau présentent les avantages marginal et total de l'ensemble de l'économie. Les deux colonnes suivantes donnent le coût total et le coût marginal de la production de satel-

lites de détection. La dernière colonne montre l'avantage net. Le graphique 18.5 (a) illustre la courbe d'avantage total (*AT*) et la courbe de coût total (*CT*). L'avantage net (l'avantage total moins le coût total) est maximisé là où l'écart vertical entre les courbes *AT* et *CT* est le plus grand, soit avec deux satellites de détection ; c'est la quantité efficiente de satellites.

Les grands principes de l'analyse marginale qui nous ont permis d'expliquer comment les consommateurs maximisent leur utilité et comment les entreprises maximisent leur profit peuvent aussi permettre de calculer le niveau efficient de fourniture d'un bien collectif. La

---

**FIGURE 18.5**

## La quantité efficiente d'un bien collectif

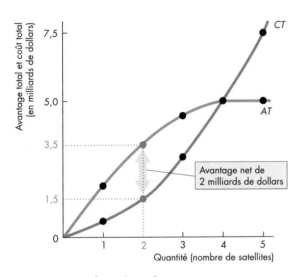

**a) Avantage total et coût total**

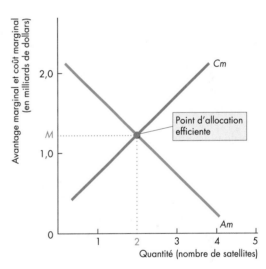

**(b) Avantage marginal et coût marginal**

| Quantité<br>(nombre de satellites) | Avantage total<br>(en milliards de dollars) | Avantage marginal<br>(en milliards de dollars<br>par satellite) | Coût total<br>(en milliards de dollars) | Coût marginal<br>(en milliards de dollars<br>par satellite) | Avantage net<br>(en milliards de dollars) |
|---|---|---|---|---|---|
| 0 | 0 | | 0 | | 0 |
| | | .............. 2,0 | | .................. 0,5 | |
| 1 | 2,0 | | 0,5 | | 1,5 |
| | | .............. 1,5 | | .............. 1,0 | |
| 2 | 3,5 | | 1,5 | | 2,0 |
| | | .............. 1,0 | | .............. 1,5 | |
| 3 | 4,5 | | 3,0 | | 1,5 |
| | | .............. 0,5 | | .................. 2,0 | |
| 4 | 5,0 | | 5,0 | | 0 |
| | | .............. 0 | | .................. 2,5 | |
| 5 | 5,0 | .............. | 7,5 .................. | | −2,5 |

Le graphique (a) illustre la courbe d'avantage total (*AT*) et la courbe de coût total (*CT*). L'utilisation de deux satellites de détection maximise l'avantage net — l'écart vertical entre les deux courbes.

Le graphique (b) illustre la courbe d'avantage marginal (*Am*) et la courbe de coût marginal (*Cm*). Si le coût marginal est égal à l'avantage marginal, l'avantage net est maximisé et l'allocation des ressources est efficiente.

courbe d'avantage marginal est *Am*; la courbe de coût marginal, *Cm*. Si l'avantage marginal est supérieur au coût marginal, l'avantage net augmente avec l'augmentation de la quantité produite. Si le coût marginal est supérieur à l'avantage marginal, l'avantage net augmente avec la diminution de la quantité produite. L'avantage marginal est égal au coût marginal lorsqu'il y a deux satellites de détection. Le fait que le coût marginal soit égal à l'avantage marginal maximise l'avantage net, et l'allocation des ressources est efficiente.

## La fourniture privée de biens collectifs

Nous avons déterminé la quantité de satellites de détection qui maximise l'avantage net. Une entreprise privée — appelons-la Pollution Zéro inc. — pourrait-elle fournir cette quantité? Non, elle ne le pourrait pas. En effet, pour y parvenir, elle devrait mobiliser 1,5 milliard de dollars pour couvrir ses coûts, ou alors obtenir que chacune des 25 millions de personnes de cette population lui verse 60 $. Mais personne n'aurait intérêt à payer sa « part » du système de détection des pluies acides. Chacun se dirait: « Mes malheureux 60 $ ne changeront rien au service de détection des pluies acides assuré par les satellites de Pollution Zéro. Si je ne paie pas ma part, j'aurai 60 $ de plus pour augmenter ma consommation de biens privés, et je serai aussi bien protégé contre les pluies acides que le reste de la population. J'ai donc intérêt à resquiller le bien collectif et à consacrer mes 60 $ à l'achat de biens privés. »

Si tout le monde raisonne ainsi, Pollution Zéro n'obtiendra pas un sou de la population et, par conséquent, l'entreprise ne fournira aucun satellite. Or, l'atteinte de l'efficience exige deux satellites. La fourniture privée de biens collectifs n'est donc pas efficiente. Même en admettant qu'un certain nombre de gens versent 60 $ à Pollution Zéro, et que cela permette à l'entreprise d'assurer un certain niveau de service, ce niveau serait loin d'être efficient.

## La fourniture publique de biens collectifs

Supposons maintenant que deux partis politiques préparent leurs élections. Les Verts et les Gris sont du même avis sur tous les sujets, sauf sur la question des satellites de détection des pluies acides. Les Verts souhaitent fournir à la population quatre satellites de détection, ce qui représenterait un coût total de 5,0 milliards de dollars, un avantage total de 5,0 milliards de dollars et un avantage net nul. Les Gris, eux, se contenteraient d'un satellite, ce qui représenterait un coût de 0,5 milliard de dollars, un avantage de 2,0 milliards de dollars et un avantage net de 1,5 milliard de dollars. Le graphique de la figure 18.6 illustre ces données.

Avant d'arrêter leur programme, les Verts et les Gris essaient chacun de leur côté de prédire les conséquences de leur proposition. Chaque parti tient le raisonnement suivant: si les deux formations proposent un service de satellite de détection des pluies acides — 4 satellites pour les Verts; 1 satellite pour les Gris —, les électeurs obtiendront un avantage net de 1,5 milliard de dollars avec les Gris, et un avantage net nul avec les Verts; les Gris gagneront donc les élections.

Ce résultat fait comprendre aux Verts que leur parti est trop « vert » pour être élu, et que pour battre les Gris ils doivent offrir un avantage net supérieur à 1,5 milliard de dollars. Ils ramènent donc leur proposition à deux satellites. À ce niveau, le coût total est de 1,5 milliard de dollars; l'avantage total, de 3,5 milliards; l'avantage net, de 2,0 milliards. Si les Gris s'en tiennent à un seul satellite, les Verts sont élus.

---

**FIGURE 18.6**

# La fourniture d'un bien collectif et le système politique

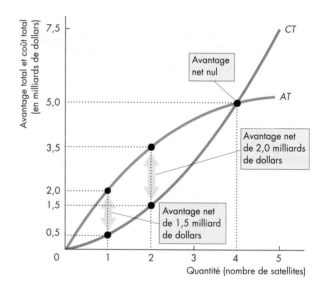

L'avantage net est maximisé avec deux satellites; l'avantage total est alors de 3,5 milliards de dollars, et le coût total, de 1,5 milliard de dollars. Les Gris aimeraient fournir un satellite, tandis que les Verts voudraient en fournir quatre. Mais chaque parti sait que sa seule chance d'être élu est d'offrir deux satellites, soit la quantité qui maximise l'avantage net, ne laissant à l'autre parti aucune chance de faire mieux. Si les électeurs sont bien informés sur le coût et l'avantage d'un bien collectif, la « concurrence » que se livrent les partis politiques pour rallier les suffrages permet d'atteindre l'efficience.

Mais les Gris n'entendent pas courir ce risque. Ils se rendent vite compte qu'ils ont intérêt à offrir autant que les Verts. Ils proposent donc, eux aussi, l'installation de deux satellites. Si les deux partis offrent le même nombre de satellites, les électeurs n'ont pas de préférence pour l'un ou l'autre des partis. Ils décident donc pour qui voter en jouant à pile ou face, et chaque parti obtient autour de 50 % des voix.

Le résultat de cette analyse est que si chaque parti propose deux satellites, quel que soit le gagnant, il y aura deux satellites. Or, c'est justement la quantité efficiente : elle maximise l'avantage net des électeurs tel qu'ils le perçoivent. Dans cet exemple théorique, la concurrence sur un marché politique débouche sur la prestation efficiente d'un bien collectif. Cependant, pour arriver à ce résultat, les électeurs doivent être parfaitement informés et ils doivent évaluer toutes les possibilités. Or, comme nous le verrons bientôt, ils ne sont pas toujours incités à adopter un tel comportement.

Dans notre exemple, les deux partis en concurrence finissent par proposer des politiques identiques. Cette tendance à adopter des politiques identiques s'appelle le principe de la différenciation minimale.

**Le principe de la différenciation minimale** Selon le **principe de la différenciation minimale,** des entreprises ou des formations politiques en concurrence ont tendance à s'imiter les uns les autres pour s'attirer le plus de « clients » — d'électeurs — possible. On peut voir ce principe à l'œuvre dans toutes sortes de situations courantes. Examinons-en une.

La figure 18.7 nous montre une plage qui s'étend sur un kilomètre, du point A au point B. Les baigneurs sont uniformément répartis sur la plage et ils achètent leur crème glacée au vendeur le plus proche. Plus ils doivent marcher, moins ils achètent de crème glacée. Un vendeur de crème glacée arrive sur la plage avec sa voiturette. Où s'installera-t-il ? À l'emplacement C — exactement à mi-chemin entre A et B — car, à cet endroit, la plus longue distance de marche pour acheter une crème glacée est de un kilomètre (un demi-kilomètre à l'aller et un demi-kilomètre au retour). Le vendeur attire ainsi le plus grand nombre possible de clients.

Supposons maintenant qu'un second vendeur de crème glacée survienne. Où s'installera-t-il ? Juste à côté du premier au point C. Pourquoi ? Imaginons qu'il s'installe au point D, soit à mi-chemin entre C et B. Combien de clients attirera-t-il et combien lui préféreront le vendeur du point C ? Le vendeur du point D recevra tous les clients de la plage installés entre B et D, car pour eux il est le plus proche. Il attirera aussi tous les clients installés entre D et E (à mi-chemin entre C et D), pour qui il sera moins long d'aller à D qu'à C. Mais, pour la même raison, tous les clients installés entre A et C, et entre C et E iront acheter leur crème glacée au point C. Le vendeur du point C attirera donc tous les clients installés entre A et E ; le vendeur du point D, ceux qui sont installés entre E et B.

**FIGURE 18.7**

## Le principe de la différenciation minimale ◆

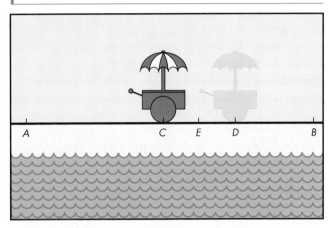

Une plage s'étend du point *B*. Les baigneurs sont uniformément répartis le long de la plage. Un vendeur de crème glacée installe sa voiturette au point *C*, de sorte que les clients installés à chacune des extrémités de la plage (*A* et *B*) ont exactement la même distance à parcourir. Si un deuxième vendeur de crème glacée arrive, il aura intérêt à installer sa voiturette juste à côté de *C*, au milieu de la plage. En effet, s'il s'installe au point *D*, seuls les clients installés entre *E* et *B* viendront lui acheter de la crème glacée ; ceux installés entre *A* et *E* lui préféreront le vendeur du point *C*. En s'installant le plus près possible du vendeur du point *C*, le deuxième vendeur de crème glacée pourra s'attirer la moitié des clients.

Supposons maintenant que le deuxième vendeur s'installe le plus près possible du premier. Comme il y a maintenant deux vendeurs au point C, les clients choisissent indifféremment l'un ou l'autre ; la moitié ira vers le premier vendeur, et l'autre moitié, vers le deuxième. Ce n'est qu'en s'installant exactement au milieu de la plage que chacun pourra attirer la moitié des clients. Si l'un ou l'autre s'éloigne ne serait-ce que légèrement du centre, il attirera moins de la moitié des clients, et celui qui est resté au centre attirera la majorité.

Cet exemple illustre le principe de la différenciation minimale. Sans la différenciation de l'emplacement, les deux vendeurs se débrouillent aussi bien que possible et se partagent le marché à parts égales.

Le principe de la différenciation minimale explique toutes sortes de décisions — du choix musical des stations de radio à la programmation des chaînes de télévision, en passant par la manière dont les partis politiques élaborent leurs programmes électoraux.

Nous venons d'analyser le comportement des politiciens. Penchons-nous maintenant sur le comportement de ceux qui concrétisent leurs choix politiques — les fonctionnaires. Voyons comment les choix économiques des fonctionnaires influent sur l'équilibre politique.

## Le rôle des fonctionnaires

Nous avons vu aux figures 18.5 et 18.6 que deux satellites de détection des pluies acides au coût total de 1,5 milliard de dollars maximisent l'avantage net, et que la concurrence entre deux partis politiques les amène à préconiser cette solution efficiente. Mais les fonctionnaires d'Environnement Canada l'endosseront-ils ?

L'objectif des fonctionnaires d'Environnement Canada est de maximiser leur budget. Pour atteindre leur objectif, ils tentent d'abord de convaincre les politiciens que les satellites de détection coûtent plus de 1,5 milliard de dollars ; comme on le voit à la figure 18.8, ils aimeraient persuader le gouvernement que deux satellites coûtent 3,5 milliards de dollars, soit l'intégralité de l'avantage total. Et ils ne s'arrêtent pas là. Ils insistent également sur la nécessité d'augmenter le nombre de satellites de détection. Ils font des pressions pour obtenir quatre satellites et faire monter ainsi leur budget à 5,0 milliards de dollars. L'avantage total et le coût total seraient alors égaux, et l'avantage net serait nul.

Les fonctionnaires d'Environnement Canada souhaitent maximiser leur budget, soit. Mais les politiciens, soucieux de maximiser les votes en leur faveur, ne vont-ils pas les en empêcher ? Oui, si les électeurs sont bien informés et savent où est leur intérêt. Mais ce n'est peut-être pas le cas. Peut-être ont-ils décidé de ne pas s'informer sur cette question, de rester dans ce qu'on appelle l'ignorance rationnelle. Des groupes de pression bien informés pourraient alors permettre aux fonctionnaires d'Environnement Canada d'atteindre leur objectif.

**L'ignorance de l'électorat et les groupes de pression bien informés** Selon l'un des principes de la théorie des choix publics, rester dans l'ignorance face à toute question qui n'a pas d'effet perceptible sur son revenu est une décision rationnelle pour l'électeur. On appelle **ignorance rationnelle** la décision de *ne pas* s'informer si le coût à payer pour obtenir de l'information dépasse l'avantage anticipé. Or, chaque électeur sait, d'une part, qu'il n'a pratiquement aucune influence sur la politique gouvernementale de lutte contre la pollution, et, d'autre part, qu'il lui faudrait énormément de temps et d'efforts pour s'informer, ne serait-ce que modérément, sur tous les aspects techniques de la réduction des émissions de dioxyde de soufre dans l'atmosphère. Par conséquent, les électeurs restent relativement mal informés quant aux subtilités de la lutte contre la pollution atmosphérique. (Nous avons pris cet exemple, mais le même principe s'applique à tous les aspects de l'intervention gouvernementale dans la vie économique.)

Tous les électeurs sont des consommateurs d'air pur, mais tous ne sont pas également des producteurs de matériel utilisé dans la lutte contre les émissions de dioxyde de soufre. C'est pourtant le cas d'un petit nombre d'entre eux. Ces électeurs, parce qu'ils possèdent des entreprises

---

**FIGURE 18.8**

# Les fonctionnaires et la surproduction de biens collectifs

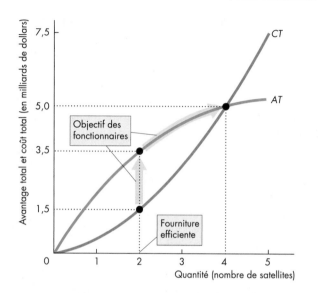

L'objectif de tout fonctionnaire est de maximiser son budget. Pour cela, il cherchera d'abord à augmenter son budget, de sorte que le coût total soit égal à l'avantage total ; dans un deuxième temps, il cherchera à augmenter la production et les dépenses. Dans notre exemple, les fonctionnaires d'Environnement Canada tentent d'abord d'obtenir un budget de 3,5 milliards de dollars pour l'installation de 2 satellites ; puis, ils essaient de faire passer le nombre de satellites à 4, ce qui leur donnerait un budget de 5,0 milliards de dollars.

---

produisant ce type d'équipement ou qu'ils y travaillent, ont un intérêt personnel direct dans la politique gouvernementale sur la qualité de notre air, car elle a une incidence sur leurs revenus. Ils sont donc motivés à bien s'informer sur ces questions et à constituer des groupes de pression axés sur la promotion de leurs intérêts propres. En collaboration avec les fonctionnaires d'Environnement Canada, ces groupes de pression peuvent exercer une influence plus grande que les électeurs peu informés, qui se contentent de bénéficier de ce bien collectif.

Lorsqu'il subit l'influence des électeurs mal informés et des groupes de pression bien informés qui défendent des intérêts particuliers, l'équilibre politique fournit des biens collectifs excédentaires par rapport à la quantité efficiente. Ainsi, dans notre exemple des satellites de détection des pluies acides, on pourrait finir par installer trois ou quatre satellites au lieu de deux, la quantité efficiente.

## La croissance du gouvernement

Nous l'avons vu au début de ce chapitre, tant par sa taille que par son rôle, le gouvernement a pris de l'expansion au fil du temps, bien que cette tendance semble se renverser ces dernières années. Nous savons maintenant comment se détermine la quantité de biens collectifs, et cela nous donne un élément d'explication sur cette expansion : elle tient en partie au fait que la demande de certains biens collectifs augmente plus rapidement que la demande de biens privés, et cela pour deux raisons :

- les préférences des électeurs,

- la production excédentaire non efficiente.

**Les préférences des électeurs**   L'expansion du gouvernement peut s'expliquer par les préférences des électeurs de la manière suivante. À mesure que les revenus des électeurs augmentent (comme ils le font habituellement d'une année à l'autre), la demande de biens collectifs augmente plus rapidement que les revenus. (Rappelons que, techniquement, l'élasticité-revenu de la demande de biens collectifs est supérieure à 1 — voir le chapitre 5, p. 106-107.) Or, de nombreux biens collectifs (et ce sont les plus onéreux) appartiennent à cette catégorie : les systèmes de communication — autoroutes, aéroports, systèmes de contrôle du trafic aérien —, la santé, l'éducation, l'environnement et la défense. Cette première explication de l'expansion de l'État semble donc convaincante.

**La production excédentaire non efficiente**   Une production excédentaire non efficiente peut expliquer la *taille* du secteur public, mais pas son *taux de croissance*. Elle explique (possiblement) pourquoi la taille de l'État dépasse la taille efficiente, mais elle n'explique pas pourquoi la part du secteur public dans le revenu total varie aussi considérablement au cours du temps.

## La riposte des électeurs

Quand les électeurs jugent que le secteur public devient trop lourd, ils peuvent s'en prendre aux programmes gouvernementaux et à la fonction publique. On peut interpréter ainsi la victoire du parti conservateur de Mike Harris aux élections ontariennes de 1995 ainsi que les compressions qu'on a fait subir aux divers programmes fédéraux et provinciaux dans la deuxième moitié des années 1990.

L'électorat — et les politiciens — peuvent aussi réagir contre la tendance du secteur public à augmenter son budget par la privatisation de la *production* des biens collectifs, car la fourniture publique d'un bien collectif n'exige pas que ce bien soit nécessairement *produit* par un organisme public.

- La fourniture de biens collectifs par le secteur privé engendre le problème du resquilleur ; la quantité fournie est trop faible pour être efficiente.

- Si les électeurs sont bien informés, la concurrence que se livrent les politiciens pour rallier leurs suffrages peut déboucher sur la fourniture publique d'une quantité efficiente de biens collectifs.

- Si les consommateurs de biens collectifs sont moins bien informés que les producteurs de ces biens, l'influence des fonctionnaires appuyés par des électeurs bien informés est plus déterminante que la leur, et la fourniture publique de biens collectifs dépasse la quantité efficiente.

Nous savons maintenant comment l'interaction des électeurs, des politiciens et des fonctionnaires détermine l'offre de biens et services collectifs. Nous avons vu que les électeurs doivent réduire leur consommation privée pour donner au secteur public les ressources qu'il dépense pour fournir les biens collectifs. Toutefois, nous n'avons pas étudié de près la structure du système fiscal. Comment le marché politique détermine-t-il la nature et l'ampleur des impôts que nous payons ?

## Les impôts

LES IMPÔTS GÉNÈRENT LES RESSOURCES FINANCIÈRES que le secteur public utilise pour fournir des biens collectifs et d'autres avantages aux électeurs. En 1998, 61 % du revenu total du gouvernement du Canada provenait de l'impôt sur le revenu, et 21 %, de taxes indirectes (comme la taxe sur les produits et services). La même année, 39 % du revenu total des gouvernements provinciaux provenait de l'impôt sur le revenu, et 26 % seulement des taxes sur les ventes. Pourquoi l'impôt sur le revenu représente-t-il une part aussi élevée des recettes fiscales ?

### L'impôt sur le revenu

L'impôt sur le revenu représente une part si importante des recettes fiscales parce qu'il permet de répartir les coûts et les avantages du gouvernement d'une manière bien particulière. Les montants que les contribuables payent en impôt sur le revenu et qu'ils reçoivent en avantages par l'intermédiaire des programmes gouvernementaux dépendent de leur revenu. Toutes autres choses étant égales, plus le revenu d'un contribuable est élevé, plus il paie d'impôt et moins il retire d'avantages. En règle générale, les contribuables à revenu élevé ont donc tendance à voter pour le parti politique qui préconise des avantages moindres et un taux d'imposition plus faible, alors que les contribuables à faible revenu, eux, ont tendance à voter pour celui qui préconise plus d'avantages et un taux d'imposition plus élevé. Les politiciens tâchent donc de trouver le taux d'imposition et le programme d'avantages qui rallieront la majorité de l'électorat.

Le théorème de l'électeur médian apporte un éclairage intéressant sur la manière dont les partis politiques élaborent leurs programmes électoraux.

**Le théorème de l'électeur médian**  Selon le **théorème de l'électeur médian**, les partis politiques élaborent leurs programmes électoraux de façon à maximiser l'avantage net de l'électeur médian. Dans ce contexte, l'électeur médian est celui dont l'opinion se situe exactement au centre dans l'éventail des opinions que l'on trouve dans l'ensemble de la population. Voyons ce que prédit le théorème de l'électeur médian sur le niveau d'avantages à fournir et le montant d'impôt à prélever.

Imaginons qu'il soit possible d'établir une liste de tous les niveaux possibles de programmes publics d'avantages, chaque niveau étant accompagné du taux d'impôt sur le revenu qui permettrait de le financer. En tête de liste, on trouverait le niveau d'avantages et d'impôts le plus élevé possible et, tout en bas, le niveau où les avantages et les impôts sont nuls.

Supposons maintenant qu'on aligne tous les électeurs le long d'une droite qui va de *A* à *D,* comme sur l'abscisse du graphique de la figure 18.9. L'électeur qui favorise le taux d'impôt sur le revenu le plus élevé (pour un maximum d'avantages) est au point *A*; celui qui favorise la disparition de tout impôt sur le revenu (et aucun avantage) se trouve au point *D*. Tous les autres électeurs se répartissent entre *A* et *D* selon le taux d'imposition (et le niveau d'avantages) qu'ils préconisent. La courbe bleue du graphique nous indique le taux d'imposition préconisé par la majorité des électeurs situés entre *A* et *D*. Dans cet exemple, l'électeur médian favorise un taux d'imposition de 30 %.

Supposons que deux partis politiques proposent des taux d'impôt sur le revenu très semblables : l'un préconise un taux de 61 %; l'autre, un taux de 59 %. Tous les électeurs situés entre *A* et *B* préfèrent un taux d'impôt sur le revenu plus élevé et voteront donc pour le parti qui le préconise, tandis que tous les électeurs situés entre *B* et *D* préfèrent le taux d'impôt sur le revenu plus bas et voteront pour l'autre parti. C'est ce dernier qui gagnera donc les élections.

Maintenant, supposons plutôt que le parti qui préconise un taux d'impôt sur le revenu plus élevé propose un taux de 11 % et que le parti favorable à un taux d'impôt sur le revenu moins élevé propose un taux de 9 %. Les électeurs situés entre *A* et *C* voteront alors pour le premier, et ceux situés entre *C* et *D*, pour le deuxième. Cette fois, la victoire ira au parti qui propose le taux d'imposition le plus élevé.

**FIGURE  18.9**

# Les votes et l'imposition du revenu

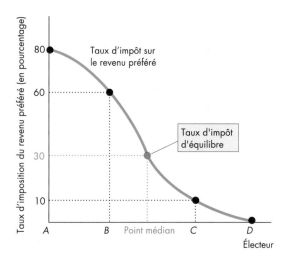

Un parti politique peut gagner une élection en proposant des politiques qui satisfont l'électeur médian et tous les électeurs situés d'un côté du point médian. Si l'électeur médian favorise une politique, on la proposera. Dans la figure, les électeurs sont classés selon leur préférence en matière de taux d'impôt sur le revenu (et de programme d'avantages), en ordre décroissant. Le taux d'impôt sur le revenu préféré *A* est le plus élevé (80 %) ; *D*, le plus faible (0 %).

Deux partis politiques tentent de se faire élire. Si l'un propose un taux d'impôt sur le revenu de 61 % et que l'autre propose un taux de 59 %, le parti qui préconise le taux le plus bas gagnera l'élection. Les électeurs situés entre *A* et *B* voteront pour le parti qui favorise le taux plus élevé, et ceux situés entre *B* et *D* voteront pour celui qui favorise le taux plus bas. Par contre, si les deux partis proposent des taux d'imposition inférieurs au taux que préconise l'électeur médian, — 11 % et 9 % par exemple —, celui des deux partis qui préconise le taux le plus élevé gagnera les élections. Il recueillera les votes des électeurs situés entre *A* et *C*, ne laissant au parti qui propose le taux le plus bas que les votes des électeurs se situant entre *C* et *D*. Chaque parti est enclin à proposer le taux le plus proche de celui préconisé par l'électeur médian. À ce point, chaque parti recueille la moitié des votes et aucun ne peut en obtenir davantage.

Dans l'un ou l'autre cas, le parti qui l'emporte est celui qui se rapproche le plus du taux d'impôt sur le revenu préconisé par l'électeur médian. Chaque parti pourrait donc améliorer ses résultats électoraux en se situant plus au centre que son adversaire. Mais comme tous les deux veulent l'emporter, l'un comme l'autre se rapproche du centre. Si les deux partis préconisent le taux d'impôt sur le revenu que préfère l'électeur médian, ni l'un ni l'autre ne peut se rallier des suffrages en modifiant sa proposition ; l'un obtiendra les votes des électeurs situés entre *A* et le point médian, et l'autre, les votes des électeurs situés entre le point médian et *D*.

Dans cette situation, tous les électeurs seront mécontents, sauf ceux qui se situent au point médian. Pour les électeurs situés entre *A* et le point médian, les avantages et le taux d'impôt sur le revenu sont trop faibles, et pour ceux qui se situent entre *D* et le point médian, ils sont trop élevés. Mais aucun parti politique ne peut espérer remporter la victoire en proposant un taux autre que 30 %. Si les deux partis préconisent des programmes identiques et un même taux d'imposition du revenu de 30 %, les électeurs n'auront aucune préférence et soit ne voteront pas, soit décideront de leur vote en jouant à pile ou face.

Le théorème de l'électeur médian découle du principe de la différenciation minimale que nous avons étudié. Les deux partis politiques se situent sur le même point du spectre d'activité politique. Mais cela ne veut pas dire que tous les partis politiques seront identiques à tous les égards. Un parti peut, sur le plan idéologique, afficher un penchant pour les électeurs bien nantis tandis que l'autre privilégie les défavorisés. Les deux partis défendront des politiques semblables, mais le discours de chacun sera conçu pour correspondre aux aspirations de ses partisans. Un parti parlera d'augmenter les impôts et d'améliorer les programmes ; l'autre, de réduire les impôts et les programmes. Mais ni l'un ni l'autre ne défendra avec trop d'acharnement ces politiques de crainte de perdre l'appui de l'électeur médian.

## Les droits d'accise

Le **droit d'accise** est une taxe imposée sur la vente d'un bien ou d'un service. Nous allons étudier les effets des droits d'accise en prenant l'exemple de la taxe sur l'essence, illustré à la figure 18.10. La courbe de demande d'essence est *D*, et la courbe d'offre, *O*. Sans taxe, le prix de l'essence est de 30 ¢ le litre ; on échange alors 400 millions de litres d'essence par jour.

Supposons maintenant qu'on impose une taxe de 30 ¢ le litre. Si les producteurs étaient disposés à offrir 400 millions de litres d'essence à 30 ¢ le litre sans taxe, ils ne continueront à offrir cette même quantité que si le prix monte à 60 ¢ le litre. Autrement dit, ils veulent maintenir le prix initial de 30 ¢ le litre, augmenté de la taxe de 30 ¢ par litre qu'ils doivent percevoir et verser au gouvernement. L'imposition de cette taxe entraîne la diminution de l'offre d'essence, et la courbe d'offre d'essence se déplace vers la gauche. Ce déplacement est tel que l'écart vertical entre la courbe d'offre initiale et la nouvelle courbe d'offre — la courbe rouge *O + taxe* — correspond au montant de la taxe. La nouvelle courbe d'offre croise la courbe de

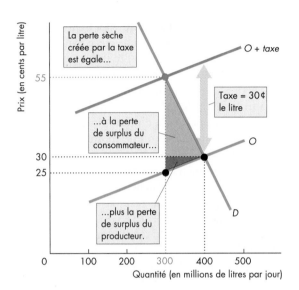

### FIGURE 18.10
## Un droit d'accise

La courbe de demande de l'essence est *D*, et la courbe d'offre, *O*. En l'absence de toute taxe, l'essence se vend 30 ¢ le litre, et on échange 400 millions de litres par jour. Lorsque le gouvernement impose une taxe de 30 ¢ le litre, la courbe d'offre se déplace vers la gauche pour devenir la courbe *O + taxe*. Le nouveau prix d'équilibre est 55 ¢ le litre, et on n'échange plus que 300 millions de litres par jour. Le droit d'accise crée une perte sèche, représentée ici par la somme des deux triangles gris. Le prélèvement fiscal est de 30 ¢ le litre sur 300 millions de litres, pour un total de 90 millions de dollars par jour. La perte sèche créée par la taxe est de 15 millions de dollars par jour. Autrement dit, un prélèvement fiscal de 90 millions de dollars par jour entraîne une perte sèche de 15 millions de dollars par jour.

demande au point correspondant à 300 millions de litres par jour au prix de 55 ¢ le litre. C'est le nouveau point d'équilibre après imposition de la taxe.

## Pourquoi le taux de taxation varie-t-il ?

Pourquoi l'essence, l'alcool et le tabac sont-ils si lourdement taxés alors que d'autres produits ne le sont pas du tout ? L'une des raisons est que les taxes créent des *pertes sèches*. La perte sèche est la diminution du surplus du consommateur et du surplus du producteur découlant de la taxe. (Nous avons abordé la notion de perte sèche en traitant du monopole au chapitre 12, p. 273-274.) Les pertes sèches créées par les taxes sont inévitables, mais le gouvernement peut réduire la perte sèche associée à un niveau de recette fiscale donné en choisissant des taux de taxation différents pour chaque bien taxé.

**La réduction de la perte sèche**   La figure 18.10 montre l'ampleur de la perte sèche créée par la taxe sur l'essence. Sans taxe, on vend 400 millions de litres d'essence par jour au prix de 30 ¢ le litre. Avec une taxe de 30 ¢, le prix à la consommation passe à 55 ¢ le litre, et la quantité échangée tombe à 300 millions de litres par jour. La hausse du prix et la diminution de la quantité échangée entraînent une diminution du surplus du consommateur ; le triangle gris pâle correspond à la perte de surplus du consommateur. Au 300 millionième litre acheté — l'unité marginale achetée —, le consommateur paie 55 ¢ au lieu de 30 ¢ sans taxe ; la vente de cette unité entraîne donc une perte de surplus du consommateur de 25 ¢. La perte de surplus du consommateur diminue ensuite progressivement pour chaque unité supplémentaire vendue, et ce, jusqu'à la 400 millionième unité. Le triangle gris pâle représente la perte totale de surplus du consommateur, qui est de 12,5 millions de dollars par jour[1].

La taxe sur l'essence entraîne également une perte de surplus du producteur, représentée par le triangle gris foncé. Au 300 millionième litre vendu — l'unité marginale vendue —, le producteur reçoit 25 ¢ au lieu de 30 ¢ sans taxe. La vente de cette unité entraîne donc une perte de surplus du producteur de 5 ¢. Puis la perte de surplus du producteur diminue ensuite progressivement pour chaque unité supplémentaire vendue, et ce, jusqu'à la 400 millionième unité. Le triangle gris foncé représente la perte totale de surplus du producteur, soit 2,5 millions de dollars par jour[2].

La perte sèche totale est la somme des pertes de surplus du consommateur et de surplus du producteur ; elle est représentée par les deux triangles gris — le pâle et le foncé — de la figure 18.10 — et correspond à 15 millions de dollars par jour. Mais que rapporte cette taxe en recettes fiscales ? Comme on vend 300 millions de litres d'essence par jour, et que la taxe est de 30 ¢ le litre, la recette totale provenant de la taxe sur l'essence est de 90 millions de dollars par jour (300 millions de

litres × 30 ¢ le litre). Le prélèvement, par une taxe sur l'essence, de 90 millions de dollars par jour crée une perte sèche de 15 millions de dollars par jour, soit un sixième du revenu de la taxe.

L'un des principaux facteurs qui influe sur la perte sèche créée par la taxation est l'élasticité de la demande du produit. La demande d'essence est relativement inélastique. Par conséquent, lorsque la taxe entre en vigueur, le pourcentage de la baisse de la quantité demandée est moindre que le pourcentage de la hausse de prix. Dans notre exemple, la quantité demandée baisse de 25 % alors que le prix augmente de 83,33 %.

Pour bien voir l'importance de l'élasticité de la demande, prenons l'exemple du jus d'orange. Pour simplifier l'analyse, supposons que le marché du jus d'orange illustré à la figure 18.11 soit exactement de la même taille que le marché de l'essence. La courbe de demande de jus d'orange est *D,* et la courbe d'offre, *O.* Le jus d'orange n'est pas taxé et coûte 30 ¢ le litre — au point d'intersection de la courbe d'offre et de la courbe de demande. La quantité échangée est de 400 millions de litres de jus d'orange par jour.

Supposons maintenant que le gouvernement envisage de supprimer la taxe sur l'essence pour taxer plutôt le jus d'orange. La demande de jus d'orange est plus élastique que celle d'essence, car les consommateurs peuvent facilement remplacer le jus d'orange par un autre jus de fruit ou une autre boisson. Pour maintenir ses recettes fiscales, le gouvernement veut prélever 90 millions de dollars par jour. Pour rapporter autant que la taxe sur l'essence, indique une étude des courbes de demande et d'offre du jus d'orange, la taxe sur le jus d'orange doit être de 45 ¢ le litre (voir la figure 18.11). Avec une taxe de 45 ¢ le litre, la courbe d'offre se déplace vers le haut jusqu'à la courbe *O + taxe.* Cette nouvelle courbe d'offre croise la courbe de demande au point correspondant à un prix de 65 ¢ le litre et à une quantité de 200 millions de litres par jour. Pour produire 200 millions de litres par jour, les producteurs doivent recevoir 20 ¢ le litre. Le gouvernement perçoit alors 90 millions de dollars par jour, et atteint son objectif.

Mais à combien s'élève maintenant la perte sèche ? Comme le montre le triangle gris de la figure 18.11, elle totalise 45 millions de dollars[3]. Vous remarquerez que la perte sèche créée par la taxe sur le jus d'orange, qui représente la moitié de la recette fiscale, est beaucoup plus importante que la perte sèche créée par la taxe sur l'essence, qui n'en représente que le sixième. À quoi tient cette différence ? Dans les deux cas, les courbes

---

[1] L'aire d'un triangle se calcule à l'aide de la formule : (base × hauteur) / 2. La base correspond à la baisse de la quantité vendue, soit 100 millions de litres par jour. La hauteur correspond à la hausse de prix, soit 25 ¢ le litre. En multipliant 100 millions de litres par jour par 25 ¢ le litre, et en divisant par 2, on obtient 12,5 millions de dollars par jour.

[2] La base du triangle correspond à la baisse de la quantité vendue, soit 100 millions de litres par jour. Sa hauteur correspond à la baisse de prix pour le producteur — 5 ¢ le litre. En multipliant 100 millions de litres par jour par 5 ¢ le litre et en divisant par 2, on obtient 2,5 millions de dollars par jour.

[3] Cette perte sèche se calcule comme la perte sèche créée par la taxe sur l'essence. On calcule d'abord la perte de surplus du consommateur (200 millions de litres par jour × 35 ¢ le litre / 2, soit 35 millions de dollars par jour), puis la perte de surplus du producteur (200 millions de litres par jour × 10 ¢ le litre / 2, soit 10 millions de dollars par jour ; on fait ensuite la somme de ces deux pertes et on obtient la valeur de la perte sèche, soit 45 millions de dollars par jour.

**FIGURE 18.11**

## Pourquoi ne taxe-t-on pas le jus d'orange ?

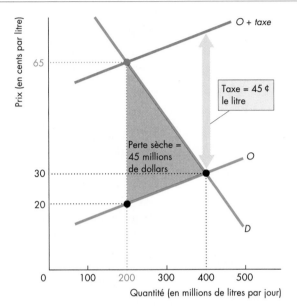

La courbe de demande du jus d'orange est *D*, et la courbe d'offre, *O*. Le prix d'équilibre est de 30 ¢ le litre et on vend 400 millions de litres de jus par jour. Pour maintenir des recettes fiscales de 90 millions de dollars, le gouvernement doit imposer une taxe de 45 ¢ le litre. Une telle taxe entraîne le déplacement de la courbe d'offre vers *O* + *taxe*. Le prix monte à 65 ¢ le litre, et la quantité échangée tombe à 200 litres par jour. Le triangle gris représente la perte sèche, qui est de 45 millions de dollars par jour. On voit que la perte sèche créée par la taxe sur le jus d'orange est beaucoup plus lourde que celle créée par la taxe sur l'essence (figure 18.10), parce que la demande de jus d'orange est plus élastique que la demande d'essence. On taxe donc plus lourdement les produits dont la demande est peu élastique que ceux dont la demande est très élastique.

d'offre sont identiques, de même que les quantités et les prix avant taxe ; c'est donc l'élasticité de la demande qui fait toute la différence. Alors que pour l'essence, dont la taxe fait presque doubler le prix, la quantité demandée ne baisse que de 25 %, pour le jus d'orange, dont le prix est un peu plus du double avec la taxe, la quantité demandée baisse de 50 %.

Vous savez maintenant pourquoi aucun parti politique ne préconise la taxation du jus d'orange. Pour se faire élire, les politiciens préconisent des taxes qui favorisent l'électeur médian. Toutes autres choses étant égales, pour un niveau de recettes fiscales donné, ils essaient de limiter autant que possible la perte sèche. Dans le même ordre d'idées, ils taxent plus lourdement les biens dont la demande est peu élastique que ceux dont la demande est élastique.

◇ Nous avons vu que les marchés ont des lacunes : ils ne parviennent pas toujours à une allocation efficiente des ressources ni à une répartition équitable des revenus. Nous avons aussi vu que des décisions gouvernementales peuvent pallier ces lacunes du marché par la fourniture publique de biens collectifs. Mais nous avons aussi constaté les lacunes de l'État : les fonctionnaires peuvent fournir les biens collectifs en quantité excédentaire par rapport à la quantité efficiente. La rubrique « Entre les lignes » (p. 432) illustre le problème du resquilleur dans le cas d'un bien collectif courant, les services de phares en Colombie-Britannique. Enfin, nous avons vu comment la fourniture publique de biens collectifs entraîne l'imposition du revenu ainsi que des taxes de vente élevées sur les produits dont la demande est peu élastique. Dans les trois prochains chapitres, nous étudierons plus à fond d'autres conséquences des lacunes du marché — l'inégalité économique, le monopole et les effets externes —, et comment les choix publics tentent de les pallier.

# Pleins FEUX sur les politiques

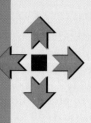

# Fini le resquillage ?

## Les faits
### EN BREF

■ Le gouvernement fédéral prévoit retirer les gardiens des phares de la Colombie-Britannique.

■ Pour maintenir des services de garde dans ses phares, le gouvernement de la Colombie-Britannique envisage d'imposer une taxe sur le carburant marin et aérien ainsi que des droits de plaisance.

■ Les plaisanciers se disent prêts à payer pour maintenir des services de garde des phares le long de la côte accidentée de la Colombie-Britannique.

VANCOUVER SUN, LE 30 MAI 1996

## La survie des phares : taxe sur l'essence et permis de plaisance

PAR STEWART BELL

Le gouvernement de la Colombie-Britannique envisage l'imposition de nouvelles taxes aux plaisanciers et aux pilotes d'avions, qui contribueraient ainsi au financement des services de garde des phares de la province, a appris le Vancouver Sun.

Une taxe sur le carburant marin et aérien ainsi que des frais de permis pour les bateaux de plaisance figurent parmi les «sources de recettes possibles» suggérées par les auteurs d'une étude commandée l'automne dernier par le premier ministre Glen Clark.

«Ces deux mesures constitueraient de nouveaux frais imposés à certains contribuables de la Colombie-Britannique», pouvait-on lire dans le rapport de 74 pages du cabinet comptable KPMG.

L'étude explore les solutions de rechange au plan controversé d'Ottawa, qui veut réaliser des économies en retirant les gardiens des phares de la province. Ce retrait a commencé en fin de semaine au phare de Point Atkinson à Vancouver-Ouest.

Selon cette étude, il en coûtera 7 millions de dollars par année à la Colombie-Britannique pour continuer à exploiter les 35 phares qui ont encore un gardien. La province pourrait récupérer autour de 6 millions de dollars du gouvernement fédéral, et la différence pourrait être comblée par de nouvelles taxes et des frais provenant des utilisateurs, proposent les auteurs du rapport.

Ainsi, une taxe de 0,1 ¢ le litre sur le carburant marin et aérien rapporterait 855 000 $ par an. Autre possibilité : l'imposition d'une taxe de 1 ¢ le litre qui rapporterait 8,55 millions de dollars, un montant suffisant pour continuer à exploiter les phares de la province sans aide fédérale, soutiennent-ils.

«S'il modifiait sa politique de taxation et de frais d'utilisateur, le gouvernement provincial pourrait encaisser des recettes importantes en taxant modérément le carburant marin et aérien», peut-on lire dans le rapport.

La province pourrait aussi retirer jusqu'à 2 millions de dollars par année en imposant un droit d'immatriculation aux plaisanciers. Le rapport note également qu'un plan fédéral de permis de plaisance en préparation devrait permettre à la province de prélever des taxes sur les ventes de bateaux d'occasion...

Bien que M. Clark ait promis un allégement fiscal aux Britanno-Colombiens durant la campagne électorale, les plaisanciers se disent prêts à payer une légère somme pour assurer le maintien des services de garde des phares le long de la côte accidentée de la Colombie-Britannique.

Les usagers de cette côte très dangereuse — marins et aviateurs — craignent que le remplacement des gardiens de phares par des machines n'entraîne encore plus de pertes de vies. Quant aux riverains, ils se sont opposés quasi unanimement à l'automatisation des phares lors des audiences publiques des dernières années, affirmant que la sécurité serait compromise dans le seul but de réaliser des économies peu importantes.

# Analyse

## ÉCONOMIQUE

■ Un phare est un bien collectif. La fourniture publique de services de garde des phares pose le problème du resquilleur.

■ Pour résoudre ce problème, le gouvernement fédéral finançait les services de garde des phares à même ses recettes fiscales; en 1996, il retire ce financement.

■ La Colombie-Britannique, dont la côte est très accidentée, envisage de maintenir les services de garde des phares en les finançant au moyen de taxes qui seraient assumées par les usagers (plaisanciers et aviateurs).

■ La figure 1 montre les courbes de coût total et d'avantage total des services de garde des phares. Le coût total, CT, augmente à un taux croissant en fonction du nombre de phares exploités; autrement dit, le coût marginal augmente.

■ Le gouvernement de la province peut fournir la quantité efficiente de services de garde des phares au point $Q^*$, ce qui donne un avantage total de $A^*$, et des dépenses $C^*$.

■ Pour lever les fonds nécessaires, le gouvernement provincial propose de taxer les propriétaires de bateaux. La figure 2 montre les effets de ces mesures sur le marché de la navigation de plaisance.

■ Sans taxe et avec des phares automatisés, l'offre de navigation de plaisance est $O$; la demande de navigation de plaisance, $D_0$; le volume (quantité) de navigation de plaisance, $Q_0$; et le prix, $P_0$.

■ Avec une prestation efficiente de services de garde des phares, les plaisanciers se sentent plus en sécurité et la demande de navigation de plaisance passe à $D_1$. Toutefois, avec l'imposition de la taxe sur le carburant et de frais de permis qui viennent s'ajouter aux autres coûts, la courbe d'offre devient $O + taxes$ (courbe rose).

■ Si l'augmentation de l'avantage est supérieure au coût de la taxe (comme dans la figure 1), le prix de la navigation de plaisance passe à $P_1$ et la quantité, à $Q_1$.

■ Les plaisanciers se disent prêts à payer la taxe, mais les services de garde des phares sont des biens collectifs et le problème du resquilleur demeure — les plaisanciers (et les aviateurs) pourraient acheter leur carburant en dehors de la Colombie-Britannique pour se soustraire à la taxe. Dans ce cas, les fonds que recueillerait le gouvernement de la Colombie-Britannique seraient insuffisants pour financer les services de garde des phares.

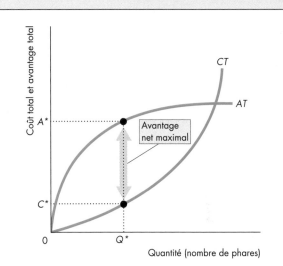

**Figure 1  Le coût et les avantages associés aux phares**

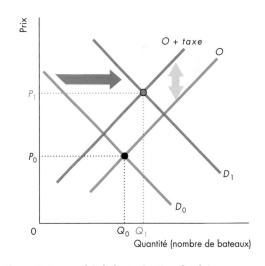

**Figure 2  Le marché de la navigation de plaisance**

## Si vous

### DEVIEZ VOTER

■ Nommez d'autres biens collectifs dont profitent des groupes particuliers et qu'on pourrait taxer.

■ Lesquels de ces biens collectifs choisiriez-vous de taxer et pourquoi?

# R É S U M É

## Points clés

**Le secteur public**    En 1998, le secteur public et para-public — gouvernement fédéral, gouvernements provinciaux et administrations municipales et autres organismes — employait 2,6 millions de personnes et dépensait près de 40 ¢ de chaque dollar gagné par les Canadiens. (p. 417-418)

**La théorie économique du secteur public**    Le gouvernement intervient dans la vie économique pour corriger les difficultés associées aux biens collectifs, à l'inégalité économique, au monopole et aux effets externes. Les biens collectifs posent le problème du resquilleur. On considère généralement l'inégalité économique comme une iniquité. Le monopole et les effets externes engendrent la non-efficience dans l'allocation des ressources. (p. 418-420)

**Les choix publics et le marché politique**    La théorie des choix publics repose sur l'idée que le gouvernement fonctionne dans un marché politique où électeurs, politiciens et fonctionnaires sont en interaction. Les électeurs sont les consommateurs du produit de l'activité politique, et ils expriment leurs demandes par leurs votes, leurs contributions électorales et des groupes de pression. Les politiciens proposent des politiques; leur objectif est de gagner les élections. Les fonctionnaires mettent ces politiques en œuvre; leur objectif est de maximiser le budget de leur administration. L'interaction des électeurs, des politiciens et des fonctionnaires débouche sur un équilibre politique, qui peut être efficient ou non. (p. 420-421)

**Les biens collectifs**    L'offre d'un bien collectif est efficiente lorsque la quantité des biens et services offerts maximise l'avantage net des consommateurs (avantage total moins coût total) tel qu'ils le perçoivent; à ce niveau de production, l'avantage marginal est égal au coût marginal. À cause du problème du resquilleur, l'offre de biens collectifs par le secteur privé n'est pas efficiente: la quantité fournie est insuffisante. Contrairement au secteur privé, l'État peut recourir à l'impôt sur le revenu pour financer l'offre et la production de biens collectifs. La concurrence entre les partis politiques peut favoriser l'efficience dans l'offre des biens collectifs. Les fonctionnaires tentent de maximiser leur budget, mais leur action en ce sens se heurte aux limites de la tolérance des électeurs. Si les électeurs sont bien informés, l'offre de biens collectifs est efficiente. S'ils ont opté pour l'ignorance rationnelle, l'intérêt des producteurs prévaudra et il y aura production excédentaire de biens collectifs. (p. 421-427)

**Les impôts**    Les recettes publiques proviennent de l'impôt sur le revenu, des taxes à la consommation, des taxes sur les ventes ainsi que des droits d'accise sur l'essence, les boissons alcoolisées et les produits du tabac, des biens qui sont lourdement taxés. On fixe les taux de l'impôt sur le revenu de manière à ce qu'ils satisfassent l'électeur médian. Les électeurs à revenu élevé reçoivent moins d'avantages que ce qu'ils paient et préfèrent donc un taux d'impôt sur le revenu moins élevé. Les électeurs à faible revenu reçoivent plus d'avantages que ce qu'ils paient et préfèrent donc un taux d'impôt plus élevé. Les partis politiques, qu'ils représentent les intérêts des bien nantis ou des pauvres, préconisent des taux d'impôt sur le revenu et des avantages qui plaisent à l'électeur médian; s'ils ne le faisaient pas, ils perdraient les élections.

Les taxes créent les pertes sèches, dont l'importance dépend de l'élasticité de la demande par rapport au prix. Si on taxe les biens qui ont une demande peu élastique, les pertes sèches provenant de l'augmentation d'un niveau donné de recettes fiscales diminuent. (p. 427-431)

## Figures clés

## Mots clés

## Q U E S T I O N S   D E   R É V I S I O N

1. Décrivez la croissance du secteur public dans l'économie canadienne au cours des 30 dernières années.

2. Décrivez la différence entre une analyse économique positive et une analyse économique normative en matière de choix publics.

3. Qu'entend-on par lacunes du marché? Expliquez-en les causes.

4. Quelles sont les caractéristiques d'un bien collectif? Donnez trois exemples de bien collectif.

5. Qu'est-ce que le problème du resquilleur et comment le gouvernement peut-il y remédier?

6. Qu'entend-on par inégalité économique? Quels problèmes l'inégalité économique entraîne-t-elle?

7. Qu'est-ce qu'un monopole? Quelles en sont les causes?

8. Qu'est-ce qu'un effet externe? Donnez des exemples de coûts externes et d'avantages externes.

9. Décrivez les trois agents en interaction sur le marché politique.

10. Comment mesure-t-on l'avantage marginal d'un bien collectif?

11. Expliquez pourquoi l'offre d'un bien collectif par le secteur privé n'est pas efficiente.

12. Décrivez le rôle économique des électeurs et expliquez ce qui motive leurs choix.

13. Décrivez le rôle économique des politiciens et expliquez ce qui motive leurs choix.

14. Décrivez le rôle économique des fonctionnaires et expliquez ce qui motive leurs choix.

15. Qu'entend-on par équilibre politique?

16. En quoi consiste le principe de la différenciation minimale?

17. Comment le principe de la différenciation minimale explique-t-il les programmes électoraux des partis politiques?

18. Expliquez pourquoi la quantité d'un bien collectif fourni sera probablement supérieure à la quantité efficiente.

19. Pourquoi l'ignorance des électeurs est-elle rationnelle?

20. Qu'est-ce que le théorème de l'électeur médian?

21. Quelles caractéristiques des choix politiques le théorème de l'électeur médian permet-il d'expliquer?

## A N A L Y S E   C R I T I Q U E

1. Lisez attentivement la rubrique « Entre les lignes » (p. 432) et répondez aux questions suivantes :
   a) Les services de garde des phares sont-ils, à votre avis, des biens collectifs? Justifiez votre réponse.
   b) Expliquez comment une taxe imposée aux plaisanciers et aux aviateurs peut permettre au gouvernement de la Colombie-Britannique d'offrir la quantité efficiente de services de garde des phares.
   c) Supposez que les services de garde des phares soient financés par le gouvernement de la Colombie-Britannique à même ses recettes fiscales. Sera-t-il toujours possible de fournir des services de garde des phares efficients?
   d) Pourrait-on établir un marché privé capable d'offrir une solution satisfaisante au problème des services de garde des phares?

2. Le petit conseil municipal de votre localité envisage de moderniser son système de surveillance des feux de signalisation. En installant des ordinateurs, il sera possible d'améliorer la vitesse du trafic routier. Plus l'ordinateur sera puissant, plus son travail sera efficace. Les édiles qui travaillent sur cette proposi-

tion veulent déterminer la quantité d'ordinateurs qui leur rapportera le plus de votes. Les fonctionnaires municipaux souhaitent maximiser leur budget. Vous êtes un économiste qui observe ce choix public. Votre tâche est de calculer la quantité de ce bien collectif qui permettra d'atteindre l'efficience dans l'allocation des ressources.
   a) De quelles données avez-vous besoin pour faire cette analyse?
   b) Que prédit la théorie des choix publics quant à la quantité choisie?
   c) Comment pourriez-vous, en qualité d'électeur informé, tenter d'influer sur ce choix?

3. Certains aéroports du Canada, notamment l'aéroport de Vancouver, sont détenus par des particuliers. D'autres, comme ceux de Toronto et de Montréal, sont des aéroports publics. Pourquoi les aéroports ne sont-ils pas tous soit privés soit publics? Dans quelles conditions les électeurs pourraient-ils appuyer un parti politique qui propose :
   a) de nationaliser l'aéroport de Vancouver?
   b) de privatiser l'aéroport de Montréal?

# P R O B L È M E S

1. La figure illustre l'avantage marginal et le coût marginal de systèmes d'évacuation des eaux usées pour diverses capacités. La municipalité compte 1 million d'habitants.
   a) Quelle capacité permet d'obtenir l'avantage net maximum?
   b) Combien chaque habitant devra-t-il payer en taxes pour obtenir la capacité efficiente?

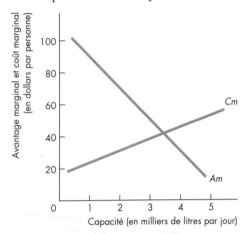

   c) Quel est l'équilibre politique si les électeurs sont bien informés?
   d) Quel est l'équilibre politique si les électeurs ont choisi l'ignorance rationnelle et si les fonctionnaires maximisent leur budget?

2. Supposons une population comprenant neuf groupes de personnes, étiquetés par les lettres *A* à *I*, qui, considérant les niveaux d'avantages qui leur sont associés, préconisent les taux d'imposition du revenu suivants:

| A | B | C | D | E | F | G | H | I |
|---|---|---|---|---|---|---|---|---|
| 90 | 80 | 70 | 60 | 50 | 0 | 0 | 0 | 0 |

Deux partis politiques sont en concurrence. Quel taux d'imposition du revenu préconiseront-ils?

3. Sur le marché des biscuits:

| Prix (en dollars par kilogramme) | Quantité demandée (en kilogrammes par mois) | Quantité offerte (en kilogrammes par mois) |
|---|---|---|
| 10 | 0 | 36 |
| 8 | 3 | 30 |
| 6 | 6 | 24 |
| 4 | 9 | 18 |
| 2 | 12 | 12 |
| 0 | 15 | 0 |

   a) Quels sont le prix d'équilibre concurrentiel et la quantité achetée et vendue?
   b) Supposons que le gouvernement impose une taxe de 10% sur les biscuits.
      i) Quel est le nouveau prix des biscuits?
      ii) Quelle est la nouvelle quantité échangée?
      iii) À combien s'élèvent les recettes fiscales totales du gouvernement?
      iv) À combien s'élève la perte sèche?

## Chapitre

# 19

# L'inégalité et
# la redistribution

**Objectifs
du chapitre**

- Décrire la répartition actuelle du revenu et du patrimoine au Canada

- Expliquer pourquoi la répartition du patrimoine est plus inégale que la répartition du revenu

- Expliquer d'où vient l'inégalité économique

- Expliquer les effets du système fiscal ainsi que des programmes de sécurité sociale et d'aide sociale sur les inégalités de revenu et de patrimoine

## Opulence et indigence

La fortune familiale de Ken Thomson, qui provient des activités de l'International Thomson Organization, est la plus importante au Canada. Elle est estimée à 14,4 milliards de dollars. Le Canada compte d'autres milliardaires comme Charles Bronfman, propriétaire de la société Seagram, ou encore la famille Irving, propriétaire de raffineries et d'une chaîne de stations-service, pour ne mentionner qu'eux. Contraste frappant avec ces gens richissimes, d'autres Canadiens dorment sur les bancs de parc des villes ou font la file à la porte des banques alimentaires; ces hommes et ces femmes n'ont pour toute richesse que les vêtements qu'ils portent et quelques maigres biens. ◆ S'il est certain que la plupart des Canadiens ne sont pas démunis au point d'avoir recours à des banques alimentaires, il existe dans notre pays une pauvreté relative considérable. Un ménage sur dix dispose d'un revenu tellement faible que le loyer à lui seul en absorbe près de la moitié. ◆ Pourquoi certaines personnes vivent-elles dans une telle opulence et d'autres dans une telle indigence? Les riches deviennent-ils de plus en plus riches et les pauvres de plus en plus pauvres? L'information dont nous disposons sur l'inégalité de la répartition du revenu et du patrimoine au Canada nous donne-t-elle une image exacte de la réalité, ou cette image est-elle trompeuse? Quel est le rôle du système fiscal, des programmes de sécurité sociale et des programmes d'aide sociale dans l'inégalité économique?

◗ Dans ce chapitre, nous étudierons l'inégalité économique, son ampleur, ses causes ainsi que les remèdes envisageables. Nous nous pencherons également sur le système fiscal et les programmes étatiques de redistribution du revenu; nous étudierons leurs effets sur l'inégalité économique au Canada. Mais commençons par examiner certains faits relatifs à l'inégalité économique.

# L'inégalité de la répartition du revenu et du patrimoine au Canada

ON PEUT ÉTUDIER L'INÉGALITÉ DU POINT DE VUE DE la répartition du revenu ou de la répartition du patrimoine. Le revenu familial est le montant d'argent que reçoit une famille durant une période donnée ; le patrimoine d'une famille est la valeur de tous ses avoirs matériels et financiers à un moment précis. On peut mesurer l'inégalité de la répartition du revenu en examinant le pourcentage du revenu total dont dispose un pourcentage donné de familles. De même, on peut mesurer l'inégalité de la répartition du patrimoine (richesse) en examinant le pourcentage du patrimoine global que détient un pourcentage donné de familles.

En 1997, le revenu moyen de la famille canadienne s'élevait à 57 146 $, chiffre théorique ne rendant pas compte des inégalités considérables entre les nantis et les démunis. Ainsi, les familles du quintile inférieur (les 20 % de familles les plus pauvres) ne recevaient que 6,1 % du revenu total, et les familles du deuxième quintile (dont le revenu se situe juste au-dessus) n'en recevaient que 11,9 %. Par contre, les familles du quintile supérieur (les 20 % de familles les plus riches) recevaient à elles seules 40,2 % du revenu total du Canada.

La répartition de la richesse montre une inégalité encore plus grande. Le patrimoine (richesse) d'une famille comprend l'ensemble des avoirs financiers et matériels qu'elle détient à un moment précis. Selon les données sur la répartition de la richesse les plus récentes dont nous disposions — et qui remontent à 1984 —, le patrimoine de la famille médiane s'élevait à un peu plus de 40 000 $, chiffre qui, ici encore, gomme des inégalités considérables. Les 40 % de familles les plus pauvres ne possédaient que 2 % de la richesse globale, tandis que les 10 % de familles les plus riches en détenaient plus de 50 %. Près de 24 % de la richesse globale se concentrait entre les mains du 1 % de familles les plus riches.

## Les courbes de Lorenz

La figure 19.1 illustre la répartition du revenu. Le tableau répartit les familles en cinq groupes égaux appelés *quintiles* — du quintile de revenu le plus faible (ligne *a*) au quintile de revenu le plus élevé (ligne *e*) — et donne le pourcentage du revenu total qui revient à chaque quintile. Ainsi, la ligne *a* nous apprend qu'en 1997 les familles du quintile inférieur recevaient 6,1 % du revenu total. Le tableau nous donne également les pourcentages cumulés de familles et de revenus. Par exemple, la ligne *b* nous apprend que les deux quintiles inférieurs (le 40 % de familles dont le revenu est le plus bas) reçoivent 18,0 % du revenu total (6,1 % pour le

**FIGURE 19.1**

## Les courbes de Lorenz de la répartition du revenu et du patrimoine

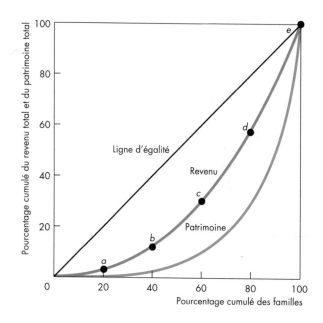

|  | Familles | | Revenu | |
|---|---|---|---|---|
| Pourcentage | Pourcentage | Pourcentage cumulé | Pourcentage | Pourcentage cumulé |
| *a* Quintile inférieur | 20 | 6,1 | | 6,1 |
| *b* Second quintile | 40 | 11,9 | | 18,0 |
| *c* Troisième quintile | 60 | 17,6 | | 35,6 |
| *d* Quatrième quintile | 80 | 24,1 | | 59,7 |
| *e* Quintile supérieur | 100 | 40,2 | | 100,0 |

Le graphique indique les pourcentages cumulés du revenu total et du patrimoine total selon le pourcentage cumulé des familles. Si le revenu et le patrimoine étaient répartis également entre toutes les familles, chaque quintile (20 %) de familles gagnerait 20 % du revenu total et posséderait 20 % du patrimoine total ; les quintiles se situeraient tous sur la ligne d'égalité. Ici, les points *a* à *e* sur la courbe de Lorenz de la répartition du revenu correspondent aux lignes *a* à *e* du tableau. La courbe de Lorenz du patrimoine montre que la répartition de la richesse est plus inégale que la répartition du revenu.

*Sources :* Pour le revenu, Statistique Canada, *Répartition du revenu au Canada selon la taille du revenu*, 1997. Pour le patrimoine, James B. Davies, « Distribution of Wealth in Canada », *Research in Economic Inequality : Studies in the Distribution of Household Wealth*, Greenwich, CT, JAI Press, 1993 et Lars Osberg, « Canada's Economic Performance : Inequality, Poverty, and Growth », *False Promises, The Failure of Conservative Economics*, Vancouver, New Star Books, 1992.

quintile inférieur et 11,9 % pour le deuxième quintile). Les données sur les parts cumulées du revenu se traduisent sur le graphique par une courbe de Lorenz. Inventée par Max Otto Lorenz en 1905, la **courbe de Lorenz** représente graphiquement les pourcentages cumulés du revenu total ou du patrimoine total en fonction des pourcentages cumulés des groupes de population considérés.

Si le revenu était réparti également entre toutes les familles, les pourcentages cumulés du revenu perçus par les pourcentages cumulés des familles correspondantes se situeraient sur la ligne droite noire appelée « ligne d'égalité ». Sur cette ligne, en effet, les pourcentages cumulés du revenu sont toujours égaux aux pourcentages cumulés des ménages, ce qui implique que chaque ménage reçoit une part identique du revenu. La courbe de Lorenz de la répartition du revenu nous montre la répartition réelle du revenu.

Le graphique de la figure 19.1 présente également la courbe de Lorenz du patrimoine, construite comme nous venons de l'expliquer. Elle révèle que les 10 % de familles les plus riches détiennent la moitié du patrimoine total, tandis que les 40 % de familles les plus pauvres n'en détiennent que 2 %.

La courbe de Lorenz illustre le degré d'inégalité : plus elle est proche de la ligne d'égalité, plus la répartition est égale. Comme les deux courbes de Lorenz du graphique de la figure 19.1 permettent de le constater, la courbe de répartition du patrimoine est beaucoup plus éloignée de la ligne d'égalité que la courbe de répartition du revenu, ce qui signifie que la répartition de la richesse est beaucoup plus inégale que la répartition du revenu.

## L'évolution de l'inégalité

La figure 19.2 nous montre l'évolution de la répartition du revenu familial total *après* impôts et transferts au fil des ans. La répartition du revenu au Canada est remarquablement stable ; les variations observées sont

---

**FIGURE   19.2**

## Évolution de la répartition du revenu : 1980-1997

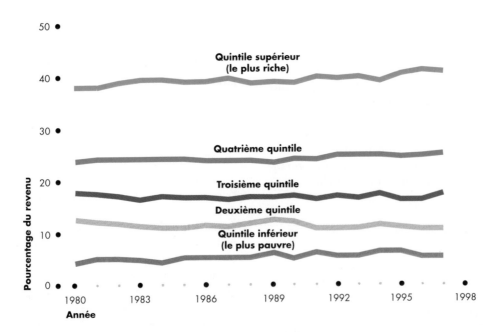

La répartition du revenu au Canada est légèrement moins inégale entre 1980 et 1990. Le revenu du quintile le plus riche de la population a légèrement augmenté, tandis que celui des deux quintiles les plus pauvres a diminué. Le revenu du troisième quintile a également diminué et celui du quatrième quintile est resté inchangé. Depuis 1995, cependant, les tendances semblent s'être inversées.

*Source* : Statistique Canada, *Répartition du revenu au Canada selon la taille du revenu*, 1997.

minimes. La part des 40 % de familles les plus pauvres (les deux quintiles inférieurs) a légèrement diminué (de 19,3 % à 18,0 %), celle du troisième quintile est demeurée constante, celle du quatrième quintile a diminué et celle des 20 % de familles les plus riches (quintile supérieur) a légèrement augmenté.

Des mesures plus fines de l'inégalité permettent toutefois de déceler une augmentation des inégalités de revenu après impôt au Canada au cours des années 1990. Cette accentuation des inégalités est encore plus marquée pour les revenus *avant* impôt et transferts. En effet, les deux quintiles inférieurs ont bénéficié de la protection d'un filet de sécurité sociale financé à même l'impôt sur le revenu des deux quintiles supérieurs, car la part des deux quintiles supérieurs dans les revenus avant impôts et transferts avait en fait augmenté plus que ne l'indiquent les chiffres précédents. Ces gains avant impôt des deux quintiles supérieurs s'expliquent par la rapidité du progrès technologique, qui a accru la valeur et le rendement de l'instruction. Le quintile au revenu le plus élevé a ainsi pu

payer ses impôts et maintenir son niveau de revenu, mais cela n'a pas été le cas pour le quatrième quintile.

## Qui sont les riches et qui sont les pauvres ?

Quelles sont les caractéristiques des familles riches et des familles pauvres au Canada ? On peut résumer la situation en disant que la personne qui a le revenu le plus faible au Canada est probablement une mère parent unique de moins de 25 ans qui n'est pas sur le marché du travail et qui vit au Québec. Quant au revenu familial le plus élevé, on le trouve probablement chez un couple marié de 45 à 54 ans, dont les deux membres sont sur le marché du travail, et qui vit en Ontario.

Ces deux profils types sont aux extrêmes des profils présentés à la figure 19.3, qui dégage l'influence sur le revenu familial de plusieurs facteurs : la source du revenu, le type de famille, le sexe et l'âge de la personne à la tête de

**FIGURE 19.3**

# La fréquence du faible revenu selon certaines caractéristiques familiales

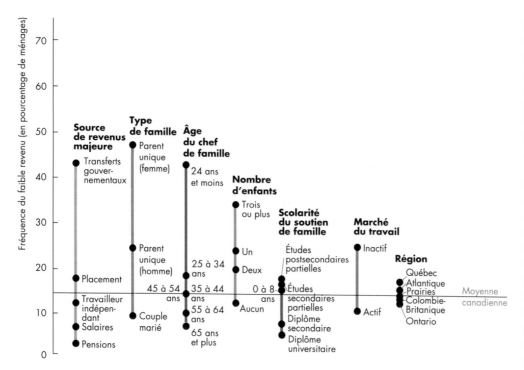

L'axe vertical indique la fréquence du faible revenu — le pourcentage de familles vivant sous le seuil de faible revenu (c'est-à-dire qui dépensent plus de 54,7 % de leur revenu familial en alimentation, en logement et en vêtements). Au Canada, en moyenne, 14,0 % des familles vivent sous le seuil de faible revenu. Mais, comme on le voit ici, ce pourcentage varie selon la source du revenu, le type de famille, le sexe, l'âge et la scolarité de la personne à la tête de la famille, le nombre d'enfants et la région de résidence. Les facteurs qui exercent la plus grande influence sur le revenu sont, et de loin, la source de revenu, le type de famille ainsi que le sexe et l'âge de la personne à sa tête.

*Source : Statistique Canada, Répartition du revenu au Canada selon la taille du revenu, 1997.*

la famille, la participation au marché du travail, le nombre d'enfants, le niveau de scolarité et la région de résidence.

## La pauvreté

Les familles au bas de l'échelle du revenu sont tellement démunies qu'on considère qu'elles vivent dans la pauvreté. On parle de **pauvreté** lorsque le revenu familial est insuffisant pour permettre à la famille de se nourrir, de se loger et de se vêtir convenablement. La notion de pauvreté est relative. En Afrique et en Asie, des millions de gens survivent avec un revenu annuel de moins de 400 $. Au Canada, on mesure la pauvreté par rapport à des seuils de faible revenu : Statistique Canada considère «à faible revenu» les familles dont le revenu est inférieur à ces seuils. Les **seuils de faible revenu** sont les niveaux de revenu — différents pour divers types de familles (par exemple : personnes seules, couples, familles monoparentales) — au-dessous desquels les familles doivent dépenser plus de 54,70 % de leur revenu en alimentation, logement et vêtements ; les seuils que Statistique Canada utilise actuellement reposent sur les données de l'enquête relative aux dépenses des familles en 1992.

La figure 19.3 montre que la fréquence du faible revenu est liée à d'autres caractéristiques des familles. On note une forte corrélation entre le faible revenu et la source du revenu ainsi que le type de famille. Plus de 40 % des familles qui bénéficient de transferts gouvernementaux vivent sous le seuil de faible revenu. Environ 46 % des familles ayant à leur tête une femme sans mari vivent sous le seuil de faible revenu, comparativement à moins de 9 % des familles composées d'un couple marié. Plus de 42 % des familles ayant à leur tête une personne de moins de 24 ans vivent sous le seuil de faible revenu, comparativement à 14 % seulement des familles ayant à leur tête une personne qui a de 35 à 44 ans. Au Québec, plus de 16 % des familles vivent sous le seuil de faible revenu, comparativement à moins de 12 % des familles en Ontario. Près de 20 % des familles dont le chef de famille a 8 ans ou moins de scolarité vivent sous le seuil de faible revenu, comparativement à 7 % seulement des familles ayant à leur tête un diplômé universitaire.

## À RETENIR

■ Le revenu et la richesse sont répartis inégalement, mais la richesse est répartie plus inégalement que le revenu.

■ De 1980 à 1997, la répartition du revenu est restée à peu près inchangée, mais on perçoit une accentuation des inégalités au cours des années 1990.

■ Les principaux facteurs qui influent sur le revenu d'une famille sont, en ordre décroissant d'importance, la source du revenu, le type de famille, l'âge et le sexe de la personne à sa tête, le nombre d'enfants, le niveau de scolarité du soutien de famille, la situation par rapport au marché du travail et la région de résidence.

## Comparer ce qui est comparable

ON DÉTERMINE LE DEGRÉ D'INÉGALITÉ DANS UNE société en comparant la situation économique d'une personne ou d'un groupe avec celle d'une autre personne ou d'un autre groupe. Mais quelle est la meilleure mesure de la situation économique d'une personne ou d'un groupe, le revenu ou le patrimoine ? Faut-il considérer le revenu *annuel* — mesure utilisée dans ce chapitre —, ou le revenu sur une période plus longue — le cycle de vie d'une personne ou d'une famille, par exemple ?

### Le patrimoine et le revenu

Le patrimoine (ou richesse) est le *stock* des actifs matériels et financiers ; le revenu est le *flux* des gains générés par le stock de richesse. Supposons qu'une personne détienne des actifs d'une valeur d'un million de dollars ; son patrimoine s'élève donc à un million de dollars. Si le taux de rendement de ses actifs est de 5 % par année, elle tire de ses actifs un revenu de 50 000 $ par année pour une durée illimitée. On peut donc évaluer sa situation économique soit à un million de dollars — son patrimoine —, soit à 50 000 $ par année — son revenu. À un taux de rendement de 5 % par année, un million de dollars *équivaut* à un revenu de 50 000 $ par année pour une durée illimitée. Le patrimoine et le revenu décrivent deux facettes d'une même réalité.

Cependant, comme on l'a vu à la figure 19.1, la répartition du patrimoine est beaucoup plus inégale que la répartition du revenu. Pourquoi ? Parce que les données sur le patrimoine mesurent des actifs matériels et financiers, en excluant la valeur du capital humain, tandis que les données sur le revenu reflètent à la fois les actifs matériels et le capital humain.

Le tableau 19.1 illustre les effets de l'omission du capital humain dans les données sur le patrimoine. Louis et Pierre ont le même âge. Le patrimoine et le revenu de Louis valent le double du patrimoine et du revenu de Pierre. Cependant, le capital humain de Louis (200 000 $) vaut moins que celui de Pierre (499 000 $), et le revenu qu'il en tire — 10 000 $ — est inférieur au revenu de 24 950 $ que Pierre tire du sien. Le patrimoine matériel et financier de Louis est plus important que celui de Pierre — 800 000 $ en comparaison de 1 000 $ —, et le revenu de 40 000 $ que retire Louis de ses actifs matériels et financiers est plus élevé que le revenu de 50 $ que Pierre retire des siens.

---

**TABLEAU 19.1**

## Le capital humain, le patrimoine et le revenu

|  | Louis | | Pierre | |
|---|---|---|---|---|
|  | **Patrimoine** | **Revenu** | **Patrimoine** | **Revenu** |
| Capital humain | 200 000 | 10 000 | 499 000 | 24 950 |
| Patrimoine matériel et financier | 800 000 | 40 000 | 1 000 | 50 |
| Total | 1 000 000 $ | 50 000 $ | 500 000 $ | 25 000 $ |

---

Si on tient compte tant de la valeur du capital humain que de la valeur des actifs matériels et financiers dans la mesure du patrimoine, la répartition du revenu et la répartition du patrimoine présentent le même degré d'inégalité. Mais les enquêtes nationales sur la répartition du revenu et du patrimoine n'incluent pas la valeur du capital humain dans la mesure du patrimoine, ce qui explique que, si on se fie à ces données, la répartition du patrimoine semble plus inégale que celle du revenu.

---

Les enquêtes nationales sur le patrimoine et le revenu enregistrent leurs revenus respectifs de 50 000 $ et de 25 000 $; données qui montrent que Louis est deux fois plus riche que Pierre; de même, elles enregistrent leurs patrimoines respectifs de 800 000 $ et de 1 000 $; données selon lesquelles Louis serait 800 fois plus riche que Pierre! Il ne faut cependant pas en conclure hâtivement que la répartition du revenu est une mesure beaucoup plus précise de l'inégalité économique réelle que la répartition du patrimoine. Dans le monde réel, en effet, la richesse permet souvent d'accumuler plus de capital humain, puisqu'elle donne souvent accès à plus d'éducation. Le capital humain ne fait que corriger partiellement les inégalités créées par les inégalités dans la richesse. De plus, le revenu ne reflète qu'imparfaitement les gains en capital faits sur les actifs matériels et financiers; or, s'ils sont importants, une personne pourrait en vendre une partie et augmenter ainsi ses revenus sans que le résultat soit mesuré par les données de revenu traditionnelles, et sans diminuer sa richesse!

### Le revenu annuel ou le revenu durant le cycle de vie?

Le revenu familial typique évolue au fil des ans. Faible au départ, il augmente progressivement pour culminer au moment où les travailleurs de la famille atteignent l'âge

de la retraite, après quoi il diminue. Le patrimoine familial typique évolue de la même manière: faible au début, il culmine avant la retraite, puis il diminue. Imaginons maintenant trois familles qui auraient des revenus identiques tout au long de leur cycle de vie. La première famille est jeune; la deuxième, d'âge moyen; la troisième, à la retraite. Cette année, le revenu et le patrimoine de la famille d'âge moyen sont donc les plus élevés, ceux de la famille à la retraite sont les plus faibles et ceux de la jeune famille se situent entre les deux. Si on considère une année donnée, les répartitions du revenu et du patrimoine de ces trois couples sont inégales; cependant, si on considère tout le cycle de vie, elles sont égales. Une partie de l'inégalité économique mesurée une année donnée tient donc au fait que les diverses familles se trouvent à diverses étapes de leur cycle de vie, ce qui entraîne une surestimation de l'inégalité pour le cycle de vie.

---

### À RETENIR

- La répartition du revenu et la répartition du patrimoine sont deux mesures de l'inégalité économique. On ne peut dire que l'une est plus précise que l'autre; chacune a ses limites qu'il importe de bien connaître et de bien comprendre.

- La répartition du revenu pour le cycle de vie est un indicateur beaucoup plus précis du degré d'inégalité économique que la répartition du revenu annuel, car le revenu varie au cours du cycle de vie.

Penchons-nous maintenant sur les sources de l'inégalité économique.

---

## Le prix des facteurs, les dotations en facteurs et les choix

LE REVENU D'UNE FAMILLE VARIE SELON LE PRIX DES facteurs de production que fournit cette famille, la dotation des facteurs qu'elle possède, et les choix de ses membres. Dans quelle mesure les variations du prix des facteurs et des quantités fournies peuvent-elles expliquer les disparités de revenu?

### Le marché du travail et les salaires

Nous savons que la principale source de revenu est le travail. Dans quelle mesure les disparités salariales peuvent-elles expliquer l'inégalité de la répartition du revenu? Le tableau 19.2 — qui donne le salaire horaire moyen des employés du secteur privé dans neuf catégories d'emplois

## TABLEAU 19.2
## Quelques salaires horaires moyens en 1998

| Emploi/Lieu | Salaire moyen (en dollars par heure) |
|---|---|
| Coiffeur à Terre-Neuve | 6,80 |
| Garçon de bar en Colombie-Britannique | 8,73 |
| Employé de cinéma au Québec | 8,17 |
| Vendeur de meubles au détail en Alberta | 11,64 |
| Concessionnaire d'automobiles au Manitoba | 15,23 |
| Camionneur au Québec | 16,32 |
| Travailleur de l'automobile au Québec | 21,78 |
| Travailleur des pâtes et papiers en Colombie-Britannique | 22,18 |
| Travailleur en forage pétrolier en Alberta | 36,91 |
| **Moyenne, pour l'ensemble du Canada** | **15,12** |

Les salaires horaires moyens présentent d'importantes disparités selon l'occupation. Mais l'écart salarial est beaucoup plus faible que l'inégalité du revenu. Ainsi, le revenu du travailleur le mieux rémunéré de cette liste — un travailleur en forage pétrolier de l'Alberta — est 5 fois plus élevé que celui du travailleur le moins bien rémunéré, le coiffeur de Terre-Neuve, qui gagne 6,80 $ l'heure. Or, les inégalités de revenu sont beaucoup plus importantes que cela.

Source : Statistique Canada, *StatCan* : disque CANSIM.

ainsi que le salaire horaire moyen pour l'ensemble des emplois industriels en 1998 — nous aide à répondre à cette question. On y constate en effet une large dispersion autour de la moyenne horaire de 15,12 $, les salaires allant de 6,80 $ pour un coiffeur de Terre-Neuve à 36,91 $ pour un travailleur spécialisé dans le forage pétrolier en Alberta.

On peut mesurer les disparités entre les travailleurs les mieux et les moins bien rémunérés pour ces catégories d'emplois en calculant l'écart salarial relatif — le ratio d'un salaire à un autre. Ainsi, toujours dans notre liste d'exemples, en divisant le salaire industriel le plus élevé en Alberta (36,91 $) par le salaire le moins élevé dans cette même province (11,64 $), on obtient un écart salarial relatif de 3,2. Autrement dit, le travailleur le mieux rémunéré de l'Alberta gagne 3,2 fois plus que le travail-

leur le moins bien rémunéré de l'Alberta. Le même calcul nous apprend que, toujours dans notre liste d'exemples, le travailleur le mieux rémunéré au Québec (21,78 $) gagne 2,7 fois plus que le moins bien rémunéré (8,17 $). En Colombie-Britannique, le travailleur le mieux rémunéré (22,18 $) gagne 2,5 fois plus que le moins bien rémunéré (8,73 $).

Dans une certaine mesure, cet écart salarial relatif reflète probablement des disparités en matière de formation et de compétence. Ainsi, au Québec, un travailleur de l'automobile qualifié a une formation et une expérience de travail beaucoup plus poussées qu'un employé de cinéma sans qualification. Le tableau nous donne d'autres exemples de telles disparités.

Si les écarts salariaux relatifs sont une des sources d'inégalité du revenu, les différences de dotation en facteurs de production en sont un autre.

## La répartition des dotations

Les membres d'une famille n'ont pas tous les mêmes aptitudes. Qu'elles soient mentales ou physiques, innées ou acquises, les différences individuelles sont un trait si caractéristique de l'humanité qu'il semble superflu d'en parler. La répartition normale des différences individuelles — comme la répartition des poids et des tailles — dessine une courbe en forme de cloche.

La répartition des aptitudes individuelles est une source importante d'inégalité dans la répartition du revenu et du patrimoine. Mais ce n'est pas la seule, sinon les courbes de répartition du patrimoine et du revenu ressembleraient aux courbes en forme de cloche de la répartition des poids et des tailles ; or, elles sont asymétriques, comme celle que montre le graphique de la figure 19.4.

Ce graphique présente le revenu en abscisse, et le pourcentage de familles recevant tel ou tel revenu en ordonnée. En 1997, le revenu médian — le revenu qui sépare la population en deux groupes de taille égale — était de 50 361 $, le revenu modal — le revenu le plus commun — était inférieur au revenu médian, et le revenu moyen (qui s'élevait à 57 146 $ cette année-là) était supérieur au revenu médian. On observe une répartition asymétrique comme celle de la figure 19.4 lorsqu'il y a plus de gens dont le revenu est inférieur au revenu moyen que de gens dont le revenu est supérieur à la moyenne ; en d'autres mots, lorsqu'un grand nombre de gens ont un très faible revenu et qu'un petit nombre de gens ont un revenu très élevé. La courbe de la répartition du patrimoine (actifs matériels et financiers) présente une forme assez semblable à celle la répartition du revenu, mais elle est encore plus asymétrique.

La forme asymétrique de la répartition du revenu, qui ne saurait s'expliquer par la répartition en forme de cloche des aptitudes individuelles, résulte des choix que font les gens.

## FIGURE 19.4
## La répartition du revenu

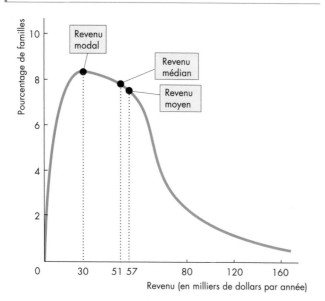

En 1997, la répartition du revenu au Canada est inégale, et asymétrique par rapport au revenu moyen. Les familles qui gagnent moins que la moyenne sont beaucoup plus nombreuses que celles qui gagnent plus que la moyenne. En outre, la courbe de répartition présente une queue supérieure longue et mince qui correspond au petit nombre de familles à revenu très élevé.

Source : Statistique Canada, *Répartition du revenu au Canada selon la taille du revenu*, 1997.

## Les choix

La répartition du revenu et du patrimoine dépend en partie du prix des facteurs et en partie des quantités de facteurs que les gens décident d'offrir sur le marché. La plupart du temps, les gens ne peuvent pas influer sur le prix des facteurs de production ; quel que soit leur emploi — garde d'enfants, lavage d'automobile, camionnage ou enseignement —, ils ne peuvent pas exiger un salaire plus élevé que le salaire d'équilibre. Le spécialiste en investissements gagne davantage que le préposé au stationnement en raison de différences de capital humain, mais c'est toujours le marché qui détermine les taux de salaire.

Par contre, ce sont les gens qui décident quelle quantité de chacun des facteurs de production qu'ils possèdent ils offriront sur le marché. De même, ce sont les gens qui décident s'ils offrent des services de garde ou s'ils cherchent un emploi dans une banque, s'ils placent leurs économies dans un compte d'épargne ou s'ils achètent des actions. Comme nous allons le voir, les décisions que prennent les gens accentuent les écarts entre les familles. En effet, ces choix rendent la répartition du revenu plus inégale que la répartition des aptitudes individuelles, et accentuent l'asymétrie de la répartition du revenu.

**Les salaires et l'offre de travail** Toutes autres choses étant égales, la quantité de travail qu'offre un travailleur ou une travailleuse augmente avec l'augmentation du taux salarial de ce travailleur. En d'autres termes, ceux dont le taux salarial est faible choisissent de travailler moins d'heures que ceux qui jouissent d'un taux salarial élevé. Supposons, par exemple, que le taux salarial d'Alice soit de 10 $ l'heure et celui de René de 20 $ l'heure. Si Alice et René travaillent le même nombre d'heures, le revenu brut de René est deux fois plus élevé que celui d'Alice. Mais, comme un taux salarial plus élevé peut inciter à travailler un plus grand nombre d'heures, René choisira probablement de faire un plus grand nombre d'heures de travail qu'Alice, et son revenu sera plus que le double de celui d'Alice.

Comme la quantité de travail fournie augmente avec l'augmentation du taux salarial, la répartition du revenu est plus inégale que la répartition du taux salarial horaire. Et elle est asymétrique, comme la répartition illustrée à la figure 19.4. Les gens dont le taux salarial est inférieur à la moyenne ont tendance à travailler moins d'heures que la moyenne, et leurs revenus se situent sous la moyenne. Au contraire, les gens dont le taux salarial est supérieur à la moyenne ont tendance à travailler plus d'heures que la moyenne, et leurs revenus se situent au-dessus de la moyenne.

**L'épargne et la transmission du patrimoine** Les décisions relatives à l'épargne et à la transmission du patrimoine sont un autre facteur d'inégalité dans la répartition du revenu et du patrimoine. En termes économiques, le *legs* est un don qu'une génération fait à la génération suivante. Plus une famille est riche, plus elle a tendance à épargner et à faire un legs aux générations suivantes. Par le legs, la famille peut étendre sa consommation aux générations futures. L'une des formes les plus courantes de legs est le financement des études des enfants et petits-enfants.

L'épargne et la transmission du patrimoine ne sont pas nécessairement une source d'inégalité accrue. Ainsi, l'épargne qu'une famille utilise pour équilibrer un revenu qui varie au fil des ans et maintenir ainsi un même niveau de consommation réduit l'inégalité, et il en est de même de l'épargne que des parents nantis lèguent à leurs enfants moins fortunés. Cela dit, deux caractéristiques importantes de la transmission de patrimoine font des transferts intergénérationnels de patrimoine une source d'inégalité accrue :

■ l'intransmissibilité des dettes par legs ;

■ les transferts intragénérationnels.

**L'intransmissibilité des dettes par legs** Si une personne a plus de dettes que d'actifs à son décès — autrement dit, si son patrimoine est négatif —, ses dettes ne peuvent être transmises à ses héritiers. Comme le plus petit legs possible est de 0 $, les transmissions de patrimoine ne peuvent qu'augmenter le patrimoine et le potentiel de revenu des descendants.

La grande majorité des gens ne reçoivent rien ou presque rien en héritage, tandis qu'un petit nombre de gens héritent de grandes fortunes. Par conséquent, les legs rendent la répartition du patrimoine et du revenu non seulement plus inégale que la répartition des aptitudes et des compétences productives, mais aussi plus persistante. Ainsi, de génération en génération, les familles pauvres ont tendance à rester pauvres, et les familles riches, à rester riches. Néanmoins, sur plusieurs générations, revenus et patrimoines tendent à converger vers la moyenne, car les périodes de chance ou de malchance, ou de bonne ou de mauvaise gestion du patrimoine familial, s'étendent rarement sur plusieurs générations. Mais un autre facteur ralentit cette progression à long terme des patrimoines vers la moyenne et tend à perpétuer les inégalités : les transferts intragénérationnels.

**Les transferts intragénérationnels**  Les transferts intragénérationnels découlent de la tendance qu'ont les gens à se marier entre personnes du même milieu socio-économique, comme le souligne si justement l'expression populaire « Qui se ressemble s'assemble ». Bien sûr, on dit aussi que « les contraires s'attirent », mais si nous aimons tant les histoires de Cendrillon et de prince charmant, c'est probablement parce que nous en voyons si peu autour de nous. Dans la réalité, en effet, les époux ont tendance à présenter les mêmes caractéristiques socio-économiques. Les riches épousent des riches, et ces transferts intragénérationnels perpétuent les disparités de patrimoine entre les familles.

## À RETENIR

- L'inégalité économique découle des écarts salariaux, des disparités dans la dotation en facteurs de production et des choix que font les gens.

- Les écarts salariaux tiennent à des disparités en matière d'aptitudes ou de capital humain.

- Les dotations en facteurs sont inégales ; leur courbe de répartition a la forme d'une cloche.

- La répartition du revenu est asymétrique parce que les gens dont le salaire est élevé ont tendance à travailler un plus grand nombre d'heures ; leur revenu est donc d'autant plus élevé.

- La répartition du patrimoine est asymétrique parce que les gens qui ont des revenus plus élevés travaillent un plus grand nombre d'heures, transmettent un patrimoine plus important à la génération suivante et épousent des personnes qui ont un patrimoine aussi important que le leur.

## La redistribution du revenu

ESSENTIELLEMENT, LES ADMINISTRATIONS PUBLIQUES du Canada redistribuent le revenu par trois types de mesures :

- l'impôt sur le revenu ;
- les programmes de sécurité sociale ;
- la fourniture de biens et services à un prix inférieur à leur coût d'opportunité.

### L'impôt sur le revenu

L'ampleur de la redistribution du revenu atteinte par le biais de l'impôt sur le revenu dépend du barème d'imposition. L'impôt sur le revenu peut être progressif, régressif ou proportionnel. Dans un système d'**impôt progressif**, la proportion du revenu versée au fisc augmente avec le revenu du contribuable ; dans un tel système, on dit que le taux d'imposition marginal est croissant, le terme « taux d'imposition marginal » désignant ici la fraction du dernier dollar gagné qui sera prélevée par l'État. Dans un système d'**impôt régressif**, la proportion du revenu versée au fisc diminue avec le revenu. Dans un système d'**impôt proportionnel** (aussi appelé *impôt sur le revenu à taux unique*), la proportion du revenu versée au fisc est constante, quel que soit le revenu du contribuable.

Au Canada, l'impôt sur le revenu relève à la fois des provinces et du gouvernement fédéral. Les lois provinciales en matière d'impôt sur le revenu diffèrent sensiblement d'une province à l'autre, mais partout, au fédéral comme au provincial, on a adopté l'impôt progressif. Les familles les plus pauvres ne paient pas d'impôt. La plupart des Canadiens qui gagnent entre 10 000 $ et 30 000 $ par année paient en impôt l'équivalent de 25 % de leur revenu annuel taxable, sauf au Québec, où, pour des revenus équivalents, on paie entre 30 % et 40 % d'impôt. Les Canadiens qui gagnent entre 30 000 $ et 60 000 $ paient de 40 % à 45 % en impôt, et ce pourcentage passe à 50 % pour ceux dont les revenus sont supérieurs à 60 000 $.

### Les programmes de sécurité sociale

La redistribution du revenu par le biais de paiements directs versés aux familles à faible revenu repose sur trois types de programmes :

- les programmes de soutien du revenu ;
- les programmes d'assurance-emploi ;
- les programmes d'aide sociale.

**La sécurité sociale**  Trois programmes, la Sécurité de la vieillesse (SV), le Supplément de revenu garanti (SRG) et l'Allocation au conjoint (AC), assurent un revenu minimal aux aînés. Les travailleurs à la retraite ou handicapés, ou leurs conjoints survivants reçoivent des paiements mensuels en espèces financés par les cotisations sociales obligatoires que versent les employeurs et les employés. En 1999, le SRG maximal s'élevait à 488,72 $ par mois pour une personne seule et à 636,66 $ pour un couple marié ; quant à l'AC maximal, il s'élevait à 805,44 $.

**L'assurance-emploi**    Le gouvernement fédéral a mis sur pied des programmes de prestations garantissant un revenu aux travailleurs au chômage. Le système d'assurance-emploi est financé par des cotisations de l'employeur et de l'employé ; après une période d'admissibilité, le travailleur peut recevoir des prestations s'il se retrouve au chômage. La prestation maximale correspond à 55 % du salaire moyen gagné au cours des 20 semaines précédentes.

**Les programmes d'aide sociale**    D'autres programmes d'aide sociale fédéraux soutiennent le revenu des familles et des personnes seules :

- l'assistance sociale, par l'intermédiaire d'un programme géré par les administrations provinciales ou municipales, offre une aide financière aux familles et aux personnes dans le besoin, quelle qu'en soit la cause ; cette aide inclut la nourriture, le logement, le chauffage, les services publics, les articles de ménage, les fournitures nécessaires à l'exercice d'un métier, certains services d'aide sociale ainsi que certains services de soins de santé et services sociaux ;

- les allocations familiales et les crédits d'impôt pour enfants sont des programmes conçus pour aider les familles dont les ressources financières sont insuffisantes ;

- le Régime de rentes du Québec et le Régime de pensions du Canada, financés par les cotisations des employeurs et des employés, prévoient des prestations de retraite, des prestations au survivant, des prestations d'invalidité et des prestations de décès ;

- le système d'indemnisation des accidents du travail, un programme provincial financé par les employeurs, est conçu pour assurer une aide financière, des soins médicaux et la rééducation des accidentés du travail.

## La fourniture de biens et de services à un prix inférieur au coût d'opportunité

Au Canada, la redistribution s'effectue en grande partie par la fourniture publique de biens et de services à un prix très inférieur au coût d'opportunité. Les contribuables qui consomment ces biens et services reçoivent un transfert en nature des contribuables qui ne les consomment pas.

Ces transferts touchent essentiellement deux secteurs : l'éducation — de la maternelle à l'université inclusivement — et la santé.

En 1998, par exemple, les étudiants canadiens inscrits dans une université québécoise payaient des frais de scolarité annuels d'environ 2 000 $ alors que le coût d'une année d'étude dans l'une de ces universités s'élevait environ à 12 000 $. Les familles dont un membre était inscrit à l'université recevaient donc du gouvernement un avantage d'environ 10 000 $. Si plusieurs membres d'une famille fréquentaient l'université, la valeur de cet avantage était augmentée d'autant.

La prestation gouvernementale de soins de santé à tous les résidents permet d'offrir des soins de grande qualité et donc très coûteux à des millions de gens qui n'auraient pas des revenus suffisants pour les acheter. Ce programme a donc contribué considérablement à réduire l'inégalité.

Nous allons maintenant étudier les diverses méthodes de redistribution du revenu ainsi que l'ampleur de la redistribution qu'elles permettent de réaliser. Nous examinerons également certaines propositions de réforme de la redistribution du revenu.

## L'ampleur de la redistribution du revenu

Le *revenu de marché* correspond au revenu qu'une famille recevrait s'il n'y avait pas de redistribution par les administrations publiques. On peut mesurer l'ampleur de la redistribution du revenu en calculant le pourcentage du revenu de marché payé en impôts et le pourcentage reçu en avantages pour chaque tranche de revenu. Il est presque impossible de faire ce calcul en tenant compte de la valeur des services offerts par le gouvernement. Les seuls calculs disponibles ne tiennent pas compte de cet aspect de la redistribution ; ils sont axés sur les impôts et les avantages en espèces (prestations diverses).

La figure 19.5 illustre l'ampleur de la redistribution au Canada. La *répartition du revenu après impôts et transferts* tient compte des politiques gouvernementales. Le graphique 19.5 (a) montre que la redistribution entre les cinq tranches de revenu touche 15,7 % du revenu total. Le montant prélevé correspond à 6,4 % du revenu total pour le quintile le plus riche et à 1,5 % pour le quintile suivant. Les deux quintiles inférieurs (les 40 % de ménages les plus pauvres) en reçoivent respectivement 4,3 % et 2,9 %. Finalement, le groupe du milieu de la distribution reçoit 0,6 % du revenu total. On peut également constater les effets de la redistribution en comparant la courbe de Lorenz de la répartition du revenu de marché à celle de la répartition du revenu après impôts et transferts — courbes illustrées par le graphique 19.5 (b). Comme on le voit, l'effet de la redistribution n'est pas négligeable, en particulier pour ce qui est du soutien du revenu des très pauvres ; d'importantes inégalités subsistent pourtant.

---

FIGURE   19.5

## La redistribution du revenu

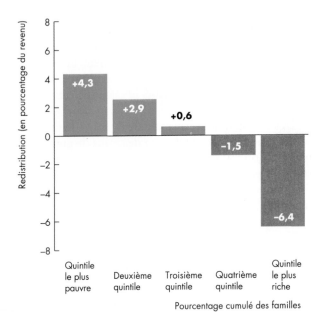

**(a) La redistribution du revenu**

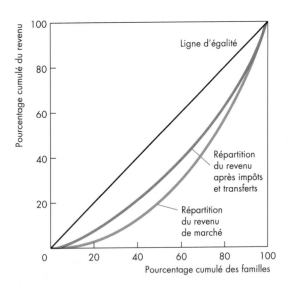

**(b) La courbe de Lorenz avant et après la redistribution**

Les impôts et les transferts aplanissent les inégalités engendrées par le marché. Le graphique (a) illustre les pourcentages du revenu total prélevés aux groupes les plus riches et redistribués aux groupes les plus pauvres. Le graphique (b) montre les effets de cette redistribution sur la courbe de Lorenz de la répartition du revenu, qui se rapproche de la ligne d'égalité.

*Source :* Statistique Canada, *Revenu après impôts. Répartition selon la taille du revenu au Canada,* 1996.

## Le dilemme équité-efficience

La redistribution du revenu engendre ce qu'on appelle le **dilemme équité-efficience** (en anglais, *the Big Tradeoff*[1]), dilemme qui découle du fait que la redistribution utilise les ressources rares et affaiblit les incitatifs.

Il serait faux de croire que le dollar pris à un nanti est un dollar donné à un démuni, car une partie de ce dollar est engloutie par le processus de redistribution. Les organismes percepteurs d'impôts comme Revenu Canada, les gestionnaires de l'aide sociale, les fiscalistes et les avocats ont recours à de la main-d'œuvre spécialisée, à des ordinateurs et à d'autres ressources rares pour accomplir leur travail. Plus la redistribution est importante, plus le coût d'opportunité de sa gestion est élevé.

Par ailleurs, la redistribution a un effet dissuasif en matière d'emploi et d'épargne. L'imposition du revenu de travail et de l'épargne réduit le revenu net des gens, ce qui les amène à moins travailler et à moins épargner. Cette diminution du travail et de l'épargne entraîne une baisse de la production et de la consommation, non seulement chez les riches qui paient les impôts, mais aussi, le cas échéant, chez les plus pauvres qui reçoivent les prestations. L'ampleur de la redistribution du revenu et les méthodes utilisées doivent donc viser, non pas l'égalité absolue, mais un certain équilibre entre une trop grande inégalité et une baisse trop importante de la consommation moyenne.

En matière d'emploi, les mesures qui ont l'effet le plus dissuasif pour les familles bénéficiaires sont celles qui découlent de programmes comme le Supplément du revenu garanti. En effet, dès qu'un membre d'une famille bénéficiaire trouve du travail, on diminue le montant des prestations versées à sa famille du montant qu'il obtient en salaire, de sorte que, en pratique, ses gains sont imposés à 100 %. Il s'agit là d'un taux d'imposition marginal plus élevé que celui exigé des Canadiens les plus riches. Il va sans dire que cela contribue à maintenir les familles pauvres dans le cercle vicieux de l'aide sociale.

## Des propositions de réforme

Il y a deux manières de s'attaquer au dilemme équité-efficacité :

■ les réformes à la pièce,
■ les réformes radicales.

**Les réformes à la pièce**   Pour des raisons pratiques, la plupart des réformes sont faites à la pièce, pour pallier les problèmes les plus criants. Les efforts portent en particulier sur l'enjeu crucial de l'aide sociale : l'élimination

---

[1] Expression empruntée au titre de l'ouvrage d'Arthur Okun, président du Council of Economics Advisors to President Lyndon Johnson : *Equality and Efficiency, The Big Tradeoff,* Brookings Institution, Washington, DC, 1975.

des mesures qui dissuadent les bénéficiaires de chercher du travail, et la mise en place de mesures qui les incitent à trouver de l'emploi. Cet enjeu a motivé la série de réformes apportées au système canadien d'assurance-chômage, réformes qui ont culminé avec l'adoption en 1997 du nouveau régime d'assurance-emploi, qui limite le montant et la durée des prestations, en plus de corriger une série de problèmes liés à l'ancien système.

**Les réformes radicales** L'impôt négatif sur le revenu est une proposition de réforme plus radicale qui, bien qu'elle ne soit pas envisagée par nos administrations publiques, jouit d'une grande popularité auprès des économistes. L'**impôt négatif** sur le revenu assure à chaque famille un *revenu annuel garanti*; à mesure que le revenu de marché augmente, la prestation de revenu garanti diminue selon un certain taux implicite de taxation. Supposons, par exemple, que le revenu annuel garanti soit de 10 000 $ et le taux implicite de taxation, de 25 %. La famille qui n'a aucun revenu reçoit sous forme de prestations la totalité de ce revenu garanti, soit 10 000 $. La famille qui a 8 000 $ de revenu annuel perd 25 % de ce montant (2 000 $); son revenu total passe donc à 16 000 $ (son revenu de 8 000 $ auquel s'ajoute le revenu garanti de 10 000 $ moins 2 000 $, soit 25 % de taxes implicites). La famille dont le revenu s'élève à 40 000 $ a un revenu total de 40 000 $ (40 000 $ de revenu plus 10 000 $ de revenu garanti moins 10 000 $, soit 25 % de taxes implicites); le revenu de cette famille a atteint le niveau d'équilibre. Les familles dont le revenu est supérieur à 40 000 $ paient plus d'impôt qu'elles reçoivent d'avantages.

La figure 19.6 permet de comparer les résultats des programmes sociaux actuels avec ceux que donnerait l'impôt négatif. Dans les graphiques (a) et (b), l'abscisse mesure le revenu de marché — c'est-à-dire le revenu *avant* paiement des impôts et réception des prestations — et l'ordonnée mesure le revenu *après* paiement des impôts et réception des prestations. La ligne noire à 45° illustre l'hypothèse de non-redistribution.

La courbe bleue du graphique 19.6 (a) illustre les programmes sociaux actuels. Les familles qui n'ont aucun revenu de marché reçoivent les prestations *G*. À mesure que le revenu de marché augmente, passant de *zéro* à *G*, le gouvernement diminue les prestations. Le revenu après redistribution de ces familles ne change donc pas. Cette mesure engendre ce qu'on appelle le *cercle vicieux de l'aide sociale,* représenté par le triangle gris : il n'est pas rentable de travailler si le revenu de marché est inférieur au revenu *G*. Entre *G* et *C*, chaque dollar supplémentaire de revenu de marché fait augmenter d'un dollar le revenu après redistribution. Au-delà de *C*, le taux d'impôt sur le revenu augmente progressivement, de sorte qu'après la redistribution le revenu est inférieur au revenu de marché.

Le graphique 19.6 (b) illustre les résultats de l'impôt négatif. Le revenu annuel garanti est *G*, et le revenu pour lequel un ménage ne reçoit aucune prestation et ne paie aucun impôt est *B*. Les familles dont le revenu de marché est inférieur à *B* reçoivent une prestation nette (surface bleue) ; celles dont le revenu de marché est supérieur à *B* paient des impôts (surface rouge). Vous voyez maintenant pourquoi on parle d'« impôt négatif » : chaque famille reçoit un revenu minimal garanti et paie de l'impôt sur son revenu de marché, mais celles dont le revenu total est inférieur au revenu d'équilibre reçoivent plus qu'elles ne paient. Leur impôt est donc négatif.

L'impôt négatif élimine le *cercle vicieux de l'aide sociale* et incite les familles à faible revenu à chercher de l'emploi, même à un faible taux salarial. Dès le premier dollar gagné sur le marché du travail, le revenu de la famille augmente, contrairement à ce qui se passe au graphique 19.6 (a). L'impôt négatif permet également de surmonter les nombreux autres problèmes découlant des programmes de sécurité sociale actuels. Les effets bénéfiques de l'impôt négatif sont corroborés par les résultats de nombreuses études expérimentales, dont l'expérience du Projet d'autosuffisance qui se déroule sous la surveillance de David Card de la University of California à Berkeley.

Mais alors, pourquoi n'avons-nous pas un système d'impôt négatif? Essentiellement à cause de son coût. Comme le montre le graphique 19.6 (b), la mise sur pied d'un programme de revenu annuel garanti assurant à toutes les familles un revenu supérieur au seuil de faible revenu exigerait une hausse importante de l'impôt des familles dont le revenu dépasse ce seuil. On pourrait imaginer un programme d'impôt négatif moins généreux mais, selon la plupart des spécialistes de l'aide sociale, le recours aux réformes à la pièce donnerait de meilleurs résultats.

## À RETENIR

- Au Canada, les gouvernements redistribuent le revenu par l'intermédiaire de l'impôt sur le revenu et des programmes de sécurité sociale — soutien du revenu, allocations de chômage et aide sociale — ainsi que par la fourniture de biens et services à un prix moindre que le coût d'opportunité.

- Les programmes actuels dissuadent leurs bénéficiaires de chercher du travail et leur administration est coûteuse.

- La réforme de l'aide sociale et de l'assurance-emploi est axée sur l'incitation à chercher du travail. Le système d'impôt négatif est une proposition de réforme plus radicale.

◆ Nous venons d'étudier l'inégalité économique au Canada. À la rubrique « Entre les lignes » (p. 450), nous nous pencherons sur une de ses formes, l'inégalité économique entre les hommes et les femmes.

# Pleins
## FEUX
### sur les
### politiques

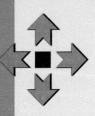

# La répartition du revenu entre les hommes et les femmes

## Les faits
### EN BREF

■ Selon Statistique Canada, une femme qui travaillait à temps plein au Canada en 1994 gagnait 70 ¢ pour chaque dollar gagné par un homme.

■ Selon une étude menée par Kathleen Lahey, de la Queen's University, toutes sources confondues, les femmes reçoivent 30 % du revenu perçu au Canada avant déductions fiscales, et 25 % après déductions fiscales.

■ La fiscaliste affirme que les données de Statistique Canada sur l'écart salarial entre les hommes et les femmes sont trompeuses, car elles ne portent que sur les salaires des travailleurs à temps plein.

■ Les femmes sont plus nombreuses que les hommes à dépendre des transferts gouvernementaux. De plus, souligne Kathleen Lahey, les femmes dépensent davantage pour satisfaire les besoins des membres de leur entourage et sont donc plus durement touchées par la TPS et les taxes de vente provinciales. Et la diminution de la progressivité du système d'imposition du revenu ne joue pas en leur faveur.

## TORONTO STAR, LE 7 MAI 1996

# Le revenu des hommes est beaucoup plus élevé que celui des femmes, révèle une étude

PAR ELAINE CAREY

L'écart de revenu entre les hommes et les femmes s'est encore accru considérablement.

Selon une étude de la Queen's University, les femmes n'obtiennent que 30 % des revenus perçus au Canada, toutes sources confondues.

De plus, une fois les impôts déduits, l'écart s'élargit encore : il ne reste aux femmes qu'un maigre 25 % du revenu total, révèlent les résultats préliminaires de l'étude menée par la fiscaliste Kathleen Lahey.

Ces résultats démentent les données de Statistique Canada sur l'écart salarial, dit-elle, car l'organisme fédéral n'a tenu compte que des travailleurs à temps plein.

Selon Statistique Canada, en 1994, les femmes employées à temps plein gagnaient 70 ¢ pour chaque dollar gagné par les hommes.

Mais si on tient compte de tous les revenus — transferts gouvernementaux compris — on constate que l'ensemble des femmes reçoit beaucoup moins, affirme Mme Lahey.

«Le fait qu'on mette l'accent sur l'écart salarial avant déductions fiscales fausse le tableau d'ensemble», a-t-elle soutenu en interview.

Les femmes sont beaucoup plus nombreuses que les hommes — en particulier dans les familles monoparentales — à n'avoir aucun revenu de travail et à dépendre entièrement des transferts gouvernementaux, a-t-elle ajouté. Or, les données traditionnelles sur les écarts salariaux n'en tiennent pas compte.

Dans l'ensemble, les femmes ont dès le départ des revenus plus bas et des responsabilités plus lourdes vis-à-vis de leur entourage, dont elles doivent prendre soin, explique-t-elle.

Comme elles doivent dépenser la totalité de leurs gains en biens et services de première nécessité, elles sont touchées plus durement par la TPS et par les taxes de vente provinciales.

Tout cela, conjugué à la diminution de la progressivité du système d'imposition du revenu, fait que leur part «du gâteau» est terriblement plus petite que celle des hommes.

Sue Genge, vice-présidente du Comité canadien d'action sur le statut de la femme, a déclaré que même pour son organisme, pourtant sensibilisé aux facteurs affectant le revenu des femmes, ces résultats «sont plutôt consternants». [...]

# Analyse

## ÉCONOMIQUE

■ L'étude de Kathleen Lahey de la Queen's University a élargi nos connaissances sur la répartition du revenu entre les femmes et les hommes.

■ La fiscaliste a mesuré la part du revenu total qui revient aux femmes en se basant sur deux définitions du revenu : 1) le revenu toutes sources confondues *avant* déductions fiscales et 2) le revenu toutes sources confondues *après* déductions fiscales.

■ Les résultats de l'étude de Kathleen Lahey révèlent que les femmes ne reçoivent que 30 % du revenu total *avant* impôt, et 25 % du revenu total *après* impôt.

■ En 1994, année à laquelle ces données s'appliquent, la population adulte du Canada comptait 51 % de femmes, de sorte que 51 % de la population ne recevait que 30 % du revenu total (25 % après impôt).

■ Les femmes qui travaillent à temps plein gagnent en moyenne 70 % du revenu des hommes ; ce pourcentage augmente peu à peu.

■ Si les femmes gagnent 70 % du salaire des hommes, comment se fait-il qu'elles ne reçoivent que 30 % du revenu total ? Cela tient au fait que les femmes sont moins nombreuses que les hommes à occuper des emplois à temps plein. La figure 1 illustre les disparités dans l'emploi des hommes et des femmes en 1998. Cette année-là, 38 % des femmes contre 59 % des hommes occupaient des postes à temps plein.

■ Cependant, la situation d'emploi des femmes s'est améliorée. La figure 2 montre qu'en 1976 seulement 32 % des femmes travaillaient à temps plein comparativement à 69 % des hommes.

■ L'article du *Toronto Star* mentionne d'autres facteurs expliquant pourquoi les données traditionnelles sur le revenu de travail mesurent mal l'inégalité entre les hommes et les femmes en matière de revenu. La variable pertinente pour évaluer l'inégalité économique est la consommation et non le revenu. Pour de nombreuses femmes parents uniques, la consommation personnelle est bien inférieure au revenu, car elles doivent subvenir aux besoins de leur(s) enfant(s).

■ Toutefois, il faut également reconnaître que la plupart des hommes subviennent aussi aux besoins des enfants. Pour que la comparaison soit valide sur le plan de la consommation, il faudrait disposer de données sur la taille de la famille et le nombre de personnes à charge ainsi que sur le revenu familial.

■ De plus, pour mesurer l'inégalité, il faudrait étudier des données portant non pas sur une seule année mais sur la totalité du cycle de vie, ce qui dépasse largement le cadre de l'étude décrite dans cet article.

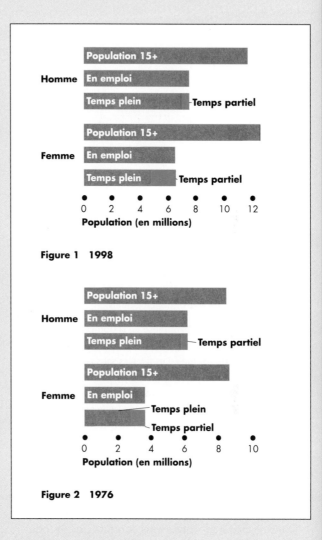

**Figure 1   1998**

**Figure 2   1976**

## Si vous

### DEVIEZ VOTER

■ Vous venez d'être engagé par un parti politique qui veut proposer de nouvelles dispositions fiscales plus équitables pour les femmes.

■ Quels sont les principaux éléments de votre proposition de réforme fiscale ? Comment permettraient-ils une plus grande équité ?

■ Quels sont les obstacles à leur adoption ?

---

**FIGURE 19.6**

# Les programmes sociaux actuels et l'impôt négatif : une comparaison

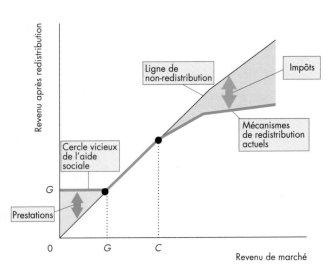

**(a) Mécanismes de redistribution actuels**

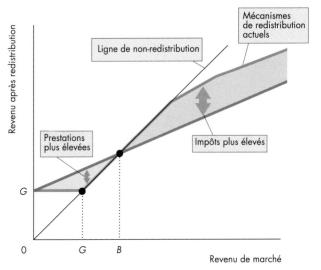

**(b) Impôt négatif**

La ligne noire à 45° illustre l'hypothèse de la non-redistribution. La courbe bleue du graphique (a) illustre les résultats des mécanismes de redistribution actuels. Les familles sans revenu reçoivent les prestations G. À mesure que le revenu passe de 0 à G, on diminue leurs prestations ; le revenu familial n'augmente donc pas. Le triangle gris représente le cercle vicieux de l'aide sociale, c'est-à-dire la zone de revenu pour laquelle une augmentation du revenu de marché n'entraîne aucune hausse du revenu après distribution. Entre G et C, il n'y a pas de redistribution. Au-dessus de C, le taux d'imposition augmente avec le revenu.

Dans le graphique (b), un impôt négatif donne un revenu annuel garanti G ; les prestations diminuent au même rythme que le taux d'impôt sur le revenu. La ligne rouge montre comment les revenus de marché se traduisent en revenu après la redistribution. Les familles dont le revenu de marché est inférieur à B — le seuil de faible revenu — reçoivent des prestations nettes, et celles dont le revenu de marché est supérieur à B paient de l'impôt net.

---

Dans ce chapitre, nous avons constaté une grande inégalité économique entre les familles et entre les personnes. Cette inégalité s'explique en partie par le fait qu'elles n'en sont pas toutes à la même étape de leur cycle de vie ; cependant, même les comparaisons qui tiennent compte du cycle de vie des familles et des personnes révèlent une inégalité économique considérable, attribuable en partie aux disparités salariales et en partie aux choix des gens, choix qui accentuent l'inégalité. Nous nous sommes penchés sur les efforts des gouvernements pour redistribuer le revenu total et soulager les pires manifestations de la pauvreté.

Notre prochaine tâche consiste à étudier le domaine par excellence où les interventions gouvernementales modifient les résultats de l'économie de marché : la réglementation des monopoles.

---

## RÉSUMÉ

### Points clés

**L'inégalité de la répartition du revenu et du patrimoine au Canada** Le 1 % de Canadiens les plus riches possède 24 % du patrimoine total du pays. La répartition du revenu est moins inégale que la répartition du patri-moine. La répartition du revenu ne s'est que légèrement modifiée au fil des ans, mais cette évolution a accru l'inégalité. Selon toutes probabilités, les familles les plus pauvres du Canada sont composées de jeunes mères parents uniques sans emploi et résidant au Québec, et les plus riches, d'un couple marié d'âge moyen vivant en Ontario. (p. 439-442)

**Comparer ce qui est comparable** La répartition du patrimoine telle que mesurée par Statistique Canada surestime l'inégalité économique, car elle ne tient pas compte du capital humain. La répartition du revenu et du patrimoine sur une année surestime l'inégalité au cours du cycle de vie, car elle ne tient pas compte de l'étape du cycle de vie où se trouve la famille. (p. 442-443)

**Le prix des facteurs, les dotations en facteurs et les choix** Les différences de revenu et de patrimoine résultent de disparités dans la dotation en facteurs et de la diversité du prix des facteurs de production. Le taux salarial varie considérablement selon plusieurs facteurs comme la formation, les aptitudes, etc. Cependant, à elles seules, ces différences ne suffisent pas à expliquer l'inégalité de la répartition du revenu et du patrimoine. Cette inégalité est accentuée par les choix économiques des individus.

Les choix économiques des gens influent sur le revenu et sur le patrimoine. Les gens qui jouissent d'un taux de salaire élevé sont enclins à faire plus d'heures de travail que ceux dont le taux salarial est faible, ce qui renforce encore l'inégalité des revenus qu'entraînent les écarts salariaux et rend la répartition des revenus asymétrique. Une grande partie de la population gagne moins que la moyenne nationale, et une infime partie gagne davantage. De plus, l'épargne et la transmission du patrimoine influent sur le patrimoine des générations suivantes. En raison de l'intransmissibilité des dettes et des transferts intragénérationnels, les transmissions de patrimoine accentuent encore l'inégalité de la répartition du patrimoine. (p. 443-446)

**La redistribution du revenu** Aujourd'hui, au Canada, les gouvernements redistribuent le revenu par des mesures fiscales, par des programmes de sécurité sociale et par la fourniture de biens et services à un prix inférieur à leur coût d'opportunité.

Les impôts sont progressifs. Les familles les plus pauvres ne paient pas d'impôt. La plupart des familles dont le revenu imposable se situe entre 10 000 $ et 30 000 $ paient un taux d'imposition marginal d'environ 25 %. Ce taux se situe entre 40 % et 45 % pour ceux dont les revenus figurent dans la tranche de 30 000 $ à 60 000 $, et entre 45 % à 50 % pour ceux dont le revenu dépasse les 60 000 $.

Les programmes de sécurité sociale incluent les programmes de soutien du revenu, le système d'assurance-emploi et les programmes d'aide sociale. Les programmes de soutien du revenu comprennent la Sécurité de la vieillesse (SV), le Supplément de revenu garanti (SRG) et l'Allocation au conjoint (AC). Les programmes d'aide sociale et des programmes sociaux tels que les allocations familiales maintiennent le revenu des gens qui ne sont couverts ni par la sécurité sociale ni par l'assurance-emploi.

Les familles les plus pauvres reçoivent davantage en avantages qu'elles ne paient en impôt — elles reçoivent des avantages nets —, tandis que les plus riches paient davantage en impôts qu'elles ne reçoivent d'avantages — elles paient des impôts nets. Le grand problème des programmes de sécurité sociale est qu'ils engendrent le cercle vicieux de l'aide sociale, c'est-à-dire qu'ils dissuadent les gens de chercher du travail. La réforme des programmes de sécurité sociale prévoit le renforcement des conditions d'admissibilité aux allocations de chômage. La réforme plus radicale de l'impôt négatif inciterait davantage les bénéficiaires de l'aide sociale à trouver du travail. (p. 446-452)

### Figures clés

### Mots clés

## Q U E S T I O N S   D E   R É V I S I O N

1. Lequel des énoncés suivants décrit le mieux la répartition du revenu et du patrimoine dans la société canadienne d'aujourd'hui ?
   a) Les courbes qui décrivent le mieux la répartition du revenu et du patrimoine sont des courbes normales ou en forme de cloche.
   b) Plus de 50 % de la population est plus riche que la moyenne.
   c) Plus de 50 % de la population est plus pauvre que la moyenne.
2. Qu'est-ce qu'une courbe de Lorenz ? Comment les courbes de Lorenz peuvent-elles illustrer l'inégalité ?

Montrez en quoi les courbes de Lorenz de répartition du revenu et de répartition du patrimoine diffèrent pour la population canadienne.

3. Du revenu ou du patrimoine, lequel des deux est le plus inégalement réparti dans la population? Répondez à cette question en tenant compte des méthodes statistiques officielles généralement utilisées pour mesurer le revenu et le patrimoine, ainsi que des concepts fondamentaux de revenu et de patrimoine.

4. Comment la répartition du revenu au Canada a-t-elle évolué depuis 1980. Quels groupes ont été favorisés? Défavorisés?

5. Qu'est-ce qu'on peut reprocher aux mesures officielles de répartition du patrimoine?

6. Expliquez pourquoi les décisions des familles quant au partage de leur temps entre le travail et les loisirs peuvent rendre l'inégalité de la répartition du revenu plus inégale que celle des aptitudes. Si les aptitudes étaient réparties normalement dans la population, la courbe de répartition du revenu qui en résulterait serait-elle aussi en forme de cloche?

7. Comment les transferts intergénérationnels et intragénérationnels de patrimoine interviennent-ils dans la répartition du revenu et de la richesse?

8. Par quels biais les gouvernements peuvent-ils redistribuer le revenu au Canada?

9. Qu'entend-on par dilemme équité-efficience?

10. Qu'est-ce qu'un système d'impôt négatif? Expliquez comment fonctionne un tel système et ce qui empêche son adoption.

## A N A L Y S E   C R I T I Q U E

1. Après avoir lu attentivement la rubrique «Entre les lignes» (p. 450), répondez aux questions suivantes:

   a) Décrivez comment le pourcentage de femmes qui travaillent à temps plein et à temps partiel a évolué depuis 1976.

   b) Décrivez comment le pourcentage d'hommes qui travaillent à temps plein et à temps partiel a évolué depuis 1976.

   c) Expliquez comment la TPS et les taxes de vente provinciales frappent les hommes et les femmes. Pourquoi touchent-elles plus durement les femmes que les hommes?

   d) Revenez aux caractéristiques des familles qui vivent sous le seuil de faible revenu telles que décrites à la figure 19.3. Ajoutez à cela que 4,2% de ces familles travaillaient à temps plein et 22,7% travaillaient à temps partiel, tandis que 28,3% étaient sans travail. Cette information renforce-t-elle l'affirmation suivante: «Les femmes reçoivent une plus petite part du gâteau que les hommes»?

2. Entre 1990 et 1998, l'informatisation — guichet bancaire automatique, répondeur automatique, traitement de texte, etc. — a fait disparaître 12% des emplois de bureau, éliminant du même coup de nombreux emplois ouverts jusque-là à des personnes peu scolarisées et peu qualifiées. À votre avis, quelles seront les répercussions de ces nouvelles techniques sur la répartition du revenu?

3. De 1989 à 1996, le revenu moyen avant impôt au Canada a diminué de 2,4% tandis que le revenu moyen après impôt a baissé de 5,1%. Comment expliquez-vous cette évolution des revenus moyens canadiens?

4. La principale source de revenu des Canadiens est le revenu de travail. Leurs autres sources de revenus sont les transferts gouvernementaux comme les allocations de chômage, ainsi que les revenus d'épargne — intérêts et dividendes. Habituellement, les familles pauvres reçoivent plus de transferts que les familles riches, qui, elles, reçoivent davantage d'intérêts et de dividendes. Comment la répartition du revenu peut-elle changer selon que la conjoncture économique est favorable ou défavorable?

## P R O B L È M E S

1. Supposons qu'une société se compose de cinq personnes identiques en tous points. Chacune d'elles vit 70 ans. Durant les 14 premières années de leur existence, elles ne gagnent aucun revenu. Puis elles se mettent à travailler et gagnent 30 000 $ par an

pendant 35 ans. Elles prennent ensuite leur retraite et ne reçoivent plus aucun revenu de travail. Pour simplifier les calculs, nous supposerons que le taux d'intérêt est nul, que les personnes consomment la totalité de leur revenu sur l'ensemble de leur cycle de vie et cela, à un rythme annuel constant. Comment se répartissent le revenu total et le patrimoine total de cette population, dans chacune des hypothèses suivantes :

a) Ces personnes sont toutes âgées de 45 ans.

b) Ces personnes ont respectivement 25, 35, 45, 55 et 65 ans.

L'inégalité est-elle plus marquée dans le premier cas ou dans le deuxième ?

2. Vous disposez des données suivantes sur la répartition du revenu et du patrimoine :

| | Part du revenu (en pourcentage) | Part du patrimoines (en pourcentage) |
|---|---|---|
| Quintile inférieur | 5 | 0 |
| Deuxième quintile | 11 | 1 |
| Troisième quintile | 17 | 3 |
| Quatrième quintile | 24 | 11 |
| Quintile supérieur | 43 | 85 |

Tracez deux courbes de Lorenz décrivant la répartition du revenu et du patrimoine dans cette société. Laquelle de ces deux variables est la plus inégalement répartie ?

3. Imaginez une société composée de 10 personnes qui présentent toutes le même barème d'offre de travail :

| Taux salarial (en dollars par heure) | Nombre d'heures travaillées |
|---|---|
| 1 | 0 |
| 2 | 1 |
| 3 | 2 |
| 4 | 3 |
| 5 | 4 |

Par contre, ces 10 personnes n'ayant pas toutes les mêmes aptitudes, leur taux salarial diffère de la manière suivante :

| Taux salarial (en dollars par heure) | Nombre de personnes |
|---|---|
| 1 | 1 |
| 2 | 2 |
| 3 | 4 |
| 4 | 2 |
| 5 | 1 |

a) Calculez le taux salarial moyen dans cette société.

b) Calculez l'écart salarial relatif entre le taux de salaire le plus élevé et le taux le plus bas.

c) Calculez le revenu quotidien moyen.

d) Calculez le ratio du revenu quotidien le plus élevé au revenu quotidien le plus bas.

e) Tracez la courbe de répartition des taux de salaire (salaires horaires).

f) Tracez la courbe de répartition des revenus quotidiens.

g) Que nous enseigne ce problème ?

4. Rendez-vous au site Web de Statistique Canada (http://www.statcan.ca), recueillez les données nécessaires et observez l'évolution du pourcentage de la population qui a bénéficié d'allocations de chômage au cours des cinq dernières années. Ce pourcentage a-t-il varié en fonction du taux de chômage ?

5. Faites le même exercice pour les prestations de SV, de AC ou de SRG au cours des cinq dernières années. Existe-t-il un lien entre ce pourcentage et le pourcentage de familles à faible revenu ? Vous trouverez l'information pertinente sur le site Web du ministère des Ressources humaines (http://www.hrdc-drhc.gc.ca/isp/studies/trends/redbook_f.shtml).

6. Reportez-vous au site Web du Conseil canadien de développement social (http://www. ccsd.ca/facts. htm) et plus précisément à la page traitant de la répartition du revenu (http://cfc.efe.ca/docs/000 00513.htm).

a) Tracez les courbes de Lorenz illustrant pour l'année 1994 la répartition du revenu des familles, des personnes seules et de l'ensemble des familles. Dans quel groupe le revenu est-il réparti de la manière la plus inégale ?

b) Tracez les courbes de Lorenz de la répartition du revenu des personnes seules pour 1974, 1984 et 1994. Comment la répartition du revenu des personnes seules a-t-elle évolué ?

# La politique
# de concurrence

**Objectifs
du chapitre**

■ Définir les notions de réglementation,
d'entreprise publique et de législation
antimonopole

■ Établir la distinction entre la théorie
de l'intérêt public et la théorie de la capture
en matière d'intervention publique dans
les marchés

■ Expliquer les effets des interventions
publiques sur le prix, la production, le profit
et la répartition des gains des échanges entre
consommateurs et producteurs

■ Expliquer comment les entreprises publiques
influent sur le prix, le niveau de production
et l'efficience dans l'allocation des ressources

■ Expliquer comment le Canada se sert de la
législation antimonopole à l'heure actuelle

La plupart du temps, lorsque nous nous servons de l'eau du robinet, de l'électricité, du gaz naturel, de la télévision par câble ou du service téléphonique de base, nous consommons des biens et services fournis par des monopoles réglementés. Pourquoi et comment les entreprises qui produisent ces biens et services sont-elles réglementées? Cette réglementation joue-t-elle en faveur des consommateurs ou des producteurs? Autrement dit, sert-elle l'intérêt public ou des intérêts particuliers? ♦ La réglementation ne touche pas que les monopoles, les oligopoles n'y ont pas échappé. Jusqu'en 1978, le prix des billets d'avion et les destinations que pouvaient offrir les compagnies aériennes étaient réglementés; depuis, le transport aérien intérieur a été déréglementé et les compagnies aériennes décident maintenant elles-mêmes de leurs prix, de leurs destinations et de leurs horaires. De même, les compagnies ferroviaires, les compagnies de camionnage interprovincial, les banques et les compagnies d'assurance sont en voie de déréglementation. Qu'est-ce qui pousse les administrations publiques à réglementer ou à déréglementer une industrie? ♦ L'État canadien a fait appel à la législation antimonopole pour mettre fin au monopole de Nortel sur les appareils téléphoniques, et à celui de Bell Canada sur les appels interurbains et l'installation des lignes téléphoniques. Cette intervention a instauré la concurrence dans ces trois marchés; nous pouvons maintenant faire appel au fournisseur de notre choix pour nous procurer des appareils téléphoniques et des services d'appels interurbains, ainsi que pour l'installation de lignes téléphoniques. Qu'entend-on exactement par législation antimonopole? Quelle a été l'évolution historique de cette législation? Comment l'utilise-t-on de nos jours? Sert-elle l'intérêt public des consommateurs ou les intérêts particuliers des producteurs?

# Intérêt public ou intérêts privés?

◐ Ce chapitre porte sur les interventions des administrations publiques dans les marchés des biens et services. En nous appuyant sur ce que nous savons maintenant du fonctionnement des marchés, du surplus du consommateur et du surplus du producteur, nous verrons comment ces surplus peuvent être redistribués entre consommateurs et producteurs sur le marché politique, et à qui profitent les divers types d'interventions des administrations publiques.

## L'intervention des administrations publiques dans les marchés

L'INTERVENTION DES ADMINISTRATIONS PUBLIQUES dans les marchés en situation de monopole ou d'oligopole vise à influer sur la nature des biens et services produits (*quoi*), sur leurs clientèles (*pour qui*) et sur la façon dont ils sont produits (*comment*). Essentiellement, cette intervention se fait par l'entremise de :

■ la réglementation,
■ l'entreprise publique,
■ la législation antimonopole.

### La réglementation

La réglementation est un ensemble de règles édictées par une administration publique pour influer sur l'activité économique ; ces règles déterminent les mécanismes de fixation des prix, la nature des produits, les normes de production ainsi que les conditions d'entrée de nouvelles entreprises sur les marchés. Ce type d'intervention exige la mise en place d'organismes qui veillent à l'application et au respect des réglementations. La première réglementation économique de l'histoire du Canada remonte à la promulgation de la *Loi sur les chemins de fer* de 1888, qui fixait les tarifs ferroviaires. Par la suite, et jusqu'à la fin des années 1970, la réglementation s'est étendue aux services bancaires et financiers, aux télécommunications, aux services de gaz et d'électricité, aux compagnies ferroviaires et aériennes, aux entreprises de camionnage et d'autocars ainsi qu'à des douzaines de produits agricoles. Depuis le début des années 1980, on observe une tendance à la déréglementation de l'économie canadienne.

La *déréglementation* est le processus d'abolition des restrictions sur les prix, les normes de production, la nature des produits et les conditions d'entrée sur le marché. Ces dernières années, les secteurs du transport aérien, des services téléphoniques, du camionnage interprovincial ainsi que les services financiers et bancaires ont fait l'objet d'une déréglementation.

### L'entreprise publique

Au Canada, on appelle **entreprises publiques** ou *sociétés d'État* les entreprises possédées et administrées par les pouvoirs publics ; parmi les plus importantes, mentionnons la Société canadienne des postes, la Société Radio-Canada, le Canadien National, VIA Rail et Énergie atomique du Canada. Il existe aussi de nombreuses entreprises publiques provinciales, les plus importantes étant les compagnies d'hydroélectricité. Parallèlement au mouvement de déréglementation des dernières années, on observe actuellement une tendance à la **privatisation** des sociétés d'État, c'est-à-dire à leur vente à des intérêts privés ; Petro-Canada, par exemple, a été privatisée en 1991.

### La législation antimonopole

Une **loi antimonopole** est une loi qui réglemente ou qui interdit certaines pratiques commerciales comme le monopole et l'oligopole, qui visent à limiter la production pour faire augmenter les prix et les profits. Jusqu'en 1971, contrairement à la législation américaine, la législation antimonopole canadienne relevait du Code criminel, ce qui rendait impossible les poursuites judiciaires privées ; comme les règles de preuve sont beaucoup plus exigeantes en droit criminel qu'en droit privé, la législation antimonopole canadienne était utilisée moins énergiquement que son équivalent américain.

Pour comprendre pourquoi les gouvernements interviennent sur les marchés des biens et services, et pour cerner les effets de ces interventions, il faut déterminer les gains et les pertes qu'elles peuvent entraîner. Ces gains et ces pertes correspondent aux surplus du consommateur et du producteur pour divers niveaux de production et divers prix. Revoyons ces concepts pour nous rafraîchir la mémoire.

### Les surplus et leur répartition

Le *surplus du consommateur* est le gain que les consommateurs retirent de l'échange — soit la différence entre le montant maximal qu'il sont disposés à payer et le prix qu'ils paient effectivement pour une unité donnée d'un bien — multiplié par le nombre d'unités qu'ils achètent (voir le chapitre 7, p. 159-162). Le *surplus du producteur* est le gain que les producteurs retirent de l'échange — soit la différence entre le prix et le coût marginal (coût d'opportunité) de chaque unité produite — multiplié par le nombre d'unités produites (voir le chapitre 11, p. 249-250). Le *surplus total* est la somme du surplus du consommateur et du surplus du producteur.

La figure 20.1 illustre ces deux surplus. Au graphique 20.1 (a), le marché est en situation de concurrence parfaite. $D$ représente la courbe de demande du marché ; $O$, la courbe d'offre du marché. $P_C$ représente le prix ; $Q_C$ la quantité. Comme la courbe de demande $D$ indique le prix maximal que le consommateur est disposé à payer pour chaque unité de production, le surplus du consommateur correspond au triangle vert. Comme la courbe d'offre indique le coût marginal, le surplus du producteur correspond au triangle bleu. Le surplus total correspond au montant représenté par la somme des triangles vert et bleu.

Au graphique (b), l'industrie est en situation de monopole non discriminant. La courbe d'offre du

**FIGURE   20.1**

# Les surplus du consommateur et du producteur

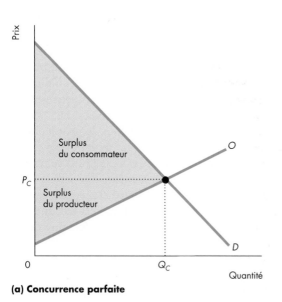

**(a) Concurrence parfaite**

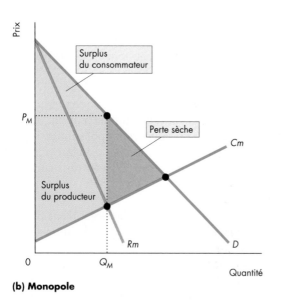

**(b) Monopole**

En situation de concurrence parfaite (graphique a), le surplus du consommateur correspond au triangle vert, et le surplus du producteur, au triangle bleu. Le surplus total est la somme du surplus du consommateur et du surplus du producteur. En situation de monopole (graphique b), l'entreprise limite la production ; le surplus du consommateur diminue, le surplus du producteur augmente, et il y a une perte sèche, illustrée par le triangle gris. La concurrence parfaite maximise le surplus total tandis que le monopole engendre une perte sèche.

marché en concurrence parfaite est la courbe du coût marginal d'un monopole. La courbe de recette marginale de l'entreprise est *Rm*. Pour maximiser son profit, l'entreprise limite la production à $Q_M$, niveau où la recette marginale est égale au coût marginal, et vend la quantité $Q_M$ au prix $P_M$. Le triangle vert illustre le surplus du consommateur, et la surface en bleu, celui du producteur. En situation de monopole, le surplus du consommateur est plus petit et le surplus du producteur plus important qu'en situation de concurrence parfaite. Une partie du surplus du consommateur devient un surplus du producteur, mais une partie est perdue. De plus, une partie du surplus du producteur est également perdue. Ces pertes de surplus du consommateur et de surplus du producteur constituent la *perte sèche*. Le triangle gris illustre la perte sèche (voir le chapitre 12, p. 273-274).

Le surplus total est optimal quand la perte sèche est nulle. Si on limite la production pour augmenter le prix et le surplus du producteur, le surplus total diminue. La maximisation du surplus du consommateur et la maximisation du surplus du producteur sont donc des objectifs contradictoires. C'est sur cette contradiction que repose la théorie économique de l'intervention publique. Voyons en quoi elle consiste.

## La théorie économique de l'intervention publique

LA THÉORIE ÉCONOMIQUE DE L'INTERVENTION publique relève de la théorie plus générale des choix publics étudiée au chapitre 18. Nous reviendrons sur les principaux éléments du modèle des choix publics, mais cette fois en nous intéressant plus particulièrement à l'activité de réglementation. Nous analyserons notamment la demande et l'offre d'interventions publiques, de même que l'équilibre politique — équilibre de l'offre et de la demande d'interventions — qui en résulte.

### La demande d'interventions

La demande d'interventions s'exprime par les institutions politiques — les consommateurs votent, exercent des pressions sur les pouvoirs publics et participent aux campagnes électorales. Mais ces activités ont un prix, et tant les producteurs que les consommateurs n'exigent une action politique que s'ils en tirent un avantage supérieur au coût qu'ils doivent supporter pour l'obtenir. Les quatre principaux facteurs qui influent sur la demande d'interventions sont :
1. Le surplus du consommateur par acheteur.
2. Le nombre d'acheteurs.
3. Le surplus du producteur par entreprise.
4. Le nombre d'entreprises.

Plus le surplus du consommateur résultant d'une intervention publique est élevé, plus la demande pour cette intervention de la part des acheteurs est forte. De plus, la demande d'intervention augmente avec le nombre d'acheteurs. Mais ce nombre ne se traduit pas forcément en un poids politique réel, car plus les acheteurs sont nombreux, plus les organiser coûte cher. L'augmentation de la demande d'intervention n'est donc pas proportionnelle au nombre d'acheteurs.

Plus le surplus du producteur par entreprise résultant d'une intervention est élevé, plus la demande pour cette intervention de la part des entreprises est forte. Et plus les entreprises susceptibles de bénéficier de cette intervention sont nombreuses, plus la demande d'intervention est forte. Mais, là encore, le nombre ne suffit pas pour influer sur les décisions politiques, car plus les producteurs sont nombreux, plus les organiser coûte cher.

Moins il y a de ménages ou d'entreprises à se partager le surplus généré par une intervention — surplus du consommateur ou surplus du producteur —, plus la demande d'intervention est forte.

## L'offre d'interventions

Les offreurs d'interventions sont les politiciens et les fonctionnaires. Selon la théorie des choix publics, les politiciens proposent les mesures susceptibles de rallier la majorité des électeurs — leur objectif étant d'accéder au pouvoir ou de s'y maintenir — et les fonctionnaires appuient les politiques qui maximisent leur budget (voir chapitre 18, p. 426). Compte tenu des objectifs des politiciens et des fonctionnaires, l'offre d'interventions dépend de trois facteurs :

1. Le surplus du consommateur par acheteur.
2. Le surplus du producteur par entreprise.
3. Le nombre de personnes touchées.

Plus le surplus du consommateur par acheteur ou le surplus du producteur par entreprise est élevé et plus les personnes touchées par une intervention sont nombreuses, plus les politiciens auront tendance à fournir cette intervention. Les politiciens auront tendance à offrir l'intervention qui profite de façon significative au plus grand nombre de gens. Ils auront également tendance à fournir une intervention qui profite à un *petit* nombre de personnes si l'avantage qu'en retire chacune est important et que la répartition de son coût est diffuse et difficile à percevoir pour ceux qui le supportent. Ainsi, le gouvernement fédéral a longtemps assuré la sécurité dans les aéroports et le trafic aérien. Cette intervention publique profitait à un petit nombre de voyageurs qui payaient leurs billets moins cher, ainsi qu'aux compagnies aériennes dont les coûts de production étaient moins élevés. Le coût de l'intervention, dilué dans les budgets du ministère des transports et de la Gendarmerie Royale, était réparti de façon diffuse sur l'ensemble de la population. Il est peu probable que les gouvernements offrent une intervention publique quand ses avantages sont négligeables pour les gens, si nombreux soient-ils.

## L'équilibre politique

À l'équilibre, aucun groupe d'intérêts n'envisage de dépenser davantage de temps et de ressources pour obtenir des changements et aucun groupe de politiciens n'offre de nouvelles interventions. Cependant, équilibre politique ne signifie pas consensus. En situation d'équilibre politique, certains lobbies continuent à dépenser des ressources pour obtenir des changements aux politiques en vigueur, tandis que d'autres font de même pour maintenir le *statu quo*; mais aucun de ces lobbies n'estime qu'il vaut la peine d'*augmenter* la quantité de ressources consacrées à ces activités. De même, les partis politiques ne sont pas nécessairement d'accord; certains appuient les interventions en cours et d'autres en réclament de nouvelles, mais aucun parti ne croit nécessaire de modifier ses propositions.

À quoi ressemble l'équilibre politique? Il varie, en fait, selon que l'intervention publique sert l'intérêt public ou l'intérêt du producteur. Attardons-nous sur ces deux possibilités.

**La théorie de l'intérêt public** Selon la **théorie de l'intérêt public**, le but des interventions publiques est de maximiser le surplus total — surplus des consommateurs et surplus des producteurs, autrement dit de réaliser une allocation efficiente des ressources.

La théorie de l'intérêt public implique que l'appareil politique cherche constamment à éliminer les pertes sèches et que c'est là le but de son intervention. Par exemple, là où il y a des pratiques monopolistiques, l'appareil politique réglementera les prix afin d'augmenter la production et de ramener les prix à des niveaux concurrentiels.

**La théorie de la capture des interventions publiques** Selon la **théorie de la capture**, le but des interventions publiques est de maximiser le surplus du producteur — autrement dit, de maximiser son profit économique. Cette théorie repose sur l'idée suivante: comme le coût de l'intervention est élevé, l'appareil politique n'interviendra que pour augmenter le surplus de petits groupes d'intérêts facilement identifiables et dont le coût d'organisation est peu élevé. Les consommateurs supporteront le coût de cette intervention, mais ce coût est si faible et si diffus qu'il n'aura aucun effet négatif sur les votes.

Les prévisions de la théorie de la capture sont moins précises que celles de la théorie de l'intérêt public. Selon la théorie de la capture, les interventions publiques adoptées seront celles qui procurent des avantages importants et évidents à des lobbies homogènes tout en imposant au reste de la population des coûts *per capita* si faibles que personne ne sera tenté de supporter les coûts d'une campagne pour les dénoncer. Pour que ces prévisions puissent être utiles, il faut adjoindre à la théorie de la capture un modèle du coût de l'organisation politique.

Peu importe laquelle des deux théories est exacte, une chose est certaine : le système politique offrira les interventions les plus susceptibles d'assurer la victoire électorale aux politiciens en place. Comme les interventions qui servent l'intérêt des consommateurs et celles qui servent l'intérêt des producteurs sont incompatibles, les politiciens ne peuvent jamais satisfaire pleinement les deux groupes à la fois. Un seul peut gagner. Les interventions publiques sont comme des œuvres de Riopelle : un produit unique qui ne peut être vendu qu'à un seul acheteur. Habituellement, les biens uniques reviennent au plus offrant. Il en va de même des interventions publiques : l'offre d'interventions satisfait la demande de ceux qui ont le plus à proposer aux politiciens en échange de leurs faveurs. Si la demande des producteurs présente des avantages supérieurs pour les politiciens — que ce soit directement par les votes ou indirectement par les contributions à la caisse électorale —, l'intervention publique favorisera les intérêts des producteurs. Et si les politiciens peuvent obtenir plus de votes en satisfaisant la demande des consommateurs, l'intervention publique favorisera les consommateurs.

## À RETENIR

- Les consommateurs et les producteurs qui dépensent les ressources rares expriment leur demande d'interventions publiques par le vote, la participation aux campagnes électorales et le lobbying en faveur des interventions qui sont les plus avantageuses pour eux.
- Les politiciens et les fonctionnaires fournissent les interventions. Les politiciens choisissent celles qui rallient les suffrages de la majorité des électeurs ; les fonctionnaires, celles qui maximisent leur budget.
- En situation d'équilibre politique, les interventions publiques concilient les intérêts contradictoires de l'offre et de la demande. Les politiques d'intervention visent l'efficience — selon la théorie de l'intérêt public — ou la maximisation du surplus du producteur — selon la théorie de la capture.

Nous avons terminé notre étude de la *théorie* de l'intervention publique dans les marchés. Penchons-nous maintenant sur la politique d'intervention publique qui a cours actuellement dans l'économie canadienne. Quelle théorie l'explique le mieux ? Et, parmi les diverses interventions publiques qu'on y observe, lesquelles servent l'intérêt public et lesquelles servent l'intérêt des producteurs ?

# La réglementation et la déréglementation

LA RÉGLEMENTATION DE L'ÉCONOMIE CANADIENNE a considérablement évolué ces dix dernières années. Nous allons maintenant examiner certains des changements qui ont eu lieu. Nous verrons d'abord quelles activités sont réglementées et quelle est la portée de la réglementation qui a cours. Puis nous étudierons le processus de réglementation et la façon dont les organismes de réglementation déterminent les prix et les autres paramètres du marché. Enfin, nous tenterons de répondre à deux questions fort controversées à l'heure actuelle : 1) pourquoi les gouvernements réglementent-ils certains domaines d'activité plutôt que d'autres, et 2) à qui profite la réglementation actuelle ?

## La portée de la réglementation

La réglementation touche un très grand nombre d'activités économiques au Canada. Le tableau 20.1 établit la liste des principaux organismes fédéraux de réglementation et résume leurs responsabilités respectives. Comme on le voit, les secteurs les plus réglementés de l'économie canadienne sont l'agriculture, l'énergie, les transports et les télécommunications.

Les gouvernements provinciaux et les administrations municipales règlementent, eux aussi, diverses activités, et certaines de ces interventions comme la réglementation du taxi peuvent avoir des répercussions directes très importantes sur les marchés. Notre analyse du processus réglementaire et des effets de la réglementation s'applique à toute réglementation des prix, de la production et des profits, qu'elle relève du gouvernement fédéral, des gouvernements provinciaux ou des administrations municipales.

Penchons-nous donc sur le rôle des organismes de réglementation et sur la façon dont ils interviennent.

## Le processus de réglementation

Bien que la taille et le champ d'action des organismes de réglementation ainsi que les divers aspects de l'activité économique qu'ils contrôlent soient très variables, tous présentent des caractéristiques communes.

Premièrement, tous les hauts fonctionnaires qui dirigent les organismes de réglementation sont nommés par le gouvernement, et tous ces organismes sont dotés d'une équipe permanente d'experts du secteur réglementé — souvent recrutés dans les entreprises soumises à cette réglementation. Les crédits nécessaires au fonctionnement de ces organismes sont votés par le Parlement ou l'assemblée législative provinciale.

---

**TABLEAU   20.1**

# Les principaux organismes fédéraux de réglementation

| L'organisme | Ses responsabilités |
| --- | --- |
| La Commission de contrôle de l'énergie atomique | Faire respecter la Loi sur le contrôle de l'énergie atomique, qui régit toutes les utilisations des matières radioactives |
| La Commission canadienne du lait | Faire respecter les politiques nationales qui visent à permettre aux producteurs de lait et de produits laitiers de recevoir une compensation équitable et d'assurer aux consommateurs un prix peu élevé |
| Le Conseil de la radiodiffusion et des télécommunications canadiennes | Réglementer toutes les activités relatives à la radio, à la télévision et aux télécommunications |
| La Commission canadienne des grains | Réglementer la manutention des grains, établir et maintenir des normes de qualité, vérifier les stocks de grains et superviser les futurs échanges |
| La Commission canadienne du blé | Réglementer les exportations de blé et d'orge ainsi que les ventes intérieures destinées aux consommateurs |
| L'Office national de l'énergie | Réglementer les secteurs du pétrole, du gaz naturel et de l'électricité |
| Le Conseil national de commercialisation des produits agricoles | Conseiller le gouvernement sur l'établissement et la gestion d'organismes nationaux de commercialisation des produits agricoles comme les organismes de commercialisation du poulet, des œufs ou de la dinde — et, en collaboration avec ces organismes et les gouvernements provinciaux, contribuer à la commercialisation de ces produits |
| L'Office national des transports | Réglementer les transports de compétence fédérale, notamment le transport ferroviaire, aérien et maritime, le transport par oléoducs et gazoducs, ainsi que, dans certains cas, le transport commercial routier interprovincial |

*Source :* Statistique Canada, *Annuaire du Canada*, 1992.

---

Deuxièmement, chaque organisme adopte un ensemble de règles et de pratiques pour fixer les prix et gérer les autres aspects de l'activité économique dont il a la responsabilité. Ces règles prennent la forme d'une procédure précise, souvent fondée sur des critères quantitatifs, relativement faciles à gérer et à appliquer.

Les entreprises des secteurs réglementés choisissent leurs techniques de production. Par contre, elles ne sont pas libres de fixer leurs prix de vente, leurs niveaux de production ou leurs marchés. C'est l'organisme de réglementation de leur secteur qui les autorise à approvisionner en tels ou tels produits tels ou tels marchés, et qui détermine la structure et le niveau des prix. Dans certains cas, l'organisme fixe aussi le niveau de production.

Pour bien comprendre le principe de la réglementation, il convient de distinguer la réglementation des monopoles naturels et celle des cartels. Étudions d'abord le cas des monopoles naturels.

## La réglementation des monopoles naturels

Nous l'avons vu au chapitre 12 (p. 260-261), un *monopole naturel* est un marché où une entreprise peut satisfaire la demande totale à meilleur prix que ne le feraient plusieurs entreprises concurrentes. Les monopoles naturels se caractérisent donc par des économies d'échelle, quel que soit le niveau de production. La câblodistribution à l'échelle locale, la distribution du gaz naturel et de l'électricité de même que le transport ferroviaire sont des monopoles naturels : il serait bien plus coûteux d'installer et d'entretenir dans chaque région plusieurs réseaux de câbles, de gazoducs, de lignes à haute tension ou de voies ferrées plutôt qu'un seul. (Les monopoles naturels changent avec le temps et le progrès technologique. Ainsi, les fibres optiques permettront aux compagnies de téléphone et de câblodistribution de se concurrencer dans leurs marchés respectifs, ce qui transformera deux monopoles naturels en industries concurrentielles).

Prenons l'exemple du monopole naturel de la câblodistribution, qu'illustre la figure 20.2. La courbe de demande est *D* et la courbe de coût marginal est *Cm*. Cette courbe de coût marginal est horizontale (comme elle doit l'être) au prix de 10 $ par ménage par mois — autrement dit, le coût du service de câblodistribution pour chaque ménage supplémentaire est de 10 $. Les frais fixes du câblodistributeur sont très élevés — le réseau de câbles et l'équipement de surveillance imposent des coûts fixes considérables, ce dont tient compte la courbe de coût total moyen, *CTM*. La pente de la courbe de coût total moyen est décroissante, car l'augmentation du nombre de ménages desservis permet de répartir les coûts fixes sur un plus grand nombre de consommateurs. (Pour vous rafraîchir la mémoire sur le calcul de la courbe de coût total moyen, reportez-vous au chapitre 10, p. 215-218.)

**L'intervention dans l'intérêt public**   Comment sera réglementée la câblodistribution selon la théorie de l'intérêt public ? Cette théorie prédit que la réglementation maximise le surplus total, ce qui n'est le cas que si le coût marginal est égal au prix. Comme le montre la figure 20.2, on arrive à ce résultat en fixant le prix à 10 $ par mois par ménage et en desservant 8 millions de ménages. Selon la **règle de la tarification au coût marginal,** le prix fixé doit être égal au coût marginal. Cette règle maximise le surplus total dans le secteur réglementé.

Les monopoles naturels qui sont contraints de fixer un prix égal au coût marginal sont forcément déficitaires. Comme leur courbe de coût total moyen est décroissante, le coût marginal est inférieur au coût total moyen. Si le prix est égal au coût marginal, il est donc inférieur au coût total moyen. La différence entre le coût total moyen et le prix correspond à la perte par unité produite. Il est évident qu'un câblodistributeur qui se verrait imposer la tarification au coût marginal ne pourrait survivre bien longtemps. Comment une entreprise peut-elle couvrir ses frais tout en respectant une tarification au coût marginal ?

Pratiquer la discrimination par les prix (voir le chapitre 12, p. 267-271) serait une possibilité. Une autre serait d'utiliser le prix à deux éléments (ou tarif binôme). Ainsi, les compagnies de téléphone locales peuvent demander à leurs abonnés un droit mensuel pour le raccordement au réseau, puis leur facturer une somme égale au coût marginal pour chaque appel local. Quant aux câblodistributeurs locaux, ils peuvent exiger de leurs abonnés un droit de raccordement unique qui couvre leur coût fixe, et facturer ensuite un montant mensuel égal à leur coût marginal.

Mais les monopoles naturels ne peuvent pas toujours transférer leurs coûts à leurs abonnés. Lorsque c'est impossible, si le gouvernement tient à imposer au monopole la règle de tarification au coût marginal, il doit le subventionner, ce qu'il ne peut faire qu'en taxant d'autres

## FIGURE 20.2
## Le monopole naturel et la tarification au coût marginal ◆

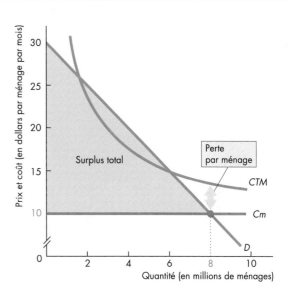

Un monopole naturel est une industrie dont le coût total moyen décroît quand la quantité vendue augmente, même si la demande est totalement satisfaite. Imaginons un monopole naturel de câblodistribution qui fait face à la courbe de demande *D*. Comme l'indique la courbe *Cm,* le coût marginal est constant — 10 $ par ménage par mois. Les coûts fixes sont très élevés ; la courbe *CTM* illustre le coût total moyen — qui inclut le coût fixe moyen. La tarification au coût marginal, qui maximise le surplus total, fixe le prix à 10 $ par mois par ménage, 8 millions de ménages étant alors desservis. Le triangle vert représente le surplus du consommateur. La flèche rose indique la perte du producteur par ménage. Pour continuer à desservir la population, le producteur doit donc soit pratiquer la discrimination par les prix, soit obtenir une subvention du gouvernement.

secteurs de l'activité économique. Or, comme on l'a vu au chapitre 18, l'imposition d'une taxe engendre toujours une perte sèche, et cette perte sèche réduit d'autant le gain d'efficience dans l'allocation des ressources obtenu en forçant le monopole naturel à adopter une tarification au coût marginal.

Il est possible de diminuer la perte sèche en permettant au monopole naturel de couvrir ses coûts, plutôt que de taxer un autre secteur de l'économie. Le monopole naturel qui couvre ses coûts suit la **règle de la tarification au coût moyen,** selon laquelle le prix doit être égal au coût total moyen. La figure 20.3 illustre cette solution. Le câblodistributeur fixe le prix à 15 $ par mois par ménage et dessert 6 millions de ménages. Le triangle gris de la figure illustre la perte sèche qui en résulte.

## FIGURE 20.3

# Le monopole naturel et la tarification au coût moyen

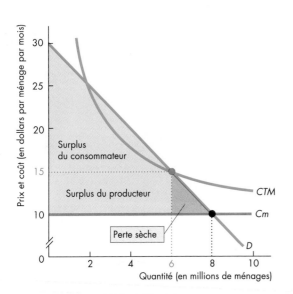

Avec la tarification au coût moyen, le prix est égal au coût total moyen. Le câblodistributeur demande 15 $ par mois par ménage et dessert 6 millions d'abonnés. Dans ce cas, la compagnie n'enregistre ni profit ni perte — le coût total moyen est égal au prix. Cette tarification entraîne la perte sèche illustrée par le triangle gris. Le surplus du consommateur est limité à la surface en vert.

## FIGURE 20.4

# Le monopole naturel et la maximisation du profit

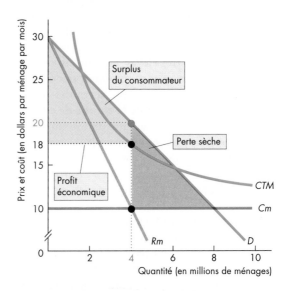

Pour que la compagnie de câblodistribution maximise ses profits, il faut que sa recette marginale (*Rm*) soit égale au coût marginal (*Cm*). Au prix de 20 $ par mois, 4 millions d'abonnés achètent des services de cablodistribution. Le surplus du consommateur est limité au triangle vert alors que la perte sèche augmente (triangle gris). Le monopole obtient le profit illustré par le rectangle bleu. C'est ce qui se produit lorsque le producteur peut détourner la réglementation à son avantage.

**La capture de l'intervention** Voyons maintenant ce que prédit la théorie de la capture dans le cas de notre monopole de câblodistribution. Selon cette théorie, la réglementation profite avant tout aux producteurs ; autrement dit, elle maximise leurs profits. Pour déterminer le prix qui maximise le profit du producteur, il faut considérer les courbes de recette marginale et de coût marginal. Un monopole maximise son profit en produisant une quantité telle que la recette marginale et le coût marginal sont égaux. Dans le graphique de la figure 20.4, la courbe *Rm* représente la courbe de recette marginale. La recette marginale est égale au coût marginal si le câblodistributeur dessert 4 millions de ménages à un prix de 20 $ par mois. Par conséquent, la réglementation, qui sert l'intérêt du producteur, fixera le prix à ce niveau.

Mais comment le producteur peut-il capturer l'intervention et obtenir qu'en fin de compte elle maximise ce profit de monopole ? Pour répondre à cette question, il faut examiner la manière dont les organismes de réglementation fixent habituellement un prix de vente. La méthode la plus courante est la réglementation en fonction du taux de rendement.

**La réglementation en fonction du taux de rendement** La **réglementation en fonction du taux de rendement** fixe le prix de façon à permettre à l'entreprise réglementée de tirer de son capital un taux de rendement donné. Le taux de rendement visé est établi selon le taux qui a normalement cours dans les marchés concurrentiels. Ce taux de rendement du capital fait partie du coût d'opportunité de l'entreprise et il est compris dans son coût total moyen. L'organisme de réglementation analyse ce coût total de l'entreprise, en tenant compte du taux de rendement normal du capital, et tente d'établir un prix de vente qui permet de le couvrir. La réglementation en fonction du taux de rendement équivaut donc à une tarification au coût moyen.

Dans le graphique de la figure 20.3, la tarification au coût moyen donne un prix réglementé de 15 $ par mois pour 6 millions de ménages desservis. Par conséquent, si le coût total moyen du producteur est correctement évalué, la fixation du prix en fonction du taux de rendement normal permettra de déterminer un prix de vente et un niveau de production qui avantagent le consommateur et empêchent le producteur de profiter de son pouvoir de monopole. Si tel est le cas, c'est que le producteur (ou son lobby) n'a pas réussi à détourner la réglementation à son avantage. La réglementation produit alors un résultat proche de celui que prévoit la théorie de l'intérêt public.

Cette analyse fait cependant abstraction d'un fait important : il est généralement très difficile pour l'organisme de réglementation de connaître le coût de production véritable de l'entreprise.

**Le problème de la supervision des coûts**   Supposons que les cadres supérieurs d'une entreprise puissent gonfler les coûts de leur entreprise par des dépenses qui ne sont pas vraiment indispensables à la production. Dans ce cas, le coût total apparent de l'entreprise est supérieur à son coût total réel. Rien de plus facile que de gonfler les dépenses : bureaux luxueux, limousines, billets de hockey gratuits (habilement maquillés en « frais de représentation »), avions privés, voyages « d'affaires » alléchants et autres dépenses professionnelles voluptuaires, ou encore augmentation inutile des effectifs pour accroître l'importance de l'entreprise.

Supposons que notre câblodistributeur arrive à convaincre l'organisme de réglementation dont il relève que la courbe *CTM* (*surcoût*) de la figure 20.5 représente son coût véritable ; en appliquant une tarification en fonction du taux normal de rendement, il fixe le prix à 20 $ par mois. Dans notre exemple, le câblodistributeur réglementé vend alors autant et au même prix qu'un monopole non réglementé. Dans la réalité, une entreprise aurait sans doute beaucoup de mal à gonfler ses coûts aussi exagérément que notre câblodistributeur fictif. Mais, dans la mesure où elle y réussit au moins partiellement, sa courbe de coût total moyen se situera entre la courbe de coût total moyen véritable *CTM* et la courbe *CTM* (*surcoût*) de notre exemple. Plus l'entreprise peut gonfler ses coûts, plus son profit économique se rapproche du profit maximal ; mais les actionnaires ne bénéficient pas de ce profit accru puisqu'il est dépensé en billets de hockey, bureaux de luxe et autres mesures prises par les cadres de l'entreprise pour gonfler les coûts.

### Intérêt public ou capture de l'intervention ?

Il est difficile de dire si la réglementation actuelle des monopoles naturels confirme la théorie de la capture ou la théorie de l'intérêt public. Mais une chose est certaine : la réglementation des prix ne requiert pas que les monopoles naturels utilisent la tarification au coût marginal. Si c'était le cas, la plupart des monopoles naturels subiraient des pertes importantes et le gouvernement devrait les subventionner pour les maintenir à flot. Certains secteurs font cependant exception à cette règle. Par exemple, de nombreuses compagnies de téléphone locales semblent utiliser la tarification au coût marginal dans le cas des appels téléphoniques locaux. Pour couvrir leur coût

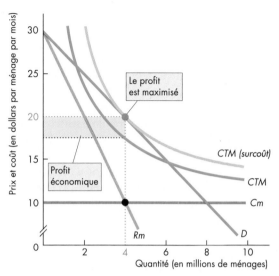

**FIGURE 20.5**

## Le monopole naturel : le gonflement des coûts

Si le câblodistributeur gonfle ses coûts jusqu'à la courbe *CTM* (*surcoût*) et parvient à convaincre l'organisme de réglementation que ce sont vraiment là des coûts de production minimaux, la réglementation en fonction du taux de rendement fixera le prix réglementé à 20 $ par mois — prix qui permet à l'entreprise de maximiser ses profits. Comme le producteur a pu gonfler ses coûts au-dessus du coût total moyen, le prix augmente, la production diminue et la perte sèche s'accroît. Le profit est « capturé » par les cadres supérieurs, et non par les actionnaires (propriétaires) de l'entreprise.

total, elles facturent une somme forfaitaire pour le raccordement à leur réseau, ce qui permet aux abonnés de téléphoner dans leur région au coût marginal, qui est nul ou presque.

Pour savoir si la réglementation favorise plutôt les consommateurs que les producteurs, il faut analyser le taux de rendement des monopoles naturels réglementés. Si le taux de rendement du monopole naturel réglementé est supérieur à celui des autres entreprises, c'est le signe que le producteur exerce une certaine mainmise sur l'organisme de réglementation. Il existe de nombreuses preuves indiquant que beaucoup de monopoles naturels au Canada bénéficient de taux de rendement supérieurs au taux moyen des entreprises.

Les industries de la télédistribution et de la téléphonie illustrent ce fait de manière frappante : les taux de rendement y atteignent plus de 10 % par année, soit près du double de la moyenne de l'économie. L'exemple le plus frappant des avantages de l'intervention publique pour les entreprises réglementées est celui des Entreprises Bell Canada (BCE). BCE est un conglomérat qui produit des services téléphoniques interurbains *régle-mentés* et des appareils téléphoniques *non réglementés* (Nortel), ainsi que des services financiers (Montréal Trust du Canada). En 1992, BCE a réalisé un profit total de 1,4 milliard de dollars sur un actif total de 12,3 milliards de dollars, un rendement de 11,4 %. Mais ce total incluait un profit de 0,9 milliard de dollars sur un actif de 7 milliards de dollars — un rendement de 12,9 % — pour les services réglementés de Bell Canada et un profit de 0,5 milliard de dollars sur un actif de 5,3 milliards de dollars — un rendement de 9,4 % — pour toutes les activités non réglementées de BCE.

Jusqu'au début des années 1990, le service téléphonique interurbain était un monopole naturel, mais les percées technologiques dans le domaine des télécommunications ont modifié cette situation. Aujourd'hui, cette industrie est un oligopole. Cependant, l'oligopole est, lui aussi, réglementé. Étudions maintenant la réglementation dans les industries oligopolistiques — la réglementation des cartels.

## La réglementation des cartels

Un *cartel* est le résultat d'une collusion entre plusieurs entreprises pour limiter la production afin d'augmenter leurs profits. Les cartels sont illégaux au Canada comme dans la plupart des autres pays, mais certains cartels internationaux peuvent fonctionner légalement ; c'est le cas, par exemple, du cartel de l'OPEP (Organisation des pays exportateurs de pétrole).

Les cartels illégaux se forment surtout dans les industries oligopolistiques. L'oligopole est un marché qui ne compte que quelques entreprises ; nous l'avons étudié au chapitre 13, en même temps que le duopole, marché où deux entreprises seulement se font concurrence. Nous avons vu alors que, s'il y a collusion entre ces entreprises, celles-ci peuvent vendre la même quantité de produits qu'un monopole et au même prix. Mais nous avons vu aussi que chaque entreprise de l'oligopole sera alors tentée de tricher en augmentant sa propre production et ses profits au détriment des autres entreprises de l'oligopole. L'équilibre monopolistique de l'industrie sera perturbé au point que tout se passera comme si le marché était concurrentiel, chaque producteur réalisant un profit nul. Ces «écarts de conduite» avantagent les consommateurs aux dépens des producteurs.

Comment l'oligopole est-il réglementé ? La réglementation nuit-elle aux pratiques monopolistiques ou, au contraire, les favorise-t-elle ?

Selon la théorie de l'intérêt public, la réglementation des oligopoles vise à garantir un marché concurrentiel. Prenons l'exemple du transport par camion des tomates du sud-ouest de l'Ontario vers une fabrique de ketchup à Leamington, marché illustré par le graphique de la figure 20.6. La courbe de demande de trajets est *D*. La courbe de coût marginal du marché — et donc la courbe d'offre

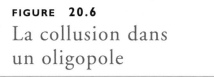

## FIGURE 20.6

# La collusion dans un oligopole

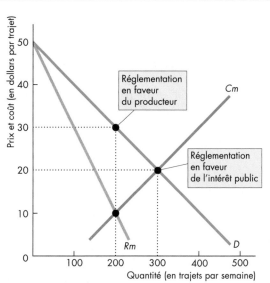

Dix entreprises de camionnage assurent le transport des tomates du sud-ouest de l'Ontario jusqu'à Leamington. La courbe de demande est *D* et la courbe de coût marginal du marché est *Cm*, courbe qui est également la courbe d'offre du marché en situation de concurrence. Le prix d'un trajet est alors de 20 $ à raison de 300 trajets par semaine. Les producteurs exigent une réglementation qui restreint l'entrée d'autres entreprises et limite la production à 200 trajets par semaine, niveau de production où la recette marginale de l'industrie (*Rm*) est égale au coût marginal de l'industrie (*Cm*). Si elle est instaurée, cette réglementation fait monter à 30 $ le prix d'un trajet et maximise le profit de chaque producteur, qui est alors celui d'un monopole.

de la concurrence — est *Cm*. Une réglementation dans l'intérêt public fixera le prix d'un trajet à 20 $ et il y aura 300 trajets par semaine.

Que se passe-t-il selon la théorie de la capture ? Si la réglementation vise l'intérêt du producteur, le prix réglementé doit maximiser son profit. Pour savoir ce qui adviendra, nous devons déterminer le prix et la quantité qui font que le coût marginal est égal à la recette marginale. La courbe de recette marginale est *Rm*. La recette marginale est égale au coût marginal lorsqu'il y a 200 trajets par semaine ; le prix d'un trajet sera donc fixé à 30 $.

Une façon d'obtenir ce résultat serait de limiter la production de chaque entreprise de l'industrie : s'il y a 10 entreprises de camionnage, une production limitée à 20 trajets par compagnie ramènerait la production totale à 200 trajets par semaine. On pourrait imposer des amendes pour s'assurer qu'aucun producteur ne dépasse la limite fixée.

Toutes les entreprises de l'industrie appuieraient ce type de réglementation, car elle permet d'éviter les « écarts de conduite » et de maintenir des profits de monopole. Chaque entreprise sait que sans un contingentement de la production, elle est incitée à augmenter la production — pour chaque entreprise, le prix excède le coût marginal, de sorte qu'une plus grande production entraîne de plus grands profits. Et chaque entreprise souhaite éviter que la production excède le niveau qui maximise le profit de l'industrie. Le contingent fixé par réglementation permet d'obtenir ce résultat. En réglementant ainsi le cartel, l'organisme de réglementation lui permet de fonctionner légalement dans son meilleur intérêt.

Quel est l'effet réel de la réglementation des cartels ? Bien que les opinions divergent sur ce point, tous les observateurs s'entendent pour dire que la réglementation des oligopoles profite plutôt aux producteurs. Le camionnage et le transport aérien (lorsqu'ils sont réglementés par l'Office national des transports), ainsi que le taxi (réglementé par les municipalités) sont des exemples de secteurs où la réglementation profite aux producteurs plutôt qu'aux consommateurs, mais l'exemple le plus flagrant reste celui de l'agriculture. Une étude du Conseil économique du Canada effectuée au début des années 1980 révélait que la réglementation de la production des œufs et de l'élevage des poulets à griller a transféré plus de 100 millions de dollars par an à 4 600 producteurs[1] seulement.

L'étude de l'évolution des prix et des profits à la suite d'une déréglementation permet également de mesurer les effets de la réglementation sur les cartels et les oligopoles. Si la déréglementation fait baisser les prix et les profits, c'est que la réglementation profitait, du moins dans une certaine mesure, aux producteurs ; si, par contre, elle fait augmenter les prix et les profits, ou n'a aucun effet sur eux, c'est sans doute que la réglementation servait l'intérêt public. Comme de nombreuses industries ont été déréglementées ces dernières années, l'évolution des prix et des profits après la déréglementation devrait nous permettre de vérifier laquelle des deux théories — intérêt public ou capture — est la plus juste. Pour le moment, les conclusions d'une telle analyse restent ambiguës, mais dans au moins trois cas d'oligopoles en voie de déréglementation — le transport aérien, le camionnage et les appels téléphoniques interurbains —, on constate que les prix ont baissé et que la production a beaucoup augmenté.

## Les prévisions

La plupart des marchés comptent peu de producteurs et un grand nombre de consommateurs. Selon la théorie des choix publics, la réglementation sert alors les intérêts

des producteurs, car il est plus facile et moins coûteux pour un petit nombre de gens qui visent un gain important de se constituer un lobby efficace que pour l'ensemble des consommateurs. Dans ce cas, les politiciens reçoivent en retour, non pas des votes, mais des contributions à leur caisse électorale. Par contre, dans d'autres cas, les consommateurs-électeurs ont un poids énorme dans les décisions politiques. Enfin, il arrive que le pouvoir passe des producteurs aux consommateurs, comme c'est le cas avec le processus de déréglementation des 30 dernières années. La déréglementation soulève des questions épineuses pour les économistes soucieux de comprendre et de prévoir ses effets. Pourquoi les secteurs du transport et des télécommunications ont-ils été déréglementés ? Si la déréglementation avantageait les producteurs et que, jusque dans les années 1970, le lobby des producteurs était suffisamment puissant pour la maintenir, comment expliquer que le pouvoir soit passé soudain aux mains des consommateurs ? Nous n'avons toujours pas de certitude sur ce point, mais nous pouvons avancer une hypothèse, qui n'est en fait qu'une tentative d'explication *a posteriori* : le coût des réglementations était peut-être devenu si lourd et les avantages escomptés si alléchants que les consommateurs ont jugé rentable de s'organiser en lobby pour tenter de les abolir.

L'un des facteurs de l'augmentation du coût de la réglementation pour les consommateurs et de la déréglementation du secteur des transports a été la montée en flèche du prix de l'énergie dans les années 1970. Cette montée des prix a rendu extrêmement coûteuse la réglementation des trajets par l'Office national des transports, faisant basculer la balance en faveur des consommateurs. Dans le cas du secteur des télécommunications, le principal facteur à l'œuvre est le progrès technologique : les appels interurbains informatisés et transmis par satellite ont permis aux petits producteurs qui voulaient une part du marché — et des profits — de Bell Canada d'offrir des services bon marché. De plus, l'évolution de la technologie des communications fait diminuer le coût d'organisation de groupes plus considérables de consommateurs. Si ce raisonnement est fondé, on peut espérer une réglementation plus favorable au consommateur. En pratique, une intervention plus soucieuse des consommateurs entraîne souvent la déréglementation ; on abolit les règlements instaurés pour servir les intérêts de groupes particuliers de producteurs.

[1] J.D. Forbes, R.D. Hughes et T.K. Warley, *Economic Intervention and Regulation in Canadian Agriculture,* ministère des Approvisionnements et Services, Ottawa, 1982.

## À RETENIR

■ Si la réglementation vise l'intérêt public, les biens et services produits par les monopoles naturels réglementés se vendent au coût marginal ou, pour éviter une subvention à même les impôts, au coût total moyen.

■ En pratique, la réglementation fixe les prix en fonction d'un taux de rendement normal, ce qui incite les producteurs à gonfler leurs coûts et à faire en sorte que leur production maximise autant que possible leur profit.

- La réglementation des cartels, qui fixe des niveaux de production pour chaque entreprise, peut contribuer à perpétuer l'existence des cartels et ne sert pas l'intérêt public.

Passons maintenant à la deuxième méthode d'intervention dans les marchés : l'entreprise publique.

# L'entreprise publique

LES ENTREPRISES PUBLIQUES ONT JOUÉ UN RÔLE de premier plan dans l'histoire du Canada. Déjà avant la Confédération, la construction des canaux et l'administration des havres et des ports étaient confiées à des « sociétés de la couronne ». La constitution d'une nation canadienne exigeait la construction d'un chemin de fer international reliant le Nouveau-Brunswick et la Nouvelle-Écosse au centre du Canada. Au fil des ans, l'immensité du territoire et la dispersion de la population, la présence d'un puissant voisin, l'émergence d'intérêts nationaux aussi vigoureux que divergents ainsi que la dualité culturelle et linguistique ont favorisé l'établissement des entreprises publiques.

Une entreprise publique est une entreprise qui appartient entièrement à l'État ; au Canada, certaines relèvent du gouvernement fédéral, d'autres des gouvernements provinciaux. On les trouve dans divers secteurs de l'économie, notamment les transports, l'énergie et les ressources, l'agriculture et les pêches, l'aménagement du territoire et la construction, les services gouvernementaux, la culture, les intermédiaires financiers, les télécommunications et la radiodiffusion, les loteries provinciales, le logement, les boissons alcoolisées. Ainsi, la Banque de développement du Canada, le Musée canadien de la nature et Loto-Québec sont des entreprises publiques.

Les entreprises publiques sont un autre moyen pour l'État d'influer sur les agissements des monopoles naturels. Quels sont les effets des entreprises publiques sur les monopoles naturels ? Comment fonctionne une entreprise publique ? Penchons-nous sur quelques scénarios de comportement de ce type d'entreprise.

## L'entreprise publique efficiente

L'une des possibilités est que l'entreprise publique fonctionne de manière efficiente en maximisant le surplus total. Prenons l'exemple d'une compagnie ferroviaire. Le graphique (a) de la figure 20.7 illustre la demande de transport de marchandises et les coûts de la compagnie. La courbe de demande est $D$ et la courbe de coût marginal est $Cm$. Remarquez que la courbe de coût marginal est horizontale au prix de 2 $ la tonne. Comme la compagnie a beaucoup investi en équipement — rails, wagons, matériel de surveillance, etc. —, ses coûts fixes, représentés par la courbe de coût total moyen $CTM$, sont très élevés. Cette courbe est décroissante car, à mesure que la quantité de marchandises transportées augmente, les coûts fixes, qui sont répartis sur un plus grand nombre de tonnes, diminuent. Pour être efficiente, l'entreprise publique doit respecter la règle suivante :

Choisir le niveau de production où le prix est égal au coût marginal.

Dans notre exemple, ce niveau de production est de 8 milliards de tonnes par année au prix — et au coût marginal — de 2 $ la tonne. Pour fonctionner ainsi, une compagnie ferroviaire publique doit être subventionnée ; le subside par unité produite doit couvrir la différence entre le coût total moyen et le coût marginal. Comme les ventes ne peuvent suffire à financer la production (puisque le prix est égal au coût marginal) ; il faut recourir à la taxation pour combler la différence. Si le gouvernement exige un montant fixe de chaque ménage, le surplus du consommateur se réduira au triangle vert illustré au graphique de la figure 20.7 (a), mais il sera maximal.

La figure 20.7 (a) illustre le cas où l'entreprise publique réalise une allocation efficiente parce qu'elle maximise le surplus du consommateur. Mais ce résultat n'est pas forcément compatible avec les intérêts des cadres de l'entreprise publique. La théorie économique de la bureaucratie propose un modèle de comportement des cadres.

## La théorie de la bureaucratie et l'entreprise publique

Comme nous l'avons vu au chapitre 18, l'objectif des fonctionnaires-gestionnaires est de maximiser le budget de leur administration. Transposée aux entreprises publiques, cette hypothèse dirait que l'objectif des cadres est de maximiser le budget de fonctionnement de leur entreprise. Pour bien comprendre en quoi cet objectif oriente les choix des entreprises publiques, il faut d'abord déterminer les contraintes qui limitent l'action des cadres de l'entreprise. Nous considérerons deux cas : 1) le prix de vente doit être égal au coût marginal ; 2) le service est offert gratuitement aux consommateurs.

**La maximisation du budget avec vente au coût marginal** Si l'entreprise publique maximise son budget tout en respectant la règle de la tarification au coût marginal, l'allocation des ressources reste efficiente. Comme le montre le graphique 20.7 (b), sa production est de

## FIGURE 20.7
## L'entreprise publique

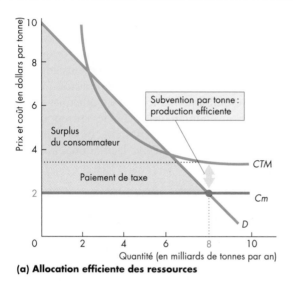

**(a) Allocation efficiente des ressources**

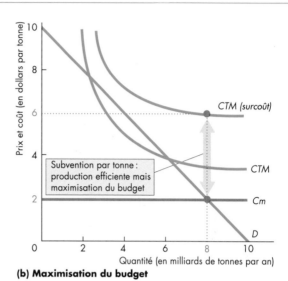

**(b) Maximisation du budget**

Le graphique (a) illustre le cas d'une compagnie ferroviaire publique qui réalise une allocation efficiente des ressources. Le niveau de production est tel que le prix et le coût marginal sont égaux. La production est de 8 milliards de tonnes par année à 2 $ la tonne. L'entreprise reçoit une subvention pour couvrir son coût total moyen, qui est le coût de production le plus bas possible.

Si les cadres de l'entreprise poursuivent leurs propres intérêts et maximisent leur budget, ils gonflent les coûts jusqu'à *CTM* (*surcoût*), comme le montre le graphique (b). Si l'entreprise est forcée de maintenir un prix égal à son coût marginal, elle continue à produire au niveau qui permet l'allocation efficiente des ressources, mais les cadres de l'entreprise s'approprient la totalité du surplus du consommateur.

8 milliards de tonnes par année et elle la vend 2 $ la tonne. Mais ses coûts de production ne sont pas les plus bas possible. L'entreprise publique gonfle ses coûts et devient non efficiente ; elle embauche plus d'employés que le nombre requis pour produire 8 milliards de tonnes par an, et ses mécanismes de contrôle internes, qui permettraient d'assurer l'efficience interne d'une compagnie privée qui maximise ses profits, se relâchent. Résultat : le coût total moyen de l'entreprise s'élève à *CTM* (*surcoût*).

Jusqu'à quel point une entreprise publique peut-elle laisser augmenter ses coûts ? Cela dépend du supplément de taxes que les consommateurs sont prêts à accepter pour éponger le déficit de l'entreprise publique, la limite étant le surplus du consommateur. Le surplus du consommateur correspond à la surface comprise entre la courbe de coût marginal et la courbe de demande ; on la calcule en utilisant la formule de calcul de l'aire d'un triangle. La hauteur du triangle correspond à un prix de 8 $, et sa base, à une quantité de 8 milliards de tonnes par année : le surplus du consommateur s'élève donc à 32 milliards de dollars. C'est le montant maximal qu'un gouvernement démocratique pourra exiger des contribuables-consommateurs pour financer la production de cette entreprise. Réparti sur le volume total de production, soit 8 milliards de tonnes, ce surplus de 32 milliards de

dollars équivaut à un subside de 4 $ la tonne, comme le montre le graphique 20.7 (b).

**La maximisation du budget avec gratuité de service**
Que se passe-t-il si l'entreprise publique offre ses biens ou services gratuitement ? Une compagnie ferroviaire aurait du mal à convaincre les politiciens et les contribuables que ses activités sont à ce point indispensables qu'elles doivent être offertes gratuitement au public. Mais plusieurs autres biens et services publics sont dispensés gratuitement ; l'instruction primaire et secondaire, et les soins de santé, par exemple. Pour faciliter l'analyse, nous conserverons l'exemple de la compagnie ferroviaire, même s'il n'est pas réaliste dans les circonstances.

Reportons-nous au graphique 20.7 (b). L'entreprise publique accroît sa production jusqu'au niveau où le prix que les consommateurs sont prêts à payer pour la dernière unité produite est égal à zéro. Ce niveau de production, qui est de 10 milliards de tonnes par année, engendre une perte sèche, car le coût marginal de production, 2 $ la tonne, est supérieur à la recette marginale (prix que les consommateurs sont prêts à payer pour la dernière unité produite), soit 0 $ la tonne. De plus, l'entreprise ne sera plus efficiente et gonflera ses coûts. Le subside augmentera jusqu'à la limite de la disposition des consommateurs à payer, donc jusqu'à ce qu'il égale le surplus du consommateur ; au-delà de cette limite, les contribuables-consommateurs réclameraient la fermeture de la société d'État.

**Les résultats intermédiaires**   Entre ces deux extrêmes, l'entreprise publique aura tendance à produire trop et à gonfler ses coûts, mais pas autant qu'au graphique 20.7 (b). Les intérêts des consommateurs auront une influence sur sa gestion, mais pas autant qu'au graphique 20.7 (a).

Bref, les prédictions de la théorie économique veulent que l'entreprise publique produise trop et soit moins efficiente que l'entreprise privée.

## Les entreprises publiques dans la réalité

Comment se comportent les entreprises publiques du monde réel ? Cette question a fait l'objet de plusieurs études. L'une des façons les plus fructueuses d'analyser leur situation consiste à comparer des entreprises publiques et des entreprises privées aussi semblables que possible. À cet égard, deux cas bien connus ont fait l'objet de nombreuses recherches. Le premier est celui de deux compagnies ferroviaires canadiennes, l'une publique, le Canadien National (CN), et l'autre privée, le Canadien Pacifique (CP). Le deuxième exemple est celui de deux compagnies aériennes australiennes, l'une privée et l'autre publique, qui offrent à peu près les mêmes trajets et les mêmes horaires. Les économistes qui se sont penchés sur les coûts d'exploitation de ces entreprises ont constaté qu'ils étaient significativement plus élevés dans les entreprises publiques que dans les entreprises privées concurrentes. Dans le cas du CN et du CP, l'écart était de 14 %[2].

## La privatisation

Ces dernières années, l'évolution des connaissances relatives au fonctionnement de la bureaucratie et la non-efficience des entreprises publiques a entraîné, au Canada comme à l'étranger, la vente de plusieurs entreprises publiques à des intérêts privés. Depuis le milieu des années 1980, le gouvernement fédéral a vendu une douzaine d'entreprises, dont Air Canada, et les entreprises trop peu rentables pour être vendues, comme le CN, ont subi d'importantes compressions budgétaires. L'équilibre du marché politique au pays s'est modifié : l'intérêt public a acquis un plus grand poids politique tandis que les producteurs ont perdu une partie de leur influence.

Cette vague de privatisation a-t-elle été trop forte pour permettre une allocation efficiente des ressources ? Les économistes ne s'entendent pas sur cette question. Selon certains, la privatisation reste inutile tant que l'entreprise publique demeure en concurrence avec des entreprises privées. D'autres croient plutôt que la propension des fonctionnaires à gonfler leurs coûts exige qu'on poursuive le mouvement de privatisation des entreprises publiques amorcé il y a quelques années.

Laissons maintenant de côté les entreprises publiques pour nous pencher sur le troisième mode d'intervention de l'État dans les marchés : la législation antimonopole.

# La législation antimonopole

LES LOIS ANTIMONOPOLES HABILITENT LES TRIBUNAUX et les organismes gouvernementaux à intervenir dans les marchés. Comme la réglementation, la législation antimonopole peut favoriser l'intérêt public en visant la maximisation du surplus total, ou l'intérêt privé en visant la maximisation des surplus de groupes d'intérêts particuliers comme les producteurs. Nous allons d'abord décrire la législation antimonopole canadienne, puis nous allons la voir à l'œuvre dans certains cas récents.

## La législation antimonopole canadienne

Au Canada, la législation antimonopole date de 1889. Dès les années 1880, certains groupes s'inquiétaient de l'absence de concurrence sur des marchés aussi divers que la production et la vente du sucre et d'autres produits d'épicerie, des biscuits et des confiseries, du charbon, de la ficelle, des outils agricoles, des poêles, des cercueils, des œufs et des polices d'assurance.

La loi antimonopole canadienne actuelle est la *Loi sur la concurrence* de 1986 (voir le tableau 20.2), qui établit une distinction entre :

- les actes criminels,
- les actes non criminels.

La loi définit comme actes criminels le complot (collusion) pour fixer les prix, le truquage des offres, d'autres pratiques anticoncurrentielles de fixation des prix et la publicité trompeuse. Ces actes relèvent des tribunaux judiciaires, où l'acte criminel doit être prouvé hors de tout doute raisonnable. Les actes non criminels comprennent les fusions, l'abus de position dominante sur le marché, le refus de vendre et d'autres actes visant à limiter la concurrence comme la transaction exclusive. Ces actes font l'objet d'un examen par un tribunal quasi judiciaire, le Tribunal de la concurrence.

---

[2] W.S.W. Caves et Lauritis Christensen, « The Relative Efficiency of Public *v.* Private Firms in a Competitive Environment: The Case of Canada's Railroads », *Journal of Political Economy*, vol. 88, n° 5, septembre-octobre 1980, p. 958-976.

---

**TABLEAU 20.2**

## La loi antimonopole canadienne : la *Loi sur la concurrence* de 1986

**Abus de position dominante**

79. (1) Lorsque, à la suite d'une demande du directeur, il [le Tribunal] conclut à l'existence de la situation suivante :

    a) une ou plusieurs personnes contrôlent sensiblement ou complètement une catégorie ou espèce d'entreprises à la grandeur du Canada ou d'une de ses régions ;

    b) cette personne ou ces personnes se livrent ou se sont livrées à une pratique d'agissements anti-concurrentiels ;

    c) la pratique a, a eu ou aura vraisemblablement pour effet d'empêcher ou de diminuer sensiblement la concurrence dans un marché ; le Tribunal peut rendre une ordonnance interdisant à ces personnes ou à l'une ou l'autre d'entre elles de se livrer à une telle pratique.

**Fusionnements**

92. (1) Dans les cas où, à la suite d'une demande du directeur, le Tribunal conclut qu'un fusionnement réalisé ou proposé empêche ou diminue sensiblement la concurrence, ou aura vraisemblablement cet effet :

    […] le Tribunal peut

    […] dans le cas d'un fusionnement réalisé, rendre une ordonnance enjoignant à toute personne, que celle-ci soit partie au fusionnement ou non :

    (i) de le dissoudre, conformément à ses directives,

    (ii) de se départir, selon les modalités qu'il indique, des éléments d'actif et des actions qu'il indique,

    […] dans le cas d'un fusionnement proposé, rendre, contre toute personne, que celle-ci soit partie au fusionnement proposé ou non, une ordonnance enjoignant :

    (i) à la personne contre laquelle l'ordonnance est rendue de ne pas procéder au fusionnement,

    (ii) à la personne contre laquelle l'ordonnance est rendue de ne pas procéder à une partie du fusionnement.

---

La *Loi sur la concurrence* est administrée par le Bureau de la concurrence, dont le directeur est habilité à engager des procédures devant le Tribunal.

## Quelques jugements récents et importants

Voyons maintenant comment la *Loi sur la concurrence* a été appliquée depuis sa promulgation en examinant certains de ses jugements les plus importants. Le premier est particulièrement intéressant parce qu'il confirme que le Tribunal de la concurrence a le pouvoir de faire respecter ses décisions.

**L'affaire Chrysler** En 1986, Chrysler a arrêté de fournir des pièces détachées à Richard Brunet, un concessionnaire de voitures montréalais. De plus, Chrysler a dissuadé les autres concessionnaires d'approvisionner Richard Brunet en pièces. Le Tribunal de la concurrence a statué que Chrysler voulait s'approprier le marché de Brunet et lui a ordonné de reprendre ses activités com-

merciales avec celui-ci. Comme Chrysler n'a pas obtempéré, le Tribunal l'a cité à comparaître pour outrage au tribunal. D'appels en appels, la cause s'est retrouvée devant la Cour suprême du Canada, qui a confirmé que le Tribunal de la concurrence avait bel et bien juridiction pour décréter que le non-respect de ses injonctions constituait un outrage au tribunal. Le Tribunal a toutefois fini par laisser tomber cette accusation.

La seconde affaire concerne l'aspartame, cet édulcorant contenu dans plusieurs produits diététiques.

**L'affaire NutraSweet** NutraSweet, le fabricant de l'aspartame, a tenté d'obtenir le monopole de ce produit en restreignant l'utilisation de son logo — un tourbillon — aux seuls produits dont il était le fournisseur exclusif. Le Tribunal de la concurrence a jugé que cet agissement limitait indûment la concurrence et a dit à NutraSweet qu'elle ne pouvait ni forcer ses contractants à honorer les contrats existants, ni conclure de nouveaux contrats en tant que fournisseur exclusif, ni donner des incitatifs à l'affichage de son fameux tourbillon. Ce jugement a entraîné l'augmentation de la concurrence et la diminution du prix de l'aspartame au Canada.

# Le tribunal de la concurrence en action

## Les faits
### EN BREF

■ Les fabricants de produits de consommation paient 70 millions de dollars par année pour se procurer les données recueillies par les lecteurs de codes-barres aux caisses.

■ Nielsen Marketing Research détenait le monopole de ce marché grâce à des ententes conclues avec les détaillants qui lui assuraient l'exclusivité des données des codes-barres.

■ Le Tribunal de la concurrence a statué que Nielsen ne devait pas donner suite à ces contrats.

■ La compagnie Information Resources de Chicago est un concurrent potentiel pour Nielsen.

■ L'entrée sur le marché de compagnies concurrentes devrait entraîner la baisse du prix des données et, par ricochet, celui des produits alimentaires et pharmaceutiques.

CALGARY HERALD, LE 31 AOÛT 1995

## La réglementation pourrait faire baisser le prix des produits alimentaires et pharmaceutiques

PAR ROB CARRICK

La police de la concurrence au Canada a porté un grand coup à une compagnie d'études de marché, coup qui pourrait bien faire baisser les prix dans les épiceries et les pharmacies.

Le Tribunal de la concurrence fédéral a jugé, mercredi, que Nielsen Marketing Research ne pouvait pas continuer d'honorer les contrats qui lui donnent l'accès exclusif aux données provenant des lecteurs de prix électroniques.

Cette décision met fin au monopole de Nielsen dans le marché de 70 millions de dollars par année des données de lecteurs de prix, permettant l'entrée sur le marché d'un nouveau concurrent, Information Resources Inc., une firme de Chicago.

Les données des codes-barres sur les emballages sont enregistrées par les lecteurs électroniques aux caisses. Des compagnies comme Nielsen achètent et analysent ces données, pour les revendre ensuite aux fabricants intéressés par la demande de produits.

On s'attend à ce que la concurrence fasse baisser les prix des données destinées à ces fabricants et en améliore la qualité.

« Nous espérons que cela se traduira par une baisse des prix à la consommation », a déclaré M. George Addy, directeur du Bureau de la concurrence.

M. Addy a entrepris une enquête de six mois sur les pratiques de Nielsen à la suite d'une plainte logée en 1993.

L'affaire a été déférée l'automne dernier au Tribunal de la concurrence, un tribunal quasi judiciaire indépendant composé de juges fédéraux et de spécialistes, et celui-ci a statué que Nielsen contrôlait l'offre de données de codes-barres au moyen de contrats d'exclusivité.

M. Addy a ajouté que la portée de ce jugement dépasse largement le cas des données des codes-barres ; il s'applique à toutes sortes de données électroniques, un enjeu de taille dans une économie mondiale axée sur l'information.

# Analyse

## ÉCONOMIQUE

■ Le fabricant qui peut obtenir des données sur les prix et les quantités vendues pour ses produits et ceux de ses concurrents peut utiliser cette information pour élaborer des stratégies de prix plus rentables.

■ Les données sont un intrant et la demande de données ressemble à la demande d'un facteur de production ; elle est déterminée par la valeur du produit marginal de la donnée.

■ La figure 1 montre la courbe de demande de données, $D_0$.

■ Nielsen Marketing Research a mis au point des techniques permettant de recueillir ce type de données à l'aide de lecteurs de codes-barres aux caisses des supermarchés.

■ La figure 1 montre la courbe (hypothétique) de coût total moyen, $CTM$, et la courbe de coût marginal, $Cm$, de la collecte de données.

■ En concluant des ententes d'exclusivité avec les détaillants pour l'accès aux données des codes-barres, Nielsen s'était assuré le monopole de ce marché. La courbe de recette marginale de Nielsen était alors $Rm_0$.

■ Nielsen maximisait ses profits en produisant la quantité de données $Q_0$ et en vendant au prix $P_0$ chaque unité d'information.

■ Avec la fin du monopole de Nielsen, Information Resources Inc. et d'autres compagnies sont entrées sur le marché. Grâce à des données différenciées, le marché des données est devenu concurrentiel.

■ La figure 2 montre le résultat. La courbe de demande de Nielsen se déplace vers la gauche tout comme sa courbe de recette marginale.

■ À long terme, Nielsen vend la quantité $Q_1$ de données au prix de $P_1$ l'unité d'information. La recette totale de l'entreprise, qui était de 70 millions de dollars par année, a diminué.

■ La baisse du prix des données fait baisser les coûts de production des denrées alimentaires et pharmaceutiques, ainsi que les prix à la consommation.

■ Cependant, il est peu probable que cette baisse soit importante. Le marché total des données de codes-barres représente 70 millions de dollars par an, soit moins de 0,5 % de la valeur des ventes de produits alimentaires et pharmaceutiques.

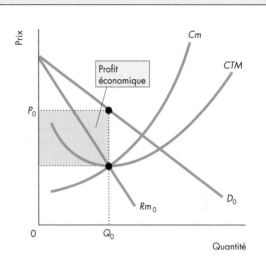

**Figure 1    Le monopole de Nielsen**

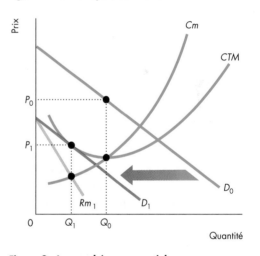

**Figure 2    Le marché concurrentiel**

La troisième affaire concerne une publication que nous connaissons tous : l'annuaire des *Pages Jaunes*.

**L'affaire Entreprises Bell Canada**　Deux filiales des Entreprises Bell Canada (BCE) détiennent 90 % du marché des annuaires téléphoniques sur leurs territoires. Ces compagnies liaient la vente de *services de publicité* à la vente *d'espace publicitaire* dans les *Pages Jaunes*. Si on voulait faire de la publicité dans les *Pages Jaunes*, on était forcé de s'adresser à l'une de ces deux compagnies pour la conception et la réalisation de l'annonce, ce qui empêchait les autres agences de publicité de concurrencer les filiales de Bell pour la conception et la réalisation des annonces publiées dans les *Pages Jaunes*. Le directeur du Bureau de la concurrence a demandé une ordonnance pour interdire la pratique de vente liée de ces deux compagnies.

**D'autres affaires récentes**　Au cours des années 1995 et 1996, le Bureau de la concurrence a rendu des ordonnances contre plusieurs ententes d'agissements anti-concurrentiels concernant, entre autres, les écoles de conduite de Sherbrooke, le béton prêt à utiliser dans la région du Saguenay-Lac-Saint-Jean, des opérations d'achat et de vente immobilières à Calgary, l'importation de mandarines australiennes, les fibres pour carton d'emballage ainsi que les services ambulanciers de l'Alberta.

Une bonne partie du travail du Bureau de la concurrence consiste à examiner et, dans certains cas, à stopper des fusions. Les cas qui suivent appartiennent à cette catégorie.

**L'affaire de la fusion de Canada Packers et de Labatt**　Les entreprises Canada Packers et John Labatt ont voulu fusionner leurs activités de mouture, ce qui aurait fait de la nouvelle entreprise le plus important minotier au Canada et le cinquième en Amérique du Nord. Le Tribunal de la concurrence a interdit cette fusion, déclarant que l'industrie ressemblait déjà beaucoup trop à un cartel, et que la concurrence devait y être stimulée et non affaiblie.

Le Bureau de la concurrence n'interdit pas toutes les fusions, comme le montre le cas suivant.

**La fusion des librairies Smith et Cole**　En 1994, l'entreprise FICG Inc. — qui exploitait SmithBooks — et Coles Book Stores Ltd. annonçaient la fusion de leurs chaînes de librairies, ce qui donnait à la nouvelle entreprise le contrôle sur la moitié des ventes de livres de langue anglaise au Canada. Le directeur du Bureau de la concurrence a décidé qu'il n'y avait pas lieu de demander une ordonnance du Tribunal dans ce cas, principalement parce que, en ce qui concerne la vente de livres au détail, les barrières à l'entrée sont négligeables et qu'une part importante du marché ne signifie pas forcément un gros pouvoir de marché. Le Bureau surveilla tout de même les agissements de la nouvelle compagnie jusqu'en 1997.

## Intérêt public ou intérêts particuliers ?

L'évolution de la législation antimonopole du Canada indique clairement que l'intention des législateurs est bien de protéger l'intérêt public et d'empêcher les producteurs de maximiser leur profit et d'entraver la concurrence au détriment des consommateurs. Dans l'ensemble, la loi et son application ont eu pour effet de servir les intérêts des consommateurs. De plus, si les jugements récents en la matière sont révélateurs d'une tendance, on peut s'attendre à ce que les jugements rendus par les diverses cours et par le Tribunal de la concurrence penchent en faveur des consommateurs dans l'avenir.

◈ Dans ce chapitre, nous avons vu comment les gouvernements interviennent dans les marchés pour influer sur les prix, les quantités, les gains des échanges, ainsi que sur la répartition de ces gains entre consommateurs et producteurs. Nous avons vu que l'intérêt public, qui est d'obtenir l'allocation efficiente des ressources, et l'intérêt particulier des producteurs, qui est de maximiser leur profit, sont contradictoires, et que c'est sur les terrains politique et judiciaire que ces conflits se règlent. On trouvera à la rubrique « Entre les lignes » (p. 472) un cas intéressant soumis au Tribunal de la concurrence.

## RÉSUMÉ

### Points clés

**L'intervention des administrations publiques dans les marchés**　Le gouvernement intervient de trois manières dans les monopoles et les oligopoles : par la réglementation, par la création d'entreprises publiques et par la législation antimonopole. L'intervention du gou-vernement peut influer sur le surplus du consommateur, le surplus du producteur et le surplus total. Un marché en concurrence maximise le surplus total. Dans un monopole, le surplus du producteur est plus élevé que dans un marché concurrentiel, tandis que le surplus du consommateur est moindre. Il y a une perte sèche. (p. 458-459)

**La théorie économique de l'intervention publique**
Les consommateurs et les producteurs expriment des demandes d'interventions en leur faveur par le vote, le lobbying et leur contribution aux campagnes électorales. Plus le surplus qu'une intervention peut engendrer est grand et moins ceux qui se le partagent sont nombreux, plus la demande de cette intervention est forte. Mais plus les demandeurs sont nombreux, plus leur organisation en un lobby efficace est coûteuse. L'offre d'interventions provient des politiciens, qui agissent dans leur propre intérêt. Plus le surplus par personne est élevé et les bénéficiaires nombreux, plus l'offre d'une intervention donnée est forte. À l'équilibre, l'offre d'intervention est telle qu'aucun lobby n'estime avoir intérêt à dépenser davantage de ressources pour tenter de modifier les politiques en vigueur. Selon la théorie de l'intérêt public, le surplus total sera maximisé. Selon la théorie de la capture, le surplus du producteur sera maximisé. (p. 459-461)

**La réglementation et la déréglementation** Les monopoles naturels et les cartels sont réglementés par des organismes publics dont les dirigeants sont des fonctionnaires nommés par le pouvoir politique. Chacun de ces organismes compte une équipe permanente de fonctionnaires spécialisés. Les entreprises assujetties à la réglementation doivent respecter certaines directives relatives aux prix, à la nature de la production et à la quantité produite. La réglementation n'a pas réduit les profits des entreprises réglementées. Ce résultat tend à valider la théorie de la capture plutôt que la théorie de l'intérêt public. (p. 461-468)

**L'entreprise publique** Le Canada compte plus d'une centaine d'entreprises publiques fédérales et provinciales qui produisent des biens comme les transports ferroviaires, l'hydroélectricité et les télécommunications. Le modèle économique de l'entreprise publique repose sur la théorie de la bureaucratie, selon laquelle les cadres de l'entreprise cherchent à maximiser leur budget, et sont limités en cela par le processus politique. Résultat: les entreprises publiques ont tendance à ne pas être efficientes: elles produisent trop et leurs coûts sont trop élevés. Depuis quelques années, on observe un mouvement en faveur des

intérêts des consommateurs, et une tendance à la privatisation des entreprises publiques ou, du moins, à la réduction de leur importance. (p. 468-470)

**La législation antimonopole**
La législation antimonopole est un autre moyen pour les gouvernements de restreindre les monopoles et les pratiques monopolistiques. La première loi canadienne antimonopole était brève et son interprétation tendait à favoriser le consommateur; elle était conçue pour défendre l'intérêt public. L'adoption de la *Loi sur la concurrence* de 1986 a complètement réformé la loi antimonopole canadienne, dont l'application relève maintenant du Tribunal de la concurrence. (p. 470-474)

### Figures et tableaux clés

### Mots clés

## QUESTIONS DE RÉVISION

1. Quel sont les trois moyens dont dispose le gouvernement pour intervenir sur les marchés?

2. Qu'est-ce que le surplus du consommateur? Comment le calcule-t-on? Comment le représente-t-on graphiquement?

3. Qu'est-ce que le surplus du producteur? Comment le calcule-t-on? Comment le représente-t-on graphiquement?

4. Qu'est-ce que le surplus total? Comment le calcule-t-on? Comment le représente-t-on graphiquement?

5. Pourquoi les consommateurs demandent-ils à l'État d'intervenir sur les marchés? Dans quels types d'industries leur demande d'interventions est-elle la plus forte?

6. Pourquoi les producteurs demandent-ils à l'État d'intervenir sur les marchés? Dans quels types

d'industries leur demande d'interventions est-elle la plus forte?

7. Expliquez la théorie de l'intérêt public et la théorie de la capture des interventions. Que prédit chacune sur le comportement des politiciens?

8. Comment les oligopoles sont-ils réglementés au Canada? Qui cette réglementation avantage-t-elle?

9. Pourquoi les entreprises publiques ont-elles tendance à ne pas être efficientes? Comment déterminent-elles le prix de leurs produits et la quantité à produire?

10. Qu'est-ce qui caractérisait la première loi anti-monopole du Canada?

11. Quelle est la principale loi antimonopole actuelle au Canada? En quoi diffère-t-elle de la première?

12. Décrivez l'affaire Chrysler.

13. Décrivez l'affaire NutraSweet. Quelle décision a été rendue?

14. Décrivez l'affaire de la fusion de John Labatt et Canada Packers. Quelle décision a été rendue?

---

# A N A L Y S E    C R I T I Q U E

1. Après avoir lu attentivement la rubrique «Entre les lignes» (p. 472), répondez aux questions suivantes:
   a) Quelle était la source du pouvoir de monopole de Nielsen? Nielsen était-il un monopole naturel, un monopole légal ou bien n'était-il pas un monopole? (Pour vous rafraîchir la mémoire sur la définition du monopole et sur la différence entre le monopole naturel et le monopole légal, reportez-vous au chapitre 12, p. 260-261.)
   b) Pourquoi le Tribunal de la concurrence a-t-il condamné cette pratique de Nielsen?
   c) Devrait-on s'attendre à ce que les marges de détail diminuent beaucoup à la suite des changements décrits dans l'article du Calgary Herald? Expliquez votre réponse.

2. Le gouvernement du Canada réglemente la production et la vente de nombreux biens et services: le prix des services locaux de téléphone et de câblo-distribution, la surface que chaque producteur de blé et de céréales peut cultiver, le prix qu'on paiera à ces producteurs pour leurs céréales, et à qui ils peuvent vendre leur production. Les compagnies de téléphone (appels locaux) et les câblodistributeurs sont des monopoles, mais pas les producteurs de

céréales; alors pourquoi ces derniers sont-ils réglementés? La réglementation avantage-t-elle les producteurs de céréales ou les consommateurs?

3. «Maintenant qu'il y a libre-échange entre le Canada et les États-Unis, le gouvernement canadien devrait cesser de réglementer les monopoles au pays, car ils doivent affronter la concurrence des entreprises américaines.» Êtes-vous d'accord avec cet argument? Justifiez votre réponse.

4. Étudiez l'affaire Interac décrite sur le site Web du Bureau de la concurrence (vous trouverez ce document en utilisant le moteur de recherche du site à l'adresse http://strategis.ic.gc.ca/frndoc/main. html).
   a) Expliquez l'affaire Interac.
   b) Quels ont été, à votre avis, les effets de l'ordonnance par consentement sur le prix que le consommateur paie et le nombre d'emplacements de guichets automatiques Interac?
   c) Passez à la page concernant la Loi sur la concurrence et recherchez les cas d'ententes de collusion, d'abus de situation dominante et de fusionnements visant à limiter la concurrence. Pour chaque cas, décrivez les moyens employés pour réduire la concurrence.

# P R O B L È M E S

1. Obélix inc. est un monopole naturel non réglementé qui embouteille la fameuse Potion magique, un produit vitaminé sans substitut. Le coût fixe total d'Obélix inc. est de 160 000 $ et son coût marginal est de 10 ¢ la bouteille. La figure illustre la demande de Potion magique.

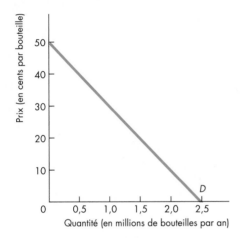

a) Quel est le prix d'une bouteille de Potion magique ?
b) Combien de bouteilles de Potion magique la compagnie Obélix inc. vend-elle ?
c) Obélix inc. maximise-t-elle le surplus total ou le surplus du consommateur ?

2. Au problème n° 1, le gouvernement réglemente Obélix inc. en lui imposant une règle de tarification au coût marginal.
a) Quel est maintenant le prix d'une bouteille de Potion magique ?
b) Combien de bouteilles vend Obélix inc. ?
c) Quel est le surplus du producteur ?
d) Quel est le surplus du consommateur ?
e) Dans ce cas précis, la réglementation sert-elle l'intérêt public ou l'intérêt du producteur ?

3. Au problème n° 1, le gouvernement réglemente Obélix inc. en lui imposant la règle de tarification au coût moyen.
a) Quel est le prix d'une bouteille de Potion magique ?
b) Combien de bouteilles vend Obélix inc. ?
c) Quel est le surplus du producteur ?
d) Quel est le surplus du consommateur ?
e) Cette réglementation sert-elle l'intérêt public ou l'intérêt du producteur ?

4. La valeur du capital investi dans Obélix inc. au problème n° 2 est de 2 millions de dollars. Le gouvernement impose une réglementation en fonction du taux de rendement, qui stipule que l'entreprise doit vendre sa Potion magique à un prix donnant un taux de rendement de 5 % sur son capital.
a) Quel est le prix d'une bouteille de Potion magique ?
b) Combien de bouteilles vend Obélix inc. ?
c) Quel est le surplus du producteur ?
d) Quel est le surplus du consommateur ?
e) Cette réglementation sert-elle l'intérêt public ou l'intérêt du producteur ?

5. Soumis à une réglementation en fonction du taux de rendement comme au problème n° 4, Obélix inc. gonfle ses coûts en payant une prime spéciale à son propriétaire, prime qu'elle comptabilise comme un coût.
a) Si l'on compte la prime comme partie du surplus du producteur, quel est le montant de prime qui maximise le surplus du producteur et fait que le taux de rendement calculé soit égal à 5 % comme l'exige la réglementation ?
b) Combien de bouteilles vend Obélix inc. ?
c) Quel est le surplus du producteur ?
d) Quel est le surplus du consommateur ?
e) Cette réglementation sert-elle l'intérêt public ou l'intérêt du producteur ?

**Chapitre**

# 21

# Les effets externes, l'environnement et le savoir

**Objectifs
du chapitre**

- Expliquer comment les droits de propriété peuvent servir à atteindre l'efficience en présence d'effets externes

- Expliquer comment les redevances sur les émissions, les permis négociables et la taxation permettent d'atteindre l'efficience même en présence de coûts externes

- Expliquer comment les subventions permettent d'atteindre l'efficience même en présence d'avantages externes

- Expliquer comment les bourses d'étude, la réduction des frais de scolarité et les subventions de recherche permettent d'atteindre des niveaux d'éducation et d'innovation plus efficients

- Expliquer comment les brevets améliorent l'efficience du processus de mise au point de nouveaux procédés et de nouveaux produits

**N**ous entendons constamment parler des menaces qui pèsent sur notre planète. Nous brûlons des quantités colossales de combustibles fossiles — charbon, gaz naturel et pétrole —, ce qui cause les pluies acides et entraîne probablement le réchauffement de la planète. L'emploi continuel et à grande échelle des chlorofluorocarbures (CFC) a causé des dommages possiblement irréparables à la couche d'ozone, nous exposant ainsi à une intensification du rayonnement ultraviolet et, donc, à l'augmen-

## Plus écologiques et plus savants

tation des cancers de la peau. Ce n'est pas tout : nous déversons des déchets toxiques dans les rivières, les lacs et les océans. Ces problèmes environnementaux d'une importance vitale concernent tout le monde, mais personne en particulier. Que peuvent faire nos gouvernements pour protéger notre environnement ? Comment peuvent-ils nous amener à prendre conscience des torts que nous lui causons chaque fois que nous allumons notre système de chauffage ou de climatisation ? ◆ Il se passe rarement une journée sans que nous entendions parler d'une nouvelle découverte en médecine, en génie, en chimie, en physique ou même en économie. L'évolution des connaissances semble incommensurable. De plus en plus de gens ont accès à un savoir de plus en plus étendu. Aujourd'hui, au Canada, deux jeunes sur cinq font des études postsecondaires, et cette proportion augmente tous les ans. Nous sommes de plus en plus instruits. L'étendue du savoir humain — les connaissances comme le nombre de gens qui y ont accès — semble destinée à progresser indéfiniment. Mais cette progression est-elle assez rapide ? Allouons-nous suffisamment de ressources aux activités de recherche-développement ? À l'éducation ? Fréquentons-nous l'école assez longtemps ? Y travaillons-nous assez fort ? Tout irait-il mieux si nous consacrions plus de ressources à l'éducation et à la recherche ?

◻ Dans ce chapitre, nous étudierons les problèmes soulevés par le fait que, même si bon nombre de nos actions ont des répercussions positives ou négatives sur d'autres gens, nous n'en tenons pas compte dans nos choix économiques. Nous nous pencherons sur deux domaines, l'environnement et l'accumulation du savoir, où ces problèmes sont particulièrement importants. Mais regardons d'abord le problème général des effets externes.

# Les effets externes

ON APPELLE **EFFETS EXTERNES** LES COÛTS ET avantages relatifs à une activité économique — de production ou de consommation — qui retombent sur des gens autres que ceux qui en décident. Un *coût externe* est le coût de production d'un bien ou d'un service qui retombe sur des gens autres que ceux qui le consomment. Un *avantage externe* est l'avantage lié à la consommation d'un bien ou d'un service et dont profitent des personnes autres que ses acheteurs.

## Les coûts externes

Prenons l'exemple d'une usine de produits chimiques qui déverse des déchets toxiques dans une rivière, et en tue ainsi tous les poissons ; comme l'usine n'est pas affectée par ces coûts externes, elle n'en tient aucun compte lorsqu'elle décide du lieu et de l'ampleur du déversement. Dans les années 1970, tout automobiliste qui conduisait dans une grande ville comme Montréal infligeait un coût externe à l'ensemble des citadins intoxiqués par la pollution qu'engendrait l'essence au plomb ; mais, comme chaque automobiliste ne supportait personnellement qu'une infime partie de ce coût, il n'en tenait aucun compte en décidant d'utiliser sa voiture.

Depuis quelques années, deux coûts externes particulièrement lourds font régulièrement la manchette. Le premier découle de l'utilisation massive des chlorofluorocarbures (CFC), ces substances chimiques qui entrent dans la composition de nombreux produits — des réfrigérants pour réfrigérateurs et climatiseurs aux téléphones en plastique, en passant par les solvants qui nettoient les circuits informatiques. Bien que la réaction chimique en cause soit encore mal connue et que les scientifiques ne s'entendent pas sur ses effets, de nombreux physiciens sont convaincus que les CFC endommagent la couche d'ozone de l'atmosphère. La découverte en 1983 de « trous » dans la couche d'ozone au-dessus de l'Antarctique a confirmé leurs craintes. Selon les scientifiques, une diminution de 1 % de la couche d'ozone pourrait faire augmenter de 2 % le nombre de cancers de la peau. L'appauvrissement de la couche d'ozone pourrait également provoquer des cataractes. Lorsque vous allumez la climatisation par une nuit de canicule, vous n'incluez pas le coût de l'augmentation des cancers de la peau dans le coût que *vous* payez pour cette fraîcheur.

L'autre coût externe qui nous préoccupe aujourd'hui découle de l'utilisation des combustibles fossiles. En brûlant, les combustibles fossiles émettent dans l'atmosphère du dioxyde de carbone ($CO_2$) et d'autres gaz qui absorbent les radiations infrarouges et les enferment dans l'atmosphère terrestre. Ces émissions sont désignées par le terme « gaz à effet de serre » parce que leur concentration accrue pourrait être responsable d'une hausse de la température moyenne de la planète — hausse qui risque de se poursuivre dans le prochain siècle. Si la théorie de l'effet de serre est juste (ce qui n'est pas du tout certain), une grande partie des Prairies canadiennes et du Midwest américain se transformeront en régions semi-désertiques, et de larges secteurs de la côte du continent nord-américain, et en particulier la côte du golfe du Mexique, seront submergés par l'océan Atlantique. Pourtant, quand vous roulez dans une voiture qui consomme de l'essence, vous comparez l'avantage que vous retirez au coût que vous supportez *personnellement,* et votre calcul ne tient pas compte des coûts d'un éventuel réchauffement de la planète.

Les effets externes ne sont pas tous négatifs — ce ne sont pas toujours des *coûts.* Certaines activités génèrent des avantages externes.

## Les avantages externes

La propriétaire qui rénove sa maison et aménage un superbe jardin crée un avantage externe pour ses voisins — la valeur de leur propriété augmente. Pourtant, lorsqu'elle décide d'embellir son cadre de vie, elle pense d'abord et avant tout à son propre plaisir.

Mais c'est sans contredit dans nos écoles, nos collèges, nos universités et nos centres de recherche que se créent les avantages externes les plus importants. Les gens qui ont de l'instruction en retirent de nombreux avantages ; ils jouissent non seulement de revenus supérieurs, mais aussi des plaisirs que procurent la culture et les arts. Cependant, leur savoir a également des avantages pour les autres. Il en fait des partenaires, des conjoints et des parents plus imaginatifs et plus intéressants, il leur donne des livres, des films et des productions médiatiques plus stimulantes, des innovations plus nombreuses et plus utiles, etc. Pourtant, ce n'est pas en pensant aux coûts et avantages pour la collectivité que les gens décident de poursuivre ou non leurs études ; ce sont leurs propres coûts et avantages qu'ils ont en tête.

Les services de santé créent également des avantages externes. En prenant soin de notre santé, en adoptant une bonne hygiène, nous évitons à notre entourage le risque de contracter une maladie contagieuse. Mais, là encore, nous décidons des ressources que nous sommes prêts à consacrer à la santé et à l'hygiène en pensant aux avantages qu'elles nous procurent, et aux coûts de la maladie.

## Les lacunes du marché et les choix publics

Les coûts externes et les avantages externes sont les principales causes des *lacunes du marché.* L'économie de marché a tendance à produire trop de biens et services qui génèrent des coûts externes, et pas assez de biens et services qui créent des avantages externes. Autrement dit, les effets externes engendrent la non-efficience.

Il y a deux façons de réagir devant la non-efficience due aux lacunes du marché : s'y résigner ou tenter de la pallier par des interventions gouvernementales dans l'intérêt public. Comme nous allons le voir, les administrations publiques peuvent prendre plusieurs mesures pour contrer la non-efficience découlant des effets externes — c'est-à-dire pour limiter la production qui crée des coûts externes et pour augmenter celle qui crée des avantages externes. Penchons-nous d'abord sur les coûts externes qui touchent l'environnement.

## L'économique de l'environnement

LES PROBLÈMES ENVIRONNEMENTAUX NE SONT NI nouveaux ni confinés aux pays industrialisés et riches. Les cités européennes de l'ère préindustrielle ont connu des problèmes d'évacuation des égouts assez graves pour causer des épidémies de choléra et d'autres fléaux qui ont tué des dizaines de millions de personnes. Nous ne sommes pas non plus les premiers à vouloir améliorer la qualité de l'environnement, ni à chercher des solutions aux problèmes environnementaux. Pensons seulement à l'effort prodigieux que firent nos ancêtres, notamment au XIVᵉ siècle, pour se doter de systèmes d'approvisionnement en eau potable, d'évacuation des déchets et d'égouts…

Lorsqu'ils discutent d'environnement, la plupart des gens s'en tiennent aux aspects physiques de la question ; ils en parlent rarement en termes de coûts et d'avantages économiques. Selon une opinion très répandue, dès lors qu'une activité entraîne une dégradation de l'environnement, quelle qu'elle soit, il faut y mettre fin. L'étude économique de l'environnement, elle, se préoccupe essentiellement des coûts et des avantages ; l'économiste parle de niveau efficient de pollution ou de dommage environnemental. Cela ne signifie pas que les économistes ne partagent pas, à titre personnel, les mêmes objectifs que les autres citoyens, ni qu'ils n'accordent aucune valeur à la salubrité de l'environnement. Cela ne veut pas dire, non plus, qu'ils ont raison contre tous, ni qu'ils ont tort d'ailleurs. Les économistes apportent au débat, non pas une série de solutions convenues, mais un ensemble d'outils et de principes qui permettent de clarifier les problèmes en fondant l'analyse sur la demande d'un environnement sain.

### La demande de la qualité environnementale

La demande d'un environnement propre et salubre est à la hausse, plus forte aujourd'hui que jamais. Nous adhérons à des groupes qui font pression sur le gouvernement pour obtenir des politiques et une réglementation qui protègent l'environnement, et nous votons pour les politiciens qui se disent en faveur de la protection de l'environnement — de nos jours, tous les politiciens parlent d'environnement. Quitte à payer un peu plus cher, nous achetons des produits « verts », et nous tâchons d'éviter les matières dangereuses ou polluantes. La figure 21.1

**FIGURE 21.1**
## L'évolution des effectifs des groupes environnementaux

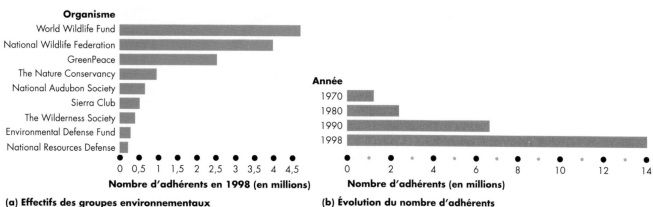

**(a) Effectifs des groupes environnementaux**

**(b) Évolution du nombre d'adhérents**

En 1998, près de 14 millions de personnes étaient membres de groupes de protection de l'environnement. Le nombre d'adhérents a doublé dans les années 1970, presque triplé dans les années 1980 et encore doublé durant les années 1990.

*Sources* : les sites Web des diverses organisations.

illustre un des indicateurs de la croissance de la demande d'un environnement plus sain : l'augmentation du nombre de gens qui paient leur cotisation à des organismes environnementaux.

Deux facteurs expliquent la croissance de la demande d'un meilleur environnement :

1. la hausse des revenus,
2. une meilleure connaissance des sources des problèmes environnementaux.

Avec l'augmentation de nos revenus, nous exigeons un plus large éventail de biens et services ; la qualité de l'environnement est l'un d'eux. Nous apprécions l'air pur, les paysages dans leur beauté naturelle, la vie sauvage intacte, et nous sommes prêts à payer pour protéger ces précieuses ressources.

Mieux nous comprenons les effets de nos activités sur l'environnement, plus nous sommes à même de prendre des dispositions pour améliorer notre environnement. Maintenant que nous savons que le dioxyde de soufre cause les pluies acides et que le défrichage de la forêt tropicale détruit les réserves naturelles de gaz carbonique, nous pouvons, en principe, concevoir des mesures pour enrayer ces problèmes.

Passons en revue les principaux problèmes environnementaux dont nous avons connaissance ainsi que les activités qui en sont responsables.

## Les grands problèmes environnementaux et leurs sources

Nos problèmes environnementaux découlent de la pollution de l'air, de l'eau et du sol, et de l'interaction de cette pollution avec l'*écosystème*.

**La pollution de l'air**   Le graphique (a) de la figure 21.2 illustre la contribution relative des cinq activités économiques dont découle la majeure partie de la pollution de notre atmosphère. Le transport routier et certains procédés industriels sont responsables de plus des deux tiers de la pollution de l'air, dont un sixième seulement est attribuable à la production d'électricité.

---

**FIGURE  21.2**
# La pollution de l'air

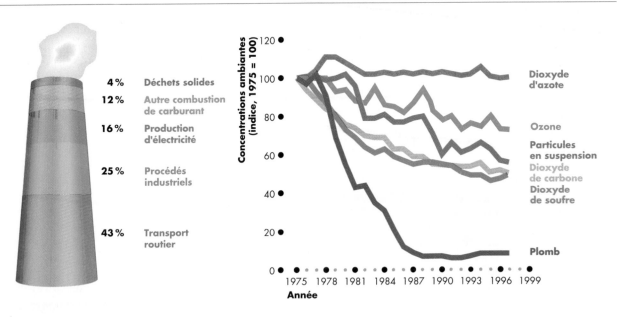

**(a) Sources de la pollution de l'air**

**(b) Évolution de la concentration des principaux polluants dans l'air**

Le graphique (a) montre que le transport routier reste la plus importante source de pollution atmosphérique, suivi des procédés industriels et de la production d'électricité. Le graphique (b) révèle que le plomb a été presque totalement éliminé de notre atmosphère et que les concentrations de dioxyde de carbone, d'ozone et de dioxyde de soufre y ont diminué. La concentration d'ozone a légèrement diminué, tandis que celle du dioxyde d'azote s'est maintenue au niveau de 1975.

*Source*: U.S. Environmental Protection Agency, *National Air Quality and Emissions Trends Report*, décembre 1998.

Selon une croyance répandue, la pollution de l'air empire de jour en jour. S'il est vrai qu'à bien des égards la pollution de l'air empire *à l'échelle mondiale* — nous y reviendrons plus loin dans ce chapitre —, ce n'est pas le cas en Amérique du Nord. Le graphique 21.1 (b) illustre l'évolution de la concentration des six principaux polluants atmosphériques. Comme on le voit, le plomb a été pratiquement éliminé de notre air, tandis que les émissions de dioxyde de soufre, d'ozone et de dioxyde de carbone ont sensiblement diminué et que la présence d'autres polluants est restée stationnaire.

Si les faits concernant les sources de la pollution de l'air et son évolution sont indiscutables, les avis des scientifiques divergent considérablement quant aux *effets* de cette pollution. Le problème qui soulève le moins de controverse est celui des *pluies acides* provoquées par les émissions de dioxyde de soufre et d'oxydes d'azote provenant des générateurs au charbon et au mazout du service public d'électricité. Les pluies acides polluent l'air et l'eau, et elles endommagent la végétation.

Le débat entourant les substances aéroportées (particules en suspension dans l'air), comme le plomb dégagé par l'essence au plomb, est plus corsé. Selon certains scientifiques, en concentrations importantes, ces substances — on en a répertorié 189 — causeraient le cancer et d'autres graves maladies. D'autres experts rejettent cette hypothèse.

Mais la question la plus controversée est celle du *réchauffement de la planète*. De nombreux scientifiques — mais pas tous — sont convaincus que le problème est réel et qu'il découle des émissions de dioxyde de carbone (transport routier et production d'électricité), de méthane (décomposition des matières organiques des vaches et autres bestiaux), d'oxyde nitreux (production d'électricité et d'engrais) et de CFC (réfrigérants et, jusqu'à récemment, aérosols). Les détracteurs de cette théorie leur objectent que, s'il est vrai que la température moyenne de la Terre a augmenté depuis une centaine d'années, l'essentiel de cette hausse a eu lieu *avant* 1940. Chose sûre, il est difficile de déterminer les causes du réchauffement de la planète et de départager les effets du dioxyde de carbone et d'autres facteurs.

La question de l'*appauvrissement de la couche d'ozone* est tout aussi épineuse. Il y a bel et bien, au-dessus de l'Antarctique, un trou dans la couche d'ozone qui nous protège du rayonnement ultraviolet cancérigène, mais les effets de l'activité industrielle sur la couche d'ozone, eux, restent mal connus.

D'autre part, nous avons réussi à éliminer presque complètement une source importante de pollution atmosphérique en nous débarrassant de l'essence au plomb. Ce résultat réjouissant tient en bonne partie au fait qu'éliminer le plomb dans l'essence ne coûtait pas grand-chose. On ne peut pas en dire autant de l'élimination du dioxyde de soufre et des gaz dits à effet de serre, car soit leurs substituts sont plus coûteux, soit ils causent d'autres problèmes environnementaux. Ces polluants proviennent essentiellement des véhicules routiers et de la production d'électricité. Plusieurs façons de rendre les véhicules routiers plus «verts» sont présentement à l'étude. On travaille à la mise au point de procédés utilisant d'autres combustibles comme l'alcool, le gaz naturel, le propane, le butane et l'hydrogène. On cherche aussi à modifier la chimie de l'essence: les raffineurs testent de nouvelles formules d'essence susceptibles de réduire les gaz d'échappement. Dans la plupart des régions nord-américaines, la production d'électricité repose encore essentiellement sur l'utilisation de génératrices au charbon. Cette source de pollution pourrait être réduite en recourant à l'énergie solaire, marémotrice ou géothermique, ce qui est déjà techniquement possible, mais beaucoup plus coûteux. On pourrait aussi recourir à l'énergie nucléaire, mais cette solution sans danger pour l'atmosphère menace les sols et les eaux, car il n'y a aucun moyen connu de se débarrasser sans danger du carburant nucléaire usé.

**La pollution de l'eau** Le déversement des déchets industriels et des eaux usées traitées dans les lacs et les rivières ainsi que l'écoulement de surface des engrais chimiques sont les deux principales sources de pollution de l'eau. Le déversement accidentel de pétrole brut dans les océans, comme celui de l'Exxon Valdez en Alaska (1989) et celui, encore plus important, qui a eu lieu dans l'Arctique russe (1994), sont des exemples spectaculaires de catastrophes écologiques, mais le déversement par l'ancienne Union soviétique de déchets nucléaires dans l'océan est encore plus alarmant.

Essentiellement, il y a deux moyens d'éviter la pollution des cours d'eau et des océans. L'un consiste à traiter chimiquement les déchets pour les rendre inertes ou biodégradables; l'autre, largement utilisé pour les matières nucléaires, consiste à utiliser des sites terrestres pour y enfouir les déchets dans des conteneurs aussi sécuritaires que possible.

**La pollution du sol** La pollution du sol est causée par le déversement de déchets toxiques. Les ordures ménagères ordinaires ne sont pas polluantes sauf si elles pénètrent dans le système d'approvisionnement en eau; moins les sites d'enfouissement sont adéquats, plus cette menace est sérieuse. On estime que 80 % des décharges actuelles seront pleines d'ici à 2010, et certaines régions du monde comme les États de New York et du New Jersey, le Japon et les Pays-Bas sont déjà à court de sites d'enfouissement. Les autres options sont le recyclage et l'incinération. Le recyclage, une solution qui semble intéressante, exige qu'on investisse dans de nouvelles techniques. L'incinération coûte cher et engendre de la pollution atmosphérique.

Nous venons de voir que la demande pour un environnement de qualité a augmenté, et nous avons fait l'inventaire des problèmes environnementaux. Reste à voir comment on peut y faire face. Commençons par étudier la relation entre les droits de propriété et les effets externes environnementaux.

## Les droits de propriété et les effets externes environnementaux

Les effets externes apparaissent en l'*absence* de droits de propriété bien établis. Les **droits de propriété** sont des ententes sociales qui régissent la propriété, l'utilisation et la vente de facteurs de production et de produits — biens et services. Dans les sociétés modernes, un droit de propriété est un titre légal qu'on peut faire respecter en s'adressant aux tribunaux.

Les exemples que nous avons étudiés nous permettent de constater que c'est quand il n'y a pas de droits de propriété qu'on constate des effets externes. Comme l'air, les rivières et les océans n'appartiennent à personne, il n'appartient à personne de veiller à l'utilisation efficiente de ces ressources. Au contraire, l'absence de droits de propriété devient une incitation à les exploiter inconsidérément.

La figure 21.3 illustre la manière dont s'exercent les effets externes sur l'environnement en l'absence de droits de propriété, avec l'exemple d'une usine de produits chimiques — graphique (a) — située sur le bord d'une rivière en amont d'un club de pêche — graphique (b) —, et qui décide d'y déverser ses déchets. Pour simplifier, supposons que le club de pêche soit le seul à souffrir de ce déversement mortel pour les poissons.

La courbe *AmP* du graphique 21.3 (a) est la courbe d'avantage marginal privé de l'usine. Elle révèle combien vaut, pour l'usine, le déversement dans la rivière d'une tonne supplémentaire de déchets et permet de constater que cette valeur diminue à mesure que la quantité augmente. La courbe *AmP* est la courbe de demande de l'utilisation de la rivière, qui devient pour l'usine un facteur de production. On le sait, en vertu de la loi des rendements décroissants (voir le chapitre 14, p. 322-325), la demande d'un facteur de production est décroissante.

La courbe *CmS* du graphique 21.3 (b) est la courbe de coût marginal social. Elle indique le coût qu'impose au club de pêche le déversement par l'usine d'une tonne supplémentaire de déchets dans la rivière. Ce coût augmente avec l'augmentation de la quantité de déchets déversés.

Si la rivière n'appartient à personne, rien n'empêche l'usine de déverser la quantité de déchets la plus avantageuse pour elle. Comme le coût marginal de l'évacuation des déchets est nul, l'usine peut en déverser la quantité qui lui donne un avantage marginal nul, soit 8 tonnes par semaine. À ce niveau, le déversement de déchets dans la rivière entraîne un coût de 200 $ la tonne pour le club de pêche. Le coût marginal social des déchets est donc de 200 $ la tonne et l'avantage marginal est nul ; ce résultat n'est donc pas efficient. L'avantage que retirerait le club de pêche en faisant cesser l'évacuation des déchets dans la rivière est supérieur à l'avantage que retire l'usine en déversant ses eaux usées dans la rivière.

Il est parfois possible de résoudre le problème des effets externes en établissant un droit de propriété.

### FIGURE 21.3
# Un effet externe

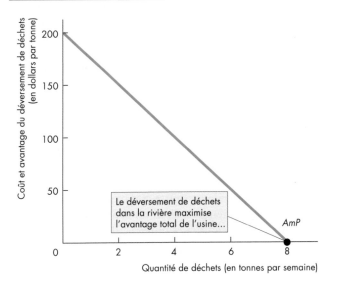

**(a) Usine de produits chimiques**

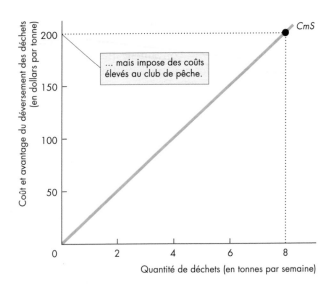

**(b) Club de pêche**

La courbe *AmP* — graphique (a) — représente l'avantage marginal que retire l'usine de produits chimiques du déversement de ses déchets dans la rivière ; la courbe *CmS* — graphique (b) — représente le coût marginal de ce déversement pour le club de pêche. En l'absence de droits de propriété, l'usine maximise son avantage total en déversant 8 tonnes de déchets par semaine. À ce niveau, l'avantage marginal du déversement est égal au coût marginal (zéro), et le club de pêche subit un coût de 200 $ la tonne. Ce résultat n'est pas efficient, puisque le coût marginal social est supérieur à l'avantage marginal.

Supposons, par exemple, qu'on attribue le droit de propriété de la rivière à l'usine de produits chimiques ; dorénavant, le club doit payer à l'usine un droit pour pouvoir y pêcher. Mais le prix que le club de pêche est prêt à payer dépend de la quantité et de la qualité des poissons, qui dépend à son tour de la quantité de déchets déversés dans la rivière. Plus les déversements sont importants, moins le club de pêche sera prêt à payer. L'usine de produits chimiques devra alors supporter le coût de ses décisions quant à l'usage qu'elle fait de sa rivière : si elle décide de la polluer, elle devra supporter le coût d'opportunité de son acte, c'est-à-dire la perte de revenu provenant du club de pêche.

Supposons maintenant qu'on accorde un droit de propriété de la rivière au club de pêche plutôt qu'à l'usine, qui doit maintenant payer au club un droit pour y déverser ses eaux usées. Plus le déversement est important (et plus il tue de poissons), plus ce droit sera élevé. Là encore, l'usine fait face au coût d'opportunité de la pollution qu'elle occasionne, soit le droit exigé en contrepartie par le club de pêche.

## Le théorème de Coase

Nous venons d'envisager deux possibilités : l'attribution du droit de propriété au pollueur et l'attribution de ce droit à la victime de la pollution. À première vue, le choix de l'agent économique à qui on confie un droit de propriété dans ces circonstances semble crucial. C'est ce que tout le monde pensait — y compris les économistes, qui réfléchissaient sur ce problème depuis un certain temps — jusqu'en 1960. Cette année-là, l'économiste Ronald Coase eut une intuition remarquable et formula ce qui est devenu le **théorème de Coase**. Ce théorème repose sur la proposition suivante : s'il y a un droit de propriété et que les coûts de transaction sont minimes, les transactions privées sont efficientes ; de même, s'il y a un droit de propriété et que les coûts de transaction sont minimes, il n'y a aucun effet externe. Comme les parties engagées dans la transaction prennent en considération tous les coûts et avantages, l'allocation des ressources est la même, peu importe à qui revient le droit de propriété. La façon dont on attribue le droit de propriété influe sur la répartition des coûts et des avantages, mais pas sur l'allocation des ressources.

La figure 21.4 illustre le théorème de Coase. Elle réunit sur un même graphique la courbe d'avantage marginal de l'usine et la courbe de coût marginal du club de pêche, illustrées par les deux graphiques de la figure 21.3. Avec l'attribution de droits de propriété, la courbe *AmP* devient la courbe de demande de déversement des déchets de l'usine ; elle indique ce que l'usine est prête à payer pour faire ce déversement. La courbe *CmS* est la courbe d'offre d'utilisation de la rivière ; elle indique ce que les membres du club doivent recevoir pour compenser la diminution de ses pêches.

Le niveau de déversement efficient est de 4 tonnes par semaine. À ce niveau, le club subit un coût de 100 $ pour la dernière tonne déversée dans la rivière et l'usine bénéficie d'un avantage équivalent. Si le niveau est inférieur à 4 tonnes par semaine, une augmentation de la quantité déversée donne à l'usine un avantage supérieur au coût qui en résulte pour le club de pêche ; autrement dit, si l'usine paie le club pour pouvoir augmenter son déversement, les deux parties en retirent un avantage. Si le niveau est supérieur à 4 tonnes par semaine, tout déversement excédant 4 tonnes impose au club un coût supérieur à l'avantage qu'en retire l'usine. Le club peut alors payer l'usine pour qu'elle réduise son évacuation de déchets et, là encore, le club et l'usine en tirent un avantage. Par contre, si la quantité déversée est de 4 tonnes par semaine, aucune des deux parties n'augmente son avantage ; c'est le niveau efficient de déversement de déchets dans la rivière.

La quantité de déchets déversés dans la rivière est la même quel que soit le propriétaire de la rivière. Si c'est l'usine, le club paie 400 $ en droits de pêche et pour

**FIGURE 21.4**

## Le théorème de Coase

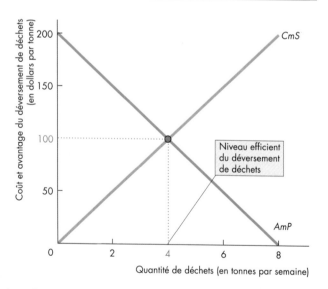

La pollution d'une rivière impose un coût marginal social (*CmS*) à ceux qui en souffrent — ici, les propriétaires d'un club de pêche — et donne un avantage marginal privé (*AmP*) au pollueur. Le niveau efficient de pollution est le niveau où l'avantage marginal est égal à l'avantage marginal social — ici, 4 tonnes par semaine. Si le pollueur est propriétaire de la rivière, la victime paiera au pollueur 400 $ par semaine (100 $ la tonne × 4 tonnes par semaine) pour s'assurer que la pollution ne dépasse pas ces 4 tonnes hebdomadaires. Si c'est la victime qui est propriétaire de la rivière, le pollueur paiera 400 $ pour avoir le droit d'y déverser 4 tonnes de déchets par semaine.

s'assurer que le déversement ne dépasse pas 4 tonnes par semaine ; si c'est le club, l'usine paie 400 $ pour pouvoir déverser 4 tonnes par semaine. Dans les deux cas, la quantité de déchets déversée correspond au niveau efficient.

Dans notre exemple, l'attribution d'un droit de propriété est efficace parce que les coûts de transaction sont faibles ; les dirigeants de l'usine et du club de pêche peuvent facilement parvenir à l'entente qui donne un résultat efficient. Mais dans bien des cas les coûts de transaction sont plus élevés et il est difficile, sinon impossible, de faire respecter les droits de propriété. Imaginons, par exemple, à combien s'élèveraient les coûts de transaction si les 50 millions d'habitants du Canada et du nord-est des États-Unis voulaient négocier un accord avec les 20 000 usines qui émettent du dioxyde de soufre, cause des pluies acides ! Dans de tels cas, les gouvernements prennent d'autres moyens pour faire face aux effets externes. Au Canada, le gouvernement fédéral a confié à un ministère — Environnement Canada — la responsabilité de coordonner et d'administrer les politiques environnementales du pays. Les moyens d'intervention dont dispose Environnement Canada fonctionnent de manière indirecte, en influant sur les décisions des entreprises et des particuliers, décisions coordonnées par les marchés. Essentiellement, ces moyens sont :

- les redevances sur les émissions,
- les permis négociables,
- la taxation.

Examinons leur fonctionnement.

## Les redevances sur les émissions

Les redevances sur les émissions sont un moyen d'amener le marché à atteindre l'efficience même en présence d'effets externes. Le gouvernement (ou l'organisme public de réglementation) impose des redevances sur les émissions, c'est-à-dire un prix à payer par unité de pollution. Plus une usine crée de la pollution, plus ses redevances sont élevées. Rare en Amérique du Nord, cette façon de traiter les effets externes sur l'environnement est courante en Europe. Ainsi, en France, en Allemagne et aux Pays-Bas, les pollueurs de l'eau paient une redevance sur leurs déversements de déchets.

Pour fixer une redevance qui permet d'atteindre l'efficience, il faut déterminer le coût marginal social et l'avantage marginal social de la pollution. Le **coût marginal social** est le coût marginal du producteur d'un bien — le coût marginal privé — *plus* le coût marginal imposé aux autres — le coût externe. L'**avantage marginal social** est l'avantage marginal du consommateur d'un bien — l'avantage marginal privé — *plus* l'avantage marginal qu'en retirent les autres — l'avantage externe. Pour atteindre l'efficience, le prix par unité de pollution doit faire en sorte que le coût marginal social de la pollution soit égal à son avantage marginal social.

La figure 21.5 illustre une redevance efficiente sur les émissions. L'avantage marginal de la pollution est *AmP*, et il revient entièrement au pollueur — il n'y a pas d'avantage *externe*. Le coût marginal social de la pollution est *CmS*, et c'est un coût entièrement externe. On atteint le niveau efficient d'émissions de dioxyde de soufre — 10 millions de tonnes par an — avec une redevance sur les émissions de 10 $ la tonne. À ce prix, les pollueurs estiment qu'il ne vaut pas la peine d'acheter la permission de déverser plus de 10 millions de tonnes par année.

En pratique, il est difficile de déterminer l'avantage marginal de la pollution. Qui plus est, les mieux informés sur cet avantage marginal, les pollueurs, sont incités à induire en erreur les organismes de réglementation quant à son importance. Résultat : si on impose une redevance sur la pollution, elle sera probablement trop faible. Ainsi, dans le cas illustré à la figure 21.5, ce montant pourrait être fixé à 7 $ la tonne. À ce prix, les pol-

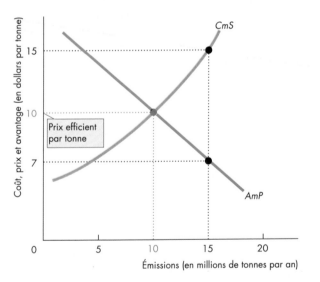

**FIGURE   21.5**
## Les redevances sur les émissions

Une raffinerie tire un avantage marginal, représenté par la courbe *AmP*, de ses émissions de dioxyde de soufre, qui entraînent pour la collectivité un coût marginal social, représenté par la courbe *CmS*. Le niveau efficient de pollution — 10 millions de tonnes par année dans notre exemple — est atteint lorsque la redevance sur les émissions imposée à la raffinerie est de 10 $ la tonne. Si la redevance est trop faible, si elle est fixée à 7 $ la tonne par exemple, la quantité d'émissions, 15 millions de tonnes par année, excède la quantité efficiente. Le coût marginal social, 15 $ la tonne, est supérieur à l'avantage marginal de 7 $ la tonne.

lueurs estiment qu'il vaut la peine de payer pour déverser 15 millions de tonnes par année. À ce niveau de pollution, le coût marginal social est de 15 $ la tonne et le niveau de pollution dépasse le niveau efficient.

Un moyen de corriger cette pollution excessive consiste à imposer une limite quantitative en accordant des permis négociables. Voyons cela de plus près.

## Les permis négociables

Au lieu d'imposer aux pollueurs des redevances sur les émissions, on peut fixer une limite de pollution à chaque pollueur potentiel. Comme pour la redevance sur les émissions, la fixation d'une limite de pollution efficiente passe par la détermination de l'avantage marginal et du coût marginal. Si les calculs coût-avantage sont justes, on peut atteindre la même efficience avec des limites quantitatives qu'avec des redevances sur les émissions. Cependant, des limites quantitatives exigent la fixation d'un plafond individuel pour chaque pollueur en puissance ; et pour que ces plafonds individuels soient efficients, il faudrait évaluer l'avantage marginal de *chacun des producteurs*. Si l'avantage marginal de l'entreprise É (avantage élevé) est supérieur à celui de l'entreprise F (faible avantage), on pourrait réaliser un gain en efficience en bais-

sant le plafond de l'entreprise F et en élevant celui de l'entreprise É. Comme il est pratiquement impossible de déterminer l'avantage marginal de chaque entreprise, il est pratiquement impossible d'allouer des limites quantitatives efficientes à chaque producteur.

Les permis négociables sont un moyen ingénieux de contourner la nécessité pour l'organisme de réglementation d'établir le barème d'avantage marginal individuel de toutes les entreprises. Chacune se voit plutôt attribuer un permis l'autorisant à émettre une certaine quantité de pollution, et ces permis peuvent être achetés ou vendus.

La figure 21.6 nous montre comment ce système fonctionne et comment il permet d'atteindre l'efficience. Comme le montre la courbe $AmP_F$ du graphique 21.6 (a), certaines entreprises ne retirent qu'un faible avantage marginal des émissions de soufre. Pour d'autres, au contraire, l'avantage est élevé, comme l'indique la courbe $AmP_É$ du graphique 21.6 (b). Le graphique 21.6 (c) montre que, pour l'ensemble de l'économie, l'avantage marginal des émissions de soufre est $AmP_T$, et leur coût marginal, $CmS$. La quantité efficiente d'émissions sulfurées est de 10 millions de tonnes par année ; à ce niveau, le coût marginal social est égal à l'avantage marginal social.

Supposons qu'Environnement Canada accorde des permis pour un total de 10 millions de tonnes d'émissions de soufre par année. Supposons également que les

---

**FIGURE 21.6**

# Les permis de polluer négociables

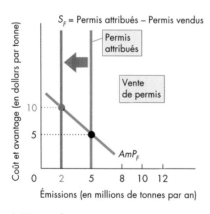

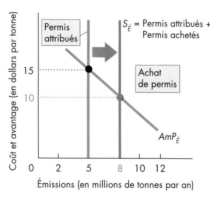

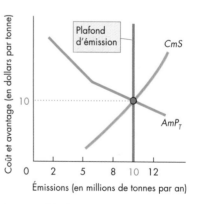

**(a) Entreprises pour qui l'avantage est faible**

**(b) Entreprises pour qui l'avantage est élevé**

**(c) Ensemble de l'économie**

Certaines entreprises ne retirent de la pollution qu'un faible avantage marginal — $AmP_F$ au graphique (a) —, tandis que d'autres en retirent un avantage marginal élevé — $AmP_É$ au graphique (b). L'avantage marginal pour l'ensemble de l'économie — $AmP_T$ au graphique (c) — est la somme horizontale de $AmP_F$ et de $AmP_É$. Le coût marginal social est $CmS$ dans le graphique (c). Au total, les permis attribués autorisent l'émission de 10 millions de tonnes de pollution par année (le niveau efficient). Chaque type d'entre-

prises — celles pour qui l'avantage est faible et celles pour qui il est élevé — a droit d'émettre 5 millions de tonnes de pollution par an. Au départ, les entreprises pour qui l'avantage est faible évaluent leur permis à 5 $ la tonne, et les entreprises pour qui l'avantage est élevé l'évaluent à 15 $ la tonne. Les entreprises pour qui l'avantage est élevé achètent aux entreprises pour qui il est faible des permis pour 3 millions de tonnes de pollution au prix de marché de 10 $ la tonne.

permis soient répartis également entre les deux types d'entreprises — celles pour qui l'avantage est faible et celles pour qui il est élevé —, ce qui leur donne à chacune 5 millions de tonnes d'émissions sulfurées. Les entreprises pour qui l'avantage est faible — graphique 21.6 (a) — évaluent leur dernière tonne de pollution permise à 5 $, tandis que celles pour qui l'avantage est élevé — graphique 21.6 (b) —, l'évaluent à 15 $. Comme les permis sont négociables, les entreprises pour qui l'avantage est faible vendent une partie de leurs permis aux entreprises pour qui l'avantage est élevé. Les deux types d'entreprises gagnent à l'échange.

Si le marché des permis négociables est concurrentiel, son prix est de 10 $ la tonne. À ce prix, les entreprises pour qui l'avantage est faible vendent des permis pour 3 millions de tonnes aux entreprises pour qui l'avantage est élevé. Après ces transactions, les entreprises du graphique (a) ont $S_F$ permis et celles du graphique (b) en ont $S_É$, et l'allocation est efficiente.

**Le marché des émissions du monde réel**  Environnement Canada n'a jamais eu recours aux permis négociables, contrairement à l'Environmental Protection Agency (EPA) américaine, qui en attribue depuis l'adoption du *Clean Air Act* (loi contre la pollution de l'air) en 1970. Au cours des années 1980, les échanges de permis de pollution par le plomb étaient très courants aux États-Unis. Le programme américain de permis négociables semble avoir été une réussite, car il a permis de pratiquement éliminer le plomb de l'atmosphère des États-Unis. Il pourrait s'avérer plus difficile d'atteindre un tel résultat pour d'autres substances, car la pollution par le plomb présente certaines caractéristiques particulières. D'abord, la majeure partie de la pollution par le plomb provient d'une seule et même source, l'essence au plomb. Deuxièmement, il est facile de modifier le niveau de plomb dans l'essence. Troisièmement, l'objectif du programme était clair — l'élimination du plomb dans l'essence.

Actuellement, l'EPA envisage d'utiliser des permis négociables pour rendre plus efficiente la limitation des émissions de CFC — les gaz qu'on soupçonne d'endommager la couche d'ozone.

## Les taxes et les coûts externes

L'imposition de taxes peut inciter les producteurs ou les consommateurs à limiter une activité qui génère des coûts externes. Pour étudier les effets des taxes, prenons l'exemple du marché des services de transport routier illustré à la figure 21.7. La courbe de demande des services de transport routier, *D*, est également la courbe d'avantage marginal *AmP*; elle nous indique ce que les consommateurs sont prêts à payer pour telle ou telle quantité de services de transport routier. La courbe *CmP* mesure le coût marginal *privé* de la production de services de transport routier, soit le coût supporté directement par les producteurs.

Mais en plus des coûts supportés par les producteurs, les services de transport routier créent aussi des coûts externes comme le coût des émissions de particules et de gaz qu'on croit responsables de l'effet de serre et le « coût d'encombrement » infligé aux autres automobilistes. Si on ajoute tous les coûts externes au coût marginal supporté par le producteur, on obtient le coût marginal social des services de transport routier, représenté par la courbe *CmS* de la figure 21.7.

Si le marché du transport routier est concurrentiel et non réglementé, les usagers de la route équilibreront leur coût marginal privé, *CmP*, et leur avantage marginal, *AmP*, et ils parcourront $Q_0$ kilomètres au prix (et coût) de $P_0$ par kilomètre. À ce niveau, le coût marginal social des services de transport est $CmS_0$. La différence entre le coût marginal social et le coût marginal privé ($CmS_0 - P_0$) représente le coût marginal imposé aux autres, soit le coût marginal externe.

---

**FIGURE 21.7**
# Les taxes et la pollution

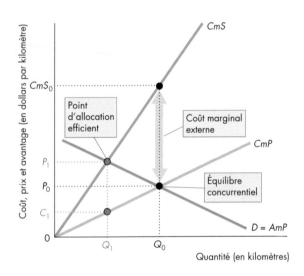

La courbe de demande de services de transport routier se confond avec la courbe d'avantage marginal (*D = AmP*). La courbe de coût marginal privé est *CmP*. Dans un marché concurrentiel, la production est de $Q_0$ kilomètres et le prix est $P_0$ par kilomètre. Le coût marginal social est $CmS_0$ par kilomètre. À cause de l'encombrement des routes et de la pollution, le coût marginal de l'offre de services de transport est supérieur au coût marginal privé. La courbe *CmS* nous donne le coût marginal social. Si le gouvernement impose une taxe afin que les producteurs de services de transport supportent le coût marginal social, la courbe *CmS* se confond avec la courbe de coût marginal associé aux décisions des fournisseurs. Le prix augmente jusqu'à $P_1$ par kilomètre et la quantité baisse à $Q_1$ kilomètres. L'allocation est alors efficiente.

Supposons que le gouvernement impose une taxe sur le transport routier et que cette taxe soit égale au coût marginal externe. Le gouvernement fait subir aux fournisseurs de transport un coût marginal égal au coût marginal social. Autrement dit, le coût marginal privé plus la taxe est égal au coût marginal social. La courbe d'offre du marché se confond maintenant avec la courbe $CmS$. Le prix augmente à $P_1$ le kilomètre et, à ce prix, les consommateurs parcourent $Q_1$ kilomètres. Le coût marginal privé des ressources utilisées pour produire $Q_1$ kilomètres est $C_1$, et le coût marginal externe est $P_1$ moins $C_1$. Le consommateur supporte ce coût marginal externe en payant la taxe.

Avec un prix $P_1$ et une quantité $Q_1$, la situation est efficiente. Aux niveaux de production supérieurs à $Q_1$, le coût marginal social est supérieur à l'avantage marginal. Dès lors, l'avantage net augmente lorsque la quantité de services de transport routier diminue. De même, aux niveaux de production inférieurs à $Q_1$, l'avantage marginal est supérieur au coût marginal social et l'avantage net augmente avec l'augmentation de la quantité de services de transport routier.

On peut recourir à une taxe pour atteindre l'efficience dans la production, mais il est difficile de s'assurer qu'elle ne modifie pas aussi la répartition des coûts et des avantages. Une taxe sur les transports sera probablement supportée principalement par les producteurs de véhicules et leurs employés, ainsi que par les transporteurs routiers ; de même, une taxe sur l'épuisement forestier sera supportée principalement par les travailleurs forestiers. Si on veut faire une utilisation politiquement acceptable de la taxation pour atteindre l'efficience, il est essentiel de mettre en place des taxes et des subventions complémentaires afin de préserver la répartition initiale de l'avantage net.

### Une taxe sur les combustibles au carbone ?

On peut taxer toute activité qui engendre des coûts externes, par exemple, les activités qui contribuent à la pollution de l'air. Comme les combustibles au carbone qui assurent le fonctionnement de nos véhicules et de nombreuses industries sont une source majeure de pollution, pourquoi n'imposerait-on pas une taxe générale sur toutes les activités consommatrices de combustible au carbone, taxe assez élevée pour entraîner une importante réduction des émissions carbonées ?

Cette question apparaît d'autant plus urgente si on considère non seulement les niveaux actuels des émissions dans l'atmosphère de gaz à effet de serre, mais aussi les niveaux qu'ils atteindront bientôt selon les experts. En 1990, les émissions annuelles de carbone atteignaient un niveau alarmant de 6 milliards de tonnes à l'échelle mondiale ; si on maintient les politiques actuelles, ce niveau grimpera à 24 milliards de tonnes d'ici à 2050.

### L'incertitude liée au réchauffement de la planète

La réticence à l'imposition d'une taxe générale substantielle sur les combustibles au carbone s'explique en partie par le fait que le rôle des émissions carbonées dans le réchauffement de la planète ne fait pas l'unanimité parmi les scientifiques. Les climatologues ne savent pas au juste comment les émissions carbonées se transforment en concentrations atmosphériques — comment le *flux* des émissions se transforme en *stock* de pollution. Cette incertitude vient de ce que le carbone passe de l'atmosphère aux océans et à la végétation à un rythme qui reste mal compris. De plus, les climatologues saisissent encore mal la relation entre la concentration de carbone et la température. Les économistes, pour leur part, ne savent pas très bien comment une augmentation de la température se traduit en coûts et en avantages économiques. Selon certains, les coûts et les avantages sont presque nuls, tandis que pour d'autres une augmentation de la température de 3 °C d'ici à 2090 entraînera une baisse de 20 % de la production totale de biens et de services.

### Le coût actuel et l'avantage futur

Autre facteur qui plaide contre une modification substantielle de l'usage que nous faisons des combustibles : le coût de ce changement serait subi au présent tandis que l'avantage, s'il existe, s'étalerait sur plusieurs années à venir. Pour comparer un avantage futur à un coût présent, on doit calculer les intérêts. À 1 % d'intérêt par année, 1 $ aujourd'hui deviendra 7,30 $ dans 200 ans. Si le taux d'intérêt annuel est de 5 %, 1 $ aujourd'hui deviendra plus de 17 000 $ dans 200 ans. À 1 % d'intérêt annuel, il vaut la peine de dépenser 1 million de dollars en 1999 pour réduire la pollution et éviter d'en dépenser 7,3 millions en dommages environnementaux en 2199. À 5 % d'intérêt annuel, il vaut la peine de dépenser 1 million de dollars en 1999 si cette dépense permet d'éviter une dépense de 17 milliards de dollars en dommages environnementaux en 2199.

Comme il faut que l'avantage futur — toujours incertain — soit vraiment considérable pour justifier une augmentation de coût, même minime, au présent, l'imposition d'une taxe générale sur les combustibles au carbone ne figure pas sur la liste de priorités des partis politiques.

### Les facteurs internationaux

Un dernier facteur qui nous dissuade de modifier substantiellement notre utilisation de combustibles au carbone est l'usage qu'on en fait dans le reste du monde. À l'heure actuelle, la pollution par le carbone provient à parts égales des pays industrialisés et des pays en développement, mais, si la tendance se maintient, 75 % de la pollution par le carbone proviendra des pays en développement en 2050.

Le fort taux de pollution de certains pays en développement (notamment la Chine, la Russie et d'autres pays de l'Europe de l'Est) s'explique en partie par le fait qu'on y subventionne l'utilisation du charbon ou du pétrole. Ces subventions qui réduisent le coût marginal des producteurs sont un incitatif à l'utilisation des combustibles au carbone ; on en consomme donc dans ces pays une quantité largement supérieure à la quantité efficiente. Les spécialistes estiment que d'ici à 2050 ces subventions seront responsables à elles seules de près de 10 milliards de tonnes d'émissions carbonées par année.

## Le dilemme du réchauffement de la planète

Le taux élevé de production de gaz à effet de serre dans les pays en développement place le Canada, les États-Unis et les autres pays industrialisés face au dilemme du réchauffement de la planète[1]. La réduction de la pollution est coûteuse, mais elle génère des avantages. Cependant, pour en bénéficier, il faut que tous les pays prennent dès maintenant des mesures pour limiter la pollution. Si un seul pays prend des mesures, non seulement il devra en subir le coût, mais il n'en tirera pratiquement aucun avantage. Par conséquent, pour qu'il vaille la peine d'instaurer des mesures qui limitent la pollution totale, il faut que tous les pays agissent de concert.

Le tableau 21.1 présente le dilemme du réchauffement global tel qu'il se pose aux pays industrialisés et aux pays en développement, mais avec des données hypothétiques. Les deux types de pays — les pays industrialisés et les pays en développement — sont placés chacun devant deux options : prendre des mesures antipollution (réduction de l'utilisation des combustibles à effet de serre) ou continuer à polluer. Si les deux types de pays continuent à polluer, leur rendement sera nul (résultat hypothétique), comme l'indique la case supérieure gauche du tableau. Si l'un et l'autre adoptent des mesures antipollution, tous deux subissent le coût des mesures antipollution (utilisation de combustibles plus coûteux) et chacun retire l'avantage lié à une pollution moindre, soit un rendement net de 25 milliards de dollars (résultat hypothétique) comme le montre la case inférieure droite du tableau. Si seuls les pays industrialisés adoptent des mesures antipollution — les pays en développement continuant à polluer —, les pays industrialisés supporteront seuls le coût de ces mesures ; les pays industrialisés et les pays en développement retireront tous deux les avantages d'une pollution moindre. Dans cet exemple hypothétique, le coût des mesures antipollution supporté par les pays industrialisés dépasse de 50 milliards les avantages qu'ils en retirent ; à l'inverse, l'avantage que retirent les pays en développement dépasse de 50 milliards de dollars leur coût (nul) comme le montre la case supérieure droite du tableau. Enfin, si les pays en développement sont seuls à adopter des mesures antipollution — les pays industrialisés continuant à polluer —, les pays en développement en subiront seuls les coûts et devront en partager les avantages avec les pays industrialisés, de sorte

[1] Ce dilemme se pose comme le dilemme du prisonnier ; voir le chapitre 13, p. 296-298.

**TABLEAU 21.1**

# Le dilemme du réchauffement de la planète

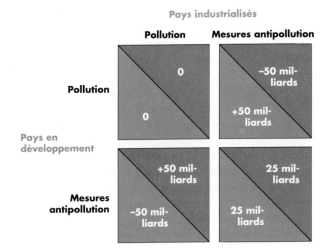

La case supérieure gauche donne le rendement des gains des pays industrialisés et des pays en développement si les deux groupes continuent à polluer ; la case inférieure droite donne leur rendement s'ils adoptent tous des mesures antipollution. La case supérieure droite et la case inférieure gauche donnent leurs rendements respectifs dans le cas où l'un pollue et l'autre adopte des mesures antipollution. Le résultat du jeu du dilemme du réchauffement de la planète est que les deux types de pays continuent à polluer. La structure de ce jeu est la même que celle du jeu du dilemme du prisonnier.

qu'ils perdront un avantage de 50 milliards de dollars tandis que les pays industrialisés gagneront un avantage équivalent, comme on peut le voir à la case inférieure gauche du tableau.

Compte tenu de ces éventualités, les pays industrialisés et les pays en développement tiennent le même raisonnement : si l'autre groupe ne réduit pas ses émissions de carbone, nous atteignons le seuil de rentabilité en polluant et nous perdons 50 milliards de dollars en adoptant des mesures antipollution ; si les autres adoptent des mesures antipollution, nous gagnons 50 milliards de dollars en continuant à polluer, et 25 milliards de dollars en les adoptant nous aussi. Dans les deux cas, nous avons avantage à polluer.

Par conséquent, ni les pays industrialisés ni les pays en développement n'adoptent des mesures antipollution et la pollution se poursuit au même rythme.

## Les traités et les accords internationaux

Pour résoudre ce dilemme, on peut négocier des traités et des accords internationaux. Mais ces ententes doivent prévoir des incitatifs pour que les pays aient intérêt à s'y conformer, sinon la situation restera celle que nous venons de décrire et qu'illustre le tableau 21.1.

La *Convention sur le climat*, en vigueur depuis le 21 mars 1994, est un accord international conclu entre 60 pays pour limiter leur production de gaz à effet de serre. Mais cette convention n'a aucune dimension économique. Les pays les plus pauvres s'y engageaient simplement à faire l'inventaire de leurs sources de gaz à effet de serre, et les pays riches à révéler comment ils comptaient revenir, d'ici 2000, à leurs niveaux d'émissions de 1990.

Pour revenir à leurs niveaux d'émission de 1990, les pays riches devront imposer des taxes draconiennes sur certains types d'énergie, taxes qui entraîneront leur substitution par d'autres combustibles plus propres et plus coûteux. Sans l'imposition de ces taxes, seule une percée majeure de la recherche sur l'énergie solaire, éolienne, marémotrice ou nucléaire pourrait nous amener à abandonner l'utilisation des combustibles au carbone.

Les objectifs de la *Convention sur le climat* ont été réaffirmés dans l'*accord de Kyoto*, signé en 1997. Les pays industrialisés s'y engageaient à réduire leurs émissions de gaz à effet de serre de 5,2 % par rapport à leurs niveaux de 1990, et ce, avant 2012. Les pays en développement, par contre, ont été exemptés de toute obligation de réduction de leurs émissions.

S'il n'y a pas de solution miracle aux problèmes environnementaux, il existe cependant plusieurs façons acceptables d'y remédier, et l'éclairage qu'apporte l'économique s'avère crucial dans la recherche de telles solutions.

## À RETENIR

- En présence d'effets externes, l'allocation des ressources que font les marchés n'est pas efficiente.

- S'il est possible d'éliminer un effet externe en attribuant un droit de propriété, on peut réaliser une allocation efficiente des ressources.

- En leur imposant des redevances sur la pollution, des limites de pollution ou des taxes équivalentes au coût marginal externe, le gouvernement incite les entreprises à atteindre un niveau de pollution efficient même en présence d'effets externes.

- Lorsqu'un effet externe s'exerce hors des frontières d'un pays, une coopération internationale est indispensable pour atteindre l'efficience.

## L'économique du savoir

LE SAVOIR — L'ENSEMBLE DES CONNAISSANCES ET des explications acquises par l'humanité — agit en profondeur sur l'économie. L'économique du savoir tente de comprendre cet effet. Elle s'attache aussi à saisir le processus de l'accumulation des connaissances et à connaître les incitatifs qui poussent les gens à la découverte, à l'apprentissage et à la transmission des connaissances. En d'autres mots, l'économique du savoir est l'analyse économique des processus scientifique et technique qui mènent à la découverte et à la mise au point de nouvelles techniques, ainsi que du processus de l'enseignement et de l'apprentissage.

Le savoir peut être considéré à la fois comme un bien de consommation et comme un facteur de production. La demande de savoir — la disposition à payer pour l'acquérir — dépend de l'avantage marginal qu'il procure à son détenteur. En tant que bien de consommation, le savoir procure à son détenteur une utilité qui est une source d'avantage marginal. Et tant que facteur de production — un des éléments du stock de capital — le savoir augmente la productivité, autre source d'avantage marginal.

Le savoir crée des avantages non seulement pour son détenteur, mais aussi pour autrui; des effets externes de l'éducation — de la transmission du savoir. Quand les élèves du primaire apprennent les rudiments de la lecture, de l'écriture et du calcul, ils s'outillent pour devenir de meilleurs membres de la collectivité, pour mieux communiquer et pour améliorer leurs relations avec autrui. Ce processus se poursuit à l'école secondaire, au collège et à l'université. Cependant, lorsqu'ils décident des ressources qu'ils consacreront à leurs études, la plupart des gens en sous-estiment les effets externes.

Les activités de recherche-développement qui génèrent de nouvelles connaissances produisent, elles aussi, des effets externes. Quand quelqu'un fait une découverte, d'autres peuvent copier l'idée. Comme cela exige du travail, ils subissent un coût d'opportunité, mais la plupart du temps ils n'ont pas à payer le savant ou l'inventeur pour pouvoir utiliser la découverte. Ainsi, après la découverte par Isaac Newton de la formule du calcul des variations infinitésimales des fonctions — le calcul différentiel —, tout le monde a pu l'utiliser librement. De même, après l'invention du tableau électronique VisiCalc, tout le monde a pu reprendre gratuitement l'idée pour mettre au point son propre tableur; Lotus Corporation a lancé son 1-2-3, Microsoft a suivi avec Excel, et les deux produits ont connu un immense succès. La construction du premier centre commercial s'est avérée une façon ingénieuse de réorganiser le commerce de détail; comme tout le monde pouvait copier l'idée librement, les centres commerciaux ont poussé comme des champignons.

Quand on décide du nombre d'années d'études qu'on fera ou de la quantité de recherche-développement à laquelle on se livrera, on compare les coûts marginaux *privés* aux avantages marginaux *privés*; les avantages externes sont ignorés ou sous-évalués. Si on laissait les forces de marché non réglementées régir les activités d'éducation et de recherche-développement, leur quantité serait insuffisante. Pour éviter cette carence, les administrations publiques doivent modifier les résultats du marché en opérant des choix publics.

En présence d'effets externes découlant de l'éducation et de la recherche-développement, les administrations publiques disposent de trois types de mesures pour atteindre une allocation efficiente des ressources:

- les subventions,
- la fourniture de services à un prix inférieur au coût,
- les brevets et les droits d'auteur.

## Les subventions

Les **subventions** sont des sommes que les administrations publiques versent aux producteurs selon leur niveau de production. En principe, en subventionnant les activités privées, le gouvernement peut favoriser la prise de décisions privées dans l'intérêt général. Cependant, un programme de subvention gouvernementale peut aussi permettre à des producteurs privés de « capturer » des ressources à leur propre avantage. Même si rien ne garantit que les subventions donnent les résultats escomptés, nous allons prendre un exemple où c'est le cas.

Imaginons que toutes les écoles, collèges et universités du Canada relèvent du secteur privé et que nous devions leur acheter nos services d'éducation exactement comme nous achetons nos cours de conduite automobile à des écoles privées. Supposons aussi que, dans ce marché concurrentiel, le coût marginal de l'éducation s'élève à 20 000 $ par année et par étudiant; pour couvrir ce coût, son prix est également de 20 000 $ par année. À ce prix, on le devine, peu de gens fréquenteraient l'école, et le niveau de scolarité serait bien inférieur à ce qu'il est aujourd'hui. Il y aurait *lacune du marché*.

La figure 21.8 illustre cette situation et montre comment la subvention de l'éducation permet de réaliser une allocation efficiente des ressources. Nous avons supposé que le coût marginal d'une année de scolarité pour un étudiant était de 20 000 $; disons que c'est aussi le coût marginal privé, *CmP*, et le coût marginal social, *CmS* — autrement dit, que la production de services d'éducation n'entraîne pas de coûts externes. La courbe *CmP = CmS* nous donne le coût marginal.

Le prix maximal que les étudiants (ou leurs parents) sont prêts à payer pour une année de scolarité supplémentaire détermine la forme de la courbe d'avantage marginal *privé* et celle de la courbe de demande d'éducation. Cette courbe est *AmP = D*. Dans notre exemple, un

FIGURE 21.8

# La quantité efficiente de services d'éducation

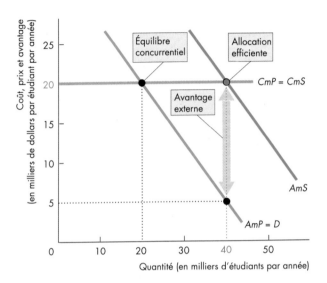

La courbe de demande de services d'éducation mesure l'avantage marginal privé des services d'éducation (*AmP = D*). La courbe *CmS* indique le coût marginal social des services d'éducation — dans notre exemple, 20 000 $ par étudiant par année. Si le marché des services d'éducation est un marché concurrentiel, les frais de scolarité s'élèvent à 20 000 $ par année et, à ce prix, 20 000 étudiants s'inscrivent. Les services d'éducation produisent un avantage externe; en l'ajoutant à l'avantage marginal privé, on obtient l'avantage marginal social (*AmS*). L'allocation des ressources est efficiente lorsque le gouvernement offre la quantité de services d'éducation à laquelle le coût marginal social est égal à l'avantage marginal social. Ce niveau correspond à l'inscription de 40 000 étudiants par année, et il peut être atteint si le gouvernement subventionne les écoles privées ou s'il offre des services d'éducation à un prix inférieur au coût dans des institutions publiques. Ici, le gouvernement verse une subvention de 15 000 $ et les étudiants paient des frais de scolarité annuels de 5 000 $.

marché concurrentiel de l'éducation, les institutions d'enseignement enregistrent les inscriptions de 20 000 étudiants par année, au prix (frais de scolarité) de 20 000 $ par année.

Supposons que l'avantage externe — l'avantage retiré par d'autres personnes que celles qui reçoivent l'éducation — ajouté à l'avantage marginal privé entraîne les avantages marginaux sociaux que décrit la courbe *AmS*. L'allocation des ressources est efficiente lorsque le coût marginal social est égal à l'avantage marginal social. Dans l'exemple de la figure 21.8, cette égalité est atteinte avec l'inscription de 40 000 étudiants par année. Un moyen de susciter 40 000 inscriptions par année consiste à subventionner les institutions d'enseignement privées. Dans notre exemple, l'incitatif est une subvention de 15 000 $ par étudiant par année versée aux institutions d'enseignement privées. Avec cette subvention de 15 000 $, et compte tenu que leur coût marginal est de 20 000 $, les écoles font un profit économique dès que les frais de scolarité annuels excèdent 5 000 $. La concurrence fait baisser les frais de scolarité à 5 000 $ et, à ce prix, 40 000 étudiants s'inscrivent. Comme on le voit, la subvention permet d'atteindre le niveau de services d'éducation efficient.

Les leçons de cet exemple peuvent aussi bien s'appliquer à la stimulation du taux de croissance du stock de connaissances — autrement dit, à la recherche-développement. En subventionnant des activités de recherche-développement, le gouvernement peut modifier l'allocation des ressources afin de la rendre plus efficiente. En 1995, le gouvernement fédéral a octroyé, par l'intermédiaire d'organismes comme le Conseil de recherches en sciences naturelles et en génie du Canada et le Conseil de recherche en sciences humaines du Canada, plus de 600 millions de dollars en subventions de recherche-développement.

La fourniture de services publics d'éducation et de recherche-développement à un prix inférieur au coût est un autre moyen d'atteindre l'efficience dans ces secteurs.

## La fourniture de services à un prix inférieur au coût

Plutôt que de subventionner les institutions d'enseignement privées, les gouvernements peuvent créer leurs propres écoles (écoles publiques) et offrir des services d'éducation à un prix inférieur au coût. De même, au lieu de subventionner la recherche-développement dans l'industrie et les universités, le gouvernement peut mettre sur pied ses propres centres de recherche dont les découvertes seront accessibles à tous. Considérons cette possibilité en reprenant l'exemple présenté à la figure 21.8.

En créant des institutions d'enseignement publiques pouvant accueillir 40 000 étudiants par année, le gouvernement peut fournir directement la quantité efficiente de services d'éducation. Dans notre exemple, pour s'assurer une clientèle de 40 000 étudiants par année, ces institutions fixeraient les frais de scolarité annuels à 5 000 $ par étudiant. À ce prix, en raison du nombre d'étudiants qui choisissent de poursuivre des études, l'avantage marginal social des services d'éducation est égal à leur coût marginal.

Ces deux exemples nous permettent de voir comment les pouvoirs publics peuvent inciter les agents économiques à tenir compte des effets externes de l'éducation afin d'obtenir un résultat différent de celui d'un marché privé non réglementé. Au Canada, les gouvernements exploitent leurs propres établissements et vendent

leurs services à un prix inférieur au coût. Aux États-Unis, les États recourent aux deux façons d'inciter la population à consommer la quantité efficiente d'éducation : ils subventionnent les écoles et les universités privées, et ils exploitent leurs propres établissements, qui fournissent leurs services à un prix inférieur au coût. Dans le domaine de l'éducation, cependant, le secteur public reste, de loin, le plus important. Dans le domaine de la recherche-développement, par contre, les subventions au secteur privé sont de loin plus importantes que la fourniture directe de services par le gouvernement.

## Les brevets et les droits d'auteur

Le savoir pourrait bien être le seul facteur de production où on ne trouve pas de *rendements marginaux décroissants*. Un plus grand savoir (du moins dans les domaines pertinents) rend les gens plus productifs. Et, jusqu'ici, rien ne semble indiquer que les gains de productivité obtenus grâce au nouveau savoir soient moins importants que par le passé. Ainsi, en 15 ans seulement, l'évolution des connaissances en matière de microprocesseurs a engendré plusieurs générations de puces qui ont augmenté progressivement la puissance de nos ordinateurs. Chaque découverte supplémentaire en matière de conception et de fabrication des microprocesseurs semble avoir entraîné une augmentation encore plus grande du rendement et de la productivité des ordinateurs. On observe le même phénomène dans le domaine de la conception et de la fabrication des aéronefs. Le Flyer 1 d'Orville et Wilbur Wright était un monoplace à peine capable de survoler un champ ; le Lockheed Constellation pouvait transporter 120 passagers de New York à Londres avec deux escales de ravitaillement, à Terre-Neuve et en Irlande, et le dernier modèle du Boeing 747 peut transporter 400 passagers sans escale de Los Angeles à Sydney ou de New York à Tokyo (des vols de 12 000 kilomètres qui prennent plus de 13 heures). Et on trouve des exemples similaires dans des domaines aussi divers que l'agriculture, la biogénétique, les communications, l'ingénierie, le spectacle, la médecine et l'édition.

L'augmentation du stock de connaissances sans diminution du rendement s'explique par la diversité des techniques théoriquement disponibles. L'économiste Paul Romer, professeur à la Stanford University, en Californie, se sert d'un exemple saisissant pour illustrer ce phénomène :

> [Supposons que,] pour faire un produit fini, il faille fixer une à une 20 pièces différentes à un cadre. Un travailleur pourrait procéder dans l'ordre numérique, fixant d'abord la pièce un, puis la pièce deux... Ou alors il pourrait le faire dans un autre ordre, en commençant par fixer la pièce n° 10, puis la pièce n° 7... Avec 20 pièces, un calcul standard (mais néanmoins ahurissant) révèle qu'il existe environ $10^{18}$ séquences d'assemblage possibles pour

arriver au produit fini. Comme ce chiffre est largement supérieur au nombre de secondes qui se sont écoulées depuis que le big bang a créé l'univers, on peut être assuré que, quelle que soit l'activité en cause, nous n'avons expérimenté jusqu'ici qu'une infime fraction des séquences possibles[2].

Si on considère tous les procédés connus, tous les produits et toutes leurs composantes, il est évident que nous commençons à peine à entrevoir ce qui est possible.

Comme le savoir est productif et qu'il crée des avantages externes, il faut adopter des politiques publiques qui incitent ceux qui ont de nouvelles idées à y investir un niveau d'effort efficient. Le meilleur moyen d'y parvenir est d'offrir aux découvreurs et aux inventeurs des droits de propriété sur leur invention ou leur découverte; c'est ce qu'on appelle des **droits de propriété intellectuelle**. Le dispositif juridique qui permet la création de droits de propriété intellectuelle est — selon la nature de la création — le **brevet** ou le **droit d'auteur**. Un brevet ou un droit d'auteur est un droit exclusif qu'accorde le gouvernement à l'inventeur d'un bien, d'un service ou d'un procédé de production, en vue de produire, d'utiliser et de vendre cette invention durant une certaine période. Le brevet permet à l'inventeur d'une nouvelle idée d'éviter, pour une période déterminée, que d'autres ne bénéficient gratuitement de son invention. Toutefois, pour obtenir la protection de la loi, l'inventeur doit rendre son invention publique.

Les brevets encouragent l'invention et l'innovation, mais ils ont un coût économique. Tant qu'un brevet est en vigueur, son propriétaire en a le monopole. Et le monopole est une lacune du marché. Pour maximiser son profit, le monopoleur (le détenteur du brevet) produit la quantité à laquelle le coût marginal est égal à la recette marginale. Le monopoleur fixe un prix supérieur au coût marginal, et choisit le prix le plus élevé auquel il est possible de vendre la quantité qui maximise le profit. Dans cette situation, la valeur que les consommateurs accordent au bien (le prix qu'ils sont disposés à payer pour s'en procurer une unité supplémentaire) est supérieure à son coût marginal. La quantité disponible du bien est donc inférieure à la quantité efficiente.

Cependant, si on renonce au brevet, on diminue l'effort pour mettre au point de nouveaux biens, services ou procédés, ce qui ralentit le flux de nouvelles inventions. Le résultat efficient est donc un compromis entre les avantages qui découlent d'un nombre accru d'inventions et le coût d'un pouvoir de monopole temporaire sur les nouvelles inventions.

## À RETENIR

- Le savoir est un bien de consommation et un facteur de production qui crée des avantages externes.

- Les avantages externes du savoir sont créés à la fois par l'éducation — la transmission du savoir à autrui — et la recherche-développement — la création de nouvelles connaissances.

- Les subventions, la fourniture de services à un prix inférieur au coût ainsi que les brevets et les droits d'auteur sont trois mesures utilisées par les administrations publiques pour obtenir un stock de savoir efficient.

- Les subventions et la fourniture de services à un prix inférieur au coût permettent de fournir une quantité efficiente de services d'éducation.

- Le savoir ne semble pas entraîner de rendements décroissants; il est donc essentiel d'offrir des incitatifs favorisant l'émergence de nouvelles idées.

- Les brevets et les droits d'auteur peuvent stimuler la recherche, mais ils créent un monopole temporaire; il est donc indispensable d'équilibrer l'avantage découlant de connaissances supplémentaires et la perte engendrée par le pouvoir de monopole.

◆ La rubrique «Entre les lignes» (p. 496) traite de deux questions étudiées dans ce chapitre: la réduction de la pollution de l'air des villes par les véhicules automobiles et la recherche d'une solution «propre» à ce problème. Elle vous permettra de voir comment on essaie de pallier les effets externes dans le monde réel.

Voilà qui complète notre étude de la microéconomie. Nous avons vu que tous les problèmes économiques découlent de la rareté. Les gens décident des biens et services qu'ils achèteront ainsi que des facteurs de production qu'ils vendront de manière à maximiser leur utilité. Les entreprises décident des biens qu'elles vendront et des facteurs de production qu'elles mobiliseront de manière à maximiser leur profit. Les gens et les entreprises interagissent dans des marchés. Les choix publics modifient les résultats de marché en fournissant des biens publics, en redistribuant le revenu, en réduisant le pouvoir de monopole et palliant les effets externes.

---

[2] Extrait de «Ideas and Things» dans *The Future Surveyed*, supplément de *The Economist*, 11 septembre 1993, p. 71-72. Le calcul standard auquel fait allusion Romer est le nombre de manières de choisir et de disposer en ordre 20 objets à partir de 20 objets — également appelé «nombre de permutations de 20 objets 20 à la fois». Il s'agit d'un nombre factoriel 20, ou $20! = 20 \times 19 \times 18 \times ... \times 2 \times 1 = 10^{18,4}$. Selon une théorie courante (remise en cause par les observations du télescope spatial Hubble en 1994), un big bang survenu il y a 15 milliards d'années — soit $10^{17,7}$ secondes — serait à l'origine de l'univers. Même s'il semble y avoir peu de différence entre $10^{18,4}$ et $10^{17,7}$, $10^{18,4}$ est *cinq* fois $10^{17,7}$. Par conséquent, si vous aviez commencé à expérimenter des séquences différentes au moment du big bang, et même en ne consacrant qu'une seconde à chaque essai, vous n'auriez testé aujourd'hui qu'un cinquième des possibilités. Stupéfiant, n'est-ce pas?

# RÉSUMÉ

## Points clés

### Les effets externes
Le coût externe est le coût de production d'un bien ou d'un service que supportent des personnes autres que celles qui le consomment. L'avantage externe est l'avantage que retirent d'un bien ou d'un service des personnes autres que celles qui le paient. Les principaux coûts externes sont liés à l'environnement; il s'agit des coûts de la pollution de l'air, des sols et des eaux. Les principaux avantages externes sont liés à l'éducation et à la recherche scientifique. L'économie de marché produit trop de biens et services auxquels sont attachés des coûts externes, et ne produit pas assez de biens et services auxquels sont attachés des avantages externes. (p. 480-481)

### L'économique de l'environnement
La demande de politiques environnementales a augmenté avec la hausse du revenu et la prise de conscience des effets de nos actions sur l'environnement. La pollution de l'air est causée principalement par le transport routier, les services d'électricité et les procédés industriels. En Amérique du Nord, la concentration atmosphérique de la plupart des polluants de l'air est à la baisse. La pollution de l'eau est causée par l'évacuation des déchets industriels, des eaux usées et des engrais dans les lacs et les rivières, ainsi que par le déversement de pétrole et de déchets dans les océans. La pollution des sols est causée par le rejet de déchets et de produits toxiques.

Les effets externes sur l'environnement sont attribuables à l'absence de droits de propriété. On peut parfois corriger un effet externe par l'attribution d'un droit de propriété. Sinon, les gouvernements peuvent réduire les effets externes sur l'environnement en instaurant des redevances sur les émissions, des permis négociables ou des taxes. Les permis négociables ont été utilisés avec succès; ils ont permis d'éliminer presque complètement le plomb dans l'air. Les effets externes qui ont une incidence à l'échelle mondiale, comme l'effet de serre et l'appauvrissement de la couche d'ozone, ne peuvent être palliés que par des mesures internationales; individuellement, aucun pays n'est incité à agir dans l'intérêt général. Cependant, les scientifiques ne s'entendent pas sur les répercussions des gaz dits à effet de serre ni sur l'appauvrissement de la couche d'ozone; devant cette incertitude, la volonté d'agir est faible à l'échelle internationale. De plus, le monde entier est enfermé dans un jeu qui ressemble au dilemme du prisonnier, chaque pays ayant intérêt à laisser les autres pays supporter les coûts de ses politiques environnementales. (p. 481-491)

## L'économique du savoir
Le savoir est à la fois un bien de consommation et un facteur de production qui crée des avantages externes. Les avantages associés à l'éducation — la transmission du savoir à autrui — découlent de ce que l'acquisition des rudiments de la lecture, de l'écriture et du calcul donne aux gens des outils pour communiquer et interagir de manière plus efficiente, et leur permet d'entretenir des relations interpersonnelles plus satisfaisantes. Les avantages externes associés à la recherche — la production de connaissances nouvelles — tiennent au fait que, à partir du moment où quelqu'un fait une découverte ou met au point une invention, tout le monde peut en reprendre l'idée. Pour atteindre le niveau d'éducation et d'innovation efficient, on peut, par l'intermédiaire des pouvoirs publics, faire des choix publics qui modifient les résultats économiques des marchés. Pour y parvenir, les administrations publiques disposent de trois moyens: les subventions, la fourniture de services à un prix inférieur au coût, et les brevets ou les droits d'auteur. Les subventions accordées aux écoles privées ou la prestation de services d'éducation publique à un prix inférieur au coût permettent d'obtenir un niveau efficient de services d'éducation. Les brevets et les droits d'auteur créent les droits de propriété intellectuelle et sont un incitatif à l'innovation, mais, comme ils créent un monopole temporaire, il faut équilibrer le coût et l'avantage de l'activité créatrice. (p. 491-494)

## Figures clés

## Mots clés

# Pleins FEUX sur les politiques

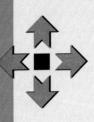

# Les coûts de l'air propre

## Les faits EN BREF

■ Depuis de nombreuses années, tous les grands constructeurs d'automobiles essaient de mettre au point une voiture électrique.

■ Cet intérêt est d'autant plus grand que, dans plusieurs États américains (notamment la Californie), il sera bientôt obligatoire pour tous les producteurs d'automobiles d'offrir un certain nombre de voitures non polluantes aux consommateurs.

■ Cependant, les recherches dans le domaine n'ont pas beaucoup progressé et les consommateurs boudent toujours les voitures électriques.

■ Alors que d'autres constructeurs ont choisi de poursuivre leurs recherches dans le domaine, Honda a choisi de diriger ses recherches vers d'autres technologies non polluantes.

---

LA PRESSE CANADIENNE, LE 29 AVRIL 1999

## Honda interrompt la production de ses véhicules électriques

LOS ANGELES (AP) — American Honda Motor Co. a interrompu la production de son modèle EV Plus, devenant ainsi le premier grand fabricant automobile à mettre fin aux efforts de commercialisation de véhicules électriques coûteux, a rapporté jeudi le *Los Angeles Times*.

Après avoir dépensé plusieurs millions de dollars pour mettre au point cette technologie utilisant une batterie, Honda a décidé de se concentrer plutôt sur d'autres technologies peu polluantes, ajoute le quotidien.

« Nous sommes très déçus de la décision de Honda », a déclaré Tom Cackette, directeur adjoint du California Air Resources Board. « Il se pourrait qu'elle enfreigne l'entente que le fabricant avait conclue avec la commission, de continuer à produire des véhicules électriques à batterie si la demande de la clientèle le justifiait. » M. Cackette ajoute que la commission a l'intention de faire enquête.

Les dirigeants de Honda affirment qu'ils ont respecté leurs engagements. [...] « Nous nous étions engagés à louer 300 véhicules électriques en trois ans, et nous l'avons fait », dit le porte-parole de Honda, Art Garner.

Les règlements californiens en matière de qualité de l'air prévoient qu'à partir de 2003, jusqu'à 10 pour cent de tous les nouveaux véhicules vendus par les sept plus grands fabricants automobiles devront atteindre le degré de pollution zéro.

La décision de Honda de ne plus offrir de véhicules à batterie « envoie plusieurs signaux », dit Thad Malesh, spécialiste en carburant alternatif pour J.D. Power Associates. « Ils sont plus honnêtes que tous les autres en ce qui concerne le fonctionnement à l'électricité. Ces véhicules ne sont tout simplement pas acceptables pour les consommateurs. »

Peu de véhicules électriques peuvent parcourir plus de 120 kilomètres sans être rechargés. La batterie ajoute des centaines de livres au poids du véhicule et son remplacement coûte des milliers de dollars. Le coût de location des véhicules électriques est élevé — environ 450 $ US par mois en moyenne.

Toyota, General Motors, Ford, Daimler, Chrysler et Nissan ont tous fait savoir qu'ils prévoyaient poursuivre la production de véhicules à batterie, et qu'ils continueraient à mettre au point d'autres technologies peu polluantes.

# Analyse

## ÉCONOMIQUE

■ Avec l'augmentation du revenu, la demande de véhicules a augmenté, comme le montre le déplacement de la courbe de demande de $D_0$ à $D_1$ à la figure 1.

■ Durant la période où la demande a augmenté, le progrès technologique a fait baisser le coût de production des véhicules, et l'offre a augmenté, comme le montre à la figure 1 le déplacement de la courbe d'offre de $O_0$ à $O_1$.

■ Avec une augmentation simultanée de l'offre et de la demande, la quantité de véhicules a augmenté, passant de $Q_0$ à $Q_1$ (figure 1).

■ Cette augmentation de la quantité a été considérable. Au Canada, on comptait 18 millions de véhicules en 1996 comparativement à 7 millions en 1966. Aux États-Unis, en 1996, on comptait 195 millions de véhicules comparativement à 94 millions en 1966.

■ Le prix d'un véhicule, ajusté en fonction de la qualité, a baissé, passant de $P_0$ à $P_1$ (figure 1).

■ Les véhicules routiers sont polluants. En 1966, on a consommé 300 milliards de litres d'essence au Canada et aux États-Unis. En 1996, cette quantité était passée à 560 milliards de litres.

■ Pourtant, la qualité de notre air s'est améliorée. Cela s'explique par le fait que nous avons dépensé davantage au chapitre de la réduction des émissions polluantes.

■ La figure 2 illustre l'avantage marginal social et le coût marginal social de l'air propre. Comme le montre la courbe de coût marginal social, $CmS$, la production d'air propre est coûteuse.

■ Avec l'augmentation du revenu, l'avantage marginal de l'air propre, mesuré selon la disposition du consommateur à payer, a augmenté. À la figure 2, cette augmentation se traduit par le déplacement de la courbe d'avantage marginal social, qui passe de $AmS_0$ à $AmS_1$.

■ La quantité d'air propre est passée de $Q_0$ à $Q_1$; le coût marginal et l'avantage marginal ont augmenté, passant de $AC_0$ à $AC_1$ (figure 2).

■ La production de véhicules électriques est plus coûteuse que celle des voitures traditionnelles. Par conséquent, si on produit plus d'automobiles électriques et moins d'automobiles traditionnelles, la courbe d'offre des automobiles se déplace vers la gauche. Le prix d'une automobile augmentera et la quantité diminuera.

■ Les véhicules électriques peuvent-ils contribuer à la lutte contre la pollution de l'air ? La réponse dépend des effets de l'air propre sur le coût marginal. Si la courbe de coût marginal social se déplace vers le bas — vers $CmS_1$, cela signifie que les voitures électriques y contribuent; si elles entraînent le déplacement de la courbe de coût marginal social vers le haut, vers $CmS_2$, c'est qu'au contraire elles gênent l'amélioration de la qualité de l'air.

■ Rien n'indique que les voitures électriques feront baisser le coût de l'air propre. Leur production est coûteuse,

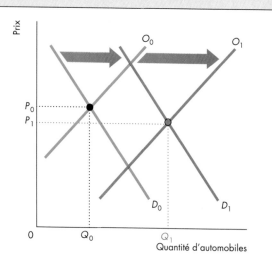

**Figure 1  Le marché des automobiles**

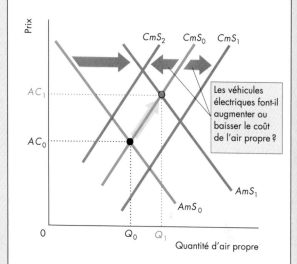

**Figure 2  L'avantage marginal et le coût marginal**

elles ne sont pas pratiques et leurs accumulateurs doivent être rechargés à l'électricité, dont la production est elle-même une source de pollution.

■ D'autres technologies non polluantes — telles que les cellules à base d'hydrogène — semblent plus prometteuses que la voiture électrique.

## Si vous

### DEVIEZ VOTER

■ Voteriez-vous pour ou contre une loi exigeant qu'à partir d'une certaine date les constructeurs d'automobiles ne vendent plus que des automobiles non polluantes ? Expliquez de manière détaillée les raisons de votre décision.

## QUESTIONS DE RÉVISION

1. Qu'entend-on par effets externes? Donnez des exemples d'effets externes négatifs et positifs.

2. Pourquoi le coût externe pose-t-il un problème?

3. Pourquoi les coûts externes et les avantages externes entraînent-ils une lacune du marché?

4. En quoi un avantage externe pose-t-il un problème d'ordre économique?

5. Pourquoi la demande d'un environnement plus sain a-t-elle augmenté?

6. Énumérez les divers types de pollution en déterminant leurs sources.

7. Quelles sont les principales activités économiques responsables de la pollution de l'air?

8. Quel rapport existe-t-il entre les droits de propriété et les effets externes?

9. Énoncez le théorème de Coase. Dans quelles conditions s'applique-t-il?

10. Expliquez pourquoi l'attribution de droits de propriété au pollueur ou à la victime de la pollution permet d'atteindre un niveau de pollution efficient lorsque les coûts de transaction sont faibles.

11. Qu'est-ce qu'une redevance sur les émissions et quels en sont les effets?

12. Qu'est-ce qu'un permis de polluer négociable et comment fonctionne-t-il?

13. Comment peut-on utiliser la taxation pour réduire un coût externe?

14. Quels sont les avantages et les inconvénients de l'imposition d'une taxe générale substantielle sur les émissions de carbone? Pourquoi n'avons-nous pas ce genre de taxe?

15. Quels pays ont des niveaux de pollution élevés?

16. Pourquoi certains pays ont-ils des niveaux de pollution plus élevés?

17. Le taux de pollution efficient est-il de zéro? Justifiez votre réponse.

18. Qu'est-ce que le dilemme du réchauffement de la planète?

19. Quels sont les effets externes positifs de la connaissance?

20. Pourquoi l'instruction est-elle gratuite au primaire et au secondaire?

21. Qu'est-ce qu'un brevet et comment fonctionne-t-il?

## ANALYSE CRITIQUE

1. Lisez attentivement la rubrique « Entre les lignes » (p. 496), puis répondez aux questions suivantes:
   a) Quel sera le coût du passage des voitures à l'essence aux voitures électriques?
   b) Qui tirera avantage d'un tel changement?
   c) Qui en subira le coût?
   d) La politique forçant les constructeurs à offrir un minimum de voitures non polluantes en Californie est-elle un succès?
   e) Quelles politiques les pouvoirs publics pourraient-ils adopter afin de préserver l'avantage net actuel des automobilistes?

2. La santé a des effets externes positifs. Expliquez pourquoi l'allocation des ressources dans le secteur de la santé est plus efficient si les pouvoirs publics fournissent des services de santé à un prix inférieur au coût que si ces services sont fournis par le secteur privé.

3. Depuis sa fondation, il y a 25 ans, Greenpeace milite en faveur d'un environnement plus propre et plus sûr. Quel effet le travail de Greenpeace a-t-il eu sur l'environnement dans votre province? La pollution a-t-elle été éliminée? Si ce n'est pas le cas, pourquoi?

4. Ces dernières années au Canada, plusieurs gouvernements provinciaux ont augmenté les frais de scolarité au niveau universitaire. Quel effet cette augmentation aura-t-elle sur le nombre de diplômés universitaires dans les années à venir et sur l'efficience de l'allocation des ressources au niveau universitaire?

5. En 1986, soucieux de réduire la surpêche dans les eaux de la Nouvelle-Zélande, le gouvernement de ce pays a instauré des droits de propriété privés et alloué des quotas individuels transférables (ITQ). Pour connaître les résultats de cette politique jusqu'à présent, consultez le site Web du Fraser Institute [http://www.fraserinstitute.ca/publications/books/fish/fish2.html#versus] et lisez l'article intitulé « ITQs in New Zealand: Bureaucratic Management versus Private Property. The Score after Ten Years. » Répondez ensuite aux questions suivantes:
   a) L'instauration de droits de propriété comme les quotas négociables de la Nouvelle-Zélande pourrait-elle aider le Canada à reconstituer ses stocks de poisson? Justifiez votre réponse.
   b) Expliquez pourquoi les quotas négociables pourraient favoriser l'arrêt de la surpêche.
   c) Qui s'opposerait à une telle politique? Expliquez pourquoi.

# PROBLÈMES

1. Un truiticulteur et un fabricant de pesticides sont installés l'un près de l'autre sur les rives d'un lac. Le fabricant de pesticides peut se débarrasser de ses déchets en les jetant dans le lac ou en les transportant par camion dans un lieu d'entreposage sécuritaire. Le coût marginal du transport par camion est de 100 $ la tonne. Le profit du truiticulteur dépend de la quantité de déchets que le fabricant de pesticides jette dans le lac. La situation se résume ainsi :

| Quantité de déchets (en tonnes par semaine) | Profit du truiticulteur (en dollars par semaine) |
|---|---|
| 0 | 1 000 |
| 1 | 950 |
| 2 | 875 |
| 3 | 775 |
| 4 | 650 |
| 5 | 500 |
| 6 | 325 |
| 7 | 125 |

a) Quelle est la quantité efficiente de déchets à déverser dans la rivière ?

b) Si le truiticulteur est propriétaire du lac, quelle quantité de déchets y sera déversée et combien le fabricant de pesticides paiera-t-il au truiticulteur pour chaque tonne de déchets déversée ?

c) Si le fabricant de pesticides est propriétaire du lac, quelle quantité de déchets y sera déversée et combien le truiticulteur paiera-t-il au fabricant pour la location d'espace sur le lac ?

2. En vous aidant de l'information présentée au problème n° 1, supposez que le lac n'appartienne à personne et que le gouvernement impose une taxe sur la pollution.

a) À combien devra s'élever la taxe par tonne de déchets déversés pour obtenir un résultat efficient ?

b) Quel est le lien entre la réponse à ce problème et la réponse au problème n° 1 ?

3. En utilisant l'information offerte au problème n° 1, et toujours en supposant que le lac n'appartient à personne, imaginez que le gouvernement accorde des permis de polluer négociables au truiticulteur et au fabricant de pesticides. L'un comme l'autre a maintenant le droit de déverser une quantité donnée de déchets dans le lac, et la somme de ces quantités est la quantité efficiente.

a) Quelle quantité totale de déchets les permis négociables permettent-ils de déverser dans le lac ?

b) Quel est le prix de marché d'un permis ? Qui en achète et qui en vend ?

c) Quel est le lien entre la réponse à ce problème et les réponses aux problèmes n° 1 et n° 2 ?

4. Le graphique suivant illustre l'avantage marginal privé de l'éducation. Le coût marginal annuel de l'éducation est de 5 000 $ par étudiant, et ce coût est constant.

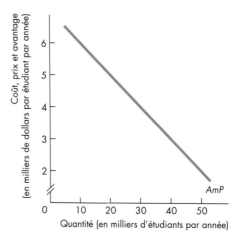

a) S'il n'y a aucune intervention gouvernementale dans le domaine de l'éducation et si le marché de l'éducation est concurrentiel, combien d'étudiants par année s'inscriront à l'école et à combien se monteront les frais de scolarité annuels ?

b) Supposons que l'avantage externe de l'éducation soit de 2 000 $ par année et par étudiant, et qu'il soit constant. Si le gouvernement fournit la quantité efficiente de services d'éducation, combien de places par année offrira-t-il et quel sera le montant des frais de scolarité annuels ?

5. Le Canada a adopté la *Loi sur l'environnement* en 1988. Pour connaître l'évolution de la situation dans le domaine de l'environnement, reportez-vous au site Web du gouvernement du Canada (http://www.ec.gc.ca/)

a) À l'aide des indicateurs environnementaux nationaux du Canada, décrivez les changements observés dans nos villes en matière de pollution de l'air et de pluies acides.

b) Comparez le niveau d'ozone de la stratosphère au Canada à celui qu'on enregistre dans le reste du monde.

c) La *Loi sur l'environnement* du Canada a-t-elle permis d'améliorer la qualité de l'environnement ?

d) De quelle information qui ne figure pas sur ce site Web auriez-vous besoin pour pouvoir évaluer les effets économiques de la *Loi sur l'environnement* ?

# Jacob A. Frenkel, le gouverneur

de la Banque d'Israël, est né à Tel Aviv en 1943. Muni d'un baccalauréat de la Hebrew University of Jerusalem, il a poursuivi ses études à la University of Chicago où, après avoir obtenu son doctorat en 1970, il a enseigné pendant 17 ans. M. Frenkel, qui a reçu la distinction de «David Rockefeller Professor of International Economics», a quitté l'université en 1987 pour devenir conseiller économique et directeur de la recherche au Fonds monétaire international, fonctions qu'il a exercées jusqu'en 1991. Économiste internatio-nal, M. Frenkel jouit d'une réputa-tion mondiale, notamment grâce à ses travaux sur les forces qui s'exercent sur les taux de change, les taux d'intérêt et la balance des paiements internationaux. Nous nous sommes entretenus* avec Jacob Frenkel de son travail et des défis que doit relever l'économie mondiale des années 1990.

**ENTRETIEN AVEC Jacob A. Frenkel**

---

* Cet entretien date de 1994.

**M. Frenkel, qu'est-ce qui vous a d'abord attiré vers l'économique?**

Mon choix a été plutôt accidentel. Au début de mes études universitaires, je travaillais le jour comme polisseur de diamants, et les cours du soir ne me donnaient le choix qu'entre quatre disci-plines: l'économique, les sciences poli-tiques, la statistique et la sociologie. J'ai choisi l'économique et les sciences poli-tiques. L'économique, et plus précisé-ment la macroéconomie, m'a très vite intéressé. Au cours de mes études supé-rieures à la University of Chicago, j'ai eu la chance de suivre des cours d'écono-mique monétaire et internationale avec les plus grands économistes de l'époque — notamment, Milton Friedman, Lloyd Metzler, Harry Johnson et Bob Mundell.

**On connaît votre imposante contribution à la recherche en économique interna-tionale au Fonds monétaire internatio-nal. Quel a été exactement votre rôle au FMI?**

Le FMI a été fondé en 1944 pour faci-liter la gestion du régime mondial de fi-xité des taux de change. Pour ma part, j'y suis arrivé au moment des discussions du G7 sur l'économie mondiale inter-dépendante; mon premier mandat était d'apporter une perspective mondiale à l'analyse et à la conception des politiques économiques. Pendant cette période, notre service de recherche a élaboré di-verses perspectives analytiques et empi-riques sur des questions comme les indi-cateurs économiques, le rôle des réserves internationales et l'évolution de l'écono-mie mondiale.

À l'époque, nous avions compris que nous allions vers un monde sans devise de réserve unique, et que nous assiste-rions à une unification accrue de l'Europe et à l'émergence d'un nouveau centre économique dans le Pacifique. Le système d'échange évoluait. Les petits pays en développement dépourvus de marchés des capitaux bien structurés — et, plus tard, les économies en transition — devaient décider quel régime de taux de change ils adopteraient.

**Quel est le rôle du FMI aujourd'hui, dans un monde de taux de change flottants ?**

Le FMI joue trois grands rôles. Le premier est un rôle traditionnel : le FMI aide les pays en développement à concevoir des politiques de stabilisation comportant des mesures structurelles pour améliorer la flexibilité de l'économie. Il surveille leur développement économique et sert de catalyseur pour l'aide financière.

Son deuxième rôle consiste à conseiller les pays même s'ils ne lui empruntent pas d'argent. Cette fonction prendra de plus en plus d'importance, car à long terme une part de plus en plus grande de l'aide financière viendra des marchés de capitaux privés.

Son troisième rôle consiste à lier le tout : le FMI interagit avec les pays dans un cadre multilatéral et avec une perspective mondiale.

**Et quel est le rôle du gouverneur de la Banque d'Israël ?**

Le gouverneur de la Banque d'Israël a un double rôle. D'abord, il est responsable de la politique monétaire israélienne et des tâches habituelles d'une banque centrale, notamment la supervision des banques commerciales. La banque centrale d'Israël est très indépendante ; elle prend seule, sans aucune intervention gouvernementale, les décisions de politique monétaire relatives aux taux d'intérêt. La Banque d'Israël est également responsable de l'exploitation quotidienne du marché des changes.

D'autre part, et c'est là une caractéristique propre à ce pays, le gouverneur de la Banque d'Israël est le premier conseiller économique du gouvernement. À ce titre, il participe aux réunions du cabinet qui traitent de questions économiques ainsi qu'à la résolution de vastes questions éco-

*[Les gouvernements] n'ont ni la discipline des profits et des pertes, ni la discipline et les conseils des actionnaires.*

nomiques qui dépassent largement la politique monétaire.

**Comment arrivez-vous à concilier votre participation aux décisions politiques et l'indépendance de la Banque ?**

Assumer en même temps un rôle de conseiller économique qui implique des liens étroits avec le gouvernement et la direction de la politique monétaire qui exige au contraire une certaine indépendance par rapport au gouvernement est évidemment un exercice délicat. Je crois que chaque gouverneur trouve son propre équilibre. Pour ma part, je suis convaincu que la politique monétaire israélienne est complètement indépendante du gouvernement, et qu'elle est entièrement dictée par des considérations d'ordre économique tout à fait fondées.

**Israël a connu une croissance économique exceptionnelle au milieu des années 1990. À quels facteurs attribuez-vous ce succès économique ?**

En 1994, la croissance du PIB réel s'élevait à 6,2 %. Cette croissance était saine ; le secteur des affaires progressait de 7,5 % par année. Depuis 1990, le taux de croissance annuel se chiffre à 6 %.

L'afflux d'immigrants, et surtout de ceux qui provenaient de l'ex-Union soviétique, a été le principal moteur de la croissance économique du pays pendant la première moitié des années 1990. Intégrer de nouveaux

immigrants dans la société et la population active d'un pays n'est jamais facile, mais je crois que nous y sommes parvenus.

Notre stratégie a été de miser sur le secteur privé pour absorber l'afflux d'immigrants. Depuis le début de la décennie, notre population a augmenté d'environ 20 % ; or, notre taux de chômage est maintenant beaucoup plus bas qu'il ne l'était avant le début de cette vague d'immigration massive. Cela signifie que notre économie est capable de créer plus de nouveaux emplois qu'il n'y a de nouveaux entrants sur le marché du travail. Un grand nombre d'immigrants se sont trouvé un emploi.

J'estime que notre croissance rapide résulte à la fois d'une politique économique cohérente et d'une bonne politique d'immigration. Chaque année, nos exportations ont augmenté ; leurs taux atteignent les deux chiffres, une croissance beaucoup plus rapide que celle du PIB, et cela malgré le fait qu'au début de la décennie nos marchés à l'étranger étaient en récession. Ces deux dernières années, nous avons pénétré des marchés entièrement nouveaux, surtout en Asie, en Chine et en Inde.

**Pourriez-vous nous décrire plus précisément le contenu de votre politique économique ?**

Elle repose en premier lieu sur la réduction du déficit budgétaire. Nous avons une loi stipulant que nous devons réduire constamment le déficit budgétaire, qui chaque année doit représenter un pourcentage moindre du PIB que l'année précédente. Nous en sommes maintenant à notre quatrième année, et nous sommes sur la bonne voie. Je prévois que le déficit budgétaire de 1994 se chiffrera autour de 2 % du PIB. Au début de la décennie, il s'élevait à plus de 6 %.

En deuxième lieu, nous visons la libéralisation des échanges. Nous avons signé un accord de libre-échange avec les États-Unis, ainsi qu'un accord spécial avec l'Union européenne. Pour ce qui est des pays du tiers monde, nous avons adopté, il y a quatre ans, un plan de réduction tarifaire unilatéral étalé sur plusieurs années : chaque année, nous réduisons unilatéralement nos tarifs douaniers. Comme nous avons ouvert notre économie à la concurrence étrangère, la concurrence intérieure s'est considérablement accrue. Le gouvernement s'est engagé à poursuivre sa politique de réductions tarifaires pendant plusieurs années. Jusqu'à présent, tout se déroule bien.

Le troisième aspect de notre politique économique cible l'inflation. Au début de 1992, nous nous sommes imposés un objectif d'inflation maximale tolérable, et cela nous a très bien servi. La même année, nous avons également adopté un régime du taux de change que nous appelons « bande rampante » : nous établissons la pente de la bande de façon à ce qu'elle soit en accord avec notre objectif d'inflation. Au début de l'année, nous fixons une cible d'inflation. Nous en soustrayons ensuite le taux d'inflation moyen de nos partenaires commerciaux, ce qui nous donne la pente de la « bande rampante ». Autrement dit, nous établissons la trajectoire des grandeurs nominales de l'économie. Nous regardons vers l'avenir : nous ne modifions pas la pente de notre « bande rampante » en fonction de l'inflation passée, mais plutôt en fonction de l'inflation ciblée. Toutes les grandeurs nominales de l'économie convergent pour concorder avec cette cible.

En bref, notre politique économique est conçue pour le moyen terme : réduction du déficit budgétaire sur plusieurs années, libéralisation des échanges sur plusieurs années et régime du taux de change établi en fonction de l'avenir et concordant avec notre cible d'inflation à long terme.

**Si on considérait l'économie mondiale comme un laboratoire d'économique expérimentale, selon vous, quelles leçons pourrions-nous tirer des expériences passées afin d'améliorer la politique économique ?**

Je dirais qu'on peut en tirer quatre grandes leçons.

*Leçon nº 1* Pour maîtriser l'inflation, un pays doit avoir une banque centrale indépendante. Si vous départagez les pays où le taux d'inflation est bas et ceux où il est élevé, ou encore ceux où il diminue et ceux où il augmente, vous constaterez que le taux d'inflation est intimement lié au degré d'indépendance des banques centrales. Le degré d'indépendance des banques centrales reflète la réalité du système politique, dont l'horizon temporel est généralement plus court que ne l'exige le système économique. La société doit donc se protéger en assurant l'indépendance de sa banque centrale.

*Leçon nº 2* Un pays ne peut connaître une croissance soutenue sans s'engager dans le système mondial d'échange. Il y a interaction entre la stabilité économique d'une part et les politiques d'échange ainsi que les mesures politiques structurelles qui assurent la flexibilité et la non-distorsion d'autre part. Or, cette interaction devient de plus en plus importante et de plus en plus évidente. Si vous analysez les coûts réels de la réforme en Europe de l'Est et des transformations en Europe centrale, vous constaterez qu'une part considérable de ces coûts découle de l'effondrement de leurs systèmes d'échange. Le fait est regrettable mais, d'un autre côté, il nous suggère le remède. Selon moi, le GATT est beaucoup plus qu'un simple démantèlement des tarifs ; c'est une victoire philosophique extra-

ordinaire qui nous enseigne que, dans le monde nouveau, aucun pays ne peut se permettre de s'isoler du reste du monde économique. Pour un petit pays, la seule chance de devenir partie intégrante de ce monde et de le rester est d'avoir un système économique concurrentiel et efficient.

*Leçon nº 3* Le secteur privé n'a aucune chance s'il est en concurrence avec le gouvernement. Les gouvernements agissent selon d'autres considérations ; ils n'ont ni la discipline des profits et des pertes, ni la discipline et les conseils des actionnaires. Par conséquent, les secteurs publics trop lourds y perdent à long terme, et le secteur privé y perd à court terme. Dans le meilleur intérêt de l'économie, il faut réduire autant que possible la taille du secteur public.

*Leçon nº 4* Le futur est beaucoup plus près du présent que ne le soupçonnent bien des politiciens. Si un pays continue d'enregistrer des déficits budgétaires si importants qu'ils deviendront forcément insoutenables, le marché ne le tolérera pas longtemps. Le marché extrapole les conséquences dans le futur et les traduit immédiatement au présent.

**En terminant, quelle serait selon vous la meilleure combinaison de cours au premier cycle pour l'étudiant ou l'étudiante qui vise une carrière en économique orientée sur la politique internationale ?**

Des cours qui lui permettent d'améliorer ses habiletés analytiques lui seront utiles : en plus de l'économique, cette personne pourrait étudier la philosophie, les mathématiques, l'histoire et les sciences politiques. Je lui conseillerais de rechercher la compagnie de professeurs, de confrères et de consœurs qui la stimulent et l'inspirent. Elle devrait suivre attentivement les changements économiques et politiques dans le monde — lire, voyager, s'exposer à diverses cultures. Savoir qui sont les auteurs des politiques économiques et observer les effets de leurs décisions sur le monde.

# Le commerce international

**Objectifs
du chapitre**

- Décrire la structure des échanges commerciaux du Canada et les tendances actuelles du commerce international

- Définir la notion d'avantage comparatif et expliquer pourquoi tous les pays peuvent tirer avantage du commerce international

- Expliquer comment les économies d'échelle et la diversité des préférences génèrent des gains à l'échange

- Expliquer pourquoi les restrictions au commerce diminuent le volume des importations et des exportations, et limitent les possibilités de consommation

- Expliquer les arguments qui justifient les restrictions à l'échange et montrer pourquoi ils ne sont pas fondés

- Décrire l'Accord de libre-échange nord-américain et expliquer son influence sur le volume des échanges

**D**epuis des temps immémoriaux, les êtres humains s'efforcent d'étendre leurs échanges commerciaux aussi loin que possible avec la technologie dont ils disposent. Au XIIIᵉ siècle, Marco Polo ouvrait la route de la soie entre l'Europe et la Chine.

## De la route de la soie à l'ALENA

De nos jours, des cargos chargés d'automobiles et de machines, et des Boeing 747 remplis d'aliments frais sillonnent les mers et les cieux, transportant des milliards de dollars de marchandises. Pourquoi nous donnons-nous tant de mal pour commercer avec d'autres pays ? ◆ Quand le Mexique, pays où les salaires sont très bas, a conclu un accord de libre-échange avec le Canada et les États-Unis, pays où les salaires sont très élevés, le milliardaire texan Ross Perot a prédit que l'Accord de libre-échange nord-américain (ALENA) déclencherait un « immense bruit de succion », alors que les emplois du Canada et des États-Unis seraient « aspirés » par le Mexique. Ross Perot avait-il raison ? Comment le Canada peut-il concurrencer des pays où le salaire des travailleurs est infiniment plus bas ? Y a-t-il encore des secteurs où nous sommes concurrentiels ? ◆ Depuis la Confédération, les tarifs douaniers, ces taxes sur les importations imposées par sir John A. Macdonald dans les années 1870, étaient l'une des pierres d'angle de notre politique économique. Mais le processus de libéralisation des échanges internationaux enclenché après la Deuxième Guerre mondiale a entraîné la signature de l'Accord général sur les tarifs douaniers et le commerce (GATT) ainsi que l'abolition progressive des tarifs douaniers. Quels sont les effets des tarifs douaniers sur le commerce international ? Pourquoi le commerce international n'est-il pas complètement libre ?

◖ Dans ce chapitre, nous étudierons le commerce international. Nous verrons pourquoi *tout* pays a avantage à se spécialiser dans la production des biens et services pour lesquels il détient un avantage comparatif, et à échanger ensuite une partie de sa production avec d'autres pays. Nous constaterons notamment que tout pays peut être concurrentiel dans certains secteurs, quel que soit le taux salarial de sa main-d'œuvre. Nous expliquerons aussi pourquoi les pays restreignent les échanges même si le commerce international profite à tous.

# La structure du commerce international

LES **IMPORTATIONS** SONT LES BIENS ET SERVICES *achetés* aux pays étrangers ; les **exportations,** les biens et services *vendus* à l'étranger. Quelles sont les principales exportations et importations du Canada ? On croit généralement que les pays riches en ressources naturelles, comme le nôtre, n'exportent que des matières premières et n'importent que des biens manufacturés. Or, même si c'est effectivement l'une des caractéristiques du commerce international canadien, ce n'est pas la principale ; en effet, les biens manufacturés représentent la majeure partie non seulement de nos importations, mais aussi de nos exportations. Nous vendons à l'étranger des voitures, des logiciels, des avions et du matériel électronique, et nous y achetons des téléviseurs, des magnétoscopes, des jeans et des t-shirts. Et si nous sommes de très grands exportateurs de matières premières et de bois d'œuvre, nous importons et exportons aussi un volume considérable de services. Examinons de plus près le commerce international canadien des dernières années.

## Le commerce international du Canada

La **balance commerciale** d'un pays est la différence entre la valeur de ses exportations et celle de ses importations. Si la balance commerciale est positive, la valeur des exportations dépasse la valeur des importations et le Canada est un **exportateur net** ; si la balance commerciale est négative, la valeur des importations est supérieure à celle des exportations et le Canada est alors un **importateur net**. Notre balance commerciale fluctue, mais elle est généralement positive.

**Les échanges de biens** La figure 22.1 donne un aperçu des principales exportations et importations au Canada. Les automobiles et les pièces d'automobile sont, et de loin, le principal élément du commerce international canadien ; la majeure partie des échanges se font entre le Canada et les États-Unis, et découlent du *Pacte de l'automobile* conclu entre ces deux pays en 1965. Automobiles et pièces franchissent librement la frontière ; en échange de la libre circulation de ces produits, les producteurs d'automobiles américains se sont engagés à réaliser au Canada une part importante de leur production. Notre deuxième exportation en importance est,

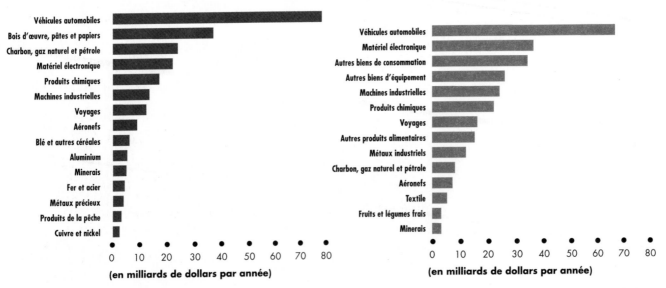

### FIGURE 22.1
## Les importations et les exportations du Canada en 1998

**(a) Exportations**

Le Canada exporte et importe plus de véhicules automobiles que de tout autre type de biens ou services. Le bois d'œuvre, les pâtes et papiers, le charbon et le pétrole, le matériel électronique, les produits chimiques et les voyages représentent également une part considérable de nos exportations.

**(b) Importations**

Nos principales importations sont les véhicules automobiles, le matériel électronique, les machines industrielles, d'autres biens de consommation et d'autres biens d'équipement ainsi que les voyages.

*Source :* Statistique Canada, *StatCan : CANSIM*

on s'en doute, celle des produits de l'industrie forestière — bois d'œuvre, pâtes et papier.

Les véhicules automobiles sont également notre principale importation. Nous importons aussi beaucoup de matériel électronique, de machinerie industrielle, de biens de consommation et d'autres biens d'équipement.

**Les échanges de services** Le cinquième du commerce international canadien concerne l'échange non pas de biens mais de services. Comment pouvons-nous exporter et importer des services ? Prenons quelques exemples.

Supposons que vous décidiez de passer vos vacances en France et de voyager sur Air France. Ce que vous achetez à Air France n'est pas un bien, mais un service de transport. Même si cette notion peut sembler étrange au premier abord, d'un point de vue économique, vous importez ce service de la France. De même, ce que vous dépensez en gîte et en couvert une fois à destination est une importation de services. Inversement, les vacances d'un étudiant français au Canada sont considérées comme une exportation de services du Canada vers la France. Les Canadiens voyagent beaucoup plus à l'étranger que les étrangers au Canada ; les voyages sont la septième importation canadienne en importance.

Quand nous importons des téléviseurs fabriqués en Corée du Sud, nous pouvons avoir recours, par exemple, à un armateur grec pour transporter la cargaison et à une compagnie britannique pour l'assurer ; ce que nous payons au transporteur grec et à l'assureur britannique est une importation de services. De même, quand un cargo canadien transporte du papier journal à Tokyo, les frais de transport sont une exportation de services vers le Japon. Après les biens énumérés plus haut, les services commerciaux et de transport sont les principales importations du Canada.

## La structure géographique du commerce canadien

Le Canada entretient des relations commerciales importantes avec presque tous les continents du monde. La figure 22.2 donne un aperçu de l'ampleur de ces relations et de leur évolution depuis 1975. Comme on le constate au graphique (a), en 1975, l'essentiel de nos échanges internationaux se faisait avec les États-Unis, et, dans une bien moindre mesure, avec les pays européens, le Japon et les autres pays de l'OCDE. Le graphique (b) indique qu'en 1998 nos échanges avec les États-Unis avaient doublé et que nos échanges avec le reste du monde avaient augmenté, tandis que nos échanges avec l'Europe et le Japon restaient stables. Notons que le Mexique, l'Australie et la Nouvelle-Zélande sont classés sous « Autres pays de l'OCDE », et les pays asiatiques comme la Chine, Hong Kong, Singapour, la Corée du Sud et Taiwan, sous « Autres pays ».

**FIGURE 22.2**

## La répartition géographique du commerce canadien

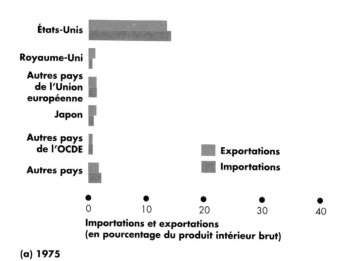

**(a) 1975**

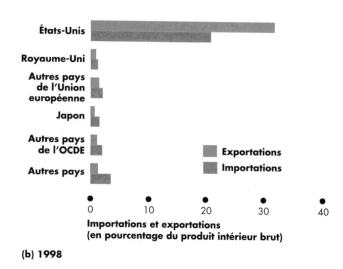

**(b) 1998**

En 1975, les principaux partenaires commerciaux du Canada étaient les États-Unis, le Royaume-Uni et d'autres pays européens. En 1998, nos échanges (en pourcentage du produit intérieur brut) avec les États-Unis ont plus que doublé et notre commerce avec de nouveaux pays s'est accru.

*Source :* Statistique Canada, *StatCan : CANSIM*

En 1975, le Canada enregistrait un léger déficit commercial avec les États-Unis. En 1998, il enregistrait un important excédent commercial, largement attribuable à l'ALENA, entré en vigueur en 1994.

## Les tendances de l'échange

Le commerce international représente une part de plus en plus importante de notre activité économique. En 1975, nous exportions 20 % du total de notre production et nous importions 20 % des biens et des services que nous consommions ; depuis, ces pourcentages ont augmenté constamment et représentent aujourd'hui près du double.

Du côté des exportations, on note un volume accru dans toutes les grandes catégories de produits. On l'a vu, les véhicules automobiles sont devenus la principale exportation canadienne, suivis des produits forestiers (bois d'œuvre, papier et pâte à papier).

Mais c'est du côté des importations qu'on enregistre les changements les plus considérables. Les importations de produits alimentaires et de matières premières ont baissé de manière soutenue. Les importations de pétrole, qui avaient beaucoup augmenté dans les années 1970, ont décliné dans les années 1980. Les importations de machines de toutes sortes, dont le pourcentage était resté relativement stable jusqu'au milieu des années 1980, représentent maintenant près de 50 % de nos importations totales.

La figure 22.3 illustre l'évolution de la *balance commerciale* totale (biens et services) du Canada depuis 1970. Sauf pour le déficit temporaire créé par l'augmentation du coût des importations de pétrole au milieu des années 1970, de 1970 à 1989, notre balance commerciale a été excédentaire ; le Canada était alors un exportateur net. De 1989 à 1993, le Canada était un importateur net ; l'excédent des importations par rapport aux exportations (la balance commerciale négative) a augmenté entre 1989 et 1991, puis il a diminué. En 1994, le Canada est redevenu un exportateur net.

## La balance commerciale et les mouvements internationaux de capitaux

Quand on achète plus qu'on ne vend, on doit financer la différence en empruntant ou en vendant des actifs ; quand, au contraire, on vend plus qu'on achète, on peut utiliser le surplus pour prêter à d'autres ou pour acheter des actifs. Ce principe simple, qui régit les recettes et les dépenses ou les prêts et les emprunts des particuliers comme des entreprises, s'applique également à la balance commerciale des pays. Quand un pays importe plus qu'il n'exporte, il doit financer la différence en empruntant à d'autres pays ou en leur vendant des actifs. Inversement, quand un pays exporte plus qu'il n'importe, il prête à

d'autres pays ou leur achète des actifs, leur permettant ainsi d'acheter des biens d'une valeur qui excède celle des biens qu'ils nous ont vendus.

Dans ce chapitre, nous n'étudierons *pas* les facteurs qui déterminent la balance commerciale dans son ensemble, ni les mouvements de capitaux associés aux déséquilibres de la balance commerciale. Nous chercherons plutôt à expliquer le volume et la direction des flux commerciaux. Pour simplifier, nous construirons un modèle théorique où il n'y a entre les pays ni prêts ni emprunts, mais seulement des échanges de biens et services. Comme il n'y a ni prêts ni emprunts internationaux, la balance commerciale des pays doit être nulle.

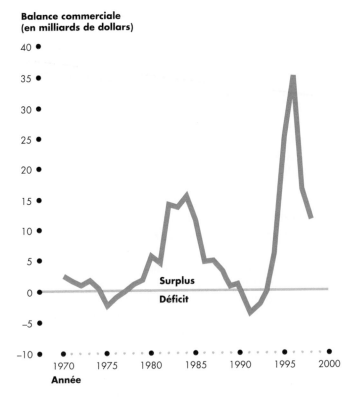

**FIGURE   22.3**

## La balance commerciale du Canada

La balance commerciale du Canada en biens et services fluctue, mais elle est généralement positive — notre pays est un exportateur net. Nous avons enregistré un déficit au milieu des années 1970, puis de 1989 à 1994 ; depuis, nous enregistrons un excédent.

*Source :* Statistique Canada, *StatCan : CANSIM*

Ce modèle nous permettra de comprendre ce qui détermine le volume, la structure et la direction des échanges internationaux, ainsi que les avantages et les coûts des restrictions qu'on y impose. Ce modèle pourrait être élargi de manière à inclure les prêts et les emprunts internationaux, mais cela ne modifierait en rien ses conclusions quant aux avantages du commerce international, ni quant aux facteurs qui déterminent le volume, la structure et la direction des flux commerciaux.

Étudions maintenant ces facteurs.

## Le coût d'opportunité et l'avantage comparatif

REVENONS MAINTENANT AUX LEÇONS DU CHAPITRE 3 sur les gains que Marc et Mireille retiraient de leurs échanges, et appliquons-les au commerce entre pays. Rappelons-nous d'abord comment utiliser la courbe des possibilités de production pour mesurer le coût d'opportunité.

### Le coût d'opportunité à Fermia

Fermia, un pays imaginaire, peut produire des céréales et des voitures à n'importe quel point situé sur la courbe des possibilités de production du graphique de la figure 22.4, ou à l'intérieur de cette courbe. (Nous supposerons que la production de tous les autres biens de Fermia reste constante.) Les Fermiers, habitants de Fermia, consomment toutes les céréales et toutes les voitures qu'ils produisent et leur niveau de production se situe au point *a* de la figure. Donc, Fermia produit et consomme 15 millions de tonnes de céréales et 8 millions de voitures par année. Quel est le coût d'opportunité d'une voiture dans ce pays?

Comme nous l'avons vu au chapitre 3, la pente de la courbe des possibilités de production mesure le coût d'opportunité d'un bien par rapport à un autre bien; on peut donc connaître le coût d'opportunité d'une voiture à Fermia en calculant la pente de la courbe des possibilités de production au point *a*. Pour ce faire, on trace une droite tangente à la courbe de possibilités de production au point *a*, puis on calcule la pente de cette droite. On se souvient de la formule qui permet de calculer la pente d'une droite : la variation de la variable mesurée en ordonnée divisée par la variation de la variable mesurée en abscisse quand on se déplace le long de la droite. Dans cet exemple, on mesure en ordonnée des millions de tonnes de céréales et en abscisse des millions de voitures. La pente représente donc la variation du nombre de tonnes de céréales par rapport à la variation du nombre de voitures.

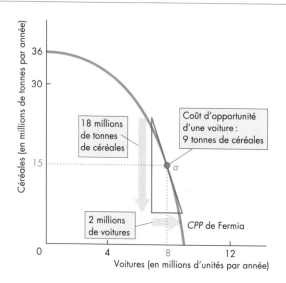

**FIGURE 22.4**

## Le coût d'opportunité à Fermia

Fermia produit et consomme annuellement 15 millions de tonnes de céréales et 8 millions de voitures. En d'autres termes, les Fermiers produisent et consomment au point *a* de la courbe des possibilités de production. Le coût d'opportunité correspond à la pente de la courbe des possibilités de production. Le triangle rose nous indique qu'au point *a* il faut renoncer à 18 millions de tonnes de céréales pour obtenir 2 millions de voitures. Autrement dit, au point *a*, 2 millions de voitures coûtent 18 millions de tonnes de céréales. Par conséquent, une voiture coûte 9 tonnes de céréales, et 9 tonnes de céréales coûtent une voiture.

Comme l'indique le triangle rose, au point *a*, si le nombre de voitures produites augmente de 2 millions, la production de céréales diminue de 18 millions de tonnes. La pente est donc égale à 18 millions divisé par 2 millions, soit à 9 tonnes. Autrement dit, pour produire une voiture de plus, les Fermiers doivent réduire de 9 tonnes leur production de céréales. Le coût d'opportunité d'une voiture correspond donc à 9 tonnes de céréales; en d'autres termes, 9 tonnes de céréales coûtent une voiture.

### Le coût d'opportunité à Manufactura

Étudions maintenant la courbe des possibilités de production de Manufactura, seul autre pays de notre modèle d'économie mondiale. Le graphique de la figure 22.5 montre la courbe des possibilités de production de Manufactura. Comme les Fermiers, les Manufacturiers consomment toutes les céréales et toutes les voitures qu'ils produisent, soit 18 millions de tonnes de céréales et

FIGURE 22.5

## Le coût d'opportunité à Manufactura

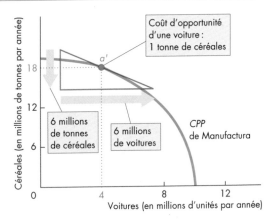

Manufactura produit et consomme annuellement 18 millions de tonnes de céréales et 4 millions de voitures. En d'autres termes, la production et la consommation sont représentées par le point *a′* sur la courbe des possibilités de production. Le coût d'opportunité correspond à la pente de la courbe des possibilités de production. Le triangle rose indique qu'au point *a′* les Manufacturiers doivent renoncer à 6 millions de tonnes de céréales pour obtenir 6 millions de voitures. Autrement dit, au point *a′*, 6 millions de voitures coûtent 6 millions de tonnes de céréales. Une voiture coûte donc 1 tonne de céréales et 1 tonne de céréales permet d'acheter une voiture.

4 millions de voitures par année. Ce niveau de production correspond au point *a′*.

Pour calculer les coûts d'opportunité à Manufactura, on fait le même calcul que pour Fermia. Au point *a′*, le coût d'opportunité d'une voiture est égal à la pente de la ligne rose tangente à la courbe des possibilités de production (*CPP*). Le triangle rose indique que la pente de la courbe des possibilités de production de Manufactura équivaut à 6 millions tonnes de céréales divisé par 6 millions de voitures, ce qui donne 1 tonne de céréales par voiture. Pour produire une voiture de plus, les Manufacturiers doivent renoncer à 1 tonne de céréales. Ainsi, le coût d'opportunité de 1 voiture est de 1 tonne de céréales, et 1 tonne de céréales vaut 1 voiture. Ces prix sont ceux auxquels les Manufacturiers doivent faire face.

### L'avantage comparatif

Les voitures sont moins chères à Manufactura qu'à Fermia; une voiture coûte 9 tonnes de céréales à Fermia, et seulement 1 tonne de céréales à Manufactura. Inversement, les céréales sont moins chères à Fermia qu'à Ma-

nufactura; en effet, 9 tonnes de céréales ne coûtent qu'une voiture à Fermia, alors que la même quantité de céréales vaut 9 voitures à Manufactura.

Manufactura détient donc un avantage comparatif dans la production de voitures, tandis que Fermia détient un avantage comparatif dans la production de céréales. Un pays possède un **avantage comparatif** pour la production d'un bien s'il peut produire ce bien à un coût d'opportunité inférieur à celui d'un autre pays. Voyons comment l'avantage comparatif et la différence entre les coûts d'opportunité permettent à un pays de tirer avantage du commerce international.

## Les gains à l'échange

SI LES MANUFACTURIERS POUVAIENT ACHETER DES céréales au coût de production de Fermia, ils obtiendraient 9 tonnes de céréales en échange d'une voiture. Ce coût est nettement inférieur au coût de production des céréales à Manufactura, où l'on doit renoncer à 9 voitures pour produire 9 tonnes de céréales. Les Manufacturiers gagneraient donc à acheter leurs céréales au prix avantageux de Fermia.

Inversement, si les Fermiers pouvaient se procurer des voitures au prix de production de Manufactura, ils obtiendraient une voiture en échange d'une tonne de céréales. Comme la production d'une voiture coûte 9 tonnes de céréales à Fermia, les Fermiers gagneraient à l'échange.

Il devient alors logique pour les Manufacturiers d'acheter leurs céréales à Fermia, et pour les Fermiers d'acheter leurs voitures à Manufactura. Voyons comment se feront ces échanges internationaux.

### La réalisation des gains à l'échange

Les Fermiers aimeraient acheter des voitures des Manufacturiers, qui, eux, voudraient obtenir des céréales des Fermiers. Voyons maintenant comment les deux nations vont traiter cet échange en étudiant le marché de l'automobile.

Le graphique de la figure 22.6 illustre ce marché. La quantité de voitures *échangée par les deux pays* apparaît sur l'axe des abscisses, l'axe des ordonnées indiquant le prix d'une voiture en tonnes de céréales — son coût d'opportunité. Sans échange international, ce prix est de 9 tonnes de céréales à Fermia (le point *a* sur le graphique), et d'une tonne de céréales à Manufactura (le point *a′*). Les points *a* et *a′* du graphique de la figure 22.6 correspondent aux points *a* et *a′* des figures 22.4 et 22.5. Plus le prix d'une voiture (en tonnes de céréales) est bas, plus la quantité de voitures que les Fermiers désirent importer de Manufactura est grande, ce

## FIGURE 22.6

# Le commerce international d'automobiles

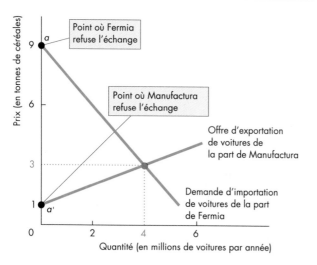

Lorsque le prix d'une voiture baisse, la quantité demandée par l'importateur (Fermia) augmente : la pente de la courbe de demande d'importation est négative. Lorsque le prix d'une voiture augmente, la quantité de voitures offerte par l'exportateur (Manufactura) augmente : la pente de la courbe d'offre d'exportation de voitures de Manufactura est positive. Sans échanges internationaux, le prix d'une voiture est de 9 tonnes de céréales à Fermia (point a) et de 1 tonne de céréales à Manufactura (point a').

Lorsqu'il y a échange commercial international, le prix des voitures se situe à l'intersection de la courbe d'offre d'exportation et de la courbe de demande d'importation, soit à 3 tonnes de céréales. À ce prix, Fermia importe de Manufactura 4 millions de voitures par année, et exporte vers Manufactura 12 millions de tonnes de céréales par année, soit la quantité nécessaire pour payer les automobiles importées.

qu'illustre la courbe à pente négative représentant la demande d'importation de voitures des Fermiers.

Les Manufacturiers ont la réaction inverse : plus le prix des automobiles (en tonnes de céréales) est élevé, plus ils veulent exporter de voitures vers Fermia. L'offre d'exportation de voitures de Manufactura est représentée par la courbe à pente positive de la figure 22.6.

Les conditions du marché mondial déterminent le prix d'équilibre et la quantité échangée. Cet équilibre s'établit au point d'intersection de la courbe de la demande d'importation et de la courbe d'offre d'exportation. Dans notre exemple, le prix d'équilibre d'une voiture se situe à 3 tonnes de céréales. À ce prix, on échange 4 millions de voitures. Notons que le prix d'équilibre est inférieur au prix initial d'une voiture à Fermia, mais supérieur au prix initial d'une voiture à Manufactura.

## L'équilibre des échanges

Comme il n'y a que deux pays dans notre modèle d'économie mondiale, la quantité de voitures exportées par Manufactura — 4 millions par année — est égale au nombre de voitures importées par Fermia. Comment les Fermiers paient-ils les voitures qu'ils achètent ? En exportant des céréales. Quelle quantité de céréales exportent-ils ? Si une voiture coûte 3 tonnes de céréales, 4 millions de voitures coûtent à Fermia 12 millions de tonnes de céréales. Les exportations de céréales de Fermia totalisent donc 12 millions de tonnes par année, ce qui correspond à la quantité de céréales importée par Manufactura.

Manufactura échange chaque année 4 millions de voitures contre 12 millions de tonnes de céréales et Fermia échange 12 millions de tonnes de céréales contre 4 millions de voitures. Le commerce entre ces deux pays est équilibré : pour Fermia comme pour Manufactura, la valeur des exportations est égale à la valeur des importations.

## Les changements dans la production et dans la consommation

Nous avons vu que, grâce au commerce international, les Fermiers peuvent acheter des voitures à un prix moindre que s'ils les produisaient eux-mêmes ; de plus, ce commerce leur permet de vendre leurs céréales à un prix plus élevé. De même, les Manufacturiers peuvent vendre leurs voitures à un prix plus élevé et acheter des céréales à un coût moindre. Tout le monde y gagne. Mais comment est-ce possible ? Et quels changements dans la production et la consommation entraînent ces gains ?

Dans une économie qui ne se livre à aucun échange international, les possibilités de consommation sont identiques aux possibilités de production : une économie en autarcie ne peut consommer que ce qu'elle produit. Par contre, une économie qui commerce avec l'extérieur peut consommer des biens et services en quantités différentes de celles qu'elle produit. La courbe des possibilités de production décrit la limite de ce qu'un pays peut produire, et non pas la limite de ses possibilités de consommation. La figure 22.7 vous aidera à faire la distinction entre les possibilités de production et les possibilités de consommation d'un pays qui commerce avec l'extérieur.

Notez d'abord que la figure comporte deux graphiques : le graphique (a) pour Fermia, et le graphique (b) pour Manufactura. Les courbes des possibilités de production des figures 22.4 et 22.5 sont reproduites ici. Les pentes des deux droites en noir représentent les coûts d'opportunité de chaque pays sans commerce international. La production et la consommation de Fermia se situent au point a ; celles de Manufactura, au point a'. Une voiture coûte 9 tonnes de céréales à Fermia et 1 tonne de céréales à Manufactura.

## FIGURE 22.7
# L'expansion des possibilités de consommation

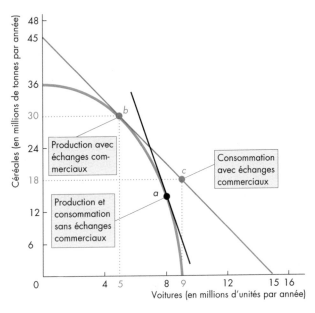

**(a) Fermia**

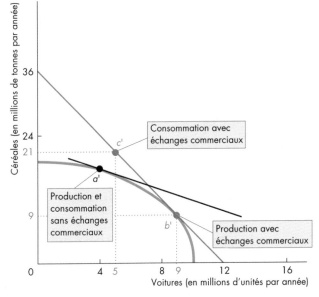

**(b) Manufactura**

Sans échanges commerciaux, les Fermiers produisent et consomment au point *a*, et le coût d'opportunité d'une voiture à Fermia est de 9 tonnes de céréales — pente de la droite en noir au graphique (a). Quant aux Manufacturiers, ils produisent et consomment au point *a´*, et le coût d'opportunité d'une voiture à Manufactura est de 1 tonne de céréales — pente de la droite en noir au graphique (b).

Avec des échanges internationaux, les pays peuvent échanger des biens à raison de 3 tonnes de céréales pour une voiture, et ce tout le long de la droite en rose de leur graphique respectif. Ainsi, les Fermiers — graphique (a) — diminuent leur production de voitures et augmentent leur production de céréales, se déplaçant

de *a* à *b* ; comme ils exportent des céréales et qu'ils importent des voitures, leur consommation se situe au point *c*. Autrement dit, les Fermiers consomment plus d'automobiles et plus de céréales que quand ils produisaient eux-mêmes tous leurs biens de consommation (point *a*).

De leur côté, les Manufacturiers — graphique (b) — augmentent leur production de voitures et réduisent leur production de céréales, se déplaçant ainsi de *a´* à *b´*. Comme ils exportent des voitures et importent des céréales, leur consommation se situe au point *c´*. Autrement dit, les Manufacturiers consomment plus de voitures et plus de céréales que quand ils produisaient eux-mêmes tous leurs biens de consommation (point *a´*).

**Les possibilités de consommation** Dans chacun des graphiques de la figure 22.7, la pente des droites roses représente les possibilités de consommation lorsqu'il y a commerce international. Leur *pente* est identique, car elle correspond au coût d'opportunité d'une voiture — 3 tonnes — sur le marché *international*. Par contre, leur position respective dépend des possibilités de production de chaque pays. Un pays ne peut produire *à l'extérieur* de la courbe des possibilités de production ; sa droite des possibilités de consommation doit donc absolument toucher sa courbe des possibilités de production. Ainsi, Fermia peut décider de consommer soit au point *b*, s'il choisit de ne pas échanger avec Manufactura,

soit à n'importe quel point sur sa droite en rose des possibilités de consommation, s'il participe au commerce international.

**L'équilibre du libre-échange** Grâce au commerce international, les constructeurs d'automobiles de Manufactura obtiennent un meilleur prix pour leur production ; ils produisent un plus grand nombre d'automobiles. Entre-temps, les producteurs de céréales de Manufactura, eux, reçoivent un prix plus bas pour leurs céréales et réduisent donc leur production. Tous les producteurs de Manufactura ajustent leur production en se déplaçant le long de leur courbe des possibilités de production jusqu'à ce que le coût d'opportunité à Manufactura soit égal au prix international — qui est aussi le coût d'opportunité mondial. Cette égalité est atteinte lorsque Manufactura produit au point *b'* du graphique 22.7 (b).

Cependant, la consommation des Manufacturiers, elle, ne se situe pas au point *b'*. Autrement dit, ils n'augmentent pas leur consommation de voitures et ne diminuent pas leur consommation de céréales; simplement, ils vendent à Fermia une partie de leur production automobile en échange d'une partie de la production céréalière de Fermia. Ils font un échange international. Pour comprendre le fonctionnement de cet échange, voyons ce qui se passe à Fermia.

À Fermia, les producteurs d'automobiles reçoivent maintenant un prix moindre pour leur production, tandis que les producteurs de céréales vendent leur production à meilleur prix. Les constructeurs de Fermia diminuent leur production de voitures et augmentent leur production de céréales. Ils ajustent leur production en se déplaçant le long de leur courbe des possibilités de production jusqu'à ce que le coût d'opportunité d'une voiture (exprimé en céréales) soit égal au prix international, soit jusqu'au au point *b* du graphique 22.7 (a). Mais la consommation des Fermiers ne se situe pas à ce point *b*; en fait, ils échangent une partie de leur production supplémentaire de céréales contre des voitures de Manufactura, maintenant moins chères.

Les deux graphiques de la figure 22.7 nous indiquent les quantités consommées dans les deux pays. Nous avons vu à la figure 22.6 que Manufactura exporte 4 millions de voitures par année et que Fermia importe cette même quantité de voitures. Nous avons vu également que Fermia exporte chaque année 12 millions de tonnes de céréales vers Manufactura. Les Fermiers consomment donc annuellement 12 millions de tonnes de moins qu'ils n'en produisent; en contrepartie, ils achètent 4 millions d'automobiles de plus qu'ils n'en produisent. Leur consommation se situe au point *c* du graphique 22.7 (a).

De même, nous savons que les Manufacturiers consomment 12 millions de tonnes de céréales de plus qu'il n'en produisent et que, en contrepartie, ils consomment 4 millions de voitures de moins qu'ils n'en produisent. La consommation des Manufacturiers se situe donc au point *c'* du graphique 22.7 (b).

**Le calcul des gains à l'échange** Les deux graphiques de la figure 22.7 illustrent bien les gains qui résultent de ces échanges. Le graphique 22.7 (a) montre que, sans commerce international, la production et la consommation des Fermiers se situent au point *a*, qui se trouve *sur* la courbe des possibilités de production de Fermia. Grâce au commerce international, la consommation des Fermiers passe au point *c*, situé à l'*extérieur* de la courbe des possibilités de production. Au point *c*, les Fermiers consomment annuellement 3 millions de tonnes de céréales et

1 million de voitures de plus qu'auparavant. Cette augmentation de la consommation de voitures et de céréales, consommation qui dépasse maintenant les limites de la courbe des possibilités de production, correspond aux gains que le commerce international procure aux Fermiers.

Les Manufacturiers gagnent également à l'échange. Sans commerce international, leur consommation se situe au point *a'* (graphique b), qui se trouve *sur* la courbe des possibilités de production de Manufactura. En s'adonnant au commerce international, ils font passer leur consommation au point *c'*, situé à l'*extérieur* de la courbe des possibilités de production. Grâce aux échanges internationaux, les Manufacturiers consomment maintenant 3 millions de tonnes de céréales et 1 million de voitures de plus par année. Cette augmentation de la consommation de céréales et de voitures correspond aux gains à l'échange pour les Manufacturiers.

## Un échange où tout le monde gagne

Quand ils discutent de commerce international, les gens disent souvent qu'il faut favoriser une «concurrence loyale» en établissant clairement les règles du jeu et qu'il faut adopter des mesures pour protéger nos industries contre la concurrence étrangère. Ils parlent du commerce international comme d'un jeu où il y a des gagnants et des perdants. Pourtant, dans les échanges que nous venons d'étudier entre les Fermiers et les Manufacturiers, il n'y a *pas* de perdants: tout le monde profite des échanges. Les vendeurs ajoutent la demande nette des étrangers à leur demande nationale, et leur marché se développe; les acheteurs profitent d'une offre totale plus importante puisque l'offre nette extérieure s'ajoute à l'offre intérieure. On le sait, les prix augmentent lorsque la demande se gonfle et ils diminuent lorsque l'offre s'accroît. Ainsi, une demande plus forte (exportation des étrangers) entraîne une augmentation des prix et une offre accrue (importation des étrangers) provoque une diminution des prix. Les avantages que retire un pays du commerce international n'entraînent donc aucune perte pour un autre pays. Dans cet exemple, les deux pays qui se livrent à des échanges tirent avantage de ce commerce international.

## L'avantage absolu

Supposons que, pour produire un volume donné de céréales ou de voitures, on ait toujours besoin de moins de travailleurs à Manufactura qu'à Fermia — autrement dit, que la productivité de Manufactura soit supérieure à celle de Fermia. Si c'est le cas, on dira que Manufactura possède un avantage absolu sur Fermia. Un pays détient un **avantage absolu** sur un autre pays si sa productivité est supérieure à celle de cet autre pays pour tous les biens. Mais, avec un avantage absolu, Manufactura ne risque-t-il pas de s'emparer de tous les marchés? Si un pays comme Manufactura peut produire tous les biens avec moins de facteurs de production qu'un autre, quel intérêt aurait-il à acheter *quoi que ce soit* à l'étranger?

En fait, les coûts de production, mesurés par la quantité de facteurs de production mis en œuvre, n'ont rien à voir avec les gains qu'on peut retirer des échanges. En elles-mêmes, les quantités de ressources nécessaires pour produire une tonne de céréales ou fabriquer une voiture n'expliquent pas les gains à l'échange, puisque l'important, c'est le nombre de voitures auquel on doit renoncer pour produire plus de céréales, ou la quantité de céréales à laquelle on doit renoncer pour fabriquer plus de voitures — le coût d'opportunité d'un bien par rapport à un autre. (Pour mieux saisir pourquoi l'avantage absolu n'influe pas sur les gains à l'échange, voir le chapitre 3, p. 54-55.)

Manufactura peut détenir un avantage absolu dans la production de tous les biens, mais il ne peut pas détenir un avantage comparatif dans la production de tous les biens. Affirmer que le coût d'opportunité des voitures est plus bas à Manufactura qu'à Fermia revient à dire que le coût d'opportunité des céréales est plus élevé à Manufactura qu'à Fermia. Par conséquent, *lorsque les coûts d'opportunité diffèrent, tous les pays possèdent un avantage comparatif pour un bien quelconque.* Tous les pays peuvent donc tirer avantage du commerce international.

Ce fait a des répercussions considérables pour l'économie mondiale actuelle. Elle signifie que les pays à forte productivité comme le Canada peuvent tirer avantage du commerce avec des pays à faible productivité comme le Mexique.

La rubrique « L'évolution des connaissances » (p. 534) retrace l'histoire de notre compréhension des gains liés au commerce international.

## À RETENIR

- Lorsque les coûts d'opportunité des biens diffèrent entre les pays, il y a des gains à l'échange international.

- Tout pays peut se procurer auprès d'un autre pays des biens et services à un coût d'opportunité moindre que le coût auquel il peut les produire pour lui-même.

- Pour réaliser des gains à l'échange, chaque pays doit augmenter sa production de biens et services pour lesquels il a un avantage comparatif — ceux qu'il peut produire à un coût d'opportunité inférieur —, et échanger une partie de cette production contre la production d'autres pays.

- Tous les pays peuvent tirer avantage du commerce international, car tous possèdent un avantage comparatif pour certains produits.

## Les gains du commerce international dans le monde réel

LES GAINS À L'ÉCHANGE — COMME LES GAINS EN céréales et en voitures réalisés par Fermia et Manufactura dans notre modèle économique — n'existent pas seulement dans les mondes imaginaires; tous les jours, des échanges commerciaux génèrent des gains dans le monde réel.

### L'avantage comparatif dans l'économie mondiale

Le Canada achète des voitures fabriquées au Japon et les producteurs canadiens de céréales et de bois d'œuvre vendent une partie de leur production aux entreprises et ménages japonais. Nous achetons des avions et des légumes produits aux États-Unis et, en retour, nous vendons aux Américains du gaz naturel et des produits forestiers. Nous achetons des chemises et des articles de mode de Hong-Kong, à qui nous vendons de la machinerie. Nous achetons des téléviseurs et des magnétoscopes de la Corée du Sud et de Taiwan et, en retour, nous leur vendons des services — financiers et autres — ainsi que des produits manufacturés. Nous fabriquons certains types de biens manufacturés, les Européens et les Japonais en fabriquent d'autres types, et nous procédons à des échanges.

Voilà autant d'exemples d'échanges commerciaux qui, comme les échanges internationaux entre Fermia et Manufactura, sont générés par l'avantage comparatif. Tous les échanges commerciaux découlent de l'avantage comparatif, même lorsqu'il s'agit de l'échange de biens de même nature, comme les voitures et les machines. D'emblée, il semble curieux que les pays échangent des produits manufacturés. Pourquoi chaque pays développé ne produit-il pas lui-même tous les biens manufacturés que ses citoyens veulent acheter? Voyons cela de plus près.

### L'échange de biens de même nature

En quoi est-il logique que le Canada fabrique des voitures pour l'exportation, alors qu'il en importe une grande quantité des États-Unis, du Japon, de la Corée et de l'Europe de l'Ouest? Ne serait-il pas plus sensé pour les Canadiens de produire ici même toutes les voitures qu'ils achètent? Après tout, nous avons accès à la meilleure technologie de production de voitures, nos travailleurs de l'automobile sont certainement aussi productifs que ceux des États-Unis, d'Europe de l'Ouest et des pays du Pacifique et nous disposons d'autant de capital — chaînes de production, robots et outillages divers — que les producteurs du reste du monde. Cet inventaire des conditions de production ne répond donc pas à notre question : pourquoi faire des échanges de produits de même nature réalisés par une main-d'œuvre similaire à l'aide des mêmes installations ? Qu'est-ce qui justifie ces échanges ? Pourquoi le Canada détient-il un avantage comparatif dans la production de certains types de voitures, et les États-Unis, le Japon et l'Europe, dans d'autres types de voitures ?

**La diversité des préférences**  Le premier élément de réponse réside dans la très grande diversité des préférences, ce qu'illustre bien l'exemple des automobiles. Certains aiment les voitures sport, d'autres les limousines, d'autres encore les voitures intermédiaires ou les fourgonnettes. Et il n'y a pas que la catégorie ou la taille. Certains veulent une voiture économique en énergie, tandis que d'autres privilégient la performance, le confort ou la sécurité. Certains tiennent au coffre arrière spacieux ; d'autres ne sauraient se passer des quatre roues motrices ou de la traction avant. Certains préfèrent la transmission automatique ; d'autres, la transmission manuelle. Il y a ceux qui ne jurent que par la robustesse, ceux qui craquent pour l'élégance de la ligne, les mordus du tape-à-l'œil et de la calandre en temple grec, et les amateurs de tacots sympathiques… Bref, les goûts des consommateurs sont infiniment variés et une gamme limitée de modèles standard ne saurait les satisfaire. Ils aiment la diversité et ils sont prêts à en payer le prix.

**Les économies d'échelle**  Le deuxième élément de réponse tient aux *économies d'échelle,* grâce auxquelles le coût de production moyen baisse à mesure que le niveau de production augmente. Bon nombre de produits manufacturés, notamment les automobiles, permettent de réaliser des économies d'échelle. Par exemple, s'il ne produit qu'une centaine (ou même quelques milliers) de voitures d'un type très particulier, le constructeur automobile devra recourir à des techniques de production beaucoup moins automatisées, qui exigent donc plus de main-d'œuvre, que s'il fabriquait des centaines de milliers de voitures de ce modèle ; son coût unitaire sera donc élevé. Par contre, si son volume de production est très élevé et qu'il peut avoir recours à des chaînes de montage plus automatisées, il pourra réduire considérablement son coût moyen de production. Mais pour diminuer les coûts il faut que les chaînes de montage automatisées produisent un très grand nombre de voitures.

La diversité des préférences et les économies d'échelle expliquent donc que des produits peu différenciés donnent lieu à un avantage comparatif et fassent l'objet d'un commerce international intense. Si toutes les voitures achetées au Canada y étaient également fabriquées — aucune importation — et que les constructeurs continuaient à offrir la même diversité de produits, les séries de production de certains modèles seraient extrêmement courtes et ne leur permettraient pas de réaliser des économies d'échelle.

Grâce au commerce international, tout constructeur a accès au marché mondial ; chacun peut se spécialiser dans une gamme de produits et les vendre partout dans le monde. Cela permet de grandes séries de production pour les voitures les plus recherchées, et des séries de production suffisantes même pour des voitures qui ne trouvent qu'une clientèle limitée dans chaque pays.

On retrouve cette situation dans de nombreuses industries, notamment celles où l'on produit des biens d'équipement et des pièces spécialisées. Ainsi, le Canada exporte des logiciels d'illustration, mais il importe des puces mémoire ; il exporte des ordinateurs centraux, mais il importe des ordinateurs compatibles ; il exporte du matériel de télécommunications, mais il importe des magnétoscopes. Le commerce international de produits manufacturés légèrement différenciés est une activité très rentable. On peut expliquer ce type de commerce à l'aide du modèle de commerce international étudié plus haut ; il suffit de penser aux divers types de voitures — voiture sport, limousine, familiale, etc. — comme à autant de biens différents. En se spécialisant dans certaines productions, chaque pays peut réaliser d'importantes économies d'échelle et obtenir l'équivalent d'un avantage comparatif.

Nous avons vu que tous les pays peuvent tirer profit de l'avantage comparatif et du commerce international, peu importe la nature des biens échangés. Lorsque les États-Unis, le Japon ou les pays riches de l'Union européenne importent des matières premières du tiers monde, de l'Australie et du Canada, les pays importateurs en tirent autant de profit que les pays exportateurs. Quand nous achetons des téléviseurs, des magnétoscopes, des vêtements ou d'autres produits bon marché venant de pays où les salaires sont bas, nous tirons profit de ces échanges, tout comme les pays exportateurs. Il est vrai que, si nous importons plus de voitures et que nous en produisons moins nous-mêmes, nous verrons décliner l'emploi dans notre secteur automobile, mais cela contribuera à créer des emplois dans d'autres secteurs où nos avantages comparatifs nous permettent d'être concurrentiels. Une fois le processus de restructuration de l'économie terminé, les gens qui ont perdu leur emploi en auront trouvé un autre dans un secteur en expansion, et pourront acheter des biens produits dans d'autres pays à des prix encore plus bas qu'autrefois. Les gains que le commerce international apporte aux uns ne se font pas nécessairement au détriment des autres.

Cependant, l'ajustement aux changements de l'avantage comparatif qui modifient la structure du commerce international risquent de prendre du temps. Ainsi, l'augmentation des importations d'automobiles et le déclin de la production automobile du Canada qui s'en est suivi n'ont certainement pas enrichi à court terme les travailleurs canadiens qui ont perdu leur emploi. La recherche d'un meilleur emploi est fastidieuse ; bien des travailleurs qualifiés doivent s'accommoder de salaires moindres et de tâches qui ne font pas appel à leur expérience. Ce n'est qu'à long terme que la spécialisation et le commerce international profitent à tous et à toutes. À court terme, les travailleurs et les entrepreneurs des industries qui ne détiennent pas d'avantage comparatif risquent d'avoir à supporter des coûts très élevés et ce, sur d'assez longues périodes. Certains travailleurs qualifiés ont atteint un âge où il ne serait plus rentable de déménager ou d'accepter un emploi dans un autre secteur; ceux-là ne partageront donc jamais les gains.

En partie à cause des coûts de l'ajustement à la transformation de la structure du commerce mondial, mais aussi pour d'autres raisons, presque tous les gouvernements interviennent dans les échanges commerciaux en leur imposant des restrictions de manière à protéger certains secteurs d'activité. Nous verrons que le libre-échange entraîne les meilleurs avantages qui soient et nous tâcherons de comprendre pourquoi il arrive malgré tout que les gouvernements limitent les échanges.

## Les pratiques commerciales restrictives

LES GOUVERNEMENTS RESTREIGNENT PARFOIS LE commerce international afin de protéger la production nationale de la concurrence étrangère: cette pratique s'appelle le **protectionnisme**. Deux types de mesures restreignent le commerce international:

1. les tarifs douaniers,
2. les barrières commerciales non tarifaires.

Le **tarif douanier** (ou **droit de douane**) est une taxe qu'un gouvernement impose sur un bien importé lorsque ce bien passe ses frontières. On appelle **barrières non tarifaires** toutes les autres mesures qui limitent le commerce international. Par exemple, les quotas d'importation et l'obligation faite aux importateurs d'obtenir une licence d'importation sont des barrières non tarifaires. Nous y reviendrons, mais penchons-nous d'abord sur l'évolution des tarifs douaniers.

### L'histoire des tarifs douaniers

L'économie canadienne a toujours été protégée par des tarifs douaniers. La figure 22.8 décrit l'évolution de la protection tarifaire des débuts de la Confédération jusqu'en 1997. Le niveau moyen des tarifs est exprimé en pourcentage de la valeur des importations totales. Comme le montre la figure, faible au début des années 1870, le taux moyen de protection tarifaire dépassait déjà les 20 % en 1890; après quelques fluctuations, il a décliné de façon continue depuis les années 1930, déclin qui s'est accentué après la Deuxième Guerre mondiale, à la suite de l'adoption de l'Accord général sur les tarifs douaniers et le commerce (GATT).

L'**Accord général sur les tarifs douaniers et le commerce** — ou **GATT** (*General Agreement on Tariffs and Trade*) — est une entente visant à limiter les interventions étatiques en matière de commerce international. Négocié dès la fin de la Deuxième Guerre mondiale, le GATT a été signé en octobre 1947. Il vise à libéraliser les activités commerciales et à fournir un cadre administratif pour la négociation d'arrangements commerciaux plus libéraux. Le GATT est administré par un petit organisme dont le siège social est à Genève.

Depuis la formation du GATT, il y a eu plusieurs cycles ou rounds de négociation dont la plupart ont abouti à des réductions tarifaires; le *Kennedy Round* (1962–1967) en a amené de substantielles et d'autres ont été négociées lors du *Tokyo Round* (1973-1979).

Le cycle de négociation le plus récent, l'*Uruguay Round* (1986–1994), a été le plus ambitieux et le plus complet, menant à un accord entre 115 pays afin de réduire les tarifs et d'empêcher le protectionnisme exercé sous forme de subventions ou de traitements de faveur lors des achats publics. On dit que cet accord a entraîné la réduction tarifaire la plus importante de l'histoire et on prévoit que les gains de la spécialisation et du commerce international accroîtront la production mondiale de 1 % par année.

L'élimination graduelle de bon nombre de subventions agricoles, le renforcement des droits de propriété intellectuelle (droits d'auteurs et brevets) et la création d'une nouvelle Organisation mondiale du commerce (OMC) étaient au centre des discussions de l'*Uruguay Round*. Tous les pays membres de l'OMC sont tenus de respecter les règlements du GATT et de limiter le recours aux subventions comme solution de rechange aux tarifs douaniers et à d'autres formes de protectionnisme. Le Canada a signé les accords de l'*Uruguay Round* en 1994.

En plus d'adhérer aux accords multilatéraux du GATT et de l'OMC, le Canada a signé d'autres accords, le principal étant l'Accord de libre-échange nord-américain (ALENA), entré en vigueur le 1er janvier 1994. En vertu de cet accord, les barrières imposées au commerce international entre le Canada, les États-Unis et le Mexique seront pratiquement éliminées d'ici 15 ans (10 ans pour l'échange entre le Canada et les États-Unis en vertu de l'Accord de libre-échange entre le Canada et les États-Unis, qui est entré en vigueur le 1er janvier 1989). L'ALENA semble avoir eu pour conséquence de faire croître les exportations et les importations entre les trois pays.

Les barrières tarifaires ont presque entièrement disparu entre les pays membres de l'Union européenne, union qui a créé le plus grand des marchés intégrés sans tarifs douaniers au monde. En 1994, les négociations qui se sont déroulées au sein de la Coopération économique en Asie-Pacifique (CEAP) ont mené à l'établissement d'un accord de principe en vue de créer une zone de libre-échange englobant la Chine, toutes les économies de l'Asie de l'Est et du sud du Pacifique, ainsi que le

FIGURE **22.8**

## Les tarifs douaniers canadiens : 1860-1997

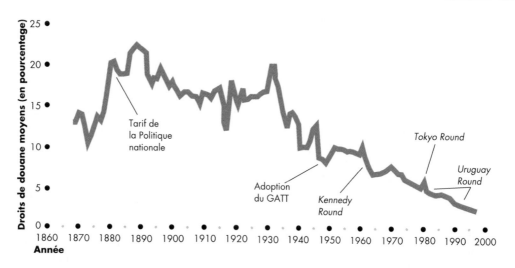

Les tarifs canadiens existaient déjà avant la Confédération. Ils ont augmenté de façon continue jusqu'en 1870, pour décroître ensuite lentement jusqu'à la hausse des années 1930. Depuis l'adoption du GATT en 1947, les tarifs ont décliné progressivement à la suite de plusieurs cycles de négociation, dont les plus importants sont mentionnés dans la figure. Ils n'ont jamais été aussi bas qu'à l'heure actuelle.

*Sources*: Statistique Canada, *Statistiques historiques du Canada*, Série G485, et *StatCan*: CANSIM, mars 1996.

Canada et les États-Unis. Comme certaines de ces économies connaissent les croissances les plus rapides, cet accord pourrait bien préfigurer l'établissement d'une zone de libre-échange à l'échelle mondiale.

Cet énorme effort consenti pour parvenir au libre-échange souligne le fait que certains secteurs restent soumis à des tarifs douaniers considérables. Les tarifs douaniers les plus élevés auxquels font face les Canadiens sont les droits de douane de plus de 10 % (en moyenne) qui sont imposés sur presque toutes nos importations de textiles et de chaussures. Par exemple, quand vous achetez un jean à 20 $, vous payez environ 5 $ de droit de douane ; en d'autres mots, s'il y avait libre-échange dans le textile, le même jean ne vous coûterait que 15 $. Autres produits protégés par des tarifs douaniers : les produits agricoles, l'énergie, les produits chimiques, les minéraux et les métaux. La viande et les fromages nous coûtent beaucoup plus cher que s'il y avait un libre-échange international sur ces marchés.

Pour les gouvernements, la tentation d'imposer des tarifs douaniers est forte. Non seulement ceux-ci représentent une source de revenus, mais ils leur permettent de protéger les intérêts spécifiques de certaines industries que concurrencent directement les importations. Toutefois, comme nous le verrons, le libre-échange international comporte d'énormes avantages que les tarifs douaniers ne peuvent qu'amoindrir. Voyons comment.

### Le fonctionnement des tarifs douaniers

Pour déterminer les effets des tarifs douaniers, nous reprendrons l'exemple du commerce entre Fermia et Manufactura. La figure 22.9 présente le marché international des automobiles, où les seuls partenaires commerciaux sont ces deux pays.

Le volume des échanges et le prix d'une automobile sont fixés par le point d'intersection de la courbe d'offre d'exportation de voitures de Manufactura et de la courbe de demande d'importation de voitures de Fermia.

À la figure 22.9, comme à la figure 22.6, les deux pays échangent des voitures et des céréales. Manufactura exporte des voitures, et Fermia, des céréales. Fermia importe 4 millions de voitures par année et, sur le marché mondial, une voiture s'échange contre 3 tonnes de céréales. Pour rendre l'exemple plus concret, la figure 22.9 exprime les prix en dollars plutôt qu'en unités de céréales. Si une tonne de céréales coûte 1 000 $, une voiture vaut 3 000 $.

Supposons le scénario suivant : le gouvernement de Fermia, probablement sous la pression des constructeurs d'automobiles du pays, décide d'imposer un tarif douanier de 4 000 $ sur chaque voiture importée de Manufactura — un tarif prohibitif, mais les constructeurs d'automobiles de Fermia en ont vraiment assez de la concurrence de Manufactura. Que se passe-t-il ?

## FIGURE 22.9
## Les effets d'un tarif douanier

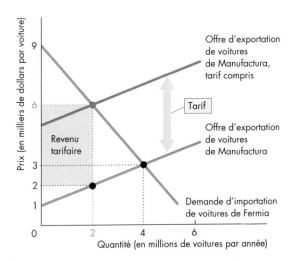

Fermia impose un tarif douanier sur les voitures importées de Manufactura. Ce tarif augmente le prix que payent les Fermiers pour ces voitures. Il déplace vers le haut la courbe d'offre de voitures à Fermia. L'écart entre la courbe d'offre initiale et la nouvelle courbe d'offre équivaut au tarif douanier perçu, soit 4 000 $ par voiture. À Fermia, le prix des voitures augmente et la quantité de voitures importées diminue. Le gouvernement de Fermia perçoit un tarif de 4 000 $ par voiture, soit des revenus tarifaires de 8 milliards de dollars pour les 2 millions de voitures importées. L'exportation de céréales de Fermia diminue aussi, car Manufactura tire maintenant des revenus moindres de ses exportations de voitures.

Pour répondre à cette question, on doit procéder en deux étapes. D'abord on doit déterminer les effets de l'imposition d'un tel tarif sur l'offre de voitures de Fermia. Dorénavant, à Manufactura, les voitures ne sont plus disponibles au prix de l'offre d'exportation ; leur prix est majoré de 4 000 $ — montant versé au gouvernement de Fermia pour chaque voiture importée de Manufactura. La courbe d'offre de voitures de Manufactura se déplace donc vers le haut, déplacement qui, comme l'indique la figure 22.9, correspond au même montant que le tarif imposé. La nouvelle courbe d'offre (en rose) représente le prix que les Fermiers devront payer (tarif inclus) selon la quantité de véhicules achetés. L'écart vertical entre la courbe initiale d'offre d'exportation de Manufactura et sa nouvelle courbe d'offre est égale au tarif douanier imposé par le gouvernement de Fermia — soit 4 000 $ par voiture.

La deuxième étape de l'analyse consiste à déterminer le nouvel équilibre de marché. L'imposition d'un tarif douanier n'a aucun effet sur la demande d'automobiles de Fermia. Elle n'a donc aucun effet sur la demande d'importation de voitures de Fermia, et la courbe de demande d'importation de Fermia demeure inchangée. Le nouvel équilibre se situe au point d'intersection de la nouvelle courbe d'offre et de la courbe de demande d'importation de Fermia. À ce point, le prix d'une voiture est de 6 000 $ et on importe 2 millions de voitures par année. Les importations baissent de 4 millions à 2 millions de voitures par année. Au prix de 6 000 $ la voiture, les constructeurs d'automobiles de Fermia augmentent leur production ; des facteurs de production doivent être déplacés vers l'industrie automobile en expansion et la production céréalière du pays diminue donc.

La dépense totale des Fermiers pour les voitures importées est de 12 milliards de dollars (6 000 $ la voiture × 2 millions de voitures), mais cette somme n'est pas perçue en totalité par les Manufacturiers, qui ne reçoivent que 2 000 $ par voiture, soit 4 milliards de dollars pour les 2 millions de voitures. La différence, 4 000 $ par voiture — 8 milliards de dollars pour 2 millions de voitures — est perçue par le gouvernement de Fermia à titre de revenu douanier.

Évidemment, le gouvernement de Fermia est ravi : il perçoit 8 milliards de dollars de plus qu'auparavant. Mais que pensent les Fermiers de cette nouvelle situation ? La courbe de demande nous donne le prix maximal qu'un acheteur est prêt à payer pour une unité supplémentaire du bien. Comme le révèle la courbe de demande de voitures de Fermia, le consommateur serait prêt à payer presque 6 000 $ pour importer de Manufactura une voiture supplémentaire. La courbe d'offre d'exportation des voitures de Manufactura nous indique le prix minimal que les vendeurs de voitures de Manufactura sont disposés à accepter pour offrir des voitures ; ce prix est légèrement supérieur à 2 000 $. Comme quelqu'un est disposé à payer presque 6 000 $ pour une voiture que quelqu'un d'autre est prêt à fournir pour un peu plus de 2 000 $, il y aurait évidemment un gain à tirer de l'échange d'une voiture additionnelle. En fait, il y a des gains à l'échange qui restent inexploités, car le prix que le consommateur est prêt à payer excède le prix d'offre minimal. Ce n'est qu'à un niveau d'échange de 4 millions de voitures que le prix maximal qu'un Fermier est prêt à payer correspond au prix minimal acceptable pour un Manufacturier. Comme on le voit, les restrictions imposées au commerce réduisent la quantité des importations, augmentent le prix du bien du pays importateur et diminuent les gains à l'échange.

Les tarifs douaniers ont également réduit la dépense totale en biens importés de Fermia. En régime de libre-échange, Fermia achetait chaque année à Manufactura 4 millions de voitures à 3 000 $ l'unité ; les dépenses annuelles d'importation totalisaient alors 12 milliards de dollars. Après l'imposition du tarif douanier, les importations de Fermia sont tombées à 2 millions de voitures par année et le prix payé à Manufactura n'est plus que de

2 000 $ la voiture — ce qui a ramené les dépenses d'importation à 4 milliards de dollars par année. Cette situation rendra-t-elle la balance commerciale de Fermia excédentaire ? Ce pays importe-t-il maintenant moins qu'il n'exporte ?

Pour répondre à cette question, il faut comprendre ce qui se passe à Manufactura. Nous venons de voir que le prix reçu par Manufactura pour chacune de ses voitures est tombé de 3 000 $ à 2 000 $, ce qui a aussi fait baisser le prix des voitures. Mais le prix des céréales, lui, est resté de 1 000 $ la tonne. Donc, le prix relatif d'une voiture a diminué et le prix relatif des céréales a augmenté. Avec le libre-échange, les Manufacturiers pouvaient obtenir 3 tonnes de céréales contre une voiture ; cette quantité n'est plus maintenant que de 2 tonnes. Comme le prix relatif des céréales a augmenté, la quantité demandée par les Manufacturiers diminue. Les Manufacturiers importent donc moins de céréales, ce qui signifie évidemment que les Fermiers en exportent moins. En fait, l'industrie céréalière de Fermia s'en trouve modifiée de deux façons : d'abord par la diminution de la quantité de céréales vendue à Manufactura, puis par l'expansion de l'industrie automobile qui accroît la concurrence pour les facteurs de production. L'imposition d'un tarif douanier sur les automobiles a donc réduit la taille de l'industrie céréalière de Fermia.

Au premier abord, il peut sembler paradoxal que, en imposant un tarif douanier sur l'importation de voitures, un pays se pénalise lui-même et réduise ses exportations de céréales. Pour mieux comprendre, examinons le phénomène sous un autre angle. Les Manufacturiers achètent des céréales grâce à l'argent qu'ils gagnent en exportant des voitures à Fermia. S'ils exportent moins de voitures, ils ne peuvent plus acheter autant de céréales. En fait, à moins de recourir à des prêts entre pays, Manufactura doit réduire ses importations de céréales d'un montant égal à la perte de revenu que lui inflige la baisse de ses exportations de voitures. À Manufactura, les importations céréalières ne se chiffrent plus qu'à 4 milliards de dollars, puisque l'exportation de voitures de ce pays ne lui apporte plus assez de revenus pour dépasser ce montant. Ainsi, la balance commerciale de chaque pays reste en équilibre, même après l'imposition d'un tarif douanier. Le tarif a réduit les importations, mais il a également diminué les exportations, et la réduction de la valeur des exportations est exactement égale à la réduction de la valeur des importations. Le tarif douanier n'a donc aucun effet sur la balance commerciale ; il ne fait que réduire le volume des échanges.

Ce résultat est probablement l'un des aspects les plus mal compris de l'économie internationale. À maintes reprises, les gouvernements ou les milieux d'affaires ont réclamé l'imposition de tarifs douaniers afin de combler le déficit de la balance commerciale, ou ont soutenu que la réduction des tarifs produirait un déficit de la balance commerciale. S'ils sont arrivés à cette conclusion, c'est faute d'avoir tenu compte de tous les effets qu'entraîne un tarif douanier. Comme l'imposition d'un tarif douanier augmente le prix des importations et réduit leur volume, on est porté à croire qu'elle réduit le déficit de la balance commerciale. Mais c'est oublier que le tarif douanier modifie également le *volume* des exportations. Du point de vue de l'équilibre de la balance commerciale, le tarif a pour effet de réduire de manière équivalente le volume des échanges dans les deux directions. La balance commerciale reste donc inchangée.

**Apprendre à rude école** Après l'analyse que nous venons de faire, une conclusion s'impose : les tarifs douaniers réduisent à la fois les importations et les exportations. Nous avons mis beaucoup de temps à comprendre cette leçon. Comme le montre la figure 22.8, à plusieurs reprises dans son histoire, le Canada a imposé des tarifs douaniers élevés. Or, chaque fois, le volume des échanges a diminué. L'exemple le plus frappant de ce phénomène remonte à la crise des années 1930. Les États-Unis, dont le volume d'importations et d'exportations était le plus important, avaient augmenté leurs tarifs douaniers ; par mesure de représailles, un grand nombre de pays en ont fait autant. L'opération a presque anéanti le commerce international.

Examinons maintenant le deuxième type de mesures protectionnistes : les barrières non tarifaires.

## Les barrières non tarifaires

Essentiellement, les barrières non tarifaires existent sous deux formes :
1. les quotas d'importation,
2. les restrictions volontaires d'exportation.

Le **quota d'importation** est une restriction quantitative ; il spécifie la quantité maximale d'un bien qu'on peut importer durant une période donnée. Les quotas touchent plusieurs produits d'importation, notamment le fromage. La **restriction volontaire d'exportation** est une entente entre deux gouvernements en vertu de laquelle le pays exportateur accepte de limiter le volume de ses exportations d'un bien particulier. La restriction volontaire d'exportation est souvent appelée RVE. L'accord sur le bois d'œuvre signé entre le Canada et les États-Unis en est un bon exemple.

Depuis la Deuxième Guerre mondiale, les barrières non tarifaires jouent un rôle important dans le commerce international, à tel point qu'aujourd'hui on s'entend pour dire qu'elles sont devenues pour le commerce international des obstacles plus difficiles à surmonter que les tarifs douaniers eux-mêmes.

Les quotas revêtent une importance particulière dans l'industrie textile. En vertu d'une entente internationale — l'Accord multifibres —, la plupart des pays ont établi des quotas sur un large éventail de produits textiles. Les produits agricoles sont également soumis à des quotas.

Quant aux restrictions volontaires d'exportation, elles jouent un rôle particulièrement important dans le commerce des automobiles entre le Japon et l'Amérique du Nord.

Des économistes ont tenté de quantifier les effets des barrières non tarifaires pour mieux les comparer à ceux des tarifs douaniers. Leurs études visent à déterminer le tarif (ce qu'on appelle l'*équivalent tarifaire*) qui aurait sur le commerce international le même effet limitatif que les barrières non tarifaires; cela fait, il devient possible d'additionner le tarif douanier et l'équivalent tarifaire des barrières non tarifaires pour connaître le niveau total de la protection accordée à l'industrie nationale. Dans le cas du Canada, ces études montrent qu'il faut multiplier par trois le niveau de protection qu'assurent les seules barrières tarifaires. Or, le Canada est l'un des pays les moins protectionnistes au monde. Le taux de protection totale est plus élevé dans l'Union européenne, et encore plus considérable dans d'autres pays développés comme le Japon. Ce sont les pays les moins développés ou en voie d'industrialisation qui maintiennent les taux de protection les plus élevés.

## Les effets des quotas et des restrictions volontaires d'exportation

Pour comprendre l'effet des barrières non tarifaires sur le commerce international, reprenons notre exemple du commerce entre Fermia et Manufactura. Supposons que Fermia impose un quota sur les importations d'automobiles. Plus précisément, supposons que ce quota limite les importations à 2 millions de voitures par année. Quels sont les effets de cette mesure?

Dans la figure 22.10, la droite verticale rose représente le quota annuel de 2 millions de voitures. Comme il est illégal d'en importer davantage, les importateurs n'achètent aux constructeurs de Manufactura que 2 millions de voitures. Ils leur versent 2 000 $ pour chaque voiture. Mais combien vendent-ils eux-mêmes ces automobiles? Ils les vendent 6 000 $ l'unité. Puisque l'offre d'importation de voitures est limitée à 2 millions par année, ceux qui ont des voitures à vendre pourront en obtenir 6 000 $. La quantité de voitures importée est égale à la quantité fixée par le quota.

L'importation de voitures devient ainsi une affaire rentable. L'importateur obtient 6 000 $ pour un article qui ne lui coûte que 2 000 $. Il s'ensuit une vive concurrence entre les importateurs de voitures pour obtenir les *licences d'importation* à l'intérieur du quota disponible. La possession d'une licence d'importation (c'est-à-dire la part du quota global qu'on possède) peut donc engendrer des profits importants. Les économistes appellent *recherche de rente* les activités des gens qui tentent de tirer profit des quotas.

La valeur des importations — c'est-à-dire le montant versé à Manufactura — tombe à 4 milliards de dollars,

FIGURE 22.10

# Les effets d'un quota d'importation

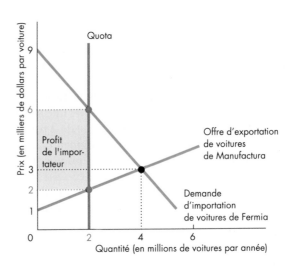

Fermia impose un quota annuel de 2 millions d'unités sur les importations d'automobiles en provenance de Manufactura; cette quantité est représentée par la droite appelée «Quota». Le quota d'importation fait grimper à 6 000 $ le prix auquel les voitures seront vendues à Fermia. L'importation de voitures est rentable puisque Manufactura est prêt à offrir des voitures pour 2 000 $ chacune. Il y a concurrence pour tirer profit des quotas — on dit alors qu'il y a *recherche de rente*.

exactement comme avec un tarif douanier. Les Manufacturiers subissent une baisse des revenus de l'exportation d'automobiles et une hausse du prix des céréales; ils réduisent donc leurs importations de céréales, exactement comme si Fermia avait imposé un tarif douanier sur les voitures importées.

Ce qui distingue le quota du tarif, c'est le bénéficiaire du profit qui correspond à la différence entre le prix d'offre d'importation et le prix de vente dans le pays. Avec le tarif douanier, c'est le gouvernement qui perçoit cette différence; avec le quota à l'importation, elle appartient au détenteur d'un droit d'importation.

La restriction volontaire d'exportation ressemble à un quota imposé aux pays exportateurs, et produit des effets semblables, à ceci près que la différence entre le prix de vente sur le marché intérieur et le prix d'exportation revient à l'exportateur étranger plutôt qu'à l'importateur national. Le gouvernement du pays exportateur doit répartir le contingent d'exportations entre les producteurs de ce pays.

## Les barrières non tarifaires « invisibles »

En plus des quotas et des restrictions volontaires d'exportation, il existe des milliers de barrières non tarifaires presque impossibles à détecter, car elles sont quasi invisibles. Elles proviennent de lois nationales qui, sans nécessairement avoir pour objectif de restreindre la concurrence étrangère, ont pourtant cet effet. Par exemple, dans quelques pays (notamment au Royaume-Uni, au Japon, en Australie et en Nouvelle-Zélande), on conduit à gauche. Cette loi apparemment anodine limite dans les faits la concurrence des constructeurs d'automobiles étrangers. On peut évidemment fabriquer au Canada des automobiles conçues pour la conduite à gauche, mais cela entraîne des coûts supplémentaires dont l'importance varie selon le volume des ventes.

## À RETENIR

- En libéralisant son commerce et en effectuant des échanges aux prix du marché mondial, un pays élargit ses possibilités de consommation.
- Les restrictions du commerce limitent les gains à l'échange.
- Du point de vue économique, pour un pays, mieux vaut se livrer à des échanges internationaux restreints que de ne faire aucun échange, mais le plus avantageux reste le libre-échange.
- L'imposition de tarifs douaniers réduit non seulement le volume des importations, mais aussi celui des exportations.
- En régime de libre-échange et avec des restrictions au commerce international (sans emprunts ni prêts internationaux), la valeur des importations reste égale à celle des exportations. Avec l'imposition de restrictions au commerce international, la valeur totale des exportations et la valeur totale des importations sont inférieures à ce qu'elles seraient en régime de libre-échange, mais le commerce demeure en équilibre.

Nous venons d'étudier les gains liés au commerce international ainsi que les effets des différentes mesures protectionnistes. Penchons-nous maintenant sur l'argumentation antiprotectionniste.

## L'argumentation antiprotectionniste

DEPUIS QUE LES NATIONS EXISTENT ET COMMERCENT entre elles, le débat fait rage : vaut-il mieux pour un pays se livrer au libre-échange international ou se protéger contre la concurrence étrangère ? Bien que la discussion se poursuive, la conclusion s'impose pour la plupart des économistes : le protectionnisme créant plus de problèmes qu'il n'en résout, le libre-échange est la solution la plus avantageuse et la plus susceptible d'entraîner la prospérité. Avec notre exemple montrant comment Fermia et Manufactura profitaient tous les deux de leur avantage comparatif, nous avons passé en revue les arguments les plus probants en faveur du libre-échange. Mais le débat entre partisans du libre-échange et partisans du protectionnisme soulève d'autres questions. Examinons-les.

Trois objectifs pourraient pousser un pays à restreindre le commerce international en imposant des tarifs douaniers ou des quotas :

- la sécurité nationale,
- la croissance des industries naissantes,
- l'incitation à la concurrence et la restriction des monopoles.

Voyons comment on pourrait utiliser le protectionnisme pour tenter d'atteindre ces objectifs.

## La sécurité nationale

Selon l'argument de la sécurité nationale, souvent invoqué pour justifier le protectionnisme, un pays a intérêt à protéger ses industries stratégiques — celles qui produisent l'équipement de défense et les armements, ainsi que celles dont les industries de la défense dépendent pour s'approvisionner en matières premières et autres biens intermédiaires. Cet argument se heurte à trois objections presque irréfutables.

Premièrement, l'argument de la sécurité nationale plaide finalement en faveur de la protection de *toutes* les industries, car en temps de guerre il n'y a pas d'industrie qui ne contribue pas à la défense d'un pays. Toutes sont vitales : l'agriculture, l'extraction des minerais, du charbon et du gaz naturel, la fabrication de l'acier et d'autres métaux, des véhicules, des aéronefs, des navires, des machines en tous genres, de même que les services, notamment les services bancaires et les services d'assurance. Pour protéger toutes les industries stratégiques, il faudrait imposer un tarif douanier ou un quota d'importation sur tous les biens et services échangeables.

Deuxièmement, il faut comparer les coûts d'une baisse de la production aux avantages d'une sécurité nationale accrue. Il n'existe aucune méthode claire et objective pour faire ce calcul coûts-avantages. En pratique, il se fait dans l'arène politique. Une fois invoqué, l'argument de la sécurité nationale servira de bouclier à tous ceux qui ont la moindre raison, si ténue et si peu fondée soit-elle, de réclamer une protection ; les fabricants de pinces à papier et de ciseaux à ongles feront pression pour en bénéficier avec autant de conviction que les concepteurs d'armement et les constructeurs navals.

Troisièmement, même si on réussissait à prouver la nécessité de maintenir ou d'augmenter la production des industries stratégiques, il resterait toujours un moyen plus efficient que les mesures protectionnistes d'atteindre cet objectif. La subvention directe des entreprises de l'industrie stratégique — subvention financée à même les taxes et impôts prélevés dans tous les secteurs de l'économie, lui permettrait de produire au niveau jugé approprié, et le maintien d'une libre concurrence internationale empêcherait l'augmentation des prix à la consommation.

## Les industries naissantes

Le deuxième argument invoqué pour justifier la protection est l'**argument des industries naissantes,** selon lequel il faut protéger une industrie naissante le temps qu'elle parvienne à maturité et soit en mesure de soutenir la concurrence sur les marchés mondiaux. Cet argument est fondé sur la notion d'*avantage comparatif dynamique,* qui peut découler de l'*apprentissage par la pratique* (voir le chapitre 3).

Il ne fait aucun doute que l'apprentissage par la pratique est un moteur puissant pour l'augmentation de la productivité et que l'expérience professionnelle fait évoluer l'avantage comparatif, mais cela ne justifie en rien le protectionnisme.

D'abord, l'argument des industries naissantes ne vaut que si les avantages de l'apprentissage par la pratique, en plus d'augmenter les revenus des propriétaires et travailleurs des entreprises d'une industrie naissante, *s'étendent aussi aux autres secteurs de l'économie.* Ainsi, l'apprentissage par la pratique génère d'énormes gains de productivité dans la fabrication du matériel de télécommunications, mais la quasi-totalité de ces gains bénéficient aux actionnaires et aux travailleurs d'entreprises comme Nortel. Puisque les preneurs de décisions — ceux qui courent le risque et font le travail — sont ceux-là mêmes qui en tirent profit, ils tiennent compte des gains dynamiques lorsqu'ils décident de l'ampleur de leurs activités. Dans ce cas, les autres secteurs de l'économie n'en tirent à peu près aucun avantage et il est donc inutile que le gouvernement les aide à atteindre une production efficiente.

Deuxièmement, même si on faisait la preuve qu'il est avantageux de protéger une industrie naissante, on pourrait le faire de manière plus efficiente en subventionnant les entreprises de cette industrie à même les taxes et les impôts. Cette subvention permettrait à l'industrie de continuer à se développer jusqu'au niveau jugé approprié et le libre-échange international garantirait que les prix à la consommation restent au niveau des prix du marché mondial.

## La restriction des monopoles

Le troisième argument invoqué pour justifier l'imposition d'une protection est celui du dumping. On parle de **dumping** lorsqu'une entreprise étrangère vend des biens d'exportation à un prix moindre que le coût de production. Une entreprise étrangère cherchant à acquérir un monopole international pourrait avoir recours au dumping; elle vendrait sa production à un prix moindre que le coût de production afin de mettre en faillite les entreprises nationales. Cela fait, elle profiterait de sa situation de monopole pour exiger un prix plus élevé pour ses produits. Le GATT a rendu le dumping illégal et, si les producteurs canadiens peuvent prouver que le dumping leur cause un préjudice, le Canada peut imposer des droits antidumping sur les importations.

Cela dit, on a d'excellentes raisons pour ne pas céder à l'argument protectionniste du dumping. D'abord, le dumping est pratiquement impossible à détecter parce qu'il est très difficile de déterminer les coûts d'une entreprise. Par conséquent, on ne peut que vérifier si le prix d'exportation d'une entreprise est plus bas que le prix qu'elle pratique sur son marché intérieur. Mais la validité de cette vérification est douteuse, car il peut être justifié pour une entreprise d'exiger un prix moindre sur les marchés où la quantité demandée est étroitement liée au prix (demande élastique), et un prix plus élevé sur les marchés où elle l'est moins.

Deuxièmement, il est presque impossible d'imaginer un bien qui donne naissance à un monopole naturel mondial. Ainsi, même si toutes les entreprises d'une industrie nationale étaient poussées à la faillite, il serait toujours possible de trouver quelques autres sources — et même de nombreuses autres sources — d'approvisionnement à l'étranger et d'acheter à des prix déterminés sur les marchés concurrentiels.

Troisièmement, si un bien ou un service pouvait entraîner la création d'un monopole vraiment mondial, la meilleure façon de le contrer serait le recours à une réglementation — comme on le fait pour contrer les monopoles intérieurs. Notons toutefois qu'une telle réglementation exigerait une collaboration internationale.

Les **droits de douane compensateurs** sont des tarifs douaniers qu'un gouvernement impose pour permettre aux producteurs nationaux de concurrencer des producteurs étrangers subventionnés par leurs propres gouvernements. En effet, il est fréquent que les gouvernements étrangers versent des subventions à certaines de leurs industries nationales. Selon la *Loi des mesures d'importations particulières,* si le Canada peut démontrer qu'un gouvernement étranger subventionne indûment ses exportations vers le Canada, il peut imposer un droit compensateur. Mais il n'est pas toujours facile de faire la distinction entre une subvention et une forme légitime d'aide gouvernementale ou, tout simplement, une conception différente du rôle de l'État. Prenons l'exemple de l'industrie canadienne du bois d'œuvre. Les producteurs américains affirment qu'elle reçoit des subventions sous forme de droits de coupe préférentiels, mais les gouvernements provinciaux, propriétaires de la plupart des forêts canadiennes, soutiennent que leur mode de détermination des droits de coupe diffère simplement de la méthode américaine.

Les trois arguments protectionnistes que nous venons d'examiner ne sont pas dépourvus de fondement ; simplement, comme on peut leur opposer de solides objections, ils ne suffisent pas à justifier le recours à la protection.

Cependant, ce ne sont probablement pas les seuls arguments que vous entendrez. Or, les nombreux autres arguments qui ont cours sont tout bonnement fallacieux. Les plus courants soutiennent que la protection :

- sauvegarde les emplois ;
- nous permet de concurrencer la main-d'œuvre étrangère bon marché ;
- favorise la diversité et la stabilité ;
- pénalise les entreprises qui ont des normes environnementales laxistes ;
- empêche les pays riches d'exploiter les pays en développement.

« Je ne sais pas ce qui s'est produit... il y a quelques instants, je travaillais à Flint, dans le Michigan ; soudain, il y a eu un immense bruit de succion et je me suis retrouvé au Mexique. »

Illustration de M. Stevens ; © 1993 *The New Yorker Magazine*

## La sauvegarde des emplois

L'argument de la sauvegarde des emplois s'énonce comme suit. Lorsque nous achetons des chaussures du Brésil ou des chandails de Taiwan, des travailleurs et des travailleuses du Canada perdent leurs emplois. Privés de revenus, sans avenir, ils vivent de l'assistance sociale et dépensent moins d'argent, ce qui entraîne d'autres pertes d'emplois. Comme solution à ce problème, on propose l'interdiction des importations de biens étrangers bon marché et la protection des emplois canadiens. Or, cette proposition ne tient pas la route, et ce pour plusieurs raisons.

D'abord, si le libre-échange entraîne effectivement une perte d'emplois, il suscite aussi la création de nouveaux emplois. Le libre-échange donne lieu à une rationalisation mondiale du travail et à une nouvelle allocation des ressources du travail dans les secteurs d'activité où ils seront les plus productifs. Ainsi, le commerce international du textile a obligé de nombreuses usines et filatures à fermer leurs portes, entraînant la disparition des emplois de milliers de travailleurs canadiens, mais, à l'étranger, des milliers de travailleurs ont trouvé un emploi grâce à l'ouverture d'usines et de filatures dans leur pays. Et des milliers de travailleurs canadiens ont obtenu des emplois plus rémunérateurs que ceux du textile, parce que d'autres industries ont pris de l'expansion et créé encore plus d'emplois que nous en avions perdu.

Deuxièmement, les importations créent des emplois. Elles créent des emplois chez les détaillants qui vendent les biens importés et chez les entreprises qui entretiennent ces biens. Elles créent également des emplois en produisant des revenus dans le reste du monde, puisqu'une part de ces revenus est consacrée à l'achat de biens et services canadiens.

## La concurrence avec la main-d'œuvre étrangère bon marché

En parlant de la suppression des tarifs douaniers entre le Canada, les États-Unis et le Mexique, le milliardaire et candidat à la présidence des États-Unis Ross Perot a dit qu'il pouvait déjà entendre « un immense bruit de succion » : selon lui, d'innombrables emplois canadiens et américains allaient bientôt être « aspirés » par le Mexique (voir l'illustration ci-dessus). Voyons ce qui cloche dans ce pronostic.

Le coût unitaire de la main-d'œuvre est égal au taux salarial divisé par la productivité du travail. Par exemple, si un travailleur de l'industrie automobile canadienne gagne 30 $ l'heure et produit 10 unités à l'heure, le coût de main-d'œuvre moyen d'une unité produite est de 3 $. Si un travailleur de l'industrie automobile mexicaine gagne 3 $ l'heure et produit 1 unité à l'heure, le coût de main-d'œuvre moyen d'une unité produite est de 3 $. Toutes autres choses étant égales, plus la productivité d'un travailleur est élevée, plus son taux salarial est élevé. Les travailleurs qui gagnent des salaires élevés ont une productivité élevée. Les travailleurs qui gagnent des salaires faibles ont une faible productivité.

Bien que les travailleurs canadiens à salaire élevé soient en moyenne plus productifs que les travailleurs mexicains moins bien rémunérés, leur productivité varie selon les industries. La main-d'œuvre canadienne est plus productive dans certains secteurs que dans d'autres ; par exemple, sa productivité relative dans la mise au point de logiciels de graphisme, dans l'offre de services financiers et dans la fabrication de matériel de télécommunications est plus élevée que dans la production de meubles et de certaines pièces normalisées de machinerie. Les secteurs où la productivité relative de la main-d'œuvre canadienne est supérieure à celle de la main-d'œuvre mexicaine sont ceux où le Canada détient un *avantage comparatif*. En instaurant le libre-échange, donc en augmentant la production et les exportations de biens pour lesquels nous détenons un avantage comparatif, et en diminuant la production et les importations de biens pour lesquels nos partenaires commerciaux détiennent un avantage comparatif, nous améliorons notre situation, et nos partenaires améliorent la leur.

## La diversité et la stabilité

On l'a vu, les portefeuilles de placements diversifiés sont ceux qui présentent le moins de risques. Ce principe s'applique aussi à la production d'une économie. Une économie diversifiée fluctue moins qu'une économie qui repose sur la production d'un ou deux biens.

Mais, de toute façon, les grandes économies riches et diversifiées comme celles du Canada, des États-Unis, du Japon et de l'Union européenne ne connaissent pas ce type de problème de stabilité. Même un pays comme l'Arabie Saoudite, qui ne produit à peu de choses près qu'un seul bien (le pétrole), peut tirer avantage de la spécialisation dans cette activité pour laquelle il détient un avantage comparatif, et peut investir dans bon nombre d'autres pays pour s'assurer de la stabilité de ses revenus et de sa consommation.

## La concurrence avec des pays aux normes environnementales laxistes

Un nouvel argument protectionniste, celui de la pénalisation des entreprises qui ont des normes environnementales laxistes, a été souvent invoqué lors de l'*Uruguay Round* du GATT et des négociations de l'ALENA. Selon cet argument, les politiques environnementales de nombreux pays pauvres, comme le Mexique, sont beaucoup moins exigeantes que les nôtres. Or, si ces pays sont prêts à polluer alors que nous ne le sommes pas, nous ne pourrons pas leur faire concurrence sans tarifs douaniers. Alors, s'ils veulent s'engager dans un libre-échange avec des pays plus riches et plus «verts», ils doivent préserver leur environnement en appliquant nos normes.

L'argument du protectionnisme pour des raisons environnementales est faible. Premièrement, il est faux de dire que seuls les pays pauvres ont des normes environnementales beaucoup plus laxistes que celles du Canada; les pratiques environnementales de bon nombre de pays industrialisés, y compris les anciens pays communistes de l'Europe de l'Est, sont particulièrement mauvaises.

Deuxièmement, un pays pauvre ne peut se permettre de se soucier autant de son environnement qu'un pays riche. D'autant plus que, pour le Mexique et pour d'autres pays en émergence, c'est dans le libre-échange et la croissance rapide des revenus que réside l'espoir d'un environnement plus propre. Au fur et à mesure que s'accroissent leurs revenus, les pays en développement comme le Mexique auront les *moyens* d'améliorer leur environnement en fonction des normes visées.

## L'exploitation par les pays riches des pays en développement

On a aussi soutenu qu'il fallait restreindre le commerce international pour empêcher les gens des pays industrialisés d'exploiter les pauvres des pays en développement en les forçant à travailler pour des salaires de famine.

Il est vrai que les salaires sont très bas dans certains pays en développement, mais en commerçant avec eux nous faisons croître la demande de biens qui y sont produits et, mieux encore, nous y faisons augmenter la demande de travail. Lorsque la demande de travail dans les pays en développement progresse, le taux salarial augmente également. Donc, loin d'exploiter les gens des pays pauvres, le commerce international améliore leurs perspectives d'avenir et augmente leurs revenus.

Nous venons de passer en revue les arguments protectionnistes les plus courants, mais il nous reste à mentionner un argument antiprotectionniste très solide et dont la portée est considérable : les mesures protectionnistes sont une invite aux représailles et peuvent déclencher de terribles guerres de tarifs ou de quotas avec d'autres pays. Il y a eu une guerre commerciale de ce genre durant la Grande Dépression des années 1930, lorsque les États-Unis ont introduit le tarif Smoot-Hawley. Tous leurs partenaires commerciaux ont riposté l'un après l'autre en imposant leurs propres tarifs et, en très peu de temps, le commerce mondial s'est effondré. Les coûts énormes de cette catastrophe pour tous les pays les ont incités à chercher une solution internationale afin d'éviter qu'elle se reproduise. C'est ainsi qu'ont été conclus le GATT, puis l'ALENA, la CEAP et l'Union européenne.

## Pourquoi freiner le commerce international ?

Pourquoi, en dépit de tous les arguments invoqués contre le protectionnisme, le commerce international est-il restreint ? Parce que, s'il est vrai que le libre-échange augmente les possibilités de consommation dans chaque pays, ce n'est vrai qu'*en moyenne* : tous les gens n'en profitent pas nécessairement, et certains peuvent même y perdre. Autrement dit, certains groupes tirent profit du libre-échange, alors que d'autres en font les frais, même si au total les avantages sont supérieurs aux coûts. Cette répartition inégale des coûts et des avantages du libre-échange est le principal obstacle à la libéralisation du commerce international.

Revenons à l'exemple du commerce d'automobiles et de céréales entre Fermia et Manufactura. À Fermia, tous les producteurs de céréales ainsi que ceux parmi les producteurs de voitures qui n'ont pas à supporter les coûts de l'ajustement à la décroissance de l'industrie automobile dans leur pays profitent des avantages du libre-échange. À Manufactura, tous les producteurs de voitures ainsi que ceux parmi les producteurs de céréales qui n'ont pas à supporter les coûts d'ajustement à la décroissance de l'industrie céréalière de leur pays profitent des avantages du libre-échange. Ces coûts d'ajustement sont transitoires. Les producteurs d'automobiles de Fermia et leurs employés qui ont dû se mettre à la production de céréales assument les coûts du libre-échange, comme tous les producteurs de céréales de Manufactura et leurs employés qui ont dû devenir des producteurs d'automobiles. Le nombre de gens qui gagnent au libre-échange est généralement beaucoup plus important que le nombre de gens qui y perdent. Mais, si le libre-échange fait beaucoup de gagnants, les gains de chacun sont minimes, tandis que les pertes des perdants sont considérables. Ceux qui risquent d'y perdre ont donc intérêt à dépenser des sommes considérables pour faire du lobbying contre le libre-échange. Par contre, ceux qui y gagneraient n'ont pas vraiment intérêt à investir beaucoup de temps ou d'argent pour faire du lobbying en faveur du libre-échange. Les deux groupes seront aussi efficients que possible — chacun comparant les avantages et les coûts, et adoptant la ligne de conduite la plus avantageuse pour lui. Le groupe qui milite contre le libre-échange fera donc beaucoup plus de lobbying que le groupe qui y est favorable.

## Le dédommagement des perdants

Si, au total, les avantages qu'on retire du libre-échange dépassent les pertes qu'il occasionne, pourquoi les personnes et les groupes avantagés n'offrent-ils pas de dédommager ceux qui y perdent, de façon à faire l'unanimité en faveur du libre-échange? Jusqu'à un certain point, c'est ce qui se passe — indirectement, par le biais de l'assurance-emploi. Mais, en général, on déploie bien peu d'efforts pour dédommager les victimes du libre-échange. Cela tient surtout aux sommes énormes qu'il faudrait consacrer à la recherche des vrais perdants. D'ailleurs, on ne pourrait jamais déterminer à coup sûr si les difficultés d'une personne ou d'une entreprise sont imputables au libre-échange ou à d'autres causes, qui dépendent peut-être d'elle-même. De plus, ceux qu'on aurait étiquetés comme des perdants à un moment donné pourraient en définitive être les vrais gagnants. Prenons l'exemple d'un jeune employé de l'industrie automobile qui perd son travail à Windsor et devient un ouvrier spécialisé dans le montage des ordinateurs à Montréal. Sur le coup, le jeune homme sera évidemment contrarié par la perte de son emploi et l'obligation de

déménager, mais un an ou deux plus tard, avec un peu de recul, il estimera probablement que, finalement, cet enchaînement de faits lui a valu une augmentation de revenu et une plus grande sécurité d'emploi.

Au Canada, la faveur dont jouit le protectionnisme dans les débats économiques et politiques vient justement de cette impossibilité de dédommager complètement les victimes du libre-échange.

Il y a une deuxième raison pour laquelle les gouvernements restreignent le commerce international. On l'a vu, les revenus des tarifs douaniers reviennent aux gouvernements; or, les gouvernements des pays en développement dépendent de cette source de revenus pour financer une part importante de leurs dépenses. Dans ces pays, les tarifs douaniers sont une forme de taxation moins coûteuse et plus rentable que l'impôt sur le revenu ou les taxes de vente. Il est donc difficile pour ces pays d'éliminer les tarifs douaniers.

## À RETENIR

- Les restrictions commerciales visant à assurer la sécurité d'un pays, à stimuler la croissance des industries naissantes et à restreindre les monopoles étrangers ont peu de mérites.

- Les restrictions au commerce international qu'on impose afin de sauvegarder des emplois, de compenser les faibles taux salariaux à l'étranger, de diversifier l'économie et de compenser les coûts des politiques environnementales sont malavisées.

- Les principaux arguments antiprotectionnistes sont les suivants: les subventions et les politiques de concurrence peuvent atteindre les objectifs nationaux de manière plus efficiente que les mesures protectionnistes, qui risquent de déclencher des guerres commerciales où tous les partenaires seront perdants.

Malgré les pressions politiques en faveur du protectionnisme, les gouvernements nord-américains ont adopté des mesures conçues pour augmenter les gains découlant de leurs échanges.

## Les effets de l'Accord de libre-échange nord-américain

EN 1987, LES GOUVERNEMENTS DU CANADA ET des États-Unis ont convenu de créer une zone de libre-échange; l'Accord de libre-échange entre le Canada et les États-Unis est entré en vigueur le 1er janvier 1989, à l'issue de deux années d'intenses négociations et, du côté

# Pleins FEUX sur les politiques

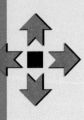

## L'excédent des exportations nettes

THE GLOBE AND MAIL, LE 19 JUILLET 1996

## Les excédents commerciaux atteignent un niveau record

PAR BRUCE LITTLE

Selon un analyste, l'augmentation remarquable de l'excédent commercial du Canada rendue publique hier pourrait permettre à la Banque du Canada de baisser les taux d'intérêt, d'autant plus qu'aux États-Unis le Federal Reserve Board ne semble pas pressé de les augmenter.

« À leur place, je n'hésiterais pas à le faire », a déclaré Sherry Cooper, économiste en chef de Nesbitt Burns, après l'annonce par Statistique Canada qu'une vague d'exportation d'automobiles vers les États-Unis venait de faire passer l'excédent commercial du Canada à un niveau record de 4,1 milliards de dollars en mai, tandis que les importations diminuaient pour le troisième mois consécutif. [...]

Les exportations ont augmenté de 2,9 % et atteignaient 22,4 milliards de dollars en mai ; au même moment, on enregistrait une diminution de 2,1 % des importations, qui se chiffrent à 18,3 milliards de dollars, révèle Statistique Canada. De plus, l'excédent du mois d'avril, qui devait être de 2,6 milliards de dollars selon les prévisions, a été révisé à la hausse ; il s'élève en fait à 3,1 milliards de dollars, ce qui était déjà un niveau record. [...]

La vague d'exportation du mois de mai vient essentiellement du secteur de l'automobile. Les exportations de voitures ont augmenté de 11,5 %, et celles des camions, catégorie qui inclut les fourgonnettes, de 19,3 %.

Ces gains se sont probablement maintenus en juin et en juillet. Les trois principaux constructeurs d'automobiles ont tous annoncé cette semaine leur intention d'augmenter leur production des trois prochains mois. [...]

L'important excédent commercial de mai traduit les différences entre les économies canadienne et américaine. Alors que les exportateurs enregistrent une croissance rapide chez nos voisins du sud, au Canada, les consommateurs hésitent toujours à dépenser, que ce soit pour des produits canadiens ou importés.

Seule ombre au tableau, le bilan de mai nous rappelle la faiblesse de notre demande intérieure. Si l'on ne tient pas compte des produits de l'industrie automobile, les importations de biens de consommation ont diminué de 3,2 %, ce qui indique que les Canadiens boudent toujours les vêtements, les produits électroniques et les meubles importés.

# Analyse
## ÉCONOMIQUE

■ Les États-Unis sont le principal partenaire commercial du Canada. Les exportations canadiennes sont donc largement tributaires des importations américaines, qui subissent elles-mêmes l'influence du le PIB réel des États-Unis.

■ La figure 1 montre la relation entre le PIB réel des États-Unis et les exportations canadiennes ; on constate une relation positive marquée entre ces deux variables.

■ La figure 1 permet également de constater que les exportations canadiennes ont davantage subi l'influence du PIB réel des États-Unis au cours des années 1990, après l'entrée en vigueur de l'Accord de libre-échange nord-américain.

■ Les importations canadiennes sont déterminées principalement par le PIB réel du Canada. La figure 2 montre la relation entre ces deux variables. On constate une tendance semblable à celle mise en évidence par la figure 1. Il existe une forte relation

positive entre les importations canadiennes et le PIB réel, et l'influence de ce dernier s'est accentuée durant les années 1990.

■ La figure 3 présente la croissance du PIB réel au Canada et aux États-Unis. En 1996, le taux de croissance du PIB réel aux États-Unis se chiffrait à plus de 2 % par année, tandis que le taux de croissance du PIB réel au Canada a baissé à moins de 1 % par année. Ces taux de croissance relatifs ont contribué à l'essor des exportations canadiennes et à la faiblesse des importations canadiennes, ce qui a entraîné un excédent commercial important.

■ Comme le laissait entendre l'article du *Globe and Mail*, la Banque du Canada a baissé les taux d'intérêt en 1996. La baisse des taux d'intérêt favorise les dépenses, et l'augmentation des dépenses entraîne l'augmentation des importations et la diminution de l'excédent commercial.

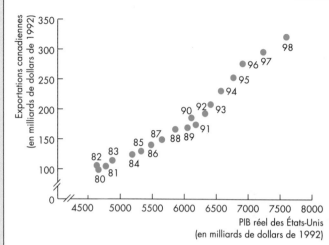

**Figure 1  Les exportations canadiennes**

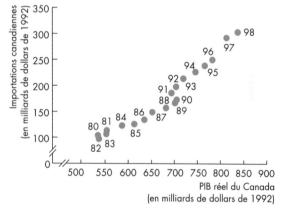

**Figure 2  Les importations canadiennes**

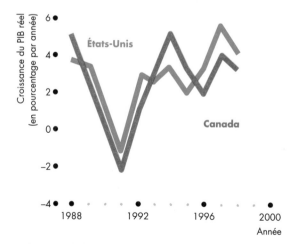

**Figure 3  La croissance du PIB réel au Canada et aux États-Unis**

## Si vous
### DEVIEZ VOTER

■ Si vous étiez membre du principal comité responsable de l'élaboration de la politique de la Banque du Canada, voteriez-vous pour une baisse des taux d'intérêt dans la situation décrite par l'article du *Globe and Mail* ? Justifiez votre réponse.

canadien, d'un débat politique houleux. Cinq ans plus tard, en 1994, les États-Unis, le Canada et le Mexique signaient un traité de libre-échange entre les trois pays. Examinons le contenu de ce fameux Accord de libre-échange nord-américain.

## Les termes de l'ALENA

Essentiellement, les pays signataires de l'Accord de libre-échange nord-américain se sont engagés à :

■ éliminer les obstacles au commerce des biens et des services entre les territoires des parties et faciliter les échanges transfrontaliers de ces produits ;

■ favoriser la concurrence loyale dans la zone de libre-échange ;

■ augmenter substantiellement les possibilités d'investissement sur les territoires des parties ;

■ assurer de façon efficace et suffisante la protection et le respect des droits de propriété intellectuelle sur le territoire de chacune des parties ;

■ établir des procédures efficaces pour la mise en œuvre et l'application de l'Accord, pour son administration conjointe et pour le règlement des différends ;

■ créer le cadre d'une coopération trilatérale, régionale et multilatérale plus poussée afin d'accroître et d'élargir les avantages découlant de l'Accord.

Les pays de l'ALENA ont pris plusieurs mesures pour atteindre leur objectif d'élimination des obstacles au commerce. Voyons quelles sont ces mesures.

### La réduction progressive des tarifs douaniers
Dès le 1er janvier 1989, date de l'entrée en vigueur de l'Accord de libre-échange entre le Canada et les États-Unis, les signataires éliminaient certains tarifs douaniers entre leurs deux pays ; depuis, ils en ont aboli ou réduit plusieurs autres. En vertu de l'ALENA, tous les tarifs douaniers entre le Canada, les États-Unis et le Mexique doivent disparaître progressivement entre 2003 et 2008.

### Les barrières non tarifaires    L'ALENA élimine toutes les barrières non tarifaires comme les politiques gouvernementales d'achats de produits locaux ; par contre, la plupart des quotas, surtout ceux qui soutiennent les politiques agricoles, demeurent en vigueur. L'ALENA prévoit également une exception pour les produits de l'industrie culturelle.

### Les marchés publics    Les trois pays de l'ALENA se sont engagés à traiter sur un pied d'égalité leurs propres entreprises et celles des autres pays signataires lors de marchés publics importants — construction d'autoroutes, achat d'ordinateurs, etc.

### L'échange des services    Ces dernières années, les échanges internationaux de services ont progressé plus rapidement que les échanges de biens manufacturés.

L'ALENA, qui reconnaît ce fait et vise à stimuler de tels échanges entre les trois pays signataires, établit deux principes : le *droit d'établissement* et le *traitement national*. Le droit d'établissement signifie que les entreprises américaines ont le droit d'établir des succursales au Canada et vice versa. Le traitement national signifie que chaque pays traitera les biens, les entreprises et les investisseurs de l'autre pays comme s'il s'agissait des siens.

### Les négociations futures de subventions    Aux États-Unis, au Canada et au Mexique, de nombreuses subventions soutiennent des industries intérieures, et plus particulièrement la production agricole. Ces subventions sont problématiques, et le pays qui importe des biens subventionnés peut imposer des droits compensateurs.

### La mise en place de procédures et d'institutions pour le règlement des différends    L'ALENA prévoit deux mécanismes de règlement des différends : le premier sert à régler les différends relatifs à tous les aspects de l'Accord et le deuxième concerne l'application des droits de douane compensateurs et l'instauration de lois anti-dumping dans l'un ou l'autre des pays signataires. Ainsi, en 1994, les États-Unis ont fait une demande d'imposition de droits de douane compensateurs sur les exportations canadiennes de blé dur et sur les produits du bois d'œuvre. En 1996, les États-Unis planifiaient de faire une demande de droits compensateurs sur les exportations canadiennes de volailles. Dans ces deux cas, les États-Unis accusent le Canada de subventionner injustement ces industries, faisant en sorte que les exportations canadiennes sont moins coûteuses que le prix auquel les producteurs américains peuvent fournir ces marchandises.

## Les conséquences de l'ALENA

Il est difficile de déterminer les conséquences d'accords aussi complexes que l'Accord de libre-échange entre le Canada et les États-Unis et l'ALENA, et les économistes ne s'entendent pas sur ce sujet. Selon la théorie étudiée dans ce chapitre, l'élimination des tarifs douaniers devrait entraîner une hausse du *volume* d'échanges internationaux. Autrement dit, la théorie prédit que les Canadiens, les Américains et les Mexicains se spécialiseront dans les activités pour lesquelles ils détiennent respectivement un avantage comparatif, et qu'ils échangeront un volume plus important de biens et services. En pratique, le volume des échanges internationaux entre le Canada et les États-Unis a effectivement augmenté dans les trois années qui ont suivi l'adoption de l'Accord de libre-échange entre le Canada et les États-Unis. Entre 1989 et 1992, la hausse des exportations canadiennes vers les États-Unis atteignait 17 %, alors qu'elle n'était que de 8 % entre 1986 et 1989.

Après l'adoption de l'Accord, le Canada a considérablement accru ses exportations de services publicitaires, d'équipement de bureau, de matériel de télécommunications, de papier et de services de transport. De plus, ses importations de viandes et de produits laitiers, de services de télécommunications, de vêtements, de meubles, d'aliments préparés et de boissons ont aussi considérablement augmenté.

Ces augmentations considérables des exportations et des importations ont accru les gains découlant de la spécialisation et de l'échange, mais ils ont également donné lieu à de pénibles ajustements. Des milliers d'emplois ont disparu dans les secteurs en déclin et de nouveaux emplois ont été créés dans les secteurs en expansion. Dans les années qui ont suivi l'adoption de l'Accord de libre-échange entre le Canada et les États-Unis, les suppressions d'emplois ont atteint un niveau record. À la fin des années 1980 et au début des années 1990, le taux de chômage a augmenté pendant trois années consécutives, atteignant un taux qui n'a été dépassé que durant la Grande Dépression. Nous ne savons pas exactement dans quelle mesure ce taux de suppression d'emplois est attribuable au seul Accord de libre-échange, et cette question reste controversée, mais il ne fait aucun doute que l'Accord y ait largement contribué.

## À  R E T E N I R

- En vertu de l'Accord de libre-échange entre le Canada et les États-Unis, tous les tarifs douaniers entre ces deux pays auront disparu à la fin de 1999. L'ALENA stipule que les tarifs douaniers avec le Mexique, de même que ceux qui faisaient l'objet d'une exclusion temporaire devront être abolis d'ici à 2008.

- L'ALENA a réduit les barrières non tarifaires, entraîné la libéralisation de l'échange des produits et des services de l'énergie et établi deux mécanismes de règlement des différends.

- L'Accord de libre-échange entre le Canada et les États-Unis et l'ALENA ont entraîné une forte augmentation des échanges entre le Canada et les États-Unis.

◆ Vous connaissez maintenant les gains qu'un pays peut retirer d'une spécialisation accrue et des échanges commerciaux avec l'étranger. Produire davantage de biens et services pour lesquels nous détenons un avantage comparatif et échanger avec d'autres pays une partie de notre production nous permet d'élargir nos possibilités de consommation. En limitant nos échanges internationaux, nous limitons l'ampleur des avantages qui découlent de la spécialisation et de l'échange. L'ouverture de nos frontières au commerce international élargit nos marchés et fait augmenter le prix des biens pour lesquels nous avons un avantage comparatif; de plus, nous pouvons nous procurer certains produits à des prix beaucoup plus avantageux que si nous les produisions nous-mêmes. Tous les pays ont avantage à la libéralisation du commerce international. La rubrique « Entre les lignes » (p. 526) se penche sur l'intensification du commerce international canadien à l'heure de l'ALENA.

## R É S U M É

### Points clés

**La structure du commerce international**  Il y a entre tous les pays des flux considérables d'échanges, mais le volume d'échanges le plus important est sûrement celui que génère le commerce de produits manufacturés entre les pays riches. Les États-Unis sont le principal partenaire commercial du Canada et celui qui connaît l'expansion la plus rapide. (p. 506-509)

**Le coût d'opportunité et l'avantage comparatif**  Lorsque les coûts d'opportunité diffèrent entre les pays, le pays pour qui le coût d'opportunité d'un bien ou d'un service est le plus bas détient un avantage comparatif dans la production de ce bien. L'avantage comparatif est la source des gains à l'échange. (p. 509-510)

**Les gains à l'échange**  Les pays peuvent réaliser des gains par le commerce international dans la mesure où leurs coûts d'opportunité diffèrent. Le commerce international permet à tout pays d'obtenir des biens et services à un coût d'opportunité moindre que s'il produisait lui-même tous ses biens. Grâce au commerce international, chaque pays peut atteindre des niveaux de consommation situés à l'extérieur de sa courbe des possibilités de production. (p. 510-514)

**Les gains du commerce international dans le monde réel**  L'essentiel du commerce international concerne des biens de nature semblable; ce type d'échanges s'explique par les économies d'échelle et par la diversité des préférences. (p. 514-516)

**Les pratiques commerciales restrictives**  Un pays peut restreindre le commerce international en instaurant des tarifs douaniers ou des barrières non tarifaires. Ces restrictions au commerce entraînent l'augmentation du prix des produits touchés dans le pays importateur ainsi que la diminution du volume des importations et de leur valeur totale. Parallèlement, elles réduisent la valeur totale des exportations d'un montant équivalent à la réduction de la valeur des importations. (p. 516-521)

**L'argumentation antiprotectionniste** Les arguments selon lesquels le protectionnisme est nécessaire pour assurer la sécurité du pays, pour stimuler les industries naissantes ou pour empêcher le dumping sont faibles. Les arguments protectionnistes de sauvegarde des emplois, de concurrence à une main-d'œuvre étrangère bon marché, de diversification et de stabilisation de l'économie et de lutte contre les normes environnementales laxistes n'ont aucun fondement. (p. 521-525)

**Les effets de l'Accord de libre-échange nord-américain** L'Accord de libre-échange nord-américain éliminera la plupart des tarifs imposés sur l'échange entre le Canada, les États-Unis et le Mexique d'ici à 2008. La plus grande partie des tarifs entre le Canada et les États-Unis sont abolis depuis 1999. L'Accord a aboli les barrières non tarifaires, instauré le libre-échange pour les produits et services énergétiques, ouvert les marchés publics et créé deux mécanismes de règlement des différends. Dans le cadre de négociations ultérieures, on tentera de réduire les subventions. L'élimination des tarifs a accru le volume des échanges, ce qui est avantageux pour les consommateurs, mais elle a également fait augmenter le taux de chômage. (p. 525-529)

## Figures clés

## Mots clés

## QUESTIONS DE RÉVISION

1. Quelles sont les principales importations et les principales exportations du Canada?

2. De quelle manière le Canada échange-t-il des services sur le plan international?

3. Quels sont les produits dont le commerce international a connu l'expansion la plus rapide au cours des dernières années?

4. Qu'est-ce que la balance commerciale? Dans quelles circonstances le Canada serait-il un exportateur net?

5. Avec quels pays le Canada effectue-t-il le plus d'échanges?

6. En 1998, vers quels pays le Canada a-t-il exporté la plus grande quantité de biens et services, et de quel pays a-t-il importé la plus grande quantité de biens et services?

7. Expliquez l'évolution de la balance commerciale du Canada depuis 1975.

8. Qu'est-ce qu'un avantage comparatif? Pourquoi l'avantage comparatif permet-il de réaliser des gains par le commerce international?

9. Expliquez quels sont les gains à l'échange.

10. Expliquez pourquoi tout pays peut réaliser des gains par le commerce international.

11. Établissez la distinction entre un avantage comparatif et un avantage absolu.

12. Expliquez pourquoi tous les pays détiennent un avantage comparatif dans la production de certains biens.

13. Expliquez pourquoi, lorsqu'un pays commence à faire des échanges, le prix obtenu en échange du bien exporté augmente et le prix payé pour le bien importé diminue.

14. Expliquez pourquoi on importe et on exporte d'aussi grandes quantités de certains biens de même nature, comme les automobiles.

15. Quelles sont les principales pratiques commerciales restrictives?

16. Que sont le GATT et l'Organisation mondiale du commerce? Quand ont-ils été instaurés et quels sont leurs rôles?

17. Qu'est-ce que l'ALENA? Quand a-t-il été instauré et quels ont été ses effets?

18. Quels sont les effets d'un tarif douanier?

19. Quels sont les effets d'un quota d'importation?

20. Quels sont les effets d'une restriction volontaire d'exportation?

21. Qu'est-ce que le dumping? Que sont les droits de douane compensateurs?

22. Décrivez les grandes tendances de l'évolution des protections tarifaires et non tarifaires.

23. Quels sont les principaux arguments en faveur des restrictions commerciales? Expliquez les faiblesses de chacun.

24. Pourquoi certains pays limitent-ils leur commerce international?

25. Qu'est-ce que l'Accord de libre-échange entre le Canada et les États-Unis? Quelles ont été ses conséquences?

## A N A L Y S E    C R I T I Q U E

1. Lisez attentivement la rubrique «Entre les lignes» (p. 526), et répondez aux questions suivantes:
   a) Comment et pourquoi les exportations canadiennes sont-elles influencées par l'état de l'économie américaine?
   b) Y a-t-il eu des changements dans la relation entre les exportations canadiennes et le PIB réel des États-Unis durant les années 1990? Lesquels?
   c) À quoi peut-on attribuer ces changements? Justifiez votre réponse.
   d) Quelles sont les principales influences qui s'exercent sur les importations canadiennes?
   e) Y a-t-il eu des changements dans la relation entre les importations canadiennes et le PIB réel du Canada durant les années 1990?
   f) À quoi peut-on attribuer ces changements? Justifiez votre réponse.
   g) En quoi le commerce entre le Canada et les États-Unis a-t-il été influencé par les cycles

économiques canadien et américain durant les années 1990?
   h) Selon vous, pourquoi l'article établit-il un lien entre la politique du taux d'intérêt de la Banque du Canada d'une part et le volume des échanges internationaux et la balance commerciale internationale d'autre part?

2. «L'Accord de libre-échange nord-américain entraînera l'exportation d'emplois canadiens vers le Mexique». Commentez cet énoncé.

3. Sir John A. Macdonald a introduit les tarifs douaniers pour augmenter l'emploi et diminuer le chômage. Y a-t-il des circonstances où un tarif pourrait accroître l'emploi?

4. Le Pacte nord-américain de l'automobile est un accord unique entre le Canada et les États-Unis. Pouvez-vous imaginer des accords similaires qui pourraient connaître le même succès?

## P R O B L È M E S

1. Les figures 22.4 et 22.5 illustrent les possibilités de production de Fermia et de Manufactura.
   a) Calculez le coût d'opportunité d'une voiture à Fermia au point de la courbe des possibilités de production où 2 millions de voitures sont produites.
   b) Calculez le coût d'opportunité d'une voiture à Manufactura lorsque ce pays produit 8 millions de véhicules.
   c) Sans échanges commerciaux, Fermia produit 2 millions de voitures et Manufactura, 8 millions. Lequel des deux pays détient un avantage comparatif dans la production des voitures?
   d) S'il n'y a aucun échange commercial entre Fermia et Manufactura, quelle quantité de céréales et combien de voitures consomme-t-on dans chaque pays?

2. Supposons que les deux pays du problème n° 1 conviennent d'instaurer entre eux une zone de libre-échange.
   a) Lequel des deux pays exportera des céréales ?
   b) Comment s'ajustera la quantité de chaque bien produit par ces deux pays ?
   c) Comment s'ajustera la quantité de chaque bien consommé par chacun de ces pays ?
   d) Que pouvez-vous dire au sujet du prix d'une voiture, en situation de libre-échange ?

3. Comparez la production totale de chaque bien, pour les problèmes n° 1 et n° 2.

4. Comparez la situation des problèmes n° 1 et n° 2 avec celle que nous avons analysée dans l'exemple de ce chapitre (p. 509-514). Comment expliquez-vous que Manufactura exportait des voitures dans l'exemple du chapitre alors qu'il en importe dans le problème n° 2 ?

5. La figure suivante illustre le marché mondial du soja, où seuls deux pays se livrent à des échanges.

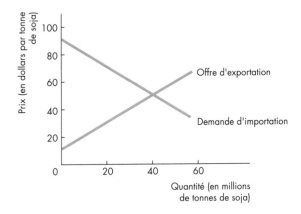

a) Quel aurait été le prix du soja dans les deux pays sans échange international ?
b) Quel est le prix mondial du soja s'il n'y a aucune restriction au commerce ?
c) Quelles quantités de soja sont exportées et importées ?
d) Quelle est la balance commerciale ?

6. Si le pays importateur mentionné au problème n° 5 impose un tarif de 20 $ par tonne, quel est le prix mondial du soja et quelle quantité de soja échange-t-on entre les pays ? Quel est le prix du soja dans ce pays importateur ? Quelle recette le tarif douanier génère-t-il ?

7. Supposons que le pays importateur du problème n° 5 (b) impose un quota de 300 millions de tonnes sur ses importations de soja.
   a) Quel sera le prix du soja dans ce pays ?
   b) Quelle recette le quota génère-t-il ?
   c) Qui en bénéficie ?

8. Supposons que le pays exportateur mentionné au problème n° 5 (b) réussit à convaincre ses parte-naires commerciaux de restreindre volontairement leurs exportations à 300 millions de tonnes de soja.
   a) Quel est le prix mondial du soja ?
   b) Quel revenu les producteurs de soja retirent-ils dans les pays exportateurs ?
   c) Quel pays est avantagé par la restriction volontaire d'exportation ?

9. Supposons que le pays exportateur du problème n° 5 (b) subventionne ses producteurs à raison de 1 $ par tonne de soja récoltée.
   a) Quel est le prix du soja dans le pays importateur ?
   b) Quelle mesure les producteurs de soja du pays importateur peuvent-ils prendre ? Pourquoi ?

10. Atlantis et l'Empire Magique produisent uniquement des aliments et des ballades en montgolfière. Ils possèdent les courbes de possibilités de production illustrées par les figures suivantes.

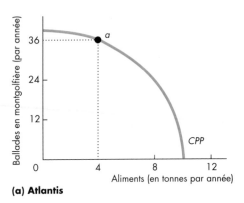

**(a) Atlantis**

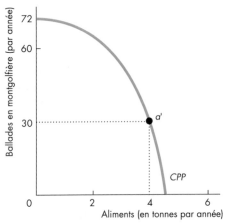

**(b) Empire Magique**

a) Si Atlantis produit au point *a*, quel est le coût d'opportunité d'une ballade en montgolfière dans ce pays ?
b) Quelles sont les possibilités de production d'Atlantis ?

c) Si l'Empire Magique produit au point *a'*, quel est le coût d'opportunité d'une ballade en montgolfière dans ce pays ?

d) Quelles sont les possibilités de production de l'Empire Magique ?

e) Quel pays détient un avantage comparatif dans la production d'aliments ?

11. Supposons qu'Atlantis et l'Empire Magique, les pays du problème n° 10, signent un accord de libre-échange.

a) Comment le prix des aliments varie-t-il dans chaque pays ?

b) Quel pays exporte des ballades en montgolfière ?

c) Quel pays exporte des aliments ?

d) Quels sont les gains à l'échange pour chaque pays ?

e) Cet accord de libre-échange fait-il des perdants ?

> « *Le libre-échange, l'une des plus grandes faveurs qu'un gouvernement puisse accorder à un peuple, est impopulaire dans presque tous les pays.* »
>
> LORD MACAULAY (1800-1859), *ESSAY ON MITFORD'S HISTORY OF GREECE*

# Les gains liés au commerce international

Jusqu'au milieu du XVIII^e siècle, de manière générale, on croyait que le but du commerce international était d'exporter davantage qu'on importait afin d'amasser de l'or. Une nation qui accumulait de l'or serait forcément prospère, pensait-on, tandis qu'une nation qui engouffrait son or dans un déficit international se viderait de sa monnaie et s'appauvrirait. Ces croyances sont les fondements d'une doctrine économique appelée *mercantilisme*; les *mercantilistes* étaient des pamphlétaires qui prônaient l'atteinte d'un surplus international avec la ferveur des missionnaires. Si les exportations ne dépassent pas les importations, il faut restreindre les importations, clamaient les mercantilistes.

Dans les années 1740, David Hume expliqua que, lorsque la quantité de monnaie (d'or) varie dans un pays, le niveau des prix varie également, et que le patrimoine *réel* de la nation reste le même. Dans les années 1770, Adam Smith soutint que la restriction des importations diminuait les gains de la spécialisation et appauvrissait la nation qui l'impose; 30 ans plus tard, David Ricardo réussit à prouver la loi de l'avantage comparatif et démontra la supériorité du libre-échange. Mis en échec sur le plan intellectuel, les mercantilistes gardèrent pourtant leur influence politique.

Cette influence s'atténua peu à peu au cours du XIX^e siècle. L'Amérique du Nord et l'Europe de l'Ouest prospéraient dans un contexte d'échanges internationaux de plus en plus libres. Pourtant, en dépit de l'évolution prodigieuse des connaissances économiques, le mercantilisme ne s'est jamais vraiment éteint. Il a connu un regain de popularité bref mais dévastateur dans les années 1920 et 1930 — alors que la hausse des tarifs douaniers a entraîné l'effondrement du commerce international et empiré la Grande Dépression —, et il a fléchi à nouveau après la Deuxième Guerre mondiale avec l'adoption de l'Accord général sur les tarifs douaniers et le commerce (GATT).

Mais le mercantilisme subsiste. Le fait que bon nombre de Canadiens craignent que l'ALENA conduise le Canada à la ruine en est une manifestation moderne. Il serait intéressant d'entendre les David Hume, Adam Smith et David Ricardo commenter cette position. Mais selon toutes probabilités, leurs commentaires ressembleraient à ceux que leur ont inspiré les mercantilistes du XVIII^e siècle. Et, comme autrefois, ils auraient raison.

*Au XVIII^e siècle, lorsque les mercantilistes et les économistes débattaient des pour et des contre du libre-échange international, les technologies de transport disponibles limitaient considérablement les gains que l'on pouvait escompter du commerce international. Des bateaux à voiles aux cales exiguës mettaient plus d'un mois à traverser l'Atlantique. Mais la perspective de gains plus importants stimula les efforts en vue de réduire les coûts du transport naval. Dans les années 1850, on mit au point le clipper, qui franchissait en 12 jours la distance entre Halifax et Liverpool. Un demi-siècle plus tard, des bateaux à vapeur de 10 000 tonnes voyageaient entre le Canada et l'Angleterre en 4 jours à peine. À mesure que la durée et le coût de la navigation diminuaient, le volume des échanges internationaux et les gains du commerce international s'accrurent.*

*LES PORTE-CONTENEURS* ont révolutionné le commerce international et contribuent toujours à son expansion. Aujourd'hui, la plupart des biens traversent les océans emballés et empilés dans des conteneurs — des boîtes de métal — sur des bateaux comme celui-ci. La technologie des conteneurs a permis de réduire les coûts du transport maritime en économisant sur la manutention et en protégeant les cargaisons contre le vol, ce qui a fait diminuer les coûts des assurances. Sans cette technologie, il n'y aurait sans doute pas autant d'échanges internationaux de biens comme les téléviseurs et les magnétoscopes. Les cargaisons périssables de grande valeur, comme les fleurs et les aliments frais, ainsi que les colis urgents, sont livrés par avion. Chaque jour, des douzaines de Boeing 747 chargés de cargaison voyagent entre les grandes villes canadiennes et les principales destinations de l'Atlantique et du Pacifique.

David Ricardo

## LES ÉCONOMISTES: DE SMITH ET RICARDO AU GATT

David Ricardo (1772–1823), un courtier en valeurs mobilières très prospère, avait 27 ans quand il trouva par hasard, lors d'un week-end à la campagne, un exemplaire de *La richesse des nations* d'Adam Smith (voir p. 64). L'œuvre le passionna et il devint par la suite l'économiste le plus célèbre de son époque et l'un des plus grands économistes de tous les temps. L'un de ses nombreux apports à l'économique est certainement l'élaboration du concept d'avantage comparatif, fondement de la théorie moderne du commerce international. Il illustra ce concept en se servant de l'exemple des échanges de tissus et de vins entre l'Angleterre et le Portugal.

L'Accord général sur les tarifs douaniers et le commerce (GATT) a été conclu en réaction à la catastrophe économique auxquels menèrent les tarifs douaniers ridiculement protectionnistes imposés durant les années 1930. Mais le GATT est aussi le triomphe de la logique des concepts dégagés par Smith et par Ricardo.

L'ÉVOLUTION DE NOS CONNAISSANCES

**Glossaire**

**Accord général sur les tarifs douaniers et le commerce** (GATT — *General Agreement on Tariffs and Trade*) Accord multilatéral visant à limiter les interventions gouvernementales qui restreignent le commerce international

**Accumulation de capital** (*Capital accumulation*) Augmentation des ressources en capital

**Activité de marché** (*Market activity*) Achat de biens et services sur les marchés des produits, ou vente de services de facteurs de production sur les marchés des facteurs

**Activité de prospection** (*Search activity*) Temps et efforts consacrés à la recherche de l'information nécessaire à la conclusion d'un marché

**Activité hors marché** (*Nonmarket activity*) Activité associée aux loisirs, au bénévolat, à la formation ou à la production domestique — travaux ménagers, soins aux enfants, éducation et formation, magasinage, cuisine, etc.

**Actualisation** (*Discounting*) Conversion d'une somme d'argent future dans sa valeur actuelle

**Aléa moral** (*Moral hazard*) Situation où l'une des parties d'une entente est incitée, une fois l'entente conclue, à agir dans son propre intérêt au détriment de l'autre partie

**Allocation efficiente des ressources** (*Allocative efficiency*) Situation où aucune ressource n'est gaspillée et où personne ne peut améliorer sa situation sans que cela se fasse au détriment de quelqu'un d'autre; on parle aussi d'*efficacité de Pareto*

**Amortissement** (*Depreciation*) Partie du capital qui devient obsolète dans une période donnée

**Amortissement économique** (*Economic depreciation*) Baisse du prix de marché d'un actif dans une période donnée

**Anti-sélection** (*Adverse selection*) Tendance d'une partie à conclure des accords qui lui permettent d'utiliser de l'information privée dans son propre intérêt et aux dépens de la partie moins bien informée

**Apprentissage par la pratique** (*Learning-by-doing*) Possibilité de devenir plus productif dans une activité (apprentissage) par le simple fait de produire à répétition un même bien ou un même service (pratique)

**Argument de l'industrie naissante** (*Infant-industry argument*) Argument selon lequel une industrie naissante a besoin de protection pour acquérir la maturité qui lui permettra d'affronter la concurrence sur les marchés mondiaux

**Avantage absolu** (*Absolute advantage*) Avantage que détient une personne sur une autre lorsque, avec la même quantité de facteurs de production, sa production est supérieure; avantage que détient un pays sur un autre lorsque, pour tous les biens, sa production par unité de facteur est supérieure

**Avantage comparatif** (*Comparative advantage*) Avantage que détient une personne ou un pays dans la production d'un bien ou d'un service lorsqu'il peut produire ce bien à un coût d'opportunité moindre

**Avantage comparatif dynamique** (*Dynamic comparative advantage*) Avantage comparatif que détient une personne ou un pays qui, grâce à la spécialisation et à l'apprentissage par la pratique, produit une activité donnée au coût d'opportunité le plus bas

**Avantage externe** (*External benefit*) Avantage lié à la consommation d'un bien ou d'un service dont profitent des personnes autres que ses acheteurs

**Avantage marginal** (*Marginal benefit*) Augmentation de l'avantage total qui résulte de la consommation d'une unité supplémentaire d'un bien ou d'un service; calculé en divisant l'augmentation de l'avantage total par l'augmentation de la consommation

**Avantage marginal social** (*Marginal social benefit*) Avantage marginal qu'un consommateur retire d'un bien ou d'un service (avantage marginal privé) plus l'avantage marginal qu'en retirent d'autres membres de la société (avantage externe)

**Balance commerciale** (*Balance of trade*) Différence entre la valeur des exportations d'un pays et la valeur de ses importations

**Barrière non tarifaire** (*Nontariff barrier*) Toute mesure autre qu'un tarif douanier qui limite le commerce international

**Barrières à l'entrée** (*Barriers to entry*) Obstacles légaux ou naturels qui protègent une entreprise contre la concurrence en empêchant de nouvelles entreprises de pénétrer dans le marché

**Bien collectif** (*Public good*) Bien (ou service) qui peut être consommé simultanément par tous et dont on ne peut interdire la consommation à personne

**Bien d'usage exclusif** (*Excludable good*) Bien (ou service) qu'on peut permettre à certaines personnes de consommer tout en empêchant d'autres personnes de le faire

**Bien d'usage non exclusif** (*Non excludable good*) Bien (ou service) qu'on ne peut empêcher personne de consommer sans que cela entraîne des coûts exorbitants

**Bien inférieur** (*Inferior good*) Bien (ou service) dont la demande baisse à mesure que le revenu augmente

**Bien normal** (*Normal good*) Bien (ou service) dont la demande augmente à mesure que le revenu augmente

**Brevet** (*Patent*) Droit exclusif qu'accorde l'État à l'inventeur d'un bien, d'un service ou d'un procédé de production, pour sa production, son exploitation et sa vente durant une période donnée

**Calcul des recettes totales** (*Total revenue test*) Méthode qui permet d'estimer l'élasticité-prix de la demande en observant la variation du revenu total qui résulte d'une variation du prix lorsque tous les autres facteurs influant sur la quantité vendue restent constants

**Capital** (*Capital*) Machines, bâtiments, outillage et autres biens manufacturés utilisés dans la production de biens et de services

**Capital humain** (*Human capital*) Ensemble des compétences et des savoirs que confèrent aux gens le talent, l'éducation et la formation professionnelle

**Capitaux propres** Sommes que le propriétaire investit dans son entreprise

**Cartel** (*Cartel*) Groupe d'entreprises qui sont de collusion pour limiter leur production afin d'augmenter les prix et les profits

*Ceteris paribus* Locution latine signifiant « toutes autres choses étant égales », « toutes choses étant égales par ailleurs », « tous les autres facteurs étant maintenus constants »

**Collusion** (*Collusive agreement*) Entente illicite entre deux (ou plusieurs) producteurs en vue de réduire la production de façon à faire monter les prix et à augmenter les profits

**Complément ou bien complémentaire** (*Complement*) Bien qui est nécessairement utilisé en même temps qu'un autre

**Compromis** (*Trade-off*) Contrainte qui oblige à renoncer à une chose pour en obtenir une autre

**Concurrence monopolistique** (*Monopolistic competition*) Marché où de nombreuses entreprises se font concurrence en proposant des produits comparables mais légèrement différents

**Concurrence parfaite** (*Perfect competition*) Structure de marché où de nombreuses entreprises vendent un produit identique; acheteurs nombreux; aucune barrière à l'entrée; aucun avantage particulier sur les entrants potentiels pour les entreprises en place; entreprises et acheteurs parfaitement informés des prix pratiqués par chacune des entreprises du secteur

**Courbe d'indifférence** (*Indifference curve*) Courbe qui relie toutes les combinaisons de quantités de biens ou services procurant une égale satisfaction au consommateur: consommer l'une ou l'autre de ces combinaisons lui est indifférent.

**Courbe d'offre** (*Supply curve*) Courbe qui montre la relation entre la quantité offerte d'un bien et son prix lorsque tous les autres facteurs qui influent sur les plans des producteurs restent constants

**Courbe d'offre à court terme de l'industrie** (*Short-run industry supply curve*) Courbe qui représente les effets de la variation du prix de marché sur la quantité offerte par l'industrie lorsque la capacité de production de chaque entreprise et le nombre d'entreprises de cette industrie restent constants

**Courbe d'offre à long terme de l'industrie** (*Long-run industry supply curve*) Courbe qui représente les effets de la variation de prix de marché sur la quantité offerte par l'industrie une fois que tous les ajustements possibles ont été faits, y compris les modifications de la capacité de production et du nombre d'entreprises que compte l'industrie

**Courbe de demande** (*Demand curve*) Courbe qui montre la relation entre la quantité demandée d'un bien et son prix lorsque tous les autres facteurs influant sur les plans des acheteurs restent constants

**Courbe de Lorenz** (*Lorenz curve*) Courbe qui décrit les pourcentages cumulés du revenu total ou du patrimoine total en fonction des pourcentages cumulés des populations considérées

**Courbe des possibilités de production** (*Production possibility frontier*) Courbe qui trace la frontière entre les combinaisons de biens et services qu'il est possible de produire et celles qui sont irréalisables

**Court terme** (*Short-run*) Pour une entreprise, horizon temporel durant lequel la quantité d'au moins un facteur de production (habituellement le capital) est fixe, tandis que les quantités des autres facteurs de production sont variables; pour un marché ou une industrie, horizon temporel durant lequel chaque entreprise a une taille donnée et le nombre d'entreprises dans le marché ou l'industrie reste constant

**Coût à long terme** (*Long-run cost*) Coût de production de l'entreprise lorsque tous les facteurs de production, y compris la taille des installations (capacité de production), sont utilisés de façon économiquement efficiente

**Coût d'information** (*Information cost*) Coût de l'acquisition d'information sur les prix, les quantités et la qualité des biens et services, et sur les facteurs de production — coût d'opportunité de l'information économique

**Coût d'opportunité** (*Opportunity cost*) Meilleure possibilité à laquelle on a renoncé en prenant une décision, en faisant un choix

**Coût externe** (*External costs*) Coût de production d'un bien ou d'un service qui retombe sur des gens autres que ses producteurs et ses acheteurs

**Coût fixe** (*Fixed cost*) Coût qui ne dépend pas du niveau de production et qui est déterminé par les facteurs de production fixes

**Coût fixe moyen** (*Average fixed cost*) Coût fixe total par unité produite; coût fixe total divisé par la production

**Coût fixe total** (*Total fixed cost*) Coût total de tous les facteurs de production fixes

**Coût marginal** (*Marginal cost*) Variation du coût total qui résulte de la production d'une unité supplémentaire d'un bien ou d'un service; résultat de la division de l'augmentation du coût total par l'augmentation de la production

**Coût social marginal** (*Marginal social cost*) Coût marginal supporté directement par le producteur d'un bien (coût marginal privé) plus le coût marginal subi par d'autres membres de la société (coût externe)

**Coût total** (*Total cost*) Somme des coûts de tous les facteurs de production qu'utilise l'entreprise

**Coût total moyen** (*Average total cost*) Coût total par unité produite

**Coût variable** (*Variable cost*) Coût qui varie avec le niveau de production

**Coût variable moyen** (*Average variable cost*) Coût variable total par unité produite

**Coût variable total** (*Total variable cost*) Coût total des facteurs de production variables

**Coûts de transaction** (*Transaction costs*) Coûts générés par le fait de rechercher un partenaire commercial, de parvenir à une entente sur les prix et sur les autres aspects de la transaction, et de s'assurer que les termes du contrat sont respectés; coûts liés à la mise au point et à la signature du ou des contrats indispensables à toute transaction avec des tiers

**Coûts irrécupérables** (*Sunk costs*) Amortissement économique passé de l'actif de l'entreprise (édifices, usine, équipement)

**Croissance économique** (*Economic growth*) Expansion des possibilités de production provenant de l'accumulation de capital et du progrès technologique

**Demande** (*Demand*) Relation entre la quantité demandée d'un bien et son prix, lorsque tous les autres facteurs qui influent sur les plans des acheteurs restent constants; la demande est décrite par un barème de demande et illustrée par une courbe de demande

**Demande à élasticité unitaire** (*Unit elastic demand*) Demande dont l'élasticité par rapport au prix est égale à un; toutes autres choses étant égales, le pourcentage de variation de la quantité demandée est égal au pourcentage de variation du prix

**Demande dérivée** (*Derived demand*) Demande d'un bien, d'un service ou d'un facteur qui n'est pas demandé pour lui-même, mais pour sa contribution à la production de biens et de services

**Demande du marché** (*Market demand*) Relation entre la quantité totale du bien demandé et son prix lorsque les autres facteurs influant sur les prix restent les mêmes

**Demande élastique** (*Elastic demand*) Demande dont l'élasticité par rapport au prix est supérieure à un; toutes autres choses étant égales, le pourcentage de variation de la quantité demandée est supérieur au pourcentage de variation du prix

**Demande inélastique** (*Inelastic demand*) Demande dont l'élasticité est comprise entre zéro et un ; toutes autres choses étant égales, le pourcentage de variation de la quantité demandée est inférieur au pourcentage de variation du prix

**Demande parfaitement élastique** (*Perfectly elastic demand*) Demande dont l'élasticité par rapport au prix est infinie ; l'élasticité de la quantité demandée est extrêmement sensible à la variation de prix

**Demande parfaitement inélastique** (*Perfectly inelastic demand*) Demande dont l'élasticité est nulle ; la quantité demandée demeure constante lorsque le prix varie

**Déséconomies d'échelle** (*Diseconomies of scale*) Augmentation du coût moyen à long terme à mesure qu'augmente la production en raison de facteurs techniques

**Déséconomies externes** (*External diseconomies*) Facteurs sur lesquels l'entreprise ne peut influer et qui entraînent la hausse de ses coûts lorsque la production de *l'industrie* grandit

**Diagramme de dispersion** (*Scatter diagram*) Graphique montrant les valeurs d'une variable économique associées à celle d'une autre variable

**Différenciation des produits** (*Product differenciation*) Situation où chaque entreprise fabrique un produit légèrement différent de ceux des concurrents

**Dilemme équité-efficience** (*Big-tradeoff*) Compromis entre l'inégalité et la non-efficience engendré par la redistribution du revenu

**Discrimination par les prix** (*Price discrimination*) Pratique qui consiste à faire payer un prix moins élevé à certains types d'acheteurs pour un bien identique, ou à faire payer à un même acheteur un prix inférieur pour un gros achat que pour un petit

**Droit d'accise** (*Excise tax*) Taxe imposée sur la vente d'un bien ou service et payée au moment de l'achat

**Droit d'auteur** (*Copyright*) Droit exclusif qu'accorde le gouvernement au créateur d'une œuvre pour sa production, son exploitation et sa vente durant une période donnée

**Droit de douane** ou **Tarif douanier** (*Tariff*) Taxe qu'un gouvernement impose sur un bien importé

**Droite de budget** (*Budget Line*) Droite qui délimite les choix de consommation d'un ménage compte tenu de son revenu

**Droits de douane compensateurs** (*Countervailing duties*) Droits de douane imposés par le gouvernement pour aider les producteurs nationaux à concurrencer les producteurs étrangers subventionnés par leur propre gouvernement

**Droits de propriété** (*Property rights*) Ensemble de conventions sociales qui régissent la possession, l'utilisation et la cession des facteurs de production ou des biens et services

**Droits de propriété intellectuelle** (*Intellectual property rights*) Droits de propriété que détiennent les créateurs de connaissances sur leurs découvertes

**Dumping** (*Dumping*) Vente d'un produit exporté par une entreprise étrangère à un prix inférieur à son coût de production

**Duopole** (*Duopoly*) Marché où seulement deux producteurs d'un bien ou d'un service se font concurrence

**Économique** (*Economics*) Étude de la manière dont les consommateurs utilisent leurs ressources rares pour satisfaire leurs besoins illimités

**Économies d'échelle** (*Economies of scale*) Économies réalisées lorsque le coût moyen à long terme diminue à mesure que la production augmente

**Économies de gamme** (*Economies of scope*) Économies réalisées lorsque le coût total moyen diminue en raison de l'augmentation du nombre de biens différents produits, et sur lesquels on répartit les coûts fixes

**Économies externes** (*External economies*) Baisse des coûts de l'entreprise lorsque la production de toute *l'industrie* augmente ; économies dues à des facteurs sur lesquels l'entreprise ne peut influer

**Effet de prix** (*Price effect*) Effet sur la consommation d'un bien ou d'un service d'une variation du prix de ce bien ou de ce service, toutes autres choses étant égales

**Effet de revenu** (*Income effect*) Effet sur la consommation d'un bien ou service d'une variation du revenu, toutes autres choses étant égales

**Effet de substitution** (*Substitution effect*) Effet d'une variation du prix d'un bien sur les quantités consommées lorsque (de façon hypothétique) le revenu est ajusté pour que la combinaison initiale et la nouvelle combinaison de biens apportent le même niveau de satisfaction au consommateur.

**Effet externe** (*Externality*) Coût ou avantage associé à une activité économique et qui touche des agents autres que ceux qui en ont décidé

**Efficience dans la consommation** (*Consumer efficiency*) Situation où les consommateurs ne peuvent améliorer leur situation — ne peuvent augmenter l'utilité — en réaffectant les sommes dont ils disposent

**Efficience dans la production** (*Producer efficiency - Production efficiency*) Situation où il est impossible de produire une plus grande quantité d'un bien ou d'un service sans produire une moindre quantité d'un autre bien ; cette situation ne se produits qu'aux points situés *sur* la courbe des possibilités de production

**Efficience dans les échanges** (*Exchange efficiency*) Situation où l'on échange un bien ou un service à un prix égal à la fois à l'avantage marginal social et au coût marginal social qu'il engendre

**Efficience économique** (*Economic efficiency*) Situation de l'entreprise qui produit au plus bas coût possible

**Efficience technique** (*Technological efficiency*) Situation où il n'est plus possible d'augmenter la production sans augmenter la quantité des facteurs de production

**Élasticité de l'offre** (*Elasticity of supply*) Sensibilité de l'offre d'un bien ou d'un service aux variations de son prix, toutes autres choses étant égales ; résultat de la division du pourcentage de variation de la quantité offerte d'un bien ou d'un service par le pourcentage de variation de son prix

**Élasticité-prix croisée de la demande** (*Cross elasticity of demand*) Sensibilité de la demande d'un produit aux variations du prix d'un autre produit, substitut ou complémentaire, toutes autres choses étant égales ; résultat de la division du pourcentage de variation de la quantité demandée du produit par le pourcentage de variation du prix de l'autre bien

**Élasticité-prix de la demande** (*Price elasticity of demand*) Sensibilité de la quantité demandée d'un bien ou d'un service à une variation de son prix ; résultat de la division du pourcentage de variation de la quantité demandée d'un bien ou d'un service par le pourcentage de variation de son prix

**Élasticité-revenu de la demande** (*Income elasticity of demand*) Sensibilité de la demande aux variations de revenu, toutes autres choses étant égales ; on l'obtient en divisant le pourcentage de variation de la quantité demandée par le pourcentage de variation du revenu

**Entreprise** (*Firm*) Organisation qui achète ou loue des facteurs de production, et qui les gère pour produire et vendre des biens ou des services

**Entreprise publique** Voir **Société d'État**

**Équilibre coopératif** (*Cooperative equilibrium*) Résultat d'une collusion entre deux parties lorsque chacune réagit rationnellement à la perspective des représailles qu'entraînerait une tricherie de sa part

**Équilibre de Nash** (*Nash equilibrium*) Résultat d'un jeu où le joueur A adopte la meilleure stratégie possible compte tenu de la stratégie du joueur B qui, lui, adopte la meilleure stratégie possible, compte tenu de la stratégie du joueur A

**Équilibre du consommateur** (*Consumer equilibrium*) Situation où le consommateur a dépensé son revenu de façon à en maximiser l'utilité totale, compte tenu du prix des biens et services

**Équilibre en stratégies dominantes** (*Dominant strategy equilibrium*) Résultat d'un jeu où chaque joueur dispose d'une stratégie meilleure que les autres (stratégie dominante), quelle que soit la stratégie des autres joueurs

**Équilibre politique** (*Political equilibrium*) Situation où les choix des électeurs, des politiciens et des fonctionnaires sont compatibles et où aucun de ces groupes ne peut améliorer sa position en prenant une décision différente

**Espérance d'utilité** (*Expected utility*) Utilité moyenne découlant de tous les résultats possibles

**Esprit d'entreprise** (*Entrepreneurial ability*) Aptitude particulière, considérée comme un facteur de production, qui permet à une personne de coordonner les trois autres facteurs de production, de prendre des décisions commerciales, d'innover et d'assumer les risques commerciaux ; l'esprit d'entreprise est récompensé par le profit

**Exportateur net** (*Net exporter*) Pays dont la balance commerciale est positive, c'est-à-dire dont la valeur des exportations dépasse la valeur des importations

**Exportations** (*Exports*) Ensemble des biens et services vendus à l'extérieur du pays

**Facteurs de production** (*Factors of production*) Ressources productrices de l'entreprise ; les quatre facteurs de production sont la terre, le travail, le capital et l'esprit d'entreprise

**Fonction de production** (*Production function*) Relation entre la production maximale possible et la quantité de facteurs de production utilisée

**Fonctionnaire** (*Bureaucrat*) Employé d'une administration publique fédérale, provinciale ou municipale

**Formule Rand** (*Rand formula*) Disposition (établie par le juge Ivan Rand en 1945) en vertu de laquelle tous les travailleurs d'une entreprise doivent payer une cotisation syndicale, qu'ils soient syndiqués ou non

**Fusion** (*Merger*) Mise en commun des avoirs d'au moins deux entreprises, pour former une nouvelle entreprise

**Gain en capital** (*Capital gain*) Revenu provenant de la vente d'une action, d'une obligation ou d'un actif à un prix supérieur à son prix d'achat

**Graphique de série chronologique** (*Time-series graph*) Graphique mesurant le temps sur l'axe des abscisses, et la variable (ou les variables) à étudier, sur l'axe des ordonnées

**Graphique en coupe transversale** (*Cross section graph*) Graphique qui indique les valeurs d'une variable économique pour divers groupes d'une population à un moment donné

**Ignorance rationnelle** (*Rational ignorance*) Décision que prend un agent de ne pas s'informer lorsque le coût d'information est supérieur aux avantages que procurerait cette information

**Importateur net** (*Net importer*) Pays dont la balance commerciale est négative, c'est-à-dire dont la valeur des importations dépasse la valeur des exportations

**Importations** (*Imports*) Ensemble des biens et des services achetés à l'extérieur du pays

**Impôt négatif** (*Negative income tax*) Système de redistribution du revenu qui assure à chaque famille un revenu annuel garanti ; à mesure que son revenu de marché augmente, la prestation de revenu garanti diminue selon un certain taux implicite de taxation

**Impôt progressif** (*Progressive income tax*) Impôt sur le revenu dont le taux d'imposition marginal — fraction du dernier dollar gagné qui sera prélevée par l'État — croît avec le niveau de revenu

**Impôt proportionnel** ou **impôt sur le revenu à taux unique** (*Proportional income tax*) Impôt sur le revenu dont le taux reste constant quel que soit le revenu du contribuable

**Impôt régressif** (*Regressive income tax*) Impôt sur le revenu dont le taux décroît avec l'augmentation du revenu

**Incertitude** (*Uncertainty*) Situation où plusieurs événements peuvent se produire sans qu'on sache lesquels

**Incitatif** (*Incentive*) Mesure dont l'objectif est d'amener l'agent à adopter un comportement précis

**Indice Herfindahl-Hirschman** (*Herfindahl-Hirschman index*) Mesure de la concentration dans un marché qui correspond à la somme du carré de la part du marché (en pourcentage) des 50 plus grandes entreprises du marché (ou de toutes les entreprises s'il y en a moins de 50)

**Information économique** (*Economic information*) Données sur les prix, les quantités et la qualité des biens et services et des facteurs de production

**Information privée** (*Private information*) Information dont dispose une personne, et que d'autres ne peuvent se procurer en raison de son coût trop élevé

**Intermédiaire financier** (*Financial intermediary*) Entreprise dont l'activité principale consiste à accepter des dépôts et à consentir des prêts

**Investissement net** (*Net investment*) Variation du stock de capital physique durant une période donnée ; l'investissement brut moins la dépréciation

**Lacune du marché** (*Market failure*) Facteur susceptible d'empêcher un système de marché de parvenir à une allocation efficiente des ressources

**Loi antimonopole** (*Anti-combine law*) Loi qui régit le fonctionnement des marchés et interdit certaines pratiques commerciales comme le monopole et les pratiques monopolistiques

**Loi des rendements décroissants** (*Law of diminishing returns*) Principe selon lequel, lorsqu'une entreprise augmente la quantité d'un facteur variable alors que la quantité de facteurs fixes reste constante, le produit marginal du facteur variable finit par diminuer

**Loi sur le salaire minimum** (*Minimum wage law*) Loi stipulant qu'il est illégal d'embaucher de la main-d'œuvre à un salaire inférieur au minimum fixé

**Long terme** (*Long-run*) Horizon temporel au cours duquel les quantités de tous les facteurs de production sont variables

**Macroéconomie** (*Macroeconomics*)
Étude des phénomènes économiques
nationaux et globaux, des fluctuations
et de la croissance des agrégats économiques, et des effets que les actions
gouvernementales exercent sur eux

**Marché** (*Market*) Tout ensemble de dispositions permettant à des acheteurs et
des vendeurs d'obtenir de l'information
et d'échanger des biens, des services et
des facteurs de production

**Marché boursier** (*Stock market*) Marché
où s'échangent les actions des entreprises

**Marché contestable** (*Contestible market*)
Type de marché dont l'entrée est absolument libre et la sortie exempte de coûts,
de sorte qu'une entreprise (ou un petit
nombre d'entreprises) fait face à une
concurrence parfaite de la part des
entrants *potentiels*

**Marché des prêts** (*Loan market*) Marché
où les ménages et les entreprises font des
prêts et des emprunts

**Marché efficient** (*Efficient market*)
Marché où le prix d'un produit tient
compte de toute l'information
disponible

**Marché noir** (*Black market*) Échange
illégal conclu entre un acheteur et un
vendeur à un prix supérieur au prix plafond imposé par la loi

**Marché obligataire** (*Bond Market*)
Marché où s'échangent les obligations
émises par les entreprises et par le gouvernement

**Matrice de gains** (*Payoff matrix*) Tableau
qui résume les gains de chaque joueur
pour chacune de ses possibilités d'action,
et les gains qui découlent de chacune des
possibilités d'action de l'autre joueur

**Microéconomie** (*Microeconomics*) Étude
du comportement économique des ménages et des entreprises, du fonctionnement des marchés ainsi que des effets des
interventions gouvernementales et des
taxes sur les prix et les quantités des
biens et services

**Modèle économique** (*Economic model*)
Représentation schématique du monde
économique qui ne comprend que les
éléments nécessaires à l'atteinte de l'objectif fixé

**Modification de l'offre** (*Change in supply*) Modification des plans des vendeurs
lorsque certains facteurs influant sur ces
plans varient tandis que le prix du produit reste constant; se traduit par un
déplacement de la courbe d'offre

**Modification de la demande** (*Change
in demand*) Modification des plans des

acheteurs lorsque certains facteurs influant sur ces plans varient tandis que le
prix du produit reste constant; se traduit
par un déplacement de la courbe de
demande

**Modification de la quantité demandée**
(*Change in the quantity demanded*) Modification des plans des acheteurs lorsque
le prix d'un produit change tandis que
tous les autres facteurs qui influent sur
ces plans restent constants; se traduit par
un mouvement le long de la courbe de
demande

**Modification de la quantité offerte**
(*Change in the quantity supplied*) Modification des plans des vendeurs lorsque
le prix d'un produit change tandis que
tous les autres facteurs qui influent sur
ces plans restent constants; se traduit par
un mouvement le long de la courbe
d'offre

**Monopole** (*Monopoly*) Marché où un
producteur unique, protégé contre la
concurrence par une barrière à l'entrée,
fournit la totalité d'un produit qui n'a
pas de proche substitut

**Monopole bilatéral** (*Bilateral monopoly*)
Marché où il n'y a qu'un seul acheteur
(monopole) et un seul vendeur (monopsone)

**Monopole légal** (*Legal monopoly*)
Marché où la concurrence et l'entrée
sont limitées par l'octroi d'une franchise
publique, d'une licence, d'un brevet
ou de droits d'auteur, ou parce que
l'entreprise a acquis les droits de propriété d'une partie considérable d'une
ressource clé

**Monopole naturel** (*Natural monopoly*)
Monopole créé lorsqu'une seule entreprise peut satisfaire la demande du
marché à un prix moindre que celui que
pourraient proposer plusieurs entreprises
concurrentes

**Monopsone** (*Monopsony*) Marché où il
n'y a qu'un seul acheteur

**Négociation collective** (*Collective
bargaining*) Discussions au cours des-
quelles les syndicats négocient avec les
employeurs ou leurs représentants les
salaires et autres conditions de travail
des travailleurs

**Non-rivalité d'usage** (*Non rival good*)
Caractéristique première d'un bien collectif qui signifie que, pour un niveau
donné de production, la consommation
de ce bien par une personne n'oblige personne d'autre à réduire sa consommation
de ce bien ou à s'en passer

**Obligation** (*Bond*) Reconnaissance de
dette par laquelle l'entreprise s'engage à
verser des sommes convenues à des dates
déterminées

**Offre** (*Supply*) Relation entre la quantité
d'un bien que les producteurs prévoient
vendre et le prix de ce bien lorsque tous
les autres facteurs influant sur les plans
de vente restent constants; l'offre est
décrite par un barème d'offre et illustrée
par une courbe d'offre

**Oligopole** (*Oligopoly*) Structure de
marché comprenant un petit nombre
de producteurs concurrentiels

**Patrimoine** ou **richesse** (*Wealth*) Valeur
nette actuelle des actifs d'un ménage;
valeur au cours du marché de la somme
des biens hérités et de l'épargne accumulée au fil des ans

**Pauvreté** (*Poverty*) Situation où le revenu
familial est insuffisant pour permettre à
la famille de répondre convenablement à
ses besoins en nourriture, en logement et
en habillement

**Pente** (*Slope*) Dans un graphique, variation de la valeur de la variable mesurée
sur l'axe des ordonnées divisée par la
variation de la valeur de la variable
mesurée sur l'axe des abscisses

**Perte sèche** (*Deadweight loss*) Mesure
de l'inefficience dans l'allocation des
ressources; égale à la diminution nette
du surplus total (le surplus du consommateur plus le surplus du producteur)
qui résulte d'une limitation de la production au-dessous de son niveau efficient

**Plafonnement des loyers** (*Rent ceiling*)
Règlement qui rend illégale l'imposition
d'un loyer plus élevé que le niveau fixé

**Plafonnement des prix** (*Price ceiling*)
Règlement qui rend illégale l'imposition
d'un prix plus élevé que le niveau fixé

**Preneur de prix** (*Price taker*) Entreprise
qui n'a aucune influence sur le prix d'un
bien ou d'un service qu'elle produit

**Principe de différenciation minimale**
(*Principle of minimum differenciation*)
Principe en vertu duquel des concurrents
ont tendance à proposer des produits ou
des services identiques pour attirer le
plus de clients possible

**Principe de Hotelling** (*Hotelling
Principle*) Principe en vertu duquel le
marché d'une ressource non renouvelable
est en équilibre lorsque le taux d'augmentation prévu du prix de la ressource
est égal au taux d'intérêt du marché pour
des biens qui présentent un même degré
de risque

**Principe de substitution** (*Principle of substitution*) Principe en vertu duquel, lorsque le coût d'opportunité d'une activité augmente, les consommateurs y substituent d'autres activités dont le coût d'opportunité est moindre

**Prise de contrôle** (*Takeover*) Rachat du capital d'une entreprise par une autre

**Privatisation** (*Privatization*) Processus de vente d'entreprises publiques à des particuliers ou à des entreprises privées

**Prix d'équilibre** (*Equilibrium price*) Prix auquel la quantité demandée est égale à la quantité offerte

**Prix de réserve** (*Reservation price*) Prix le plus élevé auquel l'acheteur est disposé à acheter un produit

**Prix de demande maximal d'une ressource naturelle** (*Choke price of a natural resource*) Prix auquel la quantité demandée d'une ressource naturelle est égale à zéro (ne pas confondre avec le prix résultant d'un plafonnement)

**Prix relatif** (*Relative price*) Ratio entre le prix d'un produit par rapport à un autre produit ; le prix relatif est un coût d'opportunité

**Produit moyen** (*Average product*) Quantité moyenne produite par un facteur de production ; produit total divisé par la quantité utilisée du facteur

**Produit total** (*Total product*) Quantité totale produite par une entreprise dans une période donnée

**Profit économique** (*Economic profit*) Différence entre la recette totale d'une entreprise et ses coûts d'opportunité

**Profit normal** (*Normal profit*) Profit que le propriétaire d'une entreprise aurait pu tirer de l'autre meilleure possibilité à laquelle il a renoncé

**Progrès technologique** (*Technological progress*) Mise au point de nouvelles techniques de production permettant d'obtenir davantage de biens et de services, et de développer de nouveaux produits

**Protectionnisme** (*Protectionism*) Politique qui vise à restreindre les importations pour protéger la production nationale de la concurrence étrangère

**Quantité d'équilibre** (*Equilibrium quantity*) Quantité achetée et vendue au prix d'équilibre

**Quantité demandée** (*Quantity demanded*) Quantité d'un bien ou d'un service que les consommateurs désirent acheter à un prix donné et dans une période donnée

**Quantité offerte** (*Quantity supplied*) Quantité d'un bien ou service que les producteurs désirent vendre à un prix donné et dans une période donnée

**Quota** (*Quota*) Limitation de la quantité d'un bien qu'une entreprise peut produire ou qui peut être importé

**Rareté** (*Scarcity*) Situation où les besoins et désirs dépassent les ressources dont on dispose pour les satisfaire

**Ratio de concentration** (*Four-firm concentration ratio*) Mesure du pouvoir de marché fondée sur le pourcentage de la valeur des ventes totales de l'industrie que représentent les quatre plus importantes entreprises

**Recette marginale** (*Marginal revenue*) Variation de la recette totale pour chaque unité supplémentaire vendue d'un bien ou service ; résultat de la division de la variation de la recette totale par la variation de la quantité vendue

**Recette moyenne** (*Average revenue*) Recette par unité de production vendue ; revenu total divisé par la quantité vendue du bien ; la recette moyenne est aussi égale au prix

**Recette totale** (*Total revenue*) Valeur des ventes d'une entreprise ; prix du bien multiplié par la quantité vendue de ce bien

**Régie des marchés agricoles** (*Farm marketing board*) Organisme de réglementation qui intervient dans les marchés agricoles pour stabiliser les prix de nombreux produits agricoles

**Réglementation en fonction du rendement** (*Rate of return reglementation*) Réglementation qui fixe les prix de façon à ce que l'entreprise réglementée retire de son capital un certain taux de rendement

**Relation directe** (*Direct relationship*) Voir **Relation positive**

**Relation inverse** (*Inverse relationship*) Relation entre deux variables qui se déplacent dans des directions opposées

**Relation linéaire** (*Linear relationship*) Relation entre deux variables illustrée par une ligne droite

**Relation négative** (*Negative relationship*) Relation entre deux variables qui se déplacent dans des directions opposées

**Relation positive** ou **relation directe** (*Positive relation*) Relation entre deux variables qui se déplacent dans la même direction

**Relation principal-agent** (*Principal-agent problem*) Relation qui impose la

nécessité de trouver un système de rémunération qui incite un agent à agir dans le meilleur intérêt d'un principal

**Rémunération selon le classement au tournoi** (*Rank-tournament compensation system*) Rémunération calculée en fonction du résultat qu'obtient un agent par rapport aux autres agents

**Rendements d'échelle** (*Returns to scale*) Augmentation de la production qu'obtient l'entreprise en augmentant d'un même pourcentage tous les facteurs de production

**Rendements d'échelle constants** (*Constant returns to scale*) Conditions techniques où le pourcentage d'augmentation de la production est égal au pourcentage d'augmentation des quantités de facteurs utilisées

**Rendements d'échelle croissants** (*Increasing returns to scale*) Conditions techniques où le pourcentage d'augmentation de la production est supérieur au pourcentage d'augmentation des quantités de facteurs utilisées

**Rendements d'échelle décroissants** (*Decreasing returns to scale*) Conditions techniques où le pourcentage d'augmentation de la production est inférieur au pourcentage d'augmentation des quantités de facteurs utilisées

**Rendements marginaux croissants** (*Increasing marginal returns*) Tendance du produit marginal d'un facteur variable à augmenter à mesure qu'on utilise des unités supplémentaires du facteur variable

**Rendements marginaux décroissants** (*Diminishing marginal returns*) Tendance du produit marginal d'un facteur variable à diminuer à mesure qu'on utilise des unités supplémentaires du facteur variable

**Rente économique** (*Economic rent*) Surplus de revenu que reçoivent les détenteurs d'un facteur de production par rapport au montant minimal qu'ils exigent pour offrir ce facteur sur le marché

**Resquilleur** (*Free rider*) Personne qui consomme un bien ou un service sans le payer

**Ressources naturelles** (*Natural resources*) Facteurs de production qui existent sans qu'on ait à les produire ; peuvent être renouvelables ou non

**Ressources naturelles non renouvelables** (*Exhaustible natural ressources*) Ressources naturelles qu'on ne peut utiliser qu'une seule fois et qui, une fois utilisées, ne se régénèrent pas

**Ressources naturelles renouvelables** (*Non exhaustible natural resources*) Ressources naturelles qu'on peut utiliser indéfiniment sans compromettre les possibilités de consommation futures

**Restriction volontaire d'exportations** (*Voluntary export restraint*) Limitation du volume d'exportation d'un bien donné que s'impose volontairement un pays exportateur

**Revenu réel** (*Real income*) Quantité d'un bien que le revenu d'un consommateur lui permet d'acheter ; revenu du consommateur qui s'exprime en unités de biens et services ; résultat de la division du revenu par le prix d'un bien donné

**Richesse** (*Wealth*) Voir **Patrimoine**

**Risque** (*Risk*) Situation où plusieurs événements peuvent se produire et où il est possible de calculer la *probabilité* de chacun

**Rivalité d'usage** (*Rival good*) Un bien entraîne une rivalité d'usage lorsque la consommation de ce bien par une personne oblige une autre personne à réduire sa consommation de ce bien

**Salaire de réserve** (*Reservation wage*) Taux de salaire minimal qu'exige un ménage pour offrir son travail sur le marché ; en deçà de ce taux, le ménage n'offre pas de travail sur le marché

**Seuil de faible revenu** (*Low-income cutoff*) Niveaux de revenu — différents pour divers types de familles (personnes seules, couples, familles monoparentales, etc.) —, au-dessous desquels les familles doivent habituellement dépenser plus de 54,70 % de leur revenu en alimentation, logement et vêtements

**Seuil de fermeture** (*Shutdown point*) Prix et niveau de production auxquels l'entreprise ne fait que couvrir son coût variable total ; à ce prix et à ce niveau de production, l'entreprise peut indifféremment produire pour maximiser ses profits ou cesser temporairement ses activités, le résultat sera le même ; dans le premier cas, les pertes de l'entreprise sont égales à son coût fixe total

**Signal** (*Signal*) Action prise à l'extérieur d'un marché et qui transmet une information que ce marché peut utiliser

**Société d'État** ou **entreprise publique** (*Crown corporation*) Entreprise dont l'État est le seul actionnaire

**Stabilité économique** (*Economic stability*) Absence de fluctuations importantes du taux de croissance économique, du niveau d'emploi et des prix moyens

**Stratégies** (*Strategies*) Toutes les actions possibles pour chaque joueur d'un jeu

**Substitut** (*Substitute*) Bien qui peut être utilisé à la place d'un autre

**Subvention** (*Subsidy*) Paiement versé par l'État aux producteurs et qui dépend du niveau de production

**Surplus du consommateur** (*Consumer surplus*) Différence entre la valeur qu'accorde le consommateur à un bien et le prix de ce bien

**Surplus du producteur** (*Producer surplus*) Différence entre la recette totale des producteurs et le coût d'opportunité de la production des biens et services

**Surplus total** (*Total surplus*) Somme du surplus du consommateur et du surplus du producteur

**Syndicat** (*Labour union*) Regroupement de travailleurs qui s'organisent pour obtenir de meilleurs salaires et de meilleures conditions de travail

**Syndicat de métier** (*Craft union*) Regroupement de travailleurs aux compétences similaires, mais qui travaillent dans des entreprises, des industries ou des régions différentes

**Syndicat industriel** (*Industrial union*) Regroupement de travailleurs d'une même entreprise ou d'une même industrie, mais qui ont des compétences différentes et qui exercent des métiers différents

**Tarif douanier** (*Tariff*) Voir **Droit de douane**

**Tarification au coût marginal** (*Marginal cost pricing rule*) Formule de tarification selon laquelle le prix pratiqué doit être égal au coût marginal

**Tarification au coût moyen** (*Average cost pricing*) Formule de tarification selon laquelle le prix pratiqué doit être égal au coût total moyen

**Tarification limite** (*Limit pricing*) Pratique qui consiste à fixer un prix inférieur au prix de monopole et à produire une quantité supérieure à celle où la recette marginale est égale au coût marginal afin d'empêcher l'entrée de nouvelles entreprises sur le marché

**Taux de location implicite** (*Implicit rental rate*) Loyer qu'une entreprise se paie implicitement à elle-même pour utiliser l'actif qu'elle possède

**Taux marginal de substitution** (*Marginal rate of substitution*) Taux auquel un consommateur accepterait de renoncer à un bien pour obtenir une plus grande quantité d'un autre bien tout en restant sur la même courbe d'indifférence

**Taux marginal de substitution décroissant** (*Diminishing marginal rate of substitution*) Tendance générale du taux de substitution à diminuer à mesure que le consommateur se déplace sur une courbe d'indifférence en augmentant sa consommation du bien représenté en abscisse et en réduisant sa consommation du bien représenté en ordonnée

**Tendance** (*Trend*) Orientation générale (dans le sens d'une hausse ou d'une baisse) caractérisant l'évolution d'une variable

**Terre** (*Land*) Ensemble des ressources naturelles utilisées pour produire des biens et des services

**Théorème de Coase** (*Coase theorem*) Proposition voulant que, en présence de droits de propriété et de faibles coûts de transaction, les transactions privées soient efficientes et les effets externes nuls

**Théorème de l'électeur médian** (*Median voter theorem*) Proposition voulant que les partis politiques choisissent les politiques qui favorisent l'électeur médian

**Théorie de l'intérêt général** (*Public interest theory*) Théorie selon laquelle les interventions de l'État visent à répondre à la demande de maximisation du surplus total des consommateurs et des producteurs — autrement dit, à permettre une allocation efficiente des ressources

**Théorie de la capture** (*Capture theory*) Théorie selon laquelle les politiques d'intervention de l'État visent à répondre à la demande de maximisation du surplus des producteurs — autrement dit, à maximiser le profit économique

**Théorie des jeux** (*Game theory*) Méthode d'analyse des interactions stratégiques

**Théorie économique** (*Economic theory*) Ensemble d'énoncés positifs permettant de comprendre et de prévoir les décisions économiques des ménages, des entreprises et des gouvernements

**Travail** (*Labor*) Temps et efforts consacrés à la production de biens et de services

**Troc** (*Barter*) Échange direct d'un bien ou service contre un autre bien ou service

**Utilité** (*Utility*) Avantage ou satisfaction qu'une personne retire de la consommation d'un bien ou d'un service

**Utilité anticipée** (*Expected utility*) Utilité moyenne de tous les résultats possibles

**Utilité de la richesse** (*Utility of wealth*) Niveau d'utilité qu'accorde une personne à un montant de richesse donné

**Utilité marginale** (*Marginal utility*) Augmentation de l'utilité totale résultant de la consommation d'une unité supplémentaire d'un bien

**Utilité marginale décroissante** (*Diminishing marginal utility*) Diminution de l'utilité marginale à mesure que la consommation du bien considéré augmente

**Utilité marginale par dollar dépensé** (*Marginal utility per dollar spent*) Utilité marginale de la dernière unité consommée divisée par le prix du bien considéré

**Utilité totale** (*Total utility*) Avantage total ou satisfaction totale qu'une personne retire de la consommation de biens et services

**Valeur** (*Value*) Montant maximal que le consommateur est disposé à payer pour obtenir une quantité donnée d'un bien

**Valeur actuelle** (*Present value*) Montant que l'on doit investir aujourd'hui pour obtenir une valeur future donnée compte tenu de l'intérêt qu'on percevra sur ce montant

**Valeur actuelle nette** (*Net present value*) Valeur actuelle du flux futur de la valeur du produit marginal généré par le capital moins le coût de ce capital

**Valeur de réserve** (*Transfer earnings*) Rémunération minimale pour inciter le propriétaire d'un facteur de production à offrir ce facteur

**Valeur du produit marginal** (*Marginal revenue product*) Augmentation de la recette totale qui résulte de l'emploi d'une unité supplémentaire d'un facteur de production lorsque les quantités de tous les autres facteurs restent les mêmes ; résultat de la division de l'augmentation de la recette totale par l'augmentation de la quantité du facteur considéré

# Index